CB076185

MANUAL BÍBLICO
ILUSTRADO
VIDA

MANUAL BÍBLICO ILUSTRADO VIDA

Editores
J. Daniel Hays & J. Scott Duvall

Vida

Editora Vida
Rua Conde de Sarzedas, 246 – Liberdade
CEP 01512-070 – São Paulo, SP
Tel.: 0 xx 11 2618 7000
atendimento@editoravida.com.br
www.editoravida.com.br

©2011, Baker Publishing Group
Originalmente publicado nos EUA com o título
The Baker Illustrated Bible Handbook
Copyright da edição brasileira ©2019, Editora Vida
Edição publicada com permissão da BAKER BOOKS,
uma divisão da Baker Publishing Group
(Grand Rapids, Michigan, 49516, EUA)

■

Todos os direitos desta obra reservados por Editora Vida.

PROIBIDA A REPRODUÇÃO POR QUAISQUER MEIOS, SALVO EM BREVES CITAÇÕES, COM INDICAÇÃO DA FONTE.

Eventuais destaques ou grifos nos textos bíblicos e em citações em geral, quando não identificados de outra forma, são do autor.

■

Scripture quotations taken from Bíblia Sagrada, Nova Versão Internacional, NVI®.
Copyright © 1993, 2000, 2011 Biblica Inc.
Used by permission.
All rights reserved worldwide.
Edição publicada por Editora Vida, salvo indicação em contrário.

Editor responsável: Gisele Romão da Cruz
Editor-assistente: Marcelo Martins
Tradução: Carlos Caldas e William Lane
Revisão de tradução: Rogério Portella
Revisão de provas: Josemar de Souza Pinto
Diagramação: Claudia Fatel Lino e Thaís Costa
Capa: Arte Peniel

Todas as citações bíblicas e de terceiros foram adaptadas segundo o Acordo Ortográfico da Língua Portuguesa, assinado em 1990, em vigor desde janeiro de 2009.

1. edição: mar. 2019

Dados Internacionais de Catalogação na Publicação (CIP)
(Câmara Brasileira do Livro, SP, Brasil)

Manual bíblico ilustrado Vida / editores J. Daniel Hays & J. Scott Duvall ; [tradução Carlos Caldas, William Lane]. -- São Paulo : Editora Vida, 2018.

Vários autores.
Vários colaboradores.
Título original: *The Baker illustrated Bible handbook*.
ISBN 978-853-83-0381-7

1. Bíblia - Guias, manuais, etc. 2. Bíblia - Introduções I. Hays, J. Daniel. II. Duvall, J. Scott.

18-19204   CDD-220.61

Índices para catálogo sistemático:
1. Bíblia : Introdução 220.61
Cibele Maria Dias - Bibliotecária - CRB-8/9427

Dedicamos este livro aos nossos pais,
Jim e Carolyn Hays,
Bob Duvall e Peggy Duvall Scheler,
os primeiros a nos ensinar a amar e ouvir a Palavra de Deus.
Seremos sempre imensamente gratos
por sua influência espiritual em nossa vida.

Sumário

Agradecimentos 9
Colaboradores 11
Apresentação dos principais autores e editores 15

Parte I: A História de Deus (e a sua história)
A história grandiosa da Bíblia 19
Como a Bíblia está organizada? 23
O princípio e o fim 29

O Antigo Testamento

O Pentateuco 35
Os Livros Históricos 123
Os Livros Sapienciais e Salmos 251
Os Profetas 309

A história entre o Antigo e o Novo Testamentos
A história da Terra Santa entre o Antigo e o Novo Testamentos 465

O Novo Testamento

O contexto do Novo Testamento 471
Panorama da vida de Cristo 479
O que é um Evangelho? E por que há quatro Evangelhos? 485
O problema sinóptico 487
O livro de Atos e as cartas de Paulo 695
As Cartas Gerais 903
Literatura apocalíptica 965

Parte II: Como a Bíblia surgiu
    A inspiração da Bíblia   995
    A produção e formação do cânon do Antigo
        Testamento   1006
    Redação, reprodução e transmissão do texto
        do Novo Testamento   1018
    O cânon do Novo Testamento   1028
    Os manuscritos do mar Morto   1037
    A *Septuaginta*   1044
    Traduções da Bíblia e as versões bíblicas
        em inglês e português   1048
    Traduções em português   1055
    Traduções para o mundo   1057

Parte III: Estudo mais aprofundado da Bíblia
    Como ler, interpretar e aplicar a Bíblia   1065
    A unidade e a diversidade da Bíblia   1072
    O uso do Antigo Testamento no Novo Testamento   1076
    Como interpretar e aplicar a Lei do Antigo
        Testamento   1081
    Como interpretar parábolas   1091
    Como interpretar as figuras de linguagem da Bíblia e
        desfrutar delas   1096
    Características literárias da Bíblia   1106
    A arqueologia e a Bíblia   1115
    Há códigos ocultos na Bíblia?   1129
    Respostas aos desafios contemporâneos aos
        Evangelhos   1136

    Sobre as fotos, ilustrações, mapas e obras de arte   1145

Agradecimentos

Em primeiro lugar, desejamos agradecer a Jack Kuhatschek da Editora Baker pela amizade e por confiar este projeto a nós. Somos gratos da mesma forma a Brian Vos, Robert Hand e Brian Brunsting, à talentosa e dedicada equipe editorial e de diagramação da Baker que trabalhou a nosso lado na produção deste manual. Além disso, todo o mérito pelo belíssimo *design* da capa [do original em inglês] pertence a Cheryl Van Andel. Agradecemos também a nossos vários amigos e colegas de seminários e universidades em todo o mundo que colaboraram com os artigos. Eles representam os melhores pesquisadores bíblicos no mundo hoje. Jim Martin e John Walton nos auxiliaram com as fotografias; somos imensamente gratos a eles. Vários alunos da Ouachita Baptist University [Universidade Batista Ouachita] ajudaram a revisar as primeiras cópias e a organizar as fotografias. Também agradecemos a Reneé Adams, Leasha May e Darlene Seal pelo árduo trabalho. Por fim, cada um de nós deseja agradecer à sua esposa, Donna Hays e Judy Duvall, por suas sugestões, seu encorajamento e sua paciência amorosa.

Colaboradores

Parte I: A História de Deus (e a sua história)

Colaboradores do Antigo Testamento

Dr. Robert Bergen (Hannibal LaGrange University):
Lepra no Antigo Testamento.

Dr. M. Daniel Carroll R. (Denver Seminary):
Ética do Antigo Testamento.

Dr. Archie England (New Orleans Baptist Theological Seminary): *Os sacrifícios.*

Dr. Peter Enns: *Datação do Êxodo; As Pragas.*

Dr. Michael Grisanti (The Masters Seminary):
Os Dez Mandamentos.

Dr. Kevin Hall (Oklahoma Baptist University):
Falsa profecia no Antigo Testamento.

Dr. Richard S. Hess (Denver Seminary):
O papel das genealogias no Antigo Testamento e no antigo Oriente Médio.

Dr. James L. Johns (Houston Baptist University):
A história da Terra Santa entre o Antigo e Novo Testamentos.

Dra. Christine Jones (Carson-Newman University):
O Dia da Expiação.

Dr. Tremper Longman III (Westmont College):
A Sabedoria no antigo Oriente Médio; Provérbios do antigo Oriente Médio.

Dr. Richard Schultz (Wheaton College): *Os cânticos do Servo de Isaías.*

Dr. Boyd Seevers (Northwestern College): *Fortalezas do Antigo Testamento.*

Dr. Joe M. Sprinkle (Crossroads College): *Tratados hititas e a estrutura do Deuteronômio.*

Dr. W. Dennis Tucker Jr. (George W. Truett Theological Seminary): *A música no Antigo Testamento.*

Dr. John H. Walton (Wheaton College): *Outros relatos de dilúvio no antigo Oriente Médio.*

Colaboradores do Novo Testamento

Dr. Kenneth A. Berding (Talbot School of Theology): *Dons espirituais.*

Dr. Darrell L. Bock (Dallas Theological Seminary): *A ressurreição de Jesus; As aparições de Jesus após a ressurreição.*

Dra. Jeannine K. Brown (Bethel Seminary): *O forte e o fraco; Contextualização da mensagem.*

Dr. David B. Capes (Houston Baptist University): *Os cooperadores de Paulo; Honra e vergonha; Hinos do cristianismo primitivo.*

Dra. Robbie Fox Castleman (John Brown University): *A cidade de Corinto; Mulheres na antiga Corinto* .

Dr. Jeff Cate (California Baptist University): *A sinagoga; Escravidão no Novo Testamento.*

Dra. Lynn H. Cohick (Wheaton College): *Cidadania romana; A cidade de Roma.*

Dr. Bruce Corley (B. H. Carroll Theological Institute): *Julgamento(s) de Jesus.*

Dr. Joseph R. Dodson (Ouachita Baptist University): *Discipulado no Novo Testamento; O mestre Jesus; Mestres da lei (os escribas); Cristo (Messias); Os fariseus no Novo Testamento; Soldados romanos.*

Dr. George H. Guthrie (Union University): *Procissão triunfal; O poder de Deus na fraqueza; Passagens de advertência em Hebreus; O sumo sacerdote judaico.*

Dr. Justin K. Hardin (Wycliffe Hall, Oxford University): *O sinal da circuncisão.*

Dr. Larry E. Helyer (Taylor University): *O palácio de Herodes; O Sinédrio.*

Dr. Douglas S. Huffman (Talbot School of Theology): *Martírio no Novo Testamento; Perseguições na igreja primitiva.*

Dr. Paul Jackson (Union University): *A destruição de Jerusalem em 70 d.C.; O Concílio de Jerusalém.*

Dr. Scott Jackson (Ouachita Baptist University): *O uso de koinonia em Lucas; A igreja nos lares.*

Dra. Karen H. Jobes (Wheaton College): *Os códigos domésticos.*

Dr. Craig S. Keener (Palmer Theological Seminary): *Casamento judaico e os costumes da celebração matrimonial; O Espírito Santo no Novo Testamento.*

Dr. Bobby Kelly (Oklahoma Baptist University): *A família de Jesus; Mulheres discípulas de Jesus.*

Dr. William W. Klein (Denver Seminary): *Stoicheia (princípios elementares) no Novo Testamento; Anjos e demônios.*

Dr. Jonathan M. Lunde (Talbot School of Theology): *O templo de Herodes; Os samaritanos.*

Dr. Thomas H. McCall (Trinity Evangelical Divinity School): *Divindade e humanidade de Cristo.*

Dr. Grant R. Osborne (Trinity Evangelical Divinity School): *O contexto do Novo Testamento.*

Dr. C. Marvin Pate (Ouachita Baptist University): *O relacionamento entre Israel e a Igreja.*

Dr. Nicholas Perrin (Wheaton College): *Vida eterna; Jerusalém nos tempos de Jesus.*

Dr. Brian M. Rapske (Northwest Baptist Seminary): *Prisões romanas; Navegação no mundo antigo.*

Dr. Rodney Reeves (Southwest Baptist University): *Filho do homem; Jesus, o servo.*

Dr. E. Randolph Richards (Palm Beach Atlantic University): *Nomes romanos; Paulo, autor de epístolas; A oferta para Jerusalém.*

Dr. Mark A. Seifrid (The Southern Baptist Theological Seminary): *Justificação pela fé; Lei e graça nas cartas de Paulo.*

Dr. Todd Still (George W Truett Theological Seminary): *Aquele que o está retendo? O trabalho e os cristãos tessalonicenses.*

Dr. Mark L. Strauss (Bethel Seminary): *Panorama sobre a vida de Cristo; O que é um Evangelho? E por que há quatro Evangelhos?; Os 12 discípulos de Jesus; A observância do sábado.*

Dr. Preben Vang (Palm Beach Atlantic University): *João Batista; O nascimento virginal; Jesus e o Reino de Deus; A encarnação; Pentecoste.*

Dr. Ray Van Neste (Union University): *Falsos mestres; Líderes eclesiásticos;*

Dr. Joel Williams (Columbia International University): *Deus como luz e amor; Hospitalidade.*

Dr. Matthew C. Williams (Talbot School of Theology): *O problema sinóptico; Os sete sinais do Evangelho de João; Os "Eu Sou" de Jesus; Maria, Marta, e Lázaro.*

Dr. Dan Wilson (California Baptist University): *A crucificação de Jesus.*

Dr. Mark W. Wilson (Asia Minor Research Center): *O culto a Ártemis; A cidade de Éfeso; Números em Apocalipse; O culto imperial.*

Parte II: Como surgiu a Bíblia

Dr. Stephen Dempster (Atlantic Baptist University): *A produção e formação do cânon do Antigo Testamento.*

Dr. Bryan Harmelink (SIL International): *Traduções para o mundo.*

Dra. Karen H. Jobes (Wheaton College): *A Septuaginta.*

Dr. C. Marvin Pate (Ouachita Baptist University): *Os manuscritos do mar Morto.*

Dr. M. James Sawyer (Western Seminary): *O cânon do Novo Testamento.*

Dr. Mark L. Strauss (Bethel Seminary): *A inspiração da Bíblia.*

Dr. Daniel B. Wallace (Dallas Theological Seminary): *Redação, reprodução e transmissão do texto do Novo Testamento.*

Parte III: Estudo a fundo da Bíblia

Dr. Darrell L. Bock (Dallas Theological Seminary): *Resposta aos desafios contemporâneos aos Evangelhos.*

Dr. Gary Manning (Pacific Rim Christian College): *O uso do Antigo Testamento no Novo Testamento.*

Dr. Steven M. Ortiz (Southwestern Baptist Theological Seminary): *Arqueologia e a Bíblia.*

Dr. D. Brent Sandy (Grace College): *Características literárias da Bíblia.*

Apresentação dos principais autores e editores do
Manual Bíblico Ilustrado Vida

Dr. J. Daniel Hays é professor de Antigo Testamento na *Ouachita Baptist University*. Na Parte I Danny escreve todos os artigos dos livros do Antigo Testamento da Bíblia. Além disso, na seção do Antigo Testamento, ele escreveu os artigos breves não atribuídos aos outros colaboradores. Na Parte III ele escreveu *A unidade e a diversidade da Bíblia*; *Como interpretar e aplicar a Lei do Antigo Testamento*; *Como interpretar as figuras de linguagem da Bíblia e desfrutar delas*; e *Há códigos ocultos na Bíblia?*

Dr. J. Scott Duvall é professor de Novo Testamento na *Ouachita Baptist University*. Scott é autor dos artigos introdutórios de *A história maravilhosa da Bíblia*; *Como a Bíblia está organizada?*; e *O princípio e o fim*. Ele também escreveu todos os artigos dos livros do Novo Testamento da Parte I, como os artigos da seção do Novo Testamento não atribuídos aos outros colaboradores. Na Parte II ele escreveu *As traduções da Bíblia e as versões bíblicas em inglês e português*, e na Parte III *Como ler, interpretar e aplicar a Bíblia* e *Como interpretar as parábolas*.

Uma palavra dos autores (Danny e Scott) para o leitor: Uma das grandes paixões de nossa vida é ensinar a Palavra de Deus às pessoas ávidas por conhecê-la. Há poucas coisas na vida mais importantes que ouvir a Palavra de Deus e obedecer a nosso Senhor! Da mesma forma, há poucas coisas que nos deixam mais entusiasmados que quando somos capazes de ajudar o povo de Deus a se aproximar mais do Senhor por meio da compreensão melhor da sua Palavra. Um dos objetivos básicos deste livro é ajudar as pessoas na igreja a entenderem melhor a Bíblia. À medida que escrevíamos cada artigo, tentávamos ter você (leitor) em mente, e nos esforçamos para escrever como se estivéssemos conversando com você e o ensinando pessoalmente. Por isso, o tom do livro é informal (de modo especial na Parte I). Esperamos que você leia como se estivéssemos conversando com você. No mesmo sentido, uma das coisas que gostamos muito quando ensinamos a Bíblia é ajudar nossos alunos e leitores (como você) a fazer ligações entre as diversas partes das Escrituras. Ou seja, um dos nossos objetivos é ajudar você a ver como a Bíblia se completa e está toda interconectada. Por isso, nas seções do Antigo Testamento e do Novo Testamento da Parte I, muitas vezes acrescentamos uma nota no pé da página (identificada pelo símbolo ✚) que destaca as ligações específicas entre diferentes passagens da Bíblia. Esperamos que você aprecie essas notas de "conexões" à medida que lê o texto principal. Apesar do tom informal, também desejamos apresentar o melhor conteúdo atual da pesquisa bíblica. Por isso, em todo o manual, nosso duplo propósito é apresentar a mais atualizada pesquisa bíblica evangélica de maneira inteligível e compreensível, para que o povo de Deus na igreja possa entender a Palavra de Deus e aplicá-la à sua vida. Rogamos a Deus que você faça bom proveito disso.

A História de Deus

(e a sua história)

PARTE 1

PARTE 1

A História
de Deus
(e a sua história)

A história grandiosa da Bíblia

Todas as pessoas têm uma história sobre a qual baseiam a vida. Algumas perguntas que devemos fazer a nós mesmos são: "Que história nos conta a verdadeira história sobre Deus, o mundo e a vida?" e "A minha história está em sintonia com a verdadeira história?". O que constitui um enredo elementar é muito parecido com o que vemos nas novelas, seriados de TV, filmes e peças teatrais. A história começa com as coisas dando certo. Apresentam-se as personagens, e obtêm-se as informações essenciais do fundo histórico. Tudo está bem (ou, pelo menos, estável). Então surge um problema ou uma crise que ameaça as personagens e seu futuro. Boa parte da história se concentra na solução do problema (ou seja, resolução de conflitos). De modo geral, nesse período de resolução, ocorre o ponto culminante em que a tensão se intensifica ao estado crítico. Nesse momento, o cerne do problema é resolvido. Por fim (e isso pode demorar um pouco), a resolução é aplicada para que as coisas não sejam apenas boas, mas espetaculares. Quando não há um final feliz, ela é chamada de tragédia. As fases de uma história grandiosa são assim resumidas:

- Introdução — o estabelecimento do cenário e introdução das personagens.
- Problema — um conflito ameaça o bem-estar das personagens.
- Resolução — a solução do problema.
- Ápice da fase de resolução — o conflito mais intenso é seguido da solução do cerne do problema.
- Desfecho — a resolução é aplicada às personagens.

A Bíblia afirma ser a história de Deus para todo o mundo. Na Bíblia encontramos a história grandiosa (ou metanarrativa) que melhor explica a realidade. Veja como a Bíblia subdivide essa história grandiosa:

- Introdução — Gênesis 1—2.
- Problema — Gênesis 3—11.
- Resolução — Gênesis 12—Apocalipse 18.
- Ápice da fase de resolução — vida, morte e ressurreição de Cristo.
- Desfecho — Apocalipse 19—22.

Para facilitar a memorização da história grandiosa da Bíblia, observe o esboço com palavras iniciadas pela letra "c":

Criação — A história começa com a criação do Universo e dos seres humanos.

Crise — Quando tentados por Satanás, os seres humanos decidiram satisfazer a si mesmos e se rebelaram (ou pecaram) contra Deus. Eles o fazem repetidamente. O pecado traz consequências desastrosas e mortais: dor, sofrimento, morte e separação de Deus.

Contrato (Aliança) — Deus começa a resolver o problema do pecado escolhendo Abraão e estabelecendo com ele uma aliança para que se torne o pai do povo que adorará a Deus. Deus quer tornar Abraão uma grande nação e dar-lhe uma terra junto com muitos descendentes e muitas bênçãos. Então Deus deseja abençoar todas as nações do mundo por meio de Abraão, e usar essa única nação para levar o restante do mundo a se relacionar com ele.

Chamado — Gênesis conta a história dos patriarcas: Abraão, Isaque, Jacó (Israel), José. Por causa de uma série de acontecimentos, eles vão ao Egito e ali esse pequeno grupo se torna uma nação mais tarde escravizada. Deus usa Moisés para libertar seu povo da escravidão mediante a ocorrência do Êxodo. A libertação miraculosa do povo da escravidão no Egito torna-se um modelo que antecipa a libertação final da escravidão espiritual do povo de Deus.

Comandos (Mandamentos) — Depois de resgatar seu povo, Deus estabelece uma aliança com ele (a aliança mosaica). Ele lhes entrega a Lei (resumida nos Dez Mandamentos) e conclama o povo à santidade. A expectativa de Deus para o povo da aliança é explicitada no livro de Deuteronômio.

Conquista — Deus usa Josué para conduzir o povo à terra prometida (Canaã).

Coroa (Reino) — O povo de Deus busca um rei. Samuel torna-se a transição entre os juízes e os reis de Israel: Saul (o primeiro rei), Davi e Salomão.

Coroa dividida — Depois de Salomão, há uma guerra civil que leva à divisão do reino: Israel, o Reino do Norte, e Judá, o Reino do Sul. Houve vários reis. Alguns deles foram bons, mas a maioria foi má.

Cativeiro — Uma vez que o povo deixou de adorar somente a Deus, sofreu um terrível julgamento, incluindo a perda da terra prometida. Os inimigos deles os conduzem ao cativeiro. Israel é conquistado pelos assírios em 722 a.C., e Judá é conquistado e levado cativo pelos babilônios em 586 a.C.

Caminho de volta (Retorno) — Por fim, o povo regressa do Exílio sob a liderança de Esdras e Neemias.

Cristo (ápice da história) — Cerca de 400 anos mais tarde, Deus envia seu Filho, Jesus Cristo, para salvar seu povo do pecado. Jesus anuncia a vinda do Reino de Deus por meio de seus ensinamentos e milagres. Sua morte e ressurreição formam o ápice da história bíblica.

Cristandade (Igreja) — Os que aceitaram Jesus tornaram-se parte de sua Igreja — o povo de Deus —, incluindo judeus e gentios. Deus continua usando seu povo para estender a oferta de salvação ao mundo pecaminoso.

Consumação — Deus encerra a História com a vitória final sobre o mal. Os que rejeitaram Deus sofrem condenação, e os que o aceitam vivem com ele no novo céu e na nova terra. As promessas de Deus são então cumpridas (v. Ap 21.1-4).

Uma vez que a história grandiosa da Bíblia é verdadeira, ela oferece as melhores respostas para as questões básicas da vida:*

1. Onde estamos? Em que tipo de mundo vivemos? A história grandiosa das Escrituras diz que estamos no mundo criado e sustentado por Deus. Há muito mais neste mundo do que a ciência, a tecnologia, o progresso ou nossa imaginação possam perceber.

---

* V. WALSH, Brian J. **The Transforming Vision:** Shaping a Christian World View. Downers Grove, IL: InterVarsity, 1984; WRIGHT, N. T. **Jesus and the Victory of God**. Minneapolis: Fortress, 1997; e BARTHOLOMEW, Craig; GOHEEN, Michael. **The Drama of Scripture:** Finding Our Place in the Biblical Story. Grand Rapids: Baker Academic, 2004.

2. Quem somos nós? O que significa ser humano? A Bíblia diz que somos seres humanos criados à imagem de Deus com o propósito de permanecer em um relacionamento de amor com Deus e com os demais seres humanos. Não somos apenas indivíduos com o controle do próprio destino ou dependentes do nosso ambiente.
3. O que está errado? Qual é o nosso problema fundamental e o do mundo? As Escrituras dizem que o problema é o pecado. Decidimos nos rebelar contra o Criador, por isso o pecado prejudicou nossos relacionamentos. Não podemos culpar apenas as circunstâncias exteriores.
4. Qual é a solução? O que consertará o problema? A Bíblia diz que somente Deus pode resolver o problema. Nós realmente precisamos de salvação, porém não conseguimos salvar a nós mesmos. Contudo, Deus veio ao nosso encontro por meio de Jesus Cristo, cuja vida, morte e ressurreição proveem o caminho para Deus.
5. Onde nos encontramos nessa história? Qual é nosso lugar e como a história nos afeta a vida neste momento? Qual é nosso papel nessa história? Cada um de nós deve responder a essas questões por si mesmo.

À medida que você lê e estuda as seções específicas das Escrituras, tenha em mente o quadro geral. A Bíblia é uma coleção (uma pequena biblioteca) de 66 livros, mas ela também funciona como um único livro. A história grandiosa da Bíblia responde às perguntas básicas da vida melhor que qualquer outra história. É verdade. Você pode acreditar nisso. Quando as pessoas creem em Cristo, elas estão basicamente dizendo: "Quero que a história de Deus seja a minha história". Conversão é justamente isso — abraçar a história grandiosa das Escrituras como nossa para criar uma sensação de vida.

Como a Bíblia está organizada?

A palavra "Bíblia" vem da palavra grega usada para designar livros ou rolos: *biblia* (plural). Em 2 Timóteo 4.13, Paulo pediu a Timóteo para levar seus "livros" (*biblia*) quando o visitasse na prisão. Nossa palavra "Bíblia" está no singular por se referir a toda a coleção de 66 livros: 39 do Antigo Testamento (AT) e 27 do Novo Testamento (NT). (As versões bíblicas católicas e as das igrejas ortodoxas orientais contêm alguns outros livros no AT.)

Pentateuco	Livros Históricos	Salmos	Livros Sapienciais	Profetas
Gênesis	Josué	Salmos	Jó	**Profetas Maiores:**
Êxodo	Juízes		Provérbios	Isaías
Levítico	Rute		Eclesiastes	Jeremias
Números	1 e 2 Samuel		Cântico dos Cânticos	Lamentações
Deuteronômio	1 e 2 Reis			Ezequiel
	1 e 2 Crônicas			Daniel
	Esdras			**Profetas Menores:**
	Neemias			Oseias
	Ester			Joel
				Amós
				Obadias
				Jonas
				Miqueias
				Naum
				Habacuque
				Sofonias
				Ageu
				Zacarias
				Malaquias

Evangelhos	Atos	Epístolas paulinas	Epístolas gerais	Apocalipse
Mateus	Atos	Romanos	Hebreus	Apocalipse
Marcos		1 e 2Coríntios	Tiago	
Lucas		Gálatas	1 e 2Pedro	
João		Efésios	1, 2 e 3João	
		Filipenses	Judas	
		Colossenses		
		1 e 2Tessalonicenses		
		1 e 2Timóteo		
		Tito		
		Filemom		

O termo de língua portuguesa "testamento" vem da palavra *testamentum*, a tradução latina das palavras hebraica e grega que significam "aliança". Em português "testamento" refere-se a uma aliança. Os cristãos aceitam o AT e o NT, enquanto os judeus rejeitam a nova aliança que confessa ser Jesus o Messias. No sentido bíblico, a aliança se refere ao que Deus fez para estabelecer um relacionamento com os seres humanos. Com o passar do tempo, o termo "testamento" veio a significar os escritos que contêm os termos da aliança.

O Antigo Testamento

O AT foi escrito originariamente em hebraico (com uma pequena porção em aramaico), a língua usada pelo povo judeu. O AT se divide em cinco partes: o Pentateuco, os Livros Históricos, os Salmos, os Livros Sapienciais e os Profetas.

O Pentateuco

Os primeiros cinco livros da Bíblia (Gênesis, Êxodo, Levítico, Números, Deuteronômio) são muitas vezes chamados de "Pentateuco" (os "cinco rolos" ou a "coleção dos cinco livros"). Nas Escrituras hebraicas, esses livros são chamados "Torá", termo que significa "ensino" ou "instrução". Esses livros contam a história da criação do mundo realizada por Deus, do pecado humano e rebeldia contra Deus, da aliança divina com Abraão, da libertação do povo de Deus da escravidão do Egito, da aliança divina com Moisés, das leis de Deus para seu povo, e da jornada para a terra prometida. O último livro, Deuteronômio, explica com detalhes as bênçãos e as penalidades do cumprimento ou da rejeição da aliança de Moisés.

Os Livros Históricos

Os livros do AT de Josué a Ester são conhecidos como "Livros Históricos". O primeiro grupo de livros (Josué a 2Reis) está intimamente ligado ao livro de Deuteronômio, continuando a história do Pentateuco. Deuteronômio termina com uma importante pergunta: "Israel será fiel ao Senhor e à sua lei [a aliança mosaica]?". A trágica resposta é: "Não, eles não permanecerão fiéis," e 2Reis termina com a destruição de Jerusalém e o exílio de Israel da terra prometida. O segundo grupo de livros históricos (1Crônicas até Ester) foi escrito de outra perspectiva. Esses livros dão ênfase às pessoas que retornaram para a terra prometida depois do Exílio, para encorajá-las a permanecer fiéis ao Senhor.

Os Salmos

O livro de Salmos é singular e não pode ser enquadrado em outra categoria de livros do AT. Ele é o único livro de louvores, testemunhos e lamentos. Os salmos deveriam ser usados no culto público e em meditações particulares.

Os Livros Sapienciais

Os Livros Sapienciais (Jó, Provérbios, Eclesiastes e Cântico dos Cânticos) fazem o povo de Deus se lembrar da importância de ouvir, pensar, ponderar e refletir. O propósito deles é encorajar o desenvolvimento do caráter íntegro e da habilidade de tomar decisões sábias diante das diversas circunstâncias. O livro de Provérbios apresenta princípios básicos de vida, coisas normais ou verdadeiras de modo geral, ao passo que os outros três livros tratam de exceções a essas regras: Jó (o sofrimento do justo), Eclesiastes (a abordagem racional da vida é incapaz de responder a tudo), e Cântico dos Cânticos (a "irracionalidade" do amor romântico).

Os Profetas

Depois de entrar na terra prometida, Israel finge-se de surdo para as instruções divinas e segue outros deuses. À medida que a nação entra em declínio espiral, Deus envia os profetas com a mensagem final ao povo: 1) vocês violaram a aliança de Moisés por meio da idolatria, injustiça social e do ritualismo religioso, e vocês precisam retornar à verdadeira adoração a Deus; 2) se vocês não se arrependerem, então enfrentarão o juízo; e

3) ainda há esperança além do juízo para a restauração futura gloriosa do povo de Deus e das nações. O povo continuou a se rebelar e a enfrentar o juízo que vinha em forma de invasões: os assírios em 722 a.C. para destruir Israel, o Reino do Norte, e os babilônios em 587/586 a.C. para destruir Judá, o Reino do Sul, e a cidade de Jerusalém. Os profetas também prometiam um tempo futuro de restauração que incluía a nova aliança, envolvendo todas as nações do mundo. Essa promessa cumpriria as antigas promessas de Deus a Abraão de Gênesis 12.3.

O Novo Testamento

O NT foi escrito originariamente em grego, a língua comum do Império Romano no século I d.C. Seu assunto principal é a aliança estabelecida por meio da vida, morte e ressurreição de Jesus Cristo, e o povo que adere a essa aliança, a Igreja. Todo o período do NT engloba menos de cem anos. O NT inclui os Evangelhos, o livro de Atos, as epístolas paulinas, as epístolas gerais e o livro de Apocalipse.

Os quatro Evangelhos

Os quatro Evangelhos — Mateus, Marcos, Lucas e João — contam a história de Jesus Cristo. O termo em português "evangelho" vem da palavra grega *euangelion*, que significa "boa-nova". Esses quatro livros contam a boa-nova da salvação que Deus oferece em Jesus Cristo por meio de seu impressionante ministério, sua morte vicária e sua ressurreição miraculosa. Apesar de o termo "evangelho" referir-se à mensagem sobre Jesus, ele passou a ser empregado como designação dos relatos de sua mensagem — os quatro "Evangelhos". Os primeiros três Evangelhos são conhecidos como Evangelhos "Sinópticos" porque podem ser colocados lado a lado e "vistos juntos" (*syn-optico*), enquanto João segue uma cronologia e estilo de apresentação da história de Jesus um tanto diferente.

O livro de Atos

Nós temos quatro versões sobre a vida de Jesus (os Evangelhos), mas somente um relato sobre a vida da igreja primitiva — o livro de Atos. O termo "Atos" refere-se ao livro de "Atos dos Apóstolos", mas talvez seja mais corretamente descrito como "Atos do Espírito Santo por meio dos apóstolos e outros cristãos". O livro de Atos conta a história do surgimento e da expansão da igreja primitiva desde o ano 30 até o início dos anos 60 d.C.

As epístolas paulinas

Tradicionalmente, atribui-se ao apóstolo Paulo a autoria de 13 epístolas que estão na Bíblia. Essas epístolas podem ser organizadas em quatro grupos: as primeiras (Gálatas, 1 e 2Tessalonicenses), as maiores (Romanos, 1 e 2Coríntios), as da prisão (Efésios, Filipenses, Colossenses e Filemom), e as pastorais (1 e 2Timóteo, Tito). Na Bíblia, as epístolas de Paulo estão organizadas de acordo com o tamanho, da mais extensa (Romanos) à mais breve (Filemom).

As epístolas gerais

Tiago, 1 e 2Pedro, 1, 2 e 3João e Judas (e, às vezes, inclui-se Hebreus) são chamadas de modo comum epístolas "gerais" ou "católicas" (termo grego que significa "universal") por um único motivo: elas não recebem o nome dos destinatários, mas apenas o do autor. Ao contrário das epístolas de Paulo, destinadas a grupos específicos (p. ex., aos Filipenses ou aos Colossenses), as epístolas gerais são destinadas a públicos mais abrangentes. Muitas vezes 1, 2 e 3João são chamadas epístolas joaninas.

Uma vez que Hebreus leva o nome de seus destinatários em vez do autor (como as epístolas de Paulo), alguns não a incluem entre as epístolas gerais.

Apocalipse

O último livro do NT retrata a vitória final de Deus sobre as forças do mal. O título "Apocalipse" vem da palavra grega *apocalypsis*, que significa "revelação" ou "desvendamento". O livro é uma "revelação de Jesus Cristo" (Ap 1.1), sugerindo que o livro revela algo sobre Jesus, ou que Jesus revela algo sobre o plano de Deus, ou ambas as coisas. O Apocalipse difere dos demais livros do NT no sentido de integrar três gêneros literários diferentes: epístola, profecia e literatura apocalíptica.

a.C.	
2100 - 1800 +/-	Os patriarcas (Abraão, Isaque, Jacó) e José
1446 ou 1270	Moisés e o Êxodo
1000 - 962	Reino de Davi
962 - 922	Reino de Salomão e a construção do templo
722	Israel (o Reino do Norte) e a cidade de Samaria são destruídos pelos assírios
586	Judá (o Reino do Sul) e a cidade de Jerusalém são destruídos pelos babilônios; o povo vai para o Exílio
538 - 445	O povo volta do Exílio; reconstrução de Jerusalém e do templo
6 - 4	Nascimento de Jesus

d.C.	
5 - 10	Nascimento de Paulo
28	Início do ministério público de Jesus
	Morte e ressurreição de Jesus, e o Pentecoste
	Conversão de Paulo
	Concílio de Jerusalém
	Martírio de Paulo
70	Jerusalém destruída pelos romanos

O princípio e o fim

O último capítulo da história grandiosa das Escrituras (Ap 19—22) apresenta uma visão maravilhosa de como Deus reverterá a maldição do pecado e restaurará a criação de uma maneira que ultrapassa Gênesis 1—2. Se os capítulos iniciais de Gênesis podem ser considerados "bons", os capítulos finais de Apocalipse são "excelentes". Os cristãos que conhecem bem o começo e o fim da história bíblica podem esperar receber encorajamento, perspectiva e esperança como recompensa de seu trabalho.

A introdução do livro de Apocalipse (1.4-8) termina com um ousado pronunciamento de que Deus é "o Alfa e o Ômega". No alfabeto grego, a primeira letra chama-se *alfa* e a última, *ômega*. No Apocalipse, a expressão "o Alfa e o Ômega" (e designações semelhantes) é usada para se dirigir a Deus e a Cristo:

- Deus — "Eu sou o Alfa e o Ômega" (1.8)
- Cristo — "Eu sou o Primeiro e o Último" (1.17)
- Cristo — "o Primeiro e o Último" (2.8)
- Deus — "Eu sou o Alfa e o Ômega, o Princípio e o Fim" (21.6)
- Cristo — "Eu sou o Alfa e o Ômega, o Primeiro e o Último, o Princípio e o Fim" (22.13)

Além de afirmar a divindade de Cristo e sua união com o Pai, essas descrições também asseveram o controle total do Deus trino sobre a História. Ele é a origem e a finalidade da História, a primeira e a última palavra. Como Senhor absoluto de toda a criação, Deus planeja trazer sua história a um desfecho vitorioso e magnífico.

Nosso lugar na História é entre o ápice da morte e ressurreição de Jesus e o cumprimento final do plano perfeito de Deus. Deus venceu a batalha final, contudo nós ainda lutamos contra o pecado e Satanás no muito caído. Nos capítulos finais de Apocalipse, vemos como as coisas se cumprirão de modo absoluto no futuro à medida que a maldição do pecado é revertida e a nova criação de Deus é prenunciada. Tudo isso em consistência com o caráter de Deus como Alfa e Ômega.

Talvez a melhor maneira de compreender a profundeza e a maravilha do término vitorioso da história das Escrituras é colocar os elementos iniciais de Gênesis em paralelo com os elementos finais de Apocalipse. Desse modo, percebemos que Gênesis 1—11 e Apocalipse 19—22 servem como apoio dos livros de toda a biblioteca bíblica.

O princípio	Gênesis	O fim	Apocalipse
"No princípio, Deus..."	1.1	"Eu sou o Alfa e o Ômega, o Princípio e o Fim"	21.6
Deus cria o primeiro céu e a primeira terra, amaldiçoados posteriormente pelo pecado	1.1	Deus cria o novo céu e a nova terra em que não existirá mais pecado	21.1
As águas simbolizam a desordem do caos	1.2	Não há mais oceanos	21.1
Deus cria a luz e a separa das trevas	1.3-5	Não há mais noite nem luz natural; o próprio Deus é a fonte de luz	21.23; 22.5
Deus concede ao ser humano domínio sobre a terra	1.26-30	O povo de Deus reinará com ele para sempre	20.4,6; 22.5
União de Adão e Eva	1.27,28; 2.7,18-25	União do último Adão com sua noiva, a Igreja	19.7; 21.2,9
Satanás introduz o pecado no mundo	3.1-7	Satanás e o pecado são julgados	19.11-21; 20.7-10
A serpente engana a humanidade	3.1-7,13-15	A antiga serpente é presa para impedir que ela engane as nações	20.2,3
A morte entra no mundo	3.3; 4.6-8; 6.3	A morte é destruída	20.14; 21.4
O pecado entra no mundo	3.6	O pecado é banido da cidade de Deus	21.8,27; 22.15
O pecador se recusa a servir/obedecer a Deus	3.6,7; 4.6-8; 6.5	O povo de Deus o serve	22.3
A comunhão é comprometida	3.8; 4.8	Existe um senso genuíno de comunidade	21.3,7
Deus é abandonado pelo pecador	3.8-10; 6.5	O povo de Deus (nova Jerusalém, a noiva de Cristo) prepara-se para o encontro com Deus; as bodas do Cordeiro	19.7,8; 21.2,9-21
O pecador se envergonha da presença de Deus	3.8-11	O povo de Deus verá a sua face	22.4

O princípio	Gênesis	O fim	Apocalipse
Os pecadores se rebelam contra o Deus verdadeiro, resultando na morte física e espiritual	3.8-19	O povo de Deus arrisca a vida para adorar o verdadeiro Deus e, assim, experimentar a vida	20.4-6
O pecado gera dor e sofrimento	3.16,17; 6.5,6	Deus consola seu povo e remove todo o pranto e dor	21.4
Os pecadores são amaldiçoados	3.16-19	A maldição é removida da humanidade redimida e ela se torna uma bênção	22.3
Os pecadores são impedidos de comer da árvore da vida	3.22-24	O povo de Deus pode comer livremente da árvore da vida	22.2,14
Os pecadores são eliminados da vida	3.22-24	O povo de Deus recebe vida e tem seu nome escrito no livro da vida	20.4-6,15; 21.6,27
Expulsão da fartura do Éden	3.23	Convite para o banquete das bodas do Cordeiro	19.9
A humanidade pecadora é separada da presença do Deus santo	3.23,24	O povo de Deus experimenta a santidade de Deus (cidade cúbica = Santo dos Santos)	21.15-21
Os pecadores são expulsos do jardim	3.23,24	O novo céu e a nova terra incluem um jardim	22.2
Os pecadores são banidos da presença de Deus	3.24	Deus habita no meio do seu povo	21.3,7,22; 22.4
A humanidade amaldiçoada pelo afastamento (exílio)	4.10-14	O povo de Deus recebe uma morada permanente	21.3
A humanidade pecadora sofre o exílio e vagueia pela terra	4.11-14	Deus dá a seus filhos uma herança	21.7
A criação começa a envelhecer e morrer	5.6,8,14,17, 20,27,31; 6.3	Todas as coisas são renovadas	21.5
O pecado resulta em enfermidade espiritual	6.5	Deus cura as nações	22.2
Águas são usadas para destruir a humanidade ímpia	6.1—7.24	Deus sacia a sede com água da fonte da vida	21.6; 22.1
Os pecadores são dispersos	11.3-9	O povo de Deus se une para cantar seus louvores	19.6,7
As línguas da humanidade pecadora são confundidas	11.8,9	O povo de Deus é formado por um grupo multicultural	21.24,26; 22.2

Com certeza aguardamos muitas coisas que Deus fará no fim da História, por exemplo, a destruição de seus inimigos — Satanás, o pecado, os demônios e a morte. Também esperamos que ele reverta muitos dos efeitos do pecado e da Queda, como a eliminação de toda dor e todo sofrimento. Podemos facilmente imaginar o alívio de muitas coisas horríveis que as pessoas experimentam hoje. Talvez até possamos vislumbrar algumas coisas boas que experimentamos hoje se tornando perfeitas (p. ex., servir a Deus ou viver em uma comunidade realmente multicultural ou receber por fim a herança). No entanto, é mais difícil imaginar a simples magnitude da formosura e bondade da nova criação, em que a criação física funciona em harmonia perfeita com o Senhor e seu povo. Talvez o mais difícil de tudo seja compreender o nível de intimidade que teremos com o próprio Senhor. Fomos feitos para Deus. Somos a noiva dele. Veremos sua gloriosa face. Ele enxugará todas as nossas lágrimas. Experimentaremos sua perfeita santidade. Nós reinaremos com ele e cantaremos louvores a ele com os anjos. E o melhor de tudo: ele habitará conosco para sempre.

Para os cristãos, o significado da vida é muito mais que apenas ser salvo e ir para o céu quando morremos. De modo geral, subestimamos o fim da História porque nos esquecemos de que Deus é o Alfa (Gn 1—2) e o Ômega (Ap 19—22). O caráter dele nos garante que ele terminará o que iniciou, com mais formosura, bondade, santidade, glória e amor do que possamos imaginar.

o Antigo Testamento

Gênesis
Criação, pecado e aliança

Deus traz você e eu à existência, abençoa-nos com a vida e, depois, nos abençoa duplamente ao nos dar um mundo maravilhoso onde viver e uma oportunidade para conhecê-lo de modo pessoal. Mas nós colocamos tudo a perder, pecando contra Deus e fazendo coisas estúpidas e egoístas — em suma, rejeitamos sua pessoa e suas bênçãos. Esse nosso ato nos separa de Deus e resulta, em última instância, na morte. Deus, entretanto, toma uma iniciativa especial e oferece um caminho de salvação, um jeito de recuperarmos o relacionamento com ele e receber vida. Essa é a história de Gênesis e, na verdade, a história de toda a Bíblia. Ela é também a sua história e a minha.

Qual é o contexto de Gênesis?

Na Bíblia hebraica, os primeiros cinco livros (a Torá) recebem por nome a frase inicial do livro. Assim, o primeiro livro da Bíblia hebraica é intitulado "No princípio". Quando a Bíblia hebraica foi traduzida para o grego (a *Septuaginta*), os tradutores intitularam esse livro de "Gênesis", que em grego significa "começos". Nossas Bíblias em português adotaram o título que nos é comum (Gênesis) da *Septuaginta*.

Neste caso, o título, de fato, reflete o contexto do livro, pois Gênesis começa "no princípio". Gênesis 1—2 trata da criação do mundo, e Gênesis 1—11 relata a chamada "história primeva". É difícil determinar as datas exatas desse período. Gênesis 12 (a promessa a Abraão) introduz o relato de uma história que segue cronológica e sequencialmente até 2Reis 25. As datas sugeridas para o período de vida de Abraão variam entre cerca de 2110 a 1800 a.C.

Em Gênesis, há movimentos geográficos substanciais. Depois de Deus criar os céus e a terra (Gn 1), o cenário se desloca em direção ao leste. Deus planta um "jardim no oriente" (2.8); e aparentemente expulsa Adão e Eva para o leste, deixando os querubins para guardar a entrada oriental do jardim (3.23,24); o assassino Caim é mandado para o leste (4.16); e o povo migra "para o leste" (ou, talvez, "do leste", cf.11.2: "do Oriente").

No início da história de Abraão (Gn 12), ele está na Mesopotâmia, que fica no leste. Entretanto, Abraão obedece ao Senhor e migra para o oeste, para Canaã. Ele permanece por um breve período no Egito (12.10-20), mas não se dá muito bem ali; por isso, Abraão retorna à terra de Canaã. Jacó, o neto de Abraão, voltará à Mesopotâmia para morar ali durante um tempo antes de retornar a Canaã. A família de Jacó, então, mudará para o Egito, e Gênesis termina com a família toda de Jacó (os descendentes de Abraão) morando no Egito.

Tradicionalmente, com base nas evidências extraídas de outras partes da Bíblia, os cristãos concluem que Moisés foi o escritor do livro de Gênesis. Isso situaria o ambiente inicial da composição do livro no período do Êxodo, quando Israel estabelecia um relacionamento de aliança com Deus e caminhava em direção à terra prometida (como o jardim em Gn 2). Lembre-se de que esse povo é bastante inexperiente na relação com Deus. Todos os povos a seu redor adoravam deuses pagãos. A maioria dessas religiões tinha narrativas próprias da Criação, e a maior parte desses deuses estavam de alguma maneira ligados aos ciclos agrícolas e às estações. Esse ambiente cultural deve ter tido uma influência muito forte na concepção dos israelitas sobre como era Deus. Gênesis 1 ressalta que o Senhor Deus de Israel é bastante diferente dos deuses pagãos dos vizinhos. Ele não precisou se esforçar e lutar para trazer o mundo à existência como se acreditava que os deuses pagãos teriam feito; ele apenas falou e aconteceu. Os ciclos agrícolas e as estações não estão ligados à morte e ao renascimento dos deuses pagãos (p. ex., os cananeus entendiam); eles foram determinados pelo decreto de Deus na Criação. Além do mais, o ser humano é o ápice da criação de Deus. Ele cria o homem e a mulher de acordo com sua imagem, concedendo uma condição

✚ A história bíblica começa em um jardim (Gn 1—3) e termina em um jardim (Ap 22).

especial e maravilhosa a todos os povos, um conceito muito estranho para as religiões pagãs do mundo antigo.

Quais são os temas centrais de Gênesis?

Gênesis desempenha o papel de introdução ao Pentateuco (Gênesis, Êxodo, Levítico, Números, Deuteronômio) a todo o AT e a toda a Bíblia. A história de Gênesis é paradigmática (representativa) da história de Israel e da história mais ampla da existência humana. Deus cria um lugar agradável para o povo viver em que ele pudesse manter um relacionamento de proximidade com o povo. Essa é uma bênção fantástica (Gn 1—2). As criaturas humanas (precisamos ver a nós mesmos nessa história) se rebelam e pecam constantemente contra Deus, resultando em separação e morte (Gn 3—11). Essa é a história da humanidade. Por sua imensa misericórdia, Deus provê um meio de salvação, e essa história da salvação começa em Gênesis 12 com Abraão, culminando nos Evangelhos do NT com Jesus Cristo, até a consumação em Apocalipse 21—22, com a recriação do novo céu e da nova terra.

Gênesis 1—11 relata uma história cósmica que trata de todos os povos da terra. As bênçãos iniciais concedidas por Deus e a rebeldia, o pecado e a rejeição de Deus pela humanidade retratadas em Gênesis 3—11 são universais e envolvem todas as pessoas de todas as nações. Entretanto, à medida que a história da salvação tem início em Gênesis 12, o foco passa para Abraão e seus descendentes, o povo de Israel. Mas Gênesis 12.3 estabelece o plano universal final: "todos os povos da terra serão abençoados [por seu intermédio]". Deus agirá por meio dos descendentes de Abraão para oferecer o meio de salvação a quem o aceitar.

Deus estabelece uma aliança com Abraão em Gênesis 12, 15 e 17. É justamente essa aliança abraâmica que estrutura o desdobramento do plano de salvação de Deus para todos os que vierem a crer. O cumprimento da aliança abraâmica

A representação de Michelangelo de quando Deus criou Adão. *Criação de Adão*, capela Sistina, Vaticano.

norteia a história por todo o AT até o NT. O cumprimento da aliança abraâmica une outra vez a história de Israel (Gn 12—2Rs 25) à história da humanidade, como declararam os profetas e consumou Jesus Cristo.

A história de Gênesis pode ser esboçada da seguinte maneira:

- Criação do mundo, das pessoas e do jardim (1.1—2.25)
- Paraíso perdido: pecado, morte e separação de Deus (3.1—11.32)
  - Pecado nº 1: Adão e Eva comem o fruto proibido e são expulsos do jardim (3.1-24)
  - Pecado nº 2: Caim mata seu irmão Abel e é expulso (4.1-26)
  - Pecado nº 3 (seguem-se outros): a corrupção de toda a humanidade provoca o Dilúvio (5.1—9.29)
  - Pecado nº 4: a torre de Babel resulta na dispersão (10.1—11.32)
- A resposta de Deus ao pecado humano: livramento por meio da aliança abraâmica (12.1—50.26)
  - Abraão: a promessa e a obediência derivada da fé (12.1—50.26)
  - Isaque: continuação da promessa patriarcal (24.1—25.18)
  - Jacó: luta e início das 12 tribos de Israel (25.19—36.43)
  - José: fidelidade e livramento soberano de Deus (37.1—50.26)

Quais são os aspectos interessantes e singulares de Gênesis?

- Gênesis responde à grande pergunta sobre a vida: Por que estou aqui? Quem me trouxe à existência? A vida se resume a quê?
- Gênesis conta a história da Criação.
- Deus cria o homem e a mulher e institui o casamento.
- Uma serpente fala com Eva e convence o casal a desobedecer a Deus.
- Gênesis contém as histórias fascinantes do Dilúvio e da torre de Babel.
- Gênesis tem um foco universal (1—11) e um israelita (12—50).
- A frase "essas são as origens" (*ARC*, ou "esta é a história da", *NVI*) aparece repetidamente em todo o livro (2.4; 5.1; 6.9; 10.1; 11.10,27; 25.12,19; 36.1,9; 37.2).
- Abraão é um homem admirável de fé (na maior parte do tempo).
- Deus faz uma aliança com Abraão que afeta o restante da Bíblia e toda a história humana.
- Deus destrói as cidades de Sodoma e Gomorra depois de falar com Abraão sobre elas.
- Deus testa Abraão dando-lhe a ordem de sacrificar seu filho Isaque, mas provê um sacrifício para substituí-lo no momento apropriado.
- Jacó engana seu pai, Isaque, para obter dele a bênção.
- Jacó luta com Deus.
- José é vendido à escravidão por seus irmãos, mas chega à posição da segunda pessoa mais poderosa do mundo, justo no momento propício para salvar sua família.
- José perdoa os irmãos que o tinham vendido à escravidão.

Qual é a mensagem de Gênesis?

Criação do mundo, das pessoas e do jardim (1.1—2.25)

Gênesis 1.1 é um resumo de todo o processo da salvação. Esse simples versículo introdutório também tem profundas implicações para nós. Se aceitamos a verdade sobre Gênesis 1.1, então podemos aceitar com facilidade os diversos feitos miraculosos de Deus por toda a Bíblia. Da mesma forma, se aceitamos Gênesis 1.1, nosso relacionamento básico com Deus é definido: ele é o Criador e nós somos criaturas. Por isso, ele tem o direito (e o poder) de determinar para nós tudo que diga respeito à vida.

✚ Em Gênesis 1 Deus *fala* e o mundo obedece, assumindo forma e função. A *palavra de Deus* permanecerá o tema principal de toda a Bíblia.

Gênesis 1.2 descreve o contexto. A história da Criação na Bíblia não começa com "o nada". O fato de Deus criar a matéria do nada está subentendido, mas o relato de Gênesis, na verdade, começa com um mundo caótico aquoso. Assim, o relato da Criação de Gênesis 1 não é propriamente um relato da criação do nada e, sim, um relato sobre o estabelecimento da ordem em meio ao caos, e da vida em meio à não vida. Gênesis 1.2 também menciona o "Espírito de Deus" pairando sobre as águas, ressaltando a estreita ligação entre o Espírito de Deus e a força criadora, tema que se estenderá por todo o AT.

O relato da Criação em Gênesis 1 é fascinante, pois não é apresentado mecanicamente ou de um modo enfadonho; pelo contrário, é apresentado de maneira vívida e até poética. O relato tem estrutura e simetria. Várias expressões são repetidas: "e Deus disse", "tarde e manhã", "ficou bom", e assim por diante. Deus não segue um manual de instruções passo a passo. Ele é mais como um artista criando uma obra-prima, que consegue pintar fora das linhas se quiser.

Além do mais, o relato não é estritamente linear, mas é apresentado em dois ciclos inter-relacionados. Nos dias 1 a 3, Deus cria os domínios ou regiões. Nos dias 4 a 6, ele cria os habitantes ou ocupantes dessas regiões ou domínios.

Dia 1 (v. 3-5)	Dia 4 (v. 14-19)
Separa luz das trevas	Cria o Sol, a Lua e as estrelas
Dia 2 (v. 6-8)	Dia 5 (v. 20-23)
Separa águas do firmamento	Cria peixes e aves
Dia 3 (v. 9-13)	Dia 6 (v. 24-31)
Separa oceano da terra seca e cria a vegetação	Cria os rebanhos, os répteis, os animais selvagens e os seres humanos

Em todo o relato da Criação, Deus não só traz tudo à existência, como também atribui funções a cada criatura, estabelecendo assim ordem e propósito à criação.

Como ápice da Criação, Deus cria homem e mulher à sua imagem. A visão geral disso está em 1.26-31, e os detalhes são apresentados em 2.4-25. Ele faz o ser humano "à imagem de Deus", concedendo-lhe assim uma posição muito especial. Além disso, observe que Adão e Eva não estão relacionados a nenhuma tribo ou raça (p. ex., eles não são chamados hebreus). Isso sugere que todos os povos de todas as raças e níveis socioeconômicos têm a mesma posição e valor; todos são criados à imagem de Deus. Apesar de os estudiosos divergirem sobre o sentido exato da expressão "à imagem de Deus",

---

✛ A palavra hebraica *adam*, o nome próprio do primeiro homem criado, é também o termo hebraico usado para designar "pessoas" e a humanidade em geral.

ela provavelmente inclui várias coisas: somos semelhantes a Deus em diversos aspectos (espiritual, emocional, relacional) e fomos designados representantes dele para administrar a criação.

Gênesis 1 é o resumo de todo o processo da Criação, e Gênesis 2 "destaca" alguns detalhes envolvendo a criação do homem e da mulher. Toda a história da Criação termina com o homem e a mulher unidos pela instituição do casamento (2.18-25).

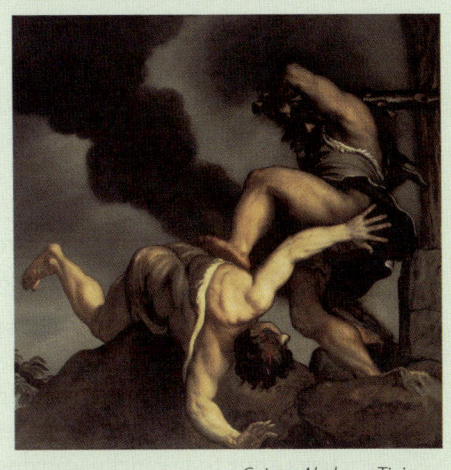

Caim e Abel, por Ticiano.

Paraíso perdido: pecado, morte e separação de Deus (3.1—11.32)

Gênesis 3—11 narra a triste história de como os seres humanos responderam às bênçãos graciosas de Deus concedidas a eles na Criação. Há quatro episódios de pecados narrados em sequência; a raça humana não começou bem!

Pecado nº 1: Adão e Eva comem o fruto proibido e são expulsos do jardim (3.1-24)

Cremos na historicidade desse relato, mas ele é também um relato que tipifica a conduta humana e apresenta uma previsão pessimista acurada de como as pessoas em geral se recusarão de forma obstinada a obedecer a Deus, permitindo que as tentações as desviem. Adão e Eva, tentados pelas mentiras e meias verdades da serpente (i.e., Satanás), comem da única árvore que lhes foi proibida por Deus, a seguir tentam colocar a culpa um no outro. As consequências são desastrosas. O pecado os impede de continuar a viver a boa vida no jardim, em estreita comunhão com Deus. A partir daí, a morte se torna realidade para eles (3.19), e a imortalidade só ocorrerá por meio da geração de filhos, acompanhada de muito sofrimento. Por ter rejeitado as regras do jardim agradável, o homem está destinado ao trabalho árduo, causticante, suado, do campo. Por fim, Deus os expulsa do jardim.

Pecado nº 2: Caim mata seu irmão Abel e é expulso (4.1-26)

Fora do jardim, a raça humana não se comporta muito melhor. Com apenas dois irmãos na terra, é muito irônico (e perturbador) que um desejasse matar o outro. Esse é também um retrato desolador da conduta humana, pois continuamos matando uns aos outros com certa regularidade. Basta ler qualquer manchete de jornal ou assistir ao noticiário da noite.

✤ A palavra hebraica *adam* também está diretamente relacionada ao vocábulo hebraico para pó ou terra. Observe que Adão foi tirado da terra, lavrou a terra e, depois, foi sepultado na terra.

Entretanto, Deus continua agindo nos bastidores, e essa ação divina sugere silenciosamente uma esperança para o futuro. Sete substitui Abel e começou a invocar o nome do Senhor (4.26).

Pecado nº 3 (seguem-se outros): a corrupção de toda a humanidade provoca o Dilúvio (5.1—9.29)

O tempo passa e gerações se vão. Agora já existem muitas pessoas no mundo (5.1-32). À medida que a população cresce e se espalha, o pecado parece acompanhar o mesmo ritmo de crescimento, como afirma Gênesis 6.5: "O Senhor viu que a perversidade do homem tinha aumentado na terra e que toda a inclinação dos pensamentos do seu coração era sempre e somente para o mal". Felizmente, há exceções a essa acusação, e um homem chamado Noé encontra favor diante de Deus.

A maldade era tanta que Deus resolve destruir a criação e começar tudo de novo. Gênesis 6—9 descreve o dilúvio que Deus enviou à terra. Em geral, a descrição do dilúvio emprega a mesma terminologia usada sobre a criação em Gênesis 1—2, apenas de modo inverso. Em Gênesis 1, "Deus viu que era bom" (1.4,10,12,18,21,25,31). Agora, em 6.5, "O Senhor viu que a perversidade do homem tinha aumentado na terra". Semelhantemente, a separação das águas de cima das águas de baixo (1.6,7) ocasiona uma imensa inundação (7.11). Como Deus ordenou o aparecimento da terra seca (1.9), agora tudo submerge sob as águas (7.17-20), destruindo toda a vida fora da arca, humana e animal, criada em Gênesis 1.

Em essência, Deus começa tudo de novo, e, como o Espírito de Deus pairava sobre as águas em 1.2, agora também Deus envia um vento (a palavra hebraica para "espírito" e "vento" é a mesma) sobre a terra e começa a "recriação" à medida que as águas retrocedem e os animais saem da arca (8.1-22).

Em Gênesis 9, Deus estabelece a aliança de não mais destruir o mundo dessa maneira. Ele também proíbe de forma categórica o assassinato. Entretanto, a história de Noé termina de modo curioso. Seu filho Cam faz algo muito ofensivo (o texto não esclarece os detalhes). Então, Noé profere uma maldição contra Canaã, o filho de Cam (9.18-27), de quem procederão os cananeus. Aparentemente, Noé enxerga adiante de seus filhos e netos e vê os povos que surgirão deles. Por isso, ele profere uma maldição apropriada contra Canaã. Os cananeus se tornarão os característicos dos "maus exemplos" do AT, adoradores de Baal e incitadores de toda sorte de problemas teológicos e morais para Israel no futuro. Nenhum dos nomes dos filhos (Cam, Sem e Jafé) tem qualquer relação

Tabuinha cuneiforme contendo o relato do dilúvio da Epopeia de Gilgamés.

✦ Vários dos quatro termos *clãs, línguas, territórios* e *nações* usados para definir a dispersão de Gênesis 10 (v. 5,20,31) reaparecem em outras passagens que invertem a situação da dispersão, em particular Gênesis 12.1-3 e Apocalipse 5.9; 7.9; 10.11; 11.9; 13.7; 14.6 e 17.15.

Outros relatos de dilúvio no antigo Oriente Médio
John H. Walton

Os israelitas viveram no mundo antigo em que havia uma troca comum de ideias, tradições, costumes, percepções e histórias. Como em qualquer cultura, eles contavam versões próprias sobre cada uma dessas áreas, formadas de acordo com suas crenças e culturas particulares. Ao contrário do restante do mundo antigo, em momentos decisivos de sua história, eles receberam uma revelação de seu Deus que os tirou do ambiente cultural imediato e lhes conferiu uma compreensão distinta. Na maioria das demais áreas, eles continuavam muito semelhantes aos vizinhos culturais.

Uma vez que entre os povos do antigo Oriente Médio normalmente se encontrava a tradição de um dilúvio de enormes proporções que quase exterminou o mundo antigo, não causa surpresa que relatos desse dilúvio tenham sobrevivido na Bíblia e na cultura predominante. Ainda que os relatos reflitam a cultura em que são encontrados, eles também incorporam os elementos comuns que os unem ao acontecimento central registrado por esses relatos. Naturalmente, o relato bíblico compreende o episódio como um ato de juízo executado por uma única divindade justa, decepcionada com o pecado de suas criaturas, salvando, contudo, uma família justa da devastação do mundo. A figura de Deus e da humanidade são consistentes com os ideais bíblicos.

Da mesma forma, encontramos nas versões do antigo Oriente Médio contidas nos textos sumérios, na Epopeia de Atrahasis e na Epopeia de Gilgamés, relatos consistentes com sua noção dos deuses e da humanidade. Como consequência, vemos um conselho divino que decide enviar o dilúvio com o propósito de destruir toda a humanidade. É somente pelo rompimento da confiança do conselho que um deus consegue fazer alguns seres humanos escaparem do juízo. O motivo da ação do conselho é compatível com a compreensão sobre a divindade comum na Mesopotâmia. Havia deuses que poderiam ser vistos como mesquinhos e egoístas, e entende-se que eles tinham necessidades que os seres humanos podiam satisfazer. Nesses relatos do antigo Oriente Médio, os seres humanos salvos da destruição oferecem um sacrifício aos deuses para lhes apaziguar a ira, e os deuses reconhecem sua necessidade dos seres humanos.

Poderíamos identificar muitas outras diferenças, mas nenhuma delas seria tão surpreendente. As semelhanças confirmam a existência de uma cosmovisão comum unindo esses povos. As distinções testemunham as diferenças básicas da teologia e do impacto da revelação sobre os israelitas. Não precisamos discutir sobre quem tomou as ideias emprestadas de quem, pois não havia necessidade de tomar emprestado o que já era inerente à memória antiga. Contudo, mais importante é reconhecer que os israelitas receberam uma forma diferente de tradição que coincidia com o modo pelo qual Deus lhes era conhecido.

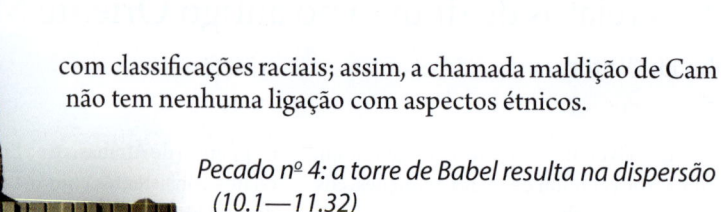

com classificações raciais; assim, a chamada maldição de Cam não tem nenhuma ligação com aspectos étnicos.

Pecado nº 4: a torre de Babel resulta na dispersão (10.1—11.32)

A genealogia de Gênesis 10 apresenta algumas dificuldades de interpretação, pois a lista contém nomes de indivíduos, povos, tribos, nações e cidades. O critério de ordem e classificação do capítulo não é étnico, mas uma combinação de elementos antropológicos, linguísticos, políticos e geográficos, com a possível predominância das vinculações políticas (i.e., alianças e influências) e geográficas. É importante destacar a repetição dos quatro termos "clãs", "línguas", "territórios" e "nações" (10.5,20,31). Além disso, a dispersão dos povos pelo mundo por entre clãs, línguas, territórios e nações resulta do episódio da torre de Babel de Gênesis 11. Então, parece que o episódio de Gênesis 11, na verdade, aconteceu antes da situação descrita em Gênesis 10.

Em Gênesis 11, as pessoas se reúnem em Babel e tentam construir uma torre até os céus para formar um nome para si. Entretanto, Deus não aprova o ato e confunde a língua deles e os espalha por toda a terra. Há um engraçado jogo de palavras que comanda essa história. "Babel" é o termo que dá origem à palavra "Babilônia", e para os babilônios Babel significa "porta para os deuses"; Contudo, em hebraico a palavra "Babel" soa muito semelhante ao termo que significa "confundir". Então, o jogo de palavras sugere que esse não é o "portão para os deuses"; antes, é o lugar e a causa de confusão (ou dispersão). Essa história representa um humanismo arrogante e pretensioso. Ela reflete a tentativa humana de obter segurança e sentido longe de Deus mediante a edificação da cidade. Por toda a Bíblia, a cidade de Babilônia se torna o protótipo de todas as nações, cidades, impérios arrogantes que se levantam contra Deus (p. ex., observe o uso do termo "Babilônia" em Ap 14.8; 16.19; 17.5; 18.2). Observe que Gênesis 9.25-27 pronuncia uma maldição contra Canaã, e Gênesis 11.1-9 sugere o juízo contra a Babilônia. No AT, cananeus e babilônios foram os principais inimigos de Israel; os cananeus no início, durante a conquista, e os babilônios no fim, durante o Exílio.

A resposta de Deus ao pecado humano: livramento por meio da aliança abraâmica (12.1—50.26)

Abraão: a promessa e a obediência derivada da fé (12.1—50.26)

Em Gênesis 3—11, a raça humana demonstra sua propensão ao se rebelar contra Deus e pecar constantemente. A resposta de Deus ao pecado humano

O zigurate Ager Quf parcialmente restaurado. Vários templos em formato de torres como esse foram construídos por toda a Mesopotâmia como locais de adoração. A torre de Babel provavelmente foi precursora dos zigurates.

✢ Em Gênesis 10—11, as pessoas são espalhadas pela terra formando nações e línguas. Em Atos 2, o Espírito une o povo de Deus novamente, retirando a barreira da língua. Assim, o episódio de Pentecoste de Atos 2 reverte a situação criada em Gênesis 10—11.

visa oferecer um caminho à salvação. Essa história — a história da salvação — começa em Gênesis 12 com as promessas da aliança de Deus com Abraão, e culmina com a morte e ressurreição de Cristo. Assim, a aliança de Deus com Abraão ocupa um papel crucial de unir toda a história bíblica.

Deus chama Abraão quando ele ainda estava na Mesopotâmia (11.27—12.1) e o instrui a deixar seu país e seu povo (i.e., uma separação para o serviço de Deus, o tema comum no Pentateuco) e ir para a terra que Deus lhe mostraria. Em 12.2-7, Deus promete a Abraão várias coisas. Ele tornaria Abraão em uma grande nação; ele o abençoaria e tornaria seu nome famoso; ele abençoaria todos os povos da terra por meio de Abraão; e ele daria a terra de Canaã aos descendentes de Abraão. Esse é um enorme plano, e para que ele seja cumprido será necessário o restante do relato bíblico.

Em 12.10-20, Abraão toma algumas decisões equivocadas, acaba no Egito e quase fica sem Sara, sua mulher. Entretanto, Deus age nos bastidores para endireitar as coisas e mesmo assim abençoa Abraão, demonstrando a estreita ligação existente entre a graça de Deus e as promessas abraâmicas. Em Gênesis 13.1—14.24, Deus continua abençoando Abraão, e essas bênçãos também alcançam as pessoas ligadas a Abraão.

Em Gênesis 15 e 17, Deus aparece a Abraão e formaliza suas promessas nos termos de uma aliança. Abraão está preocupado porque ele não tem nenhum descendente, mas Deus lhe diz que terá descendentes tão numerosos quanto as estrelas do céu (15.5). Abraão acredita na promessa divina, e Deus a "[creditou] como justiça" a ele (15.6). Então, Deus e

O Neguebe, uma das regiões em que Abraão viveu e peregrinou.

✚ Em Gênesis 12, no início da história de Abraão, o patriarca é chamado Abrão, que significa "pai exaltado". Em 17.4,5, quando Deus formaliza a aliança com ele, Deus lhe muda o nome para Abraão ("pai de muitas nações").

As peregrinações de Abraão

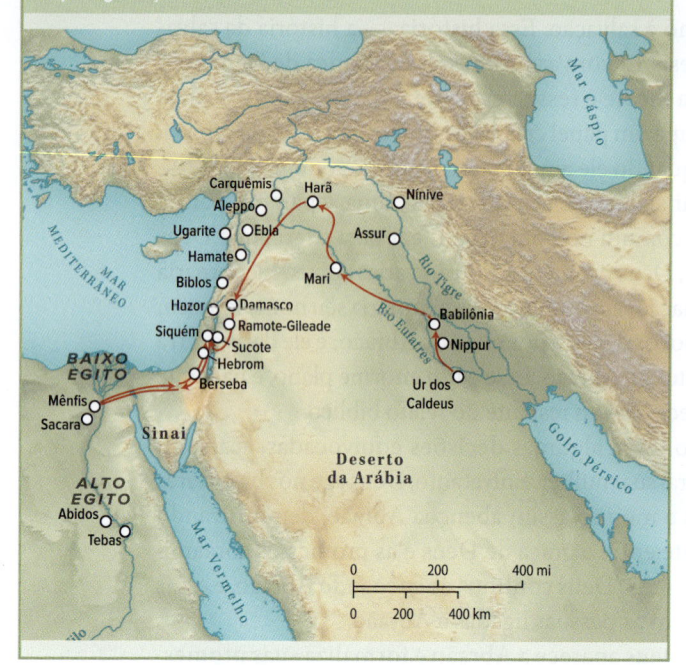

Abraão participam de uma cerimônia formal de estabelecimento da aliança. Abraão divide vários animais ao meio. Normalmente, em uma cerimônia de aliança as duas partes passavam por entre as metades dos animais simbolizando o que lhes aconteceria caso quebrassem a aliança. O impressionante nessa cerimônia é que somente Deus passa por entre as metades. Isto é, ao que parece Deus faz um juramento unilateral de guardar a aliança abraâmica. Esse é o significado de graça.

Em Gênesis 17, Deus expande a aliança prometendo a Abraão (e a Sara) que muitas nações e muitos reis procederiam de seus descendentes. Deus diz a Abraão que a circuncisão será o sinal para ele e seus descendentes para indicar sua inclusão nessa grande aliança. Em referência aos descendentes de Abraão, Deus declara: "Eu serei o Deus deles" (17.8). Por todo o AT, Deus definirá seu relacionamento com o povo por meio de uma declaração de forma tríplice: Eu serei o seu Deus; você será o meu povo; eu habitarei em seu meio (ou "eu estarei com você"). O relacionamento é introduzido como parte da aliança abraâmica.

Gênesis 18—19 descreve a destruição das cidades perversas de Sodoma e Gomorra. Destaca-se o diálogo de Abraão com Deus sobre a condenação dessas cidades, e Deus aparentemente dá ouvidos aos argumentos de Abraão (18.16-33). Mas Abraão não consegue encontrar nem dez pessoas justas nessas cidades, então Deus as destrói. Somente Ló, sobrinho de Abraão, e suas filhas sobrevivem.

Por fim, com idade avançada e de acordo com a promessa de Deus em 18.1-15, Abraão e Sara têm um filho, Isaque (21.1-21). Entretanto, a alegria deles é seriamente abalada em Gênesis 22 quando Deus manda Abraão oferecer Isaque como sacrifício (22.1,2)! Como pode acontecer isso? Abraão consente ainda que de maneira dolorosa, mas imediatamente antes de ele

✚ No NT, Paulo ressalta as implicações da aliança/promessa abraâmica para os cristãos, de modo principal no que se refere à graça, fé, e justificação (Rm 4.1-25; Gl 3.6-14). Paulo faz duas vezes citações diretas de Gênesis 15.6 (Rm 4.3; Gl 3.6).

Alianças na Bíblia

Aliança é o acordo formal e que une duas partes. As alianças desempenham um papel muito importante na Bíblia porque Deus muitas vezes é uma das partes envolvidas na aliança. Na verdade, Deus é, de modo geral, quem toma a iniciativa de estabelecer a aliança, unindo a si mesmo dessa maneira a um acordo ou a um conjunto de promessas.

Deus estabelece várias alianças no AT. Em Gênesis 9, Deus faz uma aliança com Noé (junto com seus descendentes e todos os animais viventes) comprometendo-se a nunca destruir toda a vida na terra outra vez por meio de um dilúvio. Deus faz uma aliança com Abraão em Gênesis 12, 15 e 17, prometendo várias coisas: ele tornaria Abraão uma grande nação; abençoaria Abraão e tornaria seu nome famoso; abençoaria todos os povos da terra por meio de Abraão; e daria aos descendentes de Abraão a terra de Canaã. Uma característica importante da aliança abraâmica é que Deus aparece para se comprometer a essa aliança de forma unilateral. Isto é, a aliança abraâmica é uma aliança unilateral ou de "compromisso divino". Deus estabelece sobre si estipulações, mas não sobre Abraão e seus descendentes. Assim, no NT, Paulo associará a aliança abraâmica ao conceito de "graça". A aliança mosaica, em contraste, é bem diferente, pois enfatiza as obrigações humanas ("observar a Lei"). A aliança mosaica é definida pelas leis do Êxodo, Levítico, Números e Deuteronômio. Essa aliança define os termos pelos quais Israel deveria viver na terra prometida com Deus em seu meio recebendo bênçãos impressionantes. No NT, Paulo associará a aliança mosaica à "Lei". Em 2Samuel 7, Deus faz uma aliança com Davi, prometendo estabelecer uma dinastia davídica ("casa") que subsistirá para sempre. Essa aliança também parece unilateral, pois Deus é o parceiro principal que assume a responsabilidade das obrigações. Por fim, em Jeremias 31, Deus promete que no futuro fará uma nova aliança. Essa aliança será muito diferente da velha aliança (i.e., a aliança mosaica), pois na nova aliança as leis de Deus serão escritas no coração das pessoas em vez de em pedras. Essa aliança será caracterizada pelo perdão de pecados e pelo conhecimento e entendimento muito superior a respeito de Deus. Como as alianças abraâmica e davídica, a nova aliança é unilateral em relação ao tipo de compromisso divino. No NT, Jesus estabelece essa nova aliança na última ceia, quando declara: "Este cálice é a nova aliança no meu sangue" (Lc 22.20).

As alianças abraâmica, mosaica, davídica e a nova aliança têm um papel crucial na história do AT e na relação do AT com o NT. O cumprimento dessas alianças por Deus dirige a história por todo o AT, estendendo-se até o NT. Israel fracassará no cumprimento da aliança mosaica, e assim experimentará o juízo prometido em Deuteronômio (o exílio). Entretanto, Deus, em sua graça, permanece fiel às suas promessas unilaterais nas alianças abraâmica e davídica, de modo que, mesmo que Israel rompa a aliança mosaica, ainda há esperança para o futuro. Os profetas do AT proclamarão juízo sobre Israel por este ter quebrado a aliança mosaica, mas os profetas proclamarão a esperança do futuro glorioso baseada nas alianças abraâmica e davídica, promessas com o cumprimento final em Jesus Cristo quando este inaugura a nova aliança prometida.

---

matar Isaque, o Senhor o impede de fazê-lo e provê um cordeiro substituto para o sacrifício (22.3-14). O Senhor aprova a indiscutível fé de Abraão e, em seguida, reafirma as promessas da aliança (22.15-19). Muitas pessoas ficam incomodadas com essa passagem. Que tipo de Deus faria isso?

Talvez a resposta esteja na observação das várias (às vezes muito específicas) semelhanças entre esse acontecimento e a crucificação de Cristo. Os acontecimentos se dão em lugares muito próximos. Em cada um deles, o pai tem de oferecer seu filho. Ali se encontram uma colina, um jumento e a madeira carregada pelo filho inocente. A grande diferença é que Abraão não precisa dar prosseguimento ao sacrifício, enquanto Deus Pai o faz. Supõe-se que Gênesis 22 seja uma tipologia profética da cruz, mostrando o sofrimento e a dificuldade da crucificação da perspectiva do Pai. Essa história não é horrível e dolorosa? "Sem dúvida!", Deus responde. Essa história nos arrasta até a colina e nos força a tentar compreender o que é sacrificar o próprio filho, algo que nosso Pai celestial teve de fazer.

Isaque: continuação da promessa patriarcal (24.1—25.18)

Mais tarde, Abraão e Sara morrem e a história continua com seu filho, Isaque. Em geral, Isaque ocupa um papel passivo na maioria dos episódios em que aparece (com Abraão, seu pai, ou Jacó e Esaú, seus filhos). Entretanto, a importância dele se deve ao fato de que Deus restabelece as promessas da aliança com ele (26.1-5), e ele é a ligação da aliança entre Abraão e Jacó e, mais tarde, para as 12 tribos.

Jacó: luta e início das 12 tribos de Israel (25.19—36.43)

Em comparação com seu pai, Isaque, que é passivo na história, Jacó conspira, briga, luta por sua herança e pelas promessas que a acompanham, nem sempre reconhecendo que as promessas da aliança eram dádivas da graça. Jacó (cujo nome em sentido figurado significa "enganador") engana seu pai cego, Isaque, para lhe conceder a bênção da família (a herança) em vez de a seu irmão Esaú, alguns minutos mais velho que ele (27.1-40). O irado Esaú

O ribeiro de Jaboque. Jacó luta com Deus próximo desse ribeiro em Gênesis 32.22-37.

ameaça matar o irmão enganador, de modo que Jacó foge para Padã-Arã, de volta para a Mesopotâmia, onde os parentes distantes de sua mãe, Rebeca, moravam. Jacó trabalha para um parente chamado Labão, que engana Jacó (o enganador; lembre-se) para casar com suas duas filhas em vez de apenas com Raquel, a mais nova e mais bonita (29.1-30). Essas duas esposas, junto com suas servas (que se tornam concubinas ou esposas secundárias), dão 12 filhos a Jacó. Desses 12 filhos surgem as 12 tribos de Israel. Jacó, então, volta a Canaã e se reconcilia com seu irmão, Esaú. No caminho ele se encontra com Deus e "luta" com ele, que lhe dá um novo nome: "Israel".

O sacrifício de Isaque, por Rembrandt.

Então, a história de Jacó é fundamental para a formação da nação de Israel. Jacó recebe o nome de Israel e se torna o pai de 12 filhos que mais tarde se desenvolvem nas 12 tribos (na verdade, havia 13 tribos, pois José, filho de Jacó, formou duas tribos, Manassés e Efraim). De acordo com a aliança abraâmica, Deus abençoa sua família, ainda que eles nem sempre ajam com correção, talvez já antecipando os problemas posteriores que a nação de Israel teria.

José: fidelidade e livramento soberano de Deus (37.1—50.26)

José é um dos poucos de sua família que parecia confiar em Deus e viver de modo justo. Seus irmãos tinham inveja do jovem José, por isso eles o vendem à escravidão (37.1-36). José é levado ao Egito, onde continua confiando em Deus e a agir de modo íntegro, em comparação com seus irmãos

Vendido à escravidão, José é levado ao Egito.

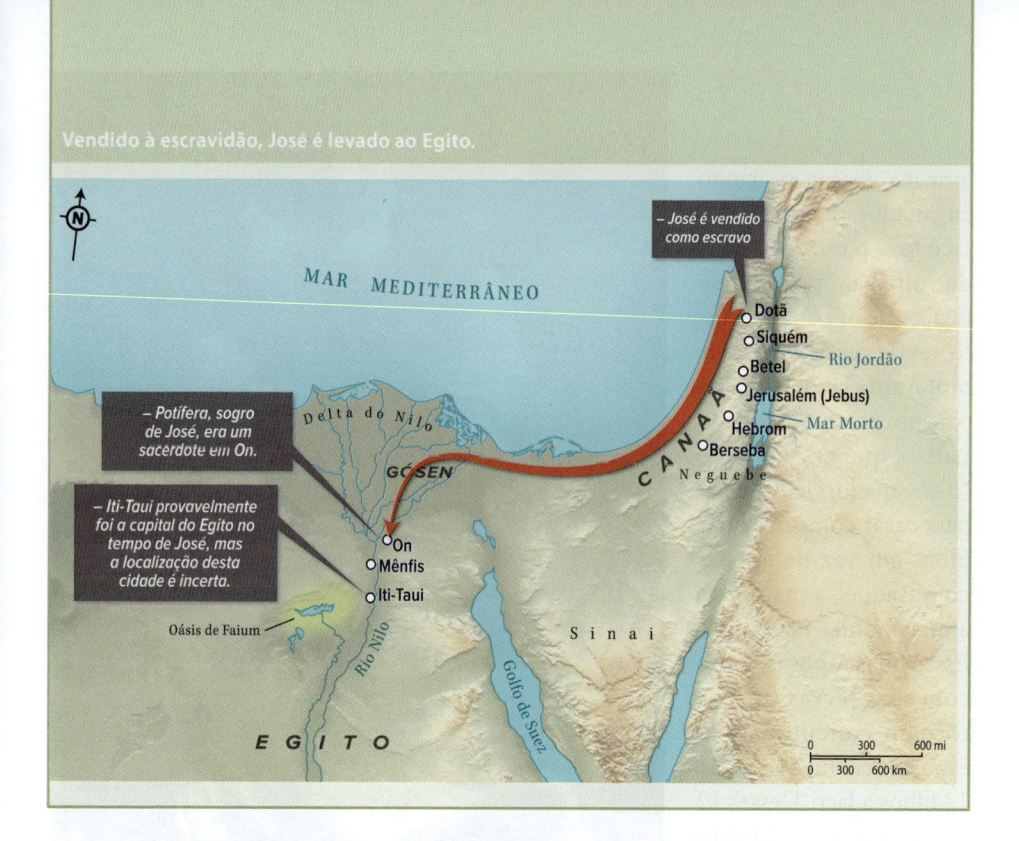

- José é vendido como escravo
- Potífera, sogro de José, era um sacerdote em On.
- Iti-Taui provavelmente foi a capital do Egito no tempo de José, mas a localização desta cidade é incerta.

na sua terra (38.1—39.23). Deus abençoa José e lhe dá a capacidade de interpretar sonhos, o que o levou à promoção para a posição de segundo em poder no Egito. José, na verdade, implementa um programa que salva o Egito da fome iminente (40.1—41.57). A fome afeta também Canaã e, mais tarde, a família de José vai ao Egito à procura de alimento. Em vez de castigar seus irmãos pela traição, José os perdoa e cuida de toda a sua família no Egito (42.1—47.31). Jacó, pai de José, envelhece, mas pronuncia as bênçãos sobre Manassés e Efraim, os filhos de José (48.1-22), e sobre seus outros onze filhos (49.1-28). A família de José prospera no Egito, mas, antes de morrer, ele lembra seus familiares de que Deus prometera a seu antepassado Abraão uma terra e que um dia Deus os levaria de volta àquela terra (50.1-26). Então, quando o livro de Gênesis termina, os descendentes de Abraão estão no Egito, esperando que Deus cumpra sua promessa ao antepassado. O cumprimento se dará na história do Êxodo.

Como aplicar Gênesis à nossa vida hoje

Uma das lições mais importantes que aprendemos na vida é que Deus é o criador e nós somos as criaturas. Isso resume bem nosso relacionamento com ele e define com clareza quem tem a autoridade para estabelecer as regras.

José foge da mulher de Potifar, de Rafael.

Entramos em apuros de imediato sempre que nos esquecemos dessa ordem e tentamos agir como se fôssemos os criadores do Universo, tendo, portanto, o direito de determinar o que é certo e errado, a verdadeira e a falsa adoração, e assim por diante.

A história de Abraão nos ensina sobre a graça constante de Deus. Há uma linha contínua da graça que liga a criação à aliança abraâmica a Jesus Cristo. Assim também, como o apóstolo Paulo reitera de forma constante, de Abraão nós também aprendemos a importância da fé. É mediante a fé, e a fé somente, que recebemos a justiça.

Nosso versículo favorito de Gênesis

Eu sou o Deus todo-poderoso; ande segundo a minha vontade e seja íntegro. (Gn 17.1)

✚ Quando a história de Gênesis chega ao fim, os descendentes de Abraão estão no Egito. Êxodo, o próximo livro, dará continuidade à história a partir do Egito.

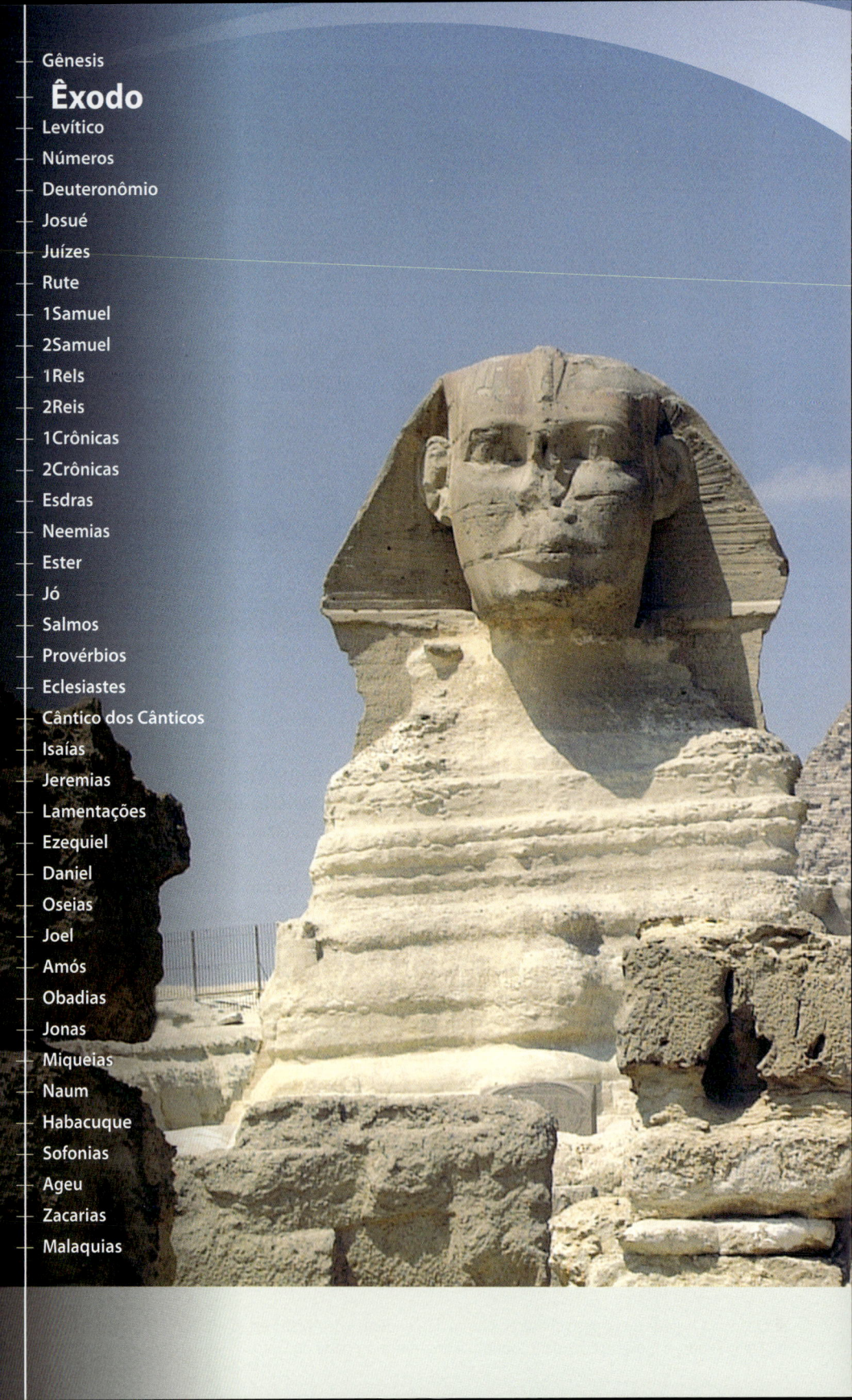

- Gênesis
- **Êxodo**
- Levítico
- Números
- Deuteronômio
- Josué
- Juízes
- Rute
- 1Samuel
- 2Samuel
- 1Reis
- 2Reis
- 1Crônicas
- 2Crônicas
- Esdras
- Neemias
- Ester
- Jó
- Salmos
- Provérbios
- Eclesiastes
- Cântico dos Cânticos
- Isaías
- Jeremias
- Lamentações
- Ezequiel
- Daniel
- Oseias
- Joel
- Amós
- Obadias
- Jonas
- Miqueias
- Naum
- Habacuque
- Sofonias
- Ageu
- Zacarias
- Malaquias

Êxodo

Libertação e presença de Deus

O livro de Êxodo está repleto de histórias impactantes e fascinantes contadas e recontadas por toda a história judaica e cristã. A história de Êxodo é tão fascinante que até Hollywood reconheceu seu poder de cativar as pessoas quando produziu *Os Dez Mandamentos* e *O príncipe do Egito*, dois grandes filmes baseados nessa história. O livro contém personagens fortes e exuberantes como Moisés e o faraó, que ocupam funções dramáticas no tenso drama de vida e morte. O próprio Deus é o protagonista, que aparece muitas vezes na história e tem um papel principal — pode-se dizer o papel *central*. Em última instância, o livro de Êxodo apresenta a história da salvação — como Deus intervém de maneira dramática na história humana para salvar seu povo. Então, embora pessoas fascinantes e dinâmicas como Moisés e o faraó sejam cruciais para a história de Êxodo, a verdade é que o livro de Êxodo trata principalmente de Deus.

Os temas centrais de Êxodo ressoam por todo o restante da Bíblia e estão entrelaçados com a nossa teologia cristã mais básica. No AT o Êxodo se torna o paradigma, o modelo, da salvação. Assim, o acontecimento do Êxodo é para o AT o que a cruz é para o NT. A história da libertação de

Essa pintura de um túmulo no Egito (c. 1450 a.C.) retrata trabalhadores fazendo tijolos e construindo.

Êxodo molda o pensamento teológico de todo o AT no que se refere ao caráter de Deus e à natureza de sua graciosa salvação. Por todo o restante do AT, o modo favorito de Deus se identificar a seu povo é repetindo a expressão: "Eu sou o Senhor que te tirou da terra do Egito". Assim também, Êxodo ressalta a importância da presença de Deus, um tema bíblico central encontrado de Gênesis a Apocalipse.

Qual é o contexto de Êxodo?

Êxodo dá continuidade à história iniciada em Gênesis. Lembre-se do que Gênesis 12—50 conta a respeito dos três patriarcas — Abraão, Isaque e Jacó — e de que termina com a ênfase nos 12 filhos de Jacó. Os últimos capítulos de Gênesis (37—50) dão atenção à história de José (o menino da capa especial), um dos filhos de Jacó. Os outros filhos venderam José à escravidão; por isso ele foi levado ao Egito. Entretanto, Deus cuida dele e permite que ele prospere ali, onde José se tornou um importante oficial, o segundo homem mais poderoso do Egito, abaixo apenas do faraó. José, então, desempenha um papel crucial ao livrar o Egito da terrível fome. O restante de sua família foge mais tarde para o Egito a fim de escapar da fome em Canaã e se reúne a José. O livro de Gênesis termina com essa família no Egito.

O livro de Êxodo retoma a história no Egito e prossegue a partir daí. Êxodo 1.1-8 lembra aos leitores essa ligação. Os versículos iniciais de Êxodo indicam a passagem do tempo e a ascensão de um novo faraó ao trono, o qual sem nenhuma lembrança de como José livrou o Egito da fome, de acordo com o registro de Gênesis. Talvez tenha ocorrido uma mudança de dinastia. Em cumprimento às promessas abraâmicas (Gn 12; 15) os filhos de Jacó (Israel) se multiplicam e se tornam tão numerosos que causam temor entre os egípcios. Entretanto, apesar desse

✚ O título "Êxodo" vem da palavra grega que significa "sair". O livro recebeu esse título quando foi traduzido do hebraico para o grego (*Septuaginta*). Nossas Bíblias em português seguiram a *Septuaginta* no uso do título do livro.

Datação do Êxodo
Peter Enns

Definir a data da saída de Israel do Egito é um problema técnico extremamente complexo. Isso se deve em parte à ambiguidade dos dados bíblicos, mas também por causa do material extrabíblico (arqueológico) à disposição.

De modo geral, as duas datas propostas são o século XV (c. 1446 a.C.) e o século XIII (c. 1270-1260 a.C.), também conhecidas como datas recente e tardia, respectivamente. A primeira se baseia na interpretação literal de 1Reis 6.1, passagem que menciona 480 anos entre o Êxodo e o quarto ano do reinado de Salomão (996 a.C.). Isso definiria a data de 1446 a.C. para o Êxodo. Embora alguns fiquem satisfeitos com essa solução, o problema é mais complexo do que parece à primeira vista. Em primeiro lugar, se adicionarmos as datas conferidas em outras passagens do AT, desde o período do povo no deserto até Salomão, chega-se ao cálculo de cerca de seiscentos anos. Desse modo, o número 480 é entendido de forma geral como um número simbólico que provavelmente representa o término de uma "era" descrita como 12 x 40 (12 gerações vezes um período típico de uma geração ou, talvez, 12 vezes o período da peregrinação no deserto).

A data recente também é problemática por algumas razões arqueológicas. A primeira, Êxodo 1.11, refere-se às cidades-celeiros construídas por Ramessés. O consenso dos estudiosos é que essa passagem só pode se referir a Ramessés II, que governou o Egito entre 1279 e 1213 a.C. A cidade-celeiro conhecida por Pi-Ramessés, identificada geralmente como o lugar mencionado em Êxodo 1.11, foi edificada em 1270 a.C. Se essa identificação estiver correta, então o Êxodo poderia ter ocorrido só depois de 1270 a.C.

Um fator importante que oferece certa sustentação para a data tardia é a evidência arqueológica da conquista de Canaã. Apesar dessa evidência não estar livre de questões técnicas próprias, de modo geral se sustenta que a data da destruição de muitas cidades cananeias não aconteceu no século XIV a.C. (provável ocorrência de acordo com a data recente), mas em um período posterior, a partir do século XIII. Isso não prova de maneira alguma a data tardia, mas torna a data recente muito mais difícil de ser sustentada com base nas evidências arqueológicas.

Parte da dificuldade acadêmica se deve ao fato de haver evidências extrabíblicas muito escassas para fundamentar o argumento de modo convincente, ao passo que a própria Bíblia é ambígua sobre o assunto. Não obstante, para os estudiosos que aceitam o acontecimento do Êxodo mais ou menos em harmonia com a apresentação da Bíblia, a data tardia é a posição mais comumente aceita.

---

cumprimento parcial da promessa, os israelitas ainda não possuem terra própria, de modo que o aspecto crucial da promessa de Deus a Abraão permanece sem se cumprir. O cumprimento do aspecto da "promessa da terra" da aliança abraâmica dirigirá a história de Êxodo a Josué, quando ele por fim se cumprirá.

Quais são os temas centrais de Êxodo?

Três temas principais dominam o livro de Êxodo:

1. Deus liberta seu povo e o tira do Egito. A passagem fundamental de Êxodo é que Deus salva e liberta o povo. Em todo o restante do AT, o acontecimento do Êxodo se torna a figura principal de exemplo do significado de salvação.
2. À medida que Deus liberta Israel, ele age de tal modo que todos "conhecerão" e reconhecerão seu poder. Os que nele confiam "conhecerão" sua salvação. Os que o desprezam "conhecerão" seu juízo. De um modo ou de outro, todos o conhecerão. Não há meio-termo e não há como ignorá-lo.
3. Um aspecto crucial do relacionamento por meio de uma aliança que Deus estabelece com os filhos de Israel, depois de resgatá-los do Egito, é que ele promete habitar no meio deles. Assim, a presença de Deus é um dos temas principais de todo o livro. A segunda parte do livro (Êx —40) trata da construção do tabernáculo, local fixo da presença de Deus.

Há duas frases, diretamente ligadas aos três temas centrais de Êxodo, que se repetem por todo o livro por meio de diversas formulações. A primeira é a declaração: "Eu sou o Senhor que te tirei da terra do Egito". Essa frase aparece em diversas formas, todas declarando que foi Deus quem tirou os israelitas do Egito. Essa ideia está ligada ao tema principal da libertação e do conhecimento de Deus. A segunda afirmação repetida mais de 70 vezes em Êxodo é: "para que saibam que eu sou o Senhor". Como já se mencionou, um dos temas centrais de Êxodo é o caráter decisivo e espetacular da demonstração do poder de Deus, para evitar qualquer ambiguidade. Todos saberão que "ele é Senhor", ou para salvação ou para condenação.

Em geral, a história de Êxodo segue uma sequência cronológica. As principais unidades são:

- Libertação do Egito (1.1—15.21)
  - Faraó, mulheres e crianças (1.1—2.10)
  - Santidade, presença e poder: o Senhor chama Moisés (2.11—4.17)
  - Quem é o Senhor? Primeiro encontro com o faraó e o povo (4.18—7.5)
  - Faraó *versus* o Senhor: as primeiras nove pragas (7.6—10.29)
  - O Senhor liberta Israel do Egito (11.1—15.21)
- Celebração da aliança do Sinai (15.22—24.18)
  - A peregrinação até o monte Sinai (15.22—18.27)
  - A revelação no monte Sinai (19.1-25)
  - Os Dez Mandamentos (20.1-21)

- O livro da aliança (20.22—23.33)
- Ratificação da aliança (24.1-18)
- "Habitarei no meio deles": o tabernáculo e a presença de Deus (25.1—40.38)
    - Instruções sobre a construção do tabernáculo (25.1—31.18)
    - Interrupção: rebelião e renovação da aliança (32.1—34.35)
    - Conclusão do tabernáculo (35.1—40.38)

Quais são os aspectos interessantes e singulares de Êxodo?

- A história de Moisés é uma das histórias mais fascinantes e exuberantes de toda a Bíblia.
- Deus aparece muitas vezes em Êxodo como uma das principais personagens.
- A história do confronto entre o faraó e Deus (tendo Moisés como representante divino) está repleta de drama e ironia.
- Êxodo contém uma alta concentração de atos miraculosos e aparições de Deus.
- Deus entrega os Dez Mandamentos.
- No livro de Êxodo, a família de Abraão se torna a nação de Israel.
- A Páscoa é descrita pela primeira vez.
- Ironicamente, Êxodo contém um dos atos rebeldes mais trágicos de Israel contra Deus (o episódio do bezerro de ouro, Êx 32).

Uma estátua gigante de Ramessés II no templo de Mênfis, no Egito. Muitos estudiosos pensam que Ramessés II era o faraó de Êxodo 1, mas as evidências não são conclusivas.

✚ Na Bíblia hebraica, os nomes dos livros da Torá (Pentateuco) vêm das primeiras palavras do primeiro versículo. Assim, na Bíblia hebraica o título deste livro é "Estes são os nomes" (Êx 1.1).

Qual é a mensagem de Êxodo?

Libertação do Egito (1.1—15.21)

Faraó, mulheres e crianças (1.1—2.10)

Êxodo começa conectando sua história com a dos patriarcas de Gênesis. Jacó e seus filhos vão ao Egito como uma família e sairão de lá como uma grande nação. Lembre-se que em Gênesis Deus mudou o nome de Jacó para "Israel". Em Êxodo a expressão "filhos de Israel" aparece 125 vezes. Algumas traduções em português vertem essa expressão para "os israelitas".

Os primeiros versículos de Êxodo também conectam essa história à aliança com Abraão (Gn 12; 15; 17). Os israelitas agora se tornaram muito numerosos, conforme Deus prometeu a Abraão. Mas eles ainda não têm uma terra. Então, o faraó logo os escraviza e os trata com crueldade. Uma das promessas feitas por Deus a Abraão foi: "Abençoarei os que o abençoarem e amaldiçoarei os que o amaldiçoarem" (Gn 12.3). O tratamento cruel do faraó dispensado aos israelitas o coloca em rota de colisão com a promessa de Deus feita a Abraão.

Êxodo 1.8 explica que um novo faraó tomou o poder sem se lembrar de José e de como José tinha livrado o Egito. Por isso, esse faraó vê os israelitas apenas como uma ameaça, não como possível bênção. É interessante que o livro de Êxodo não identifica esse faraó. De modo geral, a Bíblia é bastante clara em citar os nomes dos reis da região, em especial se ele tem relação direta com Israel. Contudo, apesar de esse rei (i.e., o faraó) ter um papel importantíssimo na história de Israel, seu nome permanece sem ser citado. Suspeitamos que isso seja intencional e que reflita uma forma de desprezo. Esse arrogante faraó, naquela época, era o homem mais poderoso no mundo, além de ser considerado pelos egípcios um ser divino. Entretanto, a Bíblia nem sequer apresenta seu nome. Em comparação, os nomes de duas modestas parteiras são

Estátua de um capataz egípcio com chicotes nas mãos.

mencionados (1.15), talvez sugerindo que no quadro geral dos acontecimentos as parteiras foram mais importantes para Deus do que o obstinado faraó. Um dado secundário interessante é que os estudiosos hoje não concordam sobre quem realmente foi o faraó de Êxodo. Então, enquanto todo o mundo sabe o nome de Moisés, ninguém sabe ao certo quem foi o faraó.

A bênção de Abraão mediante a proliferação dos descendentes é justamente o que coloca a história em movimento. O faraó fica alarmado com o crescimento populacional dos israelitas e procura frear sua expansão. Ele tenta pôr em ação três planos sucessivos, porém malsucedidos. Primeiro, ele tenta submetê-los a trabalho forçado, decretando que os israelitas atuassem como escravos para construir as cidades-celeiros do Egito (1.11-14). A ironia disso é impressionante, pois lembre-se de que José foi o introdutor do conceito de cidade-celeiro no Egito (Gn 41). Quando o faraó vê que esse plano não deu certo, ele dá um passo muito mais drástico e determina que as parteiras matem os meninos hebreus recém-nascidos durante o parto, uma ordem cruel. Entretanto, as parteiras hebreias temem mais a Deus que ao faraó e desprezam sua ordem (1.15-21). Então, o faraó põe em prática o terceiro e mais terrível plano para conter o crescimento populacional dos israelitas. Ele ordena que todos os meninos recém-nascidos fossem jogados no rio Nilo. Essa ordem vira um pesadelo para os israelitas. Mas lembre-se da promessa de Deus a Abraão ("amaldiçoarei os que o amaldiçoarem"). O

A mãe de Moisés o esconde entre os juncos às margens do rio Nilo. A amostra acima é uma pintura de uma parede de um túmulo de um egípcio caçando aves entre os juncos ao longo do Nilo (1400 a.C.)

✚ As personagens na história de Êxodo 1.1—2.10 são o faraó e cinco mulheres que se rebelam contra seu decreto; as duas parteiras, a mãe e a irmã de Moisés, e a filha do faraó.

Êxodo

faraó decidiu atacar o povo de Deus da maneira mais direta e cruel, matando os mais inocentes e indefesos. Desse modo, o faraó provoca a ira de Deus. A imagem dos bebês israelitas morrendo no Nilo forma o contexto de várias pragas que Deus envia contra o Egito (tornando o Nilo em sangue, a morte de todos os recém-nascidos etc.). Da mesma forma, observe a ironia e a poesia condenatória bem apropriada no julgamento final de Deus contra o Egito em Êxodo 14. Deus afoga todo o exército egípcio! Em Êxodo 1, o faraó ataca Deus e o povo de Deus afogando os filhinhos dos israelitas. Em resposta, Deus destrói de maneira sistemática o Egito, econômica e militarmente, destruindo toda a sua agricultura, matando todos os seus primogênitos e depois afogando seu exército inteiro (Êx 7—14).

Êxodo 2.1-10 introduz Moisés na história da maneira mais irônica possível. O faraó tinha ordenado que todos os meninos recém-nascidos dos israelitas fossem jogados no Nilo. Contudo, a mãe de Moisés o coloca dentro de um cesto "vedado com piche e betume" e o deixa entre os juncos do Nilo, escondendo o bebê exatamente no lugar em que os bebês deveriam ser mortos. Mais irônico ainda é que a filha do próprio faraó encontra o menino Moisés e resolve ficar com o bebê e criá-lo, desprezando dessa forma o decreto do pai. Assim, os egípcios alimentariam e educariam justamente aquele que comandaria a destruição do Egito por Deus.

Santidade, presença e poder: o Senhor chama Moisés (2.11—4.17)

Em Êxodo 2.11-22, Moisés é reapresentado na história, agora como um jovem adulto. Entretanto, como futuro líder de Israel, ele não começa bem. Esse episódio inicial ilustra, provavelmente, quanto Moisés era de fato impotente e quão

O rio Nilo na atualidade.

✚ A presença de Deus, sua santidade e seu poder são três temas centrais inter-relacionados que muitas vezes aparecem juntos na Bíblia.

Os dois principais nomes de Deus no Antigo Testamento

O AT usa duas principais palavras hebraicas para Deus. A primeira é *Elohim*, o nome usado em Gênesis 1.1 ("No princípio Deus [*Elohim*] criou os céus e a terra"). A palavra "Elohim" ocorre 2.570 vezes no AT. É um termo genérico que significa simplesmente "deus". Ela pode ser usada para se referir ao verdadeiro Deus de Israel ou para qualquer outro falso deus como Baal ou Moloque. Quase todas as traduções bíblicas traduzem essa palavra por "Deus" (com letra maiúscula) quando se refere ao Deus verdadeiro de Israel, e como "deus" ou "deuses" (em minúscula) para se referir a deuses pagãos dos vizinhos de Israel. Tecnicamente, *Elohim* está na forma plural; então, quando se refere a divindades pagãs, pode ser traduzido por "deuses" (plural). Contudo, quando é usado para se referir ao Deus de Israel, essa forma plural sempre é seguida de verbos no singular e pronomes no singular ("ele" e "o" ou "lhe", nunca "eles" e "os" ou "lhes"), de modo que se refere de forma clara a uma entidade singular. Nesse caso, a forma plural no hebraico é usada para enfatizar majestade ou intensificação. *Elohim* é usado principalmente nos contextos em que Deus se relaciona com todo o mundo (sua criação, seu poder sobre as nações etc.).

A outra palavra hebraica central para Deus no AT é *Yahweh*. Essa palavra ocorre mais de 6.800 vezes e tem a função de nome pessoal de Deus. Ela é usada nos contextos do relacionamento pessoal de Deus com seu povo, principalmente na aliança. Por isso, em todo o AT Deus muitas vezes dirá: "Eu sou Yahweh, que o tirou da terra do Egito" (algo semelhante a isso), enfatizando a estreita ligação entre seu nome, Yahweh, e sua poderosa ação de libertação conforme se vê em Êxodo. O caráter de Deus, revelado pelo nome Yahweh, é mais bem compreendido quando se vê e entende o que ele fez na história de Êxodo.

O nome Yahweh provavelmente está relacionado ao verbo hebraico que significa "ser". Assim, a autoidentificação de Deus a Moisés como "Eu Sou o que Sou" é um jogo de palavras claro (ainda que complexo) sobre o nome Yahweh. Na maioria das versões da Bíblia em português o nome Yahweh é geralmente vertido por "Senhor", com Senhor em versal-versalete. A palavra não significa realmente "Senhor", como no sentido de amo (o hebraico tem outra palavra para isso, *Adonai*, que, de fato, significa "senhor, amo"), apesar de com certeza sugerir esse tipo de relacionamento. Neste manual nós verteremos Yahweh para Senhor.

Os dois termos (*Elohim* e *Yahweh*) são usados muitas vezes juntos ou no mesmo contexto. De modo geral, neste caso, a ênfase está no fato de Yahweh ser o Deus (*Elohim*) de Israel. Por isso, no grande Shemá de Deuteronômio 6.4,5 (*Shema* é a palavra hebraica para "Ouça") Moisés declara a Israel: "Ouça, ó Israel: *Yahweh*, nosso *Elohim*, é o único *Yahweh*. Ame *Yahweh*, o seu *Elohim*, de todo o seu coração, de toda a sua alma e de todas as suas forças".

---

incompetente era sua ação quando resolvia agir pela própria força e entendimento, sem a capacitação da presença de Deus. Em 2.11-15, Moisés mata um egípcio por ter batido em um escravo hebreu, mas em seguida foge para o deserto de Midiã, temendo a represália do faraó. Ele se casa com uma mulher midianita e se estabelece ali, aparentemente, em definitivo. Observe a tensão interior quanto à identidade de Moisés. Em Êxodo 2.11, ele se identifica como hebreu. Em Êxodo 2.19, as moças no poço (e sua

---

✚ Jesus declara: "Antes de Abraão nascer, Eu Sou!" (Jo 8.58). Jesus está obviamente se identificando com o nome de Deus revelado a Moisés no episódio da sarça ardente de Êxodo 3.

futura esposa) referem-se a ele como um egípcio. Depois de se casar e se estabelecer entre os midianitas, ele se torna um midianita. Observe também que essa família é uma família midianita sacerdotal (2.16). Números 25 mostra que os midianitas adoravam Baal. O que Moisés fazia ali?

Êxodo 2.23,24 é uma transição muito importante. Deus ouve o clamor dos israelitas escravizados e decide agir, baseado na promessa feita a Abraão. Observe que o povo de Israel não se arrependeu nem se converteu a Deus. Eles apenas clamaram diante de seu sofrimento e miséria. Deus ouve o seu clamor, lembra-se de sua aliança com Abraão, e decide agir (em Êx 3, ele designará Moisés para conduzi-los).

Em Êxodo 3.1—4.17, Moisés tem um encontro incrível com Deus. Ele está desperdiçando sua vida nas regiões remotas de Midiã. Para todos os propósitos essenciais, ele é um midianita. Deus o confronta, revela-se a ele e, em seguida, o coloca em um caminho completamente novo de vida: tirar os israelitas do Egito e conduzi-los à terra prometida.

Deus aparece a Moisés de dentro de uma sarça ardente. À medida que Moisés se aproxima, Deus lhe diz para retirar as sandálias dos pés, pois o lugar próximo dele é santo. Essa aparição de Deus a Moisés revela a estreita ligação entre a presença de Deus, sua santidade e seu poder capacitador.

Deus se identifica a Moisés como o mesmo Deus adorado por Abraão (3.6). Deus explica que ele ouviu o clamor dos israelitas e, por isso, desce para resgatá-los. Então, para surpresa de Moisés, Deus declara que ele está enviando Moisés até o faraó para libertar os israelitas.

Moisés apresenta quatro frágeis objeções ao plano de Deus, e Deus responde a todas as quatro objeções com palavras de encorajamento. Primeiro, Moisés questiona sua habilidade e suficiência, e Deus lhe promete a força de sua presença (3.11,12). Além disso, Deus apresenta um sinal — depois de Moisés tirar o povo do Egito, ele os conduziria de volta a esse exato lugar para adorar a Deus. Mas Moisés objeta, dizendo que ele nem sabe direito quem é esse Deus, para o

Possível localização do monte Sinai/Horebe.

que Deus explica: "Eu Sou o que Sou" (3.13-15). A palavra hebraica para "Eu Sou" está relacionada ao nome hebraico de Deus, geralmente traduzida em português por "Senhor".

Na terceira objeção, Moisés pergunta sobre o que ele fará se o povo de Israel não acreditar nele. Deus, então, lhe dá três sinais miraculosos dramáticos: a transformação de sua vara em serpente, a transformação da pele de sua mão em lepra e a transformação de água em sangue. Deus diz que caso eles não cressem, Moisés deveria mostrar esses sinais miraculosos (4.1-9). Eles estão carregados de simbolismo. O símbolo do poder egípcio, associado de modo especial ao faraó, era a serpente. Os faraós do Egito muitas vezes usavam coroas com uma serpente de ouro enrolada na parte de cima. Moisés está perto de agarrar o faraó "pela cauda", por assim dizer, no entanto ele prevalecerá; sua vara tem mais poder que o faraó.

Por fim, Moisés levanta a objeção sobre a sua habilidade de se comunicar e depois implora a Deus para enviar outra pessoa em seu lugar (4.10,13). Deus fica irritado com isso, mas declara que Arão, irmão de Moisés, servirá de porta-voz para ele (4.14-16), junto com sua vara poderosa para realizar milagres (4.17).

A serpente simbolizava o Baixo Egito. Os faraós egípcios frequentemente adornavam suas coroas com serpentes para representar seu domínio sobre o Baixo Egito.

Quem é o Senhor? Primeiro encontro com o faraó e o povo (4.18—7.5)

Moisés reúne sua família e começa o retorno ao Egito. No caminho ele tem um encontro muito estranho com Deus (4.18-26). Aparentemente, Moisés não tinha ainda circuncidado seus filhos. Lembre-se de que a circuncisão era o sinal de pertença à aliança abraâmica. Deus parece insistir na circuncisão dos meninos da família de Moisés antes de ele assumir o comando dos israelitas.

Moisés encontra-se com Arão (4.27,28) e os dois retornam ao Egito. Eles contam aos israelitas tudo que Deus disse a Moisés e lhes mostram os sinais miraculosos. Os israelitas acreditam e adoram a Deus (4.29-31). As coisas começaram bem para Moisés.

Entretanto, o faraó é outra questão. Quando Moisés lhe diz que o Senhor exige a partida dos israelitas, o faraó faz uma declaração fatal: "Quem é o Senhor, para que eu lhe obedeça e deixe Israel sair?" (5.2). Deus responde a esse desafio provocador de maneira dramática. Ao fim de Êxodo 14, com o Egito destruído, todos os primogênitos mortos e todo o exército morto às margens do mar Vermelho, o faraó saberá quem é o Senhor.

✚ Deus quer que os israelitas *saibam* que foi ele quem os libertou. Da mesma forma, ele quer que os egípcios *saibam* que foi ele quem os destruiu.

Contudo, no momento, o faraó responde ao pedido de Moisés tornando a vida dos israelitas mais árdua, exigindo que eles aumentem a produção de tijolos usando menos material (5.3-20). Os israelitas, que inicialmente tinham reagido de modo favorável a Moisés, agora começam a acusá-lo (5.21). É impressionante quanto os israelitas serão volúveis em todo o Êxodo!

Então, Moisés busca a Deus e murmura um pouco sobre o desenrolar dos acontecimentos (5.22,23). Deus explica a Moisés que ele tem algo muito maior que apenas a saída do Egito. Deus planeja agir de um modo tão extraordinário que todos saberão que ele é o Senhor. O nome "Senhor" está estreitamente ligado à sua aliança, e para conhecê-lo como "Senhor" significa experimentar seu grande livramento de primeira mão. Deus também reafirma a relação básica da aliança ("Eu os farei meu povo e serei o Deus de vocês") assim como a promessa da terra (6.1-8).

Um breve histórico de família de Moisés e Arão é apresentado (6.13-27), estabelecendo que tanto Moisés quanto Arão são levitas, uma questão que se tornará importante mais tarde nessa história. Depois, Deus continua com a explicação de seu plano para Moisés, iniciado em 6.1. Moisés está preocupado de que o faraó não o atenda (6.30). Deus lhe diz que a obstinação do faraó faz parte do plano. Deus não quer uma saída tranquila e discreta do Egito, mas um confronto dramático e poderoso por meio do qual ele esmagará os egípcios por completo (lembre-se de que os egípcios estavam jogando bebês israelitas no Nilo). Deus declara que, depois de ele esmagar o Egito e retirar os israelitas, então os egípcios também saberão que ele é Senhor (7.1-5).

Faraó versus o Senhor: as primeiras nove pragas (7.6—10.29)

A próxima unidade conta a história de como o faraó obstinado e provocador procura desprezar Deus, apenas para ver o Egito esmagado por uma série de pragas de juízo enviadas pela palavra de Deus por intermédio de Moisés.

Êxodo 7.8-13 antecipa o que está por vir. A vara de Moisés transforma-se em uma serpente diante do faraó, como um sinal para ele. No entanto, seus magos imitam o sinal, e suas varas também se transformam em serpentes. Entretanto, o principal sinal é o que acontece em seguida, quando a serpente de Moisés engole as outras serpentes, demonstrando

Coluna espetacular do templo de Amon-Rá, o deus-Sol egípcio.

As pragas

Peter Enns

As pragas são dez atos por meio dos quais Deus afligiu os egípcios sob a liderança de Moisés. A narrativa principal das pragas começa em Êxodo 7.14, com a transformação das águas do Nilo em sangue, e termina em Êxodo 11.1—13.16 com a morte dos primogênitos, a instrução sobre a Páscoa e a libertação de Israel da escravidão no Egito. As pragas também são mencionadas em Salmos 78.44-51, embora a sequência seja diferente e apenas seis das dez pragas sejam mencionadas (v. tb. Sl 105.28-36).

Sua descrição é bastante conhecida, mesmo na cultura popular (p. ex., rio se transformando em sangue, rãs, feridas, trevas, morte dos primogênitos), mas a função teológica das pragas no livro de Êxodo nem sempre é examinada. Uma das perguntas que logo vem à mente é: por que dez pragas? Na verdade, a pergunta é: por que as pragas foram necessárias? Por que Deus simplesmente não tirou os israelitas sem todo esse alarde? A razão é declarada em 9.15,16. O propósito de Deus nas pragas não foi para convencer o faraó da futilidade de resistir a Deus. Antes, Deus levantou o faraó para que, por meio de um processo prolongado, ele pudesse mostrar seu poder ao faraó e proclamar seu nome em toda a terra.

É importante entender que as pragas não consistiram em um processo pelo qual Deus cansou o faraó até ele por fim sucumbir. Quando chegamos à segunda (rãs) e à quarta (moscas) pragas, o faraó já está enfastiado (ele implora para que Moisés as interrompa). Naturalmente, depois de encerrada a segunda praga, ele endurece o coração (v. tb. as pragas três, quatro, seis e sete quando o faraó ou endurece o coração ou é endurecido). Mas, a partir da sexta praga e continuando com a oitava, nona e décima, é *Deus* quem endurece o coração do faraó. Ainda que o faraó esteja pronto para ceder, Deus não está. Ele estende o processo para dar uma lição, isto é, que ele não é só o Deus dos escravos hebreus, mas também sobre todo o Egito, como sobre as demais nações. O faraó foi o instrumento usado por Deus para proclamar essa verdade.

As pragas também têm certa importância religiosa. Pelo menos algumas delas parecem refletir elementos do panteão egípcio. Por exemplo, o Nilo era personificado e adorado como um deus (Hapi). Transformar o Nilo em sangue significava derrotar o deus que dava vida ao Egito. De modo semelhante, a divindade solar, Rá, era muito importante para a religião egípcia. Os faraós eram às vezes chamados de filhos de Rá. A praga das trevas (a nona) não foi apenas inconveniente, mas também uma declaração da superioridade do Deus de Israel sobre os do Egito.

As pragas também mostram que o Deus de Israel pode controlar os elementos. Os magos do Egito conseguiam reproduzir as primeiras duas pragas (como a vara se transformando em serpente), mas nada mais além disso. Também, somente o Deus de Israel conseguia *interrompê-las*. Deus tem à sua disposição a ordem criada para pôr em ação a salvação de Israel. Assim, mediante as pragas, ele se mostra verdadeiro criador e libertador.

Relevo de um túmulo egípcio na forma da deusa-rã Heket, protetora das mulheres grávidas e do parto.

quanto sua vara era mais poderosa que qualquer coisa que o faraó ou seus magos pudessem inventar.

Então, Deus fere o Egito com dez terríveis pragas, as quais, em geral, com intensidade crescente (7.14—11.30). As pragas vêm em grupos de três, seguindo padrões semelhantes. Na primeira (o Nilo transforma-se em sangue) e na segunda (as rãs) pragas, Moisés adverte o faraó e exige que ele deixe os israelitas partirem. O faraó se recusa, e Deus então inicia a praga. A terceira praga (piolhos), entretanto, fere o Egito sem nenhuma advertência. O próximo ciclo segue o mesmo padrão. A quarta praga (moscas) e a quinta (morte do rebanho) são precedidas por advertências e a exigência para deixar o povo de Deus sair. A sexta praga (feridas) vem sem advertência. O próximo ciclo repete o mesmo esquema. Moisés faz advertências antes das pragas de número sete (granizo) e oito (gafanhotos), mas a nona praga (trevas) vem sem advertência. A décima e última pragas (a morte dos primogênitos) também ocorre sem uma advertência concreta.

Várias pragas são carregadas de sentidos simbólicos ligados em especial ao primeiro capítulo de Êxodo e à execução dos meninos israelitas recém-nascidos pelo faraó. A primeira praga transforma o Nilo em sangue (7.14-24). O Nilo era o símbolo do Egito e representava sua prosperidade e poder. Assim, o sangue vermelho simbolizava a morte do próprio Egito. Mas tenha em mente que o faraó matava bebês hebreus jogando-os no Nilo. Por isso, quando o Nilo se transforma em sangue, ele recorda todas as mortes cruéis ocorridas ali. Os magos conseguem imitar a praga, mas não conseguem revertê-la nem interrompê-la. Isto é, eles conseguem usar seu poder para executar maior juízo contra o Egito, mas não conseguem fazer nada para repelir a praga imposta por Deus nem interromper o julgamento.

A segunda praga (as rãs) também está ligada à morte dos bebês hebreus. Na religião dos antigos egípcios, a deusa e protetora das mulheres grávidas chamava-se Heket, de maneira geral retratada na forma de uma rã. Isso se dava provavelmente porque no pensamento egípcio, a metamorfose do girino para rã simbolizava o crescimento e nascimento de bebês humanos. Quando os egípcios foram infestados por

Êxodo 12.38 declara que um enorme rebanho de gado acompanhou os israelitas quando eles saíram do Egito. A figura é um fragmento de um desenho da parede de um túmulo que retrata o gado egípcio sendo contado para a cobrança de imposto.

✚ O faraó afoga os bebês hebreus em Êxodo 1; Deus afoga todo o exército egípcio em Êxodo 12.

rãs nesse episódio, isso serviu para lembrá-los de quão terrível foi o crime cometido contra as mulheres grávidas e os recém-nascidos. É provável que os magos, para a humilhação do faraó, não conseguiam impedir a praga das rãs; apenas aumentar o números delas — mais rãs (portanto, mais juízo).

À medida que as pragas avançam, toda a prosperidade agrícola do Egito é sistematicamente destruída. Entretanto, o faraó e seus oficiais continuam endurecendo o coração e se recusando a permitir a saída dos israelitas. A nona praga (as trevas) também é bastante simbólica, pois a principal divindade do Egito era Rá, o deus-Sol, e o faraó era conhecido como o "filho de Rá".

A rota usada pelos israelitas quando saíram do Egito. É difícil determinar a rota exata com base apenas nos detalhes descritos em Êxodo 12—19, e os estudiosos discordam a respeito dela. No quadro acima está a rota mais provável.

O Senhor liberta Israel do Egito (11.1—15.21)

A última e culminante praga é a da morte dos primogênitos (11.1-10), um juízo terrível e apropriado contra o Egito pela execução dos bebês israelitas em Êxodo 1. Enquanto os israelitas se preparam para sair do Egito, Deus apresenta dois rituais de celebração (a festa dos pães sem fermento e a Páscoa), para que eles se lembrem sempre desse momento especial de libertação (12.1-28). O Êxodo propriamente ocorre em Êxodo 12.31-51 depois da morte dos primogênitos egípcios. Os egípcios capitulam por completo, deixando os israelitas saírem vitoriosos, levando embora as riquezas do Egito (12.36). Os acontecimentos em torno dessa saída eram obviamente conhecidos em todo o Egito, pois milhares de outras pessoas de diversas nacionalidades acompanharam os israelitas na saída (12.38),

✝ A Páscoa em Êxodo 12 anuncia a morte de Jesus Cristo no NT.

cumprindo a promessa de Deus feita a Abraão da bênção aos gentios (12.3). Em Êxodo 12.43-51, Deus decreta que esses estrangeiros poderiam participar da Páscoa se fossem circuncidados, e em 13.1-16 descreve-se a celebração desse dia especial e a consagração dos primogênitos futuros de Israel.

Em seguida, os israelitas chegam a uma porção significativa de água chamada em hebraico de *yam suf* ("mar dos juncos"). Na história bíblica posterior, 1Reis 9.26 declara que Salomão enviou navios ao *yam suf*. Em 1Reis 9.26, a referência é clara à região conhecida hoje em português como mar Vermelho; então, provavelmente o *yam suf* de Êxodo designe o mesmo lugar. De qualquer modo, era um obstáculo extraordinário, capaz de impedir os israelitas de fugir dos egípcios e que pudesse afogar todo o exército egípcio.

A presença de Deus exerce um papel crucial na libertação dos israelitas. Ela acompanha Israel na jornada, aparecendo em uma coluna de nuvem durante o dia e em uma coluna de fogo durante a noite (13.20-22) para guiar os israelitas e protegê-los (14.19-24). Deus divide o mar Vermelho milagrosamente, permitindo a travessia de Israel em segurança e, em seguida, fecha o mar sobre os carros do Egito enquanto eles perseguiam os israelitas. O ápice de Êxodo 1—14 é expresso de forma sucinta em 14.31: "Israel viu o grande poder do Senhor contra os egípcios, temeu o Senhor e pôs nele a sua confiança, como também em Moisés, seu servo".

Êxodo 15 conclui a primeira parte da história de Êxodo com um cântico de celebração de vitória. Moisés e os israelitas (aparentemente os homens) cantam o cântico de vitória (15.1-18), seguido de um cântico semelhante por Miriã, sua irmã, e as mulheres (15.19-21).

Celebração da aliança do Sinai (15.22—24.18)

A peregrinação até o monte Sinai (15.22—18.27)

Depois de libertar Israel por meio de uma manifestação extraordinária de poder, Deus agora guia o povo até o monte Sinai, onde ele estabelecerá uma aliança com eles. Contudo, é incrível que ao longo do caminho Israel perca a fé com rapidez, reclamando e murmurando contra Moisés a respeito da falta de água (15.22-27), comida (16.1-36) e água outra vez (17.1-7). Em cada situação, Deus lhes provê do necessário. Entretanto, em Êxodo 17.7 eles questionam: "O Senhor está entre nós, ou não?". Deus responde em Êxodo 17.8-16 dando-lhes vitória sobre os amalequitas. Jetro, sogro de

O deserto do Sinai.

Moisés (ou, talvez, tio de sua esposa), visita Moisés em Êxodo 18 interrompendo o fluxo negativo da reclamação dos israelitas e oferece a Moisés um conselho firme e bom sobre a organização de um sistema judicial sadio que pudesse aliviar um pouco o peso da liderança de Moisés.

A revelação no monte Sinai (19.1-25)

No episódio da sarça ardente em Êxodo 3, Deus diz a Moisés que, depois de libertar o povo do Egito, ele os traria de volta exatamente para aquele mesmo lugar (monte Sinai) para adorar a Deus (3.12). Então, agora quando eles de fato chegam ao monte Sinai, Deus dá ao povo uma experiência semelhante à de Moisés em Êxodo 3 diante da sarça ardente. Em Êxodo 3, Deus falou apenas a um homem, Moisés; em Êxodo 19, ele fala a todo o povo. Em Êxodo 3, o fogo está concentrado em um único arbusto solitário; em Êxodo 19, toda a montanha queima. Em ambos os encontros, o chão é declarado santo, por causa da presença de Deus. Qual é o sentido dessa semelhança? Como Deus tinha ordenado Moisés, agora ele ordena toda a nação, declarando-os "reino de sacerdotes e uma nação santa" (19.6). De fato, em Êxodo 19 todo o povo é tratado como sacerdotes. O monte torna-se como um templo, o povo se consagra como os sacerdotes (19.10-15). Em seguida o povo se encontra com o próprio Deus (19.17) — um acontecimento comumente reservado apenas aos sacerdotes.

Os Dez Mandamentos (20.1-21)

Deus libertou Israel da escravidão no Egito de forma dramática e os trouxe ao monte Sinai, onde sua glória e santidade são reveladas ao povo por meio de trovão, relâmpagos, fumaça e fogo assustadores (19.17-19). Deus também declara que toda a nação será como sacerdotes para ele. Nesse contexto, Deus agora entra em um relacionamento mediante uma aliança especial com o povo de Israel, uma oportunidade espetacular de bênção e rico significado de vida expresso por meio da poderosa presença de Deus. Agora que os israelitas estão nesse novo relacionamento com Deus, eles precisam aprender a viver como povo especial de Deus. Em Êxodo 20—24, Deus apresenta a Israel as estipulações que definem esse novo relacionamento (muitas vezes chamado de aliança mosaica). No cerne da aliança estão os Dez Mandamentos, representando a essência ou os elementos centrais do novo relacionamento dos israelitas com Deus.

✚ No NT, Pedro menciona Êxodo 19.6 quando diz: "Vocês são [...] sacerdócio real, nação santa" (1Pe 2.9).

Os Dez Mandamentos

Michael Grisanti

CONTEXTO HISTÓRICO

Quando Moisés conduziu os israelitas para fora do Egito, e o povo começou a jornada em direção à terra prometida, eles eram um povo sem clara identidade e propósito. Eles deixaram para trás 430 anos de permanência no Egito. No mar Vermelho, o Senhor orquestrou um dos milagres mais assombrosos do AT. Os israelitas passaram a seco por entre uma grande quantidade de água, sinal do compromisso do Senhor de fazer cumprir sua promessa ao povo, além de servir de paradigma acerca do caráter e da atividade de Deus no restante do AT. Uma vez que o povo acampou ao pé do monte Sinai, o Senhor então levou Israel a um relacionamento mais profundo com ele.

DEZ MANDAMENTOS: O CERNE DA LEI (AS EXIGÊNCIAS DA ALIANÇA DO SENHOR)

Moisés subiu o monte Sinai como representante de Israel para receber a Lei do Senhor. O próprio Senhor gravou as palavras dos Dez Mandamentos (ou "Dez Palavras", por isso *Decálogo*) em duas tábuas de pedra (Êx 20.1-17; Dt 5.6-21). Essas dez vastas exigências divinas representam o cerne do que Yahweh espera de seu povo. Os primeiros quatro mandamentos concentram-se no relacionamento pessoal com Deus (vertical), enquanto os outros seis mandamentos dão atenção ao relacionamento com os companheiros israelitas (horizontal).

É importante observar que os Dez Mandamentos começam com um prefácio, algo comum nos tratados do antigo Oriente Médio. Esse prefácio ou prólogo muitas vezes descreve as relações passadas entre as partes do tratado. Na passagem, o prólogo demonstra que Deus não estabeleceu as exigências da aliança a Israel a partir de um vácuo, mas o fez no contexto de um relacionamento íntimo, evidente por seu caráter inigualável e sobejante atividade a favor de Israel. A promulgação da Lei foi precedida por um ato de amor e graça. Ele estabelece essas exigências da aliança para um povo com quem ele já tinha estabelecido um relacionamento, não como meio de iniciar um relacionamento (que sempre foi e é "mediante a fé").

Também é essencial entender esses mandamentos como exigências fundamentadas em um relacionamento de aliança. O Senhor começou esse relacionamento com os descendentes de Abraão (Gn 12; 15; 17), mas formaliza e aprofunda esse relacionamento com os Dez Mandamentos e o restante da lei de Moisés. Essas exigências da aliança fornece a orientação concreta para o relacionamento de Israel com Deus. Eles deveriam obedecer a essas estipulações, não apenas por uma questão de pura obediência, mas para demonstrar o caráter do Senhor às nações vizinhas (Êx 19.4-6; Dt 26.16-19).

LEGISLAÇÃO DETALHADA: DELINEAMENTO DOS DEZ MANDAMENTOS

As regras e regulamentações detalhadas que ocupam boa parte de Êxodo, Levítico e Deuteronômio não são um conjunto de regras soltas sem nenhuma ligação com os Dez Mandamentos. Antes, elas representam a aplicação detalhada do caráter de Deus a todas as áreas da vida dos israelitas. Além do mais, essas regulamentações operam em duas esferas básicas: vertical e horizontal (cf. o resumo da Lei mosaica feito por Cristo nessas duas esferas — Lc 10.25-28). Algumas leis, em especial as associadas ao ritual do culto e às exigências que não afetam diretamente o próximo israelita (as leis dietéticas, p. ex.), enfatizam o andar dos israelitas com Deus. Elas podem ser resumidas como um chamado para viver em total lealdade ao Senhor. Outras leis tratam sobre como os israelitas devem tratar seus conterrâneos. Em suma, os membros do povo escolhido de Deus devem se tratar com amor, justiça e igualdade.

Os Dez Mandamentos concentram-se em relacionamentos e fidelidade. Os primeiros quatro mandamentos definem como o povo deve se relacionar com Deus. A idolatria é rigorosamente proibida; eles devem adorar o Senhor e apenas a ele. Esses primeiros quatro mandamentos são 1) não adorar outros deuses; 2) não fazer imagens de Deus nem de outros

✚ Os Dez Mandamentos aparecem duas vezes no AT, uma em Êxodo 20.1-17 e novamente em Deuteronômio 5.6-21.

deuses; 3) não tomar o nome do Senhor em vão; e 4) guardar o sábado. Os seis mandamentos seguintes descrevem como as pessoas devem se relacionar umas com as outras, em sua família e na comunidade em sentido mais amplo. Esses seis mandamentos orientados à família/comunidade são 5) honrar os pais; 6) não matar; 7) não cometer adultério; 8) não furtar; 9) não dar falso testemunho; e 10) não cobiçar.

O livro da aliança (20.22—23.33)

Essa unidade é chamada muitas vezes de "o livro da aliança" e contém princípios gerais derivados dos Dez Mandamentos além de aplicações desses princípios. Lembre-se mais uma vez que Deus explica como seu povo deve viver nesse novo relacionamento de aliança com ele. Nessa unidade, há uma variedade de leis mostrando como Deus está preocupado com todas as áreas da vida. Por exemplo, Deus deseja que seu povo seja honesto e justo (23.1-3,6-8). Ele os torna responsáveis pelo bem-estar dos outros (23.4,5), em especial de estrangeiros, órfãos e viúvas (os socioeconomicamente fracos na cultura; 22.21-27). Nessa seção também se incluem orientações para as três festas anuais (a festa dos pães asmos, a festa da colheita e a festa do encerramento da colheita; 23.14-19). Essas festas compunham as principais datas em que Israel se reunia para adorar a Deus e celebrar seu relacionamento com ele.

Ratificação da aliança (24.1-18)

Em Êxodo 24, o novo relacionamento por meio da aliança descrito em Êxodo 19—23 é ratificado. Os termos do acordo são repetidos duas vezes ao povo, e duas vezes o povo concorda em cumprir seus termos (as leis de Êx 20—23). Então, Moisés esparge sangue sobre eles para colocar formalmente em efeito a aliança, declarando: "Este é o sangue da aliança" (24.8). Jesus usará palavras semelhantes quando, mais tarde inaugurar a nova aliança (Mt 26.28; Mc 14.24; Lc 22.20).

Em seguida, os anciãos de Israel partilham uma refeição na própria presença de Deus (24.11), demonstrando a estreita relação que agora têm com ele e anunciando o futuro "banquete messiânico" descrito pelos profetas e aludido muitas vezes no NT.

"Habitarei no meio deles": o tabernáculo e a presença de Deus (25.1—40.38)

Instruções sobre a construção do tabernáculo (25.1—31.18)

No cerne do relacionamento de aliança entre Deus e seu povo está a fórmula de declaração em três partes: Eu serei o

Os deuses do antigo Oriente Médio eram muitas vezes retratados como bezerros ou touros. Nessa figura está um touro Ápis de bronze do Egito.

Moisés quebrando as tábuas da Lei, por Rembrandt.

seu Deus; vocês serão o meu povo; eu habitarei no meio de vocês. Uma nova característica muito significativa (e radical) desse relacionamento é que Deus realmente vem habitar no meio deles. Se o Deus santo e assombroso vem habitar entre eles, então ele precisará de um lugar próprio para habitar — um lugar onde os israelitas podem desfrutar das bênçãos de conhecê-lo e adorá-lo sem serem consumidos pelo poder de sua santa presença. Por isso, a ênfase central de Êxodo 25—40 é o planejamento e construção do tabernáculo, o lugar da habitação de Deus. Mais de um terço do livro de Êxodo é dedicado à descrição do tabernáculo, indicando a importância crucial desse tema — a presença de Deus entre o povo. Êxodo 25—31 descreve a arca da aliança, a mesa dos pães da Presença, o candelabro e o próprio tabernáculo. Os procedimentos sacerdotais são descritos, incluindo as vestes que eles deveriam usar e os utensílios para os sacrifícios e para queimar incenso.

Interrupção: rebelião e renovação da aliança (32.1—34.35)

Êxodo 32—34 é uma interrupção dramática e terrível no maravilhoso texto que descreve a construção e o funcionamento do tabernáculo (Êx 25—40). Em sentido cronológico, Êxodo 32 está ligado à história diretamente na sequência de 24.12-18. Enquanto Moisés está no alto do monte Sinai recebendo os Dez Mandamentos escritos pela própria mão de Deus, o povo se torna impaciente e constrói um bezerro de ouro como ídolo, declarando: "Eis aí os seus deuses, ó Israel, que tiraram vocês do Egito!". Nesse momento particular, nada poderia ser mais desonroso ou blasfemador a Deus. Cheio de ira, o Senhor conta a Moisés que ele iria destruir o povo (32.9,10). Moisés intercede e convence Deus de não destruir Israel (32.11-14). Mas, quando Moisés chega de volta ao acampamento e realmente vê o bezerro de ouro, ele também fica irado. Ele espatifa no chão as tábuas dos Dez Mandamentos, destrói o bezerro de ouro e convoca o povo para renovar seu compromisso com Deus, executando 3 mil pessoas que não o fizeram (32.19-29).

Êxodo 33 destaca mais uma vez a presença de Deus. Moisés sabe que, se ele perder a presença de Deus, tudo estará perdido. Então, ele implora para que Deus permaneça com eles. Deus concorda, e em Êxodo 34 novas tábuas de pedra são feitas e a aliança é renovada.

✚ A presença de Deus, perdida no jardim em Gênesis 3, é restaurada (até certo ponto) com a vinda de Deus para habitar entre seu povo no tabernáculo (Êx 25.8; 29.4-46).

Conclusão do tabernáculo (35.1—40.38)

Depois da terrível interrupção do episódio do bezerro de ouro, a história agora se volta para o término da construção do tabernáculo. A obediência voluntária do povo agora é ressaltada, em comparação com a desobediência do episódio anterior (Êx 32). Muitos detalhes de Êxodo 25—31 são repetidos. O ápice da segunda parte de Êxodo está em 40.34-38, quando a glória do Senhor desce e enche o tabernáculo. A presença de Deus agora habita com seu povo!

Como aplicar Êxodo à nossa vida hoje

O livro de Êxodo está repleto de princípios poderosos que podem ser aplicados à nossa vida hoje. O exemplo das corajosas parteiras em Êxodo 1, quando elas desprezam o faraó para obedecer a Deus, nos desafia a permanecer firmes pelo que é correto, independentemente das consequências.

Nós também nos encorajamos vendo Deus agir nos bastidores para levantar Moisés, que mais tarde implementa a espetacular libertação do povo de Deus. Somos exortados a evitar a dúvida e inconstância características do povo de Israel e muito repetidas em todo o livro de Êxodo.

Há muitas coisas nesse livro que podemos aprender a respeito de Deus. Ele é quem tem prazer em salvar seu povo, ainda que eles nem sempre pareçam dignos de salvação. Nessa direção, no NT Paulo mais tarde declarará: "Mas Deus demonstra seu amor por nós: Cristo morreu em nosso favor quando ainda éramos pecadores" (Rm 5.8). Além do mais, Êxodo 32 ilustra para nós quão poderosa e eficaz pode ser a oração de intercessão, dado o caráter compassivo de Deus.

Por fim, os diversos aspectos da presença de Deus revelados no livro de Êxodo podem nos ajudar a compreender melhor como andar no poder do Espírito — a manifestação da presença de Deus na vida cristã hoje. A presença e o poder estão sempre ligados de forma direta à santidade. Assim, à medida que desfrutamos do poder e da presença de Deus por meio do Espírito Santo, percebemos que também somos chamados a viver em santidade de vida.

A madeira da acácia, mostrada abaixo, foi usada para a construção do tabernáculo.

Nosso versículo favorito de Êxodo

*Disse Deus a Moisés: Eu Sou o que Sou.
É isto que você dirá aos israelitas:
Eu Sou me enviou a vocês.* (3.14)

✚ Em todo o restante do AT, Deus muitas vezes descreverá a si mesmo como "o Senhor que os tirou do Egito".

- Gênesis
- Êxodo
- **Levítico**
- Números
- Deuteronômio
- Josué
- Juízes
- Rute
- 1Samuel
- 2Samuel
- 1Reis
- 2Reis
- 1Crônicas
- 2Crônicas
- Esdras
- Neemias
- Ester
- Jó
- Salmos
- Provérbios
- Eclesiastes
- Cântico dos Cânticos
- Isaías
- Jeremias
- Lamentações
- Ezequiel
- Daniel
- Oseias
- Joel
- Amós
- Obadias
- Jonas
- Miqueias
- Naum
- Habacuque
- Sofonias
- Ageu
- Zacarias
- Malaquias

Levítico

Sejam santos porque eu sou santo

A maioria das pessoas fica chocada quando lê em Levítico o conteúdo de alguns versículos muito estranhos: "Não usem roupas feitas com dois tipos de tecido" (Lv 19.19). "Quando os cabelos de um homem caírem, ele está calvo, todavia puro" (13.40). "Quando uma mulher engravidar e der à luz um menino, estará impura por sete dias, assim como está impura durante o seu período menstrual" (12.2). Logo percebemos que, se lermos Levítico fora do contexto, é muito provável que terminaremos com uma teologia muito bizarra. Porém, quando colocado no devido contexto, descobrimos que Levítico faz perfeito sentido (pelo menos a maioria faz). As leis de Levítico explicavam para os israelitas como eles deveriam viver com o Deus santo e assombroso habitando entre eles no tabernáculo.

Na Bíblia hebraica, o terceiro livro da Torá (Pentateuco) tem o título "E ele chamou", que expressa a primeira frase do livro em Levítico 1.1. O título em português, Levítico, vem da tradução latina (chamada *Vulgata*), que por sua vez derivou seu título da tradução grega (chamada *Septuaginta*). O termo "Levítico" significa "o livro levítico" ou "o livro dos levitas". Lembre-se de que a tribo de Levi foi a tribo originária dos sacerdotes de Israel. Então, o título é uma descrição bastante precisa de seu conteúdo. O livro de Levítico trata de questões sacerdotais — sacrifício, adoração, festas, santidade, atividades sacerdotais e purificação.

Qual é o contexto de Levítico?

A essência do relacionamento de Deus por meio da aliança com Israel é expressa na afirmação em três partes, repetida constantemente no AT: Eu serei o seu Deus; vocês serão o meu povo; eu habitarei no seu meio. No livro de Êxodo, Deus libertou os israelitas de maneira impressionante, tirando-os do Egito. Então, no monte Sinai, ele estabeleceu um relacionamento por meio de uma aliança com eles. Um componente crucial dessa aliança foi a promessa de que Deus habitaria no meio deles. Por isso, a última unidade de Êxodo (25—40) descreve como os israelitas deveriam construir o tabernáculo, isto é, o lugar da habitação de Deus entre eles. Levítico é uma sequência lógica desses últimos capítulos de Êxodo, pois descreve os procedimentos adotados no tabernáculo. Lembre-se de que os israelitas estavam a caminho de Canaã, onde deveriam se estabelecer e adotar as práticas rituais delineadas em Levítico para definir seus ritos religiosos (o modo de aproximar-se de Deus em seu meio). No processo, eles deveriam rejeitar as crenças e práticas comuns aos pagãos que estavam em redor deles. A influência das crenças pagãs na região era muito forte e afetava todos os aspectos da vida, em especial os da agricultura e da procriação. Boa parte de Levítico se dedica a confrontar essas crenças pagãs e a reorientar toda a visão de mundo de Israel em relação ao Deus de Abraão, que acabara de libertá-los do Egito.

Um utensílio de um templo pagão, provavelmente usado em ofertas de libação de fertilidade cananeias.

Quais são os temas centrais de Levítico?

Se o Deus santo e assombroso virá habitar no tabernáculo entre os israelitas (Êx 25—40), como isso lhes afetará a vida? Como um povo pecador sobreviverá diante da habitação do Deus santo e assombroso no meio deles? Como eles se aproximarão dele? Qual é a maneira apropriada de louvar a Deus e agradecer-lhe por suas bênçãos? Como o pecado pode ser perdoado de modo que o relacionamento não seja agravado? O livro de Levítico responde a essas perguntas. Levítico enfatiza que *tudo* na vida deles mudará; a partir de agora — com a presença de Deus no meio deles — todo pensamento e toda ação (a visão de mundo deles) girarão em torno do que é santo e puro. Nesse contexto, há quatro temas principais que permeiam o livro todo: 1) a presença de Deus; 2) a santidade; 3) o papel do sacrifício; e 4) como cultuar e viver em aliança.

Estruturalmente, o livro de Levítico pode ser organizado da seguinte maneira:

- Sacrifícios para a adoração individual (1.1—7.38)
- A instituição e as limitações do sacerdócio (8.1—10.20)
- A questão da impureza e o seu tratamento (11.1—15.33)
- O Dia da Expiação (sacrifício em favor da nação) (16.1-34)
- Leis sobre como viver em santidade (17.1—25.55)
- Bênçãos e maldições da aliança (26.1-46)
- Ofertas de dedicação (27.1-34)

Quais são os aspectos interessantes e singulares de Levítico?

- Levítico ilustra a prática do sacrifício, essencial para a compreensão da teologia da cruz do NT.
- Levítico descreve o Dia da Expiação.
- Levítico nos ensina quanto Deus realmente deseja manter a distinção do santo e do profano.
- Deus repete quatro vezes em Levítico a frase: "sejam santos, porque eu sou santo" (11.44, 45; 19.2; 20.26).
- Levítico contém o segundo grande mandamento: "ame cada um o seu próximo como a si mesmo" (19.18).

Qual é a mensagem de Levítico?

Sacrifícios para a adoração individual (1.1—7.38)

Os primeiros sete capítulos de Levítico tratam dos sacrifícios oferecidos por indivíduos. Levítico 1.1—6.7 relaciona sacrifícios na perspectiva do

✤ A presença do santo Deus entre seu povo — esse é o tema que liga Levítico de volta ao Êxodo.

povo comum (não os sacerdotes) enquanto Levítico 6.8—7.38 enfatiza o papel dos sacerdotes na apresentação dos sacrifícios.

Nesses capítulos são descritas duas categorias principais de sacrifícios: 1) sacrifícios voluntários de comunhão ou ação de graças; e 2) ofertas obrigatórias pela culpa ou pecado. Quando os sacrifícios voluntários de comunhão ou ação de graças são queimados, a fumaça se torna "aroma agradável ao SENHOR" (1.9,13,17; 2.2,9; 3.5,16; 6.15,21). Há três sacrifícios voluntários de comunhão ou ação de graças específicos. Levítico 1.1-17 e 6.8-13 descrevem o "holocausto", oferecido quando alguém se dedica ou consagra inteiramente a Deus. Em seguida é apresentada a "oferta de cereal" (ou "oferta de grãos") (2.1-16; 6.14-23), uma oferta de ação de graças em reconhecimento à bondade de Deus em satisfazer as necessidades diárias. A terceira oferta da categoria sacrifícios voluntários de comunhão ou ação de graças é a "oferta de comunhão" (3.1-17; 7.11-36), que pode ser apresentada por ocasião de um ato de gratidão específico ou geral, ou como parte de um voto.

Em comparação, as ofertas pela culpa ou pelo pecado não eram voluntárias. Antes, eram obrigatórias sempre que alguém cometesse algum pecado. A oferta pelo pecado (4.1—5.13; 6.24-30) era apresentada por alguém que tivesse pecado sem intenção, por omissão, ou tinha se tornado cerimonialmente impuro. A oferta pela culpa (5.14—6.7; 7.1-6) expiava também o pecado por ignorância, incluindo pecados contra outras pessoas, como furto, engano ou mentira.

A instituição e as limitações do sacerdócio (8.1—10.20)

Réplica de um altar de "chifres" de Berseba.

O estilo literário desta seção passa da instrução sobre como fazer algo para a narrativa sobre o que realmente aconteceu. Em Êxodo 29, Deus deu instruções a Moisés sobre como consagrar os sacerdotes, e Levítico 8 descreve como isso, de fato, aconteceu. Assim, em Levítico 8 Arão (irmão de Moisés) e seus filhos são ordenados como os principais sacerdotes, e em Levítico 9 eles começam a ministrar. Entretanto, no capítulo seguinte um acontecimento

Os sacrifícios
Archie England

Muitas vezes os sacrifícios são sinônimos de ofertas, ocorrendo com frequência no AT no contexto da adoração. Embora o sacrifício na Bíblia seja direcionado principalmente à adoração do Deus de Israel, ele também reflete as práticas culturais dos povos vizinhos do antigo Oriente Médio. Como tal, o sacrifício pode ser visto de maneira positiva, como adoração a Deus (Gn 46.1; Êx 3.18; 5.3; 8.8; 12.27; 20.24); negativa, como adoração a falsos ídolos (Êx 22.20; 34.15; Nm 25.2; Jz 15.23), aos demônios (Lv 17.7; Dt 32.17; Sl 106.37) ou às hostes celestes (Jr 19.13); ou neutra, como o modo comum de transação comercial do antigo Oriente Médio.

O conceito de sacrifício é introduzido cedo na história bíblica. Nos capítulos iniciais de Gênesis, Deus cobriu a nudez de Adão e Eva com pele de animal, e Abel trouxe a oferta de um animal a Deus. Ambos os atos envolveram o derramamento de sangue, essencial para alguns tipos de sacrifícios. Embora isso não prove que as pessoas daquela época entendessem o sacrifício como redenção ou reconciliação, esses exemplos podem sugerir que o sacrifício estava associado ao compromisso relacional. Dois exemplos de sacrifícios fora do contexto de adoração refletem esse argumento: partir o animal para estabelecer uma aliança (cf. Gn 15.9-12) e a dedicação da terra, dos bens, animais ou pessoas a Deus (Lv 27). Ambos reforçam o relacionamento "senhor-súdito", que, na verdade, era comum nas culturas do antigo Oriente Médio.

O ato do sacrifício envolvia tipicamente a oferta de algo valioso (comida, animal, ou entre Moabe e Amom, vizinhos de Israel, até seres humanos) a um ser estimado ou temido como superior, como uma divindade ou soberano. Começando com o cordeiro pascal (Êx 12), a Lei de Moisés instrui ainda Israel a procurar rolinhas, carneiros, cabritos, bodes e bois para sacrifícios. Em temos difíceis, até oferta de cereal (Lv 2) era suficiente. Existiam no sistema sacrificial várias subcategorias de sacrifícios. Elas incluíam holocaustos, ofertas de comunhão, ação de graças, de bebida, de grãos e oferta movida. Intimamente relacionadas às festas anuais, as leis sobre as ofertas de carne ou refeição também descreviam as porções que os ofertantes poderiam comer depois de Deus receber as porções suculentas mais desejadas, e depois de os levitas terem tirado suas devidas porções. Desse modo, os sacrifícios coletivos ensinavam perdão, bênção e comunhão. Junto com a observação da Páscoa, o Dia da Expiação (Lv 16) demonstra melhor esses aspectos. Embora a adoração coletiva das festas bíblicas constitua a ênfase principal do AT, os indivíduos (Gn 31.54; Jó 1.5) e pequenos grupos (família) também podiam oferecer sacrifícios.

Entretanto, na época da monarquia dividida, o sistema sacrificial tornou-se especialmente corrompido. Os reis e sacerdotes de Israel e Judá misturaram muitas práticas do sacrifício pagão de seus vizinhos com o que foi prescrito em Levítico, às vezes abandonando por completo a prática bíblica. Esses sacrifícios inapropriados, junto com as práticas religiosas superficiais e a terrível prática dos sacrifícios de crianças (Mq 6.6-8), foram condenados na pregação dos profetas.

chocante interrompe a história, pois os dois filhos de Arão, Nadabe e Abiú, tentam se aproximar de Deus de uma forma não autorizada, "sem que tivessem sido autorizados" (10.1). Da presença do Senhor sai fogo, que os consome! Essa é uma advertência muito séria a Israel de que Deus e somente Deus determina como ele deve ser abordado e adorado. Ninguém, nem mesmo os sacerdotes especiais como os filhos de Arão, poderia determinar por si mesmos como se aproximar de Deus.

Lepra no Antigo Testamento
Robert Bergen

"Lepra" é um termo usado em muitas Bíblias em português para traduzir um substantivo hebraico que se refere a vários tipos de manchas que aparecem na pele, no tecido, no couro e no interior das casas. O aspecto comum a todas as condições chamadas "lepra" (heb., *tsara'at*) é que elas aparecem na superfície, aumentam rápido de tamanho, degradam a aparência da superfície em que se encontram e fazem com que a pessoa ou objeto afetados sejam afastados da comunidade do povo do Senhor.

Há onze passagens do AT que fazem referência à lepra: quatro descrevem essa condição ou dão orientações sobre ela (Lv 13.2—14.47; 22.4; Nm 5.2; Dt 24.8), seis mencionam indivíduos afligidos por ela (Êx 4.6; Nm 12.10; 2Rs 5.7-27; 7.3-10; 15.5; 2Cr 26.16-21) e uma a inclui como maldição (2Sm 3.29).

As descrições sobre a condição que afeta a pele são apresentadas em Levítico 13.2-44. A aflição cria uma mancha esbranquiçada ou avermelhada que se expande com rapidez dentro de uma semana; a área afetada pode incluir um furúnculo, carne viva, ferida ou cabelo descorado. Em linguagem médica, esses sintomas estão associados ao favo, à síndrome de falta de proteína, psoríase, eczema, dermatite seborreica. Elas não parecem descrever a hanseníase, o nome mais comum para o que é hoje chamado de lepra. A hanseníase é uma infecção bacteriana de desenvolvimento lento que tem um período de incubação de três a cinco anos, produz nódulos grandes na pele, causa dano e enfraquecimento dos nervos nos braços e pernas, e pode resultar na perda das extremidades do corpo.

A lepra que atinge o tecido, o couro e as casas produz uma descoloração avermelhada ou esverdeada que se espalha no período de uma semana. Essa descrição enquadra-se bem à infestação de fungo, que pode crescer em qualquer uma dessas superfícies dada a presença de umidade.

No AT as pessoas diagnosticadas com essa condição deveriam vestir roupas rasgadas, soltar o cabelo, tampar a boca e permanecer longe da convivência do povo de Deus. Se a condição delas melhorasse, um sacerdote poderia autorizar sua entrada na comunidade seguindo um ritual de oito dias envolvendo sacrifício de animal, lavagem, raspagem e apresentação de uma oferta (cf. Lv 14.1-32). Tecido, couro e construções afetadas deveriam ser destruídos.

Pelo fato de pessoas ou objetos infectados serem excluídos da comunidade do povo de Deus, a lepra estava associada ao juízo divino (cf. Nm 12.10; 2Sm 3.29; 2Rs 5.27; 2Cr 26.19-21).

A questão da impureza e o seu tratamento (11.1—15.33)

Essa seção do livro de Levítico pode ser desafiadora para o entendimento do leitor moderno, e não há consenso entre os estudiosos sobre como tratá-la. Provavelmente, a melhor maneira de entender essa unidade é vê-la no contexto maior de santidade e purificação. Dentro do sistema ou cosmovisão levítica, o "puro" era o estado normal da maioria das coisas e pessoas. Se as pessoas tivessem contato com algo "imundo", elas mesmas se tornariam imundas e deveriam se submeter ao cerimonial de purificação para se tornarem limpas novamente. Na condição de pureza, a pessoa poderia ser cerimonialmente "santificada" (ou "separada") para se tornar "santa", para servir a Deus ou poder se aproximar de sua presença. Aparentemente, Deus queria que os israelitas pensassem de forma contínua sobre sua santidade e a santidade/pureza deles. Por isso, quase tudo com a que eles tivessem contato era para ser visto nas categorias de "puro" ou "imundo". Levítico 11—15 trata das principais categorias de contato com animais, parto (provavelmente, por causa do contato com sangue) e enfermidades. Esses capítulos descrevem como alguém que tenha se tornado imundo pelo contato com algo imundo pudesse se purificar cerimonialmente.

O Dia da Expiação (sacrifício em favor da nação) (16.1-34)

O Dia da Expiação estava no centro do sistema sacrificial, pois era um sacrifício feito a favor de toda a nação. Ele expiava o pecado do povo e servia para manter o relacionamento da aliança entre Deus e o povo de Israel. Depois de sacrificar um boi para se purificar (16.1-14), Arão, o sumo sacerdote, sacrificava um bode a favor do povo, levava uma parte do sangue do bode para dentro do Lugar Santíssimo do tabernáculo e aspergia o sangue sobre a parte da frente da "tampa da propiciação" (a tampa que ficava sobre a arca da aliança, também chamada de "propiciatório") e diante dela. Então, ele colocava as mãos sobre um bode vivo, confessava os pecados do povo e depois enviava o bode para o deserto, simbolizando a remoção do pecado dentre o povo (16.20-22). Em essência, o sacrifício do Dia da Expiação validava o restante do sistema de sacrifícios.

O hissopo era usado especialmente nas cerimônias de aspersão de sangue (Êx 12.22; Lv 14.6,7,49-52).

Leis sobre como viver em santidade (17.1—25.55)

Os capítulos 17—25 de Levítico contêm diversas instruções sobre um amplo espectro da vida, agrupadas em torno de conceitos de vida em santidade. Essa unidade é às vezes chamada "código de santidade", por causa da frase "Sejam santos porque eu, o SENHOR, o Deus de vocês, sou santo" (19.2).

✚ O livro de Hebreus do NT (caps. 8—13) faz alusão repetida ao Dia da Expiação ao ilustrar a superioridade de Jesus Cristo e de seu autossacrifício sobre o sacrifício do sumo sacerdote e do Dia da Expiação descritos em Levítico 16.

Suporte de incensário/candelabro de terracota, 1850-1250 a.C.

Levítico 17 trata do sangue e dos sacrifícios de sangue. O sangue era o símbolo da vida, daí a proibição de comê-lo (uma prática pagã). Em Levítico 18, Deus enfatiza que seu "reino de sacerdotes", o povo especial de sua relação de aliança, terá padrões elevados quanto ao casamento e as relações sexuais. Levítico 19 enfatiza de forma principal os relacionamentos interpessoais, refletindo o ensino dos Dez Mandamentos e ressaltando que a vida santa também envolve cuidar dos necessitados (19.9,10) e desamparados (19.14), tratar os trabalhadores de modo justo (19.13), praticar a justiça (19.15,16), cuidar dos estrangeiros (19.33,34) e fazer transações econômicas com honestidade (19.35,36). Levítico 20 lista ofensas capitais, incluindo a terrível prática pagã do sacrifício de crianças. Os capítulos 21—22 dão ênfase especial às regras de santidade para os sacerdotes.

Boa parte do material desses capítulos (em especial as listas) está estruturada em torno do número 7 (ou múltiplos de 7, como 14 ou 21). Veja Levítico 19, por exemplo. A primeira unidade (19.1-18) inicia-se dizendo: "sejam santos porque eu, o Senhor, o Deus de vocês, sou santo". Essa unidade repete a frase "Eu sou o Senhor" sete vezes (19.3,4,10,12,14,16,18) e contém 21 leis. A próxima unidade (19.19-37) inicia-se com "Obedeçam às minhas leis". Ela também repete "Eu sou o Senhor" oito vezes (19.25,28,30,31,32,34,36,37), e também contém 21 leis. A unidade, então, termina com uma admoestação conclusiva ("Obedeçam a todos os meus decretos") seguida de uma conclusão ("Eu sou o Senhor"). Assim, é possível perceber que toda essa unidade (Lv 17—25) foi estruturada com cuidado, dando destaque especial ao número 7 (símbolo de inteireza ou perfeição).*

Levítico 23 lista as várias datas e festas sagradas que Israel deveria guardar. Eram datas especiais comemorativas e de celebração. Elas incluíam o sábado, a Páscoa, a festa dos pães sem fermento, a cerimônia dos primeiros frutos, a festa das semanas (que passa a ser chamada Pentecoste), a festa das trombetas, o Dia da Expiação e a festa das cabanas. Essas datas e festas especiais eram as principais ocasiões em que Israel se reunia para adorar a Deus e relembrar coletivamente o que Deus tinha feito por eles.

---

* Sailhamer, John. **The Pentateuch as Narrative**. Grand Rapids, Zondervan, 1995.

✙ O livro de Tiago, do NT, se baseia muito em Levítico.

O Dia da Expiação

Christine Jones

O Dia da Expiação é um ritual que envolve 1) o sacrifício de animais para a purificação do santuário e 2) a transferência de pecados para um bode expiatório, por meio do qual os pecados de Israel eram enviados para fora do acampamento. Era o dia em que o povo jejuava e se resguardava, deixando de fazer todo o trabalho como no dia de sábado. Mencionado no AT e no NT, o Dia da Expiação era um dia bastante significativo para Israel.

No Antigo Testamento

A explicação mais extensa sobre o Dia da Expiação é encontrada em Levítico 16 (também em Lv 23.26-32; Nm 29.7-11). Nesta passagem, o Senhor instrui Moisés sobre os detalhes do ritual a ser transmitido a Arão, o sumo sacerdote. O santuário era um lugar sagrado e exigia uma conduta especial de quem entrava nele, ainda mais de quem entrava no Lugar Santíssimo, a área da guarda da arca e da habitação de Deus. Arão e subsequentemente os sumos sacerdotes não podiam entrar no Lugar Santíssimo a seu bel-prazer; ao contrário, só podiam entrar ali em um dia especial. O Dia da Expiação era esse dia especial, observado uma vez por ano no décimo dia do sétimo mês (setembro-outubro).

A fim de entrar no santuário, o sumo sacerdote deveria primeiro preparar-se purificando todo o seu corpo e colocando vestes especiais de linho, as vestes sagradas.

Naquele dia, trazia-se um boi ao sumo sacerdote que o apresentava como oferta pelo pecado para a expiação do sumo sacerdote e de sua família. Depois de matar o boi, o sumo sacerdote entrava no Lugar Santíssimo com brasas e incenso, colocando-os no fogo diante do Senhor para produzir fumaça e protegê-lo da presença de Deus. Então, ele aspergia o sangue do boi sete vezes sobre a tampa do propiciatório.

Depois disso, toda a congregação trazia dois bodes ao sumo sacerdote; um era usado como oferta pelo pecado a favor de todo o povo, e o outro, como bode expiatório para ser enviado ao deserto. Lançavam-se sortes para determinar o que seria oferecido e o que seria enviado para fora. O primeiro bode era sacrificado e seu sangue também era aspergido no Lugar Santíssimo. Então, o sangue do boi e o do bode era colocado nos chifres do altar fora da tenda. Esse sangue aspergido purificava as várias partes do santuário de toda a impureza.

O segundo bode servia a um propósito diferente. O sumo sacerdote colocava as mãos sobre o bode vivo e confessava todo o pecado e a rebeldia do povo, transferindo simbolicamente os pecados do povo para esse bode. Por fim, uma pessoa designada conduzia o bode ao deserto, levando, assim, para fora os pecados do povo.

No Novo Testamento

A cerimônia do Dia da Expiação é mencionada em Hebreus 9.6,7. O texto mostra que esse sacrifício tinha de ser repetido todo os anos, comprovando assim que ela não era realmente eficaz para a remoção do pecado. Em comparação, Cristo se tornou o sumo sacerdote, entrando no céu, o santuário perfeito, e oferecendo o próprio sangue em sacrifício perfeito para satisfazer para sempre a exigência da expiação.

Levítico 24.1-9 descreve a manutenção da lâmpada que queimava continuamente diante de Deus e as ofertas diárias de pão. A próxima seção (24.10-23) recapitula o episódio do apedrejamento de quem blasfema contra Deus como lembrança do quanto a santidade e a presença de Deus deveriam ser realmente levadas a sério. Levítico 25 declara que a terra e o povo precisam de descanso; desse modo, proclama-se o ano sabático. De igual modo, a cada cinquenta anos deveria ocorrer o ano do Jubileu, quando

✦ Pedro cita Levítico 11.44,45; 19.2 e 20.26 quando escreve: "Mas, assim como é santo aquele que os chamou, sejam santos vocês também em tudo o que fizerem, pois está escrito: 'Sejam santos, porque eu sou santo'" (1Pe 1.15,16).

os israelitas que se tornaram servos contratados deveriam ser libertados, e as terras compradas ou penhoradas deveriam ser devolvidas aos proprietários originais.

Bênçãos e maldições da aliança (26.1-46)

Quando Deus liberta os israelitas do Egito, ele estabelece um relacionamento por meio de uma aliança com eles. Os termos desse relacionamento são explicados nos livros de Êxodo, Levítico, Números e Deuteronômio. Essa aliança em particular é chamada de aliança mosaica. Ela difere da aliança feita em Gênesis com Abraão (Gn 12; 15; 17) por conter condições específicas que os israelitas devem cumprir. Em essência, a aliança mosaica define os termos pelos quais Israel poderia viver na terra prometidas, com Deus habitando em seu meio, e pudesse ser abençoado. Levítico 26 apresenta os aspectos positivos e negativos da aliança mosaica. Se os israelitas obedecessem às leis de Deus e continuassem fiéis a ele, então Deus os abençoaria sobejamente na terra prometida (26.1-13). Contudo, se eles não obedecessem a Deus, as bênçãos seriam substituídas por maldições, e coisas terríveis aconteceriam com eles, incluindo a perda da terra prometida (26.14-39). Entretanto, como já se mencionou antes, a aliança de Deus com Abraão era diferente, pois a validade da aliança e a bênção recebida por meio dela não dependiam da obediência à Lei. Curiosamente, em Levítico 26.40-45, Deus declara que depois da desobediência de Israel, ou seja, da quebra da aliança mosaica, alguns deles se arrependerão. Então, Deus se lembraria de sua aliança com Abraão e os restauraria. Essa é a história ampliada mais tarde nos Profetas. Israel abandonará a aliança mosaica (as leis de Êxodo, Levítico, Números e Deuteronômio) e se voltará para outros deuses. Depois de ter uma demanda com eles e adverti-los durante séculos por meio dos profetas, o Senhor os julgará por isso, e eles, de fato, perderão a terra prometida (i.e., serão exilados para a Babilônia). Entretanto, de acordo com Levítico 26.40-45, Deus os restaura e lhes promete uma restauração absoluta, muito maior, no futuro — essa restauração incluirá os gentios (parte da aliança abraâmica, Gn 12.3).

Levítico 26.1 proíbe fazer deuses estrangeiros ou adorá-los. Esta é a figura de uma divindade cananeia (1.400-1.200 a.C.).

✚ Levítico 26 é muito semelhante a Deuteronômio 28. Em ambas as passagens são colocadas diante de Israel duas opções: obediência, resultando em bênçãos; desobediência, resultando em maldições.

Ofertas de dedicação (27.1-34)

Levítico encerra-se com um capítulo sobre como realizar a dedicação de objetos a Deus. Essa é a conclusão apropriada para a longa discussão de Levítico sobre santidade, pois a essência da santidade consiste na dedicação e devoção total a Deus. O capítulo enfatiza que as declarações rituais de dedicação precisam ser sinceras, não hipócritas ou apenas para serem vistas. Estritamente ligadas à discussão estão as orientações financeiras específicas. Aparentemente, na cultura do antigo Israel, como em nossa na atualidade, o dinheiro era um problema crucial. Como se lidava com o dinheiro refletia a sinceridade da devoção e dedicação da pessoa a Deus. Além do mais, Levítico 27.26-33 mostra que algumas coisas não podem ser dedicadas a Deus porque elas já lhe pertencem (os dízimos e os primogênitos)!

Como aplicar Levítico à nossa vida hoje

Em João 1.29, quando João Batista vê Jesus se aproximando, ele declara: "Vejam! É o Cordeiro de Deus, que tira o pecado do mundo!". Só conseguimos entender o que João estava dizendo por causa de Levítico. É Levítico que nos ensina os conceitos de sacrifício e expiação substitutiva que encontram aplicação última na crucificação de Cristo.

Além disso, o conceito de puro/impuro e a questão da santidade são essenciais para a vida cristã madura. Jesus mostra a existência da distinção entre entender a questão de pureza e impureza como mera conduta ritual e entender a verdadeira questão de tornar-se puro. Ele explica: "O que entra pela boca não torna o homem 'impuro'; mas o que sai de sua boca, isto o torna 'impuro' [...] Mas as coisas que saem da boca vêm do coração" (Mt 15.11-18; Mc 7.1-23). Da mesma forma, embora não sejamos salvos por meio das obras, não obstante somos chamados a viver em santidade (1Pe 1.15,16). Os rituais de Levítico forçam os israelitas a enxergar toda a vida em termos de pureza/impureza e santo/profano. Podemos aprender com isso, pois os cristãos ocidentais modernos têm a tendência de separar o "espiritual" do "secular". Contudo, temos o santo, o maravilhoso Deus habitando em nós, não no tabernáculo ou no templo. Por isso, deveríamos estar ainda mais cientes da santidade e da necessidade de vivermos em pureza e santidade do que os israelitas antigos de Levítico. Uau, que desafio!

Esse tipo de lâmpada comum era popular em toda a Terra Santa (séc. XIV a.C.).

Nosso versículo favorito de Levítico

Não procurem vingança nem guardem rancor contra alguém do seu povo, mas ame cada um o seu próximo como a si mesmo. Eu sou o SENHOR. (19.18)

- Gênesis
- Êxodo
- Levítico
- **Números**
- Deuteronômio
- Josué
- Juízes
- Rute
- 1Samuel
- 2Samuel
- 1Reis
- 2Reis
- 1Crônicas
- 2Crônicas
- Esdras
- Neemias
- Ester
- Jó
- Salmos
- Provérbios
- Eclesiastes
- Cântico dos Cânticos
- Isaías
- Jeremias
- Lamentações
- Ezequiel
- Daniel
- Oseias
- Joel
- Amós
- Obadias
- Jonas
- Miqueias
- Naum
- Habacuque
- Sofonias
- Ageu
- Zacarias
- Malaquias

Números

O caminho mais longo para a terra prometida

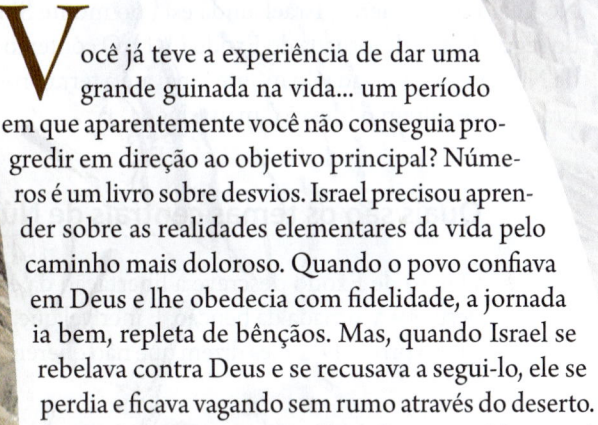

Você já teve a experiência de dar uma grande guinada na vida... um período em que aparentemente você não conseguia progredir em direção ao objetivo principal? Números é um livro sobre desvios. Israel precisou aprender sobre as realidades elementares da vida pelo caminho mais doloroso. Quando o povo confiava em Deus e lhe obedecia com fidelidade, a jornada ia bem, repleta de bênçãos. Mas, quando Israel se rebelava contra Deus e se recusava a segui-lo, ele se perdia e ficava vagando sem rumo através do deserto.

Em Números, os israelitas chegam até bem próximo da terra prometida. Ela estava bem ali, aguardando por eles, repleta de bênçãos. Entretanto, os israelitas se recusaram a obedecer a Deus e desperdiçaram a oportunidade de entrar na terra da promessa. Deus, portanto, permitiu que toda aquela geração morresse antes de conduzir a geração seguinte a uma nova tentativa. O desvio foi desnecessário e trágico; toda uma geração desperdiçou seu propósito de vida.

O título deste livro em hebraico é "No deserto", baseado no primeiro versículo do livro. O título é muito apropriado, pois explica por que a geração salva no Êxodo passa a vida "no deserto" em vez de na terra prometida. Quando o AT foi traduzido para o grego (a *Septuaginta*), os tradutores deram o título *Arithmoi* ao livro, aparentemente enfatizando a importância que os dados do censo, com seus muitos e muitos números, têm para o livro. A tradução latina do nome, *Numeri*, e nossas versões bíblicas em português seguiram essa tradição, intitulando o livro de Números.

Qual é o contexto de Números?

Em Êxodo, Deus liberta Israel da escravidão no Egito e o leva ao monte Sinai, onde ele entra em um relacionamento com o povo por meio de uma aliança e entrega a Lei e dá a ele instruções sobre a construção do tabernáculo. A presença de Deus, então, entra no tabernáculo, e Levítico, o livro seguinte, explica como Israel deveria viver diante do Deus santo e maravilhoso que habitava bem ali no meio deles. Números retoma a história de Êxodo. No início de Números, Israel ainda está no monte Sinai, no segundo mês do segundo ano da jornada do Êxodo (1.1). O contexto dos acontecimentos de Números é a jornada do monte Sinai até a terra prometida, apesar de os israelitas seguirem o "desvio" mais longo.

A região de Cades-Barneia (também chamada apenas de Cades) (Nm 13.26; 20.1-22; 32.8; 33.36,37; 34.4).

Quais são os temas centrais de Números?

O livro de Êxodo descreve a libertação da escravidão; Números descreve a jornada da bênção. É incrível que, quando Deus os traz à terra prometida, eles dizem que não querem entrar na terra se for

✚ Em 1Coríntios 10.1-13, Paulo se refere de modo direto a muitos acontecimentos negativos de Números e conclui: "Essas coisas aconteceram a eles como exemplos e foram escritas como advertências para nós".

preciso empregar qualquer esforço e fé para ocupá-la de fato. Quando rejeitaram entrar na terra prometida, eles reclamaram bastante junto a Deus: "Desejávamos ter morrido no deserto!". Deus, basicamente, responde: "Tudo bem. Voltem ao deserto e morram". Então, Deus os conduz de volta ao deserto para deixar a geração rebelde morrer. Em seguida, ele toma a geração seguinte "mais obediente" e lhe oferece a terra. O contraste entre a geração velha, desobediente, e a geração nova e obediente é enorme, por isso identificar a transição da desobediência para a obediência nos ajuda a compreender melhor o livro. Ele contém dois grandes registros do censo (repleto de números), um em Números 1 e outro em Números 26. Os dois registros do censo identificam e introduzem as duas gerações diferentes. Assim, Números 1—25 fala da velha geração desobediente, caracterizada por murmuração, dúvida, rebeldia e morte. Números 26—36, porém, é bastante diferente. Os temas que descrevem essa geração são fé, esperança e vida.

Um amuleto de prata do século VII a.C. com inscrição da bênção sacerdotal de Nm 6.24-26. É o fragmento mais antigo de um texto bíblico.

Entretanto, em todo o livro há sinais de que Deus ainda cuida do povo e permanece fiel ao propósito final da aliança abraâmica. Por exemplo, quando Balaão tenta amaldiçoar Israel, Deus intervém e o proíbe (Nm 22—25).

Enquanto isso, em todo o livro, o povo também peregrina e encontra pelo caminho nações hostis. Deus também participa da jornada com os israelitas, complementando as leis de Êxodo e Levítico. Ele os exorta a confiar nele para livrá-los dos inimigos que se lhes opõem na peregrinação. Outra característica de Números incorporada na história da peregrinação é a extensa narrativa e o esforço dedicado para organizar os israelitas o suficiente para que pudessem seguir adiante de maneira eficiente. A enorme quantidade de pessoas relatada no censo mostra enfaticamente o caráter gigantesco da tarefa de organização do caos das 12 tribos em um povo unido, com o funcionamento harmonioso do sistema de culto e do sistema judicial. Assim constituído, o povo poderia viajar pelo deserto de maneira organizada, mantendo a atenção voltada à centralidade da presença de Deus no tabernáculo.

Números é composto de diversos tipos diferentes de literatura; existem histórias narrativas, poemas, cânticos, registros de censos, leis, cartas e itinerários de viagem. Porém, tudo isso se junta para contar a história de como Deus leva os rebeldes israelitas do monte Sinai à terra prometida.

Não há consenso entre os estudiosos sobre a divisão do livro de Números, mas o seguinte esboço é uma maneira prática de compreender a história:
- A geração desobediente (1.1—25.18)
    - Início promissor: Deus organiza Israel (1.1—10.10)
    - Israel faz o inimaginável — rejeita a terra prometida (10.11—14.45)
    - Israel vagueia pelo deserto (15.1—22.1)
    - Encontro com Balaão e Moabe: Deus ainda protege seu povo (22.2—25.18)
- A geração obediente (26.1—36.13)
    - Transição de gerações — o censo, as filhas, os líderes (26.1—27.23)
    - Lembretes sobre o culto, a santidade e a fidelidade (28.1—30.16)
    - Conclusão do desafio de Baalão (31.1-54)
    - Preparo para a entrada na terra (32.1—36.13)

Quais são os aspectos interessantes e singulares de Números?

- Números contém a famosa bênção "O Senhor te abençoe e te guarde; o Senhor faça resplandecer o seu rosto sobre ti e te conceda graça" (6.24—26).
- Moisés casa-se com uma mulher de Cuxe, uma nação africana situada ao sul do Egito.
- Os israelitas rejeitam a terra prometida e, por isso, vagueiam pelo deserto durante quarenta anos.
- A jumenta de Balaão fala com ele.
- Moisés destrói os midianitas (parentes dos seus antigos sogros?).

A nova mulher cuxita de Moisés (Nm 12.1). Uma pintura de parede egípcia do período de Tutmés IV (14001-1390 a.C.) retrata os cuxitas trazendo impostos ao faraó.

Qual é a mensagem de Números?

A geração desobediente (1.1—25.18)

Início promissor: Deus organiza Israel (1.1—10.10)

O livro de Números começa bem. Deus organiza as tribos de Israel para que elas pudessem seguir viagem e estar preparadas para o combate. Em Números 1, Deus instrui Moisés a fazer o censo de todos os homens aptos para o serviço militar. Depois, Deus organiza as tribos em torno do tabernáculo, colocando três tribos em cada lado do tabernáculo e os levitas no centro (2.1-34). Eles deveriam seguir viagem e acampar desse modo, estando preparados para o combate, mas organizados em torno da presença de Deus no tabernáculo, que deveria constituir o centro. Em seguida, Deus organiza os levitas (a tribo sacerdotal), atribuindo a clãs familiares específicos dessa tribo diversas tarefas necessárias para cuidar do tabernáculo sagrado, desmontá-lo e carregá-lo (3.1—4.49). Ele estava muito interessado nos conceitos de santidade e pureza, e em todo o livro de Números (como em Levítico) concede a Israel diversas regras para auxiliar o povo a se manter puro. Números 5 trata da questão do adultério e como determinar se alguém acusado de adultério era culpado — fidelidade ao relacionamento íntimo do casamento é importante para Deus. Este capítulo é irônico, e talvez uma antecipação de acontecimentos futuros, pois mais tarde os profetas compararão a infidelidade de Israel a Deus com o adultério de um cônjuge infiel.

Números 6 descreve como um homem ou uma mulher podem fazer um voto especial de nazireu para se dedicar individualmente a Deus. Por isso, não são só os levitas podiam servir a Deus de maneira especial.

Lembre-se de que em Êxodo 25 a 40 Deus deu instruções sobre a construção do tabernáculo. Em Números 7.1, Moisés completou a construção,

---

✛ As orientações sobre o voto do nazireu são explicadas em Números 6. Em Juízes 13, Deus manda a mãe de Sansão criá-lo como nazireu, com o significado de que ele deveria viver de acordo com essas orientações.

A rota dos doze espias enviados por Moisés

e o restante do capítulo descreveu então cada tribo vindo ao tabernáculo para trazer a oferta para a dedicação a Deus.

Em Números 8, os sacerdotes de origem levita são purificados cerimonialmente e separados para o serviço no tabernáculo. Então, Deus instrui os israelitas a celebrar a Páscoa, em memória de sua maravilhosa libertação do Egito (9.1-14). Como em Êxodo 13—14, quando Deus os estava guiando e protegendo, uma forte presença cobria o tabernáculo, aparecendo uma nuvem durante o dia e uma coluna de fogo à noite — para destacar a santa presença de Deus. Esse é um tempo muito especial para Israel. O tabernáculo foi construído e preenchido com a gloriosa presença de Deus. Seu sistema de adoração era bem organizado, tendo os levitas para conduzi-los. Em Números 10, eles levantam acampamento e partem do Sinai em direção à terra prometida!

Israel faz o inimaginável — rejeita a terra prometida (10.11—14.45)

Entretanto, uma vez estando a caminho, as coisas começam a não dar certo. Em Números 11, o povo murmura e reclama do o maná que Deus lhes dava para comer (cf. Êx 16). Deus lhes dá codornas para comer, a fim de terem a carne tão desejada; contudo, a reclamação e o desprezo deles para com a provisão do maná provocam a ira de Deus. Números 11 descreve a revolta do povo contra Moisés, e Números 12, a revolta de seus assistentes mais próximos, Arão e Miriã. Números 12.1 explica que Moisés tinha se casado com uma cuxita (provavelmente uma mulher da "grande

Quem eram os cuxitas?

Números 12.1 declara que Moisés casou-se com uma mulher de Cuxe. É relevante perguntar: "Quem eram os cuxitas?". Da mesma forma, é importante perguntar se o casamento dele com uma cuxita tem algum significado especial. Na verdade, a palavra hebraica *Cuxe* ou *cuxita* aparece 54 vezes no AT, indicando que os cuxitas não eram um grupo obscuro no período do AT, mas um grupo com um papel significativo na vida de Israel.

As traduções em português variam na maneira de traduzir a palavra hebraica *Cuxe*. Os gregos chamavam todo o território ao sul do Egito de "Etiópia", por isso algumas traduções em português traduzem a palavra hebraica *Cuxe* por "Etiópia". Isso é um tanto equivocado, porque o país moderno da Etiópia não fica no mesmo lugar que o reino antigo de Cuxe; aquele fica mais a sudeste. Alguns tradutores preferem o termo "Núbia", um termo latino posterior para se referir à região.

O reino de Cuxe fica ao sul do Egito, beirando a parte "sinuosa" do rio Nilo onde hoje fica o Sudão. Desde antes de 2000 a.C. a 350 d.C., era uma entidade identificável. Cuxe era famoso pelas minas de ouro e pelos soldados mercenários. Por causa das minas de ouro, durante todo o período do AT os egípcios deram prioridade total à preservação de Cuxe como parte do império. Na maior parte do tempo, o Egito dominou os cuxitas, mas em torno do fim do século VIII a.C. os cuxitas tomaram o Egito e, na verdade, dominaram o Egito por um tempo (v. Is 37.9 e 2Rs 19.9 sobre a interação cuxita com Israel/Judá nesse período). Depois de vários confrontos, por fim, os assírios derrotaram os cuxitas, terminando assim o período da dominação cuxita sobre o Egito (e do *status* deles como poder mundial e principal protagonista geopolítico da região). Ebede-Meleque, o cuxita que resgatou Jeremias, provavelmente era um mercenário do exército egípcio.

No tempo de Moisés, os egípcios controlaram Cuxe, e provavelmente havia milhares de cuxitas em vários ofícios espalhados por todo o Egito. É possível que a mulher cuxita casada com Moisés tenha sido uma dentre a "multidão de povos", mencionada em Êxodo 12.38, que deixou o Egito junto com os israelitas.

Por causa do estreito relacionamento com os egípcios, os cuxitas aparecem muitas vezes na arte do antigo Egito (monumentos de pedra e lápides). Essas representações dos cuxitas os retratam como negros africanos. Por isso, é quase certo que em Números 12.1 Moisés tenha se casado com uma mulher africana negra.

---

multidão de estrangeiros" que saiu do Egito com os israelitas; Êx 12.38), e Arão e Miriã reclamam contra ele por causa disso, aparentemente desafiando sua liderança. Deus responde com fúria, e Miriã é ferida de lepra até que Moisés intervenha.

Esses dois episódios negativos na introdução do relato da jornada à terra prometida talvez sirvam como preparação do leitor para o relato da rebeldia dos israelitas quando chegarem lá. No entanto, a reação deles em relação à terra é um tanto assustadora. Moisés enviou 12 homens para Canaã a fim de espiar a terra (13.1-20). Eles voltam e relatam que a terra era realmente farta em "leite e mel" e repleta de frutos. Entretanto, dez dos espias dão um relatório negativo e dizem que os cananeus eram muito fortes e os israelitas

Feitiçaria e adivinhação no antigo Oriente Médio

Números 22.1-7 indica que Baalão era um "adivinho" ou "feiticeiro" que vivia na Mesopotâmia. As palavras "feitiçaria" e "adivinhação" são termos abrangentes para se referir a uma ampla variedade de práticas relacionadas à magia — comuns em todo o Oriente Médio, no período bíblico. Normalmente, essas práticas envolviam o uso de várias técnicas de comunicação com forças sobrenaturais, por exemplo, deuses, demônios ou outros seres espirituais, para determinar o futuro, afastar o mal, mudar algo para melhor (bênçãos), ou mudar algo para pior (maldições). Os arqueólogos descobriram milhares de textos antigos do Egito, Assíria e Babilônia que contêm relatos, receitas ou encantamentos usados por esses feiticeiros/adivinhos profissionais. Diversas técnicas de adivinhação eram comuns em toda a região: astrologia; observação do padrão formado pelas gotas de óleo pingadas em um balde de água; observação das entranhas dos animais sacrificados, em especial do fígado; e a observação do padrão do voo das aves.

Era normal a presença de feiticeiros/adivinhos profissionais treinados na maioria das cortes reais da Mesopotâmia e do Egito (lembre-se dos magos que confrontaram Moisés na corte do faraó). Como no caso de Balaão, parece que, às vezes, eles também podiam ser contratados por outros. Esses indivíduos formavam uma classe influente na maioria das sociedades do antigo Oriente Médio.

Em Deuteronômio, Deus proíbe com rigor esse tipo de adivinhação e feitiçaria. Deuteronômio 18.9-14 apresenta uma lista extensa de diversas práticas semelhantes proibidas aos israelitas. Esses métodos são descritos como repugnantes ao Senhor (v. Dt 18.12). Na passagem seguinte (Dt 18.15-22), Deus explica que ele não será invocado mediante adivinhação, mas por meio dos verdadeiros profetas que ele mesmo escolheria.

A prática de adivinhação e feitiçaria continuou no período do NT. Em Atos 8.9-25, Pedro encontra um feiticeiro poderoso chamado Simão, o Mago. No início das viagens missionárias de Paulo, ele encontrou um feiticeiro judeu na ilha de Chipre (At 13.6,7). Outras práticas de adivinhação, feitiçaria e magia são mencionadas em diversas passagens do NT (At 16.16; 19.19; Ap 9.21; 18.23; 21.8; 22.15).

Tabuinha mesopotâmica cuneiforme de argila com presságio astrológico.

não tinham nenhuma possibilidade de derrotá-los (13.21-33). Somente Calebe e Josué insistem com os israelitas para confiar em Deus e atacar os cananeus. Em Números 14, o inimaginável acontece. Os israelitas se rebelam contra Moisés e se recusam a entrar na terra prometida! Isso deixa Deus furioso e, como em Êxodo 32, se não fosse pela intervenção de Moisés, Deus teria destruído a nação. No fim, Deus decreta que toda aquela geração rebelde voltaria ao deserto para ali morrer; somente Calebe e Josué serão realmente abençoados com a entrada na terra prometida.

Israel vagueia pelo deserto (15.1—22.1)

Ironicamente, enquanto Israel voltava ao deserto, Deus continuava dando a Moisés instruções para estabelecer o culto apropriado, quando o povo chegasse por fim à terra prometida (15.1-41). Porém, em Números 16 uma forte rebelião se levanta contra Moisés, e Deus a sufoca matando 250 líderes da oposição e, depois, envia uma praga contra os seus seguidores, matando outras 14.700 pessoas. Números 17—21 descreve diversos acontecimentos ocorridos durante a peregrinação de Israel pelo deserto. Deus continuou definindo a função dos sacerdotes (18.1—19.22). Em Números 20, até Moisés tropeça e é repreendido por Deus. O tempo passa e os anos se vão. Em Números 20.28, Arão morre, indicando, talvez, o fim da geração rebelde. Moisés leva o povo em direção a Canaã, a terra prometida, e Deus prepara os israelitas para derrotar qualquer inimigo que tentasse impedi-los, incluindo os poderosos amorreus (21.1-35).

Em Números 21, os israelitas assumem o controle do lado oriental do Jordão derrotando os reis Seom e Ogue. Este mapa mostra a rota da campanha militar.

Encontro com Balaão e Moabe: Deus ainda protege seu povo (22.2—25.18)

A história de Balaão (Nm 22—25; 31) é uma das mais fascinantes de toda a Bíblia. Depois de os israelitas derrotarem os amorreus (Nm 21), os moabitas e os

✛ O NT menciona Balaão três vezes de maneira bastante negativa (2Pe 2.5; Jd 11; Ap 2.14).

midianitas percebem que eles provavelmente serão os próximos a ser atacados. Convencidos de que não conseguirão derrotar Israel com força militar normal, o rei de Moabe oferece uma grande quantia de dinheiro a um famoso e influente feiticeiro, chamado Balaão, para ele amaldiçoar Israel. Porém, este recorda a bênção de Deus sobre Abraão em Gênesis 12.3: "Abençoarei os que o abençoarem e amaldiçoarei os que o amaldiçoarem". Balaão está para se colocar contra essa promessa de Deus.

Apesar de advertido uma vez por Deus de não amaldiçoar Israel, Balaão decide ir mesmo assim a Moabe. Quando estava a caminho (aparentemente para amaldiçoar Israel; por que outra razão ele iria?), ele se encontra com um anjo do Senhor armado com uma espada e lhe obstruindo o caminho. Balaão não consegue ver o anjo, mas a jumenta de Balaão consegue e tenta se desviar três vezes. Balaão açoita a jumenta todas as vezes, até que por fim a jumenta se vira e fala com Balaão, perguntando a ele o que fazia para merecer o açoite (22.23-30). Curiosamente, Balaão repreende a jumenta e a ameaça com fúria! Então, o anjo se manifesta a Balaão e explica que a jumenta na verdade lhe salvou a vida. O anjo deixa Balaão prosseguir para Moabe, mas com a advertência rigorosa de falar apenas o que o anjo o mandasse dizer (22.35). A ironia desse episódio engraçado é que Balaão, o mais famoso e influente "adivinho" ou "médium" do mundo antigo, não consegue ver o anjo ameaçador à sua frente, mas sua jumenta ignorante consegue. A jumenta tem bom senso e percepção suficientes para saber que não era certo seguir por aquele caminho. Entretanto, Balaão provavelmente desejando a grande recompensa oferecida a ele pelo rei de Moabe, segue adiante. No fim, isso levará à morte do próprio Balaão (31.8).

Balaão chega a Moabe, para alegria do rei Balaque, e tenta amaldiçoar Israel, mas, em vez disso, abençoa a nação (23.1-12). Pela insistência de Balaque, Balaão tenta mais uma vez amaldiçoar Israel, mas outra vez só profere bênçãos (23.13-26). Por fim, para irritação de Balaque, Balaão abandona qualquer tentativa de amaldiçoar Israel e simplesmente o abençoa (24.1-9), terminando seu oráculo com uma citação de Gênesis 12.3: "Sejam abençoados os que os abençoarem, e amaldiçoados os que os amaldiçoarem" (24.9). Então, Balaão profere dois outros oráculos de bênção a Israel (24.15-25).

Contudo, Balaão percebe que seus clientes, os moabitas e os midianitas, não conseguem derrotar Israel nem

Um jumento típico do Oriente Médio.

militarmente nem por meio de feitiçaria. Então, ele maquina um esquema para corromper os israelitas em sentido moral e teológico (v. Nm 31.8,16 sobre o envolvimento de Balaão nesse plano), para que o próprio Deus os destruísse. Números 25 descreve essa tentativa dos moabitas de usar a imoralidade sexual para seduzir Israel a participar da adoração a Baal. Esse era o deus da fertilidade, e a adoração a Baal envolvia a prática de imoralidades sexuais. Um sacerdote israelita chamado Fineias, entretanto, intervém com fervor matando um dos israelitas que estavam participando abertamente dessa imoralidade. Deus, então, manda uma praga contra o restante dos participantes matando 24 mil deles. Balaão é quase bem-sucedido. Ele percebe que não consegue derrotar Israel atacando-o diretamente nem amaldiçoando-o, então tenta pervertê-lo em seguir a Deus, deixando que Deus o destruísse. Felizmente, o plano de Balaão fracassa.

A geração obediente (26.1—36.13)

Transição de gerações — o censo, as filhas, os líderes (26.1—27.23)

Em Números 26, a história muda à medida que a nova geração chega à idade adulta. Um novo censo é realizado (26.1-65). Filhas fiéis são reconhecidas e recebem sua herança (27.1-11), e Josué é nomeado sucessor de Moisés (27.12-23).

As campinas de Moabe. Muitos dos acontecimentos de Números 21—36 ocorrem em Moabe.

Lembretes sobre o culto, a santidade e a fidelidade (28.1—30.16)

Esses capítulos voltam a enfatizar a adoração fiel de Israel a Deus na terra prometida. Aspectos importantes da adoração são recapitulados: as ofertas do sábado, a Páscoa, as várias festas, o Dia da Expiação e os votos especiais.

Conclusão do desafio de Balão (31.1-54)

À medida que a nova geração chega à maturidade, ela limpa um pouco a sujeira anterior, e em 31.1-54 os israelitas destroem os midianitas/moabitas que tentaram seduzir Israel a se desviar de Deus por meio da imoralidade sexual e da adoração pagã a Baal. O próprio Balaão é morto (31.8). Os israelitas capturam uma quantidade enorme de despojos, incluindo um grande número de cabeças de gado e grande quantidade de ouro, trazida para o tabernáculo em dedicação a Deus.

Preparo para a entrada na terra (32.1—36.13)

Os capítulos finais apresentam uma recapitulação da peregrinação de Israel (33.1-56) e, depois, descrevem as fronteiras da terra. Em Números 32, Moisés deixa as tribos de Gade e Rúbem permanecer a leste do Jordão, contanto que eles concordassem em mandar soldados para o outro lado do Jordão com o restante do exército israelita para ajudá-los na conquista da terra. As fronteiras da terra prometida são descritas em Números 34. Em 35.1-34, são designadas cidades

Basã, uma das regiões concedida às tribos que permaneceram a leste do Jordão.

✚ Em Números 31, Moisés e os israelitas destroem os midianitas.. Ironicamente, depois de escapar do faraó, Moisés se fixou entre os midianitas e até casou-se com uma delas (Êx 2.15-22).

para os levitas (que serviam a Deus no tabernáculo e, por isso, não tinham parte na terra), assim como as cidades de refúgio, para onde as pessoas que matassem alguém acidentalmente poderiam fugir para se protegerem. O último capítulo volta às filhas mencionadas em 27.1-11. O pai delas (da geração anterior) tinha morrido sem deixar nenhum filho para receber a sua herança. Números 36 reafirma que essas filhas deveriam receber a herança do pai, mas somente se casassem com alguém dentro da tribo. Essa regra tinha a intenção de manter a terra dentro da família.

Os israelitas estão à margem leste do rio Jordão preparados e prontos para atravessá-lo e ocupar a terra. Entretanto, Deus tem algumas outras coisas a lhes dizer e tem um acordo a fazer com Israel a respeito de fidelidade. Isso será tratado no livro de Deuteronômio, que Deus agora passa a Israel por meio de Moisés, traçando os termos pelos quais Israel poderá viver na terra prometida e ser abençoado por Deus.

Como aplicar Números à nossa vida hoje

Números nos apresenta uma figura sóbria de como a rebeldia contra Deus pode colocar alguém em uma rota prejudicial por toda a vida. As consequências podem ser desastrosas e, sem o arrependimento, as pessoas podem passar o restante da vida patinando no deserto e indo a lugar nenhum. Felizmente, a Bíblia nos diz que, se nos arrependermos e voltarmos para Deus, então ele nos restaurará e nos trará de volta à comunhão. Mas, como Paulo nos adverte em 1Coríntios 10.1-13, Cristo nos chama à obediência, não à rebeldia e desobediência.

Outra aplicação vem do episódio de Balaão. É difícil ler o episódio da conversa de Balaão com a jumenta e não concluir que Deus tem senso de humor. Um dos objetivos do estudo do AT é conhecer melhor a Deus. Em Êxodo, Levítico e Números, vimos sua santidade e poder. Também vislumbramos seu zelo e sua insistência para que seu povo adore somente a ele. Pode-se perceber muito bem sua graça, pois ele salva repetidamente seu povo e lhes dá uma nova chance. Mas a história de Balaão também nos oferece uma percepção sobre outro aspecto do caráter de Deus — seu senso de humor divertido e seu prazer em ironias.

Nossos versículos favoritos de Números

O Senhor te abençoe e te guarde;
o Senhor faça resplandecer o seu rosto sobre ti
    e te conceda graça;
o Senhor volte para ti o seu rosto
    e te dê paz. (6.24-26)

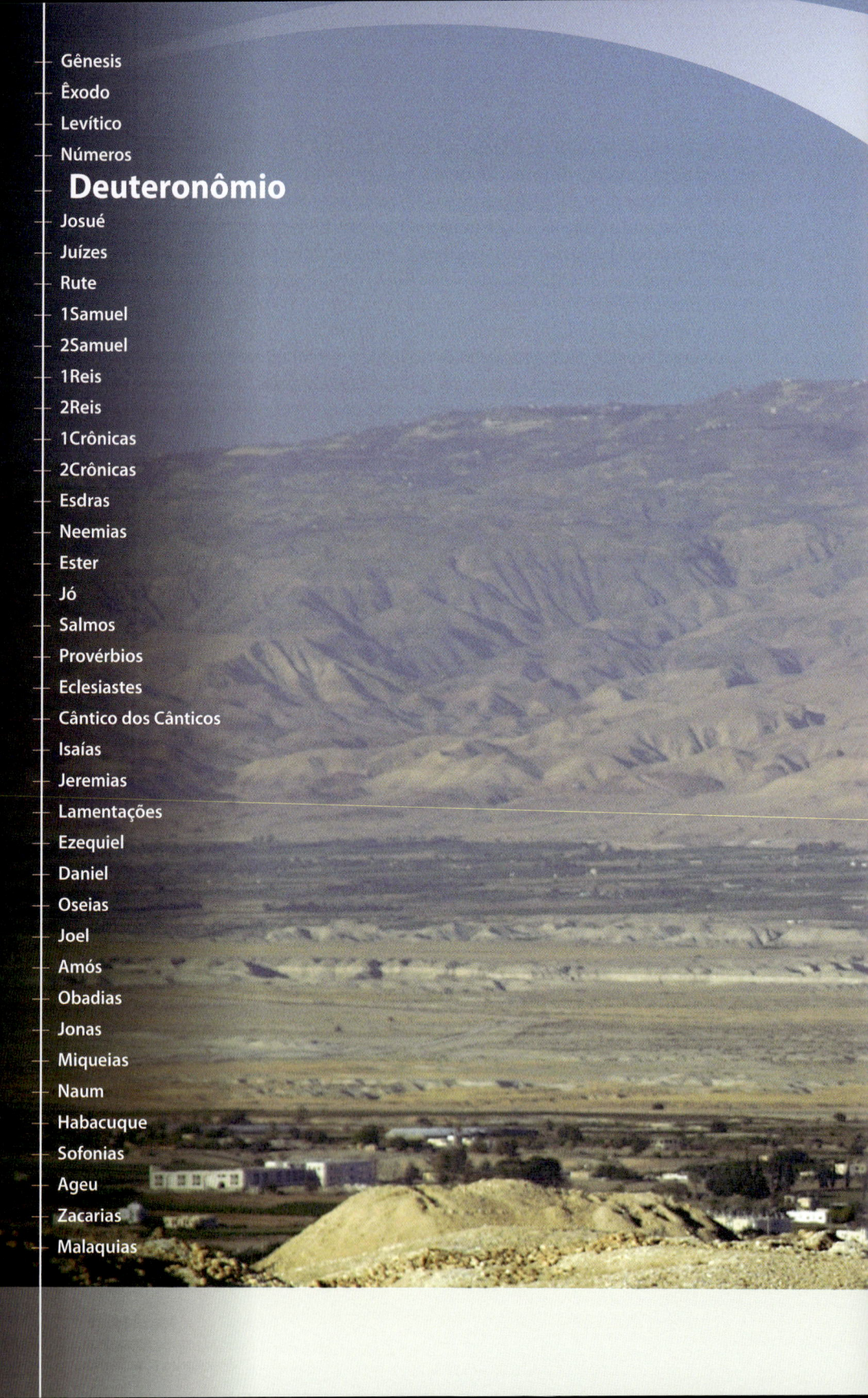

- Gênesis
- Êxodo
- Levítico
- Números
- **Deuteronômio**
- Josué
- Juízes
- Rute
- 1Samuel
- 2Samuel
- 1Reis
- 2Reis
- 1Crônicas
- 2Crônicas
- Esdras
- Neemias
- Ester
- Jó
- Salmos
- Provérbios
- Eclesiastes
- Cântico dos Cânticos
- Isaías
- Jeremias
- Lamentações
- Ezequiel
- Daniel
- Oseias
- Joel
- Amós
- Obadias
- Jonas
- Miqueias
- Naum
- Habacuque
- Sofonias
- Ageu
- Zacarias
- Malaquias

Josué
A conquista da terra prometida

Finalmente! Depois de quarenta anos vagueando pelo deserto, chegou a hora de atravessar o rio Jordão e entrar na terra prometida por Deus. Agora os israelitas habitarão em casas em vez de tendas; terão deliciosas árvores frutíferas nos jardins. Em vez de irem de um oásis a outro à procura de água e pastagem, agora viverão junto a ribeiros, fontes e poços, com sobejante pastagem para o gado. Além do mais, todos terão privilégios iguais. Os escravos no Egito serão agora donos de fazendas, vinhas, casas e poços. Foi como ganhar na loteria! A maravilhosa promessa de terra (e descanso) está prestes a se cumprir.

O livro de Josué é um livro de "boas-novas", otimista e positivo. Em comparação com os israelitas murmuradores e desobedientes, característicos da história desde quando Deus mandou Moisés libertá-los do Egito, os israelitas de agora, de maneira geral, obedecem e cumprem o que Deus (e seu servo Josué) determina que façam. O leitor não deve se surpreender — afinal, Deus e Moisés já tinham lhes falado isso repetidamente em Êxodo, Números e Deuteronômio — a obediência resulta em muitas bênçãos: vitória sobre os habitantes da terra e outros inimigos, conduzindo à posse da terra farta e sobejante.

Qual é o contexto de Josué?

O livro de Josué é a continuação da história do Pentateuco. Em Gênesis 12 Deus estabelece uma aliança com Abraão prometendo-lhe terra, numerosos descendentes e bênçãos. Deus também promete torná-lo uma grande nação e fazer dessa nação uma bênção para todos os povos. Essa promessa dirige a história do AT. Gênesis termina com o neto de Abraão, Jacó, junto com seus 12 filhos, morando no Egito. Eles eram apenas setenta pessoas e não tinham terra. Cerca de quatrocentos anos depois, no início do livro de Êxodo, a população israelita explodiu e se tornou tão numerosa que os egípcios se sentiram ameaçados. Desse modo, parte da aliança abraâmica foi cumprida (descendentes numerosos), mas não a promessa da terra. De igual modo, uma vez que os egípcios os escravizaram e os maltrataram de forma terrível, a promessa da bênção parece também não ter se cumprido. A história de Êxodo até Josué relata como Deus livrou os israelitas, os abençoou com sua presença poderosa e com a aliança mosaica, dando-lhes, depois a terra prometida. Em Números, a geração original dos israelitas rejeitou a terra prometida, fazendo que Deus os enviasse de volta ao deserto para vaguear sem rumo até que toda a geração rebelde fosse exterminada. Só então Deus os leva de volta em direção à terra prometida. Quando chegam próximo da terra, Deus usa Moisés como mediador para transmitir as instruções do livro de Deuteronômio aos israelitas. Deuteronômio reafirma e aprofunda a aliança mosaica e convoca o povo a renovar seu compromisso com Deus e a aliança mosaica. A aliança mosaica (as leis de Êxodo, Levítico, Números e Deuteronômio) estabeleceu os termos pelos quais Israel podia viver na terra prometida, com Deus habitando bem ali em seu meio, e receber bênçãos dele. Por isso, o livro de Josué é uma conclusão dramática e empolgante da longa e dolorosa jornada. Agora, enfim, os israelitas entrarão de fato na terra prometida, expulsarão os cananeus, tomarão posse desse lugar maravilhoso e desfrutarão uma vida de descanso e paz.

Quais são os temas centrais de Josué?

A trama do livro de Josué se desenvolve em torno da conquista, repartição e posse da terra prometida. A trama teológica é a mesma do livro de Êxodo, Números e Deuteronômio: obediência e confiança em Deus resultam em livramento, vitória e bênção, ao passo que desobediência resulta em derrota, juízo e ameaça de maldições (i.e., o contrário das bênçãos). Além do mais, no centro do livro está a proclamação de que Deus é fiel às suas promessas. Ele entrega a terra de Canaã como havia prometido a Abraão, o antepassado dos israelitas.

Há também alguns importantes subtemas que percorrem todo o livro. Por exemplo, muito próximo dos temas de "terra" e "bênção" está o da promessa de "descanso", tema repetido muitas vezes em Josué (1.13,15; 11.23; 14.15; 21.44; 22.4; 23.1). Depois de vaguear vários anos e se envolver de forma constante em guerras, em breve os israelitas poderão se estabelecer em fazendas próprias e criar suas famílias sossegada e tranquilamente. Outro subtema que surge logo no início de Josué, no longo episódio sobre Raabe (Js 2) e Acã (Js 7), é o do critério supremo de pertencer ao povo de Deus, baseado na confiança e fé em Deus, não na etnia dos hebreus. Esse é outro exemplo de como Deus age nos bastidores da história para

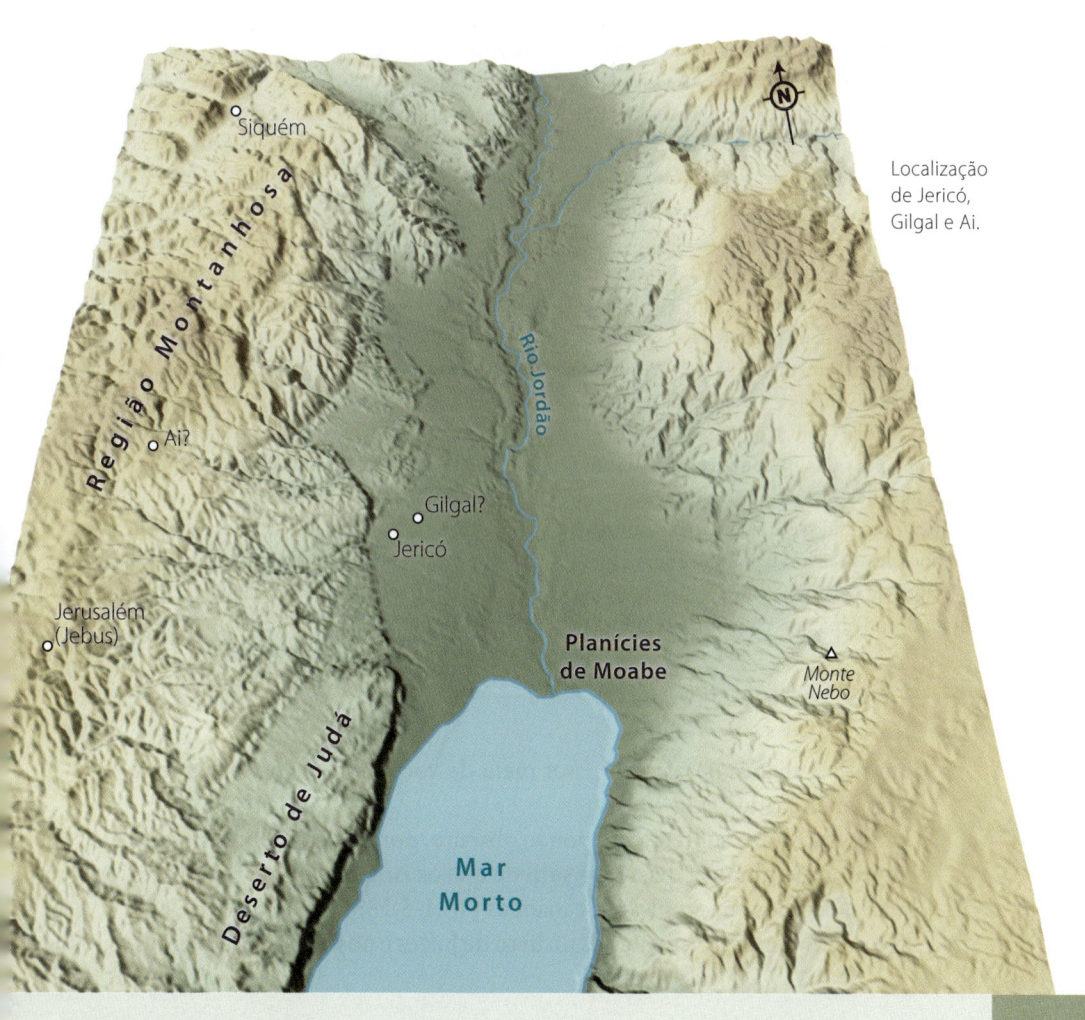

Localização de Jericó, Gilgal e Ai.

✚ Apesar de terminar em tragédia, a "história baseada em Deuteronômio" (Josué até 2Reis) começa bem, pois Josué é um livro de "boas-novas" cheio de relatos de vitória e sucesso.

A moralidade da conquista de Canaã

Alguns aspectos da história de Josué podem ser um pouco inquietantes para nós. Por exemplo, Deus ordena aos israelitas a morte de todos os cananeus — homens, mulheres e crianças. Isso nos parece cruel demais, talvez até injusto. Onde estariam a graça e o amor de Deus? Há vários aspectos que devem ser considerados ao lidar com esse problema. Em primeiro lugar, deve-se situar a história no devido contexto bíblico e ler o texto com atenção. Observe que a ordem para destruir todos os habitantes de uma cidade conquistada não era uma ordem universal que deveria ser aplicada contra todas as cidades conquistadas pelos israelitas, mas apenas contra as cidades da terra prometida em que os israelitas estavam se estabelecendo. Segundo, lembre-se de que a sociedade cananeia que Israel estava destruindo era retratada normalmente em todo o Pentateuco como uma terra especialmente corrupta e imoral. Gênesis 19 (o episódio de Sodoma e Gomorra) oferece uma representação paradigmática dessa sociedade incrivelmente imoral. Levítico 18 reflete esse sentimento ao associar o comportamento sexual pervertido com os cananeus. Em Gênesis 9.5, Noé proclama uma maldição "profética" contra os cananeus, profecia que se cumpre por meio da conquista. Em terceiro lugar, sabemos de Gênesis 15.16 que Deus ficou aparentemente ofendido com o pecado dos cananeus desde a época de Abraão, mas por causa de sua graça e perseverança ele aguardou quatrocentos anos antes de realmente condená-los. Os cananeus eram tão perversos e imorais que mereciam juízo muito antes do tempo de Josué e da chegada dos israelitas. Deus retarda esse juízo, dando aparentemente aos cananeus tempo para o arrependimento. Depois, Deus usa os israelitas para executar seu castigo contra a sociedade cananeia, como ele usou fogo e enxofre para destruir Sodoma e Gomorra. Por fim, não deixe de perceber a grande ironia dessa discussão. Em um livro sobre o aniquilamento dos cananeus, a primeira história de destaque do livro trata de Raabe, uma moradora de Canaã que não é destruída, mas admitida em Israel, tornando-se uma mulher proeminente e importante na linhagem de Davi (e de Cristo!). Esse é um episódio importante em Josué. Ele é colocado em lugar de destaque no início do livro de Josué, e o episódio de Raabe é relatado de modo detalhado. Seria essa história apresentada como um modelo? Obviamente, Raabe é uma enorme exceção ao mandamento do aniquilamento, mas sua história sugere a existência de outras exceções? A história dela (junto com a história de Acã; Js 7) qualifica o mandamento do aniquilamento, ressaltando que quem confiar no Senhor sobreviverá, ao passo que os incrédulos nele morrerão. De igual modo, uma mulher (Raabe) e a sua família são poupadas e recebidas em Israel em Josué 2—6, e também em Josué 9 toda uma cidade (dos gibeonitas) escapa da destruição. Então, o modelo de livramento estabelecido por Raabe, uma cananeia, é repetido para salvar toda uma cidade.

cumprir a aliança abraâmica ("por meio de você todos os povos da terra serão abençoados", Gn 12.3).

Por fim, outro subtema um pouco obscuro, porém persistente em todo o livro, é a lembrança discreta e sutil de que os israelitas não foram muito bem-sucedidos em expulsar os cananeus (13.1-5,13; 15.63; 16.10; 17.12), algo que voltará a atormentá-los no livro de Juízes e nos anos subsequentes.

✤ De certo modo, a terra prometida se compara ao jardim do Éden em Gênesis 2. É uma terra maravilhosa e fértil com sobejante alimento; um lugar em que o povo de Deus pode se encontrar com ele em comunhão e bênção.

A história do livro de Josué pode ser esboçada da seguinte maneira:

- Como conquistar a terra prometida com êxito (1.1-18)
- Um teste: Jericó (2.1—7.26)
  - Raabe, a fiel, é salva (2.1-24)
  - A travessia do rio Jordão para entrar na terra prometida (3.1—5.12)
  - O cerco e derrota de Jericó (5.13—6.27)
  - Acã, o infiel, é destruído (7.1-26)
- Dando prosseguimento: A conquista de Ai e a renovação da aliança (8.1-35)
- A conquista do restante de Canaã (9.1—12.24)
  - A campanha do Sul (9.1—10.43)
  - A campanha do Norte (11.1-15)
  - Resumo da conquista (11.16—12.24)
- Distribuição da terra prometida (13.1—21.45)
- Resolução de conflitos entre as tribos (22.1-34)
- Renovação da aliança (23.1—24.33)

Quais são os aspectos interessantes e singulares de Josué?

- Em um livro que conta sobre o aniquilamento de todos os cananeus, a primeira história principal trata do livramento e da salvação da prostituta cananeia Raabe.
- Há um contraste fascinante e irônico entre Raabe (Js 2) e Acã (Js 7).
- Em um livro cheio de guerras, o objetivo temático é o "descanso".
- Josué tem um encontro com o "comandante do exército do Senhor" (Js 5.14,15).
- O livro de Josué contém a história fascinante da queda dos muros de Jericó.
- Em Josué, Deus divide o rio Jordão deixando Israel atravessar em terra seca, como ele dividiu o mar Vermelho no livro de Êxodo.

A água do rio Jordão e seus afluentes é usada por vários países (Israel, Jordânia, Palestina, Síria e Líbano) para irrigar a terra e para beber. Por isso, o rio Jordão de hoje (o que resta dele) é bem menor que o rio atravessado por Josué e os israelitas.

Josué

Qual é a mensagem de Josué?

Como conquistar a terra prometida com êxito (1.1-18)

A história de Josué 1 dá sequência imediata ao relato do fim de Deuteronômio. Moisés tinha acabado de morrer, Israel estava a leste do rio Jordão preparando-se para atravessar o rio e entrar na terra prometida, e Deus acabara de designar Josué o novo líder de Israel. Josué 1 introduz vários temas principais do livro. Em primeiro lugar, Josué é o novo líder dando continuidade à liderança de Moisés (1.1-9). Deus declara que ele estará com Josué como esteve com Moisés (1.5), oferecendo, então, o mesmo poder de sua presença experimentada no Êxodo. Mas a tarefa de Josué não é exatamente a mesma de Moisés; além disso, ele não terá a função de "mediador" como Moisés. Conforme mencionamos na discussão de Deuteronômio, o papel de mediador de Moisés agora é transferido não a Josué, mas à palavra escrita (i.e., o "Livro da Lei"). Observe também que, enquanto Moisés é muitas vezes chamado de "o servo do SENHOR" (1.1,2,13,15), Josué é chamado "o servo [auxiliar] de Moisés". Ele só é chamado de "servo do SENHOR" no fim de sua vida, depois de terminada a conquista (24.29). Outra observação interessante é que várias vezes se diz a Josué "seja forte e corajoso". Esta expressão lhe é dita por Moisés (Dt 31.6), pelo povo (Js 1.18) e também por Deus de maneira repetida (Dt 31.23; Js 1.6,7,9).

Outro tema importante de Deuteronômio retomado e expandido em Josué 1 é o da terra como dádiva graciosa de Deus a Israel. Diversas vezes e de várias maneiras Deus se refere à terra que está para dar aos israelitas (1.2,3,13,15). Por fim, Josué 1 continua ressoando o que Deus disse a Israel desde o Êxodo: se eles forem fiéis e obedecerem à lei de Deus, eles serão bem-sucedidos e abençoados (1.8,9).

Um teste: Jericó (2.1—7.26)

Raabe, a fiel, é salva (2.1-24)

A cidade de Jericó é o desafio imediato da conquista de Canaã. É uma cidade fortificada e bem protegida, próxima da margem oposta do rio Jordão em que os israelitas se encontravam.

Alguns estudiosos sugeriram que essa mulher é uma prostituta cananeia; mas o significado exato dessa escultura de marfim não é claro (do século IX ao VIII a.C.).

Comparação e contraste entre Raabe (Js 2) e Acã (Js 7)

Raabe	Acã
Mulher	Homem
Cananeia, mas temente ao Senhor	Israelita, mas não temente ao Senhor
Prostituta (pessoa não respeitável)	Respeitável
Deveria ter morrido, mas sobrevive	Deveria ter sobrevivido, mas morre
Sua família sobrevive	Sua família perece
Tudo o que pertence a ela sobrevive	Tudo que pertence a ele perece
Seu povo (Jericó) é destruído	Seu povo (Israel) prospera
Ela esconde os espias do rei	Ele esconde o despojo de Josué e do Senhor
Ela esconde os espias em sua casa	Ele esconde o despojo em sua tenda
Ela esconde os espias no telhado	Ele esconde o despojo no solo
Sua casa é preservada	Sua tenda é destruída
O gado, ovelhas e jumentos da sua cidade (Jericó) são destruídos	Seu gado, ovelhas e jumentos são destruídos como os de Jericó
Ela obedece a uma revelação indireta de Deus	Ele desobedece a uma revelação direta do Senhor
Ela vive — como os israelitas	Ele morre — como os cananeus

Lembre-se de que a última vez em que os israelitas estiveram nessa situação, Moisés mandou 12 homens para espiar a terra, e dez deles voltaram dizendo que os israelitas não seriam capazes de superar os cananeus (Nm 13—14). Dessa vez, Josué manda dois homens escolhidos a dedo. Eles entram às escondidas em Jericó e encontram uma prostituta chamada Raabe, que os escondeu de seu rei, salvando-lhes assim a vida. Raabe, então, faz uma declaração impressionante a eles sobre sua firme convicção a respeito do Deus de Israel. Ela reconheceu que Deus estava lhes entregando a terra e pediu que os israelitas poupassem a vida dela e de sua família (2.8-13). Os espias israelitas concordam em poupar Raabe e sua família, ainda que ela fosse uma cananeia. Como foi mencionado antes, a fé e a confiança de Raabe servem de nítido contraste com o desprezo e a desobediência de Acã (Js 7), mostrando que o povo da fé herdará a terra prometida, não só os membros étnicos de Israel.

A travessia do rio Jordão para entrar na terra prometida (3.1—5.12)

A travessia do rio Jordão encerra oficialmente o período do Êxodo e talvez seja o acontecimento culminante do livro de Josué. Há vários paralelos

✢ Raabe é mencionada na genealogia de Davi e de Jesus como mãe de Boaz (marido de Rute) e trisavó de Davi (Mt 1.5,6).

e contrastes com a travessia do mar Vermelho de Êxodo 14. Em Êxodo, os israelitas deixam o Egito, a terra da escravidão; em Josué, eles entram em Canaã, a terra prometida, de abundância. Em Êxodo, eles fogem do exército egípcio; em Josué eles avançam para atacar Jericó. A presença de Deus tem um papel importantíssimo em ambos os episódios. Em Êxodo, Deus está na coluna de fogo e na nuvem que protege o Israel em fuga. Em Josué, a presença de Deus está na arca da aliança, que ocupa o centro desse importante episódio.

Aparentemente, no tempo de peregrinação pelo deserto, os israelitas não continuaram a prática da circuncisão, talvez indicando a quebra do relacionamento da aliança com Deus. Agora, depois da travessia do Jordão, os israelitas circuncidam todos os nascidos no deserto, renovando assim o compromisso da aliança (5.1-9). Em seguida, celebram a Páscoa na terra prometida e comem do produto da terra. A provisão diária do maná cessa (5.10-12). Assim, termina oficialmente o período do Êxodo.

O cerco e derrota de Jericó (5.13—6.27)

Quando criança, a maioria de nós aprendeu o cântico: "Vem com Josué lutar em Jericó, Jericó, Jericó; vem com Josué lutar em Jericó, Jericó, Jericó, e as muralhas ruirão". Josué 5.13—6.27 descreve esse acontecimento. É importante notar que a arca da aliança ocupa um lugar central no cerco. O "cerco" envolvia marchar em volta de Jericó com a arca — algo mais parecido com uma procissão de uma festa religiosa que um cerco militar. Deus dá a Israel uma vitória tranquila. As muralhas de fato caem, e Israel captura a cidade fortificada que protegia a entrada da terra de Canaã. Todos os moradores da cidade são mortos, exceto Raabe e sua família.

Logo a oeste de Jericó ficavam as colinas acidentadas, chamadas posteriormente de deserto da Judeia.

Em obediência a Deus, os israelitas não preservaram nenhum material valioso capturado de Jericó. Eles colocaram todos os objetos de prata, ouro e bronze no tabernáculo do Senhor. O restante foi totalmente destruído.

Acã, o infiel, é destruído (7.1-26)

Contudo, há uma pequena falha na vitória contra Jericó. Acã, um dos israelitas, desobedeceu a Deus e ficou com vários objetos de valor encontrados em Jericó. Por isso, quando Israel prosseguiu para a próxima investida, uma ação militar de menor escala, contra uma cidade bem pequena chamada Ai, Deus não deu poder aos israelitas para vencer, e eles foram derrotados (7.1-5). Josué fica devastado com essa derrota e clama a Deus (7.6-9). Deus diz a Josué que alguém roubou coisas que deveriam ter sido dedicadas ao tabernáculo, violando gravemente suas instruções. Então, Deus mostra a Josué que foi Acã quem fez isso (7.10-18). Josué e os israelitas, então, destroem Acã, sua família e seus pertences. Ou seja, Acã se torna semelhante a um cananeu, e morre como um cananeu em Jericó, destruído junto com sua família e todos os seus pertences. Sua história é contrastada com a de Raabe, que confiou em Deus e foi salva junto com sua família e seus pertences, tornando-se assim, na prática, uma israelita.

Dando prosseguimento: A conquista de Ai e a renovação da aliança (8.1-35)

Passado o episódio de Acã, os israelitas continuam na conquista e destroem com rapidez a cidade de Ai (8.1-29). Em seguida, Josué constrói um altar (8.30,31) e renova o compromisso do povo com a obediência à aliança, realizando uma cerimônia pública de renovação do compromisso da aliança ordenada por Deus em Deuteronômio 27.11-26.

A conquista do restante de Canaã (9.1—12.24)

A campanha do Sul (9.1—10.43)

O restante da conquista de Canaã acontece em duas fases principais, a campanha do Sul (9.1—10.43) e a campanha do Norte (11.1-15). A campanha do Sul começa com um acontecimento incomum. A população inteira de uma cidade (Gibeão) engana Josué e os israelitas fazendo-os pensar que tinham vindo de uma terra muito distante, quando, na verdade, eles moravam do outro lado do monte e estavam entre as próximas cidades a ser atacadas pelos israelitas. Josué faz um acordo com os gibeonitas e, mesmo depois de se descobrir ludibriado, ele jura honrar o acordo com eles (9.1-26). Então, como no caso de Raabe, encontramos uma história

A campanha do Sul. Josué resgata os gibeonitas e derrota cinco cidades poderosas do Sul (Js 9; 10).

- Cidades dos amorreus
- Cidades dos heveus

Siquém

Região montanhosa

Rio Jordão

Josué e o exército marcham a noite toda de Gilgal para levantar o cerco de Gibeão.

Os amorreus fogem depois do contra-ataque de Josué.

Penhasco de Bete-Horom

Betel   Ai

Gibeão

Gilgal?

Jericó

Quefira
Quiriate-Jearim   Beerote

Jerusalém (Jebus)

Jarmute?

Cidades dos amorreus, comandadas por Jerusalém, unem forças para sitiar Gibeão.

Laquis
Eglom?   Hebrom

Mar Morto

inicial sobre cananeus que não são destruídos porque reconheceram que Deus dera a terra aos israelitas e por isso esse povo não poderia ser vencido.

Ironicamente, o acordo de Josué com os gibeonitas apressa o início da campanha do Sul. Os gibeonitas são atacados por outras cidades cananeias da região e Josué, como parceiro fiel do acordo, sai para resgatá-los. Deus intervém e derrota sobrenaturalmente a coligação militar cananeia "[lançando] sobre eles grandes pedras de granizo" e, depois, fazendo o sol parar, o que dá ao exército israelita mais luz do dia para completar a destruição dessa importante coligação militar cananeia (10.9-15). Josué, então, procede à conquista do restante da região sul (10.16-42).

A campanha do Norte (11.1-15)

Em seguida, Josué vai para o norte e também conquista toda essa região. À medida que ele derrota esses reis e cidades, segue o mandamento do

✢ Deutetonômio 17.16 adverte os reis futuros de Israel de não acumularem para si cavalos (provavelmente cavalos para carros). Josué (apesar de não ser um rei) obedece a essa ordenança rompendo os tendões dos cavalos dos carros conquistados dos inimigos.

Senhor e não incorpora os carros do exército inimigo a seu exército; antes, rompe o tendão dos cavalos e queima os carros (11.6,9). Isso permitia que os cavalos fossem usados para fins domésticos, mas não para puxar carros de guerra. Deus quer que Josué confie nele para obter vitória militar, não nos carros do seu exército.

Resumo da conquista (11.16—12.24)

Josué 11.16—12.24 apresenta um resumo ou síntese da conquista. De um lado, o resumo declara: "Josué conquistou toda a terra, conforme o Senhor tinha dito a Moisés" (11.23), sugerindo que a conquista se cumpriu rapidamente. Por outro lado, 11.18 diz que "Josué guerreou contra todos esses reis por muito tempo". Da mesma forma, no restante do livro de Josué, diversos versículos mostram que várias pequenas regiões ainda precisavam ser conquistadas (13.1,13; 15.63; 16.10 etc.). O texto de Josué 1—12 sugere que Josué esmagou toda resistência organizada em grande escala e assumiu o controle efetivo da região. Agora, ele reparte a cada tribo seu território, e cada tribo passa a ter a responsabilidade de terminar a conquista e esmagar qualquer resistência ainda existente no seu território, tarefa que muitas tribos não conseguirão executar. Da mesma forma, muitas cidades foram capturadas, e essas vitórias precisaram ser consolidadas com rapidez mediante a ocupação israelita, o que nem sempre aconteceu, permitindo assim o retorno dos moradores originais.

Distribuição da terra prometida (13.1—21.45)

Josué 13—21 descreve como a terra prometida foi detalhadamente distribuída para cada tribo de Israel. Então, essa seção registra as fronteiras do território de cada tribo, algo um tanto monótono para nós leitores modernos, mas que, não obstante, foi muito importante e interessante para os que viviam nessa terra e passaram essa herança a seus descendentes.

As cidades de refúgio são designadas (20.1-9; definidas em Nm 35). Semelhantemente, cidades específicas são escolhidas e destinadas para a distribuição entre os levitas (os sacerdotes responsáveis por ensinar a Lei ao povo), pelo fato de eles não terem recebido nenhum território por herança (21.1-42).

Conforme a menção anterior, enquanto Josué é, em geral, um livro positivo de "boas-novas", há um subtema sutil e perturbador que vem à tona nessa seção. Josué 13.1-5 sugere que, na velhice de Josué, várias regiões ainda estavam por ser subjugadas por várias tribos de Israel. Então, quando as fronteiras da terra são descritas em Josué 13—21, o texto menciona de modo discreto algumas áreas de cada tribo que ainda não tinham sido conquistadas (13.13; 15.63; 16.10; 17.12). As tribos individualmente não tinham tanta consciência sobre o cumprimento da conquista quanto Josué. Depois

Distribuição das tribos na terra prometida (Js 13—19).

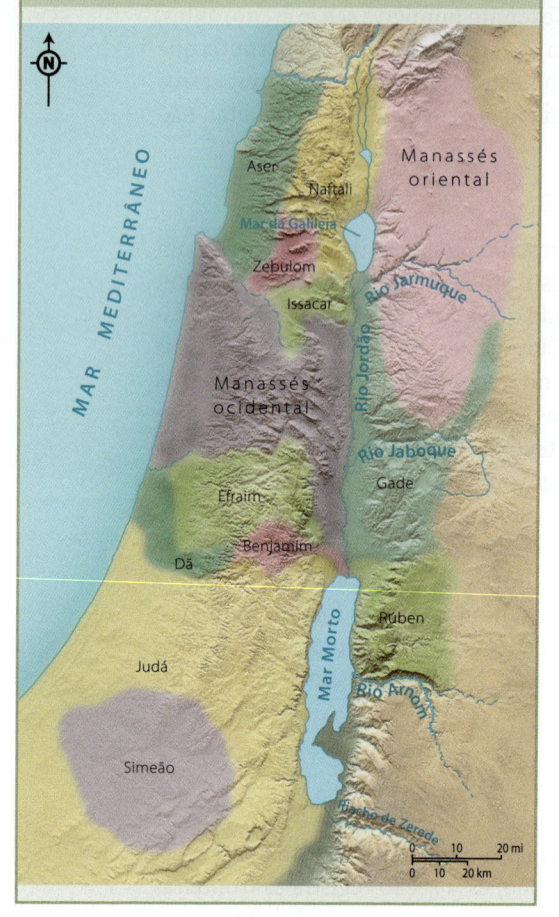

de sua divisão da terra e distribuição a cada tribo do respectivo território, os israelitas perderam a motivação e procuraram se estabelecer, negligenciando assim a ordem de Deus de expulsar todos os cananeus e os demais habitantes da terra. Isso voltará a incomodá-los no livro de Juízes.

Essa unidade termina com o resumo geral de 21.43-45, reiterando como Deus deu a terra prometida a Israel como prometera a seus antepassados. Ele também lhes deu a capacidade de conquistar e possuir a terra, cumprindo assim todas as promessas feitas a eles.

Resolução de conflitos entre as tribos (22.1-34)

Um dos problemas mais elementares que Israel terá de enfrentar nos anos seguintes é como manter a unidade do povo de Deus. Quase imediatamente após a conquista, surgem conflitos entre os ocupantes da região oriental do Jordão (Rúben, Gade e Manassés) e o restante da nação. Isso se deve principalmente a um desentendimento, resolvido pela intercessão do sacerdote Fineias. A história termina bem, mas ela provavelmente antevê problemas futuros.

Renovação da aliança (23.1—24.33)

Josué envelheceu e em 23.1-16 ele se despede. Ele repete os principais temas de Josué 1, exortando Israel a ser forte e a obedecer a tudo que se encontra no Livro de Moisés (23.6). Ele parece reconhecer o caráter incompleto da conquista, uma vez que adverte os israelitas contra a influência dos moradores pagãos nativos que ainda restavam na terra (23.7). Ele reafirma como Deus cumpriu todas as promessas feitas aos antepassados (por meio da aliança abraâmica) e os adverte de permanecer fiéis a Deus e a seus mandamentos, para que Deus não revertesse suas maravilhosas bênçãos, derramando sua ira contra eles, e os expulsasse da terra (23.12-16).

Não causa surpresa que o livro de Josué termine com uma renovação da aliança. Ele recapitula a história de como Deus livrou os israelitas repetidas vezes, deu-lhes vitória e os abençoou (24.1-13). Josué alerta o povo dizendo que agora é fundamental que continuem servindo ao Senhor. Josué declara que sua família servirá a Deus (24.15), e o povo se compromete também a servir ao Senhor (24.16-18,21). Josué, então, registra tudo isso, confirmando e ratificando a renovação da aliança.

O epílogo registra a morte de Josué, referindo-se a ele, por fim, como o "servo do Senhor" (24.29). Depois de elogiar Josué e a geração de líderes israelitas que realizaram a conquista, o livro de Josué termina com um tom positivo, dizendo: "Israel serviu ao Senhor durante toda a vida de Josué e dos líderes que lhe sobreviveram e que sabiam de tudo o que o Senhor fizera em favor de Israel" (24.31).

Como aplicar Josué à nossa vida hoje

A repetida exortação para que Josué fosse forte e corajoso serve para nós aplicarmos em nossa vida hoje. Se Deus nos chama para sermos líderes cristãos, ele também nos exorta a sermos fortes e corajosos, pois a tarefa não será fácil. Deus, porém, também diz a Josué para meditar em sua Palavra e perceber a força da presença divina, para que ele pudesse ser bem-sucedido na tarefa que lhe estava proposta. Esses elementos (força, coragem, palavra de Deus, presença divina capacitadora) são justamente os que nos capacitarão como líderes a ser bem-sucedidos nas tarefas para as quais Deus nos chama a realizar.

Também há importantes verdades a serem compreendidas da história de Raabe. Primeiramente, essa história sugere que Deus salva as pessoas mais incomuns e inesperadas, algo que Jesus também demonstra por meio de seus atos. Isso deveria transformar a maneira com que você e eu enxergamos as pessoas que ainda não conhecem o Senhor. Não há categorias de pessoas do tipo "as de salvação menos provável" e "as de salvação mais provável". Deus parece ter prazer em salvar as pessoas sobre as quais as expectativas são menores e as consideradas mais incomuns; nós deveríamos ter prazer nisso e tentar seguir seu exemplo.

Vista de Siló. Josué coloca o tabernáculo nessa região (Js 18.1). A arca fica em Siló até ser levada pelos filisteus (1Sm 4).

Nosso versículo favorito de Josué

"Mas eu e a minha família serviremos ao Senhor." (24.15)

- Gênesis
- Êxodo
- Levítico
- Números
- Deuteronômio
- Josué
- **Juízes**
- Rute
- 1Samuel
- 2Samuel
- 1Reis
- 2Reis
- 1Crônicas
- 2Crônicas
- Esdras
- Neemias
- Ester
- Jó
- Salmos
- Provérbios
- Eclesiastes
- Cântico dos Cânticos
- Isaías
- Jeremias
- Lamentações
- Ezequiel
- Daniel
- Oseias
- Joel
- Amós
- Obadias
- Jonas
- Miqueias
- Naum
- Habacuque
- Sofonias
- Ageu
- Zacarias
- Malaquias

Juízes

*Um desastre israelita:
eles se tornam como os cananeus*

Por toda a Bíblia Deus chama seu povo para ser diferente dos incrédulos. Ele deseja que o povo seja separado para servi-lo. Quer que sejam santos e fiéis a ele, e somente a ele. Juízes é um dos livros mais trágicos da Bíblia: depois de Deus salvar Israel do Egito e lhe dar a terra prometida, o povo permanece fiel a ele por uma breve geração. Depois, Israel se afasta por completo, abraçando a idolatria e os costumes perversos dos cananeus. O fim de Juízes é inacreditável — e até abominável —, pois Israel entra mais uma vez em declínio e se torna como os cananeus a quem deveriam ter expulsado da terra.

Qual é o contexto de Juízes?

O livro de Juízes tem início justamente onde termina o livro de Josué. Deus libertou Israel da escravidão do Egito e estabeleceu uma aliança com a nação (Êxodo, Levítico, Números e Deuteronômio), declarando de modo muito claro que, se o povo permanecesse fiel a ele e guardasse suas leis, então poderia viver na abençoada terra prometida, com Deus habitando em seu meio e o abençoando sobejamente.

Entretanto, em todo o livro de Êxodo, Deuteronômio e Josué, Deus adverte os israelitas de que, se eles o abandonassem e se voltassem aos ídolos, incorporando os atos perversos associados à idolatria, então ele os castigaria e até os expulsaria da terra. No livro de Josué, sob a liderança de Josué, Israel entra na terra prometida, derrota as principais forças da região e conquista a maior parte das cidades fortificadas. O livro de Josué termina dizendo que os líderes da primeira geração que entrou na terra permaneceram fiéis a Deus por toda a sua vida. Por isso, o livro de Josué é bastante positivo, é um livro de "boas-novas". Juízes continua a história quando essa geração sai de cena e as coisas mudam de forma drástica.

Quais são os temas centrais de Juízes?

O propósito de Juízes é mostrar o fracasso de Israel em guardar a aliança mosaica (Êxodo, Levítico, Números e Deuteronômio) depois de Deus lhes dar a terra prometida. O livro de Juízes pinta um cenário espantoso de declínio rápido e crescente em sentido teológico e moral. Um ciclo horrível se repete várias vezes. O povo pecará e se afastará de Deus, e uma nação estrangeira os dominará e oprimirá. Deus, em sua misericórdia e graça, enviará um juiz para livrá-los e restabelecer a paz e a bênção. Contudo, o povo logo abandonará a Deus outra vez, sendo novamente dominado e oprimido. Outra vez Deus mandará um juiz para livrá-los, e o ciclo se repete. Entretanto, à medida que a história prossegue, as coisas parecem piorar. Os juízes, na maioria, já estavam de algum modo corrompidos e não mantinham a conduta à altura do cargo. Ao longo da história o leitor percebe que os israelitas não só falharam em expulsar os cananeus, como também se tornaram rapidamente parecidos com eles, servindo aos deuses cananeus e abraçando a imoralidade desse povo. Ao final do livro, a situação é completamente desastrosa. Um levita torna-se líder de um culto idólatra que se vendia a quem pagava mais; a tribo de Dã deixa sua herança e migra para o Norte, caindo também em idolatria; uma cidade israelita se comporta como Sodoma e Gomorra (o protótipo da imoralidade cananeia), atacando um visitante; e, em vez de expulsar os cananeus, os israelitas se unem para destruir uma de suas tribos (Benjamim).

É esclarecedor também observar contra quem os israelitas lutam no livro. No início eles lutam contra os cananeus para completar a conquista, de acordo com o mandamento de Deus. Mas logo eles se encontram oprimidos e em guerra contra os moabitas, os midianitas e os amonitas, povos de fora da terra — na verdade, povos derrotados inteiramente por Israel

✚ Os indivíduos chamados "juízes" no livro de Juízes são principalmente líderes políticos e/ou militares. Eles não eram "juízes" de uma corte ou de outro contexto judicial.

durante o Êxodo. Isso mostra com clareza seu retrocesso. Em Juízes 13—16, os israelitas lutam contra um novo grupo, os filisteus. Estes, como os israelitas, também tinham migrado recentemente para a região e tentavam tomar Canaã. Os filisteus ameaçavam expulsar Israel para fora da terra prometida. Então, como se não bastasse, no fim do livro, os israelitas estão simplesmente matando uns aos outros.

O esboço do livro é o seguinte:

- O ciclo da desobediência (1.1—3.6)
- A degradação dos 12 juízes que libertam Israel (3.7—16.31)
    - Otoniel (3.7-11)
    - Eúde (3.12-30)
    - Sangar (3.31)
    - Débora e "como chamava mesmo" (4.1—5.31)
    - Gideão e seus moços (6.1—9.57)
    - Tolá e Jair (10.1-5)
    - Jefté (10.6—12.7)
    - Ibsã, Elom e Abdom (12.8-15)
    - Sansão (13.1—16.31)
- Israel no fundo do poço (17.1—21.25)
    - O levita, os danitas e os ídolos (17.1—18.31)
    - Sodoma e Gomorra outra vez (19.1-30)
    - Matando uns aos outros (20.1—21.25)

Um suporte de um templo cananeu usado para derramar ofertas para uma divindade cananeia.

Quais são os aspectos interessantes e singulares de Juízes?

- Deus dá a vitória sobre os cananeus por intermédio de duas mulheres (Débora e Jael).
- Gideão derrota um enorme exército midianita com apenas 300 homens.

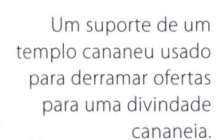

Juízes 143

- Todos os juízes, exceto Otoniel e Débora, estavam de algum modo corrompidos.
- Juízes contém a trágica e vívida história de Sansão e Dalila.
- Embora Juízes trate de batalhas e guerras, as mulheres ocupam uma função crucial em todo o livro como juízas, mães, filhas, irmãs, esposas e concubinas.
- Juízes 19—21 (o final do livro) contém provavelmente a história mais repugnante de toda a Bíblia.

Qual é a mensagem de Juízes?

O ciclo da desobediência (1.1—3.6)

Juízes continua a história de Josué e, na verdade, começa bem ao relatar como Calebe e a tribo de Judá continuaram lutando e derrotando os habitantes cananeus da terra (1.1-18). Mas, a partir de 1.19, o livro de Juízes alista os vários povos e cidades não conquistados ou expulsos da terra, ressaltando o fracasso generalizado das tribos em prosseguir nas campanhas vitoriosas de Josué e completar a conquista. Embora a geração de israelitas participantes do início da conquista com Josué permanecesse fiel a Deus (Js 24.31; Jz 2.7), a geração seguinte se esquece de tudo que o Senhor fez por eles e começa a adorar Baal, o deus cananeu, abandonando assim o Senhor (2.10-13). Juízes 2.16-19 descreve o ciclo que caracteriza o livro. O povo peca e se volta à idolatria; como consequência, Deus os entrega nas mãos dos inimigos estrangeiros que os atacam e despojam. Então, Deus levanta um juiz (líder) para libertá-los e restaurá-los a uma situação melhor. Contudo, mesmo depois dos livramentos, o povo logo volta a pecar e a história se repete. O resumo de 3.5,6 é lamentável: "Os israelitas viviam entre os cananeus, os hititas, os amorreus, os ferezeus, os heveus e os jebuseus. Tomaram as filhas deles em casamento e deram suas filhas aos filhos deles, e prestaram culto aos deuses deles".

A degradação dos 12 juízes que libertam Israel (3.7—16.31)

Otoniel (3.7-11)

Depois que Israel começa adorar Baal e Aserá, Deus permite que os arameus subjuguem Israel. Os israelitas clamam a Deus, e ele levanta Otoniel para livrá-los. Otoniel, já mencionado em 1.13, é um bom homem. Ele liberta Israel e estabelece a paz. Portanto, o livro começa bem; Otoniel foi um bom juiz.

Eúde (3.12-30)

Em seguida, os israelitas foram assolados pelos moabitas, com a ajuda dos amonitas e dos amalequitas. Eúde foi quem livrou Israel, mas as suas táticas eram um tanto incomuns. Ele vai a Eglom, o rei de Moabe, dizendo que tinha uma mensagem particular "de Deus" para ele. Uma vez que estão a sós, Eúde tira uma espada curta escondida e esfaqueia o rei moabita, depois desaparece, antes que alguém percebesse o que aconteceu. Em seguida, ele reúne Israel e derrota os moabitas.

Contudo, essa não é exatamente a conduta de um verdadeiro herói. Sem dúvida, Eúde foi corajoso por matar esse rei, mas assassiná-lo em particular estando o rei desarmado não foi exatamente um ato heroico. Não é o tipo de coisa que Davi (o futuro herói) teria feito. Então, já na época do segundo juiz, os juízes apresentam um caráter questionável.

Sangar (3.31)

Não sabemos quase nada sobre o terceiro juiz, Sangar, além de ele ter matado 600 filisteus (uma façanha e tanto!). Algo muito estranho, no entanto, é seu pai se chamar Anate, o mesmo nome de uma deusa cananeia guerreira, violenta e sanguinária, retratada muitas vezes como consorte de Baal. O nome Sangar também é incomum, pois não é um nome israelita.

Débora e "como chamava mesmo" (4.1—5.31)

Além de Otoniel, Débora é uma das únicas pessoas entre os juízes que parece não ter nenhum tipo de desvio de caráter; ela sai da história como verdadeira heroína (junto com Jael). Israel pecou outra vez, e Deus os entregou a Jabim, o rei cananeu da cidade de Hazor.

O rio Quisom. Débora e Baraque derrotaram Sísera e seu exército cananeu próximo ao rio Quisom (Jz 4.7,13; 5.21; Sl 83.9).

✚ Débora é a única entre os "juízes" que parece ocupar um papel judicial no sentido de estabelecer decisões judiciais (4.4,5).

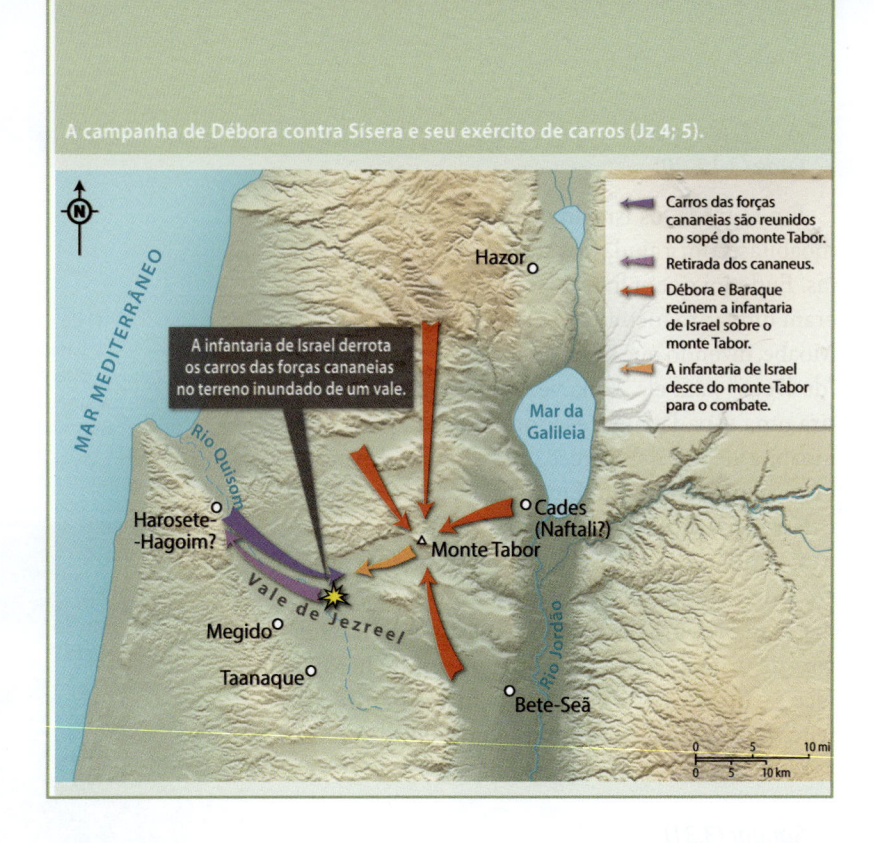

A campanha de Débora contra Sísera e seu exército de carros (Jz 4; 5).

Débora, profetisa e juíza, tenta fazer que um homem chamado Baraque reúna Israel para atacar Sísera, o comandante do exército de Jabim, e os cananeus. Em comparação com Débora, Baraque era tímido e medroso; ele não lutaria, a não ser que Débora fosse junto com ele. Ela concorda, mas informa a Baraque que ele não receberia nenhuma honra pela vitória, pois o Senhor entregaria Sísera nas mãos de uma mulher (4.4-10). Débora (com Baraque no seu encalço) então lidera Israel contra Sísera e os cananeus. Deus capacita os israelitas a desbaratar o exército cananeu, e Sísera foge. Ele para e descansa na tenda de um aliado chamado Héber, sendo recebido por Jael, esposa de Héber. Enquanto Sísera dorme, Jael toma uma marreta e finca uma estaca em seu crânio para matá-lo (4.17-22). Em Juízes 5, Débora (e Baraque) celebra a vitória com um cântico que engrandece as mulheres da história e ridiculariza alguns israelitas.

Desse modo, uma importante vitória foi alcançada, mesmo que de uma forma muito incomum. O confronto contra os cananeus foi iniciado e liderado por uma mulher (algo muito raro no mundo antigo!), e o comandante do exército do rei estrangeiro foi assassinado, na verdade, por outra mulher.

Gideão e seus moços (6.1—9.57)

Em muitos sermões e estudos bíblicos, Gideão é retratado, não raro, como um guerreiro valoroso e corajoso, um verdadeiro modelo para nós.

Contudo, uma leitura mais atenta da história sugere que ele talvez seja mais complexo que isso e, como muitos dos outros juízes, ele também tinha alguns sérios desvios de caráter.

A história começa nos informando que os midianitas à vontade assaltavam os israelitas, roubavam seu rebanho, comida, ou qualquer outro objeto de valor que pudessem encontrar. Observe a ironia disso, pois os israelitas derrotaram e saquearam por completo os midianitas em Números 31 quando seguiam caminho do deserto à terra prometida. Então, o fato de os midianitas estarem assaltando os israelitas significava um grave retrocesso na história do "Êxodo/salvação".

Um anjo do Senhor vem a Gideão e o encontra debulhando trigo escondido em um tanque de prensar uvas, com medo dos midianitas. O próprio Senhor convoca Gideão para livrar Israel e promete: "eu estarei com você", a famosa promessa da presença fortalecedora de Deus (6.11-16). Entretanto, Gideão não se convence e pede um sinal (6.17), como se a conversa com o anjo do Senhor não fosse prova suficiente. À medida que os acontecimentos se sucedem, é preciso uma repetição de sinais extraordinários (quatro ao todo) para manter Gideão engajado. Além disso, à medida que a história avança, o medo de Gideão é ressaltado de outras maneiras (6.27; 7.10,11).

O anjo de Deus oferece o primeiro sinal a Gideão enviando fogo que consome milagrosamente uma pequena oferta preparada por ele (6.20-22). Gideão continua temeroso e relutante (6.23-31), mas Deus envia seu Espírito sobre ele; em decorrência disso, ele convoca Israel à guerra. Contudo, mesmo depois da conversa com o anjo do Senhor e o milagre do fogo, Gideão ainda quer ver mais sinais. Ele pede a Deus mais dois sinais, relacionados de forma específica ao orvalho sobre um pedaço de lã no chão. Deus concorda e concede a ele esses dois sinais adicionais (6.36-40).

Brincos de ouro. Cada um dos soldados de Gideão lhe dá um brinco de ouro tirado dos ismaelitas mortos.

Entretanto, Deus aparentemente tem um senso de humor e, uma vez que Gideão o está testando, agora Deus requer dois "testes" da parte de Gideão. Ele, que já estava temeroso e relutante, é informado de que tem homens demais para o combate. Depois de dois exercícios, Deus diminui seu exército para apenas 300 homens (7.1-8), ainda que os midianitas fossem tão numerosos quanto os gafanhotos e seus camelos fossem como a areia da praia (7.12)! Deus quer que os israelitas saibam que sua mão poderosa lhes dará a vitória, não o tamanho do exército.

Todavia, Gideão continua com medo (7.10,11), de modo que Deus lhe concede mais um sinal, permitindo que ele escute o sonho de um soldado midianita anunciando a vitória de Israel (liderada por Gideão). Por fim, Gideão parece "entender" e decide atacar (7.15-18), embora aparentemente ele quisesse dividir a glória com o Senhor, quando grita às suas tropas durante o ataque "Pelo Senhor e por Gideão!" (7.18). Deus concede aos israelitas uma vitória heroica, e, sob a liderança de Gideão, Israel desbarata totalmente os midianitas (7.17—8.21).

Entretanto, a história não termina aí, e a maneira com que a história termina geralmente é bastante importante para o significado geral. Ao contrário da derrota anterior dos midianitas (Nm 31.48-54), ou depois da captura de Jericó no início da conquista (Js 6.24), na vitória de Gideão não há nenhuma menção sobre a dedicação do ouro e da prata capturados para o Senhor, para serem colocados no tabernáculo. Antes, Gideão recolhe parte do ouro capturado pelos israelitas e fabrica um "manto sacerdotal", uma estola que tradicionalmente os sacerdotes vestiam. Depois, em vez de colocá-lo no tabernáculo, Gideão o coloca

As ruínas de um antigo portão de Siquém. A cidade de Siquém e seus moradores têm um papel muito importante em Juízes 9.

em sua cidade, e "Todo Israel prostituiu-se, fazendo dele objeto de adoração; e veio a ser uma armadilha para Gideão e sua família" (Jz 8.27).

Além do mais, Gideão não deixa um legado honroso, pois, assim que ele morre, Israel volta a adorar Baal (8.33-35). Como se não bastasse, Abimeleque, um dos filhos de Gideão (Abimeleque significa "meu pai é rei"), assassina seus 70 irmãos e se proclama rei (9.1-6). Seu reinado, porém, é curto. Depois de apenas três anos, ele é morto em um cerco por uma mulher que joga uma pedra de moinho sobre sua cabeça (9.50-55). Portanto, como o cananeu Sísera, na história de Débora, Abimeleque é morto por uma mulher. Ele não é considerado um dos juízes.

Tolá e Jair (10.1-5)

Não há muitas informações sobre os juízes Tolá e Jair, e eles não têm um papel muito importante na história em geral. Talvez eles tenham sido mencionados com brevidade para que o número de juízes apresentados no livro totalizasse 12, número simbólico na Bíblia.

✚ No relato de Joabe a Davi em 2Samuel 1.18-21, ele faz referência à morte de Abimeleque em Juízes 9. Essa é provavelmente uma comparação sutil, porém irônica, da derrota de Abimeleque por uma mulher à "derrota" de Davi por uma mulher (Bate-Seba).

Jefté (10.6—12.7)

A história de Jefté é introduzida com o destaque para quantidade de deuses estrangeiros que Israel estava adorando (10.6). A lista de deuses pagãos era crescente; ao que parece, as coisas pioravam em Israel. Deus os entrega aos filisteus e aos amonitas (10.7-10). Israel, então, clama a Deus, arrependido, lançando fora os deuses estrangeiros. A libertação vem de um indivíduo menos inesperado (Jefté), mas o texto nunca diz que Deus, na verdade, o chamou ou o levantou. Além disso, a linhagem de Jefté é duvidosa, pois sua mãe é uma prostituta e seu pai é "Gileade" (nome da região do lado oriental do Jordão). Ele se torna um desterrado e bandoleiro, mas concorda em liderar os israelitas de Gileade contra os amonitas, e o Espírito do Senhor vem sobre ele para capacitá-lo (11.29).

Entretanto, Jefté comete um enorme erro e faz um voto tolo a Deus. Ele promete que, se Deus lhe der a vitória, sacrificará qualquer coisa (ou pessoa) que sair de sua casa para saudá-lo quando ele retornar (11.30,31). Contudo, em toda a Bíblia Deus responde ao arrependimento e à adoração sincera, não a votos tolos. Ironicamente, é o deus Moloque dos amonitas e moabitas que era conhecido por conceder vitória a guerreiros que se dispusessem a sacrificar seus filhos. Deus concede a Jefté uma belíssima vitória; contudo, quando ele volta para casa (11.34), sua filha (a única filha) saiu a seu encontro para cumprimentá-lo (quem ele imaginaria que saísse?). Jefté cumpre o voto, ainda que Deus nunca tivesse exigido isso. O sacrifício de crianças era uma prática amonita e moabita abominada por Deus. Isso mostra o contínuo declínio de Israel e dos "juízes" que lutavam para livrá-los.

Durante o domínio de Jefté, a situação se deteriora e ele termina seu domínio liderando os gileaditas (os hebreus que permaneceram no lado oriental do Jordão) em uma batalha contra os irmãos da tribo de Efraim (12.1-7). Esse é outro exemplo de como os israelitas lutam entre si em vez de expulsar da terra os habitantes estrangeiros, conforme Deus lhes tinha ordenado.

Ibsã, Elom e Abdom (12.8-15)

Há três outros juízes de menor importância mencionados em 12.8-15, mas pouca informação é oferecida. Conforme a menção anterior, a inclusão desses três juízes ajuda a fechar a conta do número de juízes em 12.

Sansão (13.1—16.31)

Sansão é o último juiz mencionado no livro, e quatro capítulos são dedicados à sua história, mostrando assim o importante papel do episódio de Sansão no livro de Juízes. Nessa época, os filisteus tinham assumido o controle de Israel. Não existe menção dos israelitas clamando a Deus, mas mesmo assim ele levanta um libertador. Deus diz a uma mulher sem filhos da tribo de Dã que ela conceberia e que deveria dedicar a criança a Deus como nazireu (13.1-5). O nazireu era alguém que fazia um voto especial para ser separado em dedicação especial a serviço de Deus. As exigências e restrições do nazireu estão expressas em Números 6.1-21 e compõem basicamente três elementos. O nazireu não deveria:

1. Ter nenhum contato com vinho ou qualquer fruto da videira.
2. Ter nenhum contato com cadáver.
3. Cortar o cabelo.

A criança nasce, e a mulher dá a ele o nome de Sansão (13.24,25). Sansão, porém, não parece estar nem um pouco interessado em livrar Israel da dominação dos filisteus. Na verdade, ele não está interessado em nada, exceto em satisfazer os próprios prazeres. Em 14.1,2, ele insiste em se casar com uma mulher do povo inimigo. Casar-se com os filisteus significava estar muito longe de expulsá-los da terra! No desenrolar da história, quase inadvertidamente, Sansão acaba lutando contra os filisteus — lutas, geralmente, precipitadas por alguma briga entre ele e os filisteus que o deixaram furioso. Deus, de fato, deu a Sansão muita força e poder, por isso ele foi bem-sucedido sempre que lutou contra os filisteus. Então, de certo modo, ainda que suas motivações fossem perversas, Sansão começa a livrar Israel. Entretanto, no processo, ele viola repetidamente as restrições do voto nazireu. Ele tem contato com vinhas (e provavelmente com vinho também) em uma cidade chamada Timna (14.5,10). Em relação ao contato com cadáver, Sansão não só mata um leão, mas também come mel que se formou no cadáver do leão e até dá um pouco para

Um jarro filisteu decorado, provavelmente usado para servir bebida fermentada forte.

seus pais. Que repugnante (14.5-9)! Mais tarde ele mata mil filisteus com a queixada de um jumento morto (15.14-17).

A única parte do voto nazireu que ele parece cumprir é a proibição de cortar o cabelo. Mas mesmo essa exigência cai por terra quando ele conta a Dalila que o segredo de sua grande força estava no cabelo (16.1-20). Depois de ela cortar o cabelo de Sansão, ele não cumpre mais nenhuma exigência do voto nazireu, por isso Deus retira dele a força. Em seguida, Sansão é capturado, cegado e aprisionado. Enquanto isso, seu cabelo cresce outra vez. Os filisteus o levam a uma grande festa a fim de se divertirem com ele. Sansão ora, aparentemente pela primeira vez, e clama a Deus, recebe a força de volta e afasta duas colunas do edifício, derrubando a estrutura sobre si mesmo e sobre os filisteus, destruindo muitos deles (16.25-30). Mesmo no último ato, a motivação de Sansão é unicamente vingança pessoal. Por isso, ele tem uma morte trágica. Ao leitor resta apenas admirar o potencial desperdiçado e indagar o que teria acontecido se Sansão fosse correto e tivesse, de fato, liderado Israel contra os filisteus.

Como entender a história de Sansão, em especial sua posição de proeminência, como o auge da lista dos juízes? Com certeza, apesar de Sansão ser uma pessoa real, sua história representa de modo simbólico a história paralela do próprio Israel. Chamado para ser separado para Deus, Sansão e Israel ignoram os mandamentos de Deus que os distinguiam dos demais. Sansão vai atrás de mulheres estrangeiras, como Israel corre atrás de deuses estrangeiros. Israel, como Sansão, estava investido de imenso potencial, por causa da presença poderosa de Deus. Contudo, como Sansão, os israelitas desperdiçam esse potencial, cospem na cara de Deus, e se encontram escravizados pelos estrangeiros. Assim, a história de Sansão é a conclusão apropriada de Juízes 1—16. Ele é o auge do pior dos juízes, simbolizando a nação de Israel em sua degradação teológica e moral.

Cerâmica usada em um antigo templo cananeu pagão.

Israel no fundo do poço (17.1—21.25)

O levita, os danitas e os ídolos (17.1—18.31)

Por pior que estivesse a situação de Israel no tempo de Sansão, ela continuava piorando, até que nos capítulos finais Israel chega ao fundo do poço. Em 17.1-13, Mica, um israelita da tribo de Efraim, recebe 13 quilos de prata de sua mãe (que ele tinha roubado dela e depois devolvido), transforma-os em um ídolo e o coloca em seu santuário, em que existiam outros ídolos e um manto sacerdotal. Logo surge um jovem levita, aparentemente sem meios de sustento, e Mica o convence a permanecer ali e ser o sacerdote para conduzir a adoração de seus ídolos do lar.

Enquanto isso, a tribo de Dã foi incapaz (ou não quis) de expulsar os amorreus de seu território (Jz 1.34). Então, em Juízes 18.1-31, eles enviam alguns guerreiros ao Norte a fim de encontrar uma região mais fácil de ocupar, ignorando as divisões tribais designadas por Moisés e Josué. Os guerreiros descobrem uma cidade chamada Laís que parece próspera, porém vulnerável. Por isso, a tribo de Dã migra para o Norte, saindo do território herdado na terra prometida, para uma nova região de conquista mais fácil. No caminho passam por Mica e seu sacerdote pagão (da tribo de Levi). Eles fazem uma proposta melhor ao sacerdote, e ele resolve acompanhar a tribo de Dã. Ele e os danitas furtam os ídolos de Mica e levam esses deuses pagãos consigo ao novo lar. Juízes 18.30,31 observa que a tribo de Dã continuou servindo a esses deuses até o exílio da terra.

Portanto, o cenário teológico retratado nessa história é sombrio. Os israelitas adoram ídolos em vez de Deus; além disso, são assistidos por sacerdotes descendentes de Levi. Uma das tribos de Israel abandona o território dado por Deus como herança e se muda para uma nova região. Um sacerdote se vende para a melhor oferta e rouba alguns ídolos de outro israelita, levando-os consigo para adorá-los na nova tribo. Isso está muito distante do que foi prescrito em Deuteronômio e Josué.

Figura cananeia de um touro, associada ao deus Hadade.

Sodoma e Gomorra outra vez (19.1-30)

Mesmo assim, as coisas continuam piorando. Outro levita viaja de Judá para resgatar sua concubina foragida (uma segunda esposa) (19.1-3). Depois de festejar vários dias com o pai da mulher, o levita, partindo tarde, leva a concubina e começa a jornada de volta para casa. Ao entardecer, ele passa adiante da cidade dos jebuseus e procura chegar a Gibeá de Benjamim, para passar a noite em uma cidade

O vale de Soreque, terra de onde veio Dalila.

israelita (19.4-15). Um velho de Efraim o acolhe à noite, mas uma multidão da cidade cerca sua casa e exige que o visitante levita fosse entregue a eles para sua diversão sexual (19.16-22). Lembre-se que isso é muito semelhante à história de Sodoma e Gomorra em Gênesis 19, exceto que Gibeá é uma cidade israelita, enquanto Sodoma e Gomorra eram cidades cananeias. Esse comportamento pecaminoso de Sodoma e Gomorra conduziu ao castigo divino aos cananeus, executado na conquista. Então, essa história de Juízes 19 ilustra de modo vívido que Israel não só deixou de expulsar os cananeus da terra; tornou-se, sobretudo, exatamente igual a eles.

A terrível história continua. O insensível levita entrega sua recém-resgatada concubina para a multidão. Ela é abusada durante toda a noite e na manhã seguinte é deixada de volta à porta da casa. Ela estava aparentemente morta. O furioso levita a esquarteja em 12 pedaços e manda um pedaço para cada tribo de Israel, implorando vingança contra a tribo de Benjamim (19.21-30).

Matando uns aos outros (20.1—21.25)

As outras tribos de Israel descem contra Benjamim e praticamente destroem toda a tribo (como deveriam ter feito com os cananeus, mas não o fizeram) (20.1-48). Mais tarde, em Juízes 21, o povo de Israel sente remorso pela destruição de Benjamim, mas, como um juramento fora feito (outro juramento tolo) de não haver casamento com os benjamitas, não se encontra outro modo de ajudar a restabelecer essa tribo dizimada. No fim, eles inventam um jeito de os benjamitas raptarem mulheres de uma festa de

✚ As perguntas óbvias no fim de Juízes são: "Há esperança para Israel? Quem os salvará dessa confusão?". A resposta é Davi, apresentado no livro seguinte de Rute, o qual depois ocupa o lugar central em 1 e 2Samuel.

adoração de Siló (ironicamente uma comunidade que estava aparentemente adorando ao Senhor de modo correto). O livro de Juízes, então, termina com a frase recorrente que indica o descontrole de governo: "Naqueles dias, não havia rei em Israel; cada um fazia o que achava mais reto" (21.25, ARA; v. tb. 18.1; 19.1).

Portanto, o fim de Juízes foi desastroso para Israel. Ao chegar ao fim do livro, os israelitas transgridem a lei de Deus e sua aliança com ele (Deuteronômio) de formas inimagináveis. Eles adoram ídolos, guiados pelos levitas. Eles se tornaram moralmente corrompidos, afundando-se nas coisas mais desprezíveis das infames cidades cananeias de Sodoma e Gomorra. Deixaram de tentar expulsar os cananeus e, em vez disso, estão se tornando como eles. Por fim, os israelitas voltam-se contra si mesmos e aniquilam uma de suas tribos.

Como aplicar Juízes à nossa vida hoje

O texto de Juízes ilustra para nós de maneira bastante dramática as trágicas consequências do pecado. Uma vez que, de modo geral, o povo abandona o culto a Deus, adotam-se com rapidez os padrões morais corruptos da cultura circundante e ocorre a deterioração moral e teológica, até chegar com violência ao fundo do poço. O mais impressionante sobre o livro de Juízes é que a Bíblia não termina aí. Isto é, depois de ler Êxodo, Deuteronômio e Josué, causa surpresa que o terrível pecado de Israel em Juízes não dê fim à história — Deus deveria destruí-los e pronto, acabou. Podemos ver quão profundas são em verdade a graça e a misericórdia de Deus à medida que lemos e percebemos que, apesar do terrível pecado, Deus enviará verdadeiros salvadores a favor deles (Samuel, Davi e, por fim, Cristo).

Outra lição que aprendemos procede da trágica história de Sansão. Ali estava um homem a quem foi dado um enorme potencial e a tremenda oportunidade de fazer grandes coisas. Contudo, Sansão foi egoísta e egocêntrico, preocupado somente em satisfazer o prazer pessoal. Por isso, ele desperdiçou seu grande potencial e se tornou uma figura trágica (um vagabundo, para ser sincero). Assim, Sansão é um modelo negativo para nós, cheio de traços de caráter a serem evitados.

Nosso versículo favorito de Juízes

E o Senhor disse a Gideão: "Você tem gente demais, para eu entregar Midiã nas suas mãos". (7.2)

- Gênesis
- Êxodo
- Levítico
- Números
- Deuteronômio
- Josué
- Juízes
- **Rute**
- 1Samuel
- 2Samuel
- 1Reis
- 2Reis
- 1Crônicas
- 2Crônicas
- Esdras
- Neemias
- Ester
- Jó
- Salmos
- Provérbios
- Eclesiastes
- Cântico dos Cânticos
- Isaías
- Jeremias
- Lamentações
- Ezequiel
- Daniel
- Oseias
- Joel
- Amós
- Obadias
- Jonas
- Miqueias
- Naum
- Habacuque
- Sofonias
- Ageu
- Zacarias
- Malaquias

Rute

Deus age nos bastidores

Depois de ler a respeito de tantas batalhas e guerras em Josué e Juízes, o livro de Rute é uma surpresa agradável. Trata-se de uma história discreta sobre uma infeliz viúva israelita chamada Noemi e sua nora estrangeira Rute, que também ficou viúva. Não há nenhuma guerra nem conquistas militares. Não há sarças ardentes nem divisão do mar Vermelho. Na verdade, Deus nunca fala de forma explícita em nenhum momento no livro. Há apenas uma história poderosa e comovente sobre duas mulheres lutando para sobreviver em uma época difícil. Dessa história surge a percepção de que Deus age e dirige discretamente os acontecimentos nos bastidores para realizar o livramento da confusão criada por Israel no livro de Juízes.

Qual é o contexto de Rute?

Depois de Deus libertar o povo de Israel do Egito (Êxodo), estabeleceu uma aliança com o povo (a aliança mosaica), definindo os termos pelos quais deveria viver na terra prometida e ser abençoado por Deus (que habitava entre o povo). Esses termos são explicitados na segunda parte do livro de Êxodo, como em Levítico, parte de Números e Deuteronômio. Se Israel permanecesse fiel a Deus e obedecesse à Lei (principalmente de acordo com a definição de Deuteronômio), seria abençoado; se abandonasse a Deus e voltasse aos ídolos, seria amaldiçoado (v. Dt 28). No livro de Josué, os israelitas entram na terra e inicialmente obtêm êxito. Contudo, o livro de Juízes é um desastre, pois mostra como Israel desobedece a Deus de maneira inimaginável. Ao final de Juízes, a aliança, encontrada em Deuteronômio, parece estar completamente esquecida, e Israel adorando ídolos. A pergunta que surge ao final de Juízes é: "Há alguma esperança para Israel? Caso haja, quem o libertará da confusão criada?". A resposta, naturalmente, é Davi. Em 1 e 2Samuel, Davi subirá ao poder e resolverá a confusão criada em Juízes. O livro de Rute, uma história discreta à margem da história principal de batalhas e guerras, mostra Deus agindo nos bastidores para introduzir Davi na história por meio de duas corajosas mulheres.

As primeiras frases de Rute situam a história no período dos juízes (1.1), ligando assim a história de Rute à catástrofe registrada no livro de Juízes. Esse contexto também ressalta que Rute viveu em uma época muito perigosa. Os acontecimentos retratados no livro de Juízes mostram que seria muito arriscado e um tanto temerário duas mulheres (sendo uma delas estrangeira) viajarem sozinhas por Israel.

Quais são os temas centrais de Rute?

O livro de Rute ilustra como Deus age de forma discreta e nos bastidores para trazer uma solução (um libertador, Davi) à terrível situação que Israel criou para si mesmo em Juízes. Então, Rute forma um elo histórico entre Juízes (catástrofe em Israel) e 1 e 2Samuel (o herói Davi).

O livro de Rute não trata de reis, generais, prostitutas ou sacerdotes. É uma história sobre três simples camponeses (Noemi, Rute e Boaz) e como Deus os une. Quando a família israelita de Noemi deixa a terra (o lugar da bênção), coisas terríveis acontecem, e todos os homens da família morrem. Mas, quando as viúvas começam a retornar à terra, as bênçãos voltam. O livro de Rute também apresenta essas três pessoas (Noemi, Rute e Boaz) como pessoas virtuosas, ainda que sejam pessoas reais passando por aflições reais por causa de problemas reais. Em seu cerne, é uma história de amor, com uma genealogia teologicamente significante acrescentada ao fim do relato. Eis um breve esboço da história:

- O abandono da terra prometida resulta em tragédia (1.1-22)
- O moço se encontra com a moça (2.1-23)

✛ Como Raabe em Josué 2, Rute é uma mulher estrangeira acolhida pelo povo de Deus e incluída na genealogia de Davi e de Jesus (Mt 1.5).

Onde se deve colocar o livro de Rute?

No cânon cristão, o livro de Rute fica entre Juízes e 1 e 2Samuel, formando uma transição entre eles. O livro de Rute apresenta Davi, que será a solução da terrível situação de Juízes, conforme a história revelada em 1 e 2Samuel, que trata primordialmente sobre Davi. Contudo, no cânon hebraico, Rute fica logo depois de Provérbios. Provavelmente isso se deve à expressão "uma esposa exemplar". Em Provérbios 31.10, faz-se a seguinte exclamação: "Uma esposa exemplar; feliz quem a encontrar!". O restante de Provérbios 31 descreve essa mulher/esposa (a palavra hebraica é a mesma) virtuosa. Em Rute 3.11, Boaz diz a Rute que todos reconhecem que ela era uma "mulher virtuosa", usando exatamente a mesma expressão de Provérbios 31.10. Então, no cânon hebraico, Provérbios 31.10 diz: "Esposa exemplar; feliz quem a encontrar!", e, quando se vira a página, ei-la! Rute, esposa/mulher virtuosa. Mais detalhes sobre essa discussão encontram-se no tópico "A produção e formação do cânon do Antigo Testamento", na Parte II.

- Pedido de casamento e enlace matrimonial (3.1—4.12)
- De Noemi e Rute a Davi: uma genealogia (4.13-22)

Quais são os aspectos interessantes e singulares de Rute?

- O livro de Rute é uma história sobre duas mulheres, Noemi e Rute.
- No centro desse livro há uma maravilhosa história de amor de um "moço encontrando-se com uma moça".
- Nessa história, Deus age nos bastidores.
- A história tem um final feliz; Noemi e Rute vão de desolação, tragédia e desespero à satisfação e felicidade.
- Ao contrário do livro de Juízes, as personagens principais de Rute são todas pessoas decentes.
- Rute é chamada "mulher virtuosa", exatamente a mesma expressão hebraica usada em Provérbios 31.10.
- O livro de Rute está repleto de diálogos. Mais da metade do livro é composta de discursos diretos.
- Das três personagens principais (Rute, Noemi, Boaz), a personagem que leva o nome do livro é a que menos fala.

Qual é a mensagem de Rute?

O abandono da terra prometida resulta em tragédia (1.1-22)

A primeira expressão de Rute: "Na época dos juízes", liga o livro de Rute de modo direto à catastrófica situação descrita no livro de Juízes. Em todo

A jornada de Rute e Noemi de Moabe a Belém

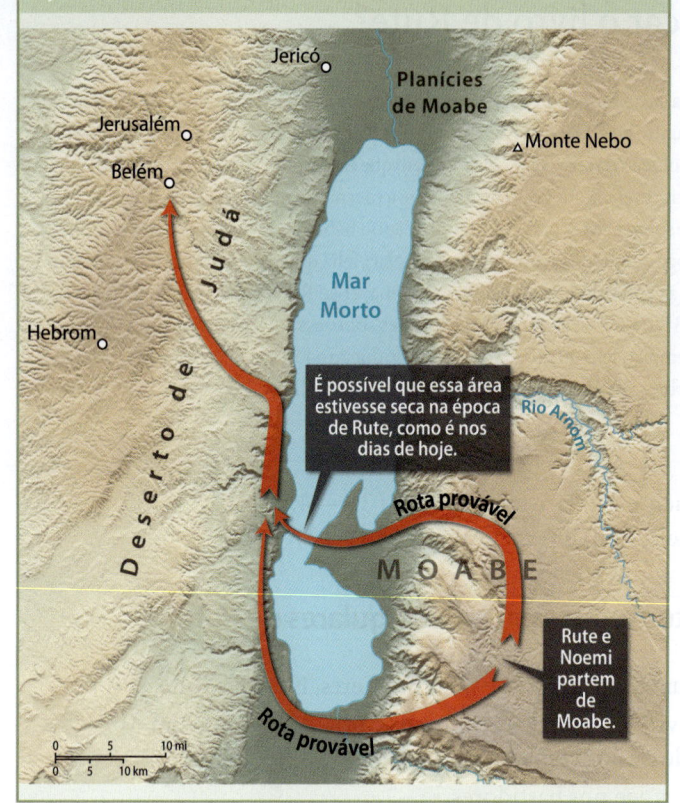

Jericó
Planícies de Moabe
Jerusalém
Monte Nebo
Belém
Mar Morto
Hebrom
É possível que essa área estivesse seca na época de Rute, como é nos dias de hoje.
Deserto de Judá
Rio Arnom
Rota provável
MOABE
Rute e Noemi partem de Moabe.
Rota provável

o livro de Juízes, Israel foi desobediente e abandonou o Senhor, voltando-se aos ídolos pagãos. Então, a frase seguinte de Rute 1.1, "houve fome na terra", não surpreende. Deuteronômio 28 tinha explicado com muita clareza as consequências negativas que sobreviriam aos israelitas se eles abandonassem Deus e adorassem ídolos. A fome foi uma das condenações anunciadas.

No início da história, um homem de Belém chamado Elimeleque toma sua esposa, Noemi, e seus dois filhos e muda de Belém (em Israel) para a terra de Moabe. Para os leitores ocidentais modernos, isso pode parecer algo inofensivo, pois nós nos mudamos com certa regularidade. Mas no mundo antigo isso não era comum, e para os israelitas que moravam na terra prometida era completamente inapropriado. Deus tinha dado a terra aos israelitas, por isso eles não deveriam se mudar para fora do país. As bênçãos prometidas a eles estavam ligadas à terra. Portanto, assim que a família se muda do país, coisas terríveis acontecem — os homens da família morrem.

Os dois filhos tinham se casado com mulheres moabitas; então, Noemi é deixada com apenas duas noras moabitas. Uma delas volta para a família moabita, mas Rute, a outra nora moabita, recusa-se a abandonar Noemi e afirma com resolução: "Aonde fores irei, onde ficares ficarei! O teu povo será o meu povo e o teu Deus será o meu Deus!" (1.16). Sem nenhum homem na família, Noemi e Rute estão desamparadas, de modo que Noemi decide voltar à terra natal em Belém. Ela lamenta: "De mãos cheias eu parti, mas de mãos vazias o Senhor me trouxe de volta" (1.21). Contudo, quando ela regressa à terra, sua sorte mudará. Na verdade, assim que Noemi e Rute chegam a

✚ Em hebraico, o nome "Belém" significa "casa do pão". Então, o versículo inicial é bastante irônico, pois diz que há fome na "casa do pão".

Belém, o texto diz que era o princípio da colheita de cevada; aparentemente, a fome tinha terminado (1.22).

O moço se encontra com a moça (2.1-23)

Mesmo depois de Noemi e Rute chegarem a Belém, o futuro delas ainda era incerto, pois não tinham ninguém que cuidasse delas e não havia um modo fácil de sobreviver. Rute se oferece para ir às lavouras e tentar catar do chão alguns grãos deixados ou largados pelos ceifeiros. Deuteronômio 24.19 declara de forma explícita que os israelitas deveriam permitir aos necessitados (em especial estrangeiros, órfãos e viúvas) fazer isso para poderem obter algum alimento no período da colheita, mas o livro de Juízes mostra de modo muito claro que naquele tempo poucas pessoas em Israel se importavam em obedecer a Deuteronômio. Além disso, lembre-se que eram tempos violentos sem nenhuma lei e ordem nacional. Seria muito perigoso e um tanto amedrontador a essa mulher estrangeira, sem nenhum homem na família para a proteger, aventura-se sozinha nos campos de colheita.

"Casualmente", como expressa o texto em 2.3 (e certamente vemos a mão de Deus agindo nos bastidores), ela vai ao campo de Boaz, um homem bastante próspero e parente distante de Elimeleque (o falecido sogro de Rute). Quando Boaz vai às suas lavouras, ele nota Rute (certamente podemos supor que ela era atraente!) e indaga a respeito dela (2.5,6). Em 2.8-13, eles se encontram e conversam pela primeira vez. O diálogo é intrigante. Boaz a encoraja a ficar em suas lavouras para permanecer segura (2.8,9). Boaz tenta parecer profissional, mas Rute parece estar educadamente flertando quando responde: "Por que achei favor a seus olhos?". Esse é o tipo de pergunta que se faz a um moço? A pergunta dela parece deixá-lo um tanto constrangido (talvez estejamos exagerando, mas acreditamos que não). As coisas acontecem de forma rápida, e em 2.14 eles têm o "primeiro encontro", quando Boaz a convida para comer com ela. Então, Boaz diz aos trabalhadores que deixem sobras extras de feixes de grãos no chão para facilitar que Rute os apanhe. Os trabalhadores devem estar se entreolhando e sorrindo discretamente de seu chefe "apaixonado".

Rute volta para Noemi carregada de mais grãos do que Noemi podia esperar. Rute conta a Noemi o que aconteceu na lavoura, e Noemi começa a pensar — e planejar (2.17-23), como uma boa mãe (ou sogra).

Essa pintura de parede de um túmulo egípcio retrata vários aspectos da colheita de grãos no período de Rute.

Pedido de casamento e enlace matrimonial (3.1—4.12)

Ainda que tudo tenha corrido bem para Rute, e Boaz continuasse cuidando dela durante a colheita, o relacionamento parece ter estagnado; Boaz (como alguns homens) é aparentemente devagar em fazer avançar o relacionamento para a próxima fase (o casamento). Então, Noemi resolve dar um cutucão em Rute.

Boaz está celebrando a colheita. Conforme a tradição, depois de esmagar o trigo o dia inteiro, ele e seus trabalhadores faziam uma festa (comendo e bebendo) e depois dormiam no eirado. Noemi instrui Rute a se banhar, colocar a melhor roupa e até usar um perfume (3.1-3). Seguindo as instruções de Noemi, Rute espera todos dormirem e desce discretamente ao eirado e se deita aos pés de Boaz, que dormia. Logo ele acorda e se espanta ao ver uma mulher com ele no escuro. Rute se identifica e diz: "Estenda a sua capa sobre a sua serva, pois o senhor é resgatador" (3.9). Isso é provavelmente um pedido muito atrevido de casamento, fora dos costumes, porém legítimo. Se Boaz a deixasse ficar ali durante a noite, então, aos olhos da comunidade, eles estavam casados. Se ele a mandasse embora, então isso seria um sinal de rejeição e a humilharia.

É provável que Boaz, totalmente acordado, tenha elogiado seu caráter, dizendo: "Todos os meus concidadãos sabem que você é mulher virtuosa" (3.11). Entretanto, ele está em um dilema, pois há outro parente que legalmente tem a primeira opção de se casar com Rute. Basicamente, ele diz a Rute que se casará com ela se conseguir resolver as questões legais com esse outro parente (3.12,13). No dia seguinte, Boaz convoca o tribunal da cidade e obtém o direito legal de adquirir toda a propriedade de Noemi (apenas o parente mais próximo podia fazer isso), que incluía o direito (e obrigação) de se casar com Rute e cuidar de Noemi. Os líderes da cidade não só decidem a seu favor, mas também invocam ao Senhor a bênção sobre Rute, firmando a plena aceitação deles de Rute na comunidade (4.11,12).

De Noemi e Rute a Davi: uma genealogia (4.13-22)

A história termina feliz. Boaz se casa com Rute, e ela dá à luz um filho (sinal de bênção). Noemi, que não tinha nada no começo da história, agora tem uma família para cuidar dela e um neto a quem amar (4.13-16). Ela se transforma de alguém que estava fora da terra e desamparada em alguém que vive na terra e é abençoada pelo Senhor.

A bênção é ainda maior que Rute ou Noemi imaginam, pois o texto nos diz em seguida que o filho de Rute foi pai de Jessé e avô de Davi (4.17). Como o leitor já sabe, Davi será a solução para a terrível situação de Israel descrita em

---

✤ Em Deuteronômio, Deus muitas vezes chama Israel para cuidar de estrangeiros, órfão e viúvas (Dt 10.18; 24.17-21; 26.12,13; 27.19). Rute é uma viúva moabita sem um pai para cuidar dela, preenchendo assim as três categorias.

Juízes e aludida em Rute 1.1. Então, Deus agiu de maneira muito discreta nos bastidores por meio de duas humildes mulheres (Noemi e Rute) e um homem fiel (Boaz) para começar o processo de suscitar um poderoso libertador, Davi.

Em 4.11,12, os líderes abençoam Rute referindo-se a Raquel e Lia, esposas do patriarca Jacó. Mas os líderes também prosseguiram para a geração seguinte dos patriarcas, dizendo: "Seja a sua família como a de Perez, que Tamar deu a Judá!" (4.12). A importância dessa bênção é que Tamar era estrangeira. Perez, filho de Judá, tinha uma mãe estrangeira, mas mesmo assim era considerado um antepassado famoso. O livro de Rute, assim, termina com uma genealogia (4.18-22), que traça a linhagem de Davi desde Perez (com a mãe estrangeira Tamar), passando por Boaz (com a esposa estrangeira Rute), Obede (filho de Rute), até chegar a Jessé e Davi, o herói dos próximos livros (1 e 2Samuel).

Imagem moderna de trabalhador rural egípcio debulhando.

Como aplicar Rute à nossa vida hoje

Temos muito a aprender do caráter de Rute. Fidelidade é uma virtude muito importante na Bíblia, e o Senhor enfatiza isso em todo o AT. Rute estava mais preocupada com o bem-estar da sogra do que com o próprio bem-estar ou futuro pessoal. Contudo, no fim, Deus abençoou Rute de forma tremenda. Com isso aprendemos a ser fiéis em todos os nossos relacionamentos, confiando que Deus nos guardará mesmo em meio aos momentos difíceis.

De Boaz aprendemos que o povo de Deus pode viver de modo obediente e fiel a ele, mesmo que toda a sociedade aja de forma contrária à vontade de Deus. Boaz viveu como homem íntegro e compassivo, fiel ao Senhor e decidido a evitar os atalhos éticos. Deus também o abençoou.

Em uma visão panorâmica, vemos que não raro Deus age de maneira discreta, nos bastidores, por meio de pessoas comuns (como você), de modo que não conseguimos reconhecer até olharmos para trás e ver como ele dirigiu maravilhosamente as coisas para nos abençoar.

Nosso versículo favorito de Rute

Todos os meus concidadãos sabem que você é mulher virtuosa. (3.11)

- Gênesis
- Êxodo
- Levítico
- Números
- Deuteronômio
- Josué
- Juízes
- Rute
- **1Samuel**
- **2Samuel**
- 1Reis
- 2Reis
- 1Crônicas
- 2Crônicas
- Esdras
- Neemias
- Ester
- Jó
- Salmos
- Provérbios
- Eclesiastes
- Cântico dos Cânticos
- Isaías
- Jeremias
- Lamentações
- Ezequiel
- Daniel
- Oseias
- Joel
- Amós
- Obadias
- Jonas
- Miqueias
- Naum
- Habacuque
- Sofonias
- Ageu
- Zacarias
- Malaquias

1 e 2Samuel

Ascensão e queda de Davi

No final da década de 1960, quando os EUA estavam passando por uma crise de identidade e procuravam se agarrar a um herói, Paul Simon compôs uma música que dizia "Aonde você foi, Joe Dimaggio? Você é a última esperança de uma nação" (de "Mrs. Robinson"). Sem dúvida, gostamos de nossos heróis. Davi, a personagem principal de 1 e 2Samuel, é decisivamente um herói. Enquanto o homem Samuel, profeta e juiz, é uma pessoa boa e agradável, Davi cativa o coração como herói. Depois do fracasso de vários líderes em Juízes e do colapso total de Israel por causa de sua fraca liderança, seguido do governo inadequado e acanhado do rei Saul, estamos ansiosos por alguém como Davi. Ele é apresentado de forma repentina na história como um jovem destemido que sai em marcha para derrotar o detestável e temível guerreiro Golias. Todo o Israel passa a amá-lo, assim como nós o fazemos hoje. Afinal, Davi é um homem de integridade, um homem segundo o coração de Deus. Ele é músico, mas também luta contra os maus e arrebata o coração das moças. Que herói!

Essa, porém, não é uma simples história em quadrinhos. Davi também não é uma personagem simples. Como todos nós, ele é complexo. E, à nossa semelhança, ele é forte e fraco.

Os textos de 1 e 2Samuel relatam a ascensão do rei Davi ao poder, o grande libertador de Israel, talvez tão importante quanto Moisés. Contudo, nosso herói é um mero ser humano. Ele tem pés de barro, e, para nossa grande decepção, cede à tentação e cai. Davi não é o Messias. Para isso, é preciso buscar alguém além de Davi — e aguardar a vinda do Filho de Davi no Novo Testamento.

Qual é o contexto de 1 e 2Samuel?

Embora os estudiosos continuem divididos sobre a data do Êxodo (e, como consequência, as datas da conquista de Canaã e da cronologia de Juízes), a cronologia de 1 e 2Samuel é um pouco mais confiável. Reconstruída a partir de datas históricas confirmadas de 1 e 2Reis, pode-se determinar que Davi reinou entre 1011 a.C. até sua morte em 971 a.C. Saul, então, teria reinado durante quarenta anos antes de Davi; assim, o reinado de Saul ocorreu entre 1051 a.C. e 1011 a.C. Pela facilidade de memorização, podemos associar o reinado de Davi ao ano 1000 a.C.

Quanto ao contexto dos acontecimentos, 1Samuel começa no período final de Juízes. O próprio Samuel pode ser considerado o último juiz e o primeiro profeta de destaque desde Moisés. Samuel representa a transição entre a era dos juízes e a monarquia.

Lembre-se de que ao final do livro de Juízes a situação é muito ruim para Israel, tanto do ponto de vista moral quanto teológico.

Quais são os temas centrais de 1 e 2Samuel?

Os livros de 1 e 2Samuel tratam principalmente de Davi, o herói e aquele que liberta Israel da confusão prevalecente no

No antigo Oriente Médio, era comum o exército invasor capturar os ídolos de uma cidade derrotada e levá-los para seu país como troféus de guerra. Nessa parede assíria em relevo, o painel superior mostra os assírios conquistando uma cidade; no painel inferior, eles são retratados carregando os ídolos.

Samuel, um único livro?

É provável que os textos de 1 e 2Samuel tenham sido escritos originariamente como um único livro. Todos os manuscritos hebraicos mais antigos (como os rolos do mar Morto) trazem esse material em apenas um livro (Samuel). Só a partir do século XV d.C. as edições da Bíblia hebraica o dividiram em dois livros. Foi a *Septuaginta* (tradução grega do AT) que em torno de 150 a.C. dividiu Samuel em dois livros pela primeira vez. Isso aconteceu porque o texto grego dessa versão ocupou mais espaço que o texto hebraico, e os tradutores da *Septuaginta* não conseguiram incluir todo o livro de Samuel (agora em grego) em um único rolo (os rolos tinham o comprimento limitado).

final de Juízes. Samuel é uma figura importante, mas sua função é transitória; ele institui a monarquia e unge os primeiros dois reis. Assim também, o rei Saul é apenas um contraste de Davi, a personagem principal e segundo rei. Saul é um matuto desajeitado e fracassado cujo papel na história é servir de contraste a Davi e de lembrar a todos o que acontece quando o povo escolhe líderes de acordo com critérios exteriores em lugar de interiores. Não foi Saul, e sim Davi, quem redirecionou a história. Davi foi um homem segundo o coração de Deus, corajoso e confiante no Senhor. Depois de se tornar rei, ele completa a conquista paralisada desde a época de Josué. Davi estabelece Jerusalém como capital, leva a arca da aliança para Jerusalém, e restabelece o culto nacional do Senhor Deus de Abraão, Isaque e Jacó. Deus até mesmo faz uma aliança especial com o próprio Davi.

Infelizmente, a história não termina com um tom positivo. Logo se descobre que Davi não é o Messias perfeito; ele é um mero ser humano. Seu caso amoroso com Bate-Seba e o assassinato de Urias (2Sm 11—12) são chocantes e escandalosos! Depois desse grave pecado, Deus o perdoa pessoalmente, porém não apoia mais seu reinado, que começa a desmoronar com rapidez. Antes do episódio com Bate-Seba, tudo estava bem na vida de Davi, mas, depois desse episódio, tudo vai mal, e sua vida, de modo geral, se desmantela. Resta-nos aguardar no futuro pelo verdadeiro Messias.

A história de 1 e 2Samuel é fascinante, empolgante e complexa. A história pode ser compreendida de acordo com o seguinte esboço geral:

- De sacerdotes corrompidos a um rei corrompido: a transição dos juízes à monarquia (1Sm 1.1—15.35)
  - Ana e seu filho Samuel em contraste com Eli e seus filhos perversos (1.1—3.21)
  - A narrativa da arca: Deus derrota sozinho os filisteus (4.1—7.1)

- Samuel unge e estabelece Saul como rei (7.2—12.25)
- Saul se desqualifica por causa de três erros grosseiros (13.1—15.35)
- Quem reinará? O contraste entre Saul e Davi (1Sm 16.1—31.13)
    - Davi é ungido por Samuel e recebe poder do Espírito do Senhor (16.1-23)
    - Davi mata Golias, agindo como rei sob o poder do Espírito (17.1-58)
    - O declínio de Saul (e sua loucura) *versus* a ascensão de Davi (e sua dignidade) (18.1—31.13)
- A ascensão de Davi e a restauração de Israel (2Sm 1.1—10.19)
    - Davi torna-se rei e reunifica politicamente o reino (1.1—5.25)
    - Por meio de Davi, Israel é restaurado ao relacionamento da aliança com Deus (6.1—7.29)
    - Davi completa a conquista e resgata a proeminência militar de Israel (8.1—10.19)
- A grande queda: o caso com Bate-Seba (2Sm 11.1—12.31)
- As consequências do pecado: a destruição do reinado de Davi (2Sm 13.1—20.26)
- Os bons e os maus: um resumo de Davi e de seu reinado (2Sm 21.1—24.25)

Quais são os aspectos interessantes e singulares de 1 e 2Samuel?

- O jovem Samuel é chamado por Deus durante a noite.
- A arca de Deus percorre sozinha a Filístia como se estivesse em uma campanha militar.

Uma igreja foi construída sobre o local da antiga Mispá. Samuel regeu Israel principalmente da cidade de Mispá (1Sm 7.5,6,16).

✚ Samuel tem as funções de sacerdote, profeta e último juiz. Portanto, ele serve de transição entre a era dos juízes e a era dos reis.

As jornadas da arca da aliança em 1Samuel 4—6.

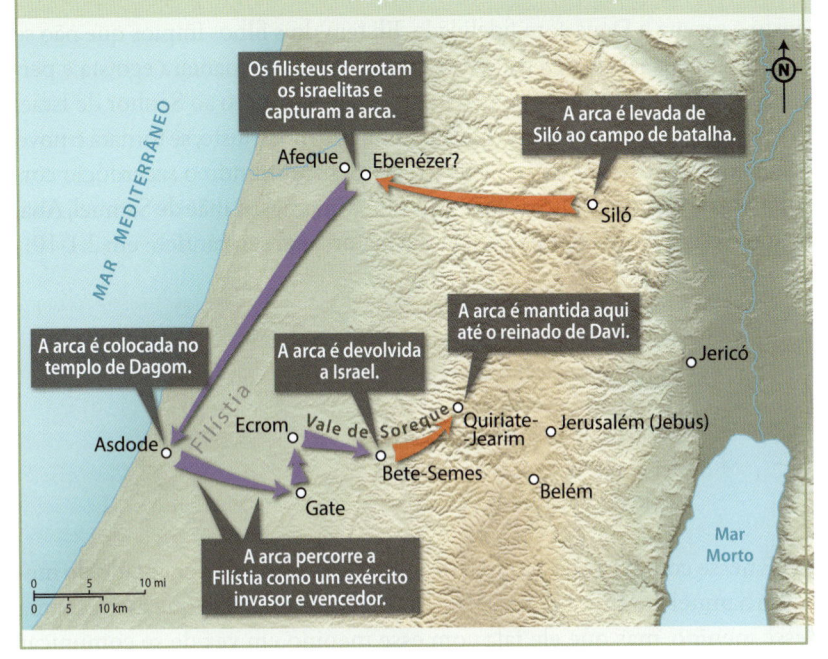

- Os filisteus derrotam os israelitas e capturam a arca.
- A arca é levada de Siló ao campo de batalha.
- Afeque
- Ebenézer?
- Siló
- A arca é mantida aqui até o reinado de Davi.
- A arca é colocada no templo de Dagom.
- A arca é devolvida a Israel.
- Jericó
- Asdode
- Ecrom
- Vale de Sorequeá
- Quiriate-Jearim
- Jerusalém (Jebus)
- Bete-Semes
- Belém
- Gate
- Mar Morto
- A arca percorre a Filístia como um exército invasor e vencedor.

- O jovem Davi derruba o enorme guerreiro Golias com uma funda e uma pedra e depois o mata com a própria espada do gigante.
- O rei Saul consulta uma horripilante médium e fala com o falecido Samuel.
- Deus estabelece uma aliança com o rei Davi, prometendo manter sempre um de seus descendentes no trono.
- O rei Davi é retratado como uma pessoa real, com suas qualidades e fraquezas. Ele é um herói valente, mas com defeitos.
- O rei Davi adultera com Bate-Seba e, para nossa surpresa e escândalo, fez que Urias, o marido dela, fosse morto.

Qual é a mensagem de 1 e 2Samuel?

De sacerdotes corrompidos a um rei corrompido: a transição dos juízes à monarquia (1Sm 1.1—15.35)

Ana e seu filho Samuel em contraste com Eli e seus filhos perversos (1.1—3.21)

A primeira história do livro mostra um contraste entre Ana, uma camponesa, e Eli, o sumo sacerdote. Ela é estéril, mas terá um filho que se tornará justo e servirá a Deus com fidelidade. Eli tem dois filhos ímpios que não se importam em servir a Deus; em vez disso, vivem de maneira egoísta e perversa. Conforme observamos no livro de Juízes, o culto ao Senhor de Israel foi profanado. Nesse episódio inicial, Samuel, o moço justo, se tornará o novo sacerdote e mediador entre Deus e o povo, substituindo o sacerdócio corrupto e o sistema de culto de Eli e seus filhos infames. A mãe de Samuel, Ana, resume o movimento teológico de sua história em seu cântico: em 2.1-10:

> Ele [o Senhor] humilha e exalta.
> Levanta do pó o necessitado
>   e do monte de cinzas ergue o pobre;
> [...] pois não é pela força
>   que o homem prevalece.
> Aqueles que se opõem ao Senhor
>   serão despedaçados (2.7-10)

É nesse contexto que acontece a conhecida história do chamado do menino Samuel durante a noite (3.1-18). A questão não é só que Deus chama esse menino, mas que ele fala com esse menino em vez de se comunicar com Eli, o sumo sacerdote. Na verdade, Deus anuncia a Samuel (como a um profeta) que o juízo sobre a família corrompida de Eli está para se cumprir.

A narrativa da arca: Deus derrota sozinho os filisteus (4.1—7.1)

No início do episódio, os israelitas se encontram em guerra contra os filisteus, e estão perdendo. Como a arca da aliança teve um papel tão central nas grandes vitórias de Israel nos anos gloriosos de Josué, os israelitas decidem trazer a arca para a batalha com eles. Eles não consultam Deus, não se arrependem nem oferecem sacrifícios. Pensam que podem manipular a arca como um amuleto e usá-la para seu benefício. Quem acompanha a arca como sacerdotes são os dois filhos de Eli, Hofni e Fineias (4.1-4).

Mesmo assim os israelitas perdem a batalha. Hofni e Fineias são mortos (conforme Deus tinha anunciado ao menino Samuel em 3.11-14), e a arca é capturada pelos filisteus. Quando Eli fica sabendo disso, cai da cadeira, quebra o pescoço e morre (4.12-22).

A perda da arca é altamente significativa, pois ela representa a presença de Deus e é fundamental para a aliança entre Deus e Israel. Continuando no declínio terrível descrito em Juízes, Israel agora chega ao fim do poço quando seus sacerdotes imorais perdem a arca da aliança, a própria presença de Deus. Sem a presença de Deus, não há sentido em viver na terra, e os israelitas não terão nenhuma capacidade para permanecer lá!

✢ Sempre que a história menciona Eli, ele está sentado ou deitado (1.9; 3.2; 4.13). Em nenhum momento, a narrativa retrata Eli servindo de maneira efetiva no tabernáculo.

No antigo Oriente Médio, não raro se fazia uma ligação entre a vitória nacional e a força dos deuses. Então, quando os filisteus derrotam os israelitas em 4.10,11, alguns podem pensar que Dagom, o deus dos filisteus, também derrotou o Senhor, o Deus de Israel. Obviamente, essa suposição está equivocada, como Deus demonstrará de forma vívida na continuação da história.

Os filisteus levam a arca capturada para a cidade de Asdode e a colocam como troféu capturado diante da estátua do deus Dagom. Contudo, no dia seguinte, quando voltam, Dagom estava caído com o rosto em terra (i.e., prostrado diante da arca). Os filisteus levantam o ídolo caído e o escoram de volta (é provável que alguém tenha sido despedido por causa disso). Contudo, quando voltam no dia seguinte, Dagom não só estava caído diante da arca, mas sua cabeça e suas mãos tinham sido cortadas (5.1-5). No antigo Oriente Médio, o rei vitorioso muitas vezes cortava as mãos e/ou a cabeça do rei derrotado. Então, o Senhor está afirmando de modo contundente quem venceu a batalha. Não há dúvida de que encontrar o deus Dagom prostrado e decapitado no chão do templo diante da arca agitou os filisteus de Asdode.

Logo em seguida, Deus fere a cidade de Asdode com uma terrível praga. O povo de Asdode sabiamente decide enviar a arca para outro lugar, e com rapidez a dão de presente à cidade vizinha de Gate. Entretanto, quando a praga segue a arca até Gate e fere os moradores da cidade, os filisteus de

Uma igreja bizantina na moderna Quiriate-Jearim. Depois de voltar da Filístia, a arca permanece em Quiriate-Jearim durante vinte anos.

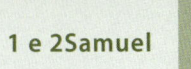

✚ No mundo antigo, o termo "mão" era uma referência frequente e simbólica de poder. Na narrativa da arca (1Sm 4—6), o termo "mão" é usado de modo repetido (5.4,6,7,9,11; 6.3,5,9).

A perseguição de Jônatas aos filisteus aconteceu nessa região, pelo desfiladeiro de Micmás (1Sm 14.1-14).

Gate decidem enviar a arca da Ecrom, outra cidade circunvizinha dos filisteus. Os filisteus de Ecrom, contudo, não são tolos. Eles se opõem com vigor à recepção da arca em sua cidade. Pedem que esse perigoso deus seja mandado de volta ao país de origem, Israel (5.6-12). Os sacerdotes e adivinhos filisteus recomendam que se faça uma oferta pela culpa a esse deus, e os filisteus fazem cinco representações de ratos de ouro e cinco de "tumores" (não sabemos ao certo o que eram), ambos associados à praga (talvez como a peste bubônica, disseminada por ratos). Eles colocaram o ouro em um carro com a arca e o ataram a duas vacas que nunca tinham puxado um carro. Sem um condutor humano envolvido, esse carro que portava a arca da aliança, com uma boa quantidade de ouro, encontra sozinho o caminho de volta a Israel (6.7—7.1).

De maneira irônica, essa história é entendida como uma operação militar. Deus vai primeiro a Asdode, derrota o deus Dagom e fere os moradores com a praga. O povo de Asdode se rende, e Deus prossegue com o sítio da próxima cidade, Gate, que logo se rende. A outra cidade, Ecrom, capitula. Então, os filisteus pagam altos tributos (os ratos e tumores de ouro), e Deus volta para casa sozinho, carregado de ouro, assim como o rei vencedor. A questão é que, embora os israelitas fossem derrotados pelos filisteus, Deus sem dúvida não foi derrotado por Dagom. Ao contrário, o Deus de Israel derrota Dagom e os filisteus sozinho, sem o envolvimento dos israelitas, demonstrando ainda seu poder supremo.

Samuel unge e estabelece Saul como rei (7.2—12.25)

Enquanto Samuel assume o controle da nação, ele consegue convencer os israelitas a se desviarem dos ídolos e adorar somente o Senhor Deus (7.2-4). Quando eles cumprem essas determinações, Deus faz que eles derrotem os filisteus e estabeleçam a paz com os amorreus. Assim, Israel consegue manter a paz enquanto Samuel serve como juiz (7.5-17).

Entretanto, Samuel envelhece. Seus filhos, como os filhos de Eli, são perversos e injustos. O povo não quer os filhos dele como juízes. Então, apelam para que Samuel estabeleça um rei, como acontecia com as demais nações à volta. Eles querem alguém forte e ousado, que pudesse liderá-los em suas batalhas. Samuel tenta dissuadi-los, mostrando que o estabelecimento da monarquia exigirá um governo centralizado e impostos elevadíssimos, além do trabalho forçado no exército e no palácio. O povo rejeita a palavra de Samuel. Eles querem o rei de qualquer maneira. Deus diz a Samuel para atender ao pedido deles e constituir-lhes um rei (8.1-22).

Portanto, Samuel unge Saul rei de Israel. No primeiro episódio envolvendo Saul, ele se apresenta um tanto tosco, procurando sem rumo as jumentas de seu pai (9.3-20). Além disso, mesmo depois de ungido, Saul ainda é medroso e tímido, escondendo-se entre os animais e a bagagem (10.20-24). Saul, no entanto, tem vários fatores a seu favor para torná-lo um rei bem-sucedido. Em primeiro lugar, ele é cerca de 30 centímetros mais alto que qualquer outra pessoa em Israel (9.2; 10.23), uma qualidade essencial levando-se em conta que a principal exigência feita pelo povo dizia respeito ao rei ser um excelente combatente, capaz de comandar a nação nas guerras. Mais importante ainda, Deus derrama seu Espírito para auxiliar Saul (10.6-10) e envia Samuel para aconselhá-lo. Depois, para assegurar que ele começasse bem, o Espírito de Deus capacitou Saul para iniciar seu reinado com uma significativa vitória militar sobre os amonitas (11.1-15).

Então, o reinado de Saul começa bem, e Samuel passa de principal líder para um conselheiro, um consultor aposentado. Em 1Samuel 12.1-24, Samuel faz um longo discurso de despedida, exortando Israel e seu novo rei a permanecerem fiéis a Deus (muito semelhante aos discursos finais de Moisés e Josué em Dt 32 e Js 24). As últimas palavras de Samuel são ameaçadoras e talvez proféticas: "Todavia, se insistirem em fazer o mal, vocês e o seu rei serão destruídos" (12.25).

Saul se desqualifica por causa de três erros grosseiros (13.1—15.35)

Apesar de Deus permitir que Saul a começasse bem, o novo rei não tem o caráter necessário de um rei justo e correto. Muito rapidamente Saul comete três erros grosseiros. Primeiro, em 1Samuel 13 ele desobedece às instruções de Samuel, deixando de esperar por ele para oferecer sacrifícios. Em vez disso, ele mesmo oferece o sacrifício. Em segundo lugar, no meio de uma batalha em que Saul fez muito pouco para vencer, ele faz um voto extremamente tolo (como Jefté em Jz 11). O voto não contribui para a

✚ Saul é apresentado como alguém sem rumo procurando as jumentas perdidas de seu pai, enquanto Davi é descrito como quem cuidava das ovelhas de seu pai. São muitos os contrastes entre os dois, e a história os ressalta de maneira constante.

vitória na batalha e acaba condenando à morte Jônatas, o filho de Saul — que, na verdade, havia sido o herói da batalha (1Sm 14.1-48). Contudo, ao contrário do que aconteceu na época de Jefté, o exército intervém e impede Saul de cumprir o voto e executar seu filho Jônatas (14.41-45). No terceiro e mais grave erro de Saul (1Sm 15), ele desobedece de modo flagrante a um mandamento direto de Deus. O Senhor concedeu a Saul uma grande vitória sobre os amalequitas, mas, em cumprimento de Deuteronômio 25.17-19, Deus instruiu Saul a destruir por completo todos os amalequitas e seus rebanhos. Quando Samuel vai cumprimentar Saul pela batalha, este declara: "Eu segui as instruções do Senhor" (15.13). Samuel mostra que a evidência apontava para o contrário: "Então que balido de ovelhas é esse que ouço com meus próprios ouvidos? Que mugido de bois é esse que estou ouvindo?" (15.14). Saul tenta pôr a culpa nos outros (15.20,21,24), mas Samuel lhe diz que essa transgressão é a final — Deus agora o estava rejeitando como rei. Além disso, ainda que Saul suplicasse e implorasse, Samuel observa que Deus não irá mudar de ideia; no que diz respeito a Deus, o reinado de Saul está encerrado (15.24-35).

Quem reinará? O contraste entre Saul e Davi (1Sm 16.1—31.13)

Davi é ungido por Samuel e recebe poder do Espírito do Senhor (16.1-23)

Diante disso, Deus prossegue e orienta Samuel a ungir o moço Davi como novo rei. Em comparação com Saul, Davi não é robusto (16.6,7). Ele ainda é um jovem que cuida das ovelhas do pai. Samuel fica um pouco surpreso, mas Deus o faz lembrar: "Não considere sua aparência nem sua altura, pois eu o rejeitei. O Senhor não vê como o homem: o homem vê a aparência, mas o Senhor vê o coração" (16.7).

Talvez essa seja a pintura mais detalhada de uma harpa da época de Davi. Nessa pintura do Egito, um harpista toca para o deus-Sol com a cabeça de um falcão.

Samuel, então, unge Davi, e o Espírito de Deus vem sobre o rapaz (16.12,13). Embora Saul continuasse reinando, Davi recebe o poder do Espírito de Deus. O próximo episódio (1Sm 16.14-23) ilustra como o poder do Espírito age na vida de Davi em comparação com a de Saul, atormentado por um espírito.

Relevo egípcio da captura de guerreiros do "povo do mar", provavelmente os filisteus.

Davi mata Golias, agindo como rei sob o poder do Espírito (17.1-58)

A vitória sobre Golias (1Sm 17) é um momento decisivo para Davi. Israel está outra vez em guerra com os filisteus, e o herói filisteu Golias zomba do exército de Israel, desafiando-o a apresentar seu herói a fim de enfrentá-lo em um duelo (17.1-10). Quem, porém, seria o herói de Israel?

Lembre-se de que a principal razão de os israelitas quererem um rei dizia respeito ao líder que os comandasse em batalha (1Sm 8.19,20). Lembre-se também de que Saul era o israelita de maior estatura na terra, cerca de 30 centímetros mais alto que qualquer outro (9.2; 10.23). Também descobrimos que, ao contrário de todos os membros do exército de Israel, Saul vestia uma armadura (13.19-22; 17.38,39). Além disso, tomando por base os melhores manuscritos antigos, Saul provavelmente era quase da mesma altura que Golias (v. a discussão na p. 177). Dessa forma, o desafio de Golias foi provavelmente dirigido contra Saul (17.11).

Assim, Davi entra em cena. Ele é o menino pastor que leva suprimentos aos irmãos mais velhos que estavam no exército. Davi nem integrava o exército. Essa não era a luta dele! Contudo, Davi fica irado com os insultos de Golias e se candidata a lutar contra o agressivo filisteu (principalmente depois de ouvir que quem matasse Golias se casaria com a filha do rei; 17.12-32). Saul duvida da chance de Davi, mas Davi lhe diz com confiança haver matado muitas vezes ursos e leões quando estes ameaçavam as ovelhas de seu pai (17.33-37). É a primeira vez na história que ficamos sabendo que Davi era novato em um combate mortal arriscado. Pelo fato de ter enfrentado leões e ursos sozinho no campo e sair vitorioso, então, talvez ele pudesse enfrentar Golias.

Davi se recusou a usar a armadura de Saul (assim este não poderia dar um jeito de obter algum crédito pela vitória de Davi); em vez disso, enfrenta Golias apenas com seu cajado e sua atiradeira, as armas de um pastor de ovelhas (17.38-40). Depois de algumas trocas de insultos de Golias e Davi (e Davi também vence a batalha das palavras), o confronto começa, e Davi derruba o herói filisteu e o mata, cortando-lhe a cabeça, resultando na debandada dos filisteus (17.41-58).

✚ Como o pastor Davi protegia as ovelhas de seu pai humano e matava os leões que as ameaçavam, Davi (o rei-pastor) matará Golias, o "leão" que ameaçava as ovelhas de seu Pai divino.

Então Davi, apesar de ainda jovem, agiu como um rei, capacitado pelo Espírito de Deus, para libertar Israel dos filisteus. Nesse momento, ele é realmente o verdadeiro rei de Israel, escolhido por Deus, ungido por Samuel e confirmado por meio de uma importante vitória. Infelizmente, Saul e os israelitas ainda não reconhecem isso, ou, pelo menos, ainda não o admitem. Na realidade, falando em sentido humano, nesse momento Davi até poderia ter tomado o trono à força. É provável que o exército o apoiasse. Entretanto, Davi é um homem de caráter e virtude; ele aguardará Deus tirar Saul do trono.

O declínio de Saul (e sua loucura) versus *a ascensão de Davi (e sua dignidade) (18.1—31.13)*

No restante de 1Samuel, a história gira em torno do contraste entre Saul e Davi. Deus escolheu Davi para substituir Saul como rei, mas Saul se recusa a abrir mão do reinado. Em toda essa unidade, Davi exemplifica a boa liderança enquanto Saul continua demonstrando sua incompetência. Davi será mais e mais fortalecido no decorrer da seção, enquanto Saul se torna mais fraco, além de parecer mais patético à medida que fica obcecado com a ideia de matar Davi.

Em 1Samuel 18—20, vemos Davi em três relacionamentos: 1) com Jônatas, filho de Saul, e Mical, filha de Saul, que amam Davi; 2) com o povo, que também ama Davi e 3) com Saul, que tenta repetidas vezes matar Davi. De fato, nessa seção Saul faz várias tentativas malsucedidas de eliminá-lo (18.11,17,25; 19.1,10,11). Em 1Samuel 18, Saul é sutil na tentativa de matar Davi, mas em 1Samuel 19 ele o tenta matar em público. Primeiro Samuel 20 ressalta a amizade íntima, porém irônica, entre Davi e Jônatas, filho de Saul, que reconhece e apoia abertamente Davi como rei.

À medida que a história prossegue, Saul demonstra outra vez seu caráter injusto ao massacrar a cidade israelita inteira de Nobe, junto com 85 sacerdotes, apenas porque eles ajudavam Davi. Em comparação, Davi oferece proteção e sustento ao único sacerdote sobrevivente (1Sm 21—23). Ao contrário de Saul, Davi consulta Deus e obtém respostas (23.2). Além disso, enquanto Davi luta contra os filisteus, tentando libertar Israel, Saul, por sua

O vale de Elá, onde Davi lutou contra Golias (1Sm 17.1-3).

Qual era a altura de Golias?

O texto hebraico em que a maioria das Bíblias em português se baseia registra a altura de Golias em 1Samuel 17.4 como sendo de "seis côvados e um palmo". No mundo antigo, um côvado tinha aproximadamente 45 centímetros, e um palmo, cerca de 22,2 centímetros. Nesse caso, Golias teria aproximadamente 2,92 metros de altura. Essa é a maneira com que ele tem sido retratado pela tradição cristã.

Surpreendentemente, em um rolo do livro de Samuel encontrado junto com os rolos do mar Morto, o registro da altura de Golias é de "quatro côvados e um palmo", ou cerca de 2 metros. Assim também a *Septuaginta*, a antiga tradução do AT para o grego e a Bíblia usada pela igreja primitiva, também registra a altura de Golias como "quatro côvados e um palmo".

O manuscrito hebraico mais antigo que contém "seis côvados e um palmo" é do ano 935 d.C. Nenhum manuscrito anterior a esse registra a altura de Golias como "seis côvados e um palmo". Contudo, o rolo de Samuel dos rolos do mar Morto (que registra "quatro côvados e um palmo") é de cerca de 50 d.C., quase mil anos antes. Da mesma forma, temos manuscritos gregos da *Septuaginta* que registram "quatro côvados e um palmo" dos séculos IV e V d.C.

Os estudiosos não sabem exatamente o que concluir disso. Nos últimos tempos, um número crescente de estudiosos reconhece que os manuscritos mais antigos podem conter uma leitura mais provável de constituir a original; desse modo, Golias teria apenas cerca de 2 metros de altura.

Não há nada mais no texto que requereria Golias de ter 2,90 metros de altura. Na verdade, ele nunca foi chamado de gigante na Bíblia. Sua armadura (descrita em 17.5-7) não era algo que um homem alto, forte, de 2 metros não conseguisse carregar; além disso, ser alto não significa necessariamente ser mais forte.

Essa discussão não coloca em jogo a exatidão nem a inerrância da Bíblia. Ela simplesmente pretende chegar ao que o texto original dizia.

Como um Golias mais baixo afetaria nossa compreensão da história? É importante observar que no mundo antigo as pessoas em geral tinham a estatura um pouco menor que as de hoje. Naquela época na Terra Santa (1.000 a.C.), a estatura média dos homens era de aproximadamente 1,57 metro. Então, se Golias tivesse 2,02 metro de altura, já seria surpreendentemente alto. Mas lembre-se de que o rei Saul era cerca de 30 centímetros mais alto que todos em Israel (9.2). Assim, Saul provavelmente tinha cerca de 1,92 metro, não tão mais baixo que Golias. Saul também usava uma armadura. Por isso, Saul era o candidato mais provável para enfrentar Golias e lutar contra ele. Observe que, ao aconselhar Davi em 17.33, Saul não parece estar preocupado com a altura de Golias, e sim com os anos de experiência e preparação de Golias.

Naturalmente, essa é apenas uma possibilidade. Os estudiosos continuam divididos sobre como entender dois registros diferentes da altura de Golias nos manuscritos antigos. A maioria das traduções em português segue a leitura tradicional e diz que Golias tinha 2,90 metros ou "seis côvados e um palmo", mas isso poderá mudar no futuro.

Uma vara de medir egípcia feita de madeira.

vez dedicando todos os seus esforços para encontrar Davi e matá-lo, chegando a massacrar, sem necessidade, todos os habitantes de uma cidade de Israel.

Primeiro Samuel 24—26 contém três histórias relacionadas. Em 1Samuel 24, Davi tem a oportunidade de matar Saul, mas o poupa. Um episódio semelhante acontece em 1Samuel 26, quando Davi tem outra excelente oportunidade de matar Saul, mas, em vez disso, poupa-lhe a vida. Entre esses dois episódios está a intrigante história de Davi e a maravilhosa mulher Abigail. Nabal, o marido rabugento de Abigail (Nabal significa "tolo"), insulta Davi de maneira tola. Enquanto Davi sai para massacrar Nabal e sua família, Abigail se encontra com Davi, apresenta desculpas junto com presentes e um forte argumento contra a destruição de sua família. Em consequência dos argumentos de Abigail, Davi poupa a vida de Nabal, como ele havia poupado a vida de Saul nos relatos anterior e posterior. Deus fere Nabal de morte dez dias depois, e Davi se casa com a maravilhosa e sábia Abigail — fato ilustrativo de que Davi deveria sempre aguardar o tempo de Deus.

Enquanto isso, Saul continua a persegui-lo (apesar de seu voto em contrário), e Davi sai de Israel para ir morar justamente entre os filisteus (1Sm 27.1--7). Saul sem dúvida forçou Davi em um mundo caótico! Dali Davi tenta continuar lutando contra os demais inimigos de Israel, levando os filisteus a achar que ele estivesse lutando contra Saul e os israelitas (27.8-12).

Em 28.3, Samuel morre. O patético Saul tem de se preocupar mais uma vez em lutar contra os filisteus, mas não conta mais com Samuel para orientá-lo. Ele está desesperado por uma palavra de Deus sobre como lutar contra os

A colina de Bete-Seã. Depois da morte de Saul e de seus filhos, os filisteus penduraram os cadáveres deles no muro de Bete-Seã (1Sm 31.8-13).

✛ Os Evangelhos do NT identificarão de modo inequívoco Jesus, o Messias, como aquele que cumpre a promessa de Deus a Davi sobre um descendente para reinar para sempre.

filisteus, mas Deus se recusa a lhe responder de qualquer forma. Então, em uma das histórias mais bizarras de toda a Bíblia, Saul procura uma médium, uma mulher que conseguia invocar os mortos. Saul pede-lhe para invocar Samuel dentre os mortos (28.11), e aparentemente ela o faz (mas parece chocada quando o vê; 28.12). Saul quer que Samuel lhe diga o que fazer em relação aos filisteus. Samuel, claramente incomodado por essa perturbação, diz a Saul que os filisteus o derrotarão no dia seguinte, e que Saul e seus filhos estarão com ele, Samuel, na morte (28.15-19). A predição de Samuel se cumpre e, enquanto Davi luta contra os amalequitas (você se lembra deles? Eles foram o início do declínio de Saul em 1Sm 15), os filisteus derrotam Israel e matam Saul junto com Jônatas (1Sm 31.1-13).

A ascensão de Davi e a restauração de Israel (2Sm 1.1—10.19)

Davi torna-se rei e reunifica politicamente o reino (1.1—5.25)

Davi ouve a respeito da morte de Saul e presta homenagens a Saul e a Jônatas com um lamento (1.17-27). Surge uma guerra civil entre os que eram aos súditos leais à família de Saul e as pessoas leais a Davi. Em comparação com o modo com que Davi poupou a vida de Saul, o comandante de Davi, Joabe, assassina Abner, comandante de Saul, para quebrar a resistência. Davi tinha agora controle total sobre Israel. Todas as tribos juram lealdade a Davi (5.1-5), e, depois de capturar Jerusalém, ele estabelece a cidade como capital (5.6-16). Depois ele subjuga os filisteus (5.17-25).

Por meio de Davi, Israel é restaurado ao relacionamento da aliança com Deus (6.1—7.29)

Agora que sua capital estava estabelecida em Jerusalém, Davi quer levar para lá a arca da aliança. De modo inicial, ele tenta levá-la incorretamente, como se fosse um troféu de guerra, e Deus mata um dos homens de Davi. Nem mesmo Davi poderia negligenciar os procedimentos prescritos na Lei sobre como carregar a arca, a presença de Deus (Êx 25.10-16; Nm 4.15; 7.9). Davi tenta outra vez. Agora ele é bem-sucedido por ter seguido os procedimentos corretos (v. 1Cr 15.11-15). Davi, então, expressa seu desejo de construir um templo permanente para Deus (literalmente, uma "casa"). Mas Deus fala a Davi por meio do profeta Natã, fazendo uma aliança com Davi e lhe prometendo estabelecer uma "casa" (i.e., uma dinastia). Nessa aliança, Deus promete suscitar um descendente especial de Davi cujo reino permanecerá para sempre (7.1-17). Diante disso, Davi agradece humildemente a Deus em oração (7.18-29).

Davi completa a conquista e resgata a proeminência militar de Israel (8.1—10.19)

A conclusão da conquista (expulsão dos moradores da terra prometida) esteve paralisada desde a morte de Josué. Davi, comprometido novamente a obedecer a Deus e a guardar a aliança, completa a conquista.

A grande queda: o caso com Bate-Seba (2Sm 11.1—12.31)

Assim que Davi alcança o auge de suas realizações, ele tropeça e cai. Da sacada de seu telhado, ele vê a formosa (e casada) Bate-Seba tomando banho e resolve possuí-la. Ele manda trazê-la a seu palácio e mantém relações sexuais com ela (os sentimentos dela sobre tudo isso não estão registrados; 11.1-5). Ela engravida e manda avisar Davi. O rei chama Urias, o marido dela, do combate e tenta persuadi-lo a ir para casa e dormir com sua esposa para que ele pensasse ser o pai, mas Urias se recusa a fazê-lo. Depois de diversas tentativas malsucedidas, Davi, por fim, o manda de volta para a guerra com instruções a Joabe, comandante de Davi (e "capanga"), para garantir que Urias fosse morto em combate. Em outras palavras, Davi encomendou o assassinato de Urias. Em seguida, Davi se casa com Bate-Seba.

Não causa surpresa o fato de Deus estar muito incomodado com essa situação (11.27), por isso envia o profeta Natã para repreender Davi, que imediatamente se arrepende (12.1-14). No entanto, a criança nascida de Bate-Seba morre (12.15-19). Mais tarde,

As cidades capitais de Davi e Saul. Davi estabeleceu uma nova capital em Jerusalém (2Sm 5—6).

Capital de Saul — Gibeá
Davi transfere a capital de Hebrom para Jerusalém (Jebus) — Jerusalém (Jebus)
A primeira capital de Davi durante sete anos e meio — Hebrom

✚ O salmo 51 descreve o arrependimento de Davi e sua contrição com respeito ao caso amoroso com Bate-Seba.

depois de Davi se casar com Bate-Seba, esta dará à luz Salomão (12.24,25).

Deus perdoa Davi, mesmo por esse horrendo pecado, mas suas consequências continuarão atormentando o rei pelo restante da sua vida. A queda foi grande e o resultado, desastroso.

As consequências do pecado: a destruição do reinado de Davi (2Sm 13.1—20.26)

Os capítulos iniciais de 2Samuel descrevem como Davi fortaleceu e consolidou Israel. Agora, depois do ocorrido com Bate-Seba, tudo se reverte à medida que a força e união do reino se desatam. Davi tem problemas relativos à sua família e problemas de outra natureza. Amnom, o filho mais velho de Davi, estupra Tamar, sua meia-irmã. Já que Davi não faz nada a respeito, outro filho, Absalão (irmão de Tamar), assassina Amnom e, em seguida, foge de Davi (13.1-38). Posteriormente, Absalão retorna a Jerusalém, mas com o objetivo de tramar uma conspiração para derrubar seu pai, Davi (14.1—15.12). Davi, antes herói e vitorioso, agora foge de Jerusalém, incapacitado e sem força para se opor ao rebelde Absalão (15.13-37). Mais tarde, Joabe, comandante de Davi (ou seu capanga), mata Absalão em uma batalha, e Davi regressa a Jerusalém (18.1—19.43). No entanto, as coisas não voltam a ser como antes. Em 2Samuel 20, descreve-se uma rebelião de grandes proporções de dez tribos do Norte, antecipando a guerra civil que dividiria Israel depois da morte de Salomão.

Urias, o hitita, marido de Bate-Seba, era um soldado do exército de Davi. Nesta figura, vê-se um soldado hitita de uma parede em relevo (séc. X a.C.).

Os bons e os maus: um resumo de Davi e de seu reinado (2Sm 21.1—24.25)

Os últimos quatro capítulos parecem desvinculados, mas eles estão conectados entre si por meio de uma estrutura paralela (chamada quiasmo) que os autores hebreus gostam de usar. A estrutura é a seguinte:

✙ Da mesma forma que Eli não conseguia controlar os filhos no início de 1 e 2Samuel, Davi também é incapaz de controlar seus filhos no fim de 1 e 2Samuel.

A1. Narrativa nº 1 (21.1-14): O pecado de Saul provoca uma fome; a intervenção de Davi encerra a fome.
  B1. Lista dos atos militares heroicos nº 1 (21.15-22)
    C1. Hino de louvor de Davi nº 1 (22.1-51)
    C2. Hino de louvor de Davi nº 2 (23.1-7)
  B2. Lista dos atos militares heroicos nº 2 (23.8-39)
A2. Narrativa nº 2(24.1-25): O pecado de Davi provoca uma praga; a intervenção de Davi faz cessar a praga.

Ironicamente, essa última unidade resume a vida e época do rei Davi. Ele corrige os erros de Saul, louva ao Senhor de forma magnífica e o adora genuinamente, mas seus problemas persistem por causa de seus erros e, no fim, apenas por meio de seu sacrifício e pela graça de Deus, ele evita a condenação.

Como aplicar 1 e 2Samuel à nossa vida hoje

Pode-se aprender e aplicar muitos exemplos de fidelidade de Ana e Samuel, que confiaram em Deus. De igual forma, é possível aprender com Eli, que deixou os filhos imorais fazerem o que desejassem sem os repreender pela conduta perversa. Ele é um exemplo negativo para nós e uma lembrança de como somos responsáveis pela correção do comportamento de nossos filhos.

Davi tem várias qualidades que servem de exemplo para nossa vida. Ele é um homem segundo o coração de Deus, alguém que busca fazer o que Deus quer em vez de realizar os próprios desejos. Davi nos encoraja a sermos corajosos, a nos lembrarmos de como Deus nos capacitou no passado para realizar coisas incríveis e a agir com base nessa lembrança para que possamos realizar grandes coisas (e muitas vezes temerosas). Davi não se preocupa com o que os outros pensam, mas somente com o que Deus pensa. Desenvolver uma atitude como essa irá nos ajudar de forma tremenda na caminhada cristã.

Naturalmente, nós também temos de lidar com o grande pecado de Davi com Bate-Seba e Urias. Isso deve nos alertar para o fato de que casos amorosos sempre são uma grande tentação, até mesmo para pessoas fortes e comprometidas como Davi — que se tornam vulneráveis. Portanto, eu e você devemos fugir da tentação sexual. Quando encontramos uma tentação do tipo "Bate-Seba", precisamos recordar o restante de 2Samuel e nos lembrar de como a vida e o reino de Davi desmoronaram. Quando encontrarmos alguém nos tentando a um caso de adultério, precisaremos olhar nos olhos dessa pessoa e ver nossa vida toda arruinada ali.

Por fim, a grande tragédia da vida de Davi nos adverte de não pôr nossa confiança total nas pessoas, mas no Senhor, que não nos decepcionará.

Davi foi um dos mais nobres indivíduos da Bíblia, mas no fim ele também caiu. Ele não era o Messias. A Bíblia nos ensina a pôr nossa esperança e a confiar em Jesus, que é o Messias, que não falhou nem sucumbiu ao pecado. As pessoas sempre tropeçarão e cairão, mas Jesus, não. Ele nos livrará.

Nosso versículo favorito de 1 e 2Samuel

Você vem contra mim com espada, com lança e com dardos, mas eu vou contra você em nome do SENHOR dos Exércitos, o Deus dos exércitos de Israel, a quem você desafiou. (1Sm 17.45)

A cidade de Rabá (2Sm 11.1) era capital de Amom. As ruínas dessa cidade foram escavadas no centro da cidade moderna de Amã, capital da Jordânia.

- Gênesis
- Êxodo
- levítico
- Números
- Deuteronômio
- Josué
- Juízes
- Rute
- 1Samuel
- 2Samuel
- **1Reis**
- **2Reis**
- 1Crônicas
- 2Crônicas
- Esdras
- Neemias
- Ester
- Jó
- Salmos
- Provérbios
- Eclesiastes
- Cântico dos Cânticos
- Isaías
- Jeremias
- Lamentações
- Ezequiel
- Daniel
- Oseias
- Joel
- Amós
- Obadias
- Jonas
- Miqueias
- Naum
- Habacuque
- Sofonias
- Ageu
- Zacarias
- Malaquias

1 e 2Reis

A ascensão e queda (principalmente queda) de Israel

Admitimos a preferência por histórias com final feliz e glorioso em vez de histórias que terminam de modo trágico e deprimente. As histórias com fim trágico e horrível tendem a nos perturbar. Lembramo-nos de modo bem vívido do impacto que o filme *Old Yeller* [Velho Yeller] de Walt Disney teve em nossos filhos. Esse filme antigo trata de um menino e seu belíssimo cão chamado "Yeller". Contudo, no fim do filme, o cão é ferido ao tentar salvar o menino de javalis selvagens, contrai raiva e morre de maneira horrível. Uma geração inteira (inclusive os autores) ficou traumatizada pelo fim desse filme.

Primeiro e 2Reis é ainda mais trágico e traumático que a ficção do filme *Old Yeller*, pois conta a história de diversas decisões tolas tomadas pelos israelitas que, por fim, levaram à morte Israel, a nação amada de Deus.

Qual é o contexto de 1 e 2Reis?

Em Êxodo, Deus libertou os israelitas do Egito e os conduziu à terra prometida. Pouco antes de sua entrada na terra, Deus lhes entrega Deuteronômio, que contém os termos pelos quais Israel podia viver ali com Deus e ser abençoado. A pergunta norteadora e persistente de Deuteronômio a 2Reis é: "Israel será obediente aos termos de Deuteronômio?". A resposta simples e lamentável é não.

Primeiro e 2Reis são o episódio final da história de Israel que vai desde Gênesis 12 até 2Reis 25. Primeiro Reis continua a história de onde 2Samuel encerrou. Então, em 1Reis 1, Davi (a personagem central de 1 e 2Samuel) está idoso e próximo da morte. Em 1Reis 2, Davi morre, e Salomão, seu filho, é proclamado rei.

As datas e a cronologia de 1 e 2Reis estão interligadas de forma bem precisa com a história documentada do mundo antigo desse período. Por isso, sabemos datas bem exatas da maioria dos acontecimentos desses dois livros. Salomão sobe ao trono em 971 a.C. e reina até 931 a.C. (1Rs 1—11). Depois de sua morte, estoura uma guerra civil, e a nação divide-se em duas: Israel, no Norte, e Judá, no Sul. O Reino do Norte, Israel, é destruído pelos assírios em 722 a.C. (2Rs 17), e Judá é destruído pelos babilônios em 587/586 a.C. (2Rs 25).

Quais são os temas centrais de 1 e 2Reis?

Uma princesa egípcia.

Os ouvintes originais de 1 e 2Reis provavelmente foram israelitas levados ao exílio na Babilônia. Com Jerusalém destruída e queimada, essas pessoas com certeza procuravam entender todos os acontecimentos e manter algum tipo de esperança. Por que teria isso acontecido? O Senhor foi infiel? Ou talvez ele fosse mais fraco que os deuses babilônicos? Os textos de 1 e 2Reis oferecem uma resposta muito clara e significativa a essas indagações. O Exílio veio como resultado da desobediência contínua e obstinada de Israel e Judá à aliança mosaica (principalmente Deuteronômio). A grande tragédia dessa história é que não podiam culpar ninguém além de si mesmos. Há diversos temas secundários em 1 e 2Reis. Um deles é a destruição do impressionante império de Salomão e do templo. Enquanto os primeiros capítulos de 1Reis descrevem como Salomão incluiu vários objetos de valor ao templo, os últimos capítulos descrevem o saque desses mesmos objetos por diversos reis estrangeiros. Outro tema de 1 e 2Reis traça o retrocesso do Êxodo e da conquista (a história da salvação de Israel). Lembre-se de que, quando

✚ Muitos profetas escritores viveram, pregaram e escreveram em Israel ou Judá no período abrangido por 1 e 2Reis. Isso inclui Isaías, Jeremias, Oseias, Amós, Jonas, Miqueias, Naum, Habacuque e Sofonias.

Como determinar as datas dos acontecimentos do Antigo Testamento?

Talvez você nunca tenha pensado nisso, mas é óbvio que no mundo antigo as pessoas não adotavam calendários modernos nem marcavam os acontecimentos como fazemos hoje (usando a datação d.C. ou a.C.). Nos registros e cronologias do antigo Oriente Médio (incluindo-se o AT), a maior parte dos acontecimentos era datada de acordo com o número de anos do reinado de alguém. Por exemplo, encontramos afirmações como: "No quinto ano de Jorão, filho de Acabe, rei de Israel" (2Rs 8.16) ou "No primeiro ano do reinado de Ciro, rei da Pérsia" (Ed 1.1). Mas como os estudiosos vão saber em que ano Jorão se tornou rei de Israel ou Ciro, rei da Pérsia?

Os assírios, sem saberem, nos ajudaram nisso. Há um documento antigo da Assíria chamado Lista dos reis da Assíria, que relaciona os reis assírios em ordem cronológica. Os escribas que compilaram esse documento também deram um nome singular a cada ano consecutivo, escolhido dentre os nomes dos oficiais e chamado "epônimo". Desse modo, os assírios tinham um epônimo diferente para cada ano e usavam esses epônimos na lista dos reis para marcar o ano da ascensão de cada rei ao trono. De forma semelhante, os escribas assírios também dataram outros acontecimentos da história assíria com esses epônimos. Felizmente para quem se preocupa com datas precisas, um escriba assírio mencionou a ocorrência de um eclipse solar durante um desses anos epônimos. Astrônomos modernos conseguem calcular com exatidão quando esse eclipse solar ocorreu (15 de junho de 763 a.C.). Isso nos permite saber que esse epônimo antigo específico corresponde ao ano de 763 a.C. Partindo dessa data definida, os estudiosos podem então usar a lista de epônimos e a Lista dos reis da Assíria para determinar datas exatas em relação à maior parte dos acontecimentos da história da Assíria. Os babilônios também tinham listas de reis, e, sobrepondo-as à Lista dos reis da Assíria, os estudiosos também conseguem datar com precisão reis e acontecimentos da história babilônica.

Diversos acontecimentos de 1 e 2Reis envolvem os assírios ou os babilônios; por isso, eles podem ser datados com certa exatidão tendo por base a correspondência com datas conhecidas da história assíria e babilônica. Depois de algumas datas serem estabelecidas em 1 e 2Reis, então as datas de quase todos os acontecimentos de 1 e 2Reis e 1 e 2Crônicas podem ser determinadas, uma vez que os reis de Israel e de Judá estão ligados por ascensão ao trono e duração do reinado. Isso também permitiu que estudiosos determinassem as datas de muitos acontecimentos dos Livros Proféticos. Por isso, podemos ter bastante confiança nas datas bíblicas desde o período de Saul e Davi até o período de Esdras, Neemias e Ester.

---

a conquista foi iniciada, os israelitas entraram na terra e subjugaram Jericó. Entretanto, no fim de 2Reis, Jerusalém é subjugada, e os israelitas, expulsos da terra. Ironicamente, o último rei (Zedequias) é capturado pelos babilônios bem próximo de Jericó (2Rs 25.5), encerrando assim a permanência de Israel na terra exatamente no ponto inicial.

Outro tema secundário, introduzido pelas histórias de Elias e Eliseu, é o do remanescente. À medida que a nação cai em apostasia, provocando assim juízo nacional, as narrativas de Elias e Eliseu ilustram que há esperança e libertação para os indivíduos crentes em Deus. O remanescente permanecerá.

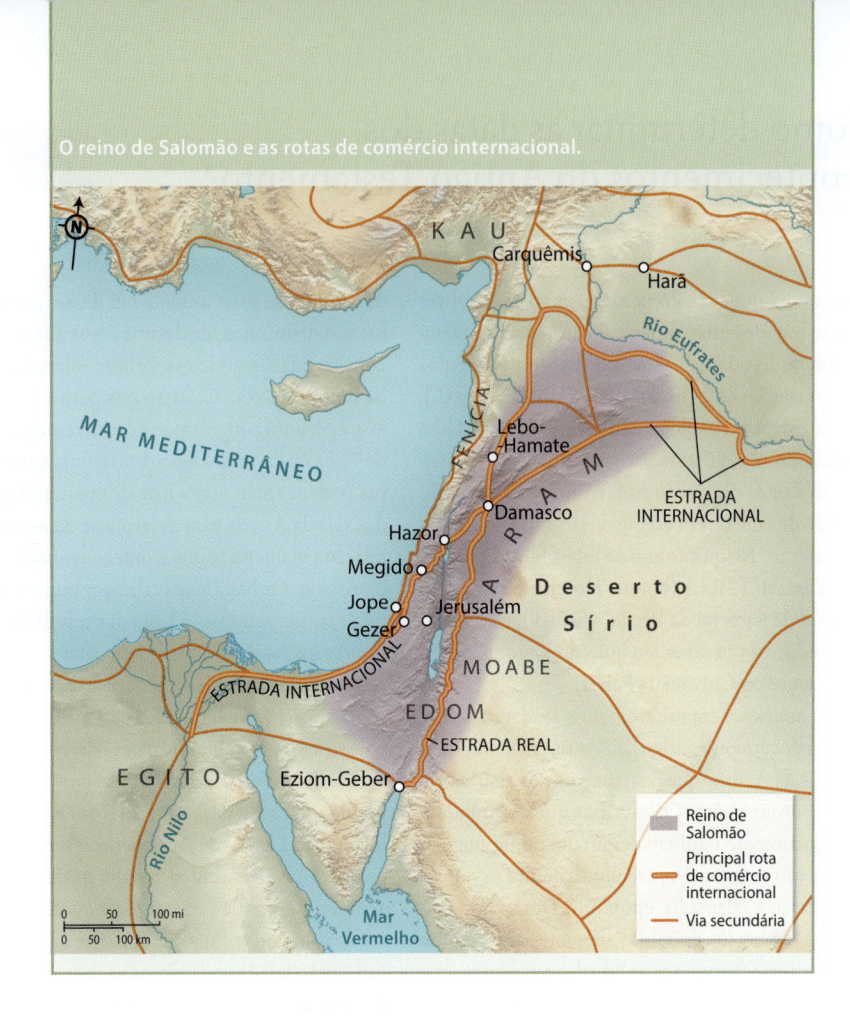

O reino de Salomão e as rotas de comércio internacional.

Segue-se um esboço da história de 1 e 2Reis:

- A contradição de Salomão: majestade e apostasia (1Rs 1—11)
- Reversão da conquista e declínio do império (1Rs 12—16)
    - Estupidez, pecado e guerra civil (12.1-33)
    - A reprovação de Betel e Jeroboão por Deus (13.1—14.20)
    - Reis característicos, bons e maus (principalmente maus) (14.21—16.34)
- Deus envia profetas para confrontar a monarquia corrompida (1Rs 17.1—2Rs 8.15)
    - O ministério de Elias (1Rs 17—19)
    - Condenação de Acabe, o protótipo de um rei mau e inimigo dos profetas (1Rs 20—2Rs 1)
    - O ministério de Eliseu (2Rs 2.1—8.15)
- Os últimos dias de Israel (2Rs 8.16—17.41)
    - Tentativas frustradas de reforma (8.16—12.21)

- Reis característicos, bons e maus (principalmente maus) (13.1—16.20)
- Destruição e exílio de Israel (17.1-41)
• Os últimos dias de Judá (2Rs 18.1—25.30)
  - Livramento da Assíria (18.1—20.21)
  - Manassés, o pior rei de todos os tempos (21.1-26)
  - A fútil tentativa de Josias de reformar Judá (22.1—23.30)
  - Destruição de Jerusalém e exílio de Judá (23.31—25.30)

Quais são os aspectos interessantes e singulares de 1 e 2Reis?

- As realizações da construção majestosa de Salomão são contrastadas com sua indesculpável apostasia.
- Em 1Reis encontramos a emocionante história do confronto de Elias com centenas de falsos profetas sobre o monte Carmelo.
- As histórias de Elias e Eliseu contêm mais milagres de Deus que qualquer outro relato do AT desde o tempo de Moisés.
- Deus trata dos reis maus de Israel e Judá de modo distinto e imprevisível.

Qual é a mensagem de 1 e 2Reis?

A contradição de Salomão: majestade e apostasia (1Rs 1—11)

Apesar de Davi ter caído nos últimos anos de seu reinado em razão do caso amoroso com Bate-Seba, seu filho Salomão ainda herdou um reino razoavelmente sólido. Salomão então tomará esse reino e o expandirá em um império impressionante, na verdade uma atração turística para a contemplação e o deslumbramento de outros governantes que o visitaram.

Os textos de 1Reis 1—2 descrevem como Salomão (com a ajuda de sua mãe, Bate-Seba) consolidou o poder com rapidez e se estabeleceu firmemente como rei depois da morte de Davi. Em seguida, 1Reis 3—4 ilustra a sabedoria de Salomão e sua imensa habilidade organizacional, à medida que expande bastante o sistema administrativo real. No centro das narrativas de Salomão está a descrição do majestoso templo que ele constrói para o Senhor (1Rs 5—9), junto com o próprio palácio e outras importantes edificações do governo. O templo é muito majestoso e opulento. Deus abençoou

Hirão, rei de Tiro, diz a Salomão: "Recebi a mensagem que me enviaste e atenderei ao teu pedido, enviando-te madeira de cedro e de pinho. Meus servos levarão a madeira do Líbano até o mar, e eu a farei flutuar em jangadas até o lugar que me indicares" (1Rs 5.8,9). Os assírios também adquiriram madeira do Líbano, e este painel de parede de um palácio assírio retrata o transporte de madeira pelo mar do Líbano.

Salomão com bastante riqueza, e Salomão a usa para financiar um templo espetacular para Deus. Salomão também leva a arca para o templo, e a presença de Deus enche o lugar de uma forma surpreendente (8.1-13). Salomão consagra o templo por meio de uma longa oração de dedicação ao Senhor (8.22-53) junto com duas breves orações de bênção sobre o povo (8.14-21,54-61). A resposta de Deus é muito mais sucinta (9.1-9), reconhecendo o templo, mas advertindo Salomão de continuar fiel a ele. Outros aspectos espetaculares do reinado de Salomão são descritos em 1Reis 9.10—10.29. Na verdade, em 10.1-13, outro monarca, a rainha de Sabá, visita Salomão e fica impressionada com o esplendor de seu reino. Os versículos finais dessa seção (10.14-29) ressaltam a riqueza de Salomão e seu poderoso exército (diversos carros e cavalos).

Aparentemente, 1Reis 1—10 parece louvar e glorificar Salomão. Contudo, quando se lê o texto com mais atenção, percebe-se haver muitas coisas incorretas. À medida que nos aprofundamos no texto e o colocamos no contexto de Deuteronômio (que deveria

✣ Salomão não tem a mesma dedicação a Deus que Davi teve.

determinar como Salomão devia viver e governar), percebemos várias contradições; na verdade, se observarmos com atenção, a história parece criticar Salomão ao mesmo tempo que o elogia. Segundo as aparências, o autor de 1Reis elogia Salomão apenas de modo superficial, com sarcasmo ou brincadeira. O autor tem uma opinião primordialmente negativa sobre Salomão.

Lembre-se de que, em Deuteronômio 17.15-17, Deus estabeleceu algumas diretrizes para os reis israelitas. Essa passagem proíbe três coisas: o acúmulo de cavalos de guerra, principalmente do Egito; o acúmulo de prata e ouro; e o acúmulo de mulheres. Ironicamente, o texto de 1Reis 10.14-29 se gaba do reino de Salomão, mostrando sua grande quantidade de prata e ouro, bem como o grande número de carros e cavalos de guerra que ele adquiriu (importados do Egito!), duas coisas proibidas em Deuteronômio 17. Em seguida, 1Reis 11.3 diz que Salomão tinha 700 mulheres de origem nobre (muitas delas estrangeiras) e 300 concubinas. Independentemente de como se interprete a proibição de "muitas mulheres" de Deuteronômio 17.17, com mil mulheres Salomão foi muito além do limite.

Um busto de pedra de calcário de uma rainha egípcia (c. 1550 a.C.). Salomão se casou com uma princesa egípcia (1Rs 7.8; 9.24; 11.1).

Quando olhamos de volta para 1Reis 1—10 à luz de Deuteronômio e 1 e 2Samuel, percebemos que ao longo da passagem o autor de 1Reis 1—10 deixa algumas indicações sutis, e às vezes não tão sutis, de que as coisas não estão tão bem no reinado de Salomão. Mesmo no início, logo que Salomão sucede seu pai, Davi, o Senhor não diz nada nem faz nada (pelo menos de forma explícita) que indique a escolha de Salomão. Esse silêncio da parte de Deus sobre quem deveria ser o próximo rei contrasta claramente com os atos de Deus em 1 e 2Samuel sobre a escolha de Saul e Davi. Isso nos chama a atenção para o fato de que algo a respeito da história de Salomão não está bem certo. Lembre-se também de que a mãe de Salomão era Bate-Seba, que se tornou esposa de Davi por meio de circunstâncias duvidosas. Seria estranho que o filho dela se tornasse o próximo rei.

Diversos outros comentários de 1Reis 1—10 suscitam certo espanto. Em 3.1 o texto diz que Salomão se casa com a filha do faraó, e ela será mencionada várias vezes no decorrer da narrativa. Por todo o AT, o Egito quase

✚ Ao contrário de Davi, Salomão transgrediu descaradamente as diretrizes de Deus para o norteamento do rei em Deuteronômio 17.15-17.

Os egípcios eram famosos por seus carros e cavalos de guerra. Nesta figura o rei egípcio Tutancâmon é retratado em seu carro derrotando os cuxitas, os inimigos do Sul. O rei Salomão, de Israel, tinha 12 mil cavalos para o seu exército, muitos deles importados do Egito (1Rs 10.26-29). Para sua infelicidade, Deuteronômio 17.16 proibia o rei de acumular cavalos, principalmente do Egito.

sempre possui uma conotação negativa por estar tão intimamente associado à opressão dos primórdios do Êxodo. Por que, então, Salomão desejaria associar Israel com o Egito outra vez?

Além disso, a passagem de 3.2-4 sugere que Salomão (e o restante de Israel) ofereceu sacrifícios nos altos (lugares de culto pagão). Mais adiante, em 1Reis 11.7,8, o narrador nos dirá que Salomão até erigiu altares pagãos em um lugar alto para as suas muitas mulheres pagãs, mesmo para os deuses Camos e Moloque (conhecidos por exigirem sacrifícios de crianças). Ironicamente, em 3.9, Salomão pede a Deus e recebe dele um "coração cheio de discernimento", capaz de distinguir o bem e o mal. Essa própria dádiva de Deus o denuncia em 11.1-13, pois justamente no coração dele (11.2,4,9) está a raiz de sua apostasia.

Da mesma maneira em 1Reis 4, o texto parece elogiar Salomão pelo impressionante sistema administrativo implementado, mas se lembre de que foi justamente sobre isso que Samuel alertou Israel em 1Samuel 8 (impostos, trabalho forçado, alistamento militar). O texto de 1Reis 4.6 menciona casualmente que Adonirão era "chefe do trabalho forçado". O problema do trabalho forçado será o ponto crítico que provocará uma guerra civil depois da morte de Salomão.

O relato sobre a construção do templo continua expressando essa sutil ironia. Em Êxodo, o Senhor deu instruções muito específicas para a construção do tabernáculo, e depois o Espírito de Deus veio sobre os artesãos, capacitando-os a construir o maravilhoso tabernáculo. Nada disso acontece em 1Reis 5—8. Salomão mesmo desenha e constrói o templo.

✛ A construção do templo de Salomão (1Rs 5—9) contrasta muito com a construção do tabernáculo (Êx 25—31; 35—40) no que se refere à instrução direta de Deus e a motivação dos trabalhadores e do povo.

Além do mais, o texto declara que foram necessários sete anos para Salomão construir o templo do Senhor, mas treze anos para ele construir o próprio palácio (6.37—7.1). Quais são as implicações de gastar mais tempo construindo a própria casa que o templo do Senhor? Salomão também construiu um impressionante palácio para a filha do faraó (7.8), que aparece em cena e situações irônicas.

Deus não parece tão impressionado com o majestoso templo de Salomão, e quando ele, por fim, responde à dedicação de Salomão do templo, o Senhor ressalta a fidelidade à aliança. Deus observa que ele é quem torna o templo especial por meio de sua presença, não pelo esplendor do material usado na construção (9.3). Deus então alerta Salomão de que ele guarde a lei e seja obediente, do contrário Deus abandonaria o templo para ser destruído (9.4-9), anúncio ameaçador do que haveria de acontecer em 2Reis.

Por último, em 1Reis 11.1-13, o autor deixa a sutileza e toca na ferida. Salomão se deixou levar à idolatria em grandes proporções por suas mulheres estrangeiras (11.1-8). O Senhor está furioso com Salomão, em especial porque Deus tinha aparecido duas vezes diretamente a ele (11.9). O único senão para Deus não arrancar o reino das mãos de Salomão de imediato é sua consideração para com Davi, pai de Salomão (11.12,13). A ironia é que, mesmo depois de Salomão construir um majestoso templo para o Senhor, ele reverte de modo total o progresso teológico iniciado por Davi em relação ao culto em Israel. Em vez de expulsar todos os adoradores pagãos da terra prometida, Salomão os abraça e se casa com diversas adoradoras de ídolos. Ele até constrói templos e santuários para os deuses delas! Então, apesar de todas as realizações dessas construções magníficas, o "grande" rei Salomão leva Israel ao caminho da idolatria, que em última instância os conduzirá à destruição e perda da terra prometida.

As últimas palavras sobre o reino de Salomão (1Rs 11.14-43) mencionam seus três principais adversários políticos, antecipando o rápido fim do pacífico "reinado de Salomão". Um desses adversários era Jeroboão. Um profeta diz a Jeroboão que Deus estava para separar dez tribos da dinastia de Salomão e entregá-las a Jeroboão. Deus promete abençoar Jeroboão apenas se ele obedecer aos seus estatutos e mandamentos (i.e., Deuteronômio).

Ídolos em forma de bezerro eram comuns no antigo Oriente Médio.

Reversão da conquista e declínio do império (1Rs 12—16)

Estupidez, pecado e guerra civil (12.1-33)

Depois da morte de Salomão, seu filho Roboão sobe ao trono. Lembre-se de que, durante todo o seu reinado, Salomão executou grandes projetos

✚ Uma guerra civil divide o reino em dois. As dez tribos do Norte formam a nação de Israel, estabelecendo a capital em Samaria. Judá e Benjamim ao sul passam a ser chamadas de Judá, mantendo a capital em Jerusalém.

De Berseba a Dã

Uma guerra civil divide a terra prometida em dois países: Israel, ao norte, e Judá, ao sul. O reino unido era descrito muitas vezes pela extensão desde Dã até Berseba (2Sm 3.10; 17.11; 24.2,15; 1Rs 4.25; 1Cr 21.2; 2Cr 30.5).

de construção, não raro empregando os israelitas em trabalhos forçados (como o faraó fez no Egito). Após a morte de Salomão, os israelitas esperam que o novo rei os alivie dos trabalhos forçados. Contudo, o novo rei Roboão declara que fará os israelitas trabalharem ainda mais que no período da regência de seu pai. Isso incomoda a maioria dos israelitas, pois eles já estavam saturados de projetos de construção real e de trabalho forçado. Então, todas as tribos israelitas, exceto Judá e Benjamim, rebelam-se contra o rei Roboão, provocando uma guerra civil (12.1-23).

Essas tribos rebeldes chamam Jeroboão para ser seu rei. Lembre-se de que Deus tinha predito esse acontecimento, mas prometeu abençoar Jeroboão caso ele permanecesse fiel aos ensinamentos de Deuteronômio. Contudo, desde o início, Jeroboão rejeitou o Senhor e suas leis. Não querendo que seus seguidores descessem a Jerusalém (agora um território inimigo) para adorar a Deus ali, Jeroboão edifica dois novos santuários em seu recém-formado reino de Israel. Ele estabeleceu um em Betel e outro em Dã. Incrivelmente, Jeroboão constrói dois bezerros de ouro para servir de ídolos nos dois santuários e declara de forma blasfema: "Aqui estão os seus deuses, ó Israel, que tiraram vocês do Egito" (12.28). Desse modo, ele repete — e até parece celebrar — a grande rebeldia do bezerro de ouro de Êxodo 32. O Reino do Norte, Israel, já começa muito mal.

A reprovação de Betel e Jeroboão por Deus (13.1—14.20)

Em 1Reis 13, Deus manda um verdadeiro profeta para proferir juízo contra o novo santuário idólatra de Betel. Curiosamente, um velho e falso

✛ A construção desses dois bezerros de ouro ("o pecado de Jeroboão") será mencionada de modo contínuo em 1 e 2Reis. Essa ação arrasta o novo Reino do Norte de imediato para a idolatria, da qual ele nunca se livrará.

profeta de Betel convence o novo e verdadeiro profeta a ignorar o mandamento específico de Deus e a lhe desobedecer. Isso resulta na morte do profeta verdadeiro. Por meio dessa história, Deus está dizendo com muita clareza a seu povo para não se deixar seduzir por mentiras de falsos profetas, por mais convincentes que sejam.

Uma vez que Jeroboão desprezou de modo grosseiro a instrução de Deus dada a ele em 11.29-39, preferindo levar Israel à adoração de bezerros de ouro, Deus agora pronuncia o juízo contra a casa dele em lugar de bênçãos (14.1-20).

Reis característicos, bons e maus (principalmente maus) (14.21—16.34)

Uma divindade fenícia (cananeia), provavelmente Baal.

Depois do colapso do império de Salomão (i.e., a terra prometida), o Reino do Norte, Israel, passa imediatamente a adorar ídolos. O Reino do Sul, Judá, não é tão melhor, pois o rei Roboão, filho de mãe amonita, também leva Judá à idolatria e a outras práticas abomináveis dos cananeus (14.21-24).

O restante dessa unidade recapitula os reinados primordialmente negativos de vários reis de Judá e de Israel, estabelecendo um padrão que continuará até a destruição posterior dos dois reinos pelos assírios e babilônios. A maioria dos reis é má, "[fazendo] o que o Senhor reprova". Alguns reis do Sul, como Asa (15.9-24), tentariam reverter o declínio e fazer Judá retornar ao culto fiel do Senhor. De forma geral, eles não foram bem-sucedidos nas tentativas.

Um dos temas presentes no restante de 1 e 2Reis é a desintegração da riqueza e do esplendor do império de Salomão. Por isso, 14.25-28 e 15.18,19 descrevem a perda dos objetos de ouro e prata do templo acumulados por Salomão.

Essa unidade chega ao ponto culminante quando Acabe sobe ao trono de Israel. Ele é o típico "rei mau". O texto diz: ele "fez o que o Senhor reprova, mais do que qualquer outro antes dele" (16.30). Acabe não só misturava religiões pagãs com o culto ao Senhor, prática sincrética comum semelhante à de Jeroboão (p. ex., adorar bezerros de ouro enquanto os associa à libertação de Israel do Egito). Não, Acabe substitui o culto ao Senhor Deus de Abraão por um culto extremo de

CRONOLOGIA DO REINO DIVIDIDO, DE 940 A.C. A 580 A.C.

940	Estabelecimento da capital em Siquém.
930	Invasão do faraó Sisaque.
920	Derrota e perda de Betel para Abias.
~915	Baasa é assassinado.
~910	Capital transferida para Tirza.
~905	Mais deserção para Judá.
~900	Tentativas de fechar a fronteira israelita com a construção da cidade de Ramá foram frustradas por Ben-Hadade de Damasco. Território perdido para a Síria e Judá.

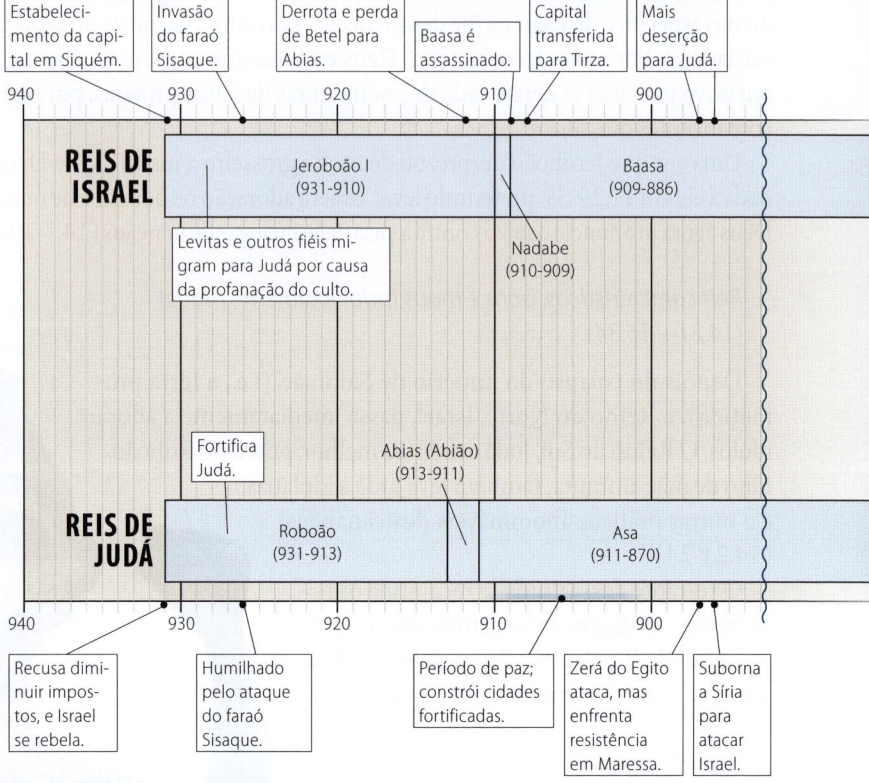

REIS DE ISRAEL:
- Jeroboão I (931-910)
- Nadabe (910-909)
- Baasa (909-886)

Levitas e outros fiéis migram para Judá por causa da profanação do culto.

REIS DE JUDÁ:
- Roboão (931-913)
- Abias (Abião) (913-911)
- Asa (911-870)

Ano	Evento (Judá)
930	Recusa diminuir impostos, e Israel se rebela.
~925	Humilhado pelo ataque do faraó Sisaque.
~915	Fortifica Judá.
~910	Período de paz; constrói cidades fortificadas.
~905	Zerá do Egito ataca, mas enfrenta resistência em Maressa.
~900	Suborna a Síria para atacar Israel.

Baal, o deus cananeu (16.31-33). Acabe também se casou com Jezabel, uma mulher cananeia perversa da cidade de Sidom. Ela até tentou erradicar todo o verdadeiro culto ao Deus de Israel, e matou todos os verdadeiros profetas de Deus que pôde encontrar. A monarquia de Israel era agora expressamente hostil ao Deus de Abraão, tendo se adaptado por completo à religião pagã dos cananeus. Incrível!

Deus envia profetas para confrontar a monarquia corrompida (1Rs 17.1—2Rs 8.15)

O ministério de Elias (1Rs 17—19)

As histórias fascinantes dos dois profetas, Elias e Eliseu, ocorrem como uma das principais interrupções do relato de 1 e 2Reis, com ênfase no governo de vários reis. As histórias de Elias e Eliseu interrompem em particular a do reinado de Acabe, o pior de todos os reis. O que se tira dessas histórias do ponto de vista teológico agora se transfere para dois níveis.

✚ O filho de uma mulher cananeia é ressuscitado em 1Reis 17, contrastando nitidamente com a morte do filho de Jeroboão em 1Reis 14.

Timeline (890–840 a.C.)

Eventos (acima):
- Assassinado por Zinri, que depois comete suicídio.
- Capital transferida para Samaria.
- Assurbanípal invade a Síria e a Fenícia.
- Jezabel se torna rainha.
- A filha Atalia casa-se com Jeorão, e é coroada princesa de Judá.
- Forma coligação com Salmaneser III em Carcar.
- Síria ataca duas vezes, é derrotada duas vezes; Israel obtém concessões.
- Morre na batalha de Ramote-Gileade.
- Moabe obtém liberdade.
- Fracassa na conquista de Moabe.
- Ferido na batalha de Ramote-Gileade; morto por Jeú.

Reis do Norte (Israel):
- Baasa (909-886)
- Elá (886-885)
- Zinri (885)
- Tibni (885-880)
- Onri (885-874) — Aliado à Fenícia, conquista Moabe.
- Acabe (874-853)
- Acazias (853-852) — Invasão síria; Samaria é sitiada, mas poupada.
- Jorão (Jeorão) (852-841)

Profetas: Elias / Eliseu

Reis do Sul (Judá):
- Asa (911-870) — Forte militarmente; mantém o controle de parte de Israel; recebe imposto dos povos da fronteira.
- Josafá (873-848) — Apoia Acabe em Ramote-Gileade; repreendido por um profeta.
- Jeorão (Jorão) (853-841) — Une-se a Jorão contra Moabe.
- Acazias (841)

Eventos (abaixo):
- A frota de Israel e Judá naufraga.
- Edom e Libna se revoltam e atacam.
- Acazias é assassinado por Jeú.

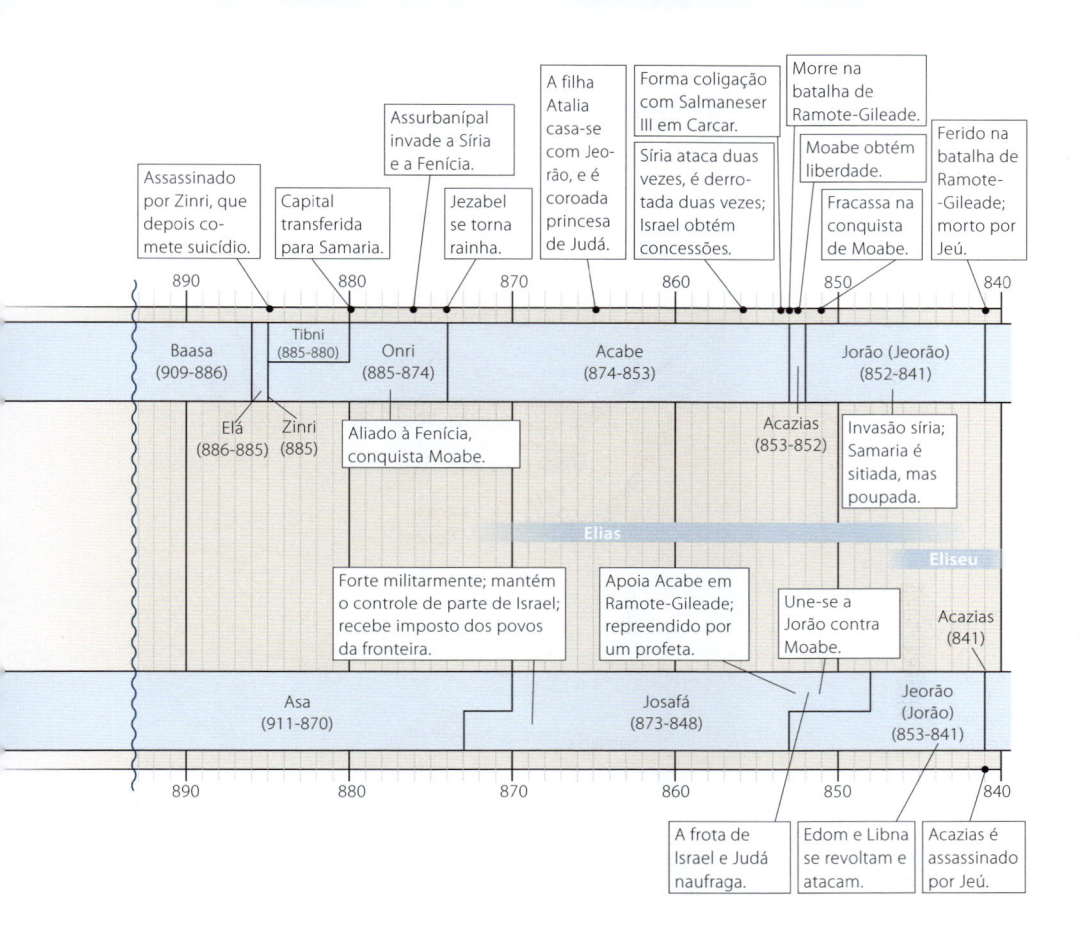

Um nível se relaciona à história nacional mais abrangente. O outro nível é pessoal, à medida que encontramos várias histórias sobre indivíduos e sua fé em Deus, em comparação com a rejeição nacional de Deus e sua aliança.

No reinado de Acabe, Israel, o Reino do Norte, torna-se adorador de Baal, uma nação "como a dos cananeus". Deus envia o profeta Elias para confrontar essa terrível situação. Em 1Reis 17, Elias anuncia seca e fome, castigos característicos da parte de Deus extraídos diretamente de Deuteronômio 28. Durante essa fome, Deus age de forma miraculosa por meio de uma viúva cananeia de Sidom (observe a ironia disso, pois Jezabel, a esposa iníqua de Acabe, era de Sidom) para sustentar Elias. O filho dessa viúva morre, mas Elias consegue trazer o menino de volta à vida! Essa história credencia Elias como poderoso profeta de Deus. Ela também ressalta a fé de uma mulher estrangeira, em comparação com a apostasia da nação de Israel. Além disso, introduz o tema de que, no meio da apostasia nacional e consequente juízo, Deus continua provendo e livrando os seus.

Em 1Reis 18, Elias desafia os profetas de Baal e Aserá (a companheira de Baal) de Acabe e Jezabel a uma disputa aberta perante toda a nação.

O Império Assírio

Doug Nykolaishen

A região central do Império Assírio estava localizada no norte da Mesopotâmia, próxima à cidade moderna de Mossul, no norte do Iraque. De lá os assírios desenvolveram um império que algumas vezes se estendeu a sudeste até o golfo Pérsico e a sudoeste através do Crescente Fértil até o Egito. O auge do poder do período assírio foi em aproximadamente 911-609 a.C., quando eles criaram um império maior que qualquer outro do Oriente Médio até então.

No início desse período (911-745 a.C.), os assírios defendiam seu império contra ameaças externas e levavam prisioneiros e despojos sempre que podiam. Às vezes, seus vizinhos sentiam com intensidade sua presença, como nas batalhas envolvendo Acabe de Israel (1Rs 22). Outras vezes, não. Tanto Jeroboão II de Israel (2Rs 14.23-29) quanto Uzias de Judá (2Cr 26) foram capazes de expandir seu território sem a interferência dos assírios.

Entretanto, Tiglate-Pileser III (745-727 a.C.), também conhecido como Pul, estabeleceu um padrão diferente que se tornou característico dos reis assírios subsequentes. Durante seu reinado, o enorme e poderoso exército assírio fazia campanhas anuais, estendendo o território sob o domínio do império, e desarmava qualquer rebelião que pudesse irromper. Guerras contínuas assim, realizadas por meio de combate direto ou cerco, eram dispendiosas em termos de tempo e recursos. Portanto, muitas vezes os assírios tentavam persuadir os que a eles resistiam a se renderem sem luta. Por exemplo, eles podiam sitiar uma cidade fortificada e mandar um de seus oficiais convocar os moradores da cidade e lhes dizer para cessar toda resistência prometendo-lhes um tratamento brando (cf. 2Rs 18). Se essa tentativa fracassasse, eles atacariam e montariam o cerco, dependendo da situação. Depois de derrotar a cidade, os assírios não raro mutilavam com crueldade muitos dos defensores capturados. Dentre as técnicas favoritas, encontravam-se o esfolamento e a empalação dos prisioneiros. Essas táticas renderam-lhes a reputação de malignidade, fazendo que muitas vezes as outras nações do antigo Oriente Médio se intimidassem.

No entanto, as nações subjugadas pelos assírios às vezes se rebelavam. Israel, o Reino do Norte, rebelou-se diversas vezes. Por fim, os assírios os castigaram levando a população para o exílio em 722 a.C., distribuindo alguns deles em cidades na parte central do império, e outros mais ao oriente nas cidades da Média (2Rs 17). Ao forçar grandes grupos de povos conquistados a se deslocarem para longe da terra natal, ficava mais difícil para esses povos organizarem qualquer tipo de rebelião. O ato também fornecia mão de obra para a agricultura e/ou para grandes projetos de construção nas cidades assírias como Assur, Nínive, Calá e Arbela.

Contudo, outras rebeliões, junto com as disputas entre a elite assíria, enfraqueceram o império a ponto de os babilônios e os medos serem capazes de capturar Nínive, a capital do império, em 612 a.C. (v. Naum). Em 609 a.C., os babilônios assumiram o controle do império antes governado pela Assíria.

O rei assírio Tiglate-Pileser III.

à atividade. Ele diz a Elias que ainda outras 7 mil pessoas o adoram. Isso faz parte do tema do "remanescente" que percorre todo o AT. Mesmo nas épocas de apostasia nacional, Deus sempre preserva um pequeno "remanescente" de fiéis. Além do mais, Deus informa Elias de que ele ainda tem diversas tarefas importantes para executar. A primeira delas: Elias iria ungir Hazael rei de Arã (Síria) e Jeú, rei de Israel. Eles executariam o juízo de Deus sobre a dinastia de Acabe. A segunda, Elias iria ungir Eliseu, seu sucessor, como profeta de Deus (19.15-18).

As narrativas sobre Elias relatam vários aspectos importantes. Elias proclama a acusação profética contra a dinastia de Acabe por transgredir a aliança. Essas narrativas também revelam a transição geral da história da "visão panorâmica" da vida nacional para o foco nos indivíduos. Mesmo durante a condenação e apostasia nacionais, indivíduos fiéis são salvos. Elias demonstra que salvação e libertação, na verdade a própria vida, são acessíveis por meio da verdadeira adoração a Deus, não por meio da monarquia e da religião do rei.

Condenação de Acabe, o protótipo de um rei mau e inimigo dos profetas (1Rs 20—2Rs 1)

Essa seção se concentra nas obras perversas de Acabe e na condenação profética que lhe sobrevém. Em 1Reis 21, instigado por Jezabel, Acabe assassina um homem chamado Nabote por este ter se recusado a lhe vender sua vinha. Lembre-se de que a terra era um presente de Deus, por isso ela não deveria ser vendida. Nabote estava sendo fiel a Deus quando se recusou a vender a herança ao rei. Entretanto, Acabe o incrimina de forma falsa e depois o executa para poder adquirir a terra de Nabote. A história é inserida com correção no meio de três episódios que pronunciam o juízo contra Acabe. Esses três episódios predizem a morte de Acabe, Jezabel e dos descendentes masculinos de Acabe. Essas condenações proféticas são enunciadas por um profeta desconhecido (20.35-43), por Elias (21.17-24) e pelo

Uma casa israelita típica da época de Elias.

✢ Há vários paralelos entre os milagres de Elias/Eliseu e os milagres de Jesus no NT. Ambos curam leprosos, ressuscitam mortos e alimentam um grupo grande de pessoas com pouca quantidade de comida.

O Império Babilônico

Doug Nykolaishen

A região da Babilônia é mencionada com frequência na Bíblia. Ela aparece pela primeira vez em Gênesis 10.10, embora ali e em outras passagens a região seja chamada terra de Sinar. Às vezes, ela é também chamada terra dos caldeus. Em geral, sua área geográfica se estende das proximidades da atual Bagdá até o golfo Pérsico, embora de 605 a 539 a.C. o Império Babilônico tenha se estendido por boa parte do antigo Oriente Médio.

Mesmo quando os babilônios não dominavam politicamente a região, as ideias babilônicas eram muito influentes. Há diversos casos em que parece que os autores bíblicos corrigiam de forma intencional algumas dessas noções. Por exemplo, o relato da Criação de Gênesis 1—2 parece ter sido escrito em parte para corrigir as histórias populares da Babilônia a respeito da Criação.

O papel do Império Babilônico nos textos finais do AT foi predito pelo profeta Isaías. Quando o rei Ezequias de Judá (que reinou entre 715 e 686 a.C.) recebeu emissários da Babilônia, ele mostrou todas as riquezas de seus armazéns. Depois de os emissários partirem, Isaías profetizou que toda a riqueza do rei, como os próprios descendentes de Ezequias, seria um dia levada para a Babilônia (2Rs 20.12-19).

Essa profecia se cumpriu um século depois. Cerca de oito anos após o rei babilônico Nabopolasar derrotar os assírios e assumir o controle sobre o Império Assírio, seu filho, Nabucodonosor, obrigou Judá a começar a pagar impostos para o novo Império Babilônico (597 a.C.). Mais tarde, em 586 a.C., Nabucodonosor destruiu a cidade de Jerusalém, incluindo o templo construído por Salomão, levando a maior parte dos nobres para o cativeiro, até mesmo os da família real que não tinham sido mortos. Os livros escritos por Ezequiel e Daniel tratam desses exilados judeus, verdadeiros profetas que viveram como exilados na Babilônia.

Os profetas Jeremias e Habacuque previram que o massacre babilônico futuro fazia parte do juízo de Deus sobre Judá por causa da infidelidade para com sua aliança. Ao mesmo tempo, esses profetas, à semelhança de Isaías, deixaram claro que os babilônios eram idólatras e seriam considerados em vários sentidos como inimigos do Senhor. Esse é o modo também com que a Babilônia é retratada em Daniel 1—5. Cada capítulo demonstra algum tipo de luta de poder entre o Senhor e o rei babilônico.

Durante o reinado de Nabucodonosor, a Babilônia alcançou o apogeu de sua riqueza e poder. Ele pôs em prática um impressionante programa de construção da capital da Babilônia, financiado em grande parte pelos impostos que recebia dos povos subjugados por seu império. Contudo, apenas vinte e três anos após sua morte, a Babilônia tinha se enfraquecido tanto que os persas conseguiram conquistar a capital com razoável facilidade (539 a.C.) e assumiram o controle do império.

O reaparecimento da "Babilônia" como nome da prostituta de Apocalipse 17—18 parece estar ligado às características de orgulho, idolatria, avareza e crueldade da Babilônia do AT.

---

profeta Micaías (22.1-28). De acordo com a profecia, Acabe foi morto em uma batalha (22.29-40).

O ministério de Eliseu (2Rs 2.1—8.15)

Em 2Reis 2, Elias passa a capa profética para Eliseu. O ministério desse profeta é caracterizado por diversos milagres poderosos que parecem

REIS DE ISRAEL

850		Fim da amizade entre Israel e Judá; ações alienam outras nações.
840	Jorão (Jeorão) (852-841)	Paga tributo a Salmaneser III
	Jeú (841-814)	Perde a Transjordânia para a Síria.
820		Opressão da Síria.
810	Jeoacaz (814-798)	Adad-Nirari III invade a Síria.
800		A Síria é derrotada três vezes.
	Jeoás (Joás) (798-782)	Amazias é derrotado. Jerusalém é saqueada.

Elias

REIS DE JUDÁ

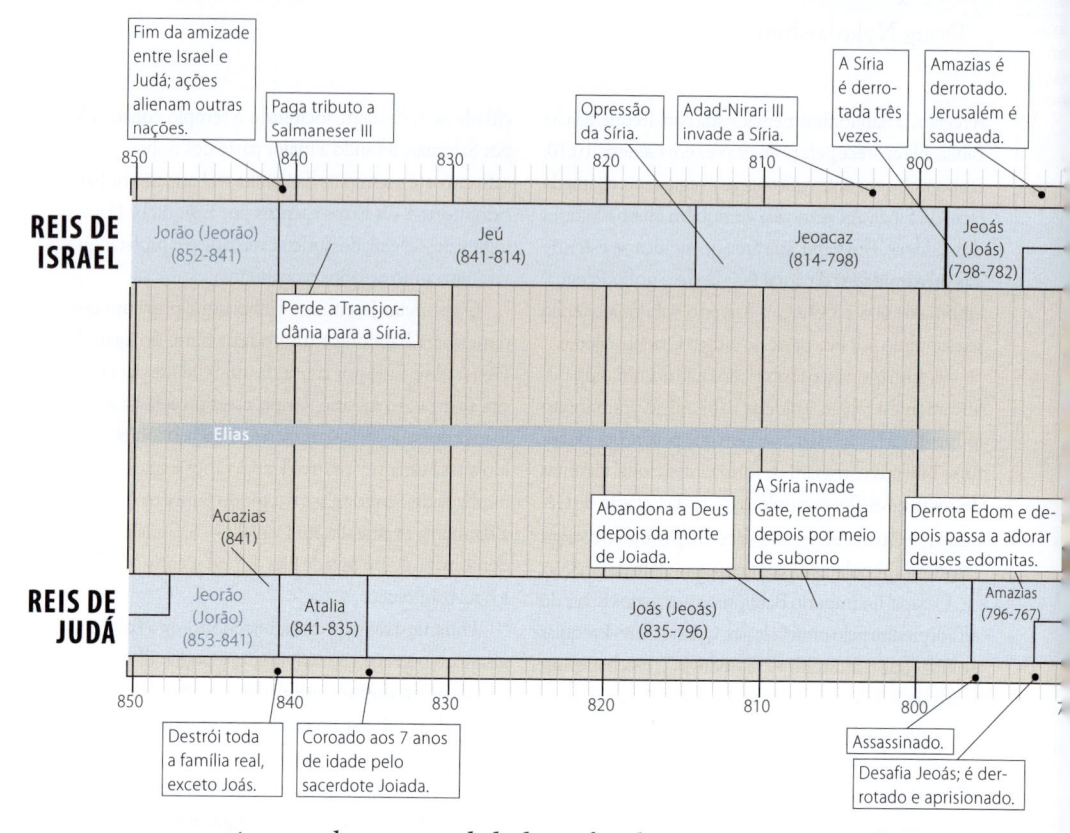

850	Jeorão (Jorão) (853-841)	
	Acazias (841)	Destrói toda a família real, exceto Joás.
840	Atalia (841-835)	Coroado aos 7 anos de idade pelo sacerdote Joiada.
	Joás (Jeoás) (835-796)	Abandona a Deus depois da morte de Joiada.
810		A Síria invade Gate, retomada depois por meio de suborno
800		Derrota Edom e depois passa a adorar deuses edomitas. Assassinado.
	Amazias (796-767)	Desafia Jeoás; é derrotado e aprisionado.

comunicar o poder e a autoridade do profeta de Deus. Os diversos milagres de Eliseu incluem: a travessia do rio Jordão (2.13,14); a purificação da água que abastecia uma cidade (2.19-22); o ato de ferir de morte os que eram tolos o suficiente para ridicularizar o profeta de Deus (2.23-25); a concessão de vitória aos habitantes de Israel e de Judá contra os moabitas (3.1-27); a transformação de azeite para prover alimento a uma viúva (4.1-7); a ressurreição de um menino (4.8-37); a alimentação de cem homens com 20 pães (4.42-44); a cura de um leproso gentio (5.1-27); o ato de fazer um machado de ferro flutuar (6.1-7) e a derrota de um exército inimigo por meio da cegueira dos soldados (6.8-23). Obviamente, não eram os reis que tinham poder, mas o profeta de Deus. Lembre-se também de que em Josué 3 e 4 era a arca da aliança (a presença de Deus) tão poderosa que fez parar as águas do Jordão para que o povo pudesse atravessar. Agora a água se divide para o profeta Eliseu. Como nas histórias de Elias, esses milagres de Eliseu demonstram que, apesar da apostasia nacional, Deus continuará cuidando de seu povo fiel. Essa unidade também ressalta que o único caminho para a salvação ou libertação passa pela senda providenciada pelo Senhor Deus, o

✛ Em comparação com Eliseu, que alimenta cem homens com 20 pães (2Rs 4.42-44), Jesus alimentará 5 mil homens com cinco pães e dois peixes (Mc 6.30-44).

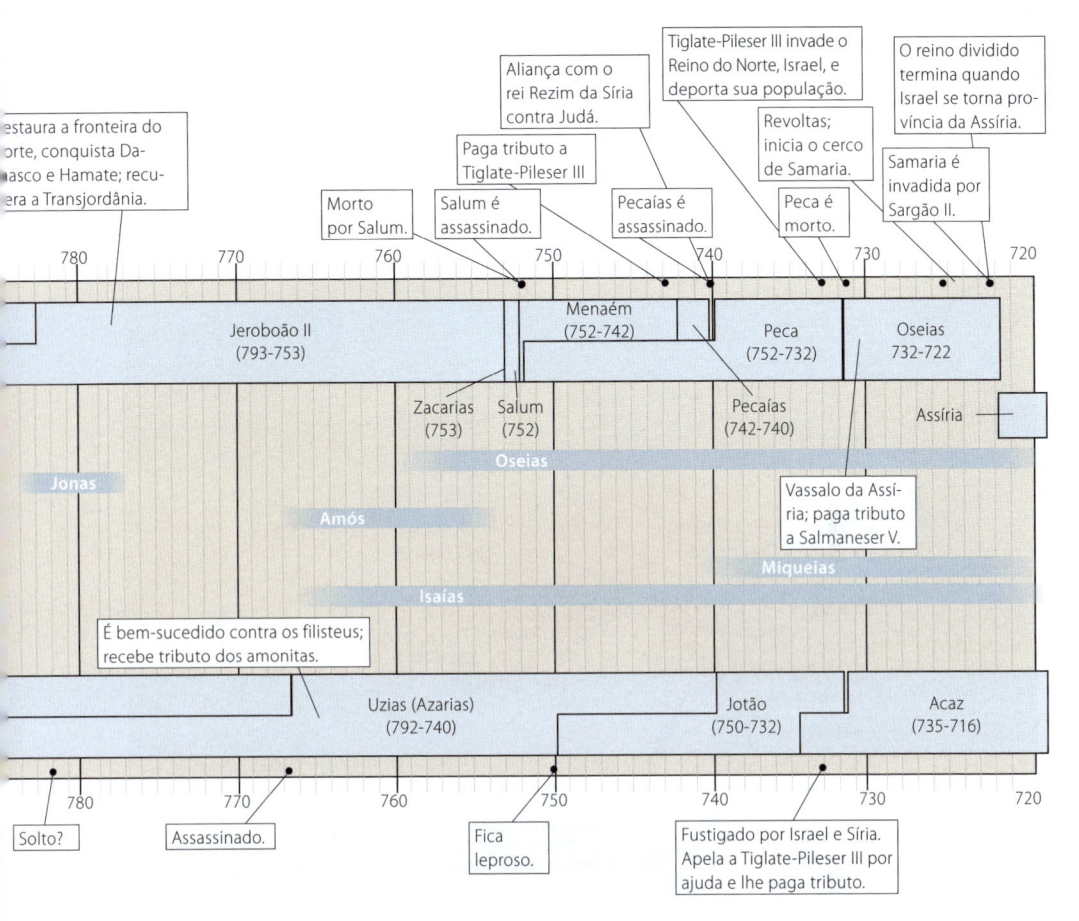

que deve ocorrer de acordo com seus mandamentos e decretos. Nenhum outro deus ou religião pode oferecer isso.

Os últimos dias de Israel (2Rs 8.16—17.41)

Tentativas frustradas de reforma (8.16—12.21)

Essa seção continua a narração sobre o governo de vários reis de Israel e Judá, salientando que ambas as nações transgridem com gravidade a aliança mosaica e não permanecem fiéis a Deus. O castigo profetizado contra a casa de Acabe é executado quando os descendentes de Acabe, e também de Jezabel, são mortos (9.30—10.17). Em seguida, há duas tentativas fúteis de reforma do culto pagão de cada uma das nações. Jeú, rei de Israel, aboliu o culto a Baal, mas manteve as imagens dos bezerros feitas por Jeroboão depois da morte de Salomão (2Rs 10.18-29). Também Joás, rei de Judá, esforça-se para restaurar o verdadeiro culto ao Senhor em Judá e Jerusalém. Ele tenta restaurar o templo, que tinha ficado em ruínas (12.4-16). Entretanto, a força contrária era muito forte, e o esforço de reforma de Joás

O Império Neoassírio.

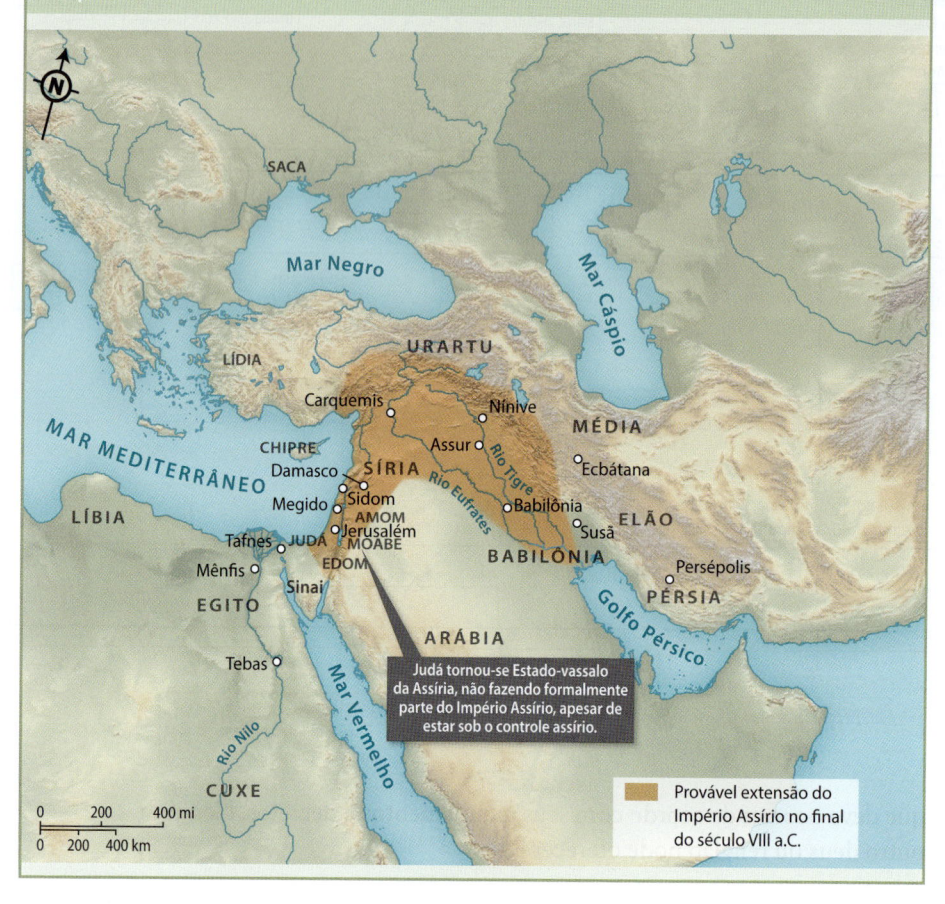

Judá tornou-se Estado-vassalo da Assíria, não fazendo formalmente parte do Império Assírio, apesar de estar sob o controle assírio.

Provável extensão do Império Assírio no final do século VIII a.C.

não vinga. O povo continua oferecendo sacrifícios nos "altares idólatras" (12.3), e suas reformas, ao que parece, provocaram uma grande oposição, pois seus oficiais o assassinaram (12.20).

Reis característicos, bons e maus (principalmente maus) (13.1—16.20)

Essa seção relata os reinados de vários reis de Israel e Judá. Alguns reis de Judá foram bons, mas a tendência geral era de o rei fazer "o que o SENHOR reprova". Os bons reis foram incapazes de conter a força nacional a favor da idolatria e da injustiça social generalizadas no país.

Destruição e exílio de Israel (17.1-41)

Chega de modo inevitável o fim para Israel. Em 722 a.C., os assírios invadem, conquistam Israel e levam os israelitas em cativeiro para a Assíria (17.1-23). O rei da Assíria, então, ocupa outra vez o território de Israel com

O Império Babilônico.

Provável extensão do Império Babilônico no início do século VI a.C.

a população de outras nações conquistadas pela Assíria. Isso representa uma inversão completa da conquista, uma vez que Israel perde a posse da terra prometida e é substituído por outros povos. A razão é declarada de forma inequívoca em 2Reis 17.7,8: "Tudo isso aconteceu porque os israelitas haviam pecado contra o Senhor, o seu Deus, que os tirara do Egito, de sob o poder do faraó, rei do Egito. Eles prestaram culto a outros deuses e seguiram os costumes das nações que o Senhor havia expulsado de diante deles, bem como os costumes que os reis de Israel haviam introduzido".

Uma estatueta de uma deusa cananeia, provavelmente Aserá, a consorte de Baal.

Os últimos dias de Judá (2Rs 18.1—25.30)

Livramento da Assíria (18.1—20.21)

Judá sobrevive por mais cento e trinta e seis anos, provavelmente por causa da influência de alguns reis de Judá que tentaram

Cronologia

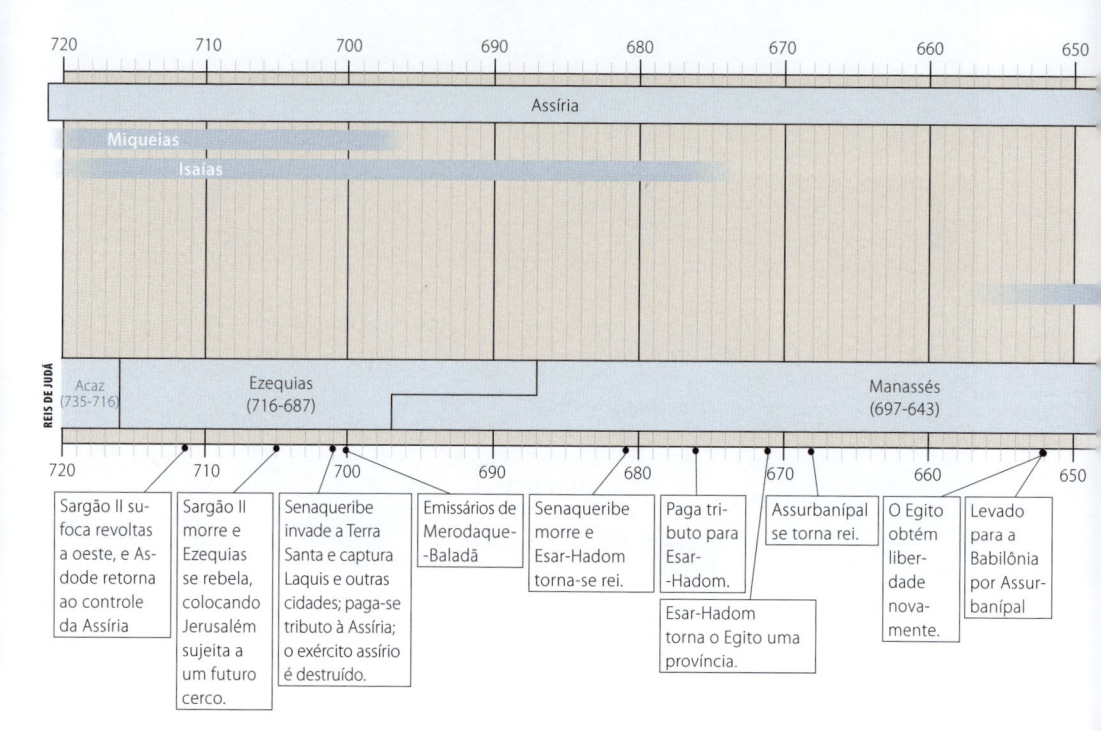

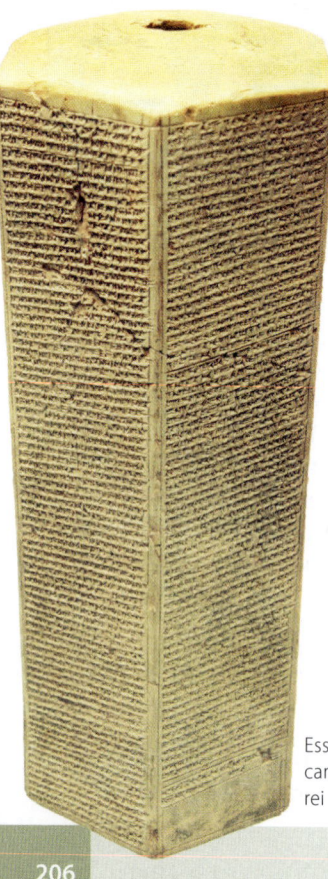

| 720 | 710 | 700 | 690 | 680 | 670 | 660 | 650 |

Assíria

Miqueias
Isaías

REIS DE JUDÁ
- Acaz (735-716)
- Ezequias (716-687)
- Manassés (697-643)

- **720** — Sargão II sufoca revoltas a oeste, e Asdode retorna ao controle da Assíria
- **710** — Sargão II morre e Ezequias se rebela, colocando Jerusalém sujeita a um futuro cerco.
- **700** — Senaqueribe invade a Terra Santa e captura Laquis e outras cidades; paga-se tributo à Assíria; o exército assírio é destruído.
- **690** — Emissários de Merodaque-Baladã
- **680** — Senaqueribe morre e Esar-Hadom torna-se rei.
- **670** — Paga tributo para Esar-Hadom.
- Esar-Hadom torna o Egito uma província.
- Assurbanípal se torna rei.
- **660** — O Egito obtém liberdade novamente.
- **650** — Levado para a Babilônia por Assurbanípal

permanecer fiéis ao Senhor. Depois de os assírios destruírem Israel, o Reino do Norte, alguns anos mais tarde eles permanecem seguindo em direção ao sul para atacar também Judá e Jerusalém. O rei Ezequias, encorajado e fortalecido pelo profeta Isaías, confia no Senhor, e Deus derrota de forma milagrosa o exército assírio, eliminando assim a ameaça assíria. Esse livramento extraordinário deveria se tornar um exemplo positivo para Judá se recordar durante muitos anos, porém ele parece ter sido logo esquecido.

Manassés, o pior rei de todos os tempos (21.1-26)

Ezequias é sucedido por seu filho Manassés — o pior rei da história de Judá. Ele leva a nação a adorar Baal e Aserá (como Acabe fez a Israel, o Reino do Norte), colocando até mesmo um ídolo dentro do templo. Ele também adorava divindades astrais e até sacrificou o próprio filho (21.1-9).

Esse prisma cuneiforme real descreve as oito campanhas militares de Senaqueribe (704-681 a.C.), rei da Assíria, inclusive sua campanha contra Judá.

Período	650	640	630	620	610	600	590	580

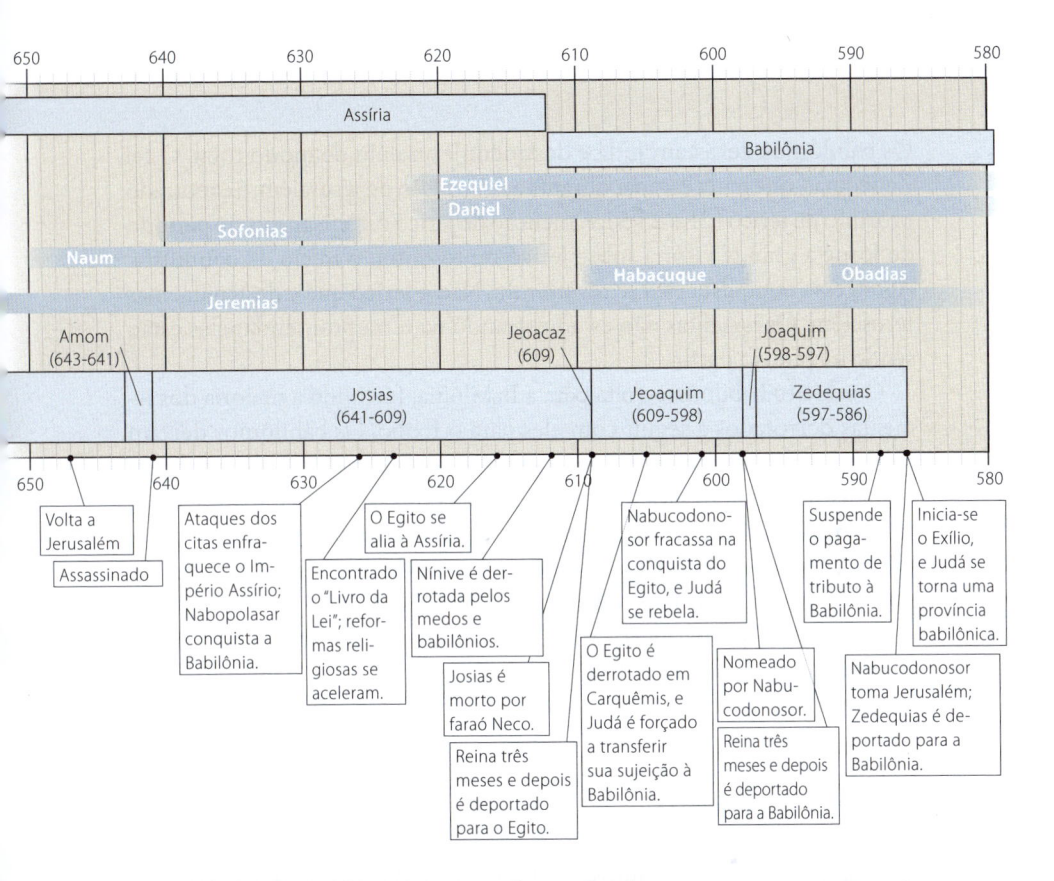

Impérios: Assíria (650–610), Babilônia (610–580)

Profetas: Naum, Sofonias, Jeremias, Habacuque, Ezequiel, Daniel, Obadias

Reis de Judá:
- Amom (643-641)
- Josias (641-609)
- Jeoacaz (609)
- Jeoaquim (609-598)
- Joaquim (598-597)
- Zedequias (597-586)

Eventos:
- Volta a Jerusalém / Assassinado
- Ataques dos citas enfraquece o Império Assírio; Nabopolasar conquista a Babilônia.
- Encontrado o "Livro da Lei"; reformas religiosas se aceleram.
- O Egito se alia à Assíria.
- Nínive é derrotada pelos medos e babilônios.
- Josias é morto por faraó Neco.
- Nabucodonosor fracassa na conquista do Egito, e Judá se rebela.
- O Egito é derrotado em Carquêmis, e Judá é forçado a transferir sua sujeição à Babilônia.
- Reina três meses e depois é deportado para o Egito.
- Nomeado por Nabucodonosor.
- Suspende o pagamento de tributo à Babilônia.
- Reina três meses e depois é deportado para a Babilônia.
- Inicia-se o Exílio, e Judá se torna uma província babilônica.
- Nabucodonosor toma Jerusalém; Zedequias é deportado para a Babilônia.

Durante o reinado de Manassés, Judá se afunda mais uma vez e não mais consegue se recuperar.

A fútil tentativa de Josias de reformar Judá (22.1—23.30)

O último rei bom de Judá foi Josias, que tentou com coragem levar Judá de volta a adorar a Deus. Ele determinou que se fizesse restauração no templo, e, no processo de restaurar o templo, o livro de Deuteronômio é encontrado. Aparentemente, o livro havia sido perdido. Josias o lê e descobre quão graves eram seus pecados. Em resposta, ele tenta retirar os santuários dos deuses pagãos e renovar a aliança com o Senhor (23.1-25). No entanto, o impacto negativo e o legado deixado por Manassés foram muito fortes. Josias é morto pelos egípcios quando eles marcham para o norte tentando ajudar os assírios a conter o crescimento da força destruidora da Babilônia, e a nação de Judá cai de volta na idolatria. O fim está próximo.

Destruição de Jerusalém e exílio de Judá (23.31—25.30)

Depois da morte de Josias, Judá se degenera com rapidez, uma vez que todos os reis restantes "[fizeram] o que o Senhor reprova". Chega o fim.

Os babilônios devastam Judá e destroem Jerusalém de modo total. O rei Zedequias, que tenta escapar durante a destruição de Jerusalém, é capturado próximo de Jericó (2Rs 25.5). A menção de Jericó é irônica, pois no período de Josué a grande vitória sobre Jericó representou o início da conquista. Agora essa conquista está se revertendo. Não é Jericó que é destruída, mas Jerusalém. Os israelitas não estão entrando na terra prometida; eles estão sendo forçados a partir.

O exército babilônico volta para a Babilônia, forçando a maioria dos israelitas derrotados a seguir com eles para o Exílio. Os babilônios deixam para trás um pequeno grupo de israelitas e nomeiam um governador para administrar Judá por eles. Entretanto, alguns dos israelitas remanescentes assassinaram tolamente o governador e fugiram para o Egito, temendo represália dos babilônios. Desse modo, a reversão da conquista se concretiza, quando esse grupo de fato volta para o Egito (25.22-26).

Outro tema que permeia 1 e 2Reis é o desmantelamento do império de Salomão. O texto de 2Reis 24.13 ressalta seus estágios finais quando os babilônios levam embora o restante dos objetos de ouro que Salomão tinha colocado no templo.

Em toda a última unidade (23.31—25.30), o narrador da história informa repetidas vezes ao leitor que essa destruição e exílio ocorreram por causa do grave pecado de Judá contra Deus, de modo principal por causa da idolatria e do sacrifício de crianças introduzidos pelo rei Manassés (24.3,4,20).

Como aplicar 1 e 2Reis à nossa vida hoje

Os livros de 1 e 2Reis nos ensinam muito sobre o pecado e suas consequências. Se as pessoas desobedecerem repetida e constantemente a Deus, e resistirem com arrogância a seu chamado ao arrependimento, então elas podem ter certeza de que encontrarão terrível condenação. Vemos na totalidade dos textos de 1 e 2Reis a graça e a paciência de Deus enquanto ele diz às pessoas para se arrependerem e aguarda que elas deem a volta por cima. Semelhantemente, Deus insta o povo desgarrado de hoje a se arrepender e retornar a ele.

A cidade de Megido protegia o vale de Jezreel e a rota do Egito para a Síria. O rei Josias é morto aqui pelo faraó Neco do Egito.

De Elias e Eliseu aprendemos que indivíduos permanecerão fiéis a Deus, ainda que toda a sociedade se torne hostil a ele e ao chamado da parte dele para a vida em retidão.

Nosso versículo favorito de 1 e 2Reis

Mas o SENHOR *foi bondoso para com eles, teve compaixão e mostrou preocupação por eles, por causa da sua aliança com Abraão, Isaque e Jacó. Até hoje ele não se dispôs a destruí-los ou a eliminá-los de sua presença.* (2Rs 13.23)

- Gênesis
- Êxodo
- Levítico
- Números
- Deuteronômio
- Josué
- Juízes
- Rute
- 1Samuel
- 2Samuel
- 1Reis
- 2Reis
- **1Crônicas**
- **2Crônicas**
- Esdras
- Neemias
- Ester
- Jó
- Salmos
- Provérbios
- Eclesiastes
- Cântico dos Cânticos
- Isaías
- Jeremias
- Lamentações
- Ezequiel
- Daniel
- Oseias
- Joel
- Amós
- Obadias
- Jonas
- Miqueias
- Naum
- Habacuque
- Sofonias
- Ageu
- Zacarias
- Malaquias

1 e 2Crônicas

*Ênfase na promessa feita a Davi
e no culto no templo*

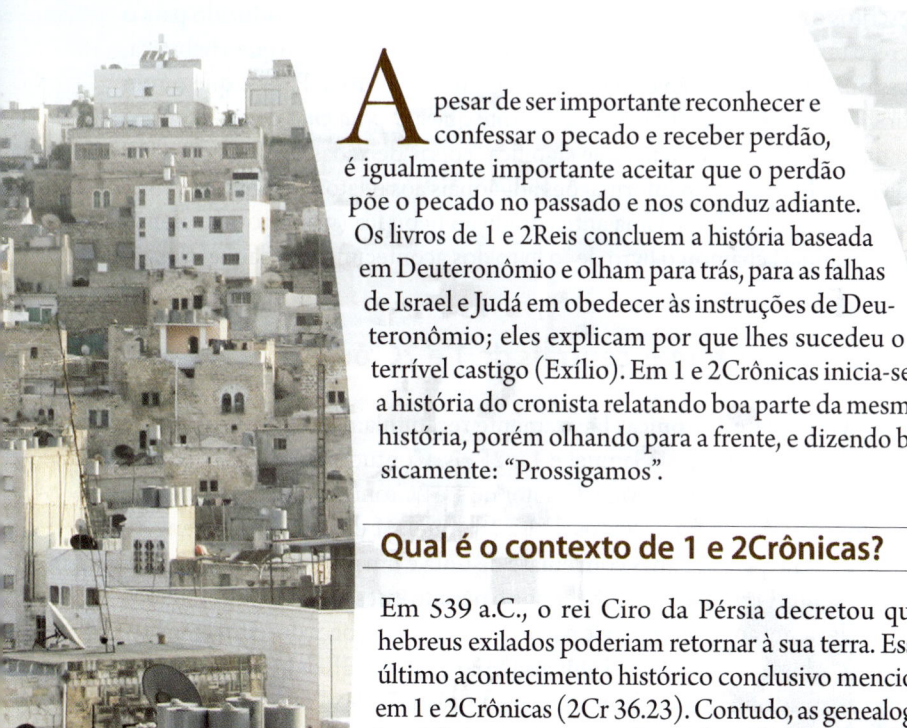

Apesar de ser importante reconhecer e confessar o pecado e receber perdão, é igualmente importante aceitar que o perdão põe o pecado no passado e nos conduz adiante. Os livros de 1 e 2Reis concluem a história baseada em Deuteronômio e olham para trás, para as falhas de Israel e Judá em obedecer às instruções de Deuteronômio; eles explicam por que lhes sucedeu o terrível castigo (Exílio). Em 1 e 2Crônicas inicia-se a história do cronista relatando boa parte da mesma história, porém olhando para a frente, e dizendo basicamente: "Prossigamos".

Qual é o contexto de 1 e 2Crônicas?

Em 539 a.C., o rei Ciro da Pérsia decretou que os hebreus exilados poderiam retornar à sua terra. Esse é o último acontecimento histórico conclusivo mencionado em 1 e 2Crônicas (2Cr 36.23). Contudo, as genealogias de 1 e 2Crônicas se estendem além do decreto de Ciro. O último indivíduo citado na genealogia de Davi de 1Crônicas é um homem chamado Anani (1Cr 3.24), que nasceu em cerca de 445 a.C. Por isso, a maioria dos estudiosos pensa que os textos de 1 e 2Crônicas foram escritos em torno de 400 a.C. Isso estabelece o contexto para a composição de

1 e 2Crônicas em um período bem distante da terrível destruição de Jerusalém e do exílio na Babilônia em 587/586 a.C., descritos no final de 2Reis. Até 400 a.C., diversos grupos de exilados já tinham retornado a Jerusalém. Os acontecimentos de Esdras e Neemias já tinham ocorrido, e a nação reconstruída estava lutando para avançar enquanto ainda se encontrava sob o domínio persa. Então, embora 1 e 2Crônicas recontem a história de Israel desde Adão até o decreto de Ciro, o objetivo do autor parece ser o de chamar a atenção das pessoas para dois aspectos: 1) as promessas de Davi (em relação ao futuro rei messiânico), dando esperança para o futuro; e 2) o culto apropriado no templo (o que fazer enquanto isso).

Não se sabe quem foi o autor de 1 e 2Crônicas. Talvez ele tenha sido um sacerdote como Esdras, preocupado em conduzir os israelitas de volta ao verdadeiro e correto culto a Deus centrado no templo recém-reconstruído.

Como 1 e 2Samuel e 1 e 2Reis, 1 e 2Crônicas foram originariamente escritos como um livro. O livro foi dividido em dois ao ser traduzido para o grego (a *Septuaginta*) porque a escrita grega toma mais espaço que a hebraica; assim, o livro todo não cabia apenas em um único rolo. Parece que o rolo original não possuía título. É interessante que a *Septuaginta* deu a esse livro o título de Paraleipomena, que significa "coisas deixadas de fora", sugestão de que o livro contém informações adicionais aos relatos encontrados em 1 e 2Samuel e 1 e 2Reis. Uma antiga tradição hebraica (mas, provavelmente, não original) chamou o livro de "o livro dos acontecimentos daqueles dias".

Quais são os temas centrais de 1 e 2Crônicas?

Os livros de 1 e 2Crônicas basicamente recapitulam a mesma história de Israel contada em 1 e 2Samuel e 1 e 2Reis. Contudo, não se trata apenas de uma repetição da história. O autor de 1 e 2Crônicas parece supor que o leitor conheça bem os textos de 1 e 2Samuel e 1 e 2Reis. Eles abrangem o mesmo período, mas com ênfase distinta e um propósito teológico diferente. O cronista reconhece que o pecado e desobediência de Israel os levaram ao Exílio, mas ele não martela isso na cabeça do leitor como fez a história baseada em Deuteronômio (Josué—2Reis). O cronista olha adiante, para o futuro, não para atrás, o Exílio. Por isso, ele enfatiza dois temas principais. Primeiro, ele ressalta a aliança divina de Deus com Davi (2Sm 7), que prometia a ocupação do

Trombeta de bronze (1000-800 a.C.). Quando Salomão leva a arca para o templo, 120 sacerdotes celebram tocando trombetas. As trombetas têm um papel importante em 1 e 2Crônicas e são mencionadas 15 vezes.

Um relevo de parede egípcio contendo a genealogia que alista 76 reis egípcios.

trono de Davi por um descendente futuro que reinaria sobre Israel em caráter perpétuo. O cronista ignora os vários reis de Israel, o Reino do Norte, pois todos eles não faziam parte da dinastia de Davi. O cronista ressalta que a promessa e esperança para o futuro estão ligadas à linhagem de Davi, os reis que reinaram sobre Judá. Desse modo, 1 e 2Crônicas somente relacionam os reis de Judá (ao contrário de 1 e 2Reis, que relacionam os reis de Judá e Israel). Uma vez que o cronista está olhando adiante e tenta focar os aspectos positivos dos reis, ele omite muitos dos terríveis pecados e fracassos dos reis, em especial os graves pecados de Davi (o caso amoroso com Bate-Seba) e Salomão (as mulheres estrangeiras e a adoração de ídolos).

O segundo importante tema de 1 e 2Crônicas é o culto no templo. Boa parte da ênfase de 1 e 2Crônicas está na construção do templo e no culto apropriado. Vários reis desses livros são avaliados de acordo com seu relacionamento com o templo (em vez de como se relacionaram com Deuteronômio, como em 1 e 2Reis).

Um esboço bem geral de 1 e 2Crônicas é o seguinte:

- Uma história genealógica desde Adão até o retorno dos exilados (1Cr 1—9)

✛ Na Bíblia hebraica, 1 e 2Crônicas ficam no fim do cânon. Por isso, em Mateus 23.35 Jesus engloba todo o AT quando condena Israel por derramar sangue inocente desde Abel (Gênesis) até Zacarias (2Crônicas).

- O reinado (ou fracasso do reinado) de Saul (1Cr 10)
- O reinado de Davi (1Cr 11—29)
- O reinado de Salomão (2Cr 1—9)
- O reinado do restante dos reis de Judá (2Cr 10—36)

Quais são os aspectos interessantes e singulares de 1 e 2Crônicas?

- Os terríveis pecados de Davi e Salomão não são mencionados.
- Forte ênfase na palavra escrita de Deus percorre todo o texto de 1 e 2Crônicas.
- A ênfase de 1 e 2Crônicas é positiva, olhando para o futuro, em comparação com 1Samuel a 2Reis, que é negativa, olhando para o passado.
- A ênfase sobre a linhagem de Davi dá um tom messiânico a 1 e 2Crônicas.
- Primeiro Crônicas 21.1 é uma das poucas passagens do AT que menciona Satanás.

Qual é a mensagem de 1 e 2Crônicas?

Uma história genealógica desde Adão até o retorno dos exilados (1Cr 1—9)

Apesar de ser um tanto estranho e diferente para nós, em 1Crônicas 1—9 o cronista conta uma história por meio de genealogias. Ele traça, basicamente, a linhagem de Davi de Adão até o período do Exílio. Ele também traça as genealogias das pessoas que retornaram a Judá depois do fim do Exílio. Essa é a ênfase das genealogias finais de 1Crônicas 9.1-34.

Monte Gilboa, onde Saul e seu filho Jônatas foram assassinados (1Cr 10.1,8).

O papel das genealogias no Antigo Testamento e no antigo Oriente Médio

Richard S. Hess

A genealogia consiste em uma lista das relações entre pais e filhos (de forma geral do sexo masculino) que se estende por várias gerações. Nessa forma simples, sua ocorrência na Bíblia é frequente, e no antigo Oriente Médio como modo de identificação: x filho/filha de y. Contudo, o estudo das genealogias de forma geral dá ênfase às listas escritas e orais que se estendem por muitas gerações. As genealogias podem representar uma única família, como a de Acã em Josué 7.1, ou podem relacionar uma lista de reis ou governantes, como a dos líderes de Edom em Gênesis 36. Esta pode ou não conter relações biológicas. A maior parte das genealogias cita apenas um nome de cada geração, como a da linhagem de Sete em Gênesis 5, mas algumas mencionam diversos membros da mesma geração (cf. a tábua das nações de Gn 10). Na Bíblia, as genealogias que relacionam várias gerações ocorrem principalmente em Gênesis e 1Crônicas. Há também uma lista implícita de reis do Reino do Norte e do Reino do Sul, Israel e Judá, por todo o texto de 1 e 2Reis. As genealogias são encontradas na totalidade do antigo Oriente Médio, no Egito, na Assíria, Babilônia e Suméria, e também em outras partes. A maior parte delas contém listas de reis.

A lista de reis mais antiga é a dos sumérios. Ela divide os reis de acordo com a cidade originária de seu reinado e de acordo com os indivíduos que viveram antes e depois do Dilúvio. Isso pode ter servido para legitimar o reinado de Uthegal, que derrotou os gútis e estabeleceu o reinado na Suméria por volta de 2100 a.C. Talvez o mesmo propósito tenha servido para a dinastia de Isin (2017-1794 a.C.) no que muitos acreditam ter sido acréscimos posteriores à lista régia. Ao relacionar um governante ou uma dinastia a reis anteriores e, em última instância, a uma linha de seres divinos ou semidivinos, uma lista como essa reivindicava a mesma aprovação divina para o governante atual. Essa forma (e seu propósito propagandista) parece ter sido copiada pelas listas posteriores dos assírios, babilônios e selêucidas, com acréscimos e revisões próprios para estabelecer a legitimidade de outros governantes. Eles podem ter também adicionado listas de sábios ou conselheiros, um para cada rei antes e depois do Dilúvio. Isso levantou vários aspectos importantes sobre a cultura e a espiritualidade da raça humana, algo muito parecido com as anotações relacionadas à linhagem de Caim em Gênesis 4.17-24 (e Enoque em 5.24). A semelhança entre alguns nomes dessas figuras anteriores ao Dilúvio e os reis correspondentes levaram alguns a observar a mesma característica nas genealogias de Caim e Sete (Gn 5), por exemplo, no que se refere a Enoque e Lameque. Contudo, as listas de Gênesis não são apresentadas como listas régias; alguns aspectos de sua forma diferem das listas dos reis e de outras genealogias conhecidas do antigo Oriente Médio, e os nomes comuns são idênticos tanto na escrita (não encontrados nas listas de sábios e reis), além de dispostos em ordem sequencial diferente. Na verdade, uma figura como Lameque parece ter uma função especial, tal que o seu nome é literalmente uma "dobradiça" em ambas as genealogias. As genealogias de Gênesis também estão encaixadas e funcionam como recurso de estruturação para os grandes relatos, ao contrário das listas de reis extrabíblicas.

As genealogias sacerdotais egípcias foram comparadas às das famílias sacerdotais de 1Crônicas 6.1- -15,50-53; 9.11-13. O "catálogo de mulheres" pseudo-hesiódico foi comparado à tábua das nações, mas o caráter fragmentário do primeiro e a forte tendência grega nos fazem refletir. Por último, algumas listas de reis (lista de necrotérios de Ugarite, Hamurábi e Egito) aparecem como parte de rituais para honrar os mortos, algo não encontrado nas genealogias bíblicas. Estas representam constantemente o interesse dos livros bíblicos dos quais elas fazem parte.

Primeiro e 2Crônicas mencionam diversos instrumentos musicais. Nesta figura mulheres egípcias são retratadas tocando alaúde e oboé.

O reinado (ou fracasso do reinado de Saul (1Cr 10)

Esse relato bastante breve sobre Saul omite muitos dados de sua vida e registra apenas a sua morte. É curioso que nesse capítulo ele não foi chamado propriamente de rei nem se diz que ele tenha reinado. Aparentemente, para o cronista o primeiro rei de verdade foi Davi.

O reinado de Davi (1Cr 11—29)

Primeiro Crônicas 11 começa a história do reinado de Davi sem citar suas lutas com Saul nem sua pitoresca ascensão ao poder; mas, assim mesmo, ressalta a bênção e a providência de Deus em seu reinado. De acordo com o foco no templo, inclui-se o relato da conquista de Davi de Jerusalém (11.4-9). Os comentários e as listas dessa seção ressaltam o ponto de vista de que todo o Israel apoiava Davi como rei.

Em 1Crônicas 13—16, Davi traz a arca para Jerusalém e organiza a nação para adorar e louvar a Deus. Como em 2Samuel 6.1-7, um homem chamado Uzá é morto ao tocar na arca, na tentativa de firmá-la (1Cr 13.9,10). Entretanto, neste texto a história explica que isso aconteceu porque Davi não estava transportando a arca de maneira correta. Em 15.11-15, os levitas informaram Davi do procedimento correto (eles deveriam carregá-la usando as varas). Só depois que Davi segue o procedimento correto dos levitas, o cortejo é bem-sucedido. Como parte do tema sobre o culto, esta seção registra diversos trechos do livro de Salmos. Primeiro Crônicas 16.8-36 baseia-se em Salmos 96.1-13; 105.1-15; 106.1, 47,48. Esses salmos ressaltam o livramento de Israel pelo Senhor, em especial quando Israel era pequeno e fraco. Essas palavras teriam sido muito encorajadoras para o público pós-exílico pequeno e que passava por dificuldades como as de 1 e 2Crônicas.

Primeiro Crônicas 17 relata a palavra de Deus ao profeta Natã, que estabelece a aliança davídica. Nessa aliança (também em 2Sm 7), Deus promete construir uma "casa" (i.e., dinastia) para Davi e estabelecer um descendente de Davi sobre o trono para sempre. A promessa deu esperança ao público posterior ao Exílio de 1 e 2Crônicas, que estava sob o domínio persa. Além disso, criou a expectativa messiânica que se cumpriu na vinda de Jesus.

Em 1Crônicas 18—29, Davi derrota os inimigos de Israel (18.1—20.8) e depois organiza seu império, dando ênfase à extensa preparação para a construção e operação do templo (22.2—29.25). A estranha história do recenseamento promovido por Davi é contada outra vez (1Cr 21.1—22.1; cf. 2Sm 24.1-17), envolvendo, porém, Satanás como o incitador de Davi para realizar o infeliz censo (21.1). A ênfase do relato de 1Crônicas 21.1—22.1, entretanto, encontra-se no altar que Davi construiu na eira comprada de um homem chamado Araúna (21.14-30), pois esse é o local da construção do templo.

O reinado de Salomão (2Cr 1—9)

A descrição do reinado de Salomão gira em torno dos dois temas centrais de 1 e 2Crônicas: a adoração no templo e o cumprimento da aliança de Davi. Essa seção apresenta Salomão como o cumprimento imediato (ainda que parcial) da aliança davídica. Ela também dá ênfase ao majestoso templo construído por Salomão. Como em 1Reis 9, o Senhor aparece a Salomão depois da dedicação do templo e o exorta a ser obediente. Mas Deus parece olhar para o futuro, reconhece a transgressão futura da aliança pelos israelitas e mesmo assim promete por causa de sua bondade que "se o meu povo, que se chama pelo meu nome, se humilhar e orar, buscar a minha face e se afastar dos seus maus caminhos, dos céus o ouvirei, perdoarei o seu pecado e curarei a sua terra" (2Cr 7.14). Este versículo em particular seria extremamente apropriado ao público pós-exílico originário de 1 e 2Crônicas.

O reinado do restante dos reis de Judá (2Cr 10—36)

Conforme a menção anterior, essa parte de 2Crônicas difere do relato de 2Reis pelo fato de Crônicas só relacionar o reinado dos reis de Judá e omitir os reis de Israel. Além disso, vários reis são retratados sob uma perspectiva mais favorável em 2Crônicas que em 2Reis, pois alguns até se arrependem do mal praticado (Manassés, p. ex.; 2Cr 33.10-16). Outra diferença é que, em conformidade com o tema geral de 1 e 2Crônicas, os reis nessa unidade não raro são avaliados à luz de como se relacionaram com o templo.

✢ O edito de Ciro citado no fim de 2Crônicas é mencionado outra vez (de maneira mais completa) no início de Esdras, o livro seguinte (Ed 1.2-4), como uma forma de unir os dois livros.

Por fim, 2Reis termina com a destruição de Jerusalém e o Exílio, ao passo que 2Crônicas chega ao fim com o decreto de Ciro, que permitiu aos exilados hebreus retornar a Judá e reconstruir o templo (2Cr 36.22,23).

Como aplicar 1 e 2Crônicas à nossa vida hoje

Os livros de 1 e 2Crônicas nos ensinam que, mesmo quando nos encontramos em uma situação difícil, devemos nos apegar às promessas de Deus e continuar a adorá-lo de todo o coração. No entanto, se nos atrapalharmos e pecarmos, então devemos nos humilhar e nos arrepender. Devemos então buscar o perdão de Deus e continuar com a vida, deixando o passado de pecado para trás.

Nosso versículo favorito de 1 e 2Crônicas

Se o meu povo, que se chama pelo meu nome, se humilhar e orar, buscar a minha face e se afastar dos seus maus caminhos, dos céus o ouvirei, perdoarei o seu pecado e curarei a sua terra. (2Cr 7.14)

A inscrição de Siloé. Em preparação para a invasão da Assíria, o rei Ezequias de Judá construiu um túnel para manter o abastecimento de água de sua fortaleza em Jerusalém. Nesta pedra (retirada do túnel) uma inscrição rasa descreve a construção do túnel.

✚ É curioso que o texto de 2Crônicas 36.23 termine no meio da sentença: "que suba". Nos primeiros versículos de Esdras, a sentença é completada: "Suba a Jerusalém de Judá e edifique a Casa do SENHOR, Deus de Israel" (Ed 1.3, *ARA*).

- Gênesis
- Êxodo
- Levítico
- Números
- Deuteronômio
- Josué
- Juízes
- Rute
- 1Samuel
- 2Samuel
- 1Reis
- 2Reis
- 1Crônicas
- 2Crônicas
- **Esdras**
- Neemias
- Ester
- Jó
- Salmos
- Provérbios
- Eclesiastes
- Cântico dos Cânticos
- Isaías
- Jeremias
- Lamentações
- Ezequiel
- Daniel
- Oseias
- Joel
- Amós
- Obadias
- Jonas
- Miqueias
- Naum
- Habacuque
- Sofonias
- Ageu
- Zacarias
- Malaquias

Esdras

O reerguimento do templo e do povo de Deus

Como sabemos por experiência, é mais fácil destruir que consertar, e é mais fácil derrubar algo que reerguê-lo. O livro de Esdras trata de como consertar as coisas — a reconstrução do templo (destruído pelos babilônios em 587/586 a.C.) e o reerguimento da nação de Israel (destruída emocional e teologicamente, e exilada da terra pelos babilônios). Esdras trata do caminho comprido e difícil da reconstrução e de como a mão de Deus estava agindo para realizar essa restauração de acordo com seu plano.

Qual é o contexto de Esdras?

O fim da história iniciada em Êxodo e que se estendeu até 2Reis é lamentável, porém clara. Deus libertou Israel do Egito e o levou à maravilhosa terra prometida. Ele lhes entregou a aliança mosaica (Êxodo—Deuteronômio) e lhes disse que, se permanecessem fiéis a ele e guardassem seus mandamentos, seriam felizes para sempre na terra prometida, tendo o próprio Deus a viver em seu meio. Deus, porém, lhes disse que, caso não os cumprissem (Dt 28), eles seriam banidos da terra e privados das bênçãos. Começando em Juízes e culminando em 2Reis, a trágica história de Israel mostra como eles não permaneceram fiéis a Deus e como nem chegaram perto de guardar os mandamentos dele (principalmente os de Deuteronômio). Mais tarde, a paciência de Deus se esgota e o juízo vem (como foi predito com clareza em Deuteronômio). Jerusalém é destruída e o povo é levado cativo para a Babilônia (587/586 a.C.). Esse é o trágico fim da história de 2Reis.

O livro de Esdras dá continuidade a essa história a partir de 538 a.C. Ciro, rei da Pérsia, subjugou os babilônios e passou a controlar a região em que viviam os israelitas exilados, como também sua terra destruída. De imediato ele promulga um decreto permitindo o retorno dos israelitas à terra de origem e a reconstrução do templo. Esdras 1—6 conta a história do primeiro grupo de exilados que retornou a Jerusalém, comandado por um homem chamado Zorobabel, e sobre a luta deles para a reconstrução do templo. Tudo isso acontece entre 538 e 515 a.C. O tempo passa e em 458 a.C. Esdras aparece na história, trazendo com ele o segundo grupo de exilados (Ed 7—10). Os acontecimentos do livro de Neemias, intimamente ligados à história de Esdras, começam em 445 a.C. e descrevem o retorno à terra do terceiro grupo de exilados hebreus.

Por todo o livro de Esdras (e Neemias), a história lembra repetida e claramente o leitor de que Israel está sob o domínio persa. É uma lembrança constante de que um rei descendente de Davi não ocupa o trono em Jerusalém. Desse modo, o período maravilhoso de restauração prometida pelos profetas permanece no futuro.

Os manuscritos mais antigos, tanto hebraicos quanto gregos (a *Septuaginta*), apresentam Esdras e Neemias como um único livro, mostrando que provavelmente foram compostos na origem

Tabuinha de argila contendo uma lista dos títulos e conquistas de Dario, o Grande (521-486 a.C.).

como um só livro. Nossas versões bíblicas em português o separam em dois livros, acompanhando a tradição da *Vulgata*, seguida por Wycliffe quando da primeira tradução inglesa da Bíblia. O autor de Esdras-Neemias não é mencionado, mas o próprio Esdras é o mais provável candidato.

Esdras e Neemias estão incluídos nos Livros Históricos, mas fazem parte da seção chamada de "história cronista" (1 e 2Crônicas, Esdras, Neemias, Ester). Assim, Esdras-Neemias está intimamente ligado a 1 e 2Crônicas. Na verdade, o fim de 2Crônicas (36.23) é uma citação parcial do decreto de Ciro, e Esdras 1.2-4 cita o mesmo decreto com exatamente as mesmas palavras, porém completa com um importante versículo. Em 2Crônicas 36.23, o versículo termina com "que suba" (*ARA*). Esdras 1.3 termina a sentença: "Suba a Jerusalém de Judá e edifique a Casa do SENHOR, Deus de Israel". Desse modo, Esdras retoma o fim da história narrada em 2Crônicas e rapidamente introduz um dos principais temas do livro — o retorno a Jerusalém a fim de reconstruir o templo.

Quais são os temas centrais de Esdras?

Há dois temas centrais em Esdras: a reconstrução do templo e a reorganização do povo de Deus. Posteriormente, Neemias acrescentará o terceiro tema: a reconstrução dos muros de Jerusalém. Depois da destruição de Jerusalém e do Exílio, o retorno dos judeus a Jerusalém e a reconstrução do templo são verdadeiros milagres. De fato, os profetas tinham anunciado que, depois do juízo, haveria uma restauração gloriosa de Israel de volta à terra. Talvez fosse isso!

Entretanto, tanto Esdras quanto Neemias e os profetas pós-exílicos Ageu, Zacarias e Malaquias dão a sóbria resposta: "não". Esse retorno não era a restauração maravilhosa e gloriosa prometida pelos profetas. A própria presença contínua do poder monárquico da Pérsia em toda a história de Esdras e Neemias representa uma lembrança concreta de que Israel está definitivamente sem o rei descendente de Davi sobre o trono e não governa as nações gentílicas (como os profetas predisseram). Além disso, a presença de Deus está visivelmente omitida no relato de Esdras da reconstrução do templo. O Senhor não vem para encher o templo com sua presença como o fez no caso do tabernáculo de Êxodo 40.34-38 e do templo de Salomão em 1Reis 8.10,11; assim, a gloriosa restauração ainda está por vir.

Então, o que está acontecendo em Esdras? Deus está preparando o campo para a vinda do Messias. Para que o rei e libertador, descendente de Davi, surgisse de Israel, a nação precisava permanecer intacta e preservar a

✠ Esdras 1.3 conclui a sentença não terminada do final de 2Crônicas 36.23, relacionando de modo bem próximo os dois livros.

identidade nacional. Então, Deus preserva a nação, ainda que de forma remanescente. Enquanto isso, ao aguardar a grandiosa restauração, os judeus que regressaram à terra prometida deveriam continuar adorando o Deus de seus antepassados. Só mediante a fidelidade ao Senhor em adoração e obediência a seus mandamentos eles serão capazes de manter o foco na esperança messiânica futura e no cumprimento das alianças feitas com Davi e Abraão. Por fim, ainda que o restabelecimento de Israel descrito em Esdras e Neemias estivesse aquém da gloriosa restauração prometida pelos profetas, não deixa de ser um começo muito importante. Representa uma lembrança de que Deus não abandonou seu povo e de que ele dá continuidade ao plano de cumprir suas promessas.

O esboço de Esdras reflete os dois momentos abrangidos pelo livro como os dois temas principais:

- A reconstrução do templo (1—6) (538-515 a.C.)
- A reorganização do povo de Deus (7—10) (445 a.C.)

Quais são os aspectos interessantes e singulares de Esdras?

- Esdras é um sacerdote e mestre da lei.
- Diversos reis persas são mencionados no livro de Esdras.
- Curiosamente, o templo é reconstruído, porém não há nenhuma menção do retorno da presença de Deus ao templo.
- O livro de Esdras está ligado de forma íntima tanto a 1 e 2Crônicas quanto a Neemias.
- Deus pode ser visto agindo nos bastidores do livro de Esdras, mas ele não realiza nenhuma obra impressionante, milagres públicos, como nos dias de Moisés ou Elias e Eliseu.
- Um dos principais problemas enfrentados por Esdras foi o casamento de israelitas com os cultuadores de deuses pagãos.

Qual é a mensagem de Esdras?

A reconstrução do templo (1—6) (538-515 a.C.)

O livro de Esdras começa com o reinado de Ciro, o rei da Pérsia, e com seu decreto que permitiu aos judeus voltar para sua terra (538 a.C.). Esdras ressalta

O Império Persa na época de Esdras/Neemias

Extensão aproximada do Império Persa no final do século VI a.C.

que o decreto de Ciro cumpriu a palavra anunciada pelo profeta Jeremias. Esdras provavelmente se refere à profecia de Jeremias de que Israel retornaria depois de setenta anos de cativeiro (v. Jr 25.10-12; 29.10). Esdras também demonstra com clareza que Deus moveu o coração de Ciro para promulgar esse decreto. Esdras 1.5 declara que Deus moveu o coração dos chefes de famílias de Benjamim e Judá, junto com os sacerdotes, para aproveitar o decreto de Ciro e retornar à terra natal. Esdras 1.6-11 descreve como eles se prepararam para a obra, levando consigo prata e ouro para serem usados na reconstrução do templo. Esdras 2 é um registro de todos os que retornaram.

Em Esdras 3, os israelitas retornam e reconstroem de modo obediente o altar, oferecendo nele sacrifícios de acordo com a Lei de Moisés (em contraste com a desobediência dos israelitas antes do Exílio). Um líder chamado Zorobabel chega e logo organiza os israelitas, e começa a reconstrução do templo lançando seus fundamentos (3.7-11). Contudo, o conjunto dos exilados não tem a menor possibilidade de igualar os recursos alocados por

✚ Isaías profetizou que o rei Ciro da Pérsia seria aquele que permitiria a Israel retornar à terra e reconstruir de Jerusalém e o templo (Is 44.28).

Os reis persas
Doug Nykolaishen

Quando Ciro II assumiu o controle da cidade da Babilônia em 539 a.C., o Império Babilônico passou para o domínio dos persas. De certo modo, os persas continuaram as práticas de seus antecessores, assírios e babilônios. Eles expandiram o império até se estender desde a Índia até a Grécia, exigindo que seus súditos pagassem uma alta quantidade de tributos. Mesmo a prática de permitir que alguns de seus súditos exilados retornassem à terra de origem, o que contribuiu para a fama de Ciro, foi usada pelos assírios e babilônios antes dele.

Os reis persas estavam comprometidos a fazer qualquer coisa que demonstrasse o fortalecimento de seu domínio. Por exemplo, eles queriam que seus súditos acreditassem que o domínio persa tinha sido divinamente constituído. Antigamente, quem reconstruísse um templo destruído estava afirmando, como consequência, ter sido escolhido pela divindade ligada ao templo para governar o povo que a cultuava. Ciro fez isso em 2Crônicas 36 e Esdras 1. Seu objetivo era afirmar que o Senhor Deus de Israel o havia escolhido para governar os judeus. Dario também fez algo parecido (Ed 6). Além disso, a reconstrução de áreas remotas sempre foi uma importante estratégia militar, o que provavelmente constituiu a razão de Artaxerxes decidir permitir que Neemias reconstruísse os muros em torno de Jerusalém (Ne 2). Naturalmente, os reis estavam sempre atentos para encontrar indivíduos que pudessem contribuir para o bem-estar do império e expandir a segurança da Pérsia. Esses motivos estão amplamente demonstrados em Daniel 6 e no livro de Ester.

Em comparação com os feitos dos reis assírios e babilônios registrados no AT, que costumavam provocar o sofrimento e a destruição de Israel ou Judá, os feitos dos reis da Pérsia pareciam ajudá-los. Isso pode dar a impressão de que os autores bíblicos vissem os monarcas persas como benevolentes e talvez estivessem satisfeitos em permanecer sob seu governo. Entretanto, os feitos desses reis registrados na Bíblia foram, na verdade, parte da tentativa de consolidar o poder político e obter a simpatia dos súditos. Os israelitas não foram a única nação a se beneficiar com essa estratégia, e a maioria dos súditos dos persas entendeu os objetivos do imperador. Na verdade, não era incomum esse tipo de tratamento favorável estendido aos israelitas e a outras nações se reverter bruscamente caso o rei persa entendesse que isso seria para seu benefício. Portanto, os autores de Crônicas, Esdras, Neemias, Ester, Isaías e Daniel não quiseram retratar os reis persas como adoradores sinceros do Senhor ou como particularmente amistosos em relação a Israel, nem desejavam que seus leitores ficassem com essa impressão. Antes, eles se maravilharam com a forma com que o Senhor soberano usava as estratégias políticas desses poderosos reis para concretizar a restauração prometida desse povo do Exílio.

O cilindro de Ciro descreve como Ciro conquistou a Babilônia e depois permitiu às nações exiladas na Babilônia retornarem a seu país.

Salomão ao templo; por isso, o templo reconstruído por eles não passou de uma sombra maltrapilha do templo de Salomão, já evidente pelo tamanho dos alicerces. Desse modo, a reconstrução dos alicerces provoca a reação ambígua das pessoas — alegria por ter sido de fato iniciada a reconstrução do templo e tristeza porque sua capacidade de reconstruir não chega perto do templo original construído por Salomão (3.11-13).

Em Esdras 4.1, inicia-se a oposição à reconstrução de Jerusalém e do templo de Israel, continuada por todo o livro de Esdras até o fim de Neemias. Surgem intrigas, artimanhas e manobras políticas quando adversários locais tentam convencer os reis persas a se posicionarem contra a reconstrução de Jerusalém e do templo. Conforme menção anterior, Esdras 1—6 contém o registro histórico de acontecimentos que se deram entre 538 e 515 a.C. No entanto, Esdras 4.6-23 intercala a narrativa com a apresentação de correspondência entre adversários posteriores dos judeus e o rei Artaxerxes, que reinou muito mais tarde (465-424 a.C.). A situação desoladora provocada pela carta de Artaxerxes registrada em Esdras 4.18-23 é o contexto da introdução de Neemias 1. Esdras, aparentemente, inclui essa história do período posterior por estar relacionada com o tema da oposição.

Esdras 5—6 retorna ao período de 518 a.C. Uma carta é enviada a Dario, que reinava sobre a Pérsia, questionando a permissão para a reconstrução de Jerusalém e do templo. Dario consulta os arquivos e descobre o decreto de Ciro, permitindo assim que os judeus terminem o templo. Finaliza-se em 6.14,15 a reconstrução do templo e é realizado um culto de dedicação (6.16-18), seguido da celebração da Páscoa (6.19-22). Deus está claramente em ação, movendo o coração de monarcas persas pagãos para permitir os judeus a reconstruir o templo. Mas não há menção da presença de Deus voltando ao templo, omissão muito evidente e altamente significativa. Os judeus estão de volta à terra e o templo é reconstruído, mas as coisas não estavam como antes. Tudo mudou bastante. A presença de Deus não se encontrava mais no templo e não há um rei descendente de Davi sobre o trono (os persas reinam sobre Jerusalém).

A reorganização do povo de Deus (7—10) (445 a.C.)

Esdras 6 termina com o relato histórico de Esdras sobre o primeiro grupo de exilados judeus que retornou a Jerusalém e reconstruiu o templo. Esses acontecimentos se deram entre 538 e 515 a.C. Em Esdras 7, a história pula para o período de Esdras. Agora é o ano de 458 a.C., e Esdras é uma das personagens da história.

Esdras viaja da Babilônia a Jerusalém acompanhado de um grupo significativo de israelitas (levitas, cantores, servidores do templo etc.). Ele é um sacerdote, mas sua especialidade é a Lei de Moisés (7.1-10). Esdras chega

Um rei persa, Dario, o Grande, ou Xerxes, assentado em seu trono, com o príncipe herdeiro a seu lado.

com a carta de forte apoio do rei Artaxerxes da Pérsia (7.11-26). Entretanto, a história deixa claro que, na verdade, Deus está por trás desses acontecimentos e é quem apoia Esdras. Há várias referências em Esdras 7—8 à "mão do SENHOR" ou expressões parecidas como "a boa mão do meu Deus", mostrando o envolvimento ativo de Deus, ainda que nos bastidores (7.6,9,28; 8.18,22,31).

Esdras 8 conta a história da viagem deles da Babilônia a Jerusalém. Eles carregam muito ouro e prata, mas Esdras não quer pedir ao rei a proteção de soldados. Antes, eles buscam a proteção de Deus para a viagem e chegam em segurança (8.21,22).

Ao chegar lá, o principal problema encontrado por Esdras foi que muitos judeus residentes em Judá e Jerusalém tinham se casado com estrangeiras incrédulas. Esse era um problema grave e é o foco de Esdras 9—10, como o de Neemias 13.23-27. Tenha em mente o importante contexto dessa questão. No período da conquista, quando Israel estava entrando na terra prometida, Deus ordenou de forma específica que os israelitas não se casassem com os cananeus nem com nenhum outro habitante da terra porque esse tipo de casamento os faria desviar de Deus e voltar-se à idolatria. Isso não dizia respeito à questão racial ou étnica. Casamentos inter-raciais e interétnicos eram permitidos, mas somente com os de fora da terra (Dt 21.10-14; Nm 12.1). A questão era teológica, não racial. Entretanto, depois de os israelitas se mudarem para Canaã, eles transgrediram repetidamente a proibição do casamento com os cananeus (Jz 3.5,6). A questão teológica sobre o casamento com quem adorava ídolos também foi explicitamente demonstrada na história de Salomão, cujas esposas o fizeram desviar do Senhor para cultuar os ídolos (1Rs 11.4-6). Tanto Esdras quanto Neemias sabiam que o juízo sobre Jerusalém e o terrível exílio na Babilônia foram consequências da apostasia de Israel, pois o povo abandonou a Deus e se voltou ao culto pagão; uma das causas subjacentes foi o casamento com adoradores de ídolos. Por isso, ambos se opõem de maneira categórica a essa prática. Quando Esdras fica sabendo disso, ele rasga as vestes, arranca o cabelo da cabeça e da barba e se assenta, assustado (9.3). Então, ele faz uma longa oração de confissão e intercessão a favor dos israelitas (9.5-15) e depois convence o povo a se separar dessas esposas estrangeiras incrédulas

✦ Os livros de Esdras e Neemias estão intimamente ligados; eles foram originariamente compostos como um único livro.

e confessar seu pecado (10.1-17). O livro de Esdras termina de maneira um tanto desairosa com uma lista dos que haviam se casado com estrangeiras.

Lembre-se de que Esdras e Neemias foram originariamente compostos como um único livro. Então, a questão do casamento com as mulheres estrangeiras de Esdras 9—10 está imediatamente relacionada com a situação de que Neemias tem notícias no capítulo 1 — a situação não está bem em Jerusalém, e sim em declínio.

Como aplicar Esdras à nossa vida hoje

O livro de Esdras nos ensina que Deus é soberano e está no controle, ainda que nem sempre percebamos sua ação direta nos acontecimentos. Muitas vezes, Deus age de maneira mansa (pelo menos nos parece assim) e nos bastidores, mas ele tem seus planos e segue seu programa de acordo com o seu tempo, não o nosso. Nossa tarefa é confiar nele e continuar a adorá-lo.

Identificamo-nos com o livro de Esdras porque nele Deus não age de modo direto ao realizar milagres espetaculares (como o fez, p. ex., em Êxodo ou em 1 e 2Reis). Então, o modo de Deus agir em Esdras é mais parecido com sua atuação em nossa vida (com algumas exceções). Em Êxodo, o povo vê a glória de Deus manifesta por meio de milagres espetaculares (as pragas, a divisão do mar Vermelho) e mediante a sua presença (a nuvem, o fogo e a fumaça sobre o monte Sinai). Em Esdras, as manifestações são diferentes. Por exemplo, em Esdras 1.5 o texto declara que "todos aqueles cujo coração Deus despertou" retornaram a Jerusalém. Isso é muito parecido com o modo de Deus normalmente agir em nossa vida hoje.

Relacionada a isso está a realidade de que fazer a vontade de Deus e promover seu reino na terra pode ser frustrante e desafiador. Essa foi a realidade dos líderes de Israel do livro de Esdras, e é algo verdadeiro para nós hoje. Os líderes devem se apegar à Palavra de Deus e suas promessas. Na verdade, Esdras nos lembra de quão importante a Palavra de Deus é e quão importante é que a conheçamos e compreendamos, em especial quando assumimos responsabilidades difíceis e desafiadoras.

Nosso versículo favorito de Esdras

A mão bondosa de nosso Deus está sobre todos os que o buscam, mas o seu poder e a sua ira são contra todos os que o abandonam. (Ed 8.22)

Frisos de grifo (animais fabulosos) enfeitam as paredes do palácio persa em Susã.

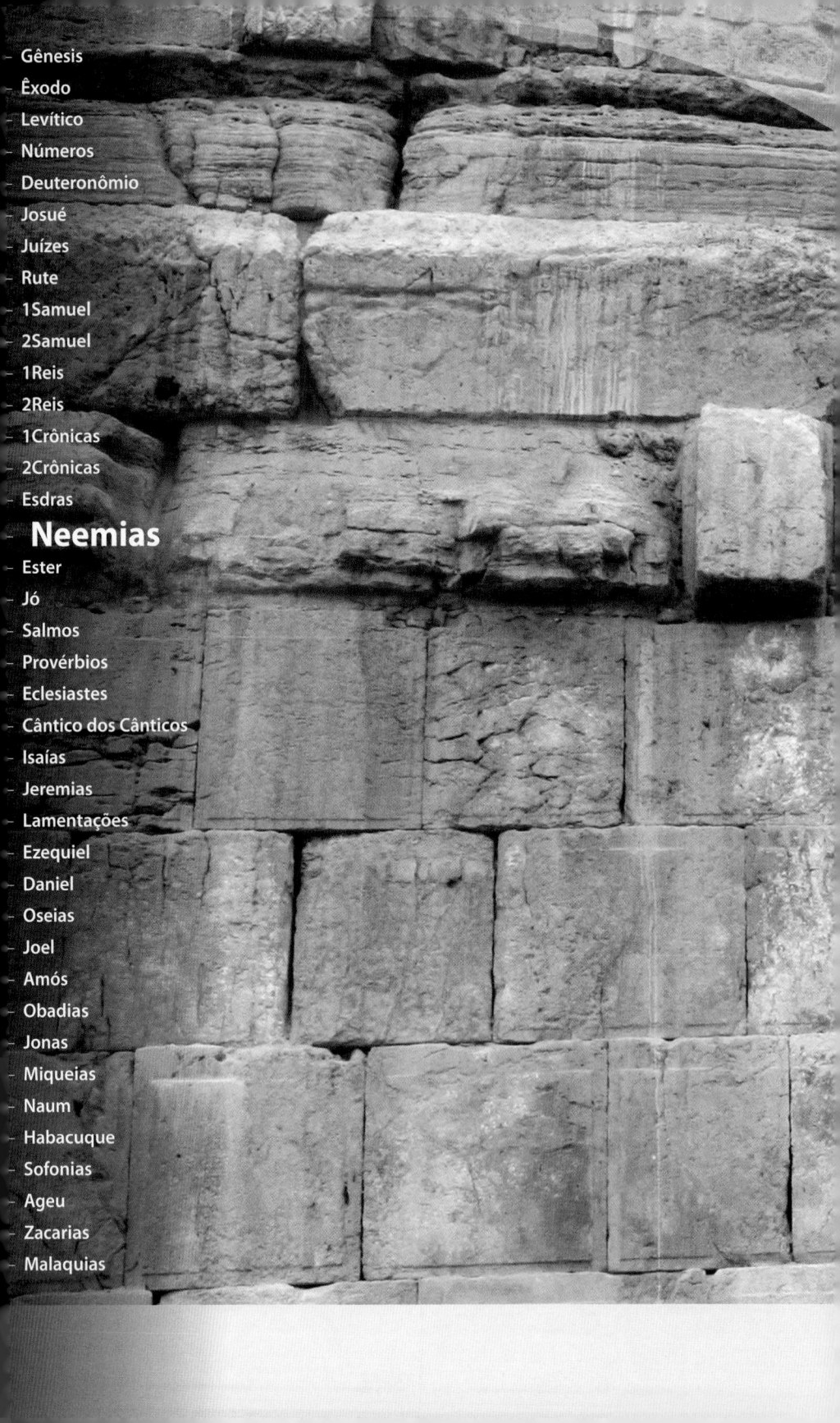

- Gênesis
- Êxodo
- Levítico
- Números
- Deuteronômio
- Josué
- Juízes
- Rute
- 1Samuel
- 2Samuel
- 1Reis
- 2Reis
- 1Crônicas
- 2Crônicas
- Esdras
- **Neemias**
- Ester
- Jó
- Salmos
- Provérbios
- Eclesiastes
- Cântico dos Cânticos
- Isaías
- Jeremias
- Lamentações
- Ezequiel
- Daniel
- Oseias
- Joel
- Amós
- Obadias
- Jonas
- Miqueias
- Naum
- Habacuque
- Sofonias
- Ageu
- Zacarias
- Malaquias

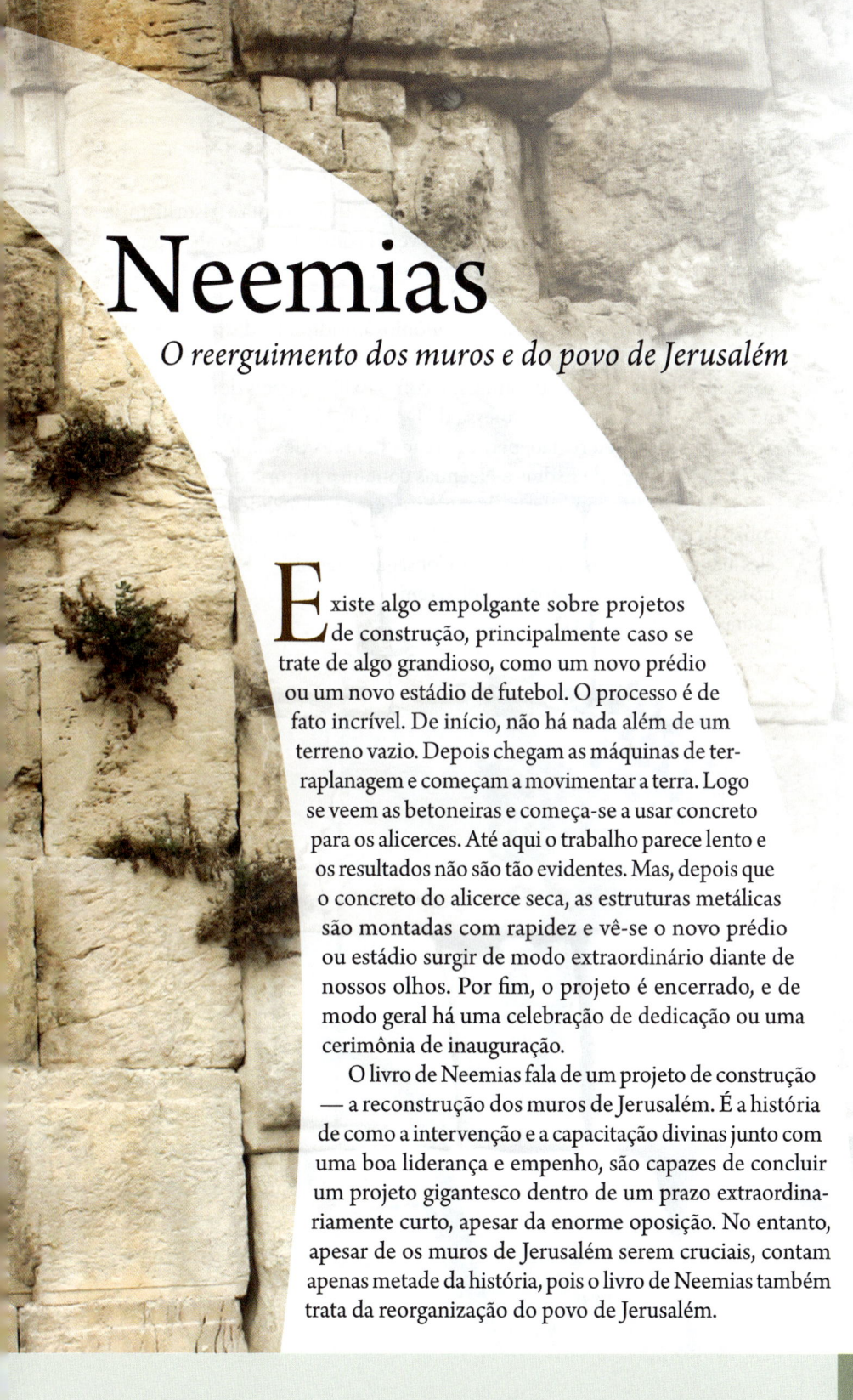

Neemias
O reerguimento dos muros e do povo de Jerusalém

Existe algo empolgante sobre projetos de construção, principalmente caso se trate de algo grandioso, como um novo prédio ou um novo estádio de futebol. O processo é de fato incrível. De início, não há nada além de um terreno vazio. Depois chegam as máquinas de terraplanagem e começam a movimentar a terra. Logo se veem as betoneiras e começa-se a usar concreto para os alicerces. Até aqui o trabalho parece lento e os resultados não são tão evidentes. Mas, depois que o concreto do alicerce seca, as estruturas metálicas são montadas com rapidez e vê-se o novo prédio ou estádio surgir de modo extraordinário diante de nossos olhos. Por fim, o projeto é encerrado, e de modo geral há uma celebração de dedicação ou uma cerimônia de inauguração.

O livro de Neemias fala de um projeto de construção — a reconstrução dos muros de Jerusalém. É a história de como a intervenção e a capacitação divinas junto com uma boa liderança e empenho, são capazes de concluir um projeto gigantesco dentro de um prazo extraordinariamente curto, apesar da enorme oposição. No entanto, apesar de os muros de Jerusalém serem cruciais, contam apenas metade da história, pois o livro de Neemias também trata da reorganização do povo de Jerusalém.

Qual é o contexto de Neemias?

A história baseada em Deuteronômio (Josué a 2Reis) conta a triste história sobre como Israel se rebelou repetidas vezes contra Deus e o abandonou, adotando a idolatria. Por fim, de acordo com constantes advertências da parte dos profetas, veio o castigo, e Israel perdeu o direito de viver na terra prometida. Em 587/586 a.C., os babilônios invadiram e destruíram Jerusalém. Eles também juntaram a maioria dos habitantes e os forçaram a ir para a Babilônia. Isso ficou conhecido como Exílio. Depois de setenta anos no exílio, para cumprir a promessa de Deus (Jr 25.12-14), os persas, que agora dominavam a região, permitem aos hebreus desolados o retorno a seu país. Os livros de Esdras e Neemias contam a história do retorno.

Os judeus retornam a Jerusalém em três grupos. Um líder chamado Zorobabel conduz o primeiro grupo em 538 a.C. Durante os vinte anos seguintes, eles lutam para reconstruir o templo. Conseguem terminá-lo em 515 a.C. Essa história é contada em Esdras 1—6. Em 458 a.C.,

Esdras, um sacerdote e mestre da lei, lidera outro grupo de judeus da Pérsia de volta a Jerusalém e, em seguida, tenta reorganizar os judeus de Jerusalém para poder cultuar a Deus de forma correta (Ed 7—10). Neemias, nomeado governador de Judá pelos persas, leva o terceiro grupo em 445 a.C. com o principal objetivo de reconstruir os muros de Jerusalém (Ne 1—7). Assim como Esdras, Neemias sabe que a obediência a Deus é a coisa mais importante, por isso ele também se envolve no incentivo de que o povo se mantenha fiel no culto e na obediência cotidiana a Deus. Esses dois líderes impressionantes, Esdras e Neemias, representam uma jogada ensaiada no trabalho de reconstrução de Jerusalém e Judá das suas ruínas.

Originariamente, os livros de Esdras e Neemias formavam um único livro. Todos os manuscritos hebraicos antigos e as traduções gregas (*Septuaginta*) têm Esdras e Neemias em um único livro. Somente mais tarde, na história da tradução da Bíblia, eles foram separados em dois. O autor de Esdras/Neemias não é identificado. Ambos os livros relatam parte da história na primeira pessoa (eu, me, nos etc.), mas o uso do pronome pessoal da primeira pessoa no AT não significa necessariamente uma autobiografia. É possível que Neemias tenha escrito Esdras/Neemias, mas é mais provável que Esdras tenha escrito (Esdras é descrito como um sacerdote e escriba, hábil na leitura e interpretação da Lei de Moisés; Ed 7.6,10,11; Ne 8.1-3,9,13).

Quais são os temas centrais de Neemias?

O livro de Neemias relata a extraordinária história de como Jerusalém foi restabelecida no período pós-exílico. Em primeiro lugar, apesar da forte oposição dos inimigos dos judeus, Neemias, o novo governador, reconstrói os muros de Jerusalém, oferecendo assim um meio de a cidade se defender e permitir que ela se restabelecesse como uma entidade política viável. O livro de Esdras enfatiza o reerguimento do templo. Com a reconstrução do templo (Esdras) e a reconstrução dos muros da cidade (Neemias), os elementos físicos estão resolvidos para a reorganização do povo. Reorganizar o povo em torno do verdadeiro culto a Deus provavelmente foi o objetivo final tanto de Esdras quanto de Neemias; o templo e os muros foram apenas parte dos meios para alcançar esse objetivo. Desse modo, a segunda metade de Neemias ressalta seus esforços de tratar de problemas internos e fazer que os judeus que estavam de volta em Judá seguissem e obedecessem a Deus com fidelidade. Talvez a reorganização da nação fosse mais difícil que a reconstrução dos muros ou do templo. Tanto Esdras quanto Neemias lutam com isso, e o livro de Neemias termina no ponto em que o veredicto da fidelidade do povo a alinhar Deus sem a vigilância constante de Neemias ainda está por acontecer.

Parede de pedra em relevo de soldados persas do palácio persa de Susã.

✚ O livro de Neemias dá continuidade à história do livro de Esdras.

A história de Neemias pode ser esboçada da seguinte maneira:

- Reconstrução dos muros de Jerusalém (1.1—7.3)
  - Oração e preparação (1.1—2.9)
  - Início da reconstrução, apesar da oposição regional (2.10—3.32)
  - Mais oposição e reação (4.1-23)
  - Problemas internos (5.1-19)
  - Tentativa frustrada de intimidar Neemias (6.1-14)
  - O término dos muros (6.15—7.3)
- Reorganização da nação de Israel (7.4—12.26)
  - A relação dos que retornaram (7.4-73)
  - Ouvindo e compreendendo a Lei (8.1-18)
  - Confissão de pecados (9.1-37)
  - Os líderes e o povo prometem guardar a Lei (9.38—10.39)
  - Os novos moradores de Jerusalém (11.1—12.26)
- Dedicação dos muros (12.27-47)
- Desobediência do povo: A obra de Neemias foi toda em vão? (13.1-31)

Quais são os aspectos interessantes e singulares de Neemias?

- A corrida para a reconstrução dos muros antes que os inimigos de Israel se mobilizassem e atacassem Jerusalém é uma história empolgante e de grande suspense.
- Neemias nos oferece um ótimo modelo de liderança.

Um homem persa (ou medo) rico, porém desconhecido, vestindo o que talvez fosse a roupa formal e típica da corte persa.

Fortalezas do Antigo Testamento

Boyd Seevers

Os textos bíblicos e as descobertas arqueológicas nos contam sobre fortalezas que protegiam cidades no período do AT. Grandes cidades fortificadas eram normalmente construídas sobre *tels* — montes que ofereciam defesa natural e se elevavam gradualmente à medida que a cidade era destruída e reconstruída muitas vezes. De modo geral, essas cidades tinham muros de proteção em volta com um ou mais portões para as pessoas entrarem e saírem da cidade. Abraão assentou-se próximo a um desses portões em Hebrom quando comprou o túmulo para sepultar Sara (Gn 23). Isso provavelmente aconteceu no Período do Bronze Médio (2000-1550 a.C.), quando muitas cidades tinham fortificações maciças, incluindo um muro em redor da cidade, portões, declive (uma rampa íngreme de terra construída abaixo do muro da cidade para protegê-la de ataques) e baluartes ou projeções do muro para ajudar em sua defesa.

O período seguinte, do Bronze Tardio (1550-1200 a.C.), testemunhou um declínio cultural generalizado, com consequências sobre as fortificações; por isso, no período em que os israelitas saíram do Egito e retornaram a Canaã, muitas cidades eram ao que parecia um tanto vulneráveis. Algumas ainda utilizavam sistemas antigos de defesa (v. Dt 1.28). A maioria tinha pouca proteção para impedir os ataques, resumindo-se muitas vezes à construção de casas em círculos de modo que suas paredes exteriores conjugadas formassem um tipo simples de muro de cidade. Essa vulnerabilidade generalizada provavelmente ajudou a conquista de Josué (v. Js 10.29-39), estendendo-se até o período dos juízes durante a Idade do Ferro I (1200-1000 a.C.).

O renascimento cultural e populacional vivido em torno do ano 1000 a.C. teve semelhante reflexo sobre as fortificações das cidades. Os arqueólogos descobriram a quina de uma edificação fortificada, talvez parte de um palácio/fortaleza de Saul em sua cidade natal, Gibeá (1Sm 10.26), ao norte de Jerusalém. Nenhuma fortificação foi associada de modo decisivo a Davi, mas aparentemente há reflexos das fortificações de Salomão em lugares estratégicos como Gezer, Megido e Hazor (1Rs 9.15) nos semelhantes portões e muros encontrados ali. Todos os portões tinham seis salas, provavelmente aposentos para os guardas ou depósitos. Eram ligados aos abrigos dos muros, feitos de paredes paralelas separadas por alguns metros, tendo paredes perpendiculares adjacentes formando salas. Essas salas eram usadas como moradias em tempo de paz (observe Raabe no muro de Jericó, Js 2.15), e em tempo de guerra eram cheias de entulho para formar um muro sólido.

O Período do Ferro II (1000-586 a.C.) testemunhou o florescimento das fortificações israelitas. As principais cidades tinham muros sólidos de até 9 metros de largura, com torres e fortalezas. Algumas cidades como Jerusalém (2Rs 20.20) e Megido também tinham sistemas de abastecimento de água impressionantes, cavados junto ao leito das pedras, possibilitando que os moradores tivessem acesso a água mesmo durante um cerco. Mas até 586 a.C. todas essas cidades foram derrotadas por conquistadores, e aquelas pessoas como Neemias que ajudaram a reconstruir essas fortificações no período pós-exílico teriam se esforçado com muito menos recursos do que nos tempos anteriores. Por isso mesmo, eles estavam reconstruindo cidades menores para populações menores.

- A história associa o sucesso de Neemias à sua boa liderança, ao seu esforço, à sua perseverança e à providência de Deus — uma combinação muito interessante.
- Durante todo o relato, Neemias ora muitas vezes.
- O desafio exterior de Neemias (os muros) foi mais fácil de enfrentar que os desafios interiores (a fidelidade do povo).

- A dedicação dos muros reconstruídos é celebrada por homens e mulheres por meio de cânticos e forte júbilo.

Qual é a mensagem de Neemias?

Reconstrução dos muros de Jerusalém (1.1—7.3)

Oração e preparação (1.1—2.9)

O contexto para a introdução de Neemias é Esdras 4.7-23, em que Artaxerxes, rei da Pérsia, mandou uma carta aos oficiais encarregados da região de Judá e Jerusalém, proibindo toda iniciativa de reconstrução de Jerusalém. Neemias, um hebreu e oficial do alto escalão do palácio do rei Artaxerxes, vivia em Susã, uma das capitais da Pérsia, quando recebeu um relato muito pessimista da situação de Jerusalém em decorrência desse decreto. Neemias leva esse problema ao Senhor, orando e jejuando durante alguns dias enquanto elaborava um plano (1.1-11). Depois de se dedicar à oração por alguns dias, Neemias se aproxima do rei Artaxerxes e pede permissão para voltar à sua terra e reconstruir Jerusalém. Lembre-se que Artaxerxes já tinha proibido qualquer atividade de reconstrução de Jerusalém (Ed 4.18-23), de modo que, ao fazer esse pedido, Neemias está sendo muito ousado. Entretanto, o rei atende ao ousado pedido e até acrescenta coisas que Neemias não teve a coragem de pedir (como uma escolta militar; 2.9—tropas persas oficiais seriam depois muito úteis a Neemias diante das dificuldades enfrentadas). Neemias atribui esse impressionante êxito à "mão de Deus".

Início da reconstrução, apesar da oposição regional (2.10—3.32)

Jerusalém, entretanto, ficava muito longe da Pérsia, e três fortes líderes regionais (Sambalate de Samaria, Tobias, o amonita, e Gesém, o árabe) ignoram a autorização de Artaxerxes trazida por Neemias e se opõem a qualquer um que tentasse restabelecer o controle de Jerusalém (2.10,19). Até então, Neemias não tinha contado a ninguém sobre seus planos de reconstruir os muros. Secretamente, à noite, ele inspecionava as ruínas dos muros (2.11-16). Reconhecendo que Deus estava por trás desse projeto, Neemias convoca os israelitas em Jerusalém a unirem-se a ele na reconstrução dos muros, e o povo concorda (2.17,18).

A reconstrução começa! Neemias 3 explica como o trabalho foi dividido entre as pessoas. Várias partes do muro, como alguns dos portões mais importantes, ficam a cargo de famílias específicas, uma companhia de trabalhadores ou de moradores de certas cidades. Há uma variedade interessante e muito ampla de pessoas que participam, incluindo sacerdotes, famílias individuais, ferreiros, comerciantes, perfumistas e administradores. Curiosamente, um homem chamado Salum restaurou sua parte do muro com a ajuda das filhas (3.12). A abrangência desse projeto era enorme; o muro que Neemias estava tentando reconstruir era de aproximadamente 2,4 quilômetros de comprimento, incluindo diversos portões.

Mais oposição e reação (4.1-23)

Quando os inimigos de Neemias descobrem que a reconstrução dos muros de Jerusalém tinha de fato iniciado, a oposição se fortalece ainda mais. Eles zombam publicamente do projeto e desencorajam os trabalhadores (4.1-3). Em resposta, Neemias e todos os seus companheiros de trabalho oram e continuam progredindo mais e mais (4.4-6). Depois de sua estratégia de desprezo público fracassar, os inimigos de Neemias, em seguida, formam uma coligação militar e tramam atacar Jerusalém antes da conclusão da reconstrução dos muros. A ameaça de um ataque militar muda a motivação dos que estavam trabalhando nos muros de Jerusalém. Muitos dos construtores, assim como os judeus que moravam em torno de Jerusalém, ficam amedrontados e desanimados (4.10-12). Contudo, Neemias responde convocando o povo a confiar em Deus. Além disso, ele os prepara para o confronto distribuindo armas aos trabalhadores e colocando uma guarda. Neemias 4.16 menciona "meus homens", provavelmente uma referência às tropas persas oficiais enviadas pelo rei com Neemias quando ele veio da Pérsia. Neemias não teve a coragem de pedir a proteção dessas tropas, mas Deus agiu nos bastidores movendo o rei a oferecê-las mesmo assim. Com a aproximação de um ataque, essas tropas profissionais devidamente armadas foram um enorme benefício. Os trabalhadores do muro continuaram seu trabalho, mas mantinham também suas espadas e lanças próximo deles, frustrando qualquer possibilidade de um ataque surpresa e uma vitória fácil dos inimigos.

Problemas internos (5.1-19)

Depois de ter resistido à ameaça militar dos inimigos, Neemias agora tinha de lidar com alguns problemas internos, principalmente de ordem

Um friso de parede de soldados persas do palácio persa de Susã. Neemias foi provavelmente imensamente grato por ter uma unidade de soldados persas com ele.

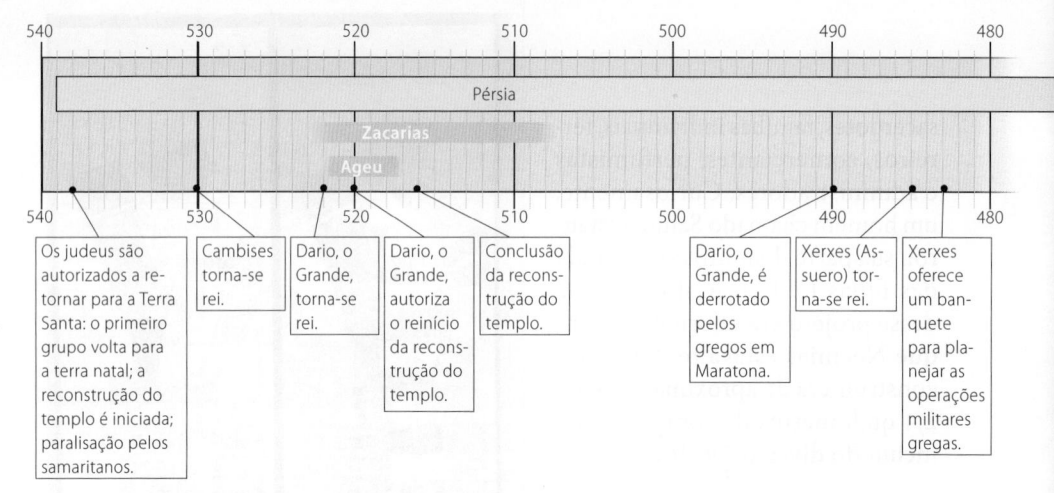

540	Os judeus são autorizados a retornar para a Terra Santa: o primeiro grupo volta para a terra natal; a reconstrução do templo é iniciada; paralisação pelos samaritanos.
530	Cambises torna-se rei.
~522	Dario, o Grande, torna-se rei.
520	Dario, o Grande, autoriza o reinício da reconstrução do templo.
510	Conclusão da reconstrução do templo.
~500	Dario, o Grande, é derrotado pelos gregos em Maratona.
490	Xerxes (Assuero) torna-se rei.
480	Xerxes oferece um banquete para planejar as operações militares gregas.

Período: Pérsia (540–480). Profetas: Ageu, Zacarias.

econômica. Os judeus mais ricos e poderosos de Judá e Jerusalém estavam explorando e oprimindo os camponeses mais pobres. Essa situação estava dificultando a construção do muro, assim como qualquer esperança de reorganização da sociedade (5.1-5). Neemias fica furioso com isso (5.6), e repreende os nobres e oficiais israelitas responsáveis, determinando que eles devolvessem os campos, a produção e o dinheiro que tinham extorquido de forma imoral (5.7-13). Neemias, então, deixa muito claro que ele pessoalmente não tinha ido a Jerusalém por causa de dinheiro, e sim para servir a Deus (5.14-19). Desse modo, Neemias serve de bom exemplo de liderança entre o povo de Deus, pois ele não estava agindo motivado pelo dinheiro.

Tentativa frustrada de intimidar Neemias (6.1-14)

Quando os muros estão próximos de ser concluídos, os inimigos de Neemias intensificam os esforços para impedi-lo. Eles tramam o assassinato de Neemias (6.1-4) e depois o acusam de traição ao rei (6.5-7). Eles também tentam persuadi-lo a fugir e esconder-se para que eles pudessem desmoralizá-lo diante do povo (6.10-13). Neemias reage a essas ameaças contra ele orando e perseverando no trabalho (6.9,14).

O término dos muros (6.15—7.3)

Neemias virou a mesa contra os inimigos que procuravam intimidá-lo em 6.1-14, pois em 6.15 se diz que Neemias e os judeus completaram a construção dos muros em 52 dias, deixando os inimigos apavorados e desanimados (6.16). Depois Neemias termina os portões, coloca-os no lugar e nomeia um homem íntegro (que "temia a Deus mais do que a maioria dos homens") para se encarregar dos portões e da defesa de Jerusalém.

Reorganização da nação de Israel (7.4—12.26)

A relação dos que retornaram (7.4-73)

Agora que Jerusalém estava protegida contra ataques, Neemias prossegue para povoar outra vez a cidade e garantir que os moradores restabelecidos

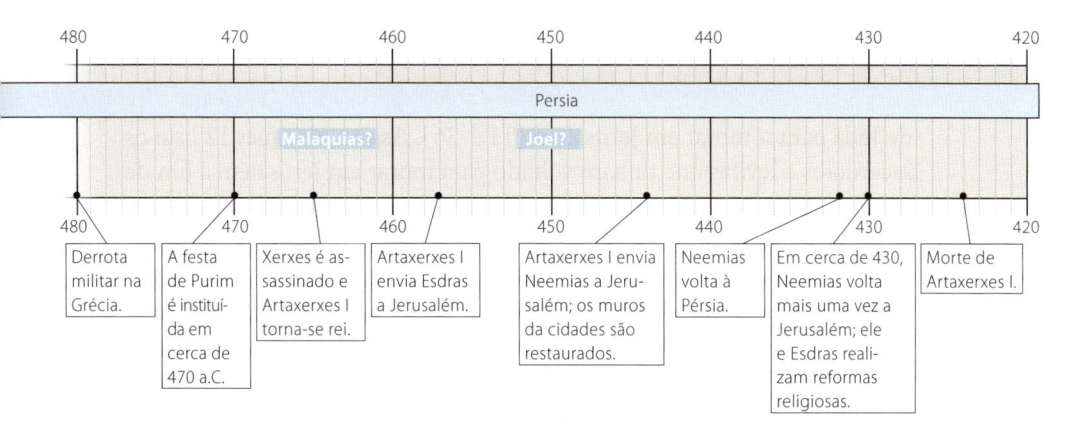

480	Derrota militar na Grécia.
470	A festa de Purim é instituída em cerca de 470 a.C.
	Xerxes é assassinado e Artaxerxes I torna-se rei.
460	Artaxerxes I envia Esdras a Jerusalém.
450	Artaxerxes I envia Neemias a Jerusalém; os muros da cidades são restaurados.
440	Neemias volta à Pérsia.
430	Em cerca de 430, Neemias volta mais uma vez a Jerusalém; ele e Esdras realizam reformas religiosas.
420	Morte de Artaxerxes I.

Persia — Malaquias? — Joel?

permanecessem fiéis a Deus. Em 7.4-73, Neemias procura e encontra registros genealógicos que estabelecem clara e legalmente quem tinha direito de propriedade na cidade.

Ouvindo e compreendendo a Lei (8.1-18)

Os muros já estavam terminados, mas havia ainda um enorme desafio teológico pela frente. O povo devia permanecer fiel a Deus e obedecer à sua lei. Em Neemias 8, o povo está todo reunido em assembleia, e Esdras, um sacerdote e mestre da lei, lê o "Livro da Lei" (literalmente, "o livro da Torá") a todos que podiam entender, tanto homens quanto mulheres (8.1-6). Provavelmente se tratava do livro de Deuteronômio, mas podia ser todo o Pentateuco. Esdras lia uma parte da Lei para toda a congregação e pausava para deixar os levitas explicarem aquela parte ao povo dividido em grupos menores. Em seguida, em obediência à Lei que acabaram de escutar, os que haviam retornado do Exílio celebraram a festa das cabanas (8.13-18), conforme prescrito em Levítico 23.37-40.

Confissão de pecados (9.1-37)

Ao entender que o Exílio tinha ocorrido por causa da rebeldia e do pecado de Israel contra Deus, o povo em seguida confessa os pecados a Deus e o adora (9.1-37). Eles reafirmam que, ainda que Israel tenha sido constantemente infiel, Deus foi completamente fiel a todas as suas promessas, em especial às promessas da aliança feitas a Abraão.

Os líderes e o povo prometem guardar a Lei (9.38—10.39)

Os líderes e o povo prometem fidelidade a Deus e à obediência à sua lei. Eles mencionam três áreas específicas em que obedecerão: 1) não se casarão com pagãos; 2) guardarão o sábado; e 3) sustentarão financeiramente o templo. Esse é um juramento portentoso, pois todas essas três promessas serão quebradas em Neemias 13.

Os novos moradores de Jerusalém (11.1—12.26)

Jerusalém continuava subpovoada (e desse modo, provavelmente, vulnerável); então, o povo fez um sorteio para escolher uma dentre dez pessoas

✚ Os povos de Israel e Judá foram sido destruídos e exilados porque deixaram de obedecer aos termos do livro de Deuteronômio. Em Neemias 8, Esdras lê Deuteronômio ao povo exortando-o a obedecer novamente à instrução de Deus.

de Judá para ir morar em Jerusalém (11.1-36). Assim, Neemias 12 lista os sacerdotes e levitas que tinham voltado para morar em Jerusalém a fim de trabalhar no templo. Devagar, mas constantemente, Jerusalém começa a se fortalecer.

Dedicação dos muros (12.27-47)

No que provavelmente representa o ponto culminante do livro de Neemias, os israelitas que retornaram do Exílio agora fazem uma grande celebração em dedicação dos muros. A dedicação dos muros em Neemias 12 se compara à dedicação do templo em Esdras 6. Em contraste com o choro e lamento em resultado da queda de Jerusalém e a destruição da cidade (v. esp., Lamentações), agora a ênfase está na celebração com júbilo.

Desobediência do povo: A obra de Neemias foi toda em vão? (13.1-31)

Neemias 13, contudo, é um tanto perturbador. Neemias governa os exilados em Judá durante doze anos. Ele reconstruiu os muros de Jerusalém de maneira extraordinária e reorganizou o povo para que agora fosse possível adorar a Deus de forma diligente. No entanto, Neemias tem de retornar à Pérsia para apresentar um relato ao rei Artaxerxes, uma lembrança não tão sutil de que os persas ainda dominavam Jerusalém, em vez de um rei descendente de Davi conforme a promessa de restauração. Depois de breve permanência na Pérsia, Neemias retorna a Jerusalém, apenas para descobrir que a situação de Jerusalém tinha se degradado rapidamente durante a sua ausência. Os três atos específicos de obediência a Deus prometidos pelo povo em Neemias 10.30-39 são transgredidos com certa regularidade. O povo não estava sustentando o templo financeiramente, fazendo que os levitas retornassem à atividade agrícola como forma de subsistência (13.10,11). Por isso, o culto no templo estava se deteriorando. O povo também transgredia o sábado (13.15-22) e se casava com estrangeiros idólatras (13.23-28). Neemias ataca de imediato esses problemas, corrigindo-os o mais rápido possível. Mesmo assim, o leitor é levado a pensar: os israelitas permanecerão fiéis a Deus somente

Esses magníficos touros em pedra ficavam no topo de uma imensa coluna e sustentavam as vigas do teto do palácio persa de Susã. Os touros provavelmente também simbolizam o poder do rei persa.

enquanto alguém como Neemias está de olho neles? Se os israelitas não conseguem sequer guardar as três leis específicas que prometeram guardar, como eles serão capazes de guardar as outras leis de Deus?

Então, o livro de Neemias termina em um tom inquietante. Apesar de o próprio Neemias trabalhar de modo heroico na reconstrução de Jerusalém e na reorganização do povo de Deus, o próprio povo não parece muito diferente de seus antepassados que perderam a terra e foram levados ao Exílio. Tão logo Neemias se ausentou, eles se desviaram. Portanto, como leitores, somos alertados com severidade de que o retorno desses exilados não foi a restauração gloriosa de Israel prometida pelos profetas. Além disso, as coisas não voltaram a ser como antes do Exílio. Israel continua incapaz de guardar a lei de Deus. Portanto, a esperança da restauração final deve ainda aguardar o futuro, quando o verdadeiro rei descendente de Davi proverá livramento e um novo relacionamento por meio de aliança.

Como aplicar Neemias à nossa vida hoje

Neemias está claramente seguindo a vontade de Deus, buscando força e poder em Deus para os diversos momentos da história. No entanto, Neemias enfrenta diversos obstáculos e inimigos externos e internos. Então, ainda que ele estivesse fazendo a vontade de Deus, sua tarefa nunca foi fácil nem simples. Essa é uma importante lição para nós entendermos. Só porque Deus nos leva a realizar uma tarefa, não significa que a tarefa se tornará mais fácil. Da mesma forma, só porque uma tarefa se torna difícil ou porque surge oposição, não significa necessariamente que não seja a vontade de Deus concluir a tarefa. Talvez seja muito comum esperar que Deus nos aponte "a porta aberta", supondo que, se a porta não for aberta com facilidade, então não deve ser a vontade de Deus que sigamos por aquele caminho. Mas nessas situações Neemias sugere que talvez Deus queira que arrombemos a porta ou, quem sabe, encontremos uma janela pela qual entrar. Deus deseja que sigamos sua orientação e confiemos que ele nos capacitará, mas ele também espera que façamos planos, sejamos bons líderes, nos esforcemos e perseveremos, apesar de oposições e das assim chamadas portas fechadas.

Nosso versículo favorito de Neemias

Senhor, que os teus ouvidos estejam atentos à oração deste teu servo e à oração dos teus servos que têm prazer em temer o teu nome. (1.11)

✚ Quando Esdras descobre que os israelitas tinham se casado com mulheres estrangeiras, ele rasgou as vestes e arrancou os cabelos (Ed 9.3). Contudo, quando Neemias deparou com esse problema, ele bateu nos culpados e arrancou os cabelos deles (Ne 13.25).

- Gênesis
- Êxodo
- Levítico
- Números
- Deuteronômio
- Josué
- Juízes
- Rute
- 1Samuel
- 2Samuel
- 1Reis
- 2Reis
- 1Crônicas
- 2Crônicas
- Esdras
- Neemias
- **Ester**
- Jó
- Salmos
- Provérbios
- Eclesiastes
- Cântico dos Cânticos
- Isaías
- Jeremias
- Lamentações
- Ezequiel
- Daniel
- Oseias
- Joel
- Amós
- Obadias
- Jonas
- Miqueias
- Naum
- Habacuque
- Sofonias
- Ageu
- Zacarias
- Malaquias

Ester
Deus usa uma linda moça para salvar Israel

A história de Ester é uma história encantadora, do tipo Cinderela, sobre uma camponesa judia órfã que, por causa de sua beleza e personalidade, é escolhida para se casar com o poderoso e rico rei persa. De certo modo, a história dela é semelhante à de Rute, outra órfã que também se encontra com um homem rico e se casa com ele. Mas as diferenças entre Rute/Noemi/Boaz e Ester/Mardoqueu/Xerxes talvez sejam tão curiosas quanto as semelhanças. Rute é uma moabita que se casa com um israelita na terra de Israel. Ester, porém, é uma israelita que se casa com um rei persa pagão na Pérsia. O casamento de Rute traz imediata segurança e felicidade para ela e sua sogra. Em longo prazo, sua linhagem chega a Davi, que livra Israel da terrível situação dos juízes. O casamento de Ester tem significado grave e imediato que vai muito além de sua família, pois por meio de sua influência todo o povo judeu é libertado do extermínio. Ester age da mesma forma que Rute (namoro e casamento), mas os riscos foram muito maiores para Ester, pelo menos em curto prazo. Para Ester, o destino imediato de todo o povo judeu está em jogo.

O túmulo de Xerxes

Qual é o contexto de Ester?

A história de Ester acontece em Susã, capital da Pérsia, na mesma cidade em que Neemias morava no início do livro de Neemias. Contudo, a história de Ester é anterior à história de Neemias. A história dela acontece durante o reinado do rei Xerxes (485-465 a.C.). Xerxes é chamado de Assuero no texto hebraico e também em algumas traduções em português. A história de Neemias acontece no reinado do rei posterior, Artaxerxes.

Na Bíblia hebraica, o livro de Ester faz parte da terceira grande seção do cânon, chamada Escritos. Dentre os Escritos, Ester faz parte de um grupo menor chamado *Megilot* (rolos), composto por Rute, Cântico dos Cânticos, Eclesiastes, Lamentações e Ester. Dentre outros assuntos, o livro de Ester explica a origem da festa de Purim. Provavelmente, essa foi a razão de estar nas *Megilot*, pois cada um dos cinco livros dessa unidade é lido em datas especiais das festas judaicas.

Tanto na *Septuaginta* (a tradução grega do AT) quanto em nossas traduções contemporâneas, Ester encontra-se no final dos Livros Históricos, mais especificamente no fim da história do cronista. O autor de Ester é desconhecido, e, embora a data de composição ainda seja incerta, é mais provável que tenha sido escrito em torno de 400 a.C., próximo ao período em que Esdras/Neemias e 1 e 2Crônicas foram compostos.

Quais são os temas centrais de Ester?

A história de Ester é uma narrativa de entretenimento. Contudo, embora a história seja fácil de ler, não é tão simples de interpretar, por isso não há consenso sobre o propósito do relato. Do mesmo modo, não há consenso sobre como interpretar a personagem Ester. Naturalmente, em certo sentido, o propósito do livro é explicar as origens e o significado da festa judaica de Purim (9.18-28), que celebrava e lembrava como Deus libertou os judeus do extermínio ocasionado por uma conspiração de gentios. Ao examinarmos a história em busca de pistas que ajudem em sua interpretação, descobrimos algumas características incomuns. Primeiramente, o nome de Deus nunca é mencionado em todo o livro de Ester. Nenhuma das personagens da história ora ou busca a Deus. Ester realmente participa de um jejum de três dias (4.16). Alguns intérpretes supõem que isso seja uma indicação de sua piedade. Contudo, é curioso que ela nunca mencione propriamente Deus nem ore a ele suplicando por ajuda ou êxito (como fizeram Esdras e Neemias). Na verdade, parece que nenhuma personagem do livro tem uma consciência espiritual muito clara. É possível que se perceba algum sinal de fé nas palavras de advertência de Mardoqueu a Ester em 4.12-14, especialmente em relação ao comentário final: "Quem sabe se não foi para um momento como este que você chegou à posição de rainha?". Mas essa é uma indicação muito vaga de fé, em especial no contexto de Esdras e Neemias, que clara e repetidamente buscam a ajuda de Deus e reconhecem com constância a presença de Deus em todo êxito que tiveram. As personagens de Ester não têm nenhuma dessas atitudes.

De igual modo, os nomes do herói e da heroína são perturbadores. O nome Mardoqueu provavelmente significa "homem de Marduque". Marduque era o principal deus dos babilônios; desse modo, esse é um nome alarmante para um herói israelita. Na mesma linha, o nome Ester é provavelmente derivado de Ishtar, a deusa mesopotâmica do amor. Naturalmente, o significado dos nomes não é determinante para estabelecer o sentido da história, mas os nomes muitas vezes têm um papel importante, e esses nomes são desconcertantes.

Portanto, embora seja tentador elevar Mardoqueu e a belíssima jovem Ester ao patamar de heróis e modelos de fé como Esdras e Neemias, não fica claro se o autor de Ester queria que a história fosse compreendida desse modo.

Então, qual é o propósito da história? De acordo com a predição dos profetas, o enredo da história da salvação seguiu os israelitas que retornaram à terra de Israel após o Exílio. Essa é a história relatada por Esdras/Neemias, como também pelos profetas pós-exílicos (Ageu, Zacarias, Malaquias). Judeus

Do palácio real de Persépolis, um retrato do rei (provavelmente Xerxes) entrando no palácio, acompanhado por dois assistentes carregando um abanador e um guarda-sol.

✢ Em todo o livro de Ester, o nome de Deus nunca é mencionado.

Um vaso de alabastro inscrito com o nome de "Xerxes, o grande rei".

obedientes (como Esdras e Neemias) voltaram à terra prometida. Contudo, nem todos os judeus o fizeram; muitos continuaram na Mesopotâmia, recusando-se a retornar à terra de seus antepassados. O livro de Ester ilustra a sorte dos que permaneceram no Exílio. Nenhum judeu do livro de Ester é retratado orando, sacrificando, cultuando ou confessando a Deus de algum modo. Uma linda moça judia com nome em honra à deusa Ishtar casa-se com um rei estrangeiro pagão. Esse ato tem um enorme significado simbólico, em especial à luz da própria e íntima ligação existente em todo o AT entre a idolatria e o casamento com pagãos. Esses casamentos foram uma questão muito grave em Esdras e Neemias, de modo que o casamento de Ester com Xerxes deve provavelmente ser entendido nesse contexto.

O livro de Ester ensina que, embora a fé dos judeus que permaneceram na Pérsia não fosse firme, mesmo assim Deus agiu com poder nos bastidores para livrá-los da total extinção. O leitor sabe que isso se deve à graça de Deus e à sua aliança com Abraão e Davi. Contudo, isso é algo que aprendemos de Esdras, Neemias e do restante do AT, não das personagens de Ester. As personagens Mardoqueu e Ester são certamente ousadas e corajosas, porém não parecem ser movidas por fé e provavelmente representam os judeus que permaneceram no Exílio. Deus age nos bastidores por meio de Mardoqueu e Ester, não por causa da fé sobejante do povo (totalmente ausente), mas por causa de sua imensa graça e apesar da falta de fé.

Um breve esboço da história é o seguinte:

- Queda da rainha Vasti da Pérsia (1.1-22)
- O concurso persa de beleza (2.1-18)
- A conspiração de Hamã de destruir Mardoqueu e todos os judeus (2.19—3.15)
- Ester frustra a conspiração de Hamã e reverte o mal contra ele (4.1—7.10)
- O decreto do rei e a vingança dos judeus (8.1—10.3)

Quais são os aspectos interessantes e singulares de Ester?

- A história de Ester é um relato encantador de alguém que teve sucesso do dia para a noite.

- Uma jovem bela e corajosa é a personagem principal da história.
- O livro de Ester também tem um vilão maldoso, o tipo clássico do mau-caráter, chamado Hamã.
- Ester é escolhida rainha por meio de um curioso "concurso de beleza".
- O nome de Deus não é mencionado nenhuma vez em todo o livro de Ester. Da mesma forma, ninguém em Ester ora ou menciona qualquer aliança, muito diferente de Esdras/Neemias.
- No livro de Ester toda a população de judeus está ameaçada de extinção. Somente a intervenção de Ester (e Deus nos bastidores) impediria a total destruição do povo judeu.
- Ester nunca é citada no Novo Testamento.

Qual é a mensagem de Ester?

Queda da rainha Vasti da Pérsia (1.1-22)

O rei Xerxes da Pérsia dominava sobre todo o antigo Oriente Médio e era sem dúvida o homem mais poderoso de toda a terra. Ele oferece um enorme banquete e convida sua esposa, Vasti, para comparecer. Estranhamente, Vasti recusa o convite, deixando Xerxes muito ofendido. Como consequência, ele destitui a rainha Vasti.

O concurso persa de beleza (2.1-18)

Os persas conduzem um "concurso de beleza" de todo o império para encontrar uma linda mulher para substituir Vasti. As jovens mais formosas de todo o Império Persa são reunidas, recebem um tratamento de beleza e depois, ao que parece, são acrescidas ao harém de Xerxes como concubinas e candidatas à posição de rainha. Seguindo as ordens de seu parente Mardoqueu, ela mantém em segredo sua condição de judia, algo muito estranho. Não obstante, Ester agrada ao rei mais que qualquer outra mulher, e ele a escolhe para se tornar a nova rainha.

Esses frascos guardavam maquiagem para os olhos aplicada com uma varinha de metal.

✚ O livro de Ester é o único livro do Antigo Testamento que não estava representado entre as centenas de rolos e fragmentos dos rolos do mar Morto encontrados em Qumran.

A conspiração de Hamã de destruir Mardoqueu e todos os judeus (2.19—3.15)

Enquanto isso, duas coisas acontecem. Primeira, Mardoqueu descobre uma conspiração para assassinar o rei Xerxes e transmite a informação a Ester, que informa o rei. Desse modo, a conspiração é frustrada e os acusados são executados (2.21-23). Segunda, por motivos não explicados na história, Mardoqueu se recusa a curvar-se em demonstração de honra a um dos altos oficiais do rei, um homem chamado Hamã. Isso deixa Hamã furioso. Talvez Mardoqueu tivesse bons motivos para seu comportamento desrespeitoso em relação a esse importante oficial, mas superficialmente isso não parecia uma atitude muito sábia. Hamã, um oficial muito influente na corte do rei Xerxes, passa a odiar Mardoqueu e planeja matá-lo. Não contente em matar apenas Mardoqueu, Hamã decide matar todo o povo de Mardoqueu, os judeus. Ele convence Xerxes a conceder ordens oficiais para que em um dia determinado todos os judeus do império sejam executados e suas propriedades, confiscadas. Xerxes não tinha conhecimento de que Ester, sua rainha, era judia.

Ester frustra a conspiração de Hamã e reverte o mal contra ele (4.1—7.10)

Quando os judeus ficam sabendo disso, eles jejuam, choram e lamentam (4.1-3), mas, conforme já se mencionou, não se fala sobre oração, confissão ou sacrifício a Deus, uma omissão muito óbvia. Mardoqueu manda Ester intervir junto ao rei. Ela reclama que é perigoso aproximar-se do rei sem ser convidada, mas, no fim, concorda (4.4-17).

Ester aproxima-se do rei, apesar de ele não a ter convidado para se encontrar com ele. Contudo, ele parece feliz em vê-la. Com habilidade, ela convida o rei e seu alto oficial Hamã para um banquete oferecido por ela, ocasião em que faria um pedido ao rei. Durante o banquete, ela faz seu pedido. Solicita que ela e seu povo não sejam mortos e explica como Hamã conspirou para matar sua gente, os judeus. Isso deixa o rei enfurecido, e ele então determina que Hamã seja enforcado na própria forca que ele preparou para a execução de Mardoqueu (5.1—7.10).

O decreto do rei e a vingança dos judeus (8.1—10.3)

Xerxes, então promulga seu segundo decreto, no qual permite aos judeus se defenderem de todos os inimigos (8.9-11), um decreto importante principalmente na história posterior de Neemias, que organiza e defende os judeus contra os inimigos locais. Em Ester 9.1-17, os judeus de todo o império abraçam o novo decreto e se voltam contra quem planejava matá-los, eliminando milhares de inimigos. A história mostra uma completa inversão de sortes. Hamã, o influente oficial no início, agora é enforcado, e suas propriedades são entregues a Ester. Mardoqueu, o alvo da vingança de Hamã, é honrado e nomeado sobre o antigo patrimônio de Hamã. Os judeus, perto de serem aniquilados, são em vez disso autorizados a destruir os seus inimigos. Ester 9.18-32 descreve como essa maravilhosa história foi conservada por meio da festa de Purim e como essa festa foi estabelecida como costume judaico. Finalmente, Ester 10.1-3 exalta o rei Xerxes, assim como Mardoqueu, o parente de Ester, que, semelhantemente a José na corte do faraó do Egito, agora chega à posição de segundo maior em toda a terra.

Sinete de ouro do Egito. O sinete do rei é mencionada quatro vezes em Ester (3.10; 8.2,8,10)

Como aplicar Ester à nossa vida hoje

Ester foi muito corajosa por isso podemos aprender muito sobre coragem com ela. Contudo, a lição principal do livro de Ester vem dos atos de Deus. Em Ester, aprendemos que Deus muitas vezes age de forma discreta nos bastidores para implementar seu plano. Deus resgata os israelitas não por causa da fidelidade de Ester, mas porque a salvação deles faz parte de seu caráter e plano, ainda que naquele momento os judeus da Pérsia não estivessem vivendo de forma obediente. Deus muitas vezes age em nossa vida mesmo quando não merecemos. Deus é fiel às suas promessas e a seu plano, à nossa revelia. Isso deve nos encorajar muito em momentos de dificuldade.

Xerxes é famoso pela guerra contra a Grécia. Na pintura desse cântaro de água, dois soldados gregos lutam contra um soldado persa montado.

Ester

Nosso versículo favorito de Ester

Quem sabe se não foi para um momento como este que você chegou à posição de rainha? (4.14)

Os Livros Sapienciais e Salmos

De que tratam os Livros Sapienciais?

Um dos ensinamentos mais importantes e elementares da Bíblia diz respeito a "crer". A fé em Deus é o ponto de partida crucial da vida cristã; por isso, em toda a Bíblia encontra-se o imperativo "creia!". De igual modo, encontra-se com muita frequência e de forma bem próxima à expressão "creia!" o imperativo bíblico "obedeça!". Outros imperativos importantes e bastante ligados a esses são "confie!", "ame!" e "seja fiel!". O Pentateuco, os Livros Históricos e os Profetas ressaltam esses imperativos cruciais.

Todavia, os Livros Sapienciais dão ênfase a outro conjunto de imperativos, pois eles nos ensinam: "pense!", "pondere!" e "reflita!". Não que os Livros Sapienciais não queiram que creiamos ou obedeçamos. Neles essas qualidades são pressupostas e consideradas fundamentais. Contudo, os Livros Sapienciais dão importância à construção sobre esse fundamento por meio da exortação para que o povo de Deus "entenda".

Os Livros Sapienciais não estão mergulhados em mero exercício intelectual para pessoas alienadas do mundo real. Longe disso. Eles nos desafiam com os imperativos "pense", "ouça", "escute" e "reflita", com a finalidade de nos moldar o caráter. Este, com toda a probabilidade, é o propósito geral dos Livros Sapienciais — preparar o caráter do leitor/discípulo para viver neste mundo. Por isso, a "sabedoria" na Bíblia tem forte aspecto prático. O caráter autêntico de alguém só é demonstrado quando essa pessoa se envolve com o mundo real à sua volta. Os Livros Sapienciais nos dão direção e desenvolvem o nosso caráter para que vivamos de modo sábio e piedoso no mundo impetuoso do cotidiano em que nos encontramos.

Os quatro livros sapienciais são Provérbios, Jó, Eclesiastes e Cântico dos Cânticos. Esses livros não contêm coleções independentes de promessas universais; antes, encontram-se neles entendimentos valiosos, porém contextuais, da vida sábia e piedosa. Eles oferecem direção sobre o desenvolvimento do caráter sábio e piedoso para a vida. Cada livro tem ênfase própria, e, juntos, apresentam uma visão equilibrada. Provérbios apresenta uma abordagem básica sobre a vida. Expõem as regras da vida, o que é aceito de modo geral e normal como verdadeiro. Por exemplo, Provérbios nos ensina que, se as pessoas se esforçarem, elas prosperarão. Contudo, se forem preguiçosas, empobrecerão. Essa é uma regra, mas não necessariamente uma norma universal. Com certeza, nem todas as pessoas prósperas são esforçadas, e nem todos os pobres são preguiçosos! Para Provérbios também a vida é tranquila, racional e ordeira. Tudo faz sentido e pode ser compreendido por meio de um sistema bastante simples de causa e efeito.

A vida, porém, nem sempre é assim. Muitas vezes ela é bastante complexa e cheia de situações incomuns que não seguem a relação simples de causa e efeito. Os outros três livros sapienciais interagem com as exceções e as anormalidades da vida, provendo assim um ponto de equilíbrio com as regras de Provérbios. A primeira grande exceção à regra de Provérbios trata do sofrimento do justo. O livro de Jó ataca esse difícil assunto. A segunda exceção encontra-se em Eclesiastes, que trata da totalidade da vida em lugar dos detalhes corriqueiros destacados por Provérbios. Eclesiastes luta com a observação de que a abordagem racional e ordenada nem sempre obtém as respostas e, portanto, não pode oferecer uma explicação sobre o significado absoluto da vida. Por último, Cântico dos Cânticos trata da provavelmente maior irracionalidade da vida — o amor romântico entre o marido e a mulher.

Onde se enquadra o livro de Salmos?

Em nossas Bíblias, o livro de Salmos está entre os Livros Sapienciais, logo depois de Jó e antes de Provérbios. No cânon hebraico tradicional, o livro de Salmos fica no início dos "Escritos". Desse modo, vem logo depois de Malaquias e antes de Jó e do restante dos Livros Sapienciais. Do ponto de vista da localização na Bíblia, Salmos está relacionado com os Livros Sapienciais.

Todavia, quanto ao conteúdo e estilo, Salmos é muito diferente dos Livros Sapienciais. Salmos é uma coleção de testemunhos, lamentos e louvores usados em cultos públicos e para meditação particular. O restante da Bíblia contém, na maior parte, a palavra de Deus para nós. Já o livro de Salmos é um tanto singular no sentido de que reflete as palavras dos salmistas cantadas e recitadas para Deus. Ele contém louvores cheios de júbilo oferecidos a Deus e testemunhos de seus grandes feitos. Mas nele também há queixas de sofrimento e agonia sobre as lutas da vida, seguidas de súplicas a Deus por livramento e afirmações de confiança em Deus.

✚ Os livros de Jó, Eclesiastes e Cântico dos Cânticos examinam as exceções desconcertantes dos princípios gerais de Provérbios.

A sabedoria no antigo Oriente Médio

Tremper Longman III

O AT faz referência às tradições sapienciais do antigo Oriente Médio (1Rs 4.30). Embora a sabedoria de Salomão seja retratada aqui, de fato, como superior à do Egito e dos povos do Oriente, o elogio só faz sentido se entendermos que a sabedoria do antigo Oriente Médio era valorosa.

Muitos textos sapienciais antigos são hoje acessíveis ao estudo. No Egito, havia uma forte tradição sapiencial representada por textos instrutivos e obras especulativas. A literatura instrutiva era conhecida por *sbyt*, cuja melhor tradução provavelmente seja "ensino" ou "iluminação". Esses textos são parecidos com o livro de Provérbios e aparecem desde o Período do Antigo Império (em torno de 2715-2170 a.C.) até o período egípcio posterior. Os *sbyt* continham instruções de pais para filhos. Em alguns casos, o pai era o rei. O pai, idoso e experiente, próximo a deixar sua alta posição na sociedade, instrui o filho que estava apenas começando. O exemplo mais conhecido é a "Instrução de Amenemope" (provavelmente composta um século antes de Salomão). A literatura egípcia também atesta uma tradição de literatura sapiencial especulativa que expressa uma visão mais pessimista da vida, questionando a justiça do mundo. O conto "O camponês eloquente" é um estudo da exploração dos pobres pelos poderosos. A "Disputa sobre o suicídio" expressa forte decepção nesta vida de maneira comparável à do "pregador" de Eclesiastes.

Tradições sapienciais também remontam a alguns dos escritos mais antigos dos sumérios, os habitantes da Mesopotâmia no terceiro milênio a.C. Coletâneas de provérbios são conhecidas desde 2600-2550 a.C. Fora essas listas de provérbios, a literatura suméria também continha um texto de instrução semelhante a Provérbios e à literatura egípcia *sbyt* chamado "Instruções de Shuruppak", que levam o nome de seu instrutor. Shuruppak aconselha seu filho Ziusudra, o famoso herói que sobreviveu ao dilúvio. Embora a literatura acádia (a língua dos habitantes da Mesopotâmia, dos babilônios e assírios do primeiro e segundo milênios) não revele nenhuma coletânea significativa de provérbios, existe uma série de textos sapienciais especulativos. A "Teodiceia babilônica" talvez seja a mais conhecida e a mais parecida com o livro de Jó. Esse texto é um diálogo entre dois amigos que travam uma conversa cordial, ainda que discordem do relacionamento entre o sofrimento e os deuses.

Por fim, é necessário mencionar um texto sapiencial antigo escrito em aramaico intitulado "Ahiqar" (nome da personagem principal). A história ocorre no século VII a.C. e se inicia com o relato de um sábio traído pelo sobrinho. Ele escapa da execução e foge para o exílio. Depois de sua restauração, ele instrui o sobrinho por meio de provérbios que constituem a maior parte do texto.

O destaque aqui é que o livro de Salmos é singular. Desse modo, não se enquadra com harmonia em outra categoria literária bíblica. Mesmo assim, Salmos está situado entre os Livros Sapienciais. Por isso, incluímos a discussão do livro de Salmos na ordem canônica (depois de Jó). Contudo, quanto à classificação, optamos por tratar o livro de Salmos como uma categoria distinta e exclusiva.

Tot, o deus egípcio com cabeça de íbis, era o deus do conhecimento, da ciência, sabedoria e escrita.

- Gênesis
- Êxodo
- Levítico
- Números
- Deuteronômio
- Josué
- Juízes
- Rute
- 1Samuel
- 2Samuel
- 1Reis
- 2Reis
- 1Crônicas
- 2Crônicas
- Esdras
- Neemias
- Ester
- **Jó**
- Salmos
- Provérbios
- Eclesiastes
- Cântico dos Cânticos
- Isaías
- Jeremias
- Lamentações
- Ezequiel
- Daniel
- Oseias
- Joel
- Amós
- Obadias
- Jonas
- Miqueias
- Naum
- Habacuque
- Sofonias
- Ageu
- Zacarias
- Malaquias

Jó
Quando a vida não é justa

No livro de Provérbios, aprende-se que coisas boas acontecem a pessoas boas e que coisas ruins acontecem a pessoas ruins. A maioria de nós gosta da teologia de Provérbios porque ela nos apresenta um mundo que faz sentido, em que tudo o que acontece tem causa evidente — um mundo regido por regras sólidas de justiça. De fato, na maior parte do tempo, o mundo funciona assim. Mas de vez em quando somos surpreendidos por alguma grande incongruência da vida, algo que não é justo ou muito certo — algo que contradiz os ensinamentos de Provérbios. Uma criança de 2 anos de idade, filha de pais piedosos, morre em um acidente de automóvel, ou a pessoa mais generosa e honesta que se conhece é diagnosticada com um câncer terminal. Essas situações abalam a fé e propõem uma busca interminável por respostas que façam sentido. Por que essas coisas acontecem?

A história de Jó luta com essa questão e oferece uma observação perspicaz sobre como lidar com essas situações difíceis da vida.

Qual é o contexto de Jó?

Não há referência específica no livro de Jó sobre o autor do livro nem sobre quando foi composto. Inexiste menção à história de Israel que possa ajudar a determinar sua data. O contexto dos acontecimentos parece muito antigo, talvez da época do período patriarcal, muito antes do estabelecimento de Israel na terra. Além disso, o livro de Jó parece fazer alusão a outras partes das Escrituras (Gn 1—3 e Sl 8, p. ex.), e os amigos de Jó aparentemente apresentam uma teologia derivada de Provérbios e Deuteronômio. Isso sugere uma data posterior, pelo menos para a composição do livro. Um contexto plausível para o livro de Jó talvez seja o reinado de Salomão (971-931 a.C.) ou de Ezequias (716-687 a.C.), uma vez que ambos tiveram muito interesse nos Livros Sapienciais. Entretanto, não se sabe com certeza a data.

Quais são os temas centrais de Jó?

O livro de Jó não consiste em uma lista de afirmações teológicas que possam ser tomadas em separado como proposições doutrinárias. Trata-se de uma história. Essa história contém algumas partes narrativas, principalmente no início e no fim, mas boa parte dela é contada por meio de diálogos. O contexto de cada diálogo é importante, e cada declaração deve ser situada no contexto geral do livro. O sentido da história, como na maioria das histórias, não é revelada senão no final do livro.

Escultura assíria de parede em relevo que retrata camelos roubados. Um bando de caldeus capturou todos os camelos de Jó (1.17).

O livro de Jó trata da difícil questão de como pessoas sábias e piedosas como nós devemos lidar com as grandes tragédias da vida que parecem injustas ou sem nenhuma explicação lógica. Há quatro conclusões teológicas inter-relacionadas que emergem do livro de Jó. Deus: 1) É soberano e nós, não; 2) Sabe tudo sobre o mundo, ao passo que nós, na verdade, conhecemos muito pouco; 3) Sempre é justo, mas nem sempre nos explica sua justiça; e 4) Espera que confiemos em seu caráter e em sua soberania quando tragédias inesperadas nos atingem.

A história de Jó se desenvolve de acordo com o seguinte esboço:

- O teste de Jó: a tragédia inexplicável (1.1—2.10)
- A busca por respostas e o mergulho em acusação (2.11—37.24)
  - Jó amaldiçoa o dia do seu nascimento (3.1-26)
  - Jó e seus três amigos buscam respostas (4.1—26.14)
  - Jó acusa Deus de injustiça (27.1—31.40)
  - O discurso acalorado de Eliú (32.1—37.24)
- A resposta verbal de Deus a Jó (38.1—42.6)
- Deus restaura Jó (42.7-17)

Quais são os aspectos interessantes e singulares de Jó?

- Um dos poucos livros do AT em que Satanás é mencionado de forma explícita.
- Uma das questões mais perturbadoras da vida é analisada: Por que coisas ruins acontecem a pessoas boas?
- O próprio Deus aparece nesse livro, tanto no início quanto no final. No final, Deus profere dois longos discursos a Jó.
- Quando Deus fala com Jó, ele fala por meio de poesia hebraica altamente refinada.
- Jó contesta o modo pelo qual Deus governa o mundo; Deus o repreende com brandura e gentileza.
- Deus na verdade nunca conta a Jó o que provocou aquelas aflições.

Qual é a mensagem de Jó?

O teste de Jó: a tragédia inexplicável (1.1—2.10)

A história de Jó começa de maneira muito estranha. Ele é apresentado como um homem íntegro e irrepreensível, temente a Deus, abençoado com

✚ O livro de Provérbios e o livro de Jó se equilibram. Eles devem ser interpretados juntos.

Jó exclama que, se sua aflição e desgraça pudessem ser medidas, elas seriam mais pesadas que a areia dos mares (6.1,2). Neste quadro há uma cena do *Livro dos mortos*, em que o deus com cabeça de chacal pesa em uma balança o coração da pessoa morta contra uma pena.

uma grande família e muita riqueza. Contudo, Satanás aparece diante de Deus e desafia as verdadeiras motivações de Jó. Satanás argumenta que Jó não adoraria a Deus se ele perdesse tudo o que tinha. Então, Deus permite a Satanás retirar todas as bênçãos de Jó (1.1-12). Ele provoca uma série de catástrofes que dizimam a família de Jó e destrói suas riquezas. Contudo, Jó permanece fiel e declara: "O Senhor o deu, o Senhor o levou; louvado seja o nome do Senhor" (1.21).

Então, as ações de Jó mostraram que Satanás estava errado. Entretanto, Satanás muda de posição e passa a argumentar que, se a saúde de Jó fosse afetada, então ele amaldiçoaria a Deus. Portanto, o Senhor permite que Satanás afete a saúde de Jó. Assim, Jó foi atormentado por feridas terríveis. Além do mais, sua esposa se vira contra ele, supondo que ele deve ter cometido algo muito grave para merecer toda essa infelicidade. Jó permanece fiel e um tanto estoico e declara: "Aceitaremos o bem dado por Deus, e não o mal?" (2.10).

Assim se desenvolve a história. As ricas bênçãos da vida de Jó, incluindo sua saúde, foram perdidas. Pelo menos no início, Jó aceita a situação e é capaz de continuar louvando o nome do Senhor. Em essência, Satanás estava errado, e a história poderia terminar. Todavia, Jó e seus companheiros pensadores agora procuram analisar os acontecimentos catastróficos da vida dele. A tentativa de encontrar causa e significado nas desgraças de Jó se estende por outros quarenta capítulos de diálogo teológico.

A busca por respostas e o mergulho em acusação (2.11—37.24)

Jó amaldiçoa o dia do seu nascimento (3.1-26)

Aparentemente, passa-se um tempo. Jó, que no capítulo 2 tinha aceitado o ocorrido com ele, agora se torna amargurado, dizendo que seria melhor nunca ter nascido. Ele amaldiçoa o dia do seu nascimento e termina sua fala dizendo "Não tenho paz" (3.26).

✣ O profeta Ezequiel menciona Jó duas vezes (Ez 14.14,20) para mostrar a retidão de Jó.

Jó e seus três amigos buscam respostas (4.1—26.14)

Essa longa seção no centro do livro é formada por vários discursos proferidos por Jó e seus três amigos instruídos. Há três ciclos principais de discursos, por meio dos quais cada amigo fala, seguido da réplica de Jó (4.1—14.22; 15.1—21.34; 22.1—26.14). Em essência, todos tentavam entender o que aconteceu na vida de Jó. Todavia, Jó e seus amigos têm perspectivas ligeiramente diferentes, e os amigos se apressam em acusá-lo.

Os amigos começam a argumentação estabelecendo duas suposições metodológicas principais. Eles supõem que, por meio da capacidade da sabedoria humana, seriam capazes de explicar qualquer problema, incluindo esse. Em segundo lugar, supõem ter acesso a todas as informações necessárias para entender o problema. Infelizmente, as duas suposições estão equivocadas.

Os amigos de Jó acreditam (com correção) que Deus é moral e justo. Na compreensão deles, Jó está sendo castigado por Deus de modo inequívoco. Então, concluem que ele, de acordo com as evidências, tinha cometido algum pecado muito grave contra Deus. Portanto, era necessário que Jó se arrependesse. Observe que esse conceito reflete em essência a teologia de Provérbios — as pessoas recebem o que merecem nesta vida. A teologia deles não é ruim, entretanto, é rala, e a aplicação dessa teologia a essa situação está equivocada. Além disso, eles não fazem muito esforço para consolar o amigo Jó. Antes, procuram explicar a tragédia. Explicação e consolo são duas coisas muito diferentes. Por fim, os amigos com essa compreensão simples e ingênua do mundo parecem alheios de modo total ao transtorno que Satanás pode causar no mundo.

À medida que seus amigos se tornam mais eloquentes na defesa da justiça e do caráter de Deus, Jó parece ficar mais perturbado com o dilema. Ele sabe que não cometeu um grave pecado contra Deus. Contudo, ele tem dificuldade

Jó sente-se como um desterrado, "irmão dos chacais" — animais selvagens carniceiros.

Espelho egípcio de bronze fundido. Em Jó 37.18, Deus menciona um "espelho de bronze".

em responder à lógica dos amigos. No início da história, Jó aceitou o que tinha acontecido, concluindo com serenidade que Deus realiza o que bem deseja. Em 9.14-21, Jó louva a justiça e o poder de Deus. Ele pergunta: "Como então poderei eu discutir com ele?" (9.14). "Mesmo que eu o chamasse e ele me respondesse [...]. Ele me esmagaria com uma tempestade [...]. Mesmo sendo eu inocente, minha boca me condenaria [...]. Ele não é homem como eu, para que eu lhe responda" (9.16,17-20,32). As palavras de Jó no capítulo 9 antecipam o que acontecerá nos capítulos 38—42, quando Deus lhe responde de fato aos clamores manifestando-se em uma tempestade.

Jó continua lutando e, ao chegar ao capítulo 23, seu tom modifica, e ele começa a questionar Deus. Em 23.1—24.25, Jó declara o desejo de comparecer ao tribunal diante de Deus. Na mente de Jó, houve algum tipo de engano monstruoso na justiça divina em relação ao mundo; por isso, se Jó pudesse ter a oportunidade de apresentar sua causa, estava certo de que conseguiria esclarecer tudo (23.1-7). Mas, lamenta Jó, é muito improvável que o Todo-poderoso atenda o público para ouvir esse tipo de queixa (24.1).

Jó acusa Deus de injustiça (27.1—31.40)

Enquanto Jó continua sofrendo, sua atitude inabalável e tranquila desaparece, e ele fica mais perturbado e contesta os feitos de Deus de modo mais incisivo. Em 27.2, Jó declara que Deus lhe negou a justiça, uma acusação muito grave a Deus. Jó defende sua inocência (27.3-6) e reitera sua convicção de que o ímpio recebe castigo (27.7-23). Em 28.1-28, Jó declara que a sabedoria é profunda (como minério e joia valiosa no fundo das minas) e que somente Deus sabe desvendá-la. Em seguida, ele relembra os velhos tempos, almejando os dias passados, em que tinha saúde, era abençoado e respeitado por todos (29.1-25). Além disso, reclama: "Mas agora eles zombam de mim, homens mais jovens que eu, homens cujos pais eu teria rejeitado, não lhes permitindo sequer estar com os cães de guarda do rebanho" (30.1). Depois, no capítulo 31, Jó é específico sobre a alegação de inocência. Ele lista as muitas ações virtuosas e a integridade moral em geral (31.1-34). Depois Jó declara em tom dramático: "Ah, se alguém me ouvisse! Agora assino a minha defesa.

Que o Todo-poderoso me responda; que o meu acusador faça a denúncia por escrito" (31.35). Jó escreve de maneira figurada sua demanda por uma audiência e a defesa de sua inocência. Por fim, ele a lança diante de Deus e exige uma resposta.

O discurso acalorado de Eliú (32.1—37.24)

Eliú é uma nova personagem não mencionada antes. Ele é mais novo que os demais, por isso teve de esperar até que os outros terminassem para poder falar. Ele está furioso com a alegação de inocência de Jó e incomodado com a incapacidade dos outros homens de refutar Jó (32.1-5). Enfim, Eliú tem a chance de expressar sua modesta opinião. Na verdade, ele não diz nada novo, mas desenvolve com mais detalhes algumas colocações feitas pelos três amigos de Jó. Ele estende sua argumentação por sete capítulos! Depois, em contraste com as falas dos outros, nem Jó nem os demais respondem ou reagem a Eliú, o que pode dar a entender que eles não o levaram a sério. Ele é despedido sem réplica. Há de se pensar se ele não era um dentre os jovens mencionados por Jó em 30.1.

> Em Jó 38.1, Deus conversa com Jó por meio de uma tempestade.

A resposta verbal de Deus a Jó (38.1—42.6)

Jó contestou repetidas vezes a justiça de Deus, declarando que, se ele apenas tivesse a chance de apresentar sua causa no tribunal, poderia provar sua inocência a Deus. Jó pede para Deus responder, confiante em sua causa contra o modo pelo qual Deus governa o mundo. Já que Jó insistiu, Deus está pronto a comparecer, contudo a conversa será bem diferente do que Jó esperava.

Deus com certeza tem um senso de humor. Em 9.16,17, Jó tinha declarado de forma poética: "Mesmo que eu o chamasse e ele me respondesse [...] ele me esmagaria". Então, no último discurso floreado de Eliú, o jovem orador descreve o poder de Deus, associando Deus ao raio, ao vento, às nuvens e à chuva de uma tempestade (37.1-24). Por isso, de certo modo, é irônico que, quando Deus aparece, ele surja em meio a uma tempestade destruidora e exija: "Quem é esse que obscurece o meu conselho com palavras sem conhecimento? Prepare-se como simples homem; vou fazer perguntas a você, e você me responderá" (38.2,3). Jó estava aguardando o dia para comparecer ao tribunal para poder bombardear Deus de perguntas e apresentar sua defesa racional e lógica. No entanto, Deus está presente, mas ele declara que fará as perguntas. Ele de imediato faz uma pergunta atrás da outra a Jó: "Onde você estava quando lancei os alicerces da terra? Responda-me, se é que você sabe tanto. Quem marcou os limites das suas dimensões? Talvez você saiba!" (38.4,5). Todas essas perguntas iniciais tratam de aspectos sobre a grande criação de Deus. Jó questiona sobre como Deus governa o Universo. Portanto, Deus lhe pergunta quanto ele sabe sobre o Universo. Deus fala com sarcasmo: "Sim, você deve saber, pois é bem idoso e já havia nascido quando o mundo foi criado" (38.21, *NTLH*). Deus continua argumentando por dois longos capítulos, descrevendo de maneira poética as maravilhas da criação e pausando para perguntar a Jó se ele entendia todas aquelas coisas — os oceanos, as estrelas, a luz, o mundo animal.

Por fim, em 40.1,2 Deus faz uma pausa e deixa Jó responder. Afinal, havia muito tempo que Jó pedia uma audiência com Deus. Entretanto, agora que Deus fala de dentro da tempestade e mostra quão pouco Jó conhecia sobre o mundo, Jó provavelmente percebe ter cometido um grande erro ao exigir uma audiência com Deus. Ele sabiamente fecha a boca e fica calado (40.4,5).

Entretanto, Deus não tinha terminado. Ele tinha outras perguntas para fazer a Jó. Outra vez, Deus adverte Jó de dentro da tempestade: "Prepare-se como simples homem que é; eu farei perguntas, e você me responderá" (40.7). Apesar de, em geral, Deus repreender Jó apenas com brandura, ainda que o deixasse aterrorizado, sem lhe causar dano, não obstante, Deus está um tanto aborrecido com a acusação de Jó contra sua justiça. Então, Deus pergunta categoricamente a Jó: "Você vai pôr em dúvida a minha justiça? Vai condenar-me para justificar-se?" (40.8). Depois Deus continua mostrando quanto ele é poderoso e como seu poder é demonstrado mediante seu controle sobre os animais ferozes do mundo.

É muito interessante como Deus termina com uma longa e detalhada seção a respeito do poder sobre o monstro marinho "Leviatã" (41.1-34). Embora alguns estudiosos tentassem associar o Leviatã com crocodilos ou algo semelhante, a maioria dos estudiosos afirma que o Leviatã, junto com Raabe (cf. 9.13 e 26.12), provavelmente represente as forças do caos do oceano associadas a Satanás (a serpente de Gn 3 e o dragão de Ap 12 fazem parte dessa associação). Desse modo, o livro começa com o desafio de Satanás e termina com a declaração de Deus acerca de seu poder absoluto sobre as forças de Satanás. Deus também faz uma importante observação a Jó. Em essência, Jó desafiou o direito de Deus de governar o mundo, sugerindo que ele (Jó) tem uma compreensão melhor da justiça. Deus responde informando Jó de que ele (Jó) não conhece muito sobre o mundo nem tem competência para governar o mundo. Além disso, Deus parece estar dizendo em Jó 41: "Como você, Jó, seria capaz de lidar com os poderes de Satanás?".

Deus faz uma pausa, e Jó logo reconhece seu erro quando diz: "Certo é que falei de coisas que eu não entendia, coisas tão maravilhosas que eu não poderia saber" (42.3). Em seguida, Jó se arrepende.

Deus restaura Jó (42.7-17)

A história chega logo ao fim; contudo, Deus ainda tem algumas arestas para aparar. Ele repreende os amigos de Jó, mostrando-lhes: "Vocês não falaram

✚ No início do livro, Satanás acusa Jó (Jó 1—2); no fim do livro, Deus declara seu poder absoluto sobre o Leviatã (Jó 41), uma criatura associada a Satanás.

o que é certo a meu respeito, como fez meu servo Jó" (42.7). Deus lhes diz que Jó intercederia por eles e que ele (Deus) atenderá à oração de Jó. Jó realmente ora por seus amigos (42.10), e depois disso Deus abençoa Jó com ricas bênçãos pelo restante de sua vida. Jó é restaurado e abençoado outra vez, mas é interessante observar que Deus nunca explica a Jó o desafio de Satanás e a verdadeira razão das provações. Bastou a Jó reconhecer que Deus era o soberano e poderoso criador do mundo, aquele que governa com força e justiça.

Como aplicar Jó à nossa vida hoje

Há muitos elementos de Jó que podem ser aplicados à nossa vida. Em primeiro lugar, se quisermos consolar nossos amigos que estão sofrendo por alguma grande tragédia na vida deles, não devemos ser como os amigos de Jó, que passaram todo o tempo tentando descobrir o "motivo" em vez de apenas se assentar com Jó e prantear com ele.

Segundo, é óbvio que se pode aplicar os ensinamentos de Jó à nossa vida quando tragédias inexplicáveis nos atingem. Mesmo em momentos de fúria e confusão, podemos nos apegar às verdades teológicas que Deus nos ensina mediante a história de Jó. Precisamos nos lembrar de que Deus é soberano e nós, não. Além do mais, Deus sabe todas as coisas sobre o mundo, enquanto nós conhecemos muito pouco. Por isso, nossa visão é muito limitada. Não conhecemos todas as causas e efeitos; tampouco percebemos sempre as batalhas espirituais. Também precisamos admitir e reafirmar que Deus sempre é justo, mas nem sempre ele nos explica sua justiça; por isso, às vezes, não conseguimos perceber nem entender. Ele nunca contou a Jó sobre as questões cósmicas envolvidas e o desafio de Satanás que provocou a situação. Por fim, e mais importante, Deus espera que nós confiemos em seu caráter e em sua soberania quando tragédias inexplicáveis nos atingem. Quando estamos feridos e perturbados, talvez até um pouco irados, devemos nos apegar ao que sabemos ser verdadeiro sobre o caráter de Deus e confiar que ele sabe como governar o mundo.

Nosso versículo favorito de Jó

Onde você estava quando lancei os alicerces da terra? Responda-me, se é que você sabe tanto. (38.4)

"É por sua ordem que a águia se eleva e no alto constrói o seu ninho?" (39.27)

- Gênesis
- Êxodo
- Levítico
- Números
- Deuteronômio
- Josué
- Juízes
- Rute
- 1Samuel
- 2Samuel
- 1Reis
- 2Reis
- 1Crônicas
- 2Crônicas
- Esdras
- Neemias
- Ester
- Jó
- **Salmos**
- Provérbios
- Eclesiastes
- Cântico dos Cânticos
- Isaías
- Jeremias
- Lamentações
- Ezequiel
- Daniel
- Oseias
- Joel
- Amós
- Obadias
- Jonas
- Miqueias
- Naum
- Habacuque
- Sofonias
- Ageu
- Zacarias
- Malaquias

Salmos
Adoração a Deus

A maioria das pessoas ama o livro de Salmos. Elas descobrem os salmos no início da caminhada cristã e passam a apreciar esses cânticos antigos por toda a vida. Você provavelmente é uma dessas pessoas por motivos óbvios. Em Salmos, encontramos consolo e encorajamento nos momentos de desânimo. Em Salmos, encontramos as palavras certas para louvar nosso Senhor e nos regozijar por tudo que ele tem feito por nós. O salmista expressa nossos sentimentos e nossas emoções, mas de alguma maneira ele os consegue expressar melhor do que nós mesmos. Então, quer estejamos contentes e nos regozijando no Senhor, quer lidando com a dúvida e o desespero, o livro de Salmos nos possibilita falar com Deus sobre o assunto. Normalmente, depois de meditarmos sobre um dos salmos e orar a Deus com o salmo, somos encorajados, levantados e fortalecidos. Esse livro de fato contém uma coleção poderosa de cânticos!

Qual é o contexto de Salmos?

O título "Salmos" em nossas Bíblias vem da *Septuaginta*, a tradução grega do AT. A palavra grega da qual transliteramos "salmos" sugere um cântico entoado com acompanhamento instrumental. Na Bíblia hebraica, o título do livro é a palavra que significa "louvores".

O livro de Salmos consiste em uma coleção de 150 salmos distintos agrupados em cinco "livros". Esse agrupamento em cinco provavelmente tem a intenção de compará-lo aos cinco livros do Pentateuco (Torá). Cada um dos cinco livros termina com uma declaração de louvor ao Senhor. Os cinco livros são os seguintes:

Livro	Conteúdo	Final
Livro 1	Sl 1—41	"Louvado seja o Senhor [...] Amém e amém!" (41.13)
Livro 2	Sl 42—72	"Bendito seja o seu glorioso nome para sempre [...]. Amém e amém." (72.19)
Livro 3	Sl 73—89	"Bendito seja o Senhor para sempre! Amém e amém." (89.52)
Livro 4	Sl 90—106	"Bendito seja o Senhor [...]. Que todo o povo diga: 'Amém!' Aleluia!" (106.48)
Livro 5	Sl 107—150	"Tudo o que tem vida louve o Senhor! Aleluia!" (150.6)

Todo o texto do salmo 150 é um louvor ao Senhor, de modo que esse salmo é integralmente um louvor que encerra a coleção de Salmos.

Doze salmos diferentes mencionam o louvor a Deus com harpa. Essa figura retrata um harpista mesopotâmico.

Os salmos individuais provavelmente foram escritos, reunidos e organizados nesses cinco livros durante um longo período. A ordem dos cinco livros talvez se deva à cronologia do processo de agrupamento. Além disso, há indicações nos cinco livros de outras coleções menores e mais antigas. Observe o comentário no final do salmo 72: "Encerram-se aqui as orações de Davi, filho de Jessé" (v. 20). Outra evidente coleção é atribuída aos "coraítas" (Sl 42—49; Sl 84—88). Assim, o texto de Salmos 73—83 (os salmos de Asafe) provavelmente circulava como uma antiga coleção. Talvez Salmos 120—134 ("cânticos de peregrinação" ou "cânticos de subida") também tenham sido reunidos em uma coleção antes de serem colocados no livro 5.

Os salmos 1—2 servem de introdução para todo o livro e provavelmente foram acrescentados no fim do processo de compilação. O texto de Salmos 1 declara que o caminho para encontrar a bênção (e o sentido) na vida é meditar e ter prazer na Torá

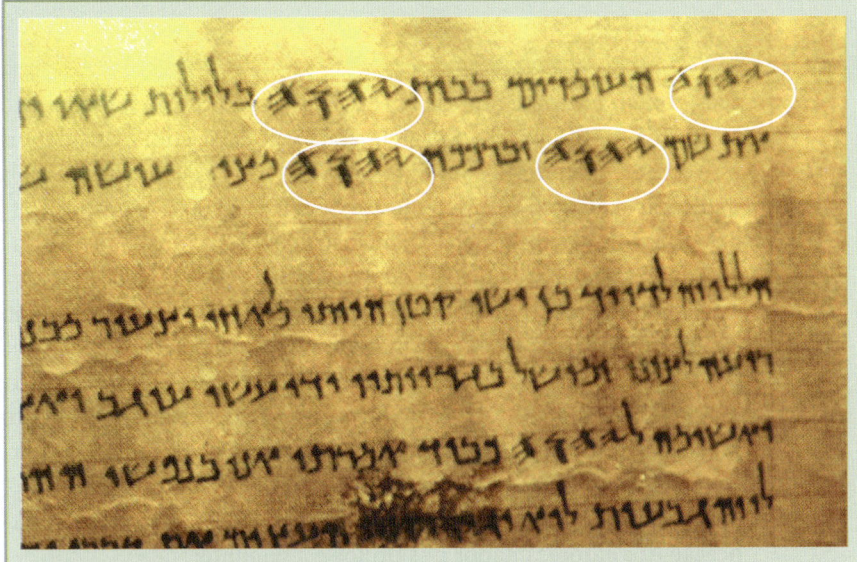

Neste rolo de Salmos dos rolos do mar Morto, o estilo das letras hebraicas usadas em todo o rolo é originário do século I d.C., mas o nome do Senhor (Yahweh) sempre é escrito com o alfabeto hebraico arcaico de centenas de anos.

(ou Lei, i.e., o Pentateuco). Alguns estudiosos sugerem que o salmo 1 na verdade leva os ouvintes a meditar e ter prazer nos salmos que se seguem. Apesar de isso ser possível, não é completamente evidente. O texto de Salmos 2 também é introdutório e leva os ouvintes a aguardar a vinda do rei messiânico, inferência da presença de nuanças messiânicas presentes nos salmos que versam sobre o rei e o reino de Deus.

Da mesma forma, o último grupo de salmos (146—150) ressalta o louvor a Deus e, assim, apresenta uma conclusão apropriada para a coleção, tendo no salmo 150 o ponto culminante, em que o Senhor é louvado em todos os versículos.

Não sabemos quem completou a coleção de Salmos e a deixou na forma encontrada hoje, nem quando isso ocorreu com exatidão. Uma vez que alguns salmos se referem com clareza ao período do exílio na Babilônia ("Às margens dos rios da Babilônia, nós nos assentávamos e chorávamos, lembrando-nos de Sião"; 137.1, *ARA*), podemos provavelmente concluir que a finalização da coleção ocorreu depois do Exílio, talvez próximo ou durante o período de Esdras e Neemias (450-400 a.C.), mas isso não passa de um palpite.

Muitos salmos, não todos, têm um sobrescrito ou título no início. Normalmente as traduções modernas colocam esses títulos acima e separados do texto dos salmos, antes do primeiro versículo. Por exemplo, o sobrescrito do salmo 110 é "Salmo davídico". Todavia, esse sobrescrito faz parte do texto inspirado e na Bíblia hebraica ele integra o versículo 1; por isso, não devemos desprezá-los. Esses sobrescritos oferecem uma variedade de informações.

✢ Normalmente, as Bíblias hebraicas contêm 150 salmos, como também nossas traduções modernas. Curiosamente, um dos rolos do mar Morto têm um salmo adicional de Davi acrescido ao fim do livro (i.e., Sl 151).

Eles podem indicar a autoria (p. ex., "davídico"; Sl 143); o contexto histórico ("Escrito quando o profeta Natã veio falar com Davi, depois que este cometeu adultério com Bate-Seba"; Sl 51); a destinação ou, talvez, a dedicação a alguém ("Para o mestre de música"; Sl 31); propósito ("para a dedicação do templo"; Sl 30); ou instruções relacionadas à música ("De acordo com a melodia *O Lírio da Aliança*"; Sl 60).

Alguns estudiosos não acham que a expressão hebraica geralmente traduzida por "um salmo de Davi" indique autoria, mas, talvez, uma dedicação ("um salmo para Davi") ou uma reflexão ("um salmo sobre Davi", ou até "como Davi" etc.). Entretanto, há forte evidência para entender essa expressão como indicação de autoria, e essa tem sido a compreensão tradicional da igreja ao longo dos séculos.

Davi não é o único autor mencionado nos títulos dos salmos. A classificação dos autores citados nos títulos é a seguinte:

Autor	Salmos atribuídos a ele
Davi	73 salmos, concentrados nos livros 1 e 2, mas também espalhados entre os livros 3, 4 e 5.
Os coraítas	Salmos 42—49, 84—88
Asafe	Salmos 50, 73—83
Salomão	Salmos 72 e 127
Hemã	Salmo 88
Etã	Salmo 89
Moisés	Salmo 90

Harpa do antigo Egito.

Como os salmos eram usados originariamente e qual era seu propósito? Não se pode ter certeza absoluta; entretanto, provavelmente os salmos foram originariamente usados em celebrações coletivas e em orações particulares. Alguns salmos eram obviamente cantados, acompanhados de instrumentos musicais. Não sabemos como eles eram tocados, mas provavelmente havia uma alternância entre o dirigente e a congregação.

Outra característica importante dos salmos é que eles foram escritos como poesia hebraica. Apesar de muitos livros do AT conterem poesia, o livro de Salmos é o livro poético mais completo da Bíblia. Desse modo, Salmos está repleto de variedades de figuras de linguagem (v. o debate sobre as figuras de linguagem na Parte III), incluindo hipérboles. Além disso, uma das principais características da poesia hebraica é chamada *paralelismo* — característica estrutural em que

✛ Nos manuscritos hebraicos de Salmos, às vezes aparece nas margens o termo *selá* (v., p. ex., 66.4,7,15). Os estudiosos não sabem ao certo o significado desse termo, mas suspeitam que ele designe algum tipo de música ou representação.

Salmos e o Messias

O livro de Salmos faz várias referências ao "rei". Na maioria das vezes, elas se referem ao rei que governava Jerusalém na época da composição do salmo. Outras vezes, a referência é ao rei Davi. Entretanto, em muitos casos, a descrição ou o comentário sobre o rei parece prosseguir em direção idealista para antecipar ou talvez até profetizar a vinda do rei messiânico. Tanto o salmo 2 quanto o 110 referem-se com clareza ao futuro rei messiânico, e o NT comprova essa ligação (Sl 2.7 é citado em Hb 1.5; em Mt 22.41-45, Mc 12.35-37 e Lc 20.41-44, Jesus se identifica como "Senhor de Davi" do Sl 110.1).

Outro salmo fascinante, associado a Jesus no NT, é o de número 22, um lamento pessoal. Jesus cita Salmos 22.1 quando está pendurado na cruz: "Meu Deus! Meu Deus! Por que me abandonaste?" (Mt 27.46); isso talvez mostre que o salmo 22 descreva muito mais que o sofrimento de Davi. Na verdade, Salmos 22.15-18 parece descrever a crucificação de Cristo de forma impressionantemente acurada: a boca seca, as mãos e os pés perfurados, a divisão das roupas e o lançamento de sortes. Ao que parece, Davi descreve no salmo 22 o próprio sofrimento por meio de uma linguagem figurada que será aplicada mais tarde a Jesus de modo literal.

Os autores do NT citaram passagens de Salmos mais que de qualquer outro livro do AT. Eles relacionaram diversos versículos de Salmos com vários aspectos da vida de Cristo. Um dos exemplos mais explícitos disso encontra-se em Atos 2.25-36, em que o apóstolo Pedro cita Salmos 16.8-11 e 110.1, ligando ambos os salmos a Jesus, de forma particular à sua ressurreição e exaltação.

o autor usa duas linhas de texto para expressar uma mesma ideia. A maioria dos versículos de Salmos contém duas linhas do texto hebraico, e essas duas linhas devem ser consideradas juntas. A primeira linha faz a afirmação principal, e a segunda faz o acréscimo a essa afirmação.

Quais são os temas centrais de Salmos?

Apesar de os salmos tratarem inevitavelmente de aspectos doutrinários e de conduta moral, seu propósito primordial não diz respeito ao ensino de doutrina ou conduta moral. Seu objetivo principal é fornecer modelos ou padrões divinamente inspirados sobre como orar a Deus, como louvá-lo e como meditar a respeito dele em resposta a tudo o que Deus tem feito por nós. Portanto, é importante lembrar-se de que a maioria dos salmos é dirigida a Deus, não a nós. Eles nos possibilitam expressar a ele nossos anseios e nossas emoções mais profundas, em especial quando passamos por momentos de crise.

Os salmos podem ser agrupados em duas categorias principais no que diz respeito aos diferentes contextos da vida humana. Primeiro, há momentos em que estamos bem; então, desejamos apenas louvar a Deus por todas as maravilhosas bênçãos que ele nos tem dado. Ou, quem sabe, desejamos simplesmente louvar a Deus por sua grandeza e por ele ser digno de louvor. À medida que refletimos sobre Deus ou meditamos a seu respeito, nossa reação normal deve ser a de irromper em louvor. Há diversos salmos que nos conduzem nessa direção.

A segunda principal categoria de salmos é chamada de "lamento". O lamento é um clamor de sofrimento repleto de angústia e dor, uma forma antiga do *blues* teologicamente moldada. Às vezes, a vida é tão cruel que sentimos como se alguém tivesse nos dado um soco no estômago. Tragédias podem nos atingir de surpresa, sem nenhum motivo ou lógica, devastando-nos e deixando-nos aleijados, de modo que mal conseguimos respirar e subsistir. Dor e angústia, misturadas com medo e dúvida, com certeza podem assolar mesmo os mais fortes dentre o povo de Deus (como Davi). Em geral, os salmistas, e Davi em particular, diante dessas situações, são sinceros ao extremo com Deus. Eles derramam sua profunda angústia, dúvida, medo e sofrimento diante dele por meio de lamentos poéticos comoventes. De modo geral, os salmistas usam seu clamor em Salmos para lidar com a dor, muitas vezes terminando com a determinação de confiar, adorar e louvar a Deus, apesar das dificuldades. Isso também é um modelo para nós, mas não nos isenta da necessidade de expressar nossa dor.

Portanto, os dois temas centrais de Salmos são louvor e lamento, sendo que mais tarde o lamento, de modo geral, termina em louvor.

Quais são os aspectos interessantes e singulares de Salmos?

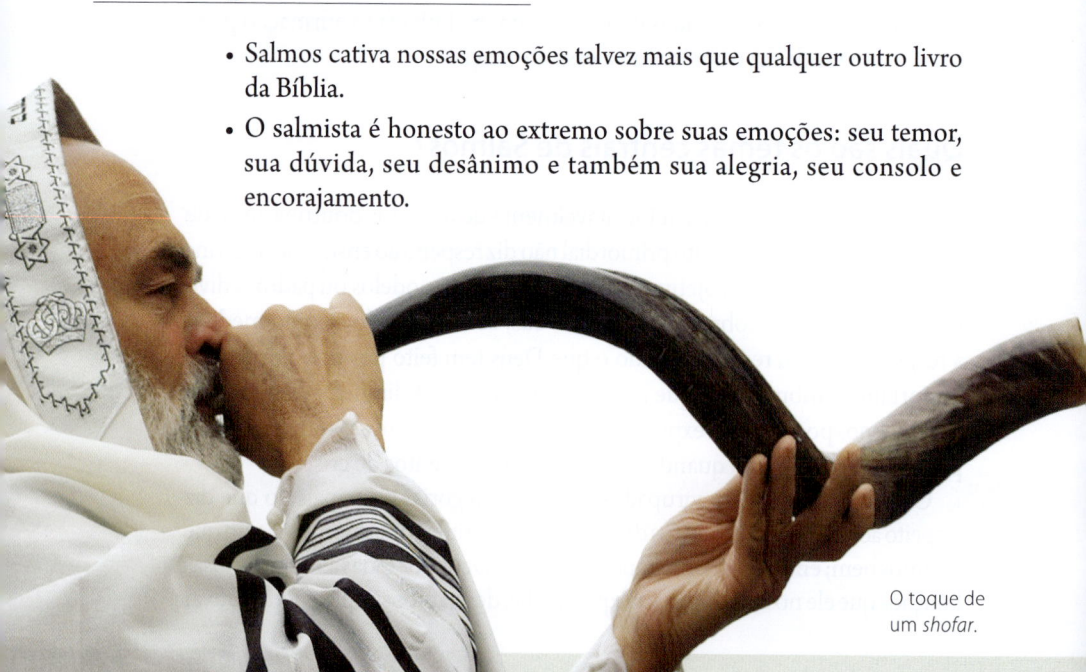

- Salmos cativa nossas emoções talvez mais que qualquer outro livro da Bíblia.
- O salmista é honesto ao extremo sobre suas emoções: seu temor, sua dúvida, seu desânimo e também sua alegria, seu consolo e encorajamento.

O toque de um shofar.

A música no Antigo Testamento
W. Dennis Tucker Jr.

INTRODUÇÃO

A música era um elemento fundamental de todas as culturas do antigo Oriente Médio, por isso as culturas que se estabeleceram em Israel/Terra Santa não foram diferentes. Quase dois milênios antes da monarquia davídica, a música teve um papel central nas culturas situadas na região da Terra Santa e permaneceu como parte importante das culturas da região. Há ampla evidência arqueológica e iconográfica disso. Foram encontradas estatuetas de terracota com figuras tocando instrumentos musicais, além de chocalhos de argila, címbalos e flautas. Diversas gravuras retratam a dança e o uso de instrumentos. Por exemplo, os arqueólogos descobriram pedras de piso em salas adjacentes a um altar da cidade de Megido (3000 a.C.). Nessas pedras havia figuras de guerreiros e caçadores, dançarinos, uma harpista e um percussionista.

A própria literatura do AT sugere a antiguidade da música. Sua menção mais antiga ocorre em Gênesis 4.21. Ali Jubal é mencionado como ancestral de todos os que tocavam harpa e flauta. A ocupação do músico é mencionada com a dos criadores de gado (4.20) e os que trabalham com metais (4.22), sugerindo que a música não era considerada parte secundária da vida; antes, era central à composição da própria sociedade.

CONTEXTO SOCIAL

Guerra

O texto bíblico mostra a forte ligação existente entre a guerra e a música ou os instrumentos musicais. Por exemplo, o ataque militar de Gideão aos midianitas incluiu o som de trombetas (*shofar*) no início da guerra (Jz 7.19,20). Quando Davi e Saul retornaram da batalha, as mulheres saíram ao encontro deles cantando, dançando e tocando tamborins (*tof*) e instrumentos de três cordas (*shalish*).

Cena semelhante ocorre em Êxodo 15, quando Miriã e outras mulheres cantavam e tocavam tamborins depois da derrota do exército egípcio.

Corte real

Os músicos faziam parte de cortejos reais. Saul enalteceu a habilidade de Davi como músico da corte (1Sm 16.23). Homens e mulheres vocalistas são mencionados em 2Samuel 19.35. A crítica social de Amós contra o Reino do Norte incluiu a acusação contra os dominadores ricos que se deitavam em camas e entoavam cânticos ao som da harpa (*neval*).

Profecia

No AT, a música está muitas vezes associada à profecia. Textos bíblicos sugerem que a música era usada para provocar um estado de êxtase profético. Em 1Samuel 10.5, Samuel diz a Saul que ele encontraria um grupo de profetas tocando harpa (*neval*), tamborim (*tof*), flauta (*halil*) e lira (*kinnor*). Quando Saul ouvisse a música, ele entraria em estado de frenesi profético, e o Espírito do Senhor repousaria sobre ele (cf. 2Rs 3.15).

Templo

No culto no templo, a música ocupava lugar central. O livro de Salmos fornece plena evidência do uso do canto e da música instrumental no templo. Diversos instrumentos são mencionados em todo o Saltério, como a frequente ordenança para o povo cantar ou elevar um hino (cf. Sl 81.3,4). Os sobrescritos contêm o que muitos acreditam serem expressões musicais, como "De acordo com a melodia *Lírios*" (Sl 45 e 69), mas o sentido exato dessas diretrizes foi perdido na História.

Outras ocasiões

Música, canto e dança também faziam parte do cotidiano (Gn 31.27; Jz 21.20,21; Is 16.10,11).

✚ Agostinho, um influente pai da igreja do século IV d.C., tirou o título de seu famoso livro *A cidade de Deus* de Salmos 87.3: "Coisas gloriosas são ditas de ti, ó cidade de Deus!".

- O livro de Salmos é o maior livro da Bíblia.
- Salmos é o livro do AT mais citado no NT.
- Salmos contém muitas referências messiânicas.
- Salmos foi escrito em poesia hebraica estruturada com habilidade, empregando com frequência vívidas figuras de linguagem.

Qual é a mensagem de Salmos?

O livro de Salmos é tão vasto (150 salmos!) que não há espaço para comentar cada um dos salmos. Mas os salmos podem ser classificados em categorias baseadas em seu tema e sua estrutura, e podemos ter uma boa ideia da mensagem deles como um todo analisando cada uma das categorias. Lembre-se de que os salmos são poéticos, e a poesia, quase por definição, resiste a qualquer categorização. Então, as características básicas que apresentamos a seguir são generalizações elementares. Contudo, há muitas exceções.

Como se observou antes, os dois temas centrais de Salmos são o lamento e o louvor. Os salmos de lamento podem ser subdivididos em dois grupos distintos: os lamentos individuais ou pessoais e os lamentos nacionais ou comunitários. Da mesma forma, os salmos de louvor podem ser subdivididos em vários subgrupos: salmos de testemunho individual, salmos descritivos de louvor, salmos de entronização, salmos régios e cânticos de Sião (muitas vezes chamados salmos de peregrinação). Além disso, há um pequeno grupo de salmos peculiares que não se enquadra em nenhuma dessas categorias específicas.

Uma das características fascinantes empregadas em diversos salmos é o uso do alfabeto hebraico para estruturar o salmo. Esses são chamados salmos acrósticos (às vezes chamados "salmos alfabéticos"). Os salmos acrósticos são classificados por essa característica alfabética peculiar, não pelo conteúdo. Por isso, um salmo alfabético pode também se enquadrar em uma das outras categorias (p. ex., Sl 9 é um salmo acróstico e um lamento individual).

Em geral, há uma transição no livro de Salmos do lamento (vários salmos do livro 1) ao louvor, que domina os últimos livros.

Salmos de lamento individual

Os salmos de lamento individual são os salmos em que um indivíduo (geralmente Davi, mas nem sempre) clama a Deus a respeito de um problema pessoal específico. Os salmos de lamento individual são os seguintes: 3—5, 7, 9—10, 13—14, 4, 17, 22, 25—28, 31, 35, 39—43, 52—57, 59, 61, 64, 69—71, 77, 86, 88—89, 109, 120 e 139—142. Eles podem ser agrupados

✝ Jesus cita Salmos 22.1 na cruz, momentos antes de sua morte (Mt 27.46; Mc 15.34).

pelo tema (lamento) e pela forma. Isto é, todos eles compartilham uma estrutura semelhante no sentido de que os tópicos abrangidos seguem a mesma ordem geral.

A estrutura geral dos salmos de lamento individual

Músicos antigos na Mesopotâmia tocando na cerimônia de fundação de um templo (2100 a.C.).

- **Invocação**. Esses salmos começam com um clamor inicial por socorro e/ou uma declaração de apelo a Deus.
- **Lamento**. De maneira breve ou ampliada, o salmista descreve seu sofrimento. Normalmente, essa seção contém três sujeitos: Tu, ó Deus; eu; e meus adversários.
- **Declaração de confiança**. Essa seção contém uma declaração de revigorada confiança ou fé em Deus. Muitas vezes essa declaração é contrastada com a seção do lamento e com frequência introduzida por "porém" ou "todavia".
- **Súplica**. Nessa seção, o salmista apresenta sua súplica perante Deus; isto é, o que ele pede para Deus fazer. Muitas vezes ele apresenta duas petições: uma para que Deus seja benevolente para com ele e para que Deus intervenha em sua situação.
- **Voto ou declaração de louvor**. O salmista seguirá uma de duas direções aqui. Ou ele fará um voto, descrevendo como louvará a Deus caso o Senhor responda à sua súplica (oração), ou ele louvará a Deus de antemão pela resposta recebida à oração, confiante de que Deus de fato intervirá e o resgatará de sua situação.

Salmo 142: Um exemplo de salmo de lamento individual

- **Invocação** (142.1-3a): "Em alta voz clamo ao Senhor; elevo a minha voz [...]. Derramo diante dele o meu lamento".
- **Lamento** (142.3b,4): "esconderam uma armadilha contra mim. [...] ninguém se preocupa comigo. [...] ninguém se importa com a minha vida".
- **Declaração de confiança** (142.5): "e digo: Tu és o meu refúgio".
- **Súplica** (142.6,7a): "livra-me dos que me perseguem [...]. Liberta-me da prisão".
- **Voto ou declaração de louvor** (142.7b): "e renderei graças ao teu nome".

Salmos

Salmos de lamento nacional ou comunitário

Os salmos de lamento nacional ou comunitário são aqueles em que toda a comunidade, de modo geral toda a nação de Israel, clama a Deus e suplica por seu socorro ou para que ele os livre. Muitas vezes esses salmos são reações à terrível destruição de Jerusalém pelos babilônios e o consequente exílio de Israel na Babilônia. Os salmos de lamento nacional/comunitário são os seguintes: 12, 44, 58, 60, 74, 79—80, 83, 85, 90, 94, 123, 126, 129 e 137. A estrutura desses salmos é idêntica aos salmos de lamento individual (invocação, lamento, declaração de confiança, súplica, voto ou declaração de louvor), exceto pelo fato de que o pronome da primeira pessoa está no plural ("nós" em vez de "eu"), e o ponto de vista é o da comunidade ou nação.

Antiga trombeta da Anatólia ocidental (800-500 a.C.).

Salmo 74: Um exemplo de salmo de lamento nacional

Invocação (74.1,2): "Por que nos rejeitaste definitivamente, ó Deus? [...] Lembra-te do povo que adquiriste em tempos passados".

Lamento (74.3-11). Uma descrição do templo de Jerusalém destruído.

Declaração de confiança (74.12-17): "Mas tu, ó Deus, [...] trazes salvação sobre a terra".

Súplica (74.18-23): "Não te esqueças para sempre da vida do teu povo indefeso. Dá atenção à tua aliança [...]. Levanta-te, ó Deus, e defende a tua causa".

Voto ou declaração de louvor. O salmo 74 não contém um voto de louvor. Isso mostra como há variações no padrão e nem todos os salmos seguem o padrão em todos os detalhes (lembre-se de que se trata de poesia). Contudo, alguns sugerem que o salmo 75 em seu todo tem a função de "declaração de louvor" do salmo 74.

Salmos de testemunho individual

Neles o salmista louva a Deus proclamando em público o que Deus fez por ele. Enquanto os salmos de lamento olham adiante ("Salva-me! Livra-me!"), os salmos de testemunho individual recordam o livramento de Deus e proclamam: "Ele me salvou; ele me livrou". Esses salmos são semelhantes a um "testemunho" contemporâneo compartilhado em uma comunidade cristã em que alguém, por gratidão a Deus, compartilha como

Deus respondeu às suas orações e agiu em sua vida. Salmos de testemunho individual incluem os de número 18, 21, 30, 32, 34, 40—41, 66, 116 e 138.

Estrutura básica dos salmos de testemunho individual

A forma desse tipo de salmo é mais variada que outros tipos, mas em geral se enquadrará no seguinte esquema:

Proclamação de louvor a Deus. Esses salmos iniciam com uma declaração de louvor ou adoração a Deus, como "Louvarei ao Senhor", "Eu te exaltarei, ó Senhor" ou "Eu te amo, ó Senhor".

Resumo introdutório. Muitas vezes o salmista apresenta um resumo em um ou dois versículos sobre o que ele aprendeu a respeito de Deus (e por que ele o louva).

Descrição do livramento. Nesses versículos, o salmista compartilha o que aconteceu de fato. De modo geral, ele recordará a situação inicial em que clamou a Deus por socorro. Depois descreverá como Deus interveio para livrá-lo.

Louvor e instrução. Aqui o salmista faz um voto para louvar a Deus ou apenas declara seu louvor. Às vezes, isso se transforma em uma seção de "ensino" ou "instrução", quando o salmista proclama aos ouvintes verdades sobre o Senhor e sua obra e muitas vezes os exorta a se unirem a ele em louvor a Deus.

Salmo 34: Um exemplo de salmo de testemunho individual

Proclamação de louvor a Deus (34.1-3): "Bendirei o Senhor o tempo todo!".

Resumo introdutório. O salmo 34 não tem um resumo, a não ser que o versículo 4 sirva de resumo e de introdução à descrição de livramento.

Descrição do livramento (34.4-7): "Busquei o Senhor, e ele me respondeu; livrou-me de todos os meus temores [...]. Este pobre homem clamou, e o Senhor o ouviu; e o libertou de todas as suas tribulações".

Louvor e instrução (34.8-22). Nessa seção, o salmo 34 contém principalmente instrução: "Provem e vejam como o Senhor é bom. [...] Venham, meus filhos, ouçam-me; eu ensinarei a vocês o temor do Senhor".

Salmos descritivos de louvor

Esses salmos convidam os ouvintes a se unirem em louvor a Deus por causa de sua grandeza (cuja principal evidência ocorre por meio da Criação) ou por causa de sua graça (revelada de modo especial por meio de

Uma escultura de parede assíria em relevo mostrando um soldado e três prisioneiros, possivelmente israelitas, tocando harpa (século VII a.C.).

seus grandes feitos na história humana). Os salmos dessa categoria talvez sejam os mais fáceis de identificar porque eles introduzem a palavra hebraica *halleluyah*, que significa "louvem ao Senhor". Estão nessa categoria os salmos 33, 106, 111, 113, 117, 135 e 146—150.

Estrutura básica dos salmos descritivos de louvor

Prólogo. Esses salmos começam com um *Halleluyah* ("Louvem ao Senhor").

Convite ao louvor. Normalmente, o salmista convocará outros (os servos do Senhor, as pessoas em geral, os céus, os anjos, sua própria "alma" etc.) a se unirem com ele em louvor ao Senhor.

Motivos de louvor a Deus. Geralmente, há uma declaração breve seguida de motivos específicos.

Declaração final. Aqui o salmista geralmente faz uma exortação, súplica ou um novo convite ao louvor como declaração final.

Epílogo. Muitas vezes os salmos descritivos de louvor também terminam com *Halleluyah* ("Louvem ao Senhor"), assim como começaram.

Salmo 113: Um exemplo de salmo descritivo de louvor

Prólogo (113.1a): "Aleluia!".

Convite ao louvor (113.1b-3): "Louvem, ó servos do Senhor [...]. Do nascente ao poente, seja louvado o nome do Senhor!".

Motivos de louvor a Deus (113.4-9a): "O Senhor está exaltado acima de todas as nações [...] reina em seu trono nas alturas [...] levanta do pó o necessitado [...] Dá um lar à estéril, e dela faz uma feliz mãe de filhos".

Declaração final. Salmos 113 não contém uma declaração final.

Epílogo (113.9b): "Aleluia!".

Salmos de entronização

Esses salmos são classificados pelo conteúdo, não pela estrutura, como os anteriores. Os salmos de entronização são identificados pela expressão "O Senhor reina" ou frase similar. Esses salmos descrevem Deus como Rei sobre toda a terra. Muitas vezes eles têm implicações messiânicas. Fazem parte desses salmos de entronização os salmos 47, 93 e 96—99.

Salmos régios

Os salmos régios normalmente tratam de algum acontecimento ou aspecto da vida do rei que está no poder. Em comparação com os salmos de entronização (que proclamam o reinado do Senhor), esses salmos parecem referir-se primordialmente ao rei humano. Contudo, como os salmos de entronização, os salmos régios não raro têm nuanças messiânicas (v., esp., Sl 110). Os salmos régios são os de número 2, 18, 20—21, 45, 72, 101 e 110.

Cânticos de Sião (salmos de peregrinação e cânticos de subida)

Em sentido técnico, o monte Sião era a encosta ou cume sobre o qual o templo foi construído. Mais tarde, o termo "Sião" foi usado para se referir em linguagem poética a toda a cidade de Jerusalém, apesar de ainda preservar a ênfase no templo. Esses salmos foram provavelmente entoados por peregrinos enquanto subiam a Jerusalém para adorar no templo durante uma das festas de Israel, por isso eles são às vezes chamados de "salmos de peregrinação" ou "cânticos de subida". Os salmos incluídos nessa categoria são os de número 84 e 120—134.

Salmos acrósticos

Os salmos acrósticos possuem uma estrutura peculiar e fascinante que só pode ser observada no original hebraico, pois esses salmos, de alguma maneira, seguem a ordem alfabética hebraica. Por exemplo, observe o salmo 34. A primeira letra hebraica desse salmo ("Bendirei o Senhor") é a letra *álef*, a primeira letra do alfabeto hebraico. O versículo seguinte (34.2) começa com *bet*, a segunda letra, e assim por diante até a última letra do alfabeto.

Há outras formas de empregar o alfabeto nos salmos. O salmo 119 é um bom exemplo. Os versículos desse longo salmo são organizados em grupos de oito. Cada linha dos primeiros oito versículos (119.1-8) começa com a letra hebraica *álef*. Em seguida, a primeira linha dos próximos oito versículos (119.9-16) começa com *bet*, e assim por diante até os versículos 169-176, cuja letra inicial é *tav*, a última letra do alfabeto hebraico.

Não está claro o propósito da organização alfabética. Talvez ela ajudasse na memorização. Talvez tenha sido utilizada apenas por motivos estéticos (i.e., um toque artístico). É muito provável que essa organização simbolizasse a totalidade do assunto. Por exemplo, é comum usarmos a expressão "de A a Z", querendo dizer tudo sobre o assunto. Nesses termos, o autor do salmo 119 estaria engrandecendo e exaltando a lei de Deus "de A a Z" (em hebraico, de *álef* a *tav*).

Como aplicar Salmos à nossa vida hoje

É provável que a maioria de nós já seja perita na aplicação de Salmos à nossa vida. Talvez você já o tenha usado na condução do louvor e da adoração a Deus. Ou em busca de consolo e força em tempos de tribulação. Você também pode tê-lo usado para meditar durante o período de oração a sós com Deus. Todas essas são aplicações válidas de Salmos. Continue assim.

Contudo, há também outra aplicação muito eficaz de Salmos na vida cristã que talvez não seja tão apreciada. Os salmos nos mostram (na verdade, nos oferecem exemplos inspiradores) que não é um problema chorar de dor e frustração diante de Deus. Às vezes, na igreja, transmitimos às pessoas a mensagem de que é sinal de imaturidade espiritual expressar qualquer outra sensação que não seja de otimismo radiante e enérgico. Isso sugere (de forma errada) que para os cristãos maduros sempre está tudo bem. O salmista contradiz essa visão quando clama: "Até quando, Senhor? Para sempre te esquecerás de mim? Até quando esconderás de mim o teu rosto?" (13.1). Outra vez, em Salmos 22.2 encontramos o salmista derramando o coração angustiado porque Deus não responde às suas orações: "Meu Deus! Eu clamo de dia, mas não respondes". Se nós orássemos dessa forma na igreja, ninguém nos pediria mais para orar. Contudo, esses salmos (principalmente os de lamento) são muito importantes porque nos oferecem exemplos inspirados por Deus de como clamar a ele com sinceridade quando estamos em aflição. Os salmos nos ensinam que não há problema em sofrer e expressar essa dor a Deus, mesmo em público (ou de modo especial em meio às pessoas). Pode ser que toda a congregação se sinta devastada por uma tragédia, e que toda a igreja esteja sofrendo e sendo afligida. O livro de Salmos nos mostra um jeito de clamar em público e em comunidade em meio à angústia a Deus, um passo crucial para a restauração.

Nosso versículo favorito de Salmos

O Senhor é o meu pastor; de nada terei falta. (23.1)

- Gênesis
- Êxodo
- Levítico
- Números
- Deuteronômio
- Josué
- Juízes
- Rute
- 1Samuel
- 2Samuel
- 1Reis
- 2Reis
- 1Crônicas
- 2Crônicas
- Esdras
- Neemias
- Ester
- Jó
- Salmos
- **Provérbios**
- Eclesiastes
- Cântico dos Cânticos
- Isaías
- Jeremias
- Lamentações
- Ezequiel
- Daniel
- Oseias
- Joel
- Amós
- Obadias
- Jonas
- Miqueias
- Naum
- Habacuque
- Sofonias
- Ageu
- Zacarias
- Malaquias

Provérbios
Para obter sabedoria e disciplina

Na Etiópia, há um provérbio popular que pode ser traduzido mais ou menos assim: "Devagar, devagar, o ovo cria pernas, e um dia vai embora". Este é um provérbio que fala sobre paciência. Ensina que muitas vezes as coisas demoram a se desenvolver. Não raro, apesar de parecer que nada está realmente acontecendo, na verdade as coisas estão seguindo adiante, mesmo que o progresso não possa ser visto. O ovo parece não estar fazendo nada. Contudo, se aguardarmos com paciência, um dia, de repente, o ovo será rompido e o pintinho sairá. Os etíopes citam esse provérbio sempre que encorajam alguém a ter paciência. Os etíopes adoram os provérbios e têm muitos deles.

Os provérbios também estão presentes em nossa cultura ocidental. Alguns dos que mais gostamos são: "Não conte com os ovos dentro da galinha"; "Você pode levar o cavalo à fonte, mas não pode fazê-lo beber"; "Quem pode, pode; quem não pode, se sacode". De quantos outros provérbios populares você consegue se lembrar? Quais são os seus preferidos? Se você vem de outra cultura, consegue lembrar-se de provérbios de sua cultura? Praticamente toda cultura e toda língua do mundo utilizam declarações proverbiais breves e incisivas para tentar transmitir o bom senso da sabedoria popular de geração a geração.

Qual é o contexto de Provérbios?

Os cabeçalhos do livro de Provérbios mostram que o livro é composto por quatro coleções principais, cada uma delas de autores ou editores (organizadores) diferentes. Desse modo, os capítulos 1—24 de Provérbios são atribuídos a Salomão; 25—29 são outros provérbios de Salomão copiados pelos escribas do rei Ezequias (provavelmente também coletados e editados por eles); Provérbios 30 é atribuído a um homem chamado Agur, desconhecido e não mencionado em outra parte, mas talvez fosse um escriba; e Provérbios 31 é atribuído a um rei desconhecido chamado Lemuel (que recebeu esses ensinamentos de sua mãe).

A sabedoria no mundo antigo pode ser definida como uma diretriz racional para viver de forma correta. Não há dúvida de que camponeses e lavradores do mundo antigo tivessem seus provérbios populares, semelhantes aos nossos hoje. Contudo, mesmo antes da época de Salomão, por todo o antigo Oriente Médio havia reis, escribas, sacerdotes e outros indivíduos instruídos que estavam envolvidos na busca intelectual formal de sabedoria prática. Ao enaltecer a imensa sabedoria de Salomão, 1Reis 4.30 menciona a sabedoria do "oriente" (i.e., Mesopotâmia) como a sabedoria do Egito. Primeiro Reis 4.29-34 sugere que Salomão tinha conhecimento da sabedoria dessas regiões. Ele provavelmente estudava a literatura sapiencial da Mesopotâmia e do Egito. Primeiro Reis 4.32 diz que Salomão "compôs" 3 mil provérbios. Pode ser que Salomão tenha reunido provérbios de Israel e de outras partes do antigo Oriente Médio. Talvez ele também tenha elaborado alguns provérbios próprios. Sob inspiração de Deus, no reinado de Salomão

Uma folha de papiro da "Instrução de Ankhsheshong", que contém vários provérbios sucintos do Egito.

Provérbios do antigo Oriente Médio
Tremper Longman III

O provérbio era um gênero literário muito comum no antigo Oriente Médio. Encontram-se coleções de provérbios e literatura de instrução contendo provérbios escritos em egípcio, sumério, acádio e aramaico. Os provérbios estão entre a literatura mais antiga de que se tem conhecimento, datados da primeira metade do terceiro milênio antes de Cristo; eles predominaram até os períodos mais tardios da literatura do antigo Oriente Médio.

Os provérbios do antigo Oriente Médio formam o contexto do estudo do livro de Provérbios e, de fato, há forte evidência de que os autores bíblicos tiveram conhecimento de outros textos do antigo Oriente Médio e às vezes até se inspiraram neles ao escrever os provérbios em hebraico.

Os provérbios egípcios são os mais bem conhecidos e os mais significativos para o estudo dos provérbios hebraicos. Esses provérbios são encontrados nas instruções de um pai a seu filho, um dos gêneros egípcios mais populares. Os exemplos mais antigos (Hardjedef, Kagemni, Ptahhotep e Merikare) têm origem no terceiro milênio antes de Cristo. O exemplo mais famoso, contudo, é a "Instrução de Amenemope" do final do segundo milênio, apresentado pela primeira vez ao público em 1923. Os estudiosos observaram de imediato as semelhanças entre sua estrutura e conteúdo e o livro de Provérbios, em particular a seção intitulada "Ditados dos Sábios" (22.17—24.22). Chamou bastante atenção o fato de que o texto egípcio é composto de 30 capítulos enquanto o texto bíblico possui 30 ditados (22.20). Apesar de Amenemope ser o exemplo mais conhecido, muitos outros textos egípcios contêm ensinamentos semelhantes aos do livro bíblico. Mesmo assim, a fundamentação teológica de Provérbios separa esse livro de modo radical de todos os textos do antigo Oriente Médio ("O temor do SENHOR é o princípio do conhecimento"; Pv 1.7).

Na Mesopotâmia, a literatura suméria mais antiga inclui longas coletâneas de provérbios. Atualmente, mais de 25 coletâneas de provérbios desse período antigo são conhecidas. Alguns tópicos são semelhantes aos tratados em Provérbios, incluindo-se os pensamentos a respeito de relacionamentos familiares, das mulheres, dos mentirosos, da corte, da pessoa justa/correta. Os sumérios também possuíam um texto de instrução em que o herói do dilúvio, Ziusudra, recebe conselhos de seu pai Shuruppak ("Instruções de Shuruppak"). Os babilônios e assírios não produziram provérbios originais em seu idioma, apesar de continuarem usando as coletâneas sumérias.

Por fim, Ahiqar é um texto aramaico, fixado no século VII a.C., que também dá forma ao pano de fundo do livro de Provérbios. Ahiqar foi um conselheiro dos reis assírios. Seu sobrinho tramou contra ele a fim de que fosse executado, mas ele escapou e mais tarde foi restaurado à sua posição. Depois de bater em seu sobrinho, ele então o instrui por meio de provérbios. Alguns deles são muito parecidos com os ensinamentos de Provérbios. Talvez o mais impressionante seja: "Não poupe a vara do seu filho; do contrário, você acha que poderá salvá-lo [da iniquidade]?" (Dito 3; cf. Pv 13.24; 23.13,14).

(971-931 a.C.) e mais tarde no reinado de Ezequias (716-687 a.C.), um grande número desses provérbios foi reunido, editado e incluído na Bíblia para integrar Provérbios 1—29.

Ao longo de todo esse processo, houve provavelmente contínua interação e mescla de sabedoria proverbial popular e não sofisticada, provinda das fazendas de Israel, com reflexões filosóficas e intelectualizadas dos estudiosos instruídos (incluindo-se Salomão) das cortes de Jerusalém.

Quais são os temas centrais de Provérbios?

O propósito do livro de Provérbios é expresso com clareza nos versículos introdutórios: "experimentar a sabedoria e a disciplina; [...] fazendo o que é justo, direito e correto" (1.2,3), e para ensinar tanto o simples ou jovem como o sábio e o que tem discernimento (1.4,5). O livro de Provérbios está ligado do ponto de vista teológico ao restante do AT por meio do 1.7: "O temor do SENHOR é o princípio do conhecimento", firmando assim a busca pelo sábio viver obediente a Deus.

O aspecto central de Provérbios é a formação de caráter. Ele oferece a direção para o desenvolvimento do caráter sábio e correto. Enfatiza que o caráter gera conduta e a conduta gera sérias consequências.

Conforme a menção anterior na introdução aos Livros Sapienciais (Jó, Provérbios, Eclesiastes e Cântico dos Cânticos), Provérbios apresenta as normas de vida-fatos que de modo geral e normal são verdadeiros, aspectos em torno dos quais se deve formar o caráter. Por exemplo, Provérbios ensina que por meio do esforço a pessoa prospera e será bem-sucedida. Isso normalmente está correto, e a ética da dedicação ao trabalho com certeza é uma virtude fundamental que ajudará a pessoa a viver de modo sábio. Mas ela não é universalmente verdadeira; tampouco consiste em uma promessa inadequada da parte de Deus. Há exceções disso na vida, como Jó ilustra com habilidade. Há exceções modernas também. Por exemplo, em meados da década de 1980 houve uma terrível seca e fome na Etiópia. Milhares de agricultores cristãos experimentados foram afetados pela seca e devastados pela fome. Essas pessoas não eram indolentes; elas eram trabalhadoras esforçadas, tão esforçadas como quaisquer outras no mundo. O esforço ainda era uma boa virtude de caráter para eles incorporarem, mas as consequências dessa verdade proverbial não se aplicavam a eles por

Uma tabuinha de argila contendo provérbios sumérios (2000-1800 a.C.).

✚ O livro de Jó equilibra o livro de Provérbios, e os dois devem ser interpretados em conjunto.

causa da à sua situação peculiar. O provérbio é normalmente verdadeiro, não universalmente verdadeiro.

Então, Provérbios apresenta as normas de vida, e os outros livros (Jó, Eclesiastes, Cântico dos Cânticos) dão ênfase às exceções. Todos os livros sapienciais precisam ser considerados em conjunto a fim de proporcionar o equilíbrio entre eles. Provérbios sem o livro de Jó pode levar à teologia prática incorreta, como os três amigos ilustram. Parte da capacidade de se tornar sábio de acordo com a Bíblia é aprender a aplicar os diversos ensinamentos modelares do livro de Provérbios aos diversos contextos de vida.

Pelo fato de as máximas de Provérbios serem normalmente verdadeiras, na maior parte das vezes podemos aplicar a maioria delas à vida de maneira relativamente fácil. O livro de Provérbios trata dos aspectos mais básicos da vida: família, vizinhos, trabalho, discurso, sociedade e assim por diante. Fora desse contexto cotidiano da "vida no mundo real", diversos outros temas centrais surgem em Provérbios: sabedoria *versus* insensatez, aspectos impróprios da fala (ira, maledicência etc.), cônjuges e famílias (incluindo a imoralidade sexual), indolência *versus* trabalho esforçado, atitudes corretas para com os pobres e o justo *versus* o ímpio.

Um dos meios utilizados no livro de Provérbios para ensinar sabedoria é a apresentação de quatro tipos básicos de caráter. Primeiro, há o *simples* (ou *ingênuo*). Essa pessoa não é muito inteligente e não deseja ser. Segundo, há o *insensato*. Ele também não é inteligente, mas se considera assim e convence o *simples/ingênuo* de que o é. Em terceiro lugar, há o *escarnecedor* ou *zombador*. Ele na verdade é muito inteligente (em termos humanos), mas não teme o Senhor, por isso sua inteligência não se traduz em verdadeira sabedoria, tornando-o um cético implacável. O quarto tipo de caráter retratado em Provérbios é o *sábio*, o inteligente e discernidor e também temente ao Senhor. O ensino central de Provérbios é a exortação para que nós nos esforcemos para nos tornar como o *sábio*, não como o *simples*, o *insensato* ou o *zombador*.

Eis um breve esboço da estrutura de Provérbios:

- Os provérbios de Salomão (1.1—24.34)
  - Introdução (1.1-7)
  - A sabedoria do pai para o jovem e o ingênuo (1.8—9.18)
  - Breves provérbios (10.1—22.16)
  - Ditados dos sábios (22.17—24.34)
- Os provérbios de Salomão reunidos pelos escribas de Ezequias (25.1—29.27)
- Os ditados de Agur e Lemuel (30.1—31.31)

✚ Tiago 4.6 e 1Pedro 5.5 fazem uma citação direta da *Septuaginta* (tradução grega do AT) de Provérbios 3.34.

Quais são os aspectos interessantes e singulares de Provérbios?

- Provérbios nos ajuda a lidar com as questões da vida diária, relacionadas à família, aos amigos e ao trabalho.
- Muitos provérbios individuais podem ser aplicados com bastante facilidade.
- O livro de Provérbios nos adverte da imoralidade sexual.
- Há diversos provérbios que tratam do problema da fala (maledicência, honestidade e ira).
- Vários provérbios tratam da importância dos amigos.
- Provérbios dá muitos conselhos sobre como criar filhos.
- Provérbios começa enfatizando os pais e filhos e terminam com ênfase em uma mãe e esposa.

Qual é a mensagem de Provérbios?

Os provérbios de Salomão (1.1—24.34)

Introdução (1.1-7)

O primeiro versículo de Provérbios atribui os provérbios seguintes a Salomão e, de imediato, declara o propósito do livro. Dois objetivos são mencionados. O primeiro objetivo consiste em adquirir sabedoria e entendimento. O segundo objetivo decorre do primeiro e envolve o modo de viver: fazer o que é correto, justo e honesto (1.2-6). Provérbios 1.7 lembra o leitor de que o verdadeiro conhecimento não pode ser obtido sem o relacionamento correto com Deus.

A sabedoria do pai para o jovem e o ingênuo (1.8—9.18)

O livro de Provérbios não começa com um típico provérbio curto, conciso, de duas linhas; antes, tem início com várias e longas admoestações de um pai ao filho, interrompido duas vezes enquanto a voz da sabedoria personificada interrompe a conversa. O filho está prestes a passar para a idade adulta e tem diante dele dois caminhos diferentes. De um lado, ele ouve a voz sábia do pai. De outro, sente a forte tentação da imoralidade sexual e a pressão dos amigos para andar em companhia de uma gangue arruaceira que o seduz a buscar o dinheiro fácil que não requer o esforço do trabalho. As duas visões que estão diante dele são sabedoria *versus* insensatez, consequentemente vida ou morte.

Desse modo, em Provérbios 1.8-19 o pai encoraja o filho a rejeitar a gangue e a sedução do enriquecimento fácil obtido por meio de violência. A voz personificada da sabedoria interrompe em 1.20-23, repreendendo o ingênuo (ou ignorante) e o insensato porque eles se recusam a lhe dar ouvidos. Em 2.1-22, o pai fala novamente, dizendo ao filho que a verdadeira sabedoria o protegerá contra os homens maus (2.11-15) e as mulheres perversas (i.e., a adúltera; 2.16-19). Contudo, a verdadeira sabedoria nunca poderá ser colocada em prática sem fé e confiança no Senhor. Desse modo, 3.1-35 leva o jovem a Deus. Provérbios 3.5,6 resume o conselho: "Confie no Senhor de todo o seu coração e não se apoie em seu próprio entendimento; reconheça o Senhor em todos os seus caminhos, e ele endireitará as suas veredas". Em 4.1-27, o pai exorta, quase a ponto de implorar, o filho a aprender com ele e a abraçar a sabedoria. Em Provérbios 5, diz-se ao jovem para permanecer fiel à sua esposa e evitar o adultério a todo custo. Em Provérbios 6, o pai aconselha o filho a dedicar-se ao trabalho (6.1-11), ficar atento aos salafrários (6.12-19) e entender as severas consequências advindas do adultério (6.20-35). Provérbios 7 continua

Provérbios 6.1-5 exorta as pessoas a se livrarem da dívida "como a gazela se livra do caçador". Esta cena mostra os assírios caçando gazelas.

✚ Diversos provérbios são repetidos. Às vezes, as duas formas são idênticas e às vezes refletem leve variação. Veja, por exemplo, 6.10,11 = 24.33-44; 10.1 = 15.20; 14.12 = 16.25; 16.2 = 21.2; 19.5 = 19.9; 20.10 = 20.23.

Provérbios

"O Senhor repudia balanças desonestas" (Pv 11.1; 16.11; 20.23). Esta figura mostra um jogo de uma antiga balança de bronze.

a advertir da tentação do adultério, descrevendo de modo vívido como o jovem ingênuo/ignorante cedeu a essas tentações, seguindo após a adúltera sedutora "como o boi levado ao matadouro" (7.22). Em comparação à mulher sedutora que fica rondando as ruas à procura de jovens ingênuos e ignorantes (7.1-27), em Provérbios 8 é a sabedoria que clama aos jovens na rua. Dar ouvidos à adúltera leva à morte (7.27), ao passo que dar ouvidos à sabedoria conduz à vida e ao favor diante do Senhor (8.35).

Provérbios 9 continua semelhante analogia entre mulheres, dessa vez entre a "senhora sabedoria" e a "senhora insensatez". Mais uma vez o filho é informado de que o "temor do Senhor é o princípio da sabedoria", que resulta em vida (9.10,11), enquanto a "senhora insensatez" leva os que são simples e ingênuos (i.e., sem sabedoria), à morte (9.18).

Breves provérbios (10.1—22.16)

Essa seção contém 375 provérbios curtos de duas linhas. Aparentemente, esses provérbios não têm relação entre si; isto é, a organização estrutural de cada capítulo não é muito perceptível e evidente. Provérbios 15.33 ("O temor do Senhor ensina a sabedoria"), todavia, parece dividir essa seção em duas unidades básicas (10.1—15.33; 16.1—22.16), e há algumas associações que ligam uma unidade à outra.

A primeira unidade (10.1—15.33) é dominada por provérbios "antitéticos", em que a segunda linha do provérbio apresenta uma realidade contrastante e oposta da expressa na primeira linha. Por exemplo, em Provérbios 15.1 se lê na primeira linha: "A resposta calma desvia a fúria". A segunda linha representa uma realidade oposta e contrastante: "mas a palavra ríspida desperta a ira". A segunda unidade (16.1—22.16) também contém provérbios de duas linhas, mas há uma predominância de provérbios do tipo sinonímico ou "complementar" no qual a segunda linha repete ou acrescenta à primeira. Por exemplo, em Provérbios 19.17 lê-se na primeira linha: "Quem trata bem os pobres empresta ao Senhor". A segunda linha não é antitética, mas complementar (nesse caso, consequente): "e ele o recompensará". Duas pequenas diferenças nas duas unidades são que Provérbios 16.1—22.16 tem predominância de provérbios que tratam do rei e contém mais provérbios que mencionam o Senhor.

"Há palavras que ferem como espada, mas a língua dos sábios traz a cura" (Pv 12.18).

Contudo, há vários temas em comum que aparecem de forma repetida no decorrer das duas subunidades de Provérbios 10.1— 22.16. O tema mais frequente é o contraste entre o sábio e o insensato. Diretamente ligado a esse tema está o do contraste entre o justo e o ímpio. Outros temas importantes incluem a preguiça em oposição ao trabalho árduo; a família (filhos, pais, esposa); o domínio da língua (como falar); pobreza e riqueza; orgulho e humildade; e ira. Portanto, essa seção oferece conselho sábio sobre uma variedade enorme de assuntos relacionados à vida prática.

Ditados dos sábios (22.17—24.34)

Curiosamente, boa parte do material contido nessa seção é muito semelhante a um antigo livro egípcio de sabedoria intitulado *Os ensinamentos de Amenemope*. Esse livro é anterior a Salomão; então, aparentemente Salomão reuniu livros sapienciais de todo o mundo conhecido da época, e esse era um dos que ele adquiriu e incorporou à sua coleção. Um dos principais tópicos dessa coleção é o ensinamento aos moços de como lidar com a riqueza (provavelmente na corte real) sem ser tragado pela inútil busca de riquezas.

Os provérbios de Salomão reunidos pelos escribas de Ezequias (25.1—29.27)

Essa seção é semelhante a Provérbios 10—22 e contém muitos dos mesmos temas; o sábio e a sabedoria *versus* o insensato e a insensatez; retidão *versus* iniquidade; preguiça *versus* trabalho árduo; e como dominar a língua. Essa unidade também tem diversos provérbios que falam de Deus; e provérbios que tratam do rei. Nessa seção prevalecem em especial provérbios que tratam dos pobres, principalmente no que se refere ao sistema judicial.

Os ditados de Agur e Lemuel (30.1—31.31)

Não se sabe nada sobre o sábio Agur e o rei Lemuel além das referências a eles aqui em Provérbios 30—31. Eles provavelmente vêm do mesmo país, mas é muito provável que não fossem israelitas, pois nenhum dos nomes é hebraico.

Os provérbios de Agur têm uma estrutura diferente da maioria do restante de Provérbios. Sua coleção é marcada pela estrutura literária que menciona "três coisas" e depois "quatro", seguida de uma lista de quatro coisas que ilustram a ideia central.

Em Provérbios 31, os "ditados do rei Lemuel", na verdade, são atribuídos à mãe do rei. Então, como o livro de Provérbios tem início com o conselho de um pai a seu filho, ele encerra com o conselho de uma mãe a seu filho (31.1-9), seguido da descrição de uma mulher exemplar (31.10-31). A mãe de Lemuel o adverte contra as mulheres e o beber de modo desenfreado. Mas o exorta a dar atenção ao pobre (31.1-9).

É um tanto significativo que Provérbios termine com uma longa descrição da "esposa/mulher exemplar". O livro de Provérbios está repleto de bons conselhos sobre o estilo de vida sábio, muitos deles endereçados aos jovens. O final parece dizer que uma das coisas mais sábias que um jovem pode fazer é casar-se com uma mulher notável como a descrita em Provérbios 31.10-31. Da mesma forma, o caráter da mulher descrito nessa passagem também oferece às moças um sólido exemplo a seguir.

Há vários aspectos interessantes nessa última seção além de seu fascinante conteúdo. Em primeiro lugar, Provérbios 31.10-31 é um "acróstico" semelhante aos salmos acrósticos. Em hebraico, cada linha de Provérbios 31.10-31 começa com uma letra consecutiva do alfabeto. Desse modo, o versículo 10 começa com *álef*, a primeira letra do alfabeto hebraico, e o versículo 31 começa com *tav*, a última letra do alfabeto. É como se dissesse: "As qualidades de A a Z da esposa ideal".

"Onde não há bois o celeiro fica vazio (i.e., limpo sem sujeira), mas da força do boi vem a grande colheita" (Pv 14.4). A figura mostra um modelo egípcio de uma junta de bois egípcia puxando arado (2.000-1.650 a.C.).

✚ Provérbios começa com ênfase sobre pais e filhos, mas termina com ênfase sobre mães e esposas.

Outro aspecto interessante do final de Provérbios em relação a essa "mulher exemplar" é que no cânon bíblico o livro de Rute vem logo após Provérbios. Em Provérbios 31.10, suscita-se a questão: "Uma esposa exemplar; feliz quem a encontrar!". Em hebraico, a mesma palavra é usada tanto para "esposa" quanto para "mulher". Em Rute 3.11, Boaz diz a Rute que todo o povo sabe que ela era "mulher virtuosa [exemplar]". Essa expressão "esposa exemplar" (Pv 31.10) e "mulher virtuosa" são idênticas. A relação entre essas duas expressões idênticas provavelmente foi o argumento usado para colocar Rute logo após Provérbios, como se encontra no cânon hebraico. Provérbios 31.10 indaga sobre quem poderá encontrar uma mulher exemplar; logo em seguida, no próximo livro, surge essa mulher: Rute!

Uma escultura em relevo na parede de um palácio em Susã mostrando uma mulher rica (talvez uma rainha ou princesa) sentada, segurando nas mãos um carretel (cf. Pv 31.19).

Como aplicar Provérbios à nossa vida hoje

O livro de Provérbios está repleto de ensinamentos aplicáveis e relevantes para hoje. Provérbios nos ensina a não sermos prepotentes e orgulhosos. Aprendemos aqui, como em toda a Bíblia, que Deus detesta pessoas orgulhosas, e que devemos nos esforçar para sermos humildes e nos interessar pelos outros. Isso faz parte de viver de modo sábio.

Provérbios também tem muito a dizer sobre a atitude para com os pobres. Provérbios 17.5 sugere que se zombarmos dos pobres, ou os ridicularizarmos, estaremos zombando de Deus e ridicularizando-o, pois ele os criou.

Também aprendemos em Provérbios que, se formos sábios, seremos calmos, serenos e tardios na ira. Usaremos palavras apaziguadoras que acalmam situações de crise. Também seremos ouvintes cautelosos e não daremos de forma precipitada nossas opiniões e estaremos sempre preparados para aprender mais sabedoria dos outros.

Nosso versículo favorito de Provérbios

O amigo ama em todos os momentos; é um irmão na adversidade. (17.17)

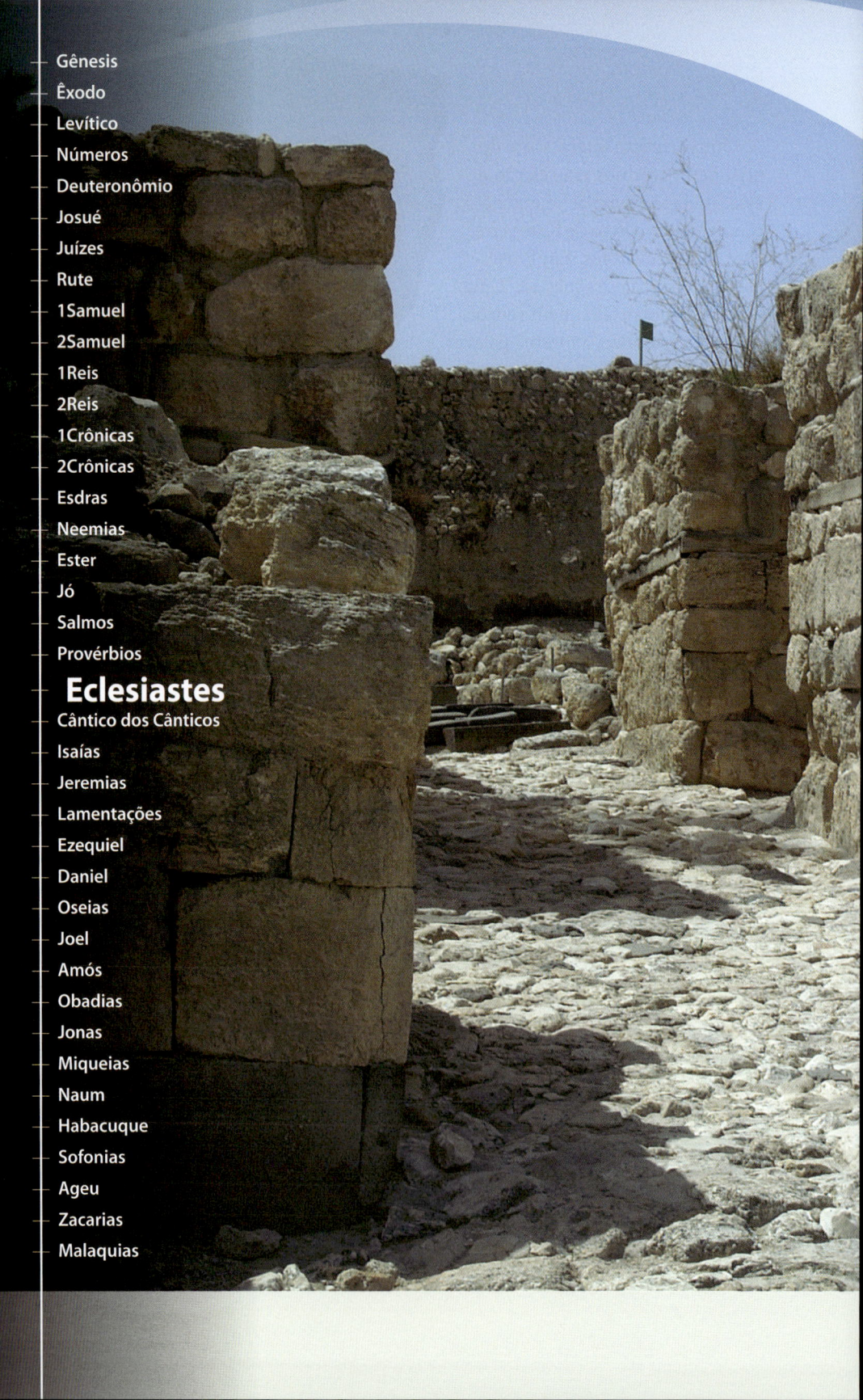

- Gênesis
- Êxodo
- Levítico
- Números
- Deuteronômio
- Josué
- Juízes
- Rute
- 1Samuel
- 2Samuel
- 1Reis
- 2Reis
- 1Crônicas
- 2Crônicas
- Esdras
- Neemias
- Ester
- Jó
- Salmos
- Provérbios

Eclesiastes

- Cântico dos Cânticos
- Isaías
- Jeremias
- Lamentações
- Ezequiel
- Daniel
- Oseias
- Joel
- Amós
- Obadias
- Jonas
- Miqueias
- Naum
- Habacuque
- Sofonias
- Ageu
- Zacarias
- Malaquias

Eclesiastes
Qual é o sentido da vida?

Eclesiastes é um dos livros mais estranhos da Bíblia, e totalmente diferente do livro de Provérbios. Se tentarmos ler Eclesiastes como Provérbios, tratando versículos individuais como se fossem independentes uns dos outros e tirá-los do contexto, encontraremos algumas afirmações muito contraditórias ao restante da Bíblia. Por exemplo, pense em 10.19: "O banquete é feito para divertir, e o vinho torna a vida alegre, mas isso tudo se paga com dinheiro". Uau! Eclesiastes está nos dizendo que a sabedoria envolve ir atrás de festas, bebida e dinheiro?

A resposta, naturalmente, é não. Eclesiastes precisa ser lido em seu contexto. O livro representa uma busca intelectual por sentido na vida, e é muito sincero a respeito das realidades que se observam na vida, principalmente as incongruências e injustiças. Eclesiastes é muito semelhante a Jó no sentido de que a resposta à busca só é revelada no fim do livro, por isso precisamos continuar lendo até o último capítulo antes de poder achar que vamos compreender o que o autor diz de verdade sobre a vida.

Qual é o contexto de Eclesiastes?

As frases introdutórias do livro de Eclesiastes identificam o conteúdo do livro como "As palavras do mestre, filho de Davi, rei em Jerusalém" (1.1). A palavra hebraica traduzida por "mestre" na *Nova Versão Internacional* é *Qohelet*, um vocábulo bastante significativo. Ele se refere a alguém que fala na "assembleia", o que provavelmente implica o contexto judicial e político. Na Bíblia hebraica, *Qohelet* é o nome do livro. A *Septuaginta* (a antiga tradução grega do AT) traduziu esse termo por Eclesiastes, no sentido de "aquele que toma assento/fala na assembleia" (gr., *ekklesia*). A maior parte de Eclesiastes é escrita na primeira pessoa (eu), mas ele começa e termina identificando o escritor como o Mestre (*Qohelet*) (1.1,12; 12.8,9). A maioria das traduções modernas da Bíblia usa o termo Mestre ou Pregador.

Qualquer um dos reis descendentes de Davi poderia ser chamado de "filho de Davi", por isso a identificação propriamente do autor não é completamente clara. Tradicionalmente, os cristãos entendem que o autor é Salomão. Desse modo, o livro foi escrito em torno de 900 a.C. Embora muitos estudiosos proponham que Eclesiastes tenha sido escrito muito depois do período de Salomão, a evidência sugere que Salomão é o autor mais plausível do livro.

A cena de um banquete hitita (século IX a.C.) Eclesiastes 2.1-3 provavelmente se refere a banquetes festivos.

Inutilidade! Inutilidade! Nada faz sentido!

A palavra hebraica *hevel* é extremamente importante em Eclesiastes. Ela ocorre 38 vezes. Sua importância é salientada desde o início. Após o cabeçalho, Eclesiastes 1.2 apresenta uma sinopse introdutória da maior parte do livro. Em hebraico, esse versículo contém oito palavras, cinco das quais são *hevel*. A *Nova Versão Internacional* traduz o versículo assim:

"Que grande inutilidade!", diz o mestre.

"Que grande inutilidade! Nada faz sentido!"

Hevel é uma palavra de difícil tradução. A *Almeida Revista e Corrigida* e a *Revista e Atualizada* a traduzem por "vaidade", enquanto a *Almeida Século 21* e a *Nova Tradução na Linguagem de Hoje* optam por "ilusão". A *Nova Versão Internacional* traduz por "inutilidade".

O significado da raiz de *hevel* está associado ao sopro ou vapor, e a palavra também pode ser usada para descrever a neblina. Nesse sentido, refere-se a algo que parece estar lá, mas, de fato, não está. De longe, a neblina ou nuvem baixa parece algo firme, mas, à medida que se aproxima, ela desaparece, e você percebe que foi apenas uma espécie de ilusão. O Mestre de Eclesiastes nos conta que, visto distante de Deus, o sentido da vida é semelhante à neblina. Você pensa que consegue enxergá-la e entendê-la, mas, como nuvem de vapor, ela desaparece e o deixa sem nada.

Sentido semelhante é expresso por "correr atrás do vento". Essa expressão é muitas vezes colocada junto com o conceito de *hevel* para incrementar ainda mais a nuança da inutilidade e futilidade (1.14,17; 2.11,17,26; 4.4,6; 6.9).

O profeta Jeremias também gosta de usar o termo *hevel*. Ele o usa para se referir à inutilidade e nulidade dos ídolos — isto é, parece que há alguma coisa ali (o ídolo de pedra), mas na verdade não há nada ali (Jr 2.5; 8.19; 10.3,8,15; 14.22; 16.19; 51.18). Desse modo, Jeremias proclama que o ídolo e os adoradores deles são *hevel*.

Quais são os temas centrais de Eclesiastes?

Eclesiastes é um dos Livros Sapienciais (Provérbios, Jó, Eclesiastes e Cântico dos Cânticos) e deve ser interpretado no contexto da "sabedoria" do AT. O livro de Provérbios define a função normal da sabedoria — viver de modo sábio no mundo. De acordo com Provérbios, o mundo é ordenado e racional. Funciona de acordo com as relações básicas de causa e efeito. Se você for justo, será abençoado. Se você for ímpio, será amaldiçoado. Se você trabalha arduamente, prosperará, e se for preguiçoso, ficará pobre. Em Provérbios, a vida faz sentido e é bem clara.

Jó, contudo, rompe com a noção de que o mundo baseado na lógica da retribuição de Provérbios seja universal, aplicável a todas as circunstâncias. Eclesiastes é muito semelhante a Jó ao enfatizar a existência de exceções às normas de Provérbios. Todavia, o Mestre de Eclesiastes vai além de Jó ao se aprofundar sobre as implicações filosóficas das incongruências que ele vê na vida, pois o Mestre é intelectual e espiritualmente sacudido pelas

✢ Eclesiastes discute a aparente contradição descoberta quando se tenta entender o mundo do ponto de vista lógico, um assunto não tratado na sabedoria de Provérbios. Nesse sentido, Eclesiastes complementa o livro de Provérbios.

"Além disso, tive também mais bois e ovelhas do que todos os que viveram antes de mim em Jerusalém" (Ec 2.7). Retratado nesta antiga pintura de parede egípcia estão os bois do gado.

coisas que ele observa na vida e que não se enquadram no mundo lógico e ordenado de Provérbios. Ele percebe que apesar de a compreensão racional e ordenada da vida ("sabedoria") ser boa e, com certeza, preferível à insensatez e loucura, não obstante a compreensão da "sabedoria" não fica oferece um esquema pelo qual se possa entender o sentido da vida.

Eclesiastes retrata a busca intelectual do Mestre pelo sentido da vida em que ele usa instrumentos de sabedoria (observação, reflexão, relação mútua). Infelizmente, a sabedoria não lhe dá nenhuma resposta satisfatória acerca do sentido último da vida. Ela oferece apenas boas ferramentas intelectuais para a observação dos problemas e das incoerências da vida. O Mestre deseja entender a vida e ser capaz de desenvolver um esquema para ajudar a compreender a totalidade da vida, até mesmo as incongruências. Mas ele fracassa nisso, e é justamente esse um dos principais subtópicos do livro (como o foi para Jó).

Entretanto, a conclusão teológica final de Eclesiastes, e a mensagem principal do livro, é para que se "Tema a Deus e obedeça aos seus mandamentos, porque isso é o essencial para o homem" (12.13). A sabedoria é uma boa maneira de enfrentar a vida e muito melhor que a insensatez, mas não se encontra o sentido da vida fora do reconhecimento de Deus como o criador absoluto (12.1). Além disso, a humanidade não pode entender e compreender tudo, tampouco explicar todos os fenômenos observados por meio de uma simples análise de causa e efeito. Para obter isso, será preciso crer e confiar em Deus. Da mesma forma que Provérbios conta com essa verdade em sua introdução (Pv 1.7), Jó e Eclesiastes também terminam com essa mesma verdade, confirmando que o pensamento racional (sabedoria tradicional) e a fé vibrante em Deus precisam caminhar juntas para que se possa ser verdadeira e biblicamente sábio. Enquanto isso, Eclesiastes sugere que devemos enxergar a vida não como um mistério a ser resolvido e compreendido, mas como uma dádiva a ser desfrutada.

Um esboço de Eclesiastes acompanha a busca intelectual do Mestre:

- Apresentação do Mestre e de sua busca pelo sentido da vida (1.1-18)
- A futilidade do prazer e do trabalho pesado, e o destino comum a todos (2.1-26)
- Deus estabelece ordem e propósito no mundo (3.1-22)
- Mas há importantes exceções (4.1—6.9)
  - Opressão (4.1-16)
  - Riqueza injusta (5.1—6.9)
- Sabedoria é boa, mas em última instância ela falha; o homem não consegue entender a vida (6.10—8.17)
- O destino comum a todos (9.1-12)
- A sabedoria é melhor que a insensatez, mas ainda é fútil (9.13—11.10)
- Conclusão: lembre-se do seu Criador e tema a Deus (12.1-14)

Quais são os aspectos interessantes e singulares de Eclesiastes?

- Eclesiastes levanta vários questionamentos difíceis, questões profundas sobre o propósito da vida.

"Tempo de chorar" (Ec 3.4). No mundo antigo, o pranto era frequentemente um ato executado em público. Essas mulheres egípcias estão chorando a morte do faraó (1319-1204 a.C.).

✚ Antes do capítulo 12, a abordagem do Mestre é primariamente secular, e ele parece não apresentar nenhum conceito de vida após a morte. Ele descobre que sem Deus a busca intelectual secular pelo sentido da vida só leva ao cinismo e desespero.

- Esse livro examina diversos caminhos fracassados pelos quais as pessoas procuram encontrar sentido (riqueza, trabalho árduo, prazer, entendimento etc.).
- O tom de argumentação na maior parte de Eclesiastes é cínico e pessimista.
- A palavra hebraica traduzida por "inutilidade" ou "vaidade" ocorre 38 vezes em Eclesiastes.
- Eclesiastes apresenta observações sobre as contradições das normas da vida descritas em Provérbios (p. ex., Ec 7.15).

Qual é a mensagem de Eclesiastes?

Apresentação do Mestre e de sua busca pelo sentido da vida (1.1-18)

Eclesiastes 1.1,12 apresenta o Mestre (heb., *Qohelet*). Em seguida Eclesiastes 1.2 apresenta um resumo claro dos capítulos 1—11. Desse modo, desde o início já sabemos aonde a busca conduzirá o Mestre. Ele procurou pelo sentido da vida e descobriu que a vida é totalmente sem sentido. Essa afirmação inicial imprime o tom pessimista e cínico que se estenderá por todo o livro até o capítulo 12.

Em 1.12-18, o Mestre explica como ele se dedicou ao estudo da sabedoria. Da mesma forma, ele queria entender a loucura e a insensatez. Mas todo esse esforço, ele nos conta já no início do livro, é inútil e correr atrás do vento.

A futilidade do prazer e do trabalho pesado, e o destino comum a todos (2.1-26)

O Mestre procura encontrar sentido na vida por meio de alguns caminhos típicos. Ele prova o prazer físico (2.1-3,10) e a execução de grandes projetos (2.4-9), mas não encontra sentido em nenhum desses meios. Ele prova a loucura e a sabedoria (2.3,12). Ele reconhece que a sabedoria é melhor que a loucura, mas fica terrivelmente perturbado pela observação de que o mesmo destino aguarda o sábio e o insensato — ambos morrerão (2.13-26). "Então, qual é o sentido?", indaga o Mestre.

"Se o machado está cego e sua lâmina não foi afiada, é preciso golpear com mais força" (Ec 10.10). Na maioria, os machados no antigo Oriente Médio eram feitos de uma fusão de bronze e cobre, por isso, precisavam ser afiados com frequência. Esta figura mostra um machado da Mesopotâmia.

Deus estabelece ordem e propósito no mundo (3.1-22)

Na primeira parte do capítulo, o Mestre explica que Deus estabeleceu o mundo com ordem — há tempo determinado para todas as coisas. Todavia, o Mestre continua observando que o povo não consegue conhecer realmente o que Deus fez. Em comparação com o final do capítulo 2, o Mestre observa em tom pessimista que o mesmo destino aguarda tanto os seres humanos quanto os animais — ambos morrerão (3.18-21). Ele conclui que é possível também desfrutar do seu trabalho aqui na terra, pois não há nada mais além disso (3.22).

Mas há importantes exceções (4.1—6.9)

Opressão (4.1–16)

Em Eclesiastes 3.1-15, o Mestre declara que Deus estabeleceu os ciclos temporais da vida, dando ordem à existência. Desse modo, Deus parece estar no controle de algumas coisas. Na seção seguinte, o Mestre aponta várias incoerências dessa conclusão. Como se compreenderá a terrível opressão? Ele conclui que seria melhor que essas pessoas nem estivessem vivas (4.1-3). Em seguida, ele retoma a reflexão sobre a futilidade do trabalho (4.4-6), seguido da tragédia de não ter amigos (4.7-12) e da inutilidade do poder político (4.13-16).

Riqueza injusta (5.1—6.9)

O Mestre reconhece que o trabalho e o esforço para adquirir riquezas estão no âmago da existência humana (o mundo ordenado como ele o enxerga). Contudo, na realidade, ele observa, a riqueza dificilmente será um bom fator motivador. Não raro a riqueza é obtida de forma injusta (5.8,9). Além disso, os que desejam a riqueza parecem nunca estar satisfeitos com a riqueza já adquirida (5.10), e, entre outros problemas, você não poderá levar a riqueza quando morrer (5.13-15). Por fim, muitas pessoas ricas nunca chegam a desfrutar de sua prosperidade (6.1-9). Assim, conclui o Mestre, tornar a busca por riqueza o alvo de vida é inútil e correr atrás do vento.

"Um cachorro vivo é melhor do que um leão morto!" (Ec 9.4). No antigo Oriente Médio, cachorros eram comuns. Esta figura retrata uma estátua de terracota de um cachorro em Chipre (750-500 a.C.).

Sabedoria é boa, mas em última instância ela falha; o homem não consegue entender a vida (6.10—8.17)

Nesta unidade, o Mestre examina a sabedoria como modo de compreender a vida.

Eclesiastes   299

Em última instância, conclui, a sabedoria fracassa. Sua conclusão é expressa em 8.17: "Ninguém é capaz de entender o que se faz debaixo do sol. Por mais que se esforce para descobrir o sentido das coisas, o homem não o encontrará. O sábio pode até afirmar que entende, mas, na realidade, não o consegue encontrar".

O destino comum a todos (9.1-12)

O Mestre observa que todos morrerão, e as chances de alguém se dar bem ou mal na vida têm tanto que ver com a sorte quanto com a sabedoria ou retidão.

A sabedoria é melhor que a insensatez, mas ainda é fútil (9.13—11.10)

A sabedoria é algo bom e até muito eficaz, porém pode ser solapada com muita facilidade. Além disso, mesmo com sabedoria, não é possível entender o que Deus faz no mundo.

Conclusão: lembre-se do seu Criador e tema a Deus (12.1-14)

O Mestre tentou entender a vida por meio apenas da razão humana, e essa busca o deixou cínico e pessimista em relação às pessoas, à sabedoria e ao sentido da vida. Tudo é inútil e correr atrás do vento. Não se pode encontrar sentido apenas por meio da sabedoria humana. Essa é a conclusão sombria de Eclesiastes 1—11.

Por fim, em Eclesiastes 12, o Mestre volta-se para Deus em busca do sentido da vida. Ele inicia a seção convidando os ouvintes a se lembrarem de Deus, seu Criador, enquanto são jovens e ainda possuem as capacidades mentais. Em seguida, ele declara a conclusão final de sua busca: "Agora que já se ouviu tudo, aqui está a conclusão: Tema a Deus e obedeça aos seus mandamentos, porque isso é o essencial para o homem" (12.13). Por último, o Mestre percebe que a vida consiste em servir a Deus. É por meio do serviço a Deus que se encontra o sentido final da vida. Desse modo, nosso objetivo de vida não é compreender a vida, mas servir a Deus e desfrutar a vida como dádiva dele. O Mestre não é negativo em relação à sabedoria para o viver diário. Com certeza a sabedoria é preferível à insensatez. Mas agora ele reconhece que a sabedoria humana por si só é limitada. Somente quando a sabedoria é desenvolvida por meio do "temor do Senhor", ela é realmente útil como guia de vida.

Como aplicar Eclesiastes à nossa vida hoje

Por mais estranho que seja, quando entendido corretamente, Eclesiastes adquire boa repercussão entre muitas pessoas hoje. Ele nos diz que nós não encontraremos sentido na vida fora do serviço a Deus. Como em Eclesiastes, muitas pessoas hoje procuram encontrar o sentido da vida no trabalho, na busca incessante por riquezas ou na busca do prazer e/ou da felicidade. Conforme nos diz o Mestre de Eclesiastes, a vida vivida apenas com esses objetivos é inútil, fútil e se iguala a correr atrás do vento. Não importa quão inteligente sejamos ou quanto nos esforcemos, é somente pelo serviço a Deus que a vida passa a ter sentido.

Nosso versículo favorito de Eclesiastes

Não há limite para a produção de livros, e estudar demais deixa exausto o corpo. (Ec 12.12)

O cemitério judaico do lado de fora dos muros de Jerusalém. "Todos partilham um destino comum: o justo e o ímpio" (Ec 9.2).

- Gênesis
- Êxodo
- Levítico
- Números
- Deuteronômio
- Josué
- Juízes
- Rute
- 1Samuel
- 2Samuel
- 1Reis
- 2Reis
- 1Crônicas
- 2Crônicas
- Esdras
- Neemias
- Ester
- Jó
- Salmos
- Provérbios
- Eclesiastes

Cântico dos Cânticos

- Isaías
- Jeremias
- Lamentações
- Ezequiel
- Daniel
- Oseias
- Joel
- Amós
- Obadias
- Jonas
- Miqueias
- Naum
- Habacuque
- Sofonias
- Ageu
- Zacarias
- Malaquias

Cântico dos Cânticos

Canções de amor ardentes e intensas

Os que acham a Bíblia enfadonha ou pudica ficarão muito chocados quando lerem com atenção os Cântico dos Cânticos. Esse livro consiste em uma coletânea de canções românticas em que um homem e uma mulher cantam alegre e intimamente um para o outro. Esse casal que, aparentemente, se casa no meio do livro, também celebra sua sexualidade, agradecendo um ao outro pela alegria e pelo prazer que cada cônjuge traz ao relacionamento. É um livro excitante, recomendado para maiores.

Qual é o contexto de Cântico dos Cânticos?

O primeiro versículo do livro serve de título: "Cântico dos Cânticos de Salomão". Embora alguns estudiosos defendam que esse livro provavelmente só foi escrito muito depois do período de Salomão, cristãos e judeus têm aceitado ao longo da História a autoria de Salomão. Contudo, embora seja correto perceber o provável envolvimento pessoal de Salomão no desenvolvimento desse "cântico", isso não significa que a história de amor seja necessariamente autobiográfica de Salomão. Primeiro Reis 4.32 declara que Salomão compôs 1.005 cânticos.

O título "cântico dos cânticos" significa "o melhor cântico", talvez sugerindo que esse elogio da sexualidade no casamento represente o auge de seu esforço na composição de canções.

Contudo, como um livro picante como esse era usado na vida e no culto de Israel? Alguns estudiosos sugerem que Cântico dos Cânticos era lido nas cerimônias de casamento. Isso é possível, mas não há nenhuma evidência conclusiva que sirva de confirmação. O livro é mais bem compreendido quando considerado parte da literatura sapiencial, indicado pelo lugar no cânon. Os Livros Sapienciais tratam de como se deve viver de modo sábio, e tratam de tópicos como trabalho, família, amigos, riqueza e infortúnio, entre outros. Naturalmente, o tema da sexualidade humana é um componente muito importante na vida. O relacionamento íntimo de uma pessoa com seu cônjuge representa um dos relacionamentos fundamentais e essenciais da vida. Para ser verdadeiramente sábio, é preciso que se saiba amar o cônjuge de modo apropriado. Cântico dos Cânticos nos oferece orientação nessa área da vida.

Quais são os temas centrais de Cântico dos Cânticos?

Lembre-se de que em Provérbios 1—9 o pai adverte repetidamente seu filho a se guardar contra o adultério e a evitar as tentações das mulheres adúlteras. Em relação ao casamento, Provérbios oferece alguns conselhos sábios elementares. Primeiro, no sentido negativo, ele nos diz para não se casar com uma pessoa ranzinza e briguenta (Pv 19.13; 21.9,19; 25.24; 27.15). Segundo, no sentido positivo, Provérbios nos aconselha a casar com alguém de caráter exemplar (Pv 12.4; 31.10-31). Esse é um conselho pertinente, saudável e lógico (sábio). Mas não é suficiente. A postura adequada, formal, reservada e discreta de Provérbios para com o cônjuge é razoável e apropriada para a vida pública. Todavia, Cântico dos Cânticos nos diz que algo precisa ser transformado quando o casal está sozinho em casa na sua intimidade. Agora, o homem realmente "sábio" deve estar apaixonado pela mulher. Tanto ele quanto a mulher devem desfrutar de um amor louco e apaixonado um pelo outro. A atitude racional, resoluta e de reflexão filosófica para com a vida (i.e., Provérbios), abre agora caminho à sensualidade. A fala tranquila, ponderada e reservada

Colar egípcio (1330 a.C.). "Você fez disparar o meu coração, minha irmã, minha noiva; fez disparar o meu coração com um simples olhar, com uma simples joia dos seus colares" (Ct 4.9).

do sábio de Provérbios dá espaço a sussurros românticos e sensuais nos ouvidos do cônjuge.

Ao longo da História, em diversos momentos, os cristãos interpretaram Cântico dos Cânticos como alegoria sobre Jesus Cristo (o amado) e sua noiva, a igreja. Mas é difícil manter essa interpretação depois de uma leitura atenta. Quase todos os estudiosos hoje concordam que esse livro celebra a sexualidade humana.

Cântico dos Cânticos consiste realmente em uma série de breves canções em que um homem e uma mulher (chamada Sulamita em 6.13) cantam um para o outro. De vez em quando, um grupo de amigos aparece em cena. Talvez esse relato verse sobre um conto idealizado sobre amantes recém-casados, compostos e reunidos por Salomão, mas não de fato um relato autobiográfico de Salomão que tinha mil mulheres.

Frutos de romãs. As romãs são mencionadas várias vezes em Cântico dos Cânticos (4.13; 6.11; 7.12; 8.2).

Essas declarações feitas pelo homem e pela mulher (ela é quem fala mais) são muito melosas e sentimentais, mas naturalmente isso vale só para nós que vemos de fora. Para os casais que estão louca e freneticamente apaixonados, a intimidade romântica e sentimental é maravilhosa.

Cântico dos Cânticos pode ser esboçado assim:

- O cortejo (1.1—3.5)
- O casamento (3.6—5.1)
- A lua de mel (5.2—8.14)

Quais são os aspectos interessantes e singulares de Cântico dos Cânticos?

- Cântico dos Cânticos contém linguagem poética bastante explícita e muito vívida sobre os sentimentos do marido e da mulher.
- Em comparação com Provérbios 1—9, que adverte contra as relações sexuais ilícitas, Cântico dos Cânticos celebra a sexualidade no casamento.
- Cântico dos Cânticos descreve um cortejo, um casamento e uma lua de mel.
- Cântico dos Cânticos corrige o equívoco de que na Bíblia o propósito da relação física no casamento era apenas gerar filhos. Ele não menciona filhos em nenhum momento, mas fala muito sobre amor.

Qual é a mensagem de Cântico dos Cânticos?

O cortejo (1.1—3.5)

Primeiro a mulher fala (1.2-4), e parece tomar a iniciativa na maioria dos diálogos de todo o livro. Em 1.2-7, ela anseia pelo afeto do amado.

✚ A mulher de Cântico dos Cânticos se autodenomina "uma flor de Sarom" (2.1). Sarom era uma planície fértil ao sul do monte Carmelo mencionada muitas vezes em sentido simbólico (Is 33.9; 35.2; 65.10). No NT, Pedro exerce seu ministério nessa região (At 9).

Em 1.8—2.7, a mulher e o homem trocam elogios e expressam seus sentimentos um para com o outro. Em 2.8-17, a mulher parece refletir sobre os tempos de namoro, enquanto em 3.1-5 ela sonha com ele à noite.

Em todo o livro, alternam-se imagens entre um contexto camponês de vinha e pastagem (1.6-8) e um contexto urbano (3.6-11; 5.7,8).

O casamento (3.6—5.1)

Cântico dos Cânticos 3.6-11 descreve uma procissão de núpcias completa, incluindo uma linda carruagem. Isso sugere que os textos 4.1—5.1 referem-se ao contexto da noite de núpcias. Aqui o noivo cobre a amada esposa com muitos elogios sobre sua beleza.

Escultura de parede em relevo de uma gazela de Carquêmis. Cântico dos Cânticos menciona cinco vezes as gazelas (2.9,17; 4.5; 7.3; 8.14).

A lua de mel (5.2—8.14)

Em 5.2-8, a mulher lamenta a hora em que o seu marido veio e bateu na porta, mas foi embora porque ela não conseguiu atender a tempo. Então, ela correu sem rumo pela cidade procurando seu amado. Provavelmente esse episódio também vem de um sonho, mas o texto não é claro. Depois ela conversa com suas amigas sobre a beleza do lindo marido, dando-lhes uma descrição sensual e detalhada (5.9—6.3). No restante do livro (6.4—8.14), os dois amantes se dirigem um ao outro na intimidade, sendo interrompidos algumas vezes pelo coro dos amigos. Essa seção é dominada por muitos e muitos elogios que o homem e a mulher fazem um para o outro sobre quão belos/formosos e atraentes eles são.

Como aplicar Cântico dos Cânticos à nossa vida hoje

Esse livro é especialmente útil para recém-casados. No início da união conjugal, pode ser muito proveitoso para o casal ler esse livro em voz alta um para o outro (i.e., a esposa lendo a parte da amada e o esposo, a do amado). Isso pode ser bem divertido, não obstante também prazeroso e instrutivo.

Contudo, Cântico dos Cânticos é também um livro de sabedoria para todos os casais. Podemos aplicar esse livro para expressar amor ao cônjuge com muitos elogios românticos, ardentes e íntimos. O objetivo da sabedoria

✣ O homem de Cântico dos Cânticos elogia duas vezes os dentes de sua mulher — brancos como ovelhas, cada um com o seu par (4.2; 6.6); isto é, não lhe faltava nenhum dente! No mundo antigo, isso era de fato notável.

é formar o caráter; portanto, à medida que avançamos em direção a esse objetivo, abraçamos esse modelo de um relacionamento amoroso expresso na intimidade com o cônjuge. Em público, seguimos o modelo de Provérbios sendo distintos, respeitáveis e reservados. Mas, na privacidade do casal, seguimos o modelo oferecido por esses dois amados de Cântico dos Cânticos, nos deixando levar por uma paixão enlevada e louca pelo outro.

Para finalizar em um tom humorado, se você tentar aplicar Cântico dos Cânticos a seu relacionamento matrimonial, recomenda-se contextualizar seus elogios românticos à cultura atual. Por exemplo, não pegaria bem o marido dizer que o cabelo de sua esposa se parece com um rebanho de cabras (4.1) ou que seu nariz seja parecido com a torre do Líbano (7.4).

Nossos versículos favoritos de Cântico dos Cânticos

Ponha-me como um selo sobre o seu coração;
  como um selo sobre o seu braço;
  pois o amor é tão forte quanto a morte
  e o ciúme é tão inflexível quanto a sepultura.
  Suas brasas são fogo ardente,
  são labaredas do Senhor.
 Nem muitas águas conseguem apagar o amor;
os rios não conseguem levá-lo na correnteza. (8.6,7)

Essa escultura assíria de parede em relevo mostra um carro real. "Vejam! É a liteira de Salomão" (Ct 3.7).

Os Profetas

Sem dúvida alguma, os livros proféticos do AT contêm algumas das passagens mais fascinantes e pitorescas de toda a Bíblia. Muitos de nossos versículos prediletos estão nos Profetas. E os seus? Talvez Isaías 40.31 seja um de seus favoritos:

> *Mas aqueles que esperam no* Senhor
> *renovam as suas forças.*
> *Voam alto como águias;*
> *correm e não ficam exaustos,*
> *andam e não se cansam.*

Ou, talvez, você ache Jeremias 29.11 particularmente encorajador: " 'Porque sou eu que conheço os planos que tenho para vocês', diz o Senhor, 'planos de fazê-los prosperar e não de causar dano, planos de dar a vocês esperança e um futuro' ". Talvez, ainda, você tenha sido particularmente tocado pelas enfáticas profecias messiânicas espalhadas através dos Profetas em textos como Isaías 53.6:

> *Todos nós, como ovelhas, nos desviamos,*
> *cada um de nós se voltou*
> *para o seu próprio caminho;*
> *e o* Senhor *fez cair sobre ele*
> *a iniquidade de todos nós.*

Quem sabe você já se viu passando por cima da maioria dos versículos dos livros proféticos pensando sobre como essas coisas estranhas têm alguma relevância. Você já ficou perplexo com os diversos textos de severa condenação dos livros de Amós e Jeremias, ou talvez ponderou sobre as

✚ Os livros proféticos do AT correspondem em tamanho aos livros do NT.

figuras bizarras de Ezequiel, Daniel e Zacarias? Nosso objetivo nas páginas seguintes é oferecer algumas diretrizes basilares para possibilitar de fato o entendimento do que dizem os Profetas.

O contexto para compreender os Profetas

Para poder compreender os Profetas, é preciso primeiramente situá-los em seu contexto na cronologia bíblica. Para tanto, vamos recordar a história bíblica e lembrar como os Profetas se enquadram nessa história.

A Bíblia começa em Gênesis 1—2 com uma maravilhosa história da Criação, mas Gênesis 3—11 conta como o povo criado por Deus pecou continuamente contra ele, resultando, assim, em sua separação dele. A solução de Deus para esse problema é apresentado em Gênesis 12—17, onde Deus faz uma promessa por meio de uma aliança com Abraão. Deus promete tornar Abraão uma grande nação e dar-lhe terra, inúmeros descendentes e bênçãos maravilhosas. Deus também promete que por meio de Abraão todas as nações do mundo serão abençoadas (Gn 12.1-3). Boa parte da Bíblia trata do cumprimento dessas antigas promessas divinas a Abraão.

Em Êxodo, Deus liberta seu povo Israel da escravidão do Egito de forma extraordinária e estabelece um relacionamento por meio de uma aliança com ele (a aliança mosaica). No centro dessa aliança está a fórmula declarativa que contém três elementos: "eu serei o seu Deus"; "vocês serão o meu povo"; "eu habitarei no meio de vocês". Então, um pouco antes de conduzir seu povo à terra prometida (i.e., prometida a Abraão), Deus presenteia o povo com o livro de Deuteronômio, que reafirma a relação da aliança mosaica entre Deus e Israel. O livro de Deuteronômio estabelece os termos pelos quais Israel deveria viver na terra prometida e ser abençoado por Deus, que viveria em seu meio. Deus expressa bem claramente os termos da aliança em Deuteronômio 28. Se eles lhe obedecerem e adorarem somente a ele, serão abençoados de maneira extraordinária. Do contrário — e Deuteronômio 28 é muito claro nisso —, terríveis consequências lhes sobrevirão, incluindo a perda da terra prometida. No final de Deuteronômio, Israel faz repetido voto de guardar esse acordo. Na continuação da história (Js até 2Rs), enquanto Israel entra na terra prometida, a questão central que permeia a história é: "O povo de Israel será fiel ao acordo com Deus, principalmente como foi definido no livro de Deuteronômio?". A infeliz resposta a essa pergunta é não, eles não foram fiéis.

Tragicamente, sob pressão dos povos vizinhos, Israel abandona seu Deus e volta-se à adoração de ídolos. Ao mesmo tempo, Israel abandona as orientações éticas expressas em Deuteronômio, e a nação entra em rápido declínio, não só teológico, mas também moral.

Depois de centenas de anos em declínio espiral (Juízes a 2Reis), interrompido brevemente apenas pela história de Samuel e Davi, a paciência de Deus por fim se esgota. Ele envia os profetas para anunciar o último apelo ao povo: arrepender-se e voltar à verdadeira adoração a Deus conforme o acordo em Deuteronômio. Os profetas observavam que, caso não atendessem a esse apelo, as terríveis consequências expressas em Deuteronômio 28 lhes sobreviriam. Basicamente, os profetas funcionavam como promotores de justiça de Deus. Eles se colocavam diante do seu trono de justiça com Deuteronômio nas mãos, apontando para as diversas formas de violação da aliança por parte de Israel. Em seguida, eles anunciam a condenação que lhes sobrevirá caso Israel não se arrependa de imediato. A condenação será executada por meio de duas invasões terríveis. Os assírios virão em 722 a.C. e destruirão por completo o Reino do Norte, Israel, e os babilônios virão em 587/586 a.C. para destruir Jerusalém e o Reino do Sul, Judá.

Todavia, embora os profetas anunciassem a condenação baseada na quebra da aliança mosaica (em especial segundo a definição de Deuteronômio), eles também se reportam à aliança abraâmica (Gn 12, 15, 17) e à aliança davídica (2Sm 7) e prometem

Os profetas avisam sobre a terrível condenação que os assírios e babilônios trariam caso Israel e Judá não retornassem a Deus. Nessa escultura de parede em relevo, um soldado assírio executa um morador de uma cidade capturada.

✚ Os profetas constituem a ponte teológica que liga o NT com o AT.

Os Profetas

um maravilhoso tempo futuro de restauração, ocasião em que Deus fará uma aliança nova e mais duradoura com o povo. Além disso, à medida que a descrição desse futuro novo e duradouro se desdobra (i.e., a era messiânica), Deus revela que esse plano é muito mais abrangente que a simples restauração de Israel. À medida que os profetas descrevem essa nova e espetacular aliança, eles mostram que todas as nações do mundo também estão inclusas. Na verdade, em cumprimento à promessa abraâmica de Gênesis 12.3, o plano divino de restauração futura inclui a solução do problema universal do pecado descrito em Gênesis 3—11. As pessoas que crerem dentre todas as nações do mundo se unirão em verdadeira adoração a Deus.

Os Profetas em poucas palavras

Então, como se pode ver pela discussão anterior, a mensagem dos Profetas pode ser resumida em três tópicos principais:

Povo derrotado sendo levado cativo por soldados assírios. Israel e Judá não dão atenção aos profetas, e acabam como esses cativos.

✢ Nos Evangelhos do NT, Jesus refere-se continuamente aos profetas do AT, porque eles representam o fundamento para a compreensão de sua mensagem.

1. Vocês (Judá/Israel) quebraram a aliança mosaica; é melhor que se arrependam!
2. Não querem se arrepender? Então, serão castigados!
3. Contudo, há esperança além do castigo para a restauração futura e gloriosa, tanto para Israel/Judá quanto para as nações.

Os livros proféticos são muito repetitivos. Por isso, esses três temas aparecem várias vezes nos Profetas. Os pecados específicos relacionados ao tópico 1 ("Vocês [Judá/Israel] quebraram a aliança mosaica") também são repetidos muitas vezes nos Profetas. Esses pecados, ou violações da aliança, podem ser agrupados em três principais acusações contra Israel: 1) idolatria, 2) injustiça social e 3) dependência de rituais religiosos para encobrir a idolatria e a injustiça. Os profetas acusarão Israel desses três pecados em todos os livros proféticos.

Várias tigelas, estante e outro utensílio religioso usados no culto pagão.

- Gênesis
- Êxodo
- Levítico
- Números
- Deuteronômio
- Josué
- Juízes
- Rute
- 1Samuel
- 2Samuel
- 1Reis
- 2Reis
- 1Crônicas
- 2Crônicas
- Esdras
- Neemias
- Ester
- Jó
- Salmos
- Provérbios
- Eclesiastes
- Cântico dos Cânticos

Isaías

- Jeremias
- Lamentações
- Ezequiel
- Daniel
- Oseias
- Joel
- Amós
- Obadias
- Jonas
- Miqueias
- Naum
- Habacuque
- Sofonias
- Ageu
- Zacarias
- Malaquias

Isaías

Condenação pela quebra da aliança, e salvação por intermédio do Servo vindouro de Deus

O livro de Isaías é um dos mais conhecidos e apreciados dentre os Profetas. Um dos nossos cânticos favoritos é o famoso coro do *Messias* de Händel extraído de Isaías 9.6

> Porque um menino nos nasceu,
> um filho se nos deu;
> o governo está sobre os seus ombros;
> e o seu nome será:
> Maravilhoso Conselheiro, Deus Forte,
> Pai da Eternidade, Príncipe da Paz (ARA).

Da mesma forma, como cristãos somos impactados pela impressionante descrição do sofrimento do Messias em Isaías 53 e a clara afirmação de Deus de que o sofrimento do Messias foi provocado pelo nosso pecado: "Todos nós, como ovelhas, nos desviamos, cada um de nós se voltou para o seu próprio caminho; e o Senhor fez cair sobre ele a iniquidade de todos nós" (v. 6).

Contudo, não podemos nos esquecer de que Isaías foi um profeta e que os profetas pregavam energicamente contra o pecado — contra a quebra da aliança, a rebeldia contra Deus, a confiança em si próprio, a adoração de ídolos, o desprezo da justiça a favor do fraco e a confiança em rituais para encobrir e esconder nosso pecado. A maravilhosa promessa de Isaías sobre o Messias não é propagada no vácuo. Tampouco ela é apresentada como mera cobertura de um bolo que por si só é delicioso. Isaías, como os demais profetas, insiste categoricamente que as nações de Israel e Judá fracassaram de forma sórdida em obedecer a Deus e em guardar a sua lei. Elas pecaram de modo tão horrendo e de forma tão contínua que o castigo se tornou inevitável; na realidade, ele está para acontecer com rapidez. É justamente nesse contexto de total obscuridade e desesperança para Israel que Isaías acende uma luz de esperança. "O povo que caminhava em trevas viu uma grande luz [...] Porque um menino nos nasceu" (Is 9.2,6).

Quem foi Isaías?

Isaías não foi uma personagem mítica, mas uma pessoa real que lidou com um povo real e com problemas reais. Ele viveu em Jerusalém, a capital do Reino do Sul, Judá, no final do século VIII a.C. e parte do século VII a.C.

O livro de Isaías apresenta um amplo relato do encontro dele com o próprio Deus (Is 6), em que Deus de modo espetacular chama e designa Isaías como profeta. Isaías é um dos poucos profetas também mencionado nos Livros Históricos do AT. Ele é uma das personagens principais da história de 2Reis 19—20, acontecimentos semelhantes ao de Isaías 36—39. Da mesma forma, ele é mencionado algumas vezes em 2Crônicas (26.22; 32.20,32).

Tiglate-Pileser III, retratado nessa escultura, inicia um período de brutal expansão assíria que controlou a situação geopolítica durante todo o ministério de Isaías.

✚ O livro de Apocalipse (do NT) faz muitas alusões e referências a Isaías.

Qual é o contexto de Isaías?

Isaías pregou em um período muito conturbado. Isaías 1.1 situa o ministério do profeta na época dos reinados de Uzias, Jotão, Acaz e Ezequias, todos eles reis de Judá. Embora esses reis tenham reinado entre 792 e 687 a.C., a maior parte do ministério profético de Isaías esteve concentrado na parte final do século VIII a.C. (c. 740—700 a.C.). Nesse período, os assírios estavam expandindo seu império, subjugando com brutalidade nação após nação, até dominar a maior parte do antigo Oriente Médio. Na verdade, os assírios conquistaram e destruíram o Reino do Norte, Israel, em 722 a.C. e, em seguida, montaram cerco em torno de Jerusalém em 701 a.C. Diante dessas incertezas geopolíticas, e com um *bruto* assírio de 220 quilos já nas proximidades, a questão que perturbava os reis de Judá era: "Em quem você confiará para o seu livramento?". Esse é o contexto de Isaías 1—39.

A mensagem de Isaías 40—66 é dirigida a um contexto posterior, destinada aos judeus levados ao exílio na Babilônia (depois de 586 a.C.). Apesar de alguns estudiosos suporem que Isaías 40—66 tenha sido escrito mais tarde, no período babilônico e persa, sendo posteriormente acrescentado a Isaías 1—39, provavelmente é mais correto entender que Isaías proclamou o que está em 40—66 para os exilados que, como ele sabia, no futuro estariam na Babilônia após a inevitável queda de Jerusalém.

Um ídolo hitita. Isaías acusa Israel e Judá de adorar os ídolos.

Quais são os temas centrais de Isaías?

O livro de Isaías tem um importante papel na Bíblia por ligar a história de Israel, que culminou na queda e destruição de Jerusalém (Gn 12—2Rs 25; i.e., pecado, o problema), com a vinda de Jesus, o Messias, no NT (i.e., a solução do problema). Todavia, Isaías prossegue e trata do problema universal (cósmico) do pecado introduzido em Gênesis 3—11. Isto é, o mundo tem um problema com o pecado (Gn 3—11), e Israel tem um problema com o pecado (Gn 12—2Rs 25). Isaías oferece uma resposta a ambos os problemas. Em sua visão do livramento messiânico futuro, Deus reúne os gentios dispersos e alienados de Gênesis 10—11 e os une ao Israel restaurado e reunido.

A maior parte da mensagem de Isaías se repete por todos os profetas do AT. Essa mensagem profética elementar pode ser resumida em três temas básicos:

1. Vocês (Judá/Israel) quebraram a aliança mosaica; é melhor que se arrependam!
2. Não querem se arrepender? Então, serão castigados!
3. Contudo, há esperança além do castigo para a restauração futura e gloriosa, tanto para Israel/Judá quanto para as nações.

Por todo o livro, Isaías dá ênfase à justiça e retidão como características de Deus e do futuro Messias e de padrão de vida do povo de Deus. Isaías também ressalta a importância de confiar em Deus nas épocas difíceis. O Senhor, insiste Isaías, é soberano e quem controla a História.

Os principais temas de Isaías podem ser conferidos no seguinte esboço:
- Condenação, com lampejos de livramento (1.1—39.8)
    - O processo da aliança (1.1—4.1)
    - O renovo, a vinha e a justiça (4.2—5.30)
    - O chamado de Isaías (6.1-13)
    - A vinda de uma criança especial (7.1—12.6)
    - Juízo contra as nações (13.1—23.18)
    - Juízo contra o mundo (24.1—27.13)
    - Juízo em contraste com jubiloso livramento (28.1—35.10)
    - Rei Ezequias e o cerco assírio contra Jerusalém (36.1—39.8)
- Livramento com lampejos de condenação (40.1—55.13)
    - Consolo e regozijo (40.1-31)
    - Não temam, pois eu estou com vocês (41.1—44.23)
    - Deus controla a História, até mesmo o rei Ciro da Pérsia (44.24—48.22)
    - O Servo de Deus e a restauração de Sião (49.1—55.13)
- Vida em retidão enquanto se espera em Deus (56.1—66.24)
    - Quem viverá retamente? (56.1—59.21)
    - Tenham esperança, pois Deus traz a salvação! (60.1—62.12)
    - Enquanto aguardam pelo livramento futuro, obedeçam a Deus e vivam retamente (63.1—66.24)

Quais são os aspectos interessantes e singulares de Isaías?

- Isaías encontra-se com o próprio Deus assentado sobre um trono com serafins voando em torno dele.
- Isaías profetiza sobre a vinda de uma criança chamada Emanuel, "Deus conosco".

✚ Isaías 1—12, uma subdivisão dos capítulos 1—39, tem início com uma condenação sombria e termina com uma jubilosa restauração. Da mesma forma, como se fossem suportes de livro em uma estante, os dois termos-chave "o Santo de Israel" e "Sião" introduzem e encerram essa unidade (1.4,8; 12.6).

- Isaías também profetiza a respeito de uma criança especial chamada "Maravilhoso Conselheiro, Deus Poderoso, Pai Eterno, Príncipe da Paz".
- Isaías inclui os gentios na visão da restauração futura.
- Isaías associa o futuro Messias ao Servo do Senhor, um Servo que muitas vezes sofre.
- Isaías descreve o livramento messiânico futuro como um "novo êxodo".
- Isaías introduz o conceito de "novo céu e nova terra".
- O NT (principalmente os Evangelhos e o livro de Apocalipse) se baseia muito nas profecias de Isaías para compreender Jesus.

Qual é a mensagem de Isaías?

Condenação, com lampejos de livramento (1.1—39.8)

O processo da aliança (1.1—4.1)

Israel e Judá desprezaram de modo contínuo a Deus e a lei (a aliança) que ele lhes havia outorgado (conforme se encontra no livro de Deuteronômio). Isaías suprime qualquer tentativa de uma introdução amável e cordial, e inicia o livro com um clamor contra as transgressões da aliança e a vida pecaminosa de Israel e Judá. Deus está assentado no tribunal preparado para julgar (3.13). Nos capítulos iniciais, Isaías, o promotor de justiça, apresenta uma sucessão de fatos incriminadores de Israel/Judá pela ostensiva violação da aliança com Deus "diante de ti". Eles pecaram contra Deus (relação vertical) e contra o povo (relação horizontal). Desse modo, abandonaram Deus e seus mandamentos, ignorando-o e preferindo a adoração de ídolos a ele. Além disso, aceitaram como normal um padrão de conduta social de crescente prática de injustiça social. Portanto, Isaías promulga a execução da condenação.

Joia de ouro da Pérsia. Isaías 3.16-26 diz que Deus removerá toda joia e enfeite das mulheres de Israel e as enviará ao cativeiro.

O renovo, a vinha, e a justiça (4.2—5.30)

Isaías 4.2-6 interrompe o tema de juízo com uma promessa de restauração. Isaías chama o Messias de "Renovo do SENHOR", um ramo que proverá fruto para a terra. Em contraste, Isaías 5.1-7 compara

a nação de Israel com uma vinha que produzia frutos ruins em lugar de bons frutos. Uma vez que a vinha (Israel) só produz frutos ruins (idolatria e injustiça), ela será destruída mediante juízo (5.8-30).

O chamado de Isaías (6.1-13)

Em Isaías 6, o profeta tem um encontro pessoal com o tremendo Deus santo, assentado no trono. Encontros pessoais com Deus como esse são bastante raros no AT. Moisés se prostrou diante de Deus perante a sarça ardente (Êx 3.1,2), e Ezequiel viu Deus em trono "móvel" entre rodas girando e seres celestiais (Ez 1). Esses encontros sempre são aterrorizantes para as pessoas envolvidas, e a majestosa santidade e glória de Deus não raro fazem a pessoa envolvida se prostrar em terra em sinal de reverência. Isaías reage a essa revelação da glória e santidade de Deus com temor, mas Deus lhe concede purificação e perdão. Deus tem uma tarefa em mente e pergunta a Isaías: "Quem enviarei? Quem irá por nós?". Diante do santo e tremendo Deus, exaltado em seu trono nas alturas, com tremor no chão e serafins reluzentes voando em torno dele clamando "Santo, santo, santo!", Isaías oferece a única resposta lógica: "Eis-me aqui. Envia-me!" (6.8).

A vinda de uma criança especial (7.1—12.6)

Isaías 7, 8 e 9 se unem em torno do tema comum da esperança pelo nascimento de uma criança especial. Em Isaías 7, o insensato rei Acaz de Judá se recusa a confiar em Deus pelo livramento da ameaça da poderosa aliança sírio-israelita contra ele, mesmo depois de Deus lhe oferecer um sinal. Deus lhe dá um sinal mesmo assim — uma jovem (*NVI*, "virgem") daria à luz um menino chamado Emanuel ("Deus está conosco"). Antes de a criança crescer, a aliança contra Acaz seria derrotada. Entretanto, por causa da incredulidade de Acaz, esse sinal também anunciará o juízo (7.10-25).

Uma criança (o filho de Isaías) nasce em Isaías 8, o que pode ser entendido como cumprimento parcial da profecia de Isaías 7. Todavia, Isaías 9 sugere a existência de características impressionantes sobre a criança vindoura que só se cumprirão no futuro por meio do Messias. Em 9.6,7, o profeta associa a criança vindoura à promessa messiânica da vinda de um grande rei da dinastia davídica. Contudo, a descrição de Isaías dessa criança vai muito além de um mero rei humano, pois ele o chama de "Maravilhoso Conselheiro, Deus Poderoso, Pai Eterno, Príncipe da Paz".

Tenaz de bronze procedente de Chipre (1200-1050 a.C.). "Logo um dos serafins voou até mim trazendo uma brasa viva, que havia tirado do altar com uma tenaz" (Is 6.6).

✛ Isaías 6.6-9 ("sempre ouvindo, mas nunca entendam") é citado mais vezes no NT do que qualquer outra passagem do AT (Mt 13.14,15; Mc 4.10-12; Lc 8.10; Jo 12.39-41; At 28.26,27; Rm 11.8).

A Babilônia na profecia

Isaías e os demais profetas passam um bom tempo anunciando o juízo contra os babilônios. Na verdade, o juízo contra a Babilônia é o principal assunto de Isaías 13—14, 21 e 47. Também Jeremias usa dois capítulos inteiros para anunciar o juízo contra os babilônios (Jr 50—51). Por que Isaías e Jeremias dedicam tanto de sua pregação profética ao anúncio do juízo contra os babilônios? São os babilônios que destroem Jerusalém em 587/586 a.C., matando milhares e deportando os sobreviventes para o cativeiro na Babilônia. Isaías vê isso sob a perspectiva profética, e Jeremias vive nesse período. Nenhum outro inimigo destruiu Jerusalém e Judá à semelhança dos babilônios. Por isso, os babilônios simbolizam com clareza o inimigo final, e tanto Jeremias quanto Isaías pregam juízo contra a Babilônia como o ápice de juízo contra as nações, uma vez que a Babilônia era "arqui-inimiga" do povo de Deus. O livro de Apocalipse parece usar o termo "Babilônia" nesse sentido (Ap 14.8; 16.19; 17.5; 18.2,10,21). Muitos estudiosos acreditam que João usa o termo "Babilônia" no livro de Apocalipse para representar Roma e o Império Romano.

Mas o que aconteceu com a Babilônia? Ciro, rei da Pérsia, conquistou a Babilônia em 539 a.C., mas não a destruiu. Parte da cidade foi destruída mais tarde em 482 a.C. depois que os babilônios se rebelaram contra os persas. Seleuco, um dos generais de Alexandre, o Grande, conquistou a Babilônia em 312 a.C., e seu sucessor, Antíoco I (281-261 a.C.), transferiu a capital da região para uma nova cidade, abandonando assim a Babilônia. Quando os partos conquistaram a região (122 a.C.), eles encontraram na Babilônia apenas ruínas. Da mesma forma, quando o imperador romano Trajano percorreu essa região (116 d.C.), ele também encontrou apenas destruição e ruína onde a poderosa e magnificente Babilônia tinha existido.

Alguns autores modernos argumentam que a Babilônia não foi destruída exatamente do modo literal descrito pelos profetas Isaías e Jeremias. Desse modo, eles sustentam que a Babilônia será reconstruída nos últimos dias e destruída outra vez, mas agora da forma exata anunciada pelos profetas. Consideramos essa tese improvável. Isaías e Jeremias usam linguagem poética muito figurada para descrever o fim da Babilônia. Eles preveem o desaparecimento literal da Babilônia (o que de fato aconteceu), mas utilizam linguagem altamente figurada para descrever esse desaparecimento.

Um touro colossal de asas e cabeça humana que guardava a entrada do palácio do rei assírio Sargão II, contemporâneo de Isaías.

✚ Mateus 1.23 declara que Jesus cumpre Isaías 7.14 por meio de seu nascimento virginal e seu papel de Emanuel ("Deus conosco").

Juízo contra as nações (13.1—23.18)

Durante toda a vida de Isaías, a geopolítica de toda a região era marcada por uma política internacional de intrigas, invasões, alianças e traições. O texto de Isaías 13—23 é composto de profecias de juízo contra as diversas nações em torno de Judá que estavam envolvidas nisso. Essa unidade inclui profecias contra as seguintes nações:

Babilônia (13.1—14.23)	Egito (19.1-25)
Assíria (14.24-27)	Egito e Etiópia (20.1-6)
Filístia (14.28-32)	Babilônia (21.1-10)
Moabe (15.1—16.14)	Edom (21.11,12)
Damasco (17.1-11)	Arábia (21.13-17)
As nações em geral (17.12-14)	Jerusalém (22.1-25)
Etiópia (18.1-7)	Tiro (23.1-18)

Juízo contra o mundo (24.1—27.13)

Depois de anunciar juízo contra as nações em Isaías 13—23, Deus amplia o horizonte e descreve um período de juízo final contra toda a criação. Deus reina sobre o céu e a terra, e por meio desse dia de juízo ele castigará "os poderes em cima nos céus e os reis embaixo na terra" (24.21).

Juízo em contraste com jubiloso livramento (28.1—35.10)

Isaías 28—34 enfatiza principalmente o juízo contra Israel/Judá e contra nações específicas (Edom, Assíria). Isaías 28 chama o Reino do Norte, Israel, de Efraim. Lembre-se de que Efraim foi um dos filhos de José e, por isso, veio a ser uma das tribos de Israel. Uma vez que Efraim era uma das maiores tribos do Reino do Norte, às vezes os profetas referem-se a Israel apenas pelo nome de Efraim.

Um dos problemas sérios de Judá foi o povo pensar que, se ele cumprisse seus rituais religiosos, Deus se agradaria dele, não importando como vivesse no dia a dia. Os profetas rejeitam de forma categórica essa noção e proclamam que a observância de rituais não contribuía para compensar a injustiça social e as práticas idólatras. Isaías 29.13 refere-se a essa situação

Uma tabuinha babilônica contendo um mapa do mundo conhecido da época, com o nome de várias nações.

"Ai dos que descem ao Egito em busca de ajuda, que contam com cavalos. Eles confiam na multidão dos seus carros [...] mas não [...] buscam a ajuda que vem do Senhor!" (Is 31.1). Essa é uma réplica de uma pintura de parede egípcia do faraó Ramsés II.

declarando "Esse povo se aproxima de mim com a boca e me honra com os lábios, mas o seu coração está longe de mim". Jesus cita essa passagem aos judeus de sua época em Jerusalém sugerindo que o juízo anunciado por Isaías cairia de igual modo sobre eles (Mt 15.8,9; Mc 7.6,7).

Todavia, espalhadas entre todas as passagens de juízo estão breves profecias encorajadoras de esperança. Em 28.16, por exemplo, Deus diz: "Eis que ponho em Sião uma pedra, uma pedra já experimentada, uma preciosa pedra angular para alicerce seguro; aquele que confia, jamais será abalado". Da mesma forma, Isaías 35, no final dessa unidade, representa acentuado contraste em relação às muitas profecias austeras e sombrias de juízo de Isaías 28—34. Isaías 35 descreve um reino futuro caracterizado por paz e alegria, tempo em que os cegos verão e os aleijados andarão, que se cumprirá quando o povo redimido e reunido de Deus entrar em Sião (Jerusalém) em meio a cânticos de júbilo.

Rei Ezequias e o cerco assírio contra Jerusalém (36.1—39.8)

Ao contrário da maior parte do restante do livro de Isaías, esses quatro capítulos (36—39) consistem em uma narrativa em ordem cronológica. Os assírios destruíram o Reino do Norte, Israel, em 722 a.C. Em 701 a.C., eles avançaram em direção ao Reino do Sul, Judá, e montaram cerco contra Jerusalém. Isaías 36—39 relata esses acontecimentos (paralelamente, 2Rs 18—20 descreve esses mesmos fatos). Em Isaías 36—37 os poderosos assírios avançam contra Jerusalém, mas Isaías promete vitória sobre eles. "Confie em Deus!", Isaías exortava o rei Ezequias.

✚ Primeiro Pedro 2.6 faz uma citação direta de Isaías 28.16 identificando Jesus como a "pedra angular".

A destruição de Senaqueribe

De *Melodias hebraicas* (1815 d.C.)

Lord Byron, George Gordon

Os assírios desceram como um lobo ao aprisco,
E seus comparsas resplandeciam em roxo e dourado;
O brilho de suas lanças era como estrelas refletindo sobre o mar,
Quando a onda azul quebra todas as noites na Galileia.

Como as folhas do bosque depois de um verão verdejante,
A multidão com sua insígnia foi vista ao pôr do sol:
Como as folhas do bosque quando o outono as assopra,
A multidão no dia de amanhã fica seca e espalhada.

Pois o Anjo da Morte abre as asas contra a rajada de vento,
E assopra no rosto do inimigo enquanto ele passa;
E os olhos dos dorminhocos se tornaram mortais e gélidos,
E seus corações, saltados uma vez, permanecem para sempre imóveis!

Ali jazia o cavalo com suas narinas abertas,
Mas por elas não passava o fôlego de sua soberba;
E a espuma de seu suspiro esparramava esbranquiçada na relva,
E fria como o borrifo de ondas quebrando contra a rocha.

E ali prostrado o cavalheiro destorcido e pálido,
Com o orvalho na sobrancelha, e a ferrugem na armadura:
E as tendas estavam todas em silêncio, os estandartes abandonados,
As lanças caídas, as trombetas sem sopro.

E as janelas de Assur são vistosas nas muralhas,
E os ídolos estão caídos no templo de Baal;
E o poder dos gentios, não ferido pela espada,
Derreteu-se como neve no rápido olhar do Senhor!

Ao contrário de tantos outros reis, Ezequias deu ouvidos aos profetas e clamou a Deus por livramento. Então, Deus mandou um anjo para atacar o acampamento inimigo e ele enviou os assírios de volta para a Assíria.

É interessante pensar que o livro de Isaías no cânon hebraico fica logo depois do livro de 2Reis, que termina com a queda e destruição de Jerusalém cento e catorze anos depois. A história de Ezequias é um contraste marcante com a conduta dos reis de Jerusalém do período final da vida da nação. Ah, se os reis do final de 2Reis e do livro de Jeremias tivessem ao menos dado ouvidos e obedecido a Deus como fez Ezequias...

Em Isaías 39, contudo, Ezequias entretém de maneira insensata um enviado da Babilônia e lhe mostra suas riquezas. Sabendo que os babilônios eram os que no futuro iriam

Esse prisma de argila é um dentre muitos que contêm inscrição com *relatos* das campanhas militares de Senaqueribe. Em geral, esses registros régios eram propagandas e estavam repletos de devaneios políticos. Por isso é fácil compreender que Senaqueribe não mencione a desastrosa derrota em Jerusalém, mas ele também não diz ter subjugado Jerusalém. Apenas menciona as vitórias sobre cidades vizinhas; e sobre Ezequias de Jerusalém o prisma diz: "Tornei-o [Ezequias] um prisioneiro em Jerusalém, seu palácio real transformou-se em uma gaiola de passarinho".

realmente destruir Jerusalém e levar seus habitantes para o exílio, Isaías repreende Ezequias por sua falta de percepção. Então, no fim de Isaías 1—39, Deus já havia libertado de modo espetacular Jerusalém dos assírios, mas os babilônios estavam despontando no horizonte. Desse modo, essa unidade introduz com propriedade o tema de Isaías 40—66, que vislumbra em perspectiva profética o período de dominação babilônica.

Livramento com lampejos de condenação (40.1—55.13)

Lembre-se de que a mensagem dos profetas contém três ênfases principais: 1) Vocês quebraram a aliança mosaica; é melhor que se arrependam! 2) Não querem se arrepender? Então, serão castigados! 3) Contudo, há esperança além do castigo para a restauração futura e gloriosa. Isaías 1—39 trata principalmente das duas primeiras ênfases, ao passo que os capítulos 40—55 destacam a terceira, a esperança da restauração futura. Desse modo, a mensagem de Isaías 40—55 está ancorada com firmeza na imensa graça salvadora de Deus. No centro da mensagem de esperança de Isaías nesses capítulos há várias promessas messiânicas. Muitas dessas profecias messiânicas estão concentradas em quatro "Cânticos do Servo" (42.1-7; 49.1-6; 50.4-9; 52.13—53.12).

O rei Ezequias construiu esse aqueduto para fortalecer as defesas de Jerusalém contra os assírios.

Consolo e regozijo (40.1-31)

Isaías 40 é paralelo a Isaías 1 em muitos aspectos. Como Isaías 1 introduz os capítulos 1—39, também Isaías 40 introduz os capítulos 40—66. Além do mais, muitas das palavras e temas usados para juízo em Isaías 1 se comparam a palavras e temas semelhantes de consolo e restauração de Isaías 40.

Isaías 40 não só introduz 40—66, mas também resume muitos dos principais temas da unidade maior. Isaías 40 começa com consolo (40.1,2). É necessário preparação, pois a glória de Deus está para se manifestar e será vista por todos (40.3-5). Apesar de a humanidade ser frágil e perecer rápido como a erva, a palavra de Deus permanece firme para sempre. Em Isaías 40.9-11, o soberano Deus vem com um misto de poder e força vitoriosa e tenro amor. Como meros mortais, não conseguimos entender isso, porque Deus está além de nosso entendimento e compreensão (40.12-14). Antes de Deus, as nações, tão temíveis em Isaías 1—39, são como meras gotas em um balde (40.15-17). Em comparação, o Deus todo-poderoso é

✚ Os autores dos Evangelhos do NT identificam João Batista com a "voz" preparatória de Isaías 40.3 (Mt 3.3; Mc 1.2-4; Lc 3.2-6).

Os Cânticos do Servo de Isaías
Richard Schultz

Apesar de algumas ocorrências da palavra "servo" (hebr., *'eved*) de Isaías 40—53 se referirem com clareza a Israel (p. ex., 41.8), há outras ocorrências que parecem se referir a um indivíduo, detentoras de um conteúdo distinto (p. ex., 53.11). Em relação à identificação do servo, as sugestões são as seguintes: 1) o Israel coletivo representado por um indivíduo — a) toda a nação, b) o remanescente fiel, ou c) o Israel ideal; e 2) um indivíduo histórico futuro ou ideal — a) profético, como o "segundo" Isaías ou o "segundo Moisés"; b) real, como Ezequias ou o Messias; ou c) sacerdotal.

Bernard Duhm (1892) identificou inicialmente as passagens de 42.1-4; 49.1-6; 50.4-9 e 52.13—53.12 como "Cânticos do Servo", embora "cântico" seja um termo ambivalente. Entretanto, a quantidade e a extensão desses poemas ainda são objeto de discussão. Por exemplo, Isaías 61.1-3 pode ter a função de último texto sobre o servo (cf. Lc 4.16-22). Infelizmente, a abordagem de Duhm isolou essas passagens do contexto literário e ignorou o emprego do tema do "servo" no livro de Isaías.

Isaías 42.1-4 introduz um servo não identificado. Como a nação de Israel (41.8-10), ele é escolhido e sustentado por Deus. Como o que vem "do norte" (talvez, Ciro, o rei persa?), ele é chamado em justiça (41.2; 42.6) pelo nome (45.4; 49.1) e tomado pela mão (42.6; 45.1), e cumprirá a vontade de Yahweh (44.28; 53.10). Todavia, esse servo também é contrastado com o servo coletivo, a cega nação de Israel, que deixa de cumprir a obra designada (42.18-20), tornando-se assim carente de redenção (43.1,14). Além disso, ao contrário dos modos violentos do poderoso conquistador (41.2,25), esse servo estabelecerá a justiça sem mesmo quebrar um "caniço rachado" (42.2,3).

A missão do servo era dupla: 1) restaurar Israel tornando-se uma "aliança para o povo" (i.e., o mediador para restabelecer o seu relacionamento com Deus, 42.6; 49.8); 2) trazer "a minha [de Deus] salvação até os confins da terra" (49.6) como "luz para os gentios" (42.6; 49.6), abrindo os olhos aos cegos e libertando os cativos em trevas (42.7). Em Isaías 49—57, é anunciado o livramento espiritual futuro por meio do servo de Deus. Três passagens que descrevem a eleição (49.1-13), a oposição (50.4-11) e o sofrimento vicário e exaltação (52.13—53.12) do servo são alternadas com três longas passagens que descrevem a situação corrente de Sião (49.14—50.3), o consolo futuro (51.1—52.12) e o futuro glorioso (54).

Esse servo individual exerce, desse modo, funções proféticas (50.10) e sacerdotais (52.15; 53.10). Além disso, também compartilha atributos reais com o futuro rei da dinastia davídica de Isaías 1—39. Ambos têm o Espírito (11.2; 42.1), estão relacionados com as promessas da aliança de Davi (9.7; 11.1; cf. 55.3; tb. 42.6; 49.8) e estabelecem a justiça (11.4; 42.3,4), libertando outros das trevas (8.22—9.2; 42.6,7). Não é de surpreender que os autores do NT citem repetidamente esses "Cânticos do Servo" para se referir a Jesus (p. ex., Mt 8.17; 12.17-21; Lc 22.37; Jo 12.38; At 8.32,33; Rm 15.21; 1Pe 2.22-25).

A apresentação desse indivíduo em Isaías 40—53 é mais bem compreendida à luz do tema do "servo" contido em Isaías 40—66. Em Isaías 40—53, a palavra "servo" ocorre apenas no singular. Após a descrição culminante da morte substitutiva do Servo justo em Isaías 53, ocorre uma mudança: em Isaías 54—66, o termo "servo" aparece exclusivamente no plural para designar um grupo de fiéis dentro de Israel. Em suma, em Isaías a obra obediente do servo individual restaura o servo nacional para que os indivíduos de Israel sirvam outra vez a Deus.

✚ Mateus 12.18-21 identifica Jesus e seus atos como cumprimento da profecia do "Servo" de Isaías 42.1-4.

soberano e reina sobre toda a terra. Ídolos pagãos lhe são incomparáveis, pois eles não são nada e não têm nenhum poder (40.18-26). A conclusão dessa introdução é expressa em forma poética em 40.27-31. Os que creem nisso e confiam no Deus soberano não se desesperarão. Eles renovarão as forças e subirão com asas como águias.

Não temam, pois eu estou com vocês (41.1—44.23)

O consolo de Isaías 40 é seguido de repetidas exortações encorajadoras de Deus dizendo "não tenha medo!". Isaías 41.10 é um bom exemplo e resume boa parte da mensagem dessa unidade: "Por isso não tema, pois estou com você; não tenha medo, pois sou o seu Deus. Eu o fortalecerei e o ajudarei; eu o segurarei com a minha mão direita vitoriosa". O tema da presença poderosa e fortalecedora é um dos temas principais dos Profetas, na verdade de toda a Bíblia.

Isaías 42.1-7 contém o primeiro dos quatro Cânticos do Servo. A justiça continua fortemente associada à vida do Messias (42.1,3,4). Da mesma forma, Deus promete colocar seu Espírito nesse servo (42.1). Entretanto, em contraste com outros reis e dominadores, o servo será calmo e humilde (42.2,3). Deus também declara que o servo será uma aliança para o povo (provavelmente uma referência à "nova aliança" de Jr 31) e uma luz para os gentios (42.6). Desse modo, o servo é identificado com aquele que tem o papel decisivo de incluir os gentios entre o povo de Deus.

Isaías 43.1-7 dá continuidade às palavras de consolo à medida que Deus se dirige ao povo empregando termos de intimidade (vocês são meus, eu os amo, filhos, filhas). Deus também os adverte de modo contínuo de "não temerem" por causa de sua presença magnificente. Em 43.14-21, Deus promete livramento e depois descreve o livramento em termos semelhantes ao do êxodo do Egito, exceto em proporções muito maiores. O livramento futuro planejado por Deus ofuscará os extraordinários livramentos do passado, incluindo-se o Êxodo, o acontecimento salvador prototípico e paradigmático do AT. "Esqueçam o que se foi", declara Deus: "Vejam, estou fazendo uma coisa nova!" (43.18,19).

Em Isaías 44.1-5, Deus mais uma vez encoraja o

O túmulo do rei Ciro da Pérsia.

✚ Isaías 42.1-4 é citado em Mateus 12.18-21.

Luz das nações

A luz é um tema central presente em toda a Bíblia. Ela pode ser usada para simbolizar a verdade ou a iluminação para enxergar a verdade. No AT, a luz também comporta outras nuanças. Muitas vezes a luz está associada à verdadeira justiça ou verdadeira retidão. Não raro a luz é associada à presença poderosa de Deus e sua obra na Criação (p. ex., Gn 1). Também é bastante associada à glória de Deus. Em contraste, as trevas são usadas no AT como representação não só de loucura e ignorância, mas também de juízo, em particular do juízo que envolve a perda da presença de Deus, levando por fim à morte.

Em Isaías 9.2, o profeta Isaías descreve a vinda do maravilhoso Messias como a época em que a luz substituirá as trevas. Em Isaías 40—66, o profeta ressalta que o Messias (Servo do Senhor) trará salvação para Israel e para os gentios (i.e., as nações). Esses dois temas se juntam quando Deus declara ao Servo: "Também farei de você uma luz para os gentios, para que você leve a minha salvação até os confins da terra" (49.6; 42.6). Então, "luz" neste contexto inclui iluminação ou conhecimento (os gentios serão capazes de entender), mas também oferece uma imagem da própria salvação — a "luz para os gentios" é a que lhes traz salvação.

O NT continua usando esse tema. João associa Jesus à "luz", atribuindo a Jesus muitas das nuanças do AT relacionadas à luz — a presença de Deus, o poder criador, a vida, a iluminação. Em João 8.12, Jesus faz uma ligação semelhante quando declara: "Eu sou a luz do mundo". Da mesma forma, quando Paulo muda o foco de seu trabalho dos judeus para os gentios, ele cita Isaías 49.6: "Eu fiz de você luz para os gentios" (At 13.47). Essa profecia alcança sua realidade final no livro de Apocalipse, pois nos capítulos finais o ápice de toda a história humana é descrito como viver à luz de Deus. De fato, Apocalipse 21.23,24 une essas diferentes facetas, proclamando: "A cidade não precisa de sol nem de lua para brilharem sobre ela, pois a glória de Deus a ilumina, e o Cordeiro é a sua candeia. As nações andarão em sua luz".

Lamparina "de parede" de cobre procedente da Babilônia.

povo a "não temer". Normalmente essa exortação é seguida de uma afirmação da presença poderosa de Deus entre o povo. Entretanto, nessa passagem, em vez de dizer apenas: "Eu estou com vocês", Deus revela o derramamento do seu Espírito sobre o povo, mostrando assim que, na restauração futura, a presença de Deus será conhecida de um modo novo e mais poderoso — por meio do seu Espírito.

Isaías 44.6-20 resume a seção com uma sarcástica zombaria dos adoradores de ídolos. Isaías descreve o ridículo processo de fabricação de um ídolo: um homem derruba uma árvore, usa parte da lenha para fazer fogo para se aquentar ou assar pão e a outra metade para fazer um ídolo, diante do qual ele em seguida se prostra em adoração. Quanta insensatez! Ídolos inúteis e impotentes que não se comparam ao Deus soberano e todo-poderoso de Israel.

✚ Isaías 44.3 menciona o dom do Espírito de Deus, uma das características extraordinárias da era messiânica futura. Ezequiel 36.26,27 e Joel 2.28,29 acrescentam mais detalhes a essa profecia, que se cumpre no NT no Dia de Pentecoste (At 2.1-21).

Deus controla a História, até mesmo o rei Ciro da Pérsia (44.24—48.22)

Lembre-se de que Isaías 40—66 se dirige principalmente aos judeus exilados que viviam na Babilônia. Uma das realidades mais confortadoras compartilhada por Isaías com os exilados perplexos foi o fato de Deus controlar a História e, por possuir controle supremo, ele pode trazê-los (e trará) do exílio e restaurá-los. Os babilônios serão derrotados pelo rei Ciro da Pérsia em 539 a.C. Como demonstração do controle divino sobre a História, ele menciona Ciro de forma explícita e pelo nome várias vezes (44.28; 45.1,13) e de maneira implícita algumas vezes (46.11; 48.14,15), dizendo que o próprio Deus levantará Ciro para julgar a Babilônia, o que por sua vez possibilitará aos israelitas retornar para sua terra. Isaías 46 ressalta que os deuses falsos, mesmo os da Babilônia, não têm poder para isso, portanto não se comparam ao Senhor, o Deus de Israel. Isaías 47 declara que Ciro destruirá a Babilônia. Em Isaías 48.20, Deus, então, diz aos exilados: "Deixem a Babilônia!", dando sinal do fim do exílio.

O Servo de Deus e a restauração de Sião (49.1—55.13)

A seção anterior (Is 44—48) identifica Ciro, rei da Pérsia, com um indivíduo que Deus usaria para executar seu plano. Nessa próxima unidade, Ciro é ofuscado e agora a atenção se volta para o Servo do Senhor como aquele indivíduo por meio do qual Deus manifestará seu novo e extraordinário plano de salvação. Parte desse plano inclui a restauração de Sião (Jerusalém). Esses dois temas do "Servo" e da "restauração de Sião" estão interconectados e entrelaçados nessa seção.

O segundo Cântico do Servo (49.1-6) introduz essa unidade colocando toda a atenção sobre o Servo, que na verdade fala nessa passagem. Isaías 49.1-4 descreve o chamado de Deus ao Servo, e 49.5,6 apresenta sua dupla missão: a restauração de Israel e a salvação das nações/gentios (a mesma palavra hebraica pode ser traduzida por "nações" e "gentios"). O restante do capítulo descreve elementos desses dois acontecimentos e a alegria resultante deles (49.13).

Isaías 50.4-9 apresenta o terceiro Cântico do Servo. Nessa passagem o Servo descreve a perseguição, a zombaria e o sofrimento que ele terá de suportar, mantendo em todo tempo a confiança em Deus como sua força e justificação. Isaías 50.10—52.12 mais uma vez celebra a restauração de Sião, repetindo muitos dos temas já encontrados em Isaías: a justiça e retidão, o novo êxodo, consolo, Deus, o poderoso criador, o castigo dos opressores pecadores e a jubilosa salvação.

O último — e o mais impressionante — Cântico do Servo é apresentado em 52.13—53.12. Talvez essa passagem seja a mais conhecida de Isaías.

✚ As "coisas passadas" em Isaías (41.22; 42.9; 43.9,18; 46.9; 48.3; 65.17) no geral se referem aos grandes feitos de Deus na libertação de Êxodo.

Ela contém diversas profecias messiânicas específicas, incluindo um relato muito detalhado do sofrimento pelo qual o Servo passaria. Muitos dos detalhes dessa passagem se cumprem de modo explícito na tentação, nos açoites e na crucificação de Jesus Cristo. Semelhantemente, o tema da morte substitutiva (morrer em nosso favor, em nosso lugar, por nossos pecados) faz parte do cântico. Apesar de o sofrimento e a humilhação dominarem a parte central do cântico, ela tem início e é encerrada com a exaltação do Servo (52.13-15; 53.10-12). Os temas contrastantes da humilhação e exaltação proporcionam uma forte ironia à profecia. O povo não reconhece o Servo. Sua percepção equivocada negativa a respeito dele é contrastada com a realidade de sua identidade verdadeira é e como ele os salvará mediante o sofrimento. Esses mesmos temas são característicos da vida de Jesus Cristo nos Evangelhos.

Isaías 54 compara de maneira figurada Jerusalém a uma mulher estéril, abandonada, recebida então calorosamente pelo marido (Deus, que também é seu criador e redentor). Agora ela terá a vida caracterizada pela alegria e paz, abençoada com muitos filhos. Os profetas não raro usam a analogia do casamento para descrever o relacionamento entre Deus (o marido ou noivo) e seu povo (a mulher ou noiva).

As figuras do banquete e da festa também são empregadas muitas vezes para retratar as bênçãos positivas da restauração gloriosa vindoura. Em Isaías 55, os exilados cansados e sedentos são convidados a participar de um banquete gratuito. Como parte do banquete, Deus inaugurará o cumprimento da aliança davídica (55.3), promessa feita a Davi em 2Samuel 7 considerando o estabelecimento de um descendente de Davi como o rei eterno de Israel.

Em seguida, Deus chama pecadores ao arrependimento e à salvação (55.6,7). À luz do grave pecado de que Isaías chama a atenção em todo o livro, há de se pensar como a misericórdia e o perdão poderão ser agora oferecidos. Isaías 55.8,9, entretanto, nos lembra de que os caminhos de Deus e seu entendimento não raro estão acima de nós e não é fácil entendê-los. Deus declara que sua palavra é poderosa e cumprirá tudo o que ele a comissiona cumprir (55.11). Portanto, seu povo — na verdade, toda a criação — estará repleto de alegria por causa dessa grande libertação (55.12,13).

"Sião" refere-se ao monte ou à colina em que o templo foi construído. Hoje a mesquita Al-Aksa e o santuário islâmico chamado Cúpula da Rocha ocupam boa parte desse local.

Vida em retidão enquanto se espera em Deus (56.1—66.24)

Isaías 1—39 concentra-se no julgamento iminente em razão de pecado (violação da aliança) e a recusa de Israel de se arrepender e voltar para Deus. Isaías 40—55, então, olha para além do juízo com a esperança gloriosa por causa da restauração futura, quando o Servo de Deus trará salvação aos abatidos exilados e aos gentios (as nações). Isaías 56—66, entretanto, exorta o povo de Deus a viver enquanto isso em retidão, até a vinda do Rei. Um dos principais temas dessa seção é a condenação da confiança de Israel no culto ritualista e hipócrita.

O rei assírio Senaqueribe observa o povo capturado da cidade de Laquis. Em contraste com a arrogância dos reis como Senaqueribe, o Servo será sereno e humilde (Is 42.2,3).

Quem viverá retamente? (56.1—59.21)

Isaías 56 começa com um clamor pela justiça, mas passa de imediato a declarar que os "estrangeiros" (membros de outros povos, eunucos etc.) que forem fiéis serão incluídos no reajuntamento do povo de Deus (56.1-8). Em comparação, a próxima página destaca a hipocrisia dos líderes de Israel que demonstram indolência, ganância e adoração a ídolos (56.9—57.13). O capítulo termina com a reafirmação da disposição divina de aceitar com compaixão os que se dirigirem a ele com espírito humilde de arrependimento.

Como já foi mencionado em toda a nossa discussão, os Profetas ressaltam três pecados básicos que violam a aliança: a idolatria, a injustiça social e a confiança nos rituais religiosos hipócritas. Isaías 58 une os temas da justiça social e do ritual religioso em uma crítica severa contra o modo hipócrita com que o ritual do jejum era praticado. Quando se cometem injustiças sociais com regularidade, Deus declara, então, de que servirá o jejum? Ele resume essa atitude para com os rituais em 58.6,7: "O jejum que desejo não é este: soltar as correntes da injustiça [...] partilhar sua comida com o faminto, abrigar o pobre desamparado?".

Isaías 59 continua a descrição do pecado em termos de injustiça; na verdade, o termo "justiça" é usado em todo esse capítulo (59.4,8,9,11,14,15). Contudo, na última seção o forte braço direito de Deus virá em poder para libertar o povo. Nos capítulos iniciais de Isaías (e por todos os Profetas), os inimigos tradicionais de Israel eram as nações poderosas da região

✢ Jesus cita Isaías 56.7 ("Minha casa será chamada casa de oração para todos os povos") quando expulsa o comércio corrupto instalado na área do templo supostamente destinada aos estrangeiros para fazerem suas orações.

(Babilônia, Assíria, Egito etc.). Em Isaías 59, entretanto, o inimigo que Deus esmaga em triunfo é o "pecado". Um aspecto crucial da vitória sobre o pecado é a nova aliança divina e o papel que o Espírito exercerá (59.21).

Tenham esperança, pois Deus traz a salvação! (60.1—62.12)

Isaías 60—62 continua desenvolvendo a promessa da grande restauração futura. Isaías 60 ressalta que a glória e a luz divinas dissiparão toda a escuridão. No futuro messiânico, "O sol não será mais a sua luz de dia [...], pois o Senhor será a sua luz para sempre" (60.19; cf. Ap 21.23). Isaías 61 proclama a boa-nova aos pobres e quebrantados, destacando mais uma vez a importância da justiça para Deus (61.8). No final de Isaías 61, a figura do casamento é usada de novo — uma figura de linguagem que continua em Isaías 62 — a celebração da restauração gloriosa de Jerusalém e Israel, culminando na proclamação de um novo nome para o povo: "povo santo, redimidos do Senhor" (62.12).

Enquanto aguardam pelo livramento futuro, obedeçam a Deus e vivam retamente (63.1—66.24)

Isaías 63 começa com o surgimento do guerreiro divino, que pisoteia os inimigos como uvas no lagar. A isso se segue uma oração (63.7—64.12) oferecida por Isaías em favor do povo pecador. Deus responde a essa oração na última seção (Is 65—66), destacando a vinda de "novos céus e nova terra" (65.17-20). Contudo, figuras de juízo e de esperança se alternam por toda a unidade (como em muitas partes de Isaías). Deus lembra seu povo de que o livramento não se baseia em critérios étnicos nem é automático. A restauração futura gloriosa está próxima, mas enquanto isso o povo é chamado a viver em humildade, fidelidade e retidão diante de Deus.

Isaías 66.15-24 contém o grande desfecho de todo o livro, sintetizando seus diversos temas proeminentes. O desdobramento do plano de Deus trará juízo e salvação. De um lado, algumas pessoas rebeldes e pecadoras (gentias e israelitas) receberão o consequente juízo de Deus. Por outro lado, os que confiam em Deus e lhe obedecem, israelitas e gentios, se juntarão ao povo de Deus e serão trazidos à presença gloriosa para adorá-lo.

Como aplicar Isaías à nossa vida hoje

O livro de Isaías está repleto de temas bíblicos centrais aplicáveis de forma direta a como você e eu vivemos o dia a dia. Em primeiro lugar, Isaías nos conta muitas coisas a respeito de Deus, seu caráter e coração. Isaías ressalta para nós que Deus é soberano e controla a História. Vivemos em um mundo pecador e caído, por isso coisas terríveis acontecem à nossa volta.

✠ No início de seu ministério público, Jesus cita Isaías 61.1,2, identificando a si mesmo como o cumprimento das profecias messiânicas de Isaías (Lc 4.18,19).

Não obstante, Deus permanece assentado no trono e exercendo seu controle. No devido tempo, ele estabelecerá seu reino, que será caracterizado pela justiça, retidão e paz. Por isso, mesmo em situações difíceis, podemos reivindicar a promessa de Isaías de "não temer".

Isaías tem muito a dizer sobre o pecado. Ele nos diz que não devemos tornar Deus trivial ou supor que ele esteja de algum modo apático ou indiferente ao pecado. A desobediência a Deus — principalmente caso o abandonemos ou nos desviemos dele — tem sérias consequências. A santidade e retidão de Deus demandam a punição do pecado. Contudo, felizmente para nós, Isaías também profetiza que o maravilhoso Messias (Jesus) virá, morrerá em nosso lugar por nossos pecados e nos restaurará a Deus.

Enquanto isso, Isaías nos chama para vivermos em retidão a cada dia. Ele nos exorta à resistência aos "ídolos" (o que nos afasta da devoção a Deus) e, em vez disso, à fidelidade total a Deus. Isaías também nos diz que Deus está muito atento a quem sofre, de modo principal a quem se encontra nas camadas socioeconômicas mais baixas, incapaz de se manter, e ele espera que nós (seu povo) tenhamos compaixão e nos empenhemos em cuidar de quem necessita de ajuda. Isaías também nos diz repetidamente que Deus deseja que andemos junto dele em verdadeira obediência ética e espiritual, em vez de cumprirmos meros rituais. Se de fato confiamos completamente em Deus — aceitando o sacrifício expiatório de seu Servo Jesus, esforçando-nos para conhecer o coração de Deus e agir de acordo com sua compaixão, aguardando o cumprimento de sua grande promessa de libertação mesmo em tempos difíceis de sofrimento —, então podemos realmente "[voar] alto como águias" (Is 40.31).

Nosso versículo favorito de Isaías

Todos nós, como ovelhas, nos desviamos,
   cada um de nós se voltou para o seu próprio
     caminho;
   *e o S*ENHOR *fez cair sobre ele a iniquidade*
     de todos nós. (53.6)

- Gênesis
- Êxodo
- Levítico
- Números
- Deuteronômio
- Josué
- Juízes
- Rute
- 1Samuel
- 2Samuel
- 1Reis
- 2Reis
- 1Crônicas
- 2Crônicas
- Esdras
- Neemias
- Ester
- Jó
- Salmos
- Provérbios
- Eclesiastes
- Cântico dos Cânticos
- Isaías
- **Jeremias**
- Lamentações
- Ezequiel
- Daniel
- Oseias
- Joel
- Amós
- Obadias
- Jonas
- Miqueias
- Naum
- Habacuque
- Sofonias
- Ageu
- Zacarias
- Malaquias

Jeremias

*Pecado, juízo e livramento
por meio da nova aliança*

Jeremias é chamado muitas vezes "o profeta chorão". Ele recebe esse nome pelas diversas passagens em que abre o coração diante de Deus, chora (talvez, até, lamuriando um pouco) sobre a difícil perseguição encontrada em decorrência da severa mensagem de juízo proclamada ao vigoroso povo de Jerusalém. Preferimos, entretanto, chamá-lo "o perseguidor implacável" do Antigo Testamento". Nos antigos clássicos filmes de Clint Eastwood, o policial Harry Callahan é apelidado de "Dirty Harry" [lit., Harry, o Sujo, mas conhecido no Brasil como o "perseguidor implacável", nome dado também à série] porque sempre sobrava para ele a tarefa mais difícil, árdua e perigosa. Jeremias se encontra em situação semelhante quando Deus o envia para se colocar contra toda a nação de Judá (1.18,19) a fim de proclamar em público o pecado da nação e chamá-la ao arrependimento. Um chamado de fracasso, alerta Deus, pois esse povo era obstinado e não se arrependeria.

Quem foi Jeremias?

Jeremias talvez seja um dos profetas mais intrigantes. Além disso, ele proclama uma mensagem comovente e de partir o coração do antigo Judá e dos leitores da atualidade. Ele foi inicialmente um sacerdote de Anatote, uma cidade não muito distante de Jerusalém. Deus o chama para ser profeta quando ele ainda era jovem (Jr 1), e ele teve um longo ministério profético (mais de quarenta anos). A tarefa de Jeremias, no entanto, foi difícil, pois o povo de Judá e Jerusalém não lhe daria ouvidos; na verdade, eles se tornaram abertamente hostis a Jeremias, a ponto de às vezes prendê-lo e espancá-lo. Sua vida foi inclusive alvo de conspiração. De tempos em tempos, Jeremias se desanima e é muito espontâneo ao expressar seu desânimo aos leitores. Deus, entretanto, o exorta a parar de lamuriar e voltar ao trabalho.

Qual é o contexto de Jeremias?

Nos vários séculos anteriores, a nação de Judá (com sua capital Jerusalém) tornou-se cada vez mais enamorada dos ídolos estrangeiros e, assim, menos fiel a Deus. O rei Josias tentou reverter essa desastrosa tendência, mas com sua morte Judá volta às práticas pecaminosas e abandona a lei de Deus encontrada em Deuteronômio. O povo não só se entregara à ostensiva idolatria, como também a sociedade declinou em sentido moral à medida que desprezava o chamado de Deus para cuidar do próximo e atentar para a prática da justiça para com todos os membros da sociedade. Jeremias vive e profetiza em Jerusalém nesses trágicos anos antecedentes à dominação babilônica e à terrível destruição de Jerusalém. Seu ministério abrange mais de quarenta anos (627 a.C. até um pouco antes de 586 a.C.), perpassando os reinos de vários reis de Judá: Josias (o último bom rei de Judá), Jeoacaz, Joaquim, Jeoaquim e Zedequias, e um breve período após a destruição de Jerusalém.

Quais são os temas centrais de Jeremias?

A mensagem de Jeremias é típica dos profetas do AT e pode ser resumida aos três temas básicos da mensagem profética:

1. Vocês (Judá/Israel) quebraram a aliança mosaica; é melhor que se arrependam!
2. Não querem se arrepender? Então, serão castigados!
3. Contudo, há esperança além do castigo para a restauração futura e gloriosa, tanto para Israel/Judá quanto para as nações.

Boa parte de Jeremias 1—29 concentra-se nos diversos pecados que caracterizaram Judá e Jerusalém, ressaltando a gravidade da quebra da aliança estabelecida por Deus com eles em Êxodo e Deuteronômio. Esses pecados

✦ Jeremias é contemporâneo dos profetas Habacuque, Sofonias, Ezequiel e dos primeiros anos de Daniel. Outras informações sobre o contexto histórico de Jeremias encontram-se em 2Reis 22—25 e em 2Crônicas 34—36.

podem ser agrupados em três categorias principais: idolatria, injustiça social e ritualismo religioso. Como um promotor de justiça na sala de audiência, Jeremias acusa Jerusalém e seus líderes de se entregarem à idolatria e cometerem injustiça social. Eles estavam muito enganados, declara Jeremias, em achar que os rituais religiosos compensariam a atitude antiética e cumpririam as exigências diante de Deus. Na verdade, adverte Jeremias, um tempo terrível de juízo se aproxima.

Jeremias 30—33, em contraste, ressalta a restauração gloriosa vindoura após o juízo. No centro dessa mensagem messiânica está a descrição da futura "nova aliança".

Os capítulos restantes, contudo, narram como os reis e o povo de Jerusalém se recusaram a ouvir e a se arrepender, selando assim seu destino. Os babilônios, de fato, vêm, e o livro de Jeremias descreve a terrível derrota de Jerusalém. Em Jeremias há também uma longa seção contendo mensagens de juízo contra as nações vizinhas por causa de seus pecados.

Boa parte do livro de Jeremias não está organizada em sequência cronológica; a estrutura do livro segue mais a linha temática que a ordem cronológica. O livro é muito parecido com uma antologia — uma coletânea de oráculos e proclamações poéticas, narrativa de acontecimentos e diálogos. O livro de Jeremias é muito difícil, se não impossível, de ser esboçado com detalhes, e muitas vezes a ligação entre os vários episódios e as profecias não é muito clara. Entretanto, a mensagem geral, discutida antes, é muito clara, e Jeremias repete as três acusações (idolatria, injustiça social e ritualismo religioso) e os três pontos principais (quebra da aliança, juízo, restauração) muitas vezes. Da mesma forma, embora as conexões lógicas precisas entre as seções menores não sejam sempre perceptíveis, o livro pode ser subdividido em unidades maiores, unidas pelos seguintes temas gerais e abrangentes:

- Pecado, relacionamento rompido e juízo (1.1—29.32)
  - A comissão do "perseguidor implacável" (1.1-19)
  - Idolatria — uma traição do relacionamento com Deus (2.1-37)
  - Arrependam-se! Arrependam-se! Arrependam-se, por favor! (3.1—4.4)
  - O terrível castigo está próximo (4.5—6.30)
  - Mentiras e falsa religião (7.1—10.25)
  - A quebra da aliança e o ataque ao profeta de Deus (11.1—20.18)
  - Juízo contra os líderes e os falsos profetas (21.2—29.32)

Incensário da vizinha Arábia (os sabeus). Israel e Judá provocaram Deus à ira queimando incenso a Baal (11.17) e a outros deuses (19.13).

- Restauração e nova aliança (30.1—33.26)
- Os últimos dias terríveis e trágicos de Jerusalém (34.1—45.5)
  - Os reis infiéis de Judá (34.1—36.32)
  - Jerusalém é derrotada, mas um remanescente sobrevive (37.1—39.18)
  - O inverso da história da libertação: o povo volta para o Egito (40.1—45.5)
- Juízo contra as nações (46.1—51.64)
- A queda de Jerusalém contada outra vez (52.1-34)

Quais são os aspectos interessantes e singulares de Jeremias?

- Jeremias compartilha temores e frustrações pessoais com os leitores.
- Jeremias é confrontado diversas vezes pela hostilidade de "falsos profetas".
- Jeremias associa claramente a nova era messiânica vindoura à "nova aliança".
- A analogia do casamento para se referir ao relacionamento de Deus com o povo permeia todo o livro.
- Jeremias talvez seja o mais exuberante e ao mesmo tempo o mais severo de todos os profetas ao pregar contra o pecado e anunciar o juízo.
- A figura de juízo de 1—29 é substituída por figura de salvação em 30—33, utilizando exatamente os mesmos símbolos (p. ex., 1—29 fala de enfermidade incurável; 30—33 fala de cura etc.).
- Muitos dos milagres de Jesus e boa parte de seu ensinamento estão relacionados com o livro de Jeremias.

Qual é a mensagem de Jeremias?

Pecado, relacionamento rompido e juízo (1.1—29.32)

A comissão do "perseguidor implacável" (1.1-19)

O livro de Jeremias começa pelo chamado divino do profeta. Os aspectos mais significativos do chamado de Jeremias são:

1. Deus é quem chama.
2. Deus o escolhe para essa missão antes mesmo do nascimento dele.

✚ Jeremias usa muitas vezes a analogia do casamento para falar do relacionamento de Deus com o povo. Essa analogia, também proeminente em Ezequiel e Oseias, continuará no NT quando a igreja será chamada esposa ou noiva de Cristo.

O que aconteceu com a arca da aliança?

A arca da aliança era um caixote de madeira com cerca de 110 x 70 x 70 centímetros, revestido de ouro por dentro e por fora, coberto com uma tampa de ouro ladeada por dois querubins de ouro. Quando Deus tirou Israel do Egito no período do Êxodo, ele deu a Moisés instruções específicas sobre a construção da arca (Êx 25). Em toda a história antiga de Israel, a arca da aliança ocupou um papel crucial, pois representava o centro da presença de Deus em Israel, unindo sua santidade e seu poder ao desejo de habitar no meio do povo e de se relacionar com ele.

Em 3.16, Jeremias faz uma previsão muito radical: na restauração futura, a arca desaparecerá e, de modo mais surpreendente ainda, ninguém sentirá sua falta. De acordo com a profecia de Jeremias, a arca da aliança some da história bíblica depois da dominação babilônica e destruição de Jerusalém em 587/586 a.C. O que aconteceu com a arca?

Na tentativa de responder a essa pergunta, várias lendas e teorias continuam circulando. Uma das lendas judaicas mais questionáveis diz que o próprio Jeremias teria escondido a arca sob a elevação do templo pouco antes da conquista da cidade pelos babilônios. Alguns especulam que ela ainda esteja lá. Algumas pessoas dizem ter visto a arca ali. A maioria dos estudiosos do AT considera essa lenda muito improvável, sem nenhuma evidência que pudesse sustentar essa alegação.

Outra lenda sobre a arca procede da Etiópia. A "lenda popular" nacional da Etiópia diz que a rainha de Sabá era uma rainha etíope. Depois de visitar o rei Salomão em Jerusalém, ela voltou à Etiópia e deu à luz um filho de Salomão, um menino chamado Menelik. Posteriormente, Menelik voltou a Jerusalém para visitar seu pai, mas roubou a arca da aliança e a levou de volta à Etiópia, onde se encontra até hoje. A Igreja ortodoxa da Etiópia alega ter a arca da aliança original em uma igreja na antiga cidade de Axum. Infelizmente, eles não permitem que nenhum estudioso a examine.

O problema com essa lenda é que ela não se enquadra com a história. O rei Salomão antecede em quase mil anos o reinado axumita de Menelik. Por isso, é muito improvável que Salomão tenha sido o pai de Menelik. Entretanto, os etíopes possuem algo muito antigo e significativo naquela igreja para criar essa antiga lenda, como muitos rituais eclesiásticos relacionados à arca. O que eles realmente têm naquela igreja?

Uma das possibilidades está relacionada à colônia judaica que se formou no antigo sul do Egito, na ilha Elefantina, no rio Nilo. No século VI a.C., os egípcios contrataram mercenários judeus para defender a fortaleza da ilha. Escavações arqueológicas do sítio mostram que esses judeus aparentemente construíram um modelo do templo de Jerusalém na ilha, para adorar a Deus. Mas teriam eles construído um modelo da arca da aliança para colocar nesse templo? Talvez. Ninguém sabe ao certo o que aconteceu com esses judeus mercenários estabelecidos no sul do Egito. Alguns sugerem que eles tenham migrado para a Etiópia (a leste), levando consigo a réplica da arca. Nesse caso, os etíopes poderiam ter essa arca, uma réplica muito antiga (e altamente significativa) da arca da aliança, mas não a original.

A maioria dos estudiosos sustenta que o destino mais provável da arca da aliança foi quando o exército babilônico a derreteu para levar o ouro dela de volta para a Babilônia. De qualquer modo, Jeremias estava certo. A arca desapareceu. O povo de Deus hoje experimenta a presença de Deus por meio da habitação interior do Espírito Santo; por isso, ele não sente falta da arca da aliança.

Modelo da arca da aliança.

3. O chamado centraliza-se na proclamação da palavra de Deus.
4. Deus capacitará o jovem Jeremias para proclamar sua palavra.
5. Há promessas de oposição, até perseguição. No chamado de Jeremias não há promessa de "prosperidade e cura".
6. Deus promete sua presença poderosa ("estou com você").

Idolatria — uma traição do relacionamento com Deus (2.1-37)

Jeremias repreende com veemência o povo de Judá e o acusa de idolatria e abandono de Deus. Por três vezes Deus declara que eles o "abandonaram" (2.13,17,19). Nesse capítulo, Jeremias apresenta uma das imagens figuradas mais eficaz e comovente. Jeremias proclama vividamente que a idolatria contra Deus é uma traição do relacionamento entre Deus e seu povo (i.e., a aliança), de forma muito semelhante à traição em um casamento decorrente de atos de adultério.

Arrependam-se! Arrependam-se! Arrependam-se, por favor! (3.1—4.4)

Deus chama seu povo repetidas vezes ao arrependimento e retorno a ele (3.12,14,22; 4.1). Israel, entretanto, nem mais reconhece seu pecado, muito menos retorna a Deus. Jeremias leva mais adiante a figura de uma mulher adúltera para a de uma prostituta, pois a prostituta não se envergonha de seu pecado. Na verdade, em todo o livro Jeremias compara muitas vezes Judá/Jerusalém a uma prostituta; isto é, o povo segue outros deuses como a prostituta casada vai atrás de outros amantes e abandona por completo seu matrimônio (causando sofrimento e vergonha ao marido).

Em 3.14-18, entretanto, Jeremias entrelaça ao chamado de arrependimento um vislumbre da restauração futura. Ele pinta um futuro em que todas as nações do mundo virão a Jerusalém adorar a Deus. Nesse tempo, anuncia Jeremias, a arca da aliança não estará mais com eles em Jerusalém, mas ninguém sentirá falta dela. Desde o período de Moisés, a arca da aliança foi o elemento central da presença de Deus habitando no meio dos israelitas. À medida que os profetas olham para a restauração futura, contudo, eles descrevem um novo tempo em que a presença de Deus será desfrutada de maneira mais íntima e poderosa — por meio do Espírito. Os profetas Joel e Ezequiel desenvolverão esse tema com mais detalhes. Jeremias apenas observa que a arca da aliança, o sinal na época da presença de Deus, logo desapareceria e nunca mais seria substituída.

O terrível castigo está próximo (4.5—6.30)

Apesar do chamado de Jeremias ao arrependimento, o povo se recusa a se afastar ou mesmo a reconhecer seu pecado (idolatria, injustiça social). Desse modo, em 4.5—6.30, o profeta anuncia as terríveis consequências disso.

✢ Ao anunciar juízo contra o templo, Jeremias chama esse lugar de "covil de ladrões" (7.11). No NT, Jesus também denota juízo ao citar esse versículo aos mercadores do templo (Mt 21.13; Mc 11.17; Lc 19.46).

Os lamentos de Jeremias

Uma das características peculiares do livro de Jeremias é que o profeta nos oferece uma visão penetrante de seus pensamentos e reações pessoais. Em diversos momentos, no decorrer do livro, Jeremias clama a Deus queixando-se ou lamentando a difícil circunstância pela qual passa. As passagens que contêm os "lamentos" de Jeremias são 11.18-20; 12.1-6; 15.10,15-21; 17.14-18; 18.18-23; 20.7-18. Às vezes Jeremias lamenta a respeito do deplorável estado de coisas (em sentido moral e teológico) em Jerusalém. Muitas vezes ele desabafa que todos o rejeitaram e à sua mensagem. Ele se sente isolado, lutando inutilmente contra o poder da liderança (rei, profetas, sacerdotes e nobres) em Jerusalém. Às vezes ele parece se entregar um pouco à lamúria. Em outros momentos, as ameaças contra a vida de Jeremias eram reais. Ele não estava imaginando o perigo. Por isso, às vezes, em seus lamentos a Deus ele suplica que Deus o livre e esmague quem conspira contra ele. Em geral, Deus parece tolerar as queixas de Jeremias e normalmente respondia com palavras encorajadoras. Em 15.18, entretanto, Jeremias vai muito longe ao acusar Deus de enganá-lo. Nesse momento, Deus profere leve repreensão contra ele: "Se você se arrepender, eu o restaurarei para que possa me servir; se você disser palavras de valor, e não indignas, será o meu porta-voz. Deixe este povo voltar-se para você, mas não se volte para eles" (15.19).

Haverá uma horrenda invasão dos babilônios contra Judá com rapidez inesperada de relâmpago.

Vários temas importantes são desenvolvidos nessa seção. Em contraste ao juízo, Deus declara que ele não destruirá a todos, mas livrará o "remanescente" (5.10,18). A ênfase da unidade também passa do pecado da idolatria para o pecado da injustiça social, em especial contra os líderes prósperos (5.26-31). Os rituais religiosos não encobrem o grave pecado da injustiça social (6.19,20). Outra figura poderosa introduzida nessa unidade é a da ferida/doença *versus* a cura (6.7,14). Jeremias empregará as ideias de "feridas" e "doença" como figura do pecado e suas consequências, em contraste com "cura", que ele usa para retratar perdão e restauração.

Mentiras e falsa religião (7.1—10.25)

Em Jeremias 7, Deus declara repetidamente que o povo não atenta

Essa peça de um oleiro egípcio foi descoberta em um antigo túmulo egípcio.

para ele nem lhe obedece. Em comparação, Jeremias 8 ressalta ao que eles têm dado ouvidos — às mentiras e engano de seus falsos profetas, sacerdotes e demais líderes.

Em Jeremias 10.1-16, Deus destaca a insensatez da crença nas mentiras da idolatria e zomba dos ídolos e de seus adoradores. Deus declara que o ídolo é "como um espantalho numa plantação de pepinos". Ele não anda nem fala; por isso, ele não lhe pode ajudar nem causar dano (10.1-5). Em contraste, Deus é o Criador todo-poderoso do céu e da terra e plenamente sábio (10.6-16). Seu julgamento e ira é que devem ser temidos; não o de ídolos feitos por mãos humanas.

A quebra da aliança e o ataque ao profeta de Deus (11.1—20.18)

O tema central de Jeremias 11—20 é o conflito. Israel violou a aliança mosaica estabelecida no Êxodo, e agora Jeremias, o porta-voz de Deus, está sob ataque. Em Jeremias 11, Deus declara que Israel e Judá quebraram (i.e., colocaram fim) a aliança mosaica. Diante disso, ele não dará mais ouvidos ao clamor do povo nem permitirá que Jeremias interceda por eles (11.11,12,14). Além disso, a aliança mosaica violada aponta para a necessidade de uma aliança "nova" e superior (Jr 31).

As palavras de Jeremias são malquistas, e em 11.18-23 homens de sua cidade natal tramam matá-lo. Jeremias se volta a Deus com uma "queixa" ou "lamento" (12.1-4), implorando que Deus se apresse em condenar os homens maus. Deus insta Jeremias com gentileza a não desistir com tanta facilidade, pois as coisas ficarão piores (12.5,6).

Jeremias 13 contém uma lição prática. Deus diz a Jeremias para enterrar um cinto de linho e depois desenterrá-lo. Como se esperava, mais tarde o cinto estava arruinado, símbolo da destruição do orgulho equivocado de Judá e Jerusalém.

Por que Jeremias não intercede pelo povo e o salva como Moisés (Êx 32) e Samuel fizeram (1Sm 7.9)? Em Jeremias 14.1—15.9, Deus diz a Jeremias para não interceder como Moisés e Samuel, pois agora era tempo de juízo, não de intercessão. Em vista do juízo iminente, não havia motivo para regozijo; assim, em Jeremias 16 Deus

A estela de Messa, em que Messa, o rei moabita, louva ao deus Quemós por lhe conceder vitória sobre Israel (século IX a.C.). Quemós era o deus associado ao sacrifício de crianças.

✚ Deuteronômio 28 forma o contexto crucial da aliança para a compreensão de Jeremias 11.

fala ao profeta para não se casar. De igual modo, a fim de simbolizar que haveria pouco conforto no tempo de juízo, Deus ordena a Jeremias que não participe de funerais. Jeremias 17.5-13 é um salmo que reflete a verdadeira sabedoria da confiança em Deus. Jeremias, então, expressa sua confiança em Deus, apesar de todas as dificuldades enfrentadas (17.14).

*Uma marreta de bronze de Chipre (1200-1050 a.C.) "'Não é a minha palavra como o fogo', pergunta o S*ENHOR*, 'e como um martelo que despedaça a rocha?'" (Jr 23.29).*

Em todo o livro de Jeremias encontra-se o tema do inevitável juízo entrelaçado com o chamado do profeta ao arrependimento a fim de evitar o juízo. Jeremias 18 ilustra isso por meio da analogia do oleiro. Como o oleiro pode tomar um vaso desfigurado e refazê-lo como lhe convém, Deus também tem o poder de transformar povos e nações com base na resposta a seu chamado ao arrependimento. Em Jeremias 19, contudo, o vaso se enrijece e não pode ser mais remodelado. Desse modo, o vaso precisa ser lançado fora e quebrado no vale de Hinom, situado do lado de fora dos muros de Jerusalém, lugar em que ídolos eram adorados e até mesmo crianças eram sacrificadas com regularidade.

Em Jeremias 20.1-6, o profeta passa por nova perseguição quando um poderoso sacerdote chamado Pasur ordena que Jeremias seja espancado e colocado no "tronco" (provavelmente uma pequena cela de cárcere em vez de "troncos"). Depois de solto, Jeremias anuncia o juízo contra Pasur e, em seguida, clama a Deus em seu último "lamento", misturando louvor e confiança com desespero e desânimo (20.7-18). Não há nada superficial em Jeremias. Ele vive em tempos difíceis entre pessoas violentas, mas insiste em proclamar a mensagem da parte de Deus, mesmo que seja impopular. Ele mantém a franqueza sobre como sua vida e seu ministério eram tão difíceis.

Juízo contra os líderes e os falsos profetas (21.2—29.32)

Em Jeremias 2 e 22, o profeta proclama o juízo contra os reis Zedequias (cap. 21) e Jeoaquim (cap. 22) pelo fracasso na execução da justiça, principalmente no que se refere aos marginalizados da sociedade (os pobres, os órfãos, as viúvas e os estrangeiros). Em contraste, Jeremias 23.1-8 olha para o tempo da restauração futura em que o próprio Deus congregará o povo como um pastor e depois estabelecerá o rei davídico que reinará com justiça e retidão.

Jeremias 23.9-40 retorna ao tema dos falsos profetas e ao juízo que os aguarda, mas Jeremias 24 fala de um remanescente que retornará do cativeiro da Babilônia que estava para acontecer. Jeremias 25 continua discutindo o cativeiro, especificando que durará setenta anos (período de uma vida) e será seguido de juízo contra a Babilônia e as nações aliadas a ela.

✚ Jeremias profetiza que o exílio duraria setenta anos (25.11; 29.10). Essa profecia é citada em Daniel 9.2 e 2Crônicas 36.21. Esdras 1.1 provavelmente também está fazendo alusão a essa mesma profecia.

Falsa profecia no Antigo Testamento
Kevin Hall

Falsa profecia no AT pode ser mais bem compreendida sob a perspectiva do clássico teste do verdadeiro profeta delineado em Deuteronômio 18.14-22 como referência aos vários confrontos entre profetas verdadeiros e seus rivais, e da natureza e propósito da profecia.

Conforme o texto de Deuteronômio claramente estabelece, se um profeta fala em nome do Senhor e o que ele diz não se concretiza, o profeta não é um porta-voz autêntico do Senhor (Dt 18.22). No contexto em que Moisés serve de principal referencial de um profeta, o teste determina a ponderação como teste absoluto e incondicional. Todavia, quando examinado à luz da natureza e do propósito geral da profecia e da experiência de verdadeiros profetas, o teste de Deuteronômio requer aplicação cautelosa.

Na visão do profeta Jeremias na casa do oleiro, por exemplo, Jeremias é levado a entender que a palavra do Senhor por meio de um profeta, "em sentido estrito", não prediz o futuro. Antes, a palavra profética provoca arrependimento como condição para cumprimento dos propósitos de Deus entre as nações (Jr 18.5-11). Desse modo, em sentido estrito, as palavras de um verdadeiro profeta podem ocorrer. A predição de Jonas aparentemente incondicional a respeito da destruição de Nínive é um caso clássico disso.

É na posição de uma classe profissional e de participante da estrutura de liderança dos reinos de Israel e Judá que se observa de maneira mais explícita a presença dos falsos profetas. Os falsos profetas constantemente apoiavam os que os sustentavam. Desse modo, o verdadeiro profeta Amós é forçado a dizer com aspereza: "Eu não sou profeta nem pertenço a nenhum grupo de profetas" (Am 7.14), enquanto seu contemporâneo Miqueias censura os profetas que pronunciam oráculos em troca de dinheiro em conluio com os que construíam Jerusalém mediante intensa corrupção (Mq 3.9-11). Conforme o conflito de Jeremias com Hananias deixa claro, um profeta pode fazer declarações que pareçam enaltecer o poder do Senhor, mas que, na verdade, obscurecem o propósito divino (Jr 28).

O relato de Micaías, um dos profetas da corte do rei Acabe de Israel (1Rs 22.1-28), é particularmente instrutivo sobre o fenômeno da falsa profecia. Conforme o relato se desenrola, fica claro que até mesmo um rei corrupto como Acabe sabia discernir entre a verdade e a mentira (v. 16). Mas por conta de suas ambições idólatras, incluindo o sustento de centenas de profetas que lhe dirão qualquer coisa que ele queira ouvir, Acabe por fim sucumbe ao espírito de mentira na boca de todos os seus profetas (v. 22,23). Esse estranho relato pode parecer perturbador no sentido de que o Senhor parece efetivamente encarregar falsos espíritos e usar um verdadeiro profeta para enganar Acabe. Entretanto, em última instância a falsa profecia no AT é incentivada por aqueles que abandonam a confiança nas promessas e propósitos de Deus. Como observa Jeremias: "Os profetas profetizam falsamente [...] e o meu povo assim o deseja" (Jr 5.31, *ARC*).

Jeremias 26—29 volta ao tema recorrente dos falsos profetas que aparentemente eram bastante poderosos na corte real. Jeremias 26 apresenta os resultados do "sermão do templo" pregado no capítulo 7. Ele é agarrado pelos sacerdotes, profetas e pelo povo com a intenção de executá-lo, mas só não o fazem porque foram impedidos por alguns anciãos da nação (i.e., pessoas que não viviam em Jerusalém).

Os dois capítulos seguintes (Jr 27—28) descrevem um desentendimento entre Jeremias e um falso profeta chamado Hananias. O rei Zedequias forma uma aliança com países vizinhos para lutar contra o rei Nabucodonosor da Babilônia. Jeremias proclama que essa aliança é inútil e acabará em derrota. Hananias desafia a autoridade de Jeremias falar em nome de Deus e, ao contrário, anuncia vitória. Jeremias, então, pronuncia um juízo contra Hananias, uma fria predição que se sucede com rapidez: Hananias morre dois meses depois.

No período de vida de Jeremias, os babilônios conquistam Jerusalém duas vezes — a capitulação em 598 a.C. e, mais tarde, a destruição total em 587/586 a.C. Quando Jerusalém se rende ao exército babilônico em 598 a.C., o recém-coroado jovem rei Jeoaquim, como o restante da nobreza, é deportado para a Babilônia (i.e., o primeiro exílio). Embora os falsos profetas do tempo de Jeremias tivessem predito um rápido retorno dos exilados ao país, Jeremias envia uma carta aos exilados explicando que eles permaneceriam na Babilônia por setenta anos, portanto, eles poderiam muito bem radicar-se ali (29.4-23).

Restauração e nova aliança (30.1—33.26)

Em contraste com Jeremias 1—29, que enfatiza o juízo (com vislumbres de restauração), Jeremias 30—33 enfatiza a restauração (mas com vislumbres de juízo). Na promessa de restauração futura, encontramos muitas promessas sobre o futuro Messias e a sua obra — promessas que se cumprem em Cristo.

Nessa animadora unidade, Jeremias apresenta diversos temas relacionados à era messiânica futura. Um tema de destaque é que Israel e Judá serão restaurados em uma nação unificada (Jr 30.3,10; 31.5,6,8,9,20,27; 33.7). Da mesma forma, esse maravilhoso tempo de restauração também será

Escultura em relevo de parede assíria que retrata bois emparelhados e amarrados aos carros. O jugo ocupa um papel importante na história de Jeremias 27—28 (27.2,8,11,12; 28.2,4, 10-14).

✣ Jeremias usa uma "enfermidade" como símbolo de pecado e seu castigo, e aponta para a era messiânica como período de "cura". O ministério de cura de Jesus é tanto literal (cura física) quanto simbólico (restauração e perdão).

A Última Ceia por Da Vinci.

caracterizado pela alegria e por ajuntamentos jubilosos em comparação com os castigos anteriores de Jeremias — neles ajuntamentos como casamentos são especificamente excluídos.

Uma das contribuições mais importantes de Jeremias é a proclamação de que Deus fará uma "nova aliança" com seu povo (Jr 31.31-34), substituindo a aliança quebrada de Jeremias 11. Essa nova aliança será diferente da antiga, que o povo quebrara, pois será caracterizada por uma mudança interna. Assim, a nova aliança será escrita no coração deles em vez de numa pedra como o era a antiga aliança (31.33,34). Além do mais, uma das características centrais dessa nova aliança é o perdão.

Jeremias 32 descreve um incidente ocorrido no cerco realizado por Babilônia. Alguém da cidade natal de Jeremias lhe oferece vender um terreno desvalorizado por causa da presença dos babilônios. Deus instrui Jeremias a comprar a propriedade como forma concreta de dar esperança e de sinalizar que no futuro Israel seria trazido de volta à terra.

Jeremias 33 continua o tema da restauração. Em contraste com as passagens anteriores de juízo de Jeremias, na restauração futura haverá paz e cura (33.6). Semelhantemente, haverá perdão (33.8), e se ouvirá outra vez em Jerusalém e em Judá o som de júbilo (33.11). Esse tempo de paz, justiça e retidão ocorrerá por meio da vinda de um rei da dinastia davídica (33.14-26). Outra vez, essas profecias são todas cumpridas pela vinda de Jesus Cristo.

✝ Jesus inaugura a nova aliança de Jeremias (Jr 31.31-34) na última ceia (Mt 26.28; Mc 14.24; Lc 22.20; 1Co 11.23-26).

Jesus e a inversão das maldições de Jeremias

Jeremias 1—29 contém diversas figuras de maldições (feridas e enfermidades, ausência de casamentos ou festa etc.) que são invertidas por Jesus Cristo segundo as profecias de Jeremias 30—33. Por exemplo, como parte do juízo contra Judá, Jeremias proclama o fim das celebrações festivas, principalmente dos sons jubilosos nos casamentos (16.8,9; 25.10). No "Livro da Consolação" (Jr 30—33), todavia, Deus inverte as figuras de juízo ao descrever o futuro messiânico. O tempo futuro da restauração será caracterizado por cântico e dança jubilosa, principalmente em casamentos (30.19; 31.4,7,12,13; 33.9-11). O cumprimento messiânico é ilustrado em João 2, quando Jesus transforma água em vinho. Jesus estava em um casamento e, quando o vinho acaba, a celebração está para terminar. Contudo, de acordo com o profeta Jeremias, o Messias trará um tempo de celebração festiva, representada de forma figurada por festas de casamento. Jesus criou o vinho novo para que não se interrompesse a celebração festiva. As imagens de Jeremias (festas de casamento, cura etc.) são principalmente figuradas. Jesus, contudo, cumpre-as tanto em sentido literal (cura propriamente física, criação de vinho novo) quanto em sentido figurado (restauração espiritual e salvação, verdadeira alegria interior).

Os últimos dias terríveis e trágicos de Jerusalém (34.1—45.5)

Os reis infiéis de Judá (34.1—36.32)

Jeremias 34—36 ressalta quanto os reis de Judá eram infiéis. O primeiro episódio de infidelidade é relatado em Jeremias 34.8-22. Como parte dos atos regulares e persistentes de injustiça social realizados pelo rei e outros líderes de Judá, muitos israelitas foram reduzidos à escravidão. À medida que o poderoso exército babilônico se aproxima de Jerusalém, o rei Zedequias proclama liberdade a todos os escravos da cidade e faz uma aliança com eles, presumivelmente para que eles ajudassem na luta contra os babilônios. Entretanto, pouco tempo depois, os babilônios aparentemente se retiraram para enfrentar outro exército; Zedequias e seus companheiros nobres mudam de ideia e submetem essas pessoas novamente à escravidão, quebrando assim a própria promessa. Como consequência, Deus proclama "liberdade" a Zedequias e demais nobres: "liberdade [...] para a espada, para a pestilência e para a fome" (34.17, ARC).

A história em Jeremias 35 contrasta de forma nítida com os acontecimentos de Jeremias 34. Jeremias 35 descreve os recabitas, um grupo de pessoas que permaneceu fiel às leis e tradições de seus antepassados. Eles são apresentados como exemplos de fidelidade, em absoluto contraste

Um pescador assírio. Em Jeremias, pescadores que pescam pessoas para juízo (Jr 16.16). Jesus inverte isso quando envia pescadores para pescar pessoas para salvação (Mt 4.19)

✚ No NT, o livro de Hebreus explica os diversos modos pelos quais a nova aliança de Jeremias (inaugurada e mediada por Jesus) é superior à antiga (mosaica) aliança (Hb 8— 9).

com o povo de Jerusalém, que abandonou as leis de Deus entregues a seus antepassados. A fidelidade dos recabitas representa uma denúncia contra o rei e o povo de Jerusalém.

Em Jeremias 36, Deus ordena Jeremias a escrever sua profecia em um rolo. Talvez, sugere Deus, o povo de Judá dê atenção ao escrito. Baruque, o escriba de Jeremias, registra as palavras e, em seguida, vai ao templo e lê o rolo em voz alta a todas as pessoas que estavam ali. Os oficiais do rei ficam sabendo disso e confiscam o rolo. Eles o levam para o rei e o leem diante dele. Em vez de ficar tomado de temor pelas palavras de juízo e se arrepender dos atos pecaminosos, o rei destrói o rolo em um ato de rebeldia, rasgando cada linha à medida que é lida, e lança cada pedaço em uma fogueira. Portanto, ainda que o rei tivesse em mãos as palavras de advertência vindas da parte de Deus, ele preferiu desafiar o Senhor e tentar destruir as desagradáveis profecias contra ele. Estava segurando a verdade nas mãos, mas se recusou a crer nela, selando, desse modo, sua sorte. Deus reitera o juízo iminente contra esse rei e ordena Jeremias a fazer outro rolo.

Jerusalém é derrotada, mas um remanescente sobrevive (37.1—39.18)

Ao contrário da maior parte do restante do livro, Jeremias 37—45 está em ordem cronológica e relaciona os acontecimentos trágicos dos últimos dias de Jerusalém. A situação geopolítica era ameaçadora — os babilônios estavam avançando contra Jerusalém. Jeremias tinha pregado, advertido e implorado, porém sem nenhum proveito. Jeremias 37.2 resume bem a resposta lamentável do rei Zedequias e do povo às palavras de Jeremias: "Nem ele [Zedequias], nem seus conselheiros, nem o povo da terra deram atenção às palavras que o Senhor tinha falado por meio do profeta Jeremias". Na verdade, em Jeremias 37, o profeta é detido, espancado e colocado na prisão (v. 11-16). Mais tarde ele é solto, mas fica confinado ao pátio do palácio em que os guarda-costas do rei viviam. Jeremias, todavia, continua proclamando a palavra de Deus, advertindo a todos os ouvintes que seria fútil resistir aos babilônios. Jeremias declarava que a

Laquis, uma fortaleza de Judá, foi dominada e destruída por Nabucodonosor quando ele ia atacar Jerusalém. Nesta figura está uma das Cartas de Laquis, breves correspondências escritas em cacos de vaso de cerâmica do comandante em Laquis para o rei em Jerusalém. Na Carta de Laquis 4, o comandante escreveu não estar mais vendo o sinal de fogo de Azeca, para indicar que Azeca tinha sido conquistada.

única maneira de sobreviver era render-se a eles (38.1-3). Isso irrita os líderes e comandantes de Jerusalém. Após obter permissão do rei Zedequias, eles prendem Jeremias outra vez e o colocam no fundo de uma cisterna, uma enorme caverna subterrânea para armazenar água.

Muito provavelmente Jeremias teria morrido nessa cisterna, mas um estrangeiro em Jerusalém, Ebede-Meleque, o etíope, confronta o rei sobre a situação de Jeremias e depois o resgata (38.7-13). Conforme Jeremias tinha predito, os babilônios devastam Jerusalém, capturando e executando os oficiais que tinham feito oposição a Jeremias e conspirado contra ele. Os babilônios arrancam os olhos do rei Zedequias e depois o carregam para a Babilônia como um troféu. Assim

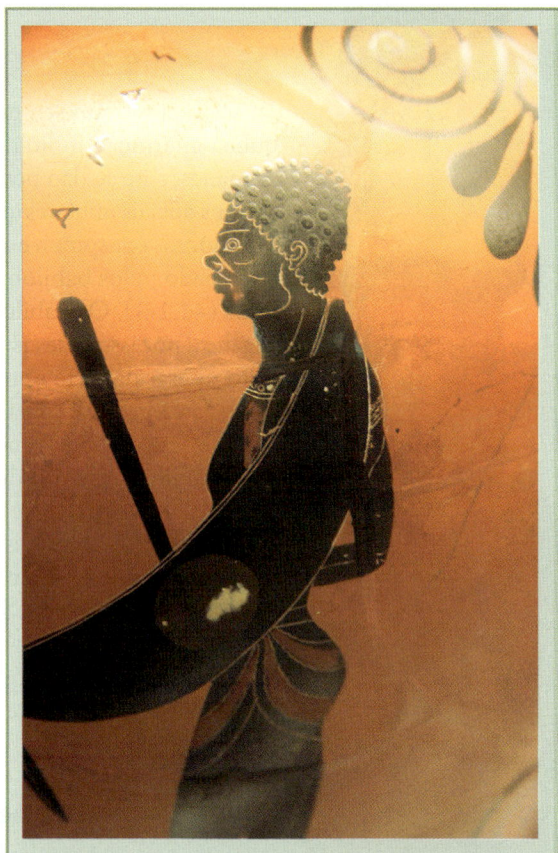

A pintura de um mercenário etíope (ou talvez um auxiliar de guerreiro) de um vaso grego (540-530 a.C.).

também foi levado pelos babilônios para o exílio todo o povo de Judá, exceto os mais pobres e os que conseguiram se refugiar nas montanhas, conforme Jeremias tinha profetizado.

Entretanto, um dos acontecimentos mais significativos em meio a essa tragédia é que Deus protege o etíope Ebede-Meleque. Uma vez que esse estrangeiro acreditou em Jeremias e o defendeu, Deus o salva e o livra (39.15-18). Ebede-Meleque é contrastado com Zedequias. O rei Zedequias, por causa de sua rebeldia incrédula contra Deus, perde a visão e é levado para a Babilônia. Ebede-Meleque, contudo, é salvo porque acreditou no profeta e confiou em Deus. Desse modo, o etíope se torna um símbolo dos que serão salvos — um gentio salvo pela fé.

O inverso da história da libertação: o povo volta para o Egito (40.1—45.5)

Depois de capturar Jerusalém, os babilônios soltam Jeremias e o deixam escolher onde deseja morar. Ele prefere ficar em Judá com o esfarrapado restante da nação. Os babilônios nomeiam Gedalias governador de Judá

✛ A história do NT do eunuco etíope (At 8.26-40) tem diversos paralelos com a história de Ebede-Meleque (Jr 38.1-13; 39.15-18). Em ambas as histórias, um etíope/cuxita acredita na mensagem de Deus justamente no momento em que Israel a rejeita.

em seguida retiram seu exército deixando apenas uma pequena guarnição militar. Inicialmente, Jeremias e o povo remanescente se dão bem na terra (40.11,12), mas depois alguns oficiais militares que tinham escapado da captura dos babilônios conspiram e assassinam Gedalias, o governador nomeado pelos babilônios, e a pequena tropa de babilônios (41.1-3). Os babilônios com certeza revidariam em vingança, por isso esses israelitas remanescentes fogem para o Egito, apesar da forte oposição de Jeremias a esse plano de ação. Eles até forçam Jeremias a acompanhá-los (41.16—43.7). Quando esse grupo de israelitas volta para a terra da servidão, a maravilhosa história de libertação iniciada em Êxodo 1 é revertida. Jeremias 44 é um pós-escrito trágico e lamentável que descreve como esse grupo de israelitas no Egito logo começa a adorar ídolos pagãos, mesmo depois de todos esses acontecimentos. Será que eles algum dia aprenderão?

Jeremias 45, em comparação, oferece uma descrição breve do fim de Baruque, o fiel escriba de Jeremias. Deus declara que, ainda que a nação esteja sob juízo, Baruque sobreviverá (45.1-5).

Juízo contra as nações (46.1—51.64)

A maioria dos profetas do AT prega mensagens de juízo não só contra Israel e Judá, mas também contra nações vizinhas. Jeremias não é diferente, por isso em Jeremias 46—51 ele anuncia o juízo contra diversas nações estrangeiras que de alguma maneira participaram da destruição de Judá — Egito, Filístia, Moabe, Amom, Edom, Damasco, Quedar, Hazor (i.e., tribos árabes), Elão e, em especial, a Babilônia. Entretanto, às vezes Jeremias anunciava o juízo contra outros pecados cometidos por essas nações — idolatria, violência, arrogância e assim por diante. Às vezes, não se declara um motivo específico — apenas a condenação. Ao que parece, as razões eram claramente entendidas pelos ouvintes.

Jeremias 46—51 termina com a declaração: "Aqui terminam as palavras de Jeremias", sugerindo, talvez, que Jeremias 52 seja um acréscimo posterior, ainda que escritura inspirada, mas que não foi pregado ou escrito pelo profeta Jeremias.

Amom era um dos principais deuses do Egito. Em Jeremias 46.25, o profeta proclama juízo contra o Egito e contra o deus Amom.

A queda de Jerusalém contada outra vez (52.1-34)

Jeremias 52 descreve novamente o terrível fim de Jerusalém, repetindo boa parte do conteúdo de Jeremias 39 (e também de 2Rs 25). Terminar o livro com a repetição do juízo contra Jerusalém ressalta a realidade sombria do juízo. Esse capítulo termina também com breve menção de Joaquim, o jovem rei que tinha se rendido aos babilônios em 598 a.C. Joaquim, que não tinha desafiado o juízo de Deus, antes o havia acatado, sobrevive na Babilônia e, desse modo, oferece uma ponta de esperança para os exilados da Babilônia.

Como aplicar Jeremias à nossa vida hoje

A mensagem de Jeremias reverbera até nós hoje em diversos níveis. Em primeiro lugar, é instrutivo reconhecer que Jeremias foi obediente a Deus, mas bastante infeliz em alcançar as pessoas. Isto é, ninguém deu atenção de fato à sua mensagem. Se medirmos o sucesso no ministério contando cabeças, então Jeremias foi um fracasso. Contudo, nós imaginamos que Jeremias foi um profeta bem-sucedido pelo fato de ter obedecido a Deus — o que Deus lhe ordenou fazer. Então, o sucesso (ou o fracasso) numérico no ministério não é necessariamente um indicador de obediência a Deus e/ou de fazer a vontade de Deus.

Jeremias também se empenha contra os pecados de idolatria, injustiça social e ritualismo religioso, às vezes chegando bem próximo da nossa realidade. O que hoje estamos "idolatrando" e adorando em lugar de Deus? Riqueza? Sucesso? Fama? Vivemos para nós mesmos durante a semana e ignoramos o chamado para defender a justiça social e depois supomos que a frequência à igreja no domingo resolverá tudo? Será que deixamos nossos rituais (praticados na igreja) substituir o relacionamento com Deus? Talvez tenhamos que ouvir com atenção as acusações de Jeremias.

Felizmente, Jeremias também prega a esperança e direciona os ouvintes para o advento da nova aliança, o tempo de Cristo, quando a lei será escrita nos corações, não em pedras, um tempo caracterizado pelo perdão (Jr 31.33). Então, como Jeremias nos dá um tapa na cara com a gravidade do pecado, ele também nos oferece solução, apontando para Jesus, que perdoa todos os nossos pecados.

Nosso versículo favorito de Jeremias

Eu sou o SENHOR, *o Deus de toda a humanidade. Há alguma coisa difícil demais para mim?* (32.27)

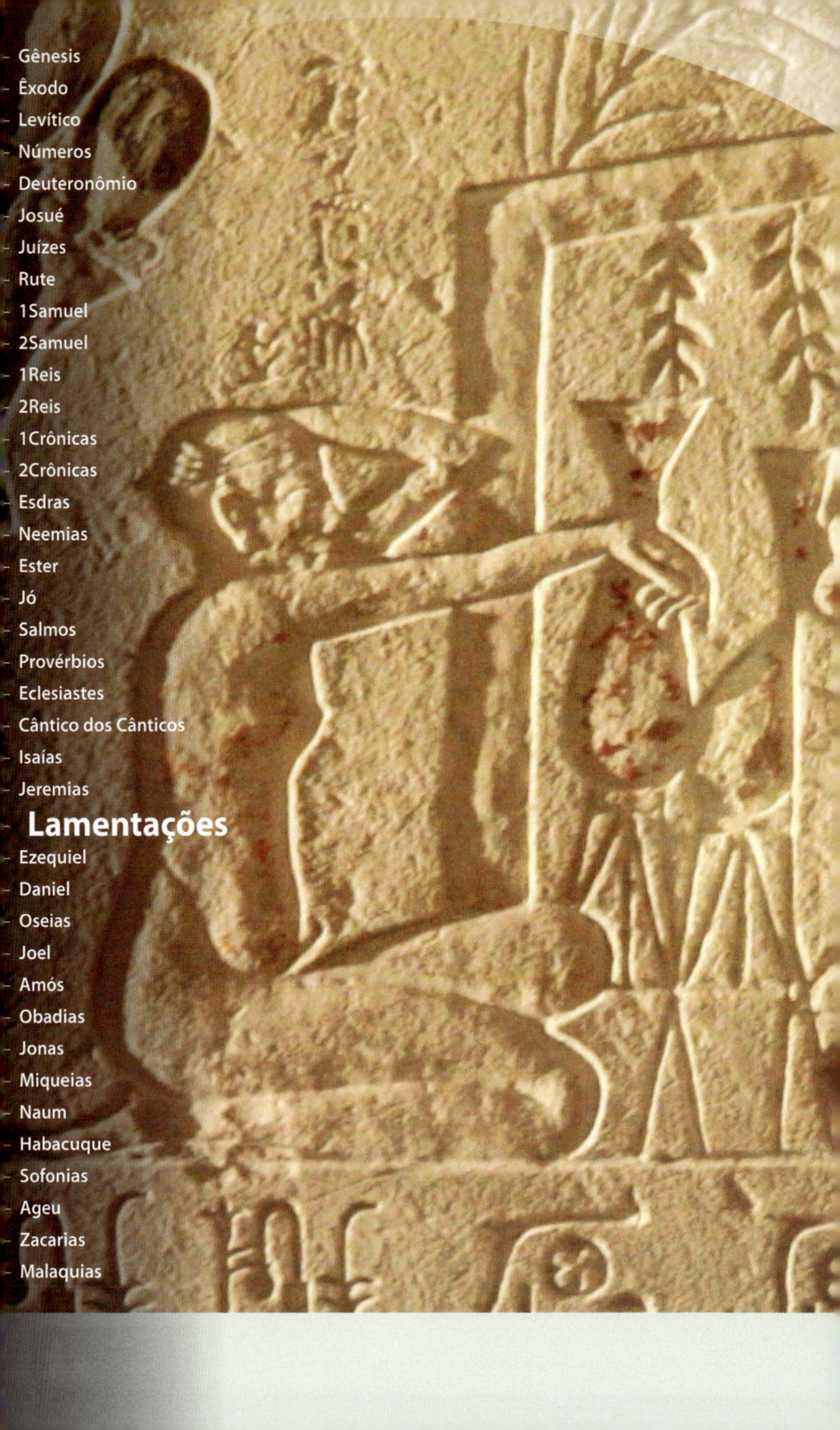

- Gênesis
- Êxodo
- Levítico
- Números
- Deuteronômio
- Josué
- Juízes
- Rute
- 1Samuel
- 2Samuel
- 1Reis
- 2Reis
- 1Crônicas
- 2Crônicas
- Esdras
- Neemias
- Ester
- Jó
- Salmos
- Provérbios
- Eclesiastes
- Cântico dos Cânticos
- Isaías
- Jeremias

Lamentações

- Ezequiel
- Daniel
- Oseias
- Joel
- Amós
- Obadias
- Jonas
- Miqueias
- Naum
- Habacuque
- Sofonias
- Ageu
- Zacarias
- Malaquias

Lamentações

Lamento pela destruição de Jerusalém

Uma vez que Judá, o Reino do Sul, persistiu no pecado da idolatria e injustiça social, recusando-se a ouvir a palavra de Deus por meio dos profetas, o castigo por fim o alcançou.

O livro de Lamentações é coleção de cinco cânticos desoladores que descrevem com pesar a terrível destruição de Jerusalém executada pelos babilônios depois de eles terem subjugado Jerusalém em 587/586 a.C. Um "lamento" é um cântico triste do tipo dos *blues* usados no mundo antigo para expressar dor e sofrimento, geralmente em funerais. De certo modo, o livro de Lamentações é uma coleção de cânticos para serem entoados no "funeral" de Jerusalém. Reconhecer e expressar sofrimento dessa maneira também implica arrependimento.

Quem escreveu Lamentações?

Na Bíblia hebraica, o livro de Lamentações não possui uma atribuição autoral. O livro é colocado em um bloco literário junto com Cântico dos Cânticos, Rute, Eclesiastes e Ester. Na tradição judaica, cada um desses livros é lido em celebrações especiais ou datas religiosas. Lamentações é lido no nono dia do mês de av, uma data religiosa especial que celebra a destruição de Jerusalém.

Na antiga tradição grega do AT (chamada *Septuaginta*), todavia, Jeremias é identificado como seu autor, e o livro de Lamentações vem logo após o livro de Jeremias. Nessa posição (seguida pelas traduções modernas), Lamentações não só chora a destruição de Jerusalém (i.e., as consequências do pecado), mas também justifica a mensagem de Jeremias, ilustrando com muita clareza que a palavra de Deus anunciada por Jeremias era poderosa e verdadeira.

A estrutura poética de Lamentações

Lamentações foi escrito como poesia hebraica. Cada capítulo é um "lamento" ou cântico fúnebre distinto. Os primeiros quatro lamentos (caps. 1—4) também são poemas "acrósticos" (alfabéticos). O acróstico é a técnica literária que usa a ordem do alfabeto para estruturar linhas poéticas. Por exemplo, em Lamentações 1, cada versículo contém três linhas poéticas. A primeira palavra da primeira linha de cada versículo começa com as letras sequenciais do alfabeto hebraico. Desse modo, a primeira palavra de 1.1 começa com *alef*, a primeira letra do alfabeto hebraico. A primeira palavra do 1.2 começa com *bet*, a segunda letra do alfabeto hebraico e assim por diante até a última letra do alfabeto. Usar todo o alfabeto sugere uma expressão de total sofrimento, angústia e arrependimento.

Qual é a mensagem de Lamentações?

Lamentações 1 personifica Jerusalém e descreve como a cidade chora pelo que aconteceu com ela. Em meio à dor e ao pranto, o capítulo contém confissões de seu pecado, mas também enfatiza reiteradas vezes que não há quem a possa consolar de seu sofrimento (1.2,9,16,17,21), em contraste com Isaías 40—66, por exemplo, que promete o consolo com a vinda do Messias. Em Lamentações 1, o consolo permanece no futuro.

Lamentações 2, como a maior parte do capítulo 3, descreve de forma poética a ira de Deus derramada sobre Jerusalém. Contudo, Lamentações 3 suscita esperança além do juízo, pois em 3.21-26

✛ Lamentações é uma lembrança trágica de que o pecado não seguido de arrependimento tem consequências, como Jeremias havia advertido repetidamente.

o cântico evoca a esperança em Deus por causa de seu grande amor e compaixão que são renovados a cada manhã.

Lamentações 4 volta a descrever de modo terrível a destruição de Jerusalém e o grande sofrimento vivido após a tragédia. Lamentações 5 continua esse tema, mas o livro termina com uma humilde oração para que Deus se lembre do povo e restaure o relacionamento com ele.

Como aplicar Lamentações à nossa vida hoje

Lamentações serve para nós como lembrança cabal das graves consequências do pecado e da rebeldia contra Deus. Jeremias pregou durante muito tempo em Jerusalém, mas ninguém lhe deu atenção. O povo ignorou Deus e endureceu o coração contra ele e sua mensagem. Por isso, mais tarde lhe sobreveio um castigo terrível e devastador. Para nós hoje, essa sóbria realidade permanece verdadeira. Sim, vivemos na era da nova aliança e do maravilhoso perdão oferecido por Jesus Cristo. Mas para os que rejeitam isso e desafiam Deus e a mensagem do evangelho de Deus, um castigo tão desolador, lamentável e terrível quanto o que é descrito em Lamentações os aguarda.

Lamentações 3.21-33 também nos lembra do imenso amor e compaixão de Deus para com seu povo que nele confia. Sua "compaixão nunca falha. Ela se renova a cada manhã; grande é a sua fidelidade".

Nossos versículos favoritos de Lamentações

Graças ao grande amor do Senhor *é que não somos consumidos, pois as suas misericórdias são inesgotáveis.*
Renovam-se cada manhã; grande é a sua fidelidade! (3.22,23)

Antiga tabuinha de argila da Mesopotâmia contendo um lamento poético pela destruição da cidade de Lagás.

- Gênesis
- Êxodo
- Levítico
- Números
- Deuteronômio
- Josué
- Juízes
- Rute
- 1Samuel
- 2Samuel
- 1Reis
- 2Reis
- 1Crônicas
- 2Crônicas
- Esdras
- Neemias
- Ester
- Jó
- Salmos
- Provérbios
- Eclesiastes
- Cântico dos Cânticos
- Isaías
- Jeremias
- Lamentações

Ezequiel

- Daniel
- Oseias
- Joel
- Amós
- Obadias
- Jonas
- Miqueias
- Naum
- Habacuque
- Sofonias
- Ageu
- Zacarias
- Malaquias

Ezequiel

Pecado e salvação: a perda e a recuperação da presença de Deus

O livro de Ezequiel contém alguns dos acontecimentos mais fascinantes, apesar de às vezes serem estranhos. O profeta Ezequiel vê o trono de Deus rodeado de "seres viventes" que tinham quatro rostos, quatro asas, e eram cobertos completamente de olhos. Um pouco estranho, não é? Mais tarde, Ezequiel se coloca diante de um vale repleto de esqueletos velhos, descorados, os restos de uma antiga batalha. Em seguida, Deus sopra fôlego nesses esqueletos, fazendo que eles revivam. Além disso, há a estranha batalha envolvendo Gogue e Magogue, um acontecimento que os entusiastas das profecias modernas tentam constantemente associar a algum acontecimento contemporâneo no Oriente Médio.

Entretanto, todas as histórias e profecias incomuns de Ezequiel se harmonizam para enfatizar uma verdade simples que todos os profetas igualmente proclamaram — o pecado obstinado sem arrependimento provocará separação da presença de Deus (castigo). Contudo, em sua graça, Deus trará gloriosa restauração no futuro, a salvação e o livramento caracterizados pela íntima comunhão com sua presença.

Quem foi Ezequiel?

Ezequiel vem de família sacerdotal. Provavelmente, quando ainda era criança ele esperasse crescer e servir no templo de Jerusalém. Todavia, ainda jovem, o rei de Jerusalém se rende aos invasores babilônios, e esses novos conquistadores levam embora cerca de 10 mil habitantes de Judá para a Babilônia como "reféns". Ezequiel estava nesse grupo de exilados. Deus o chama e o comissiona como profeta quando ele morava na Babilônia. Muito do que Deus tem a dizer nesse livro está relacionado ao templo e à sua presença; desse modo, ele determina que um sacerdote, chamado para ser profeta, seja a pessoa certa para anunciar a mensagem.

Qual é o contexto de Ezequiel?

Ezequiel sobrepõe-se à segunda metade do ministério de Jeremias. Os reis e demais líderes de Judá (sacerdotes e profetas da corte) desprezam as advertências de Jeremias e continuam praticando a idolatria e injustiça social, ignorando completamente a lei de Deus em Deuteronômio e Levítico. Então, conforme Jeremias tinha predito, os babilônios invadem o país — duas vezes. A primeira invasão ocorre em 597 a.C. Jerusalém se rende, e os babilônios levam para o exílio a maioria dos líderes e do restante da aristocracia de Judá (incluindo Ezequiel). Contudo, a nova liderança de Jerusalém permanece tão rebelde (e obtusa) quanto a velha liderança e provoca a Deus. De igual modo, contra as advertências de Jeremias, eles se rebelam contra os babilônios, que respondem mandando um enorme exército contra a nação. Em 587/586 a.C., eles destroem Jerusalém e levam para o exílio a maior parte do restante da população. Ezequiel profetiza no contexto dessas duas invasões e a consequente destruição de Jerusalém e do templo.

Quais são os temas centrais de Ezequiel?

Ezequiel é parecido com os demais profetas ao proclamar a mensagem profética padrão:

1. Vocês (Judá) violaram a aliança; é melhor que se arrependam!
2. Não vão se arrepender? Então, merecem castigo!
3. Contudo, há esperança além do castigo para a restauração futura e gloriosa, tanto para Israel/Judá quanto para as nações.

A terrível destruição de Jerusalém (o juízo) ocorre, de fato, em torno da metade do ministério de Ezequiel, de modo que Ezequiel muda a ênfase de sua

✚ Ezequiel exerce seu ministério nos anos finais do ministério de Jeremias, mas Jeremias profetiza em Jerusalém enquanto Ezequiel profetiza na Babilônia.

mensagem de advertência e juízo para a de restauração futura. Nesse contexto, surgem dois temas principais no livro de Ezequiel. Um dos temas predominantes do livro é o da soberania e glória de Deus. Apesar de Jerusalém e o majestoso templo salomônico terem sido reduzidos a pó, Ezequiel proclama a soberania de Deus, sobre todas as nações e sobre toda a História, por isso no fim Deus será glorificado. Ligada à soberania de Deus, está a expressão "eu sou o Senhor", citada repetidas vezes. Ela aparece 70 vezes em Ezequiel. Deus muitas vezes diz ou faz algo significativo "para que vocês saibam que eu sou o Senhor".

O segundo tema importante de Ezequiel está relacionado com a presença divina. O benefício mais espetacular e maravilhoso que Israel teve da antiga aliança foi que Deus realmente prometeu habitar entre o povo. Sob a aliança de Moisés, Deus habitou entre o povo, primeiro no tabernáculo e depois no templo. Em consequência da insistente idolatria e de outros pecados diante de Deus, sua presença é por fim retirada de Jerusalém, resultando em uma perda devastadora. Entretanto, à medida que Ezequiel olha para a restauração futura, ele a descreve como o tempo em que a presença divina se tornará mais uma vez o elemento central no relacionamento com seu povo. Isso é enfatizado nas palavras finais do livro, quando Ezequiel identifica o nome da nova cidade como "o Senhor está lá".

Criaturas compostas de partes de diferentes animais não eram tão incomuns no antigo Oriente Médio. Como guarda da entrada de um palácio assírio, estavam dois enormes touros alados e com cabeça humana.

O livro de Ezequiel pode ser esboçado da seguinte maneira:

- A perda da presença de Deus e juízo contra Jerusalém (1.1—24.27)
  - A glória do Senhor e o chamado de Ezequiel (1.1—3.27)
  - Exemplos práticos e severos de juízo (4.1—7.27)
  - A glória do Senhor deixa o templo de Jerusalém (8.1—11.25)
  - A dramatização do exílio (12.1-28)
  - Ezequiel condena os falsos profetas (13.1-23)

- Anúncio da condenação de Jerusalém (14.1—16.63)
- Chega o castigo de Jerusalém (17.1—24.27)
- Juízo contra as nações (25.1—32.32)
- A presença de Deus restaurada e o novo templo (33.1—48.35)
    - Do juízo à esperança: Deus, o Pastor, os purificará e lhes dará novo coração (33.1—36.38)
    - Deus dá nova vida aos mortos (37.1-28)
    - Outra invasão? O que acontecerá então? (38.1—39.29)
    - O glorioso novo templo e a presença de Deus restaurada (40.1—48.35)

Quais são os aspectos interessantes e singulares de Ezequiel?

- Ezequiel tem um encontro espetacular pessoal com Deus e descreve as rodas do "carro" de Deus e os estranhos "seres viventes" que rodeavam o trono divino.
- Ezequiel descreve a partida da glória de Deus (presença) do templo, sem retornar para lá até Jesus entrar por seus portões.
- Ezequiel vê Deus soprar fôlego de vida outra vez em esqueletos de pessoas mortas, demonstrando que sempre há esperança e vida em Deus.
- Ezequiel declara que no futuro a presença divina será desfrutada de uma maneira nova e excepcional; Deus realmente colocará seu Espírito no povo.

Teofania: encontros diretos com Deus

Embora, em certo sentido, Deus esteja presente em todo o mundo, há ocasiões no AT em que Deus se mostra a alguém de forma intensificada. Essas aparições, chamadas teofanias, são bastante raras e, quando ocorrem, o episódio é extremamente significativo. Algumas vezes elas acontecem em momentos decisivos da vida do povo de Deus e oferecem novas (ou, pelo menos, mais claras) orientações sobre o relacionamento entre Deus e seu povo. As três teofanias mais detalhadas do AT são o encontro de Moisés com Deus diante da sarça ardente (Êx 3), o encontro de Isaías com Deus no templo (Is 6) e o encontro de Ezequiel com Deus no Êxílio (Ez 1). Essas aparições de Deus são aterrorizantes para as pessoas envolvidas, pelo menos no início, mas Deus prossegue e lhes apazigua o temor, pois ele tem algo muito importante para revelar — uma promessa ou um chamado para uma tarefa crucial. Essas aparições divinas tão intensas (i.e., o encontro "face a face") servem para salientar a importância do episódio e enfatizar o relacionamento pessoal entre Deus e os receptores. Além disso, a teofania revela importantes verdades teológicas relacionadas à presença divina — sua santidade, seu poder, sua relação e a revelação de sua palavra.

- Enquanto o velho templo é destruído em chamas, Ezequiel apresenta uma longa descrição do impressionante "novo templo" da restauração futura.

Qual é a mensagem de Ezequiel?

A perda da presença de Deus e juízo contra Jerusalém (1.1—24.27)

A glória do Senhor e o chamado de Ezequiel (1.1—3.27)

O livro de Ezequiel começa com a descrição de um encontro espetacular do profeta com "a glória do Senhor". Ezequiel vê a glória de Deus em um trono. Esse "trono" estava aparentemente montado em uma espécie de carro com quatro rodas, e cada uma delas poderia seguir para qualquer direção. Em torno do veículo estavam quatro seres viventes (mais adiante Ezequiel os identifica com querubins; Ez 10.1-22) tendo quatro asas e quatro rostos, podendo, desse modo, voar para qualquer direção. Deus, o trono, o carro e os seres estão aparentemente em meio a um fogo ardente, acompanhados de relâmpagos. O sentido da visão é que Deus é poderoso e completamente móvel. Ao mesmo tempo que sua presença se prepara para partir do templo de Jerusalém,

Uma "colina" cananeia em Megido. Em Ezequiel 6.3, Deus anuncia juízo contra as "colinas" de Israel.

✦ O encontro de Ezequiel com Deus (1.1—3.15) tem várias semelhanças com o encontro de Isaías com Deus (Is 6.1-13).

Deus revela sua glória assentado em um trono na Babilônia. Ele não está preso ao templo de Jerusalém, e sim livre para se locomover e mostrar seu poder como e onde quiser. Sua presença poderosa alcança Ezequiel para chamá-lo a profetizar e capacitá-lo a proclamar a palavra divina.

Em Ezequiel 2—3 Deus designa Ezequiel como profeta, chamando-o de "atalaia" e advertindo-o de que os rebeldes israelitas se tornariam hostis a ele. Nos primeiros três capítulos, a expressão "glória do Senhor" é repetida para mostrar interconexão dos temas da presença, glória e capacitação.

Exemplos práticos e severos de juízo (4.1—7.27)

Deus não depende unicamente da palavra proclamada para transmitir sua mensagem a seu povo. Nessa parte de Ezequiel, Deus manda o profeta usar dois "exemplos práticos" ou "dramatizações" simbólicas para comunicar a verdade de que Jerusalém seria em breve atacada e destruída. Ezequiel constrói um modelo de Jerusalém e depois se deita durante meses no chão ao lado dele para representar o cerco iminente da cidade. Em seguida, Ezequiel rapa o cabelo e a barba. Ele divide o cabelo cortado em três partes. Queima um terço, fere com espada outro terço e deixa o outro terço ser espalhado ao vento. Tudo isso simboliza o que havia de acontecer com os moradores de Jerusalém.

A glória do Senhor deixa o templo de Jerusalém (8.1—11.25)

Esses capítulos descrevem um dos acontecimentos mais significativos de todo o AT. Um componente determinante da aliança de

Uma estela babilônica com o rei Nabonido e símbolos astrológicos religiosos (a estrela de Ishtar-Vênus, o disco alado do deus-Sol Shamash, e o deus da lua crescente Sin). Tamuz (Dumuzi) era o marido de Ishtar. Assim, os israelitas em Ezequiel 8.1-16 parecem adorar deuses mesopotâmicos.

Deus com o povo era a promessa de "habitar em seu meio". A presença divina no templo em Jerusalém era uma bênção maravilhosa e poderosa. A presença de Deus os abençoava e protegia. Permitia-lhes ter comunhão com ele. Em Ezequiel 8—11, entretanto, Deus deixa o templo e não volta mais até que Cristo entre pelos portões mais de seiscentos anos depois.

No início da seção, Deus deseja que Ezequiel veja a dimensão da horrenda idolatria praticada em Jerusalém. Então, o Espírito de Deus leva Ezequiel de volta ao templo de Jerusalém e lhe mostra quatro coisas inimagináveis: um ídolo pagão próximo do altar na entrada do portão ao norte (8.5,6); imagens de animais imundos e deuses pagãos pintados nas paredes interiores do templo (8.7-12); mulheres envolvidas na adoração do deus mesopotâmico Tamuz (8.13-15); e um enorme grupo de homens no pátio interno do templo prostrando-se ante o Sol e dando as costas para Deus (postura ofensiva no mundo antigo) (8.16). Deus já estava farto disso. Ele declara que essas coisas o afastariam do templo (8.6).

Ezequiel 10 descreve a partida de Deus do templo. A glória divina é acompanhada pelos mesmos seres viventes (chamados aqui de querubins) que estavam ao redor do trono na cena inicial de Ezequiel 1. A insistência do pecado do povo de Judá tornou-se tão grave que fez que Deus se retirasse do meio do povo. Muitos estudiosos acreditam que esse acontecimento aponta para o fim da antiga aliança (mosaica). Nos últimos capítulos de Ezequiel (33—48), todavia, o profeta anunciará profecias que se dirigem ao futuro e falam de um novo e efetivo modo para o desfrute da presença de Deus pelo povo.

Shamash, o deus solar dos sírios. Ezequiel 14 dá prosseguimento ao julgamento dos israelitas por causa da idolatria. Shamash, aparentemente, era um dos deuses a quem eles adoravam (Ez 8.16).

A dramatização do exílio (12.1-28)

Parte da mensagem de Ezequiel é que o povo rebelde e desobediente que ficou em Jerusalém logo seria levado para o exílio. Em Ezequiel 12, Deus manda o profeta encenar isso por meio de uma dramatização. Fingindo estar em Jerusalém quando foi invadida pelos babilônios, Ezequiel arruma sua bagagem e "foge" por brechas que ele faz no muro da cidade.

Ezequiel condena os falsos profetas (13.1-23)

No período de Ezequiel e Jeremias, diversos falsos profetas viviam em Jerusalém e inventavam profecias contradizendo a mensagem dos

✚ Ezequiel 15 declara que Israel (a vinha) não tinha frutos e, por isso, era inútil e estava destinada à condenação. Em João 15, Jesus retoma essa analogia dizendo aos seus discípulos que, se eles permanecerem nele (a videira verdadeira), produzirão muitos frutos.

verdadeiros profetas. Os falsos profetas provocavam a ira e a fúria de Deus, que proclama: "Ai dos profetas tolos que seguem o seu próprio espírito e não viram nada!" (Ez 13.3).

Anúncio da condenação de Jerusalém (14.1—16.63)

Em Ezequiel 14, o profeta ressalta mais uma vez o terrível pecado de idolatria praticado em Israel e a consequente condenação em breve. No capítulo seguinte, Deus compara Jerusalém a uma vinha imprestável, que não produz frutos. Ezequiel 16 volta à analogia da esposa infiel. Deus declara que rejeitá-lo em favor dos ídolos é como a mulher que rejeita seu amoroso esposo para se prostituir. Deus lembra Israel de que ele libertou e amou como fiel esposo. Israel, contudo, rejeita o amor do esposo e se prostitui, isto é, vende-se a outros homens.

Chega o castigo de Jerusalém (17.1—24.27)

Ezequiel 17—23 repete vários temas proféticos — o castigo iminente por intermédio de Babilônia (Ez 17); a responsabilidade pessoal (Ez 18); um cântico de lamentação (um hino fúnebre) sobre a futura destruição (Ez 19); a recapitulação da triste história

Um templo egípcio em Carnaque. Ezequiel 29—32 profere juízo contra o Egito.

da infidelidade de Israel para com Deus (Ez 20); a vinda da invasão babilônica como "espada de Deus" de juízo (Ez 21); a repetição dos pecados de Jerusalém, incluindo os pecados sociais, morais e econômicos (Ez 22); e um desenvolvimento extenso da analogia da esposa/prostituta infiel (Ez 23). Ezequiel 24 conclui a unidade maior de 1—24 proclamando a queda de Jerusalém. A esposa de Ezequiel morre (24.15-18), como Jerusalém (simbolizando a esposa de Deus) também morre (24.1,2,25-27). Essa unidade termina com a declaração divina: "E eles saberão que eu sou o Senhor" (Ez 24.27), um tema que ressoa por todo o livro de Ezequiel. No fim, todos os povos saberão que Deus é "o Senhor". Os povos o conhecerão como o maravilhoso Salvador ou como o perigoso despenseiro de justiça e condenação. Não há meio-termo.

Os montes de ossos secos que Ezequiel vê eram provavelmente os restos mortais de soldados de uma grande batalha. Esta figura retrata o massacre assírio dos elamitas na batalha de Til-Tuba.

Juízo contra as nações (25.1—32.32)

Os profetas do AT proclamam o juízo contra Israel por seu pecado e desobediência à aliança, mas eles também proclamam juízo contra as nações estrangeiras ao redor pelos seus pecados. Ezequiel 25—32 proclama o juízo de Deus contra os vizinhos de Israel — Amom, Moabe, Edom, Filístia, Tiro, Sidom e Egito. As passagens de juízo de Ezequiel são breves em referência às nações menores (Amom, Moabe, Edom, Filístia e Sidom), mas são mais extensas em relação às nações mais poderosas de Tiro (o poderio naval que controlava o Mediterrâneo) e o Egito. Alguns intérpretes compreendem a passagem de 28.11-19 como referência à queda de Satanás. Essa compreensão, entretanto, não se enquadra no contexto da passagem, e a maioria dos estudiosos do AT rejeita igualar a cidade de Tiro a Satanás.

A presença de Deus restaurada e o novo templo (33.1—48.35)

Do juízo à esperança: Deus, o Pastor, os purificará e lhes dará novo coração (33.1—36.38)

Ezequiel 33 passa do juízo contra Jerusalém à esperança centrada no pastor vindouro. Em Ezequiel 24.26,27, Deus diz ao profeta para aguardar

✢ Jesus se identifica como o "bom pastor" (Jo 10), cumprindo assim a profecia sobre a vinda do pastor de Ezequiel 34.

Quem é Gogue e onde fica Magogue?

Em Ezequiel 38.2, Deus manda Ezequiel profetizar contra alguém chamado Gogue, da terra de Magogue. Gogue é chamado de "o príncipe maior de Meseque e de Tubal". A palavra hebraica traduzida por "príncipe" ou "chefe" é *rosh*, por isso algumas traduções vertem a passagem assim: "Gogue [...] o príncipe de Rôs, Meseque e Tubal", mas a maioria das traduções bíblicas e a maioria dos estudiosos traduzem a expressão por "príncipe maior de Meseque e Tubal". Os termos "Meseque" e "Tubal" aparecem na literatura dos antigos assírios e são identificados com regiões da moderna Turquia. Ezequiel 38.5,6 descreve uma aliança entre Meseque/Tubal e cinco outras nações. Essa aliança toma uma dimensão universal abrangendo sete nações de regiões associadas ao norte, sul, leste e oeste. Essa "perfeita coligação" ataca Israel, mas é derrotada por Deus.

O livro de Apocalipse menciona outra vez Gogue e Magogue em contexto semelhante. Apocalipse 20.7,8 diz: "Quando terminarem os mil anos, Satanás será solto da sua prisão e sairá para enganar as nações que estão nos quatro cantos da terra, Gogue e Magogue, a fim de reuni-las para a batalha". Aqui em Apocalipse, Gogue e Magogue são usados para representar nações de todas as partes do mundo. Os termos são provavelmente usados de modo semelhante em Ezequiel 38.

Ao longo dos séculos, muitos autores cristãos tentaram associar Gogue a povos ou pessoas contemporâneas. Por exemplo, no século IV d.C., alguns cristãos interpretavam Gogue como os godos. No século VII d.C., o termo Gogue foi atribuído aos árabes e no século XIII d.C., aos mongóis. Outros autores depois identificaram Gogue com um dos papas ou com os turcos. No século XX, muitos autores populares defendiam que Gogue representava a Rússia moderna e que Meseque era Moscou. Essa identificação é muito improvável e é rejeitada pela quase totalidade dos estudiosos sérios do AT. A maior parte dos estudiosos do AT não acredita que Ezequiel 38—39 tenha qualquer coisa que diga respeito à Rússia ou aos muçulmanos (uma interpretação popular contemporânea).

---

a chegada de um mensageiro com notícias sobre a queda de Jerusalém. Em seguida, há uma digressão na narrativa mediante o anúncio de um juízo em Ezequiel 25—32 contra as nações vizinhas. Ezequiel 33 dá prosseguimento à narrativa, e em 33.21 o mensageiro anunciado em 24.26,27 chega de fato para dar a notícia sobre a queda de Jerusalém.

Ezequiel 34, entretanto, vai além do juízo e introduz uma longa unidade que enfatiza a esperança, o livramento e a restauração. Ao usar "pastor" como analogia para reis e líderes, Ezequiel 34 proclama que, em contraste com os maus pastores de Israel (os reis e líderes atuais), o próprio Deus virá e se tornará o pastor, cuidando deles com afeto, governando com justiça e estabelecendo um relacionamento com eles por meio de uma nova aliança.

Ezequiel 35 e parte do capítulo 36 voltam brevemente ao tema de juízo, mas, a partir de Ezequiel 36.24, Deus começa a mostrar seu maravilhoso plano para o futuro. Ele promete reunir seu povo de todas as partes do mundo, purificá-lo e criar nele um "novo coração", e depois colocar nele

✦ A presença de Deus é um tema central em Ezequiel. A promessa profética da habitação de Deus mediante o Espírito no AT é proclamada em Ezequiel 36.24-27 e se cumpre em Atos 2.1-47.

seu Espírito (36.24-27), restabelecendo assim seu relacionamento e sua presença entre eles.

Deus dá nova vida aos mortos (37.1-28)

Em Ezequiel 37, Deus leva o profeta a uma vale cheio de ossos secos e desbotados de pessoas que tinham morrido muito tempo antes, provavelmente soldados mortos em uma grande batalha que não foram enterrados. Deus manda Ezequiel profetizar aos ossos, ossos que são em seguida preenchidos com o sopro/vento/espírito (traduzem a mesma palavra em hebraico) e revivem! A mensagem desse capítulo é que essas pessoas estão completamente mortas, contudo Deus as traz de volta à vida. Portanto, sempre há esperança. Se Deus pode vivificar esses ossos, ele pode restaurar o Israel caído e trazer qualquer um de seus escolhidos de volta à vida. Sempre há esperança onde Deus está envolvido.

Outra invasão? O que acontecerá então? (38.1—39.29)

Ezequiel 37 descreve um tempo maravilhoso de restauração para Israel além da terrível destruição provocada pelos babilônios. De um lado, em Ezequiel 37.26 Deus fala de uma aliança de paz. Ezequiel 38—39, por outro lado, apresenta um forte contraste, pois esses dois capítulos tratam de outra invasão e outra (futura) guerra. Essa tentativa de invasão de Israel parece acontecer após a restauração, enquanto Israel está em paz (38.11). Ezequiel 38.1-6 descreve a coligação de sete nações do norte, sul, leste e oeste (i.e., um tipo de coligação "perfeita"), que ataca Israel, o qual está em paz. Lembre-se de que Deus usou nações estrangeiras como a Assíria e a Babilônia para julgar Israel. O próprio Ezequiel anuncia essas palavras aos exilados que viviam na Babilônia. Contudo, em contraste, a mensagem de Ezequiel 38—39 é que, quando essa poderosa coligação atacar

Escultura de parede assíria em relevo mostra o jardim do rei cheio de árvores e regado por canais de irrigação.

As medidas do novo templo são amplamente apresentadas em Ezequiel 40—48. Esta figura retrata agrimensores egípcios medindo um campo.

Israel no futuro, a situação será outra, e dessa vez Deus intervirá para destruir os inimigos invasores. Parte da figura da restauração de Israel é que o relacionamento do povo com Deus será restaurado e ele será novamente seu forte defensor e protetor.

O glorioso novo templo e a presença de Deus restaurada (40.1—48.35)

Em toda a história de Israel, o tabernáculo e, mais tarde, o templo ocuparam um papel importante, pois eles eram o lugar que marcava a presença de Deus e a sua habitação em meio ao povo. Um templo funcionando de modo adequado foi cheio da presença santa e poderosa de Deus. Essa presença poderosa divina era um elemento crucial da relação especial que Deus tinha com seu povo no antigo Israel (como o é com seu povo hoje). Conforme os profetas Isaías, Jeremias e Ezequiel proclamaram, a rebeldia de Israel e o constante pecado, ressaltado pela adoração idolátrica, resultou enfim na quebra da aliança e na ruptura do relacionamento com Deus. Ezequiel 8—11 descreve as terríveis consequências — a glória e presença de Deus realmente deixam o templo (e Israel). Ezequiel 40—48, contudo, olha para o futuro e descreve o tempo maravilhoso em que a presença divina estará de volta, fazendo sua habitação no templo, mas dessa vez em um templo muito superior.

Em vários capítulos (40—42), o profeta descreve os detalhes do novo templo futuro (salas, altares etc.). Em 43.6-12, Ezequiel descreve o estimulante retorno de Deus para preencher outra vez o templo com sua presença santa e gloriosa.

Ezequiel 47.1-12 contém a descrição de um rio que flui do templo para a terra, tornando-se cada vez mais fundo à medida que flui e provê vida a tudo o que se encontra em seu caminho. No capítulo final do livro de Apocalipse (NT), o apóstolo João descreve uma cena da nova Jerusalém muito semelhante a essa descrita por Ezequiel (cf. Ap 21.1-6), unindo elementos da visão de Ezequiel com aspectos do jardim de Gênesis 2—3. Os estudiosos discordam da interpretação sobre essa visão de Ezequiel do templo futuro: ela deve ser interpretada de forma literal (um templo real como esse será construído no futuro em Israel) ou de modo simbólico (Cristo é o novo templo etc.). Observe que Ezequiel termina com uma declaração final apropriada sobre essa cidade futura: "O Senhor ESTÁ AQUI" (48.35). Todos os estudiosos concordarão que a presença de Deus é um aspecto crucial e central do relacionamento com o povo, e sua presença ocupará uma função vital e espetacular no futuro, quando Deus trará todas as coisas à sua consumação.

Como aplicar Ezequiel à nossa vida hoje

Ezequiel nos lembra de que Deus é soberano. Ele mantém o controle total sobre a história humana, e ele a coordena na direção do propósito final. Isso deve nos encorajar e nos fortalecer para não cairmos em desespero quando vemos o mal prevalecendo de forma temporária no mundo à nossa volta. No fim, Deus triunfará e estabelecerá o seu reino.

Aprendemos também com Ezequiel quão vital e importante é a presença divina. Como cristãos, reconhecemos o significado da maravilha e do privilégio de conhecer a presença de Deus mediante a habitação do seu Espírito, como profetizou Ezequiel. Isso nos permite ter um encontro diário com a santidade e o poder de Deus. Isso deveria, ao mesmo tempo, nos fazer vibrar, nos fortalecer e, talvez, nos atemorizar. Junto com a maravilhosa presença de Deus desfrutada por nós, estão as responsabilidades — viver de acordo com sua santa vontade.

Por último, Ezequiel 37 nos lembra de que sempre há esperança. Se Deus pode soprar vida em ossos secos e espalhados, ele com certeza será capaz de restaurar você e eu à plenitude e à vida significativa vivida no relacionamento íntimo com ele. Não há situação tão desesperadora que Deus não o possa livrar dela. Se ele é capaz de dar vida aos ossos, também pode pôr sua vida em ordem.

Nosso versículo favorito de Ezequiel

Darei a vocês um coração novo e porei um espírito novo em vocês.
(36.26)

Fragmento de uma vara de medir egípcia.

- Gênesis
- Êxodo
- Levítico
- Números
- Deuteronômio
- Josué
- Juízes
- Rute
- 1Samuel
- 2Samuel
- 1Reis
- 2Reis
- 1Crônicas
- 2Crônicas
- Esdras
- Neemias
- Ester
- Jó
- Salmos
- Provérbios
- Eclesiastes
- Cântico dos Cânticos
- Isaías
- Jeremias
- Lamentações
- Ezequiel
- **Daniel**
- Oseias
- Joel
- Amós
- Obadias
- Jonas
- Miqueias
- Naum
- Habacuque
- Sofonias
- Ageu
- Zacarias
- Malaquias

Daniel

*O Reino de Deus não será destruído,
e seu domínio nunca cessará.*

Todos gostamos da história de Daniel na cova dos leões. Quanta fé e coragem! Quão fortes eram suas convicções! De igual forma, somos movidos pelo relato impressionante de seus amigos Sadraque, Mesaque e Abede-Nego, protegidos por Deus, apesar de o rei da Babilônia, Nabucodonosor, ter em sua fúria tentado matá-los quando os lançou em uma fornalha ardente. Que livramento extraordinário foi aquele! Esse empolgante livro, contudo, não diz respeito ao homem Daniel, ainda que ele seja um indivíduo bastante notável. O livro fala de Deus. O livro proclama que, não importa quão ruim seja a situação, Deus continua em sua soberania a manter o controle, dirigindo com atenção a história para alcançar o desfecho que ele planejou e decretou.

Quem foi Daniel?

Daniel é bastante diferente dos outros profetas que proclamaram e escreveram os Livros Proféticos, pois ele não era sacerdote nem profeta profissional. Daniel era um administrador e teve uma longa e bem-sucedida carreira trabalhando para o governo babilônico.

Quando ainda jovem, Daniel estava no primeiro grupo de exilados levados pelos conquistadores para a Babilônia. Ele fazia parte de um grupo menor de jovens de Jerusalém e Judá levados pelos babilônios a fim de prepará-los para trabalharem em seu império que se expandia com rapidez.

Qual é o contexto de Daniel?

Daniel 1.1 situa o início da história no terceiro ano de Jeoaquim (605 a.C.). A última data citada no livro está ligada ao terceiro ano de Ciro, rei da Pérsia (537 a.C.). Dessa forma, Daniel é contemporâneo de Ezequiel e se sobrepõe à parte final de Jeremias. Como Ezequiel, o ministério profético de Daniel ocorre na Babilônia. Ele vive em uma época desoladora e tumultuada — os babilônios destruíram Jerusalém e levaram a maioria dos israelitas sobreviventes para o cativeiro.

Quais são os temas centrais de Daniel?

O livro de Daniel é composto de duas unidades principais. Os capítulos 1—6 contêm histórias de Daniel e seus amigos assumindo com coragem uma postura de fé. Contudo, o tema principal dessa unidade concentra-se em Deus, mostrando como ele é mais poderoso que os reis da Babilônia e Pérsia. A segunda parte do livro, Daniel 7—12, amplia a visão para englobar o grande plano divino para o futuro, em especial no que se refere aos impérios mundiais da humanidade em contraste com o estabelecimento do império universal de Deus. A mensagem do livro é que mesmo em tempos difíceis, quando parece que as forças hostis a Deus estão prevalecendo, Deus deseja que seu povo

As ruínas de Persépolis, uma das capitais da Pérsia.

✛ Junto com Gênesis, Salmos, Ezequiel e Isaías, Daniel é um dos livros do AT que mais exerceu influência sobre o livro de Apocalipse (NT).

viva com fidelidade, confiando nele e na promessa de que só ele controla a história universal e que implementará seu glorioso reino no devido tempo.
Desse modo, o livro de Daniel pode ser subdividido nas seguintes seções:

- Deus é mais poderoso que os governantes da Babilônia e Pérsia (1.1—6.28)
  - Daniel e seus amigos na universidade babilônica (1.1-21)
  - O sonho do rei Nabucodonosor sobre quatro impérios mundiais (2.1-49)
  - Nabucodonosor poderá matar os servos de Deus? A fornalha ardente (3.1-30)
  - Nabucodonosor humilhado por Deus (4.1-37)
  - Palavras manuscritas na parede — os babilônios são conquistados pelos persas (5.1-31)
  - Daniel na cova dos leões (6.1-28)
- Os reinos do mundo e o plano de Deus para o futuro (7.1—12.13)
  - O Ancião de Dias e o animal de dez chifres (7.1-28)
  - A visão de Daniel de um carneiro e um bode (8.1-27)
  - A oração de Daniel e as setenta "semanas" (9.1-27)
  - A última visão de Daniel (10.1—12.13)

Quais são os aspectos interessantes e singulares de Daniel?

- O livro contém várias histórias fascinantes (a fornalha ardente, a cova dos leões) sobre como Daniel e seus três amigos permaneceram fiéis a Deus e foram protegidos por ele (Dn 1—6).
- O rei Nabucodonosor (Dn 2) e Daniel (Dn 7) têm visões assustadoras e simbólicas que retratam quatro impérios do mundo.
- Daniel tem uma visão do "Ancião de Dias" (Deus) assentado em seu trono, em meio a uma sessão.
- Daniel tem uma visão de "um como um filho de homem, vindo com as nuvens do céu", uma imagem que o NT associa a Cristo (Mt 24.30,31; Mc 13.26,27; Lc 21.27,28; Ap 1.7,12-18).
- As visões de Daniel dizem respeito tanto ao futuro próximo (acontecimentos que se deram antes da vinda de Cristo) como ao futuro distante (ocorrências que aparentemente ainda estão para se cumprir).
- O livro de Daniel foi escrito em duas línguas. Daniel 1.1—2.4a encontra-se em hebraico; 2.4b—7.28 foi escrito em aramaico (a língua dos babilônios); e 8.1—12.13 foi registrado em hebraico.

Qual é a mensagem de Daniel?

Deus é mais poderoso que os governantes da Babilônia e Pérsia (1.1—6.28)

Daniel e seus amigos na universidade babilônica (1.1-21)

Daniel 3 menciona o som "da trombeta, do pífaro, da cítara, da harpa, do saltério, da flauta dupla e de toda espécie de música" (3.5,7,10,15). Essa escultura de parede em relevo assíria mostra vários instrumentos diferentes.

Daniel e seus três amigos são levados de Judá para a Babilônia, recebem nomes babilônicos e são colocados em uma instituição educacional babilônica para serem treinados para servir no governo local. Apesar de estarem longe da terra natal e sob forte pressão para abandonar sua identidade religiosa, os quatro jovens permanecem fiéis a Deus, a ponto de se recusarem a comer alimentos impuros (provavelmente alimentos que tinham sido oferecidos a ídolos). Deus lhes honra a fidelidade e concede conhecimentos e habilidades extraordinários, permitindo, assim, que eles se sobressaíssem e prosperassem na Babilônia.

O sonho do rei Nabucodonosor sobre quatro impérios mundiais (2.1-49)

Nabucodonosor, rei da Babilônia, tem um sonho perturbador que ninguém, exceto Daniel, é capaz de interpretar. O sonho refere-se a uma enorme estátua composta de diversos materiais diferentes. A estátua, explica Daniel, representa quatro impérios do mundo, começando pelo Império Babilônico da época. No capítulo 7, Daniel também tem uma visão representando quatro impérios do mundo (v. a discussão a seguir). A ideia principal é que o poderoso Império Babilônico, por mais esmagador que pareça, não durará para sempre, e será substituído por impérios sucessivos inferiores em glória, até que mais tarde seja destruído por Deus e substituído por seu reino.

Nabucodonosor poderá matar os servos de Deus? A fornalha ardente (3.1-30)

Muitos de nós conhecemos o relato, mas talvez não tenhamos indagado seu verdadeiro significado no contexto do livro de Daniel. Nabucodonosor constrói uma enorme estátua de ouro (compare isso com a visão do cap. 2) e depois ordena que todos se prostrem diante dela e a adorem.

✚ A experiência de Daniel na Babilônia tem diversos paralelos com a história de José no Egito (Gn 37; 39—45); exilado ainda jovem, tentações, fidelidade a Deus, interpretação de sonhos dos reis e a ascensão ao poder em um governo estrangeiro..

Os quatro reinos de Daniel

Em Daniel 2, o rei Nabucodonosor tem um sonho perturbador sobre uma enorme estátua composta de diferentes materiais. Daniel descreve e interpreta o sonho para ele, explicando que a estátua representa quatro reinos. Em Daniel 7, o próprio Daniel tem uma visão durante um sonho envolvendo quatro animais. Um anjo explica a Daniel que "Os quatro grandes animais são quatro reinos que se levantarão na terra" (7.17).

A maioria dos estudiosos conclui que as duas visões (de Nabucodonosor e de Daniel) descrevem os mesmos quatro reinos. Mas quais são esses reinos? O primeiro é fácil identificar porque Daniel nos diz que é o reino babilônico. Depois disso, a identificação fica mais complicada e suscita três opiniões diferentes sobre esses reinos. O quadro a seguir representa uma comparação das duas linhas interpretativas mais comuns.

Comparação das duas principais interpretações tradicionais de Daniel 2 e 7

O homem de Daniel 2	Os animais de Daniel 7	Interpretação evangélica tradicional	Interpretação alternativa
Cabeça de ouro	Leão	Babilônia	Babilônia/Assíria
Braços e peito de prata	Urso	Medo-Pérsia	Média
Abdome e coxas de bronze	Leopardo com quatro cabeças	Grécia (Alexandre, o Grande)	Pérsia
Pés de barro e ferro	Quarto animal	Roma/renascimento do Império Romano	Grécia

A terceira maneira de compreender a estátua e os animais é entender que os quatro reinos são simbólicos e representam os reinos do mundo de modo geral. De acordo com essa perspectiva, o número "quatro" representa norte, sul, leste e oeste, ou todos os reinos da terra. A ideia central seria que reinos humanos maus se sucederão por toda a História até a intervenção divina no ápice da História para estabelecer seu reino de modo absoluto.

Além disso, há diversas semelhanças entre o "chifre arrogante" do quarto animal de Daniel 7 e a besta/anticristo de Apocalipse 13, ligando assim a visão de Daniel 7 aos acontecimentos futuros de Apocalipse 13. No fim do século XX, alguns autores especulavam que a União Europeia (UE) seria o cumprimento da profecia do "animal de dez chifres" com o renascimento do Império Romano. Mas, uma vez que o número de Estados membros da UE subiu de 10 para 27, a probabilidade de que ela represente um "animal de dez chifres" parece muito remota. De igual modo, as tentativas de associar a Organização das Nações Unidas (ONU) com a profecia de Daniel não são convincentes

---

Os três amigos da Daniel se recusam a obedecer. Furioso com a obstinação deles, o rei os lança na fornalha ardente (provavelmente um forno para a fabricação de tijolos de cerâmica esmaltados — produto babilônico muito conhecido no mundo antigo). Entretanto, o fogo não mata os jovens e, quando o rei olha para a fornalha, ele não vê três, mas quatro homens andando no meio do fogo (o quarto, ao que parece, é um anjo ou o próprio Senhor). Essa não é uma história a respeito apenas de como Deus honra a fé desses jovens; ela é também uma declaração aos exilados hebreus.

✜ Enquanto os três jovens são libertados da fornalha ardente (Dn 3.1-30), talvez eles tenham se lembrado das palavras do profeta Isaías: "Quando você andar através do fogo, não se queimará [...] Pois eu sou o Senhor, o seu Deus" (Is 43.2,3).

Nabucodonosor, o rei que destruiu Jerusalém e matou milhares de seus moradores, é incapaz de matar esses três hebreus, apesar de eles estarem na Babilônia, em seu próprio quintal! Deus é mais poderoso que Nabucodonosor e os babilônios, ainda que Jerusalém permanecesse em ruínas.

Nabucodonosor humilhado por Deus (4.1-37)

Nabucodonosor tem um sonho sobre uma "árvore" que é derrubada. Daniel reluta a informar ao rei que a visão se refere ao próprio rei. Este será expulso dentre o povo e viverá como um animal até que se humilhe e reconheça o poder e a soberania de Deus. O sonho se concretiza, e Nabucodonosor vive como um animal até que ele humildemente reconhece o poder de Deus, que em seguida o restaura ao trono.

Palavras manuscritas na parede — os babilônios são conquistados pelos persas (5.1-31)

O tempo passou. Nabucodonosor morreu e Daniel está idoso. O atual rei babilônico, Nabonido, mudou-se para a Arábia e seu filho e corregente, Belsazar, agora reina sobre a Babilônia. Durante um banquete, enquanto o rei e o povo estão bebendo vinho em copos que os babilônios saquearam do templo de Jerusalém, surge uma mão que começa a escrever em uma parede. Mais uma vez, só Daniel é capaz de interpretar o sinal e decifrar a escrita que anuncia o fim do Império Babilônico. Na verdade, os medos e os persas conquistam a Babilônia naquela mesma noite.

Daniel na cova dos leões (6.1-28)

Esse cilindro babilônico de argila menciona Belsazar, "filho do rei".

Em Daniel 5, os medos e os persas devastam os babilônios, e Daniel 6, então, descreve acontecimentos durante o reinado medo-persa. O rei desse capítulo é chamado Dario (nome muito comum entre os persas), e muitos estudiosos acreditam que seja o mesmo rei chamado Ciro, o Grande (ou, talvez, um comandante nomeado por Ciro). Novamente, Daniel é pressionado a transigir sua fé em Deus e, uma vez que ele se nega a deixar de orar a Deus, Daniel é

Literatura apocalíptica

Um estilo literário ligado de forma íntima à literatura profética do AT é chamado apocalíptico. Apesar de o estilo profético do AT normalmente usar figuras de linguagem pitoresca e imagens vívidas, o estilo apocalíptico emprega imagens altamente simbólicas, às vezes até bizarras (pelo menos na nossa perspectiva), que estão muito além da linguagem figurada normal dos profetas. Por exemplo, uma profecia normal do AT compara Deus a um leão perigoso. Essa analogia é de simples compreensão, pois estamos acostumados com o conceito do animal chamado leão. Daniel, entretanto, tem a visão de um leopardo com quatro cabeças e quatro asas, uma criatura com a qual não estamos acostumados. Tudo nessa visão é muito simbólico (p. ex., as quatro cabeças provavelmente representam os quatro generais que dividem o império de Alexandre, o Grande). Outras características típicas da literatura apocalíptica são: 1) De forma geral, um anjo explica a visão; 2) a visão está muitas vezes relacionada ao desdobramento da história mundial; 3) enfatiza-se a vitória final de Deus sobre todos os inimigos no futuro (i.e., livramento final do povo de Deus). No AT, o estilo apocalíptico é encontrado nos livros de Daniel, Ezequiel e Zacarias, e também no livro de Apocalipse (do NT). Esse estilo também é empregado por vários livros religiosos judaicos antigos de origem extrabíblica (1 e 2Enoque, 4Esdras, 2 e 3Baruque).

sentenciado à morte e lançado em uma cova de leões. Deus, entretanto, protege Daniel e impede que os leões o devorem. Como os reis babilônicos foram impelidos a reconhecer o poder do Deus de Daniel, assim também o rei persa é impelido a reconhecer a mesma coisa. De fato, o próprio rei persa sintetiza a mensagem central de Daniel 1—6 quando declara: "Pois ele [o Deus de Daniel] é o Deus vivo e permanece para sempre; o seu reino não será destruído; o seu domínio jamais acabará" (Dn 6.26).

Os reinos do mundo e o plano de Deus para o futuro (7.1—12.13)

O Ancião de Dias e o animal de dez chifres (7.1-28)

No capítulo 2, Nabucodonosor teve um sonho sobre uma estátua feita de vários materiais, e de acordo com a explicação de Daniel ela representava quatro reinos do mundo. Aqui em 7.1-8, Daniel, já bastante idoso, tem uma visão de "quatro grandes animais",

Palácios mesopotâmicos muitas vezes mantinham leões em jaulas para que os reis os caçassem. É provável que os leões de Daniel 6 tenham sido mantidos para esse propósito. Esta figura mostra uma escultura de parede em relevo assíria de um leão sendo solto para a caçada.

Daniel

que também representam quatro reinos do mundo (aparentemente os mesmos quatro reinos). Daniel vê um leão com asas de águia, um urso com costelas entre os dentes, um leopardo com quatro cabeças e quatro asas e, em seguida, um animal aterrorizador, descrito por Daniel de modo muito diferente dos demais, pois seus dentes eram de ferro e ele tinha dez chifres — três dos quais foram arrancados e substituídos por um chifre novo e pequeno, caracterizado pela arrogância.

Em seguida, Daniel tem a visão do próprio Deus descendo para julgar o terrível quarto animal (7.1-14). Ele descreve Deus como o "Ancião de Dias", vestido de branco, assentado em um trono rodeado de chamas, servido por uma multidão inumerável de seres. O chifre arrogante é quebrado e, em seguida, "alguém semelhante a um filho de homem" vem com as nuvens, e o "Ancião de Dias" estabelece seu reino como um reino eterno. Na visão de Daniel, ao Filho do homem são concedidos "autoridade, glória e o reino", e "todos os povos, nações e homens de todas as línguas o adoraram".

Daniel, então, dá uma explicação de sua visão (7.15-27). Os quatro animais representam os reinos, e o quarto (o animal de dez chifres) descreve um tipo de reino muito diferente. Os dez chifres são dez reis, e o pequeno chifre também é um rei (que substitui três deles). Ele falará contra Deus e oprimirá o povo de Deus, mas Deus o julgará e depois estabelecerá o seu reino.

A visão de Daniel de um carneiro e um bode (8.1-27)

Daniel tem a visão de um carneiro poderoso derrotado por um bode. Um dos chifres do bode se quebra e é substituído por quatro chifres. Em seguida, o anjo Gabriel explica a visão a Daniel, identificando com clareza o carneiro com os medos e persas, que reinaram durante os últimos anos de vida de Daniel. O bode, explica Gabriel, representa a Grécia. Historicamente, Alexandre, o Grande, cumpriu essa profecia ao destruir o Império Medo-Persa e tenta

Depois da morte de Alexandre, um de seus comandantes se estabelece como rei do Egito e passa a usar o nome de Ptolomeu I Sóter. Nessa escultura de parede em relevo, Ptolomeu (à esquerda) está dedicando uma oferta a um deus.

estabelecer a cultura grega em todos os lugares por ele conquistados. Contudo, Alexandre morre jovem, e os quatro comandantes repartem seu império, cumprindo assim a profecia sobre "os quatro chifres" de Daniel 8.

A oração de Daniel e as setenta "semanas" (9.1-27)

Daniel lembra que o profeta Jeremias havia predito que a "desolação de Jerusalém" duraria setenta anos. Daniel percebe que o período de setenta anos terminaria em breve. Então ele pede a Deus a restauração de Jerusalém, ao mesmo tempo que confessa o pecado e rebeldia de Israel. Gabriel, em seguida, vem a Daniel e lhe apresenta um acréscimo "apocalíptico" complexo sobre os setenta anos mencionados por Jeremias. Gabriel refere-se às setenta "semanas" (9.24), provável referência ao período de quatrocentos e noventa anos, ou talvez a um longo e completo período. Os estudiosos discordam sobre o entendimento de 9.25-27. Alguns associam essa profecia aos acontecimentos terríveis executados pelo rei chamado Antíoco IV Epifânio, que profanou o templo de Jerusalém em 167 a.C. Outros estudiosos acreditam que Daniel 9.25-27 seja uma referência a acontecimentos do futuro anticristo descritos no NT. Outra possibilidade é que Antíoco Epifânio tenha cumprido a profecia em sentido restrito, e que o anticristo cumpra a profecia em sentido final e absoluto.

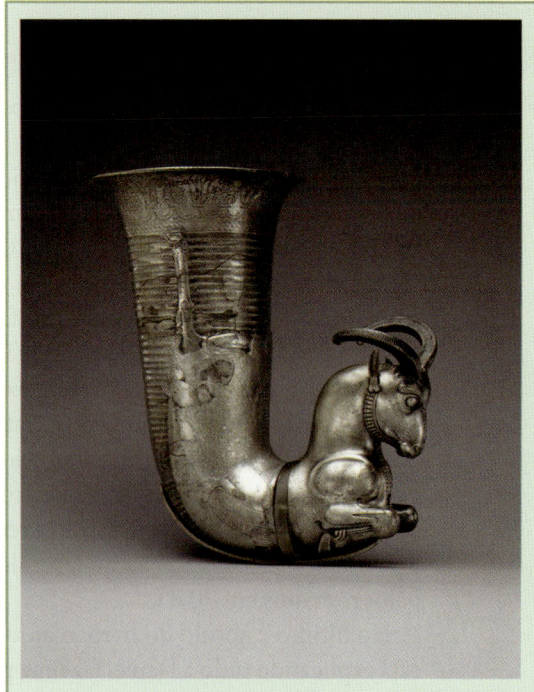

Esta figura retrata um recipiente usado para bebidas (chamado ríton) do Período Persa. O carneiro da visão de Daniel 8 representava os medos e os persas.

A última visão de Daniel (10.1—12.13)

O capítulo 10 começa com um lamento de Daniel sobre a visão a respeito de uma grande e horrível batalha. Uma figura angelical aparece a Daniel e lhe explica que tentou vir antes, mas foi impedido pela oposição do "príncipe do reino da Pérsia" até que Miguel, "um dos príncipes supremos" (i.e., um arcanjo) o ajudou. Essa curiosa passagem sugere a possibilidade de haver fortes poderes espirituais territoriais que se opõem a Deus e a seu povo, uma realidade implícita também em outras passagens (Dt 32.8; Sl 82; Ef 6.12; Ap 12.7).

✢ Os Evangelhos do NT associam a visão de Daniel sobre o "Filho do homem" (Dn 7.13) à segunda vinda de Jesus (Mt 24.30; 26.64; Mc 13.26; 14.62; Lc 21.27). Além disso, Jesus muitas vezes se apresenta como "o Filho do Homem".

Em todo o capítulo 11 de Daniel, o anjo continua lhe explicando sobre diversas guerras e conflitos. A maior parte do que o anjo descreve, de fato, acontece na Terra Santa algumas centenas de anos depois, nos séculos II e III a.C. Entretanto, alguns dos versículos de Daniel 11, como o versículo 31, parecem fazer referência à profanação do templo efetuada por Antíoco Epifânio (167 a.C.) e à profanação que será executada por um opositor futuro (o anticristo do NT), identificação esclarecida por Mateus 24.15. Alguns estudiosos também observam que Lucas 21 parece ligar Daniel 11 à destruição de Jerusalém pelos romanos em 70 d.C.

No último capítulo do livro, o anjo que está explicando tudo a Daniel faz uma predição impressionante: "todo aquele cujo nome está escrito no livro, será liberto" (12.1). Esse livramento culminante, contudo, não se limita à restauração da terra, mas envolve a ressurreição dos mortos — a ressurreição para a vida eterna.

Como aplicar Daniel à nossa vida hoje

A coragem e fé de Sadraque, Mesaque e Abede-Nego na fornalha ardente e a fidelidade resoluta de Daniel na cova dos leões ainda servem de modelo para nós hoje. Todos esses homens se negam a vacilar no compromisso com Deus. Eles permanecem totalmente obedientes a Deus, apesar das circunstâncias desagradáveis e aparentemente prementes que os envolviam. Esses relatos nos encorajam a

Alexandre, o Grande, cumpre a profecia de Daniel 8.

nos posicionarmos a favor de nosso Senhor, a despeito da pressão exercida contra nós pela cultura ou por circunstâncias desafortunadas. Esses homens não fizeram concessões à sua fé mesmo diante do risco da perda da vida. Eles nos desafiam a fazer o mesmo.

A mensagem geral de Daniel também possui relevância especial para nós hoje. Daniel nos lembra de que Deus é soberano e que seu reino por fim triunfará sobre todos os poderes hostis do mundo, um triunfo que inclui nossa ressurreição da morte.

Antíoco IV em uma moeda de prata.

Nosso versículo favorito de Daniel

Multidões que dormem no pó da terra acordarão: uns para a vida eterna, outros para a vergonha, para o desprezo eterno. (12.2)

Moeda de prata com efígie de Alexandre, o Grande.

✚ Dn 12.2 é um dos poucos textos do AT que falam claramente da ressurreição dos mortos. O NT, entretanto, ampliará esse tema colocando-o no centro da esperança cristã em relação ao futuro.

- Gênesis
- Êxodo
- Levítico
- Números
- Deuteronômio
- Josué
- Juízes
- Rute
- 1Samuel
- 2Samuel
- 1Reis
- 2Reis
- 1Crônicas
- 2Crônicas
- Esdras
- Neemias
- Ester
- Jó
- Salmos
- Provérbios
- Eclesiastes
- Cântico dos Cânticos
- Isaías
- Jeremias
- Lamentações
- Ezequiel
- Daniel

Oseias

- Joel
- Amós
- Obadias
- Jonas
- Miqueias
- Naum
- Habacuque
- Sofonias
- Ageu
- Zacarias
- Malaquias

Oseias

O amor eterno de Deus a seu povo

Oseias é um livro bastante chocante. Com muita frequência os outros profetas (principalmente Jeremias e Ezequiel) comparam Israel à esposa infiel e tão promíscua a ponto de se tornar prostituta. Do mesmo modo que essa mulher figurada abandona o leal e amoroso marido para se prostituir, Israel de fato abandona o Senhor, seu Deus, e se volta para a adoração de outros deuses. Essa é uma analogia literária normalmente empregada pelos outros profetas. Contudo, para o pobre Oseias essa "analogia" é vivida de forma bem real. Deus lhe ordena que se case com uma prostituta. Ficamos muito perplexos com essa exigência divina! Entretanto, Oseias consente e, obediente, casa-se com uma prostituta. Logo, sem surpreender ninguém, a esposa de Oseias o abandona e volta a se prostituir, só para depois acabar se tornando escrava. Ora, o grande escândalo ainda está por acontecer! Deus manda Oseias comprá-la, amá-la e tomá-la outra vez como sua mulher, demonstrando assim por meio de sua vida o amor e perdão de Deus ao povo, mesmo depois de ele ter pecado contra o Senhor. Que história! Que Deus maravilhoso!

Quem foi Oseias?

Oseias foi um profeta que viveu e pregou em Israel em boa parte do século VIII a.C. No início de seu ministério, ele foi contemporâneo de Amós e Jonas. Mais tarde, suas atividades coincidem com as de Isaías e Miqueias. Oseias casa-se com uma prostituta chamada Gômer; na verdade, o casamento com essa mulher torna-se o elemento central da mensagem teológica do livro.

Qual é o contexto de Oseias?

Oseias 1.1 dá a entender que o ministério de Oseias abrangeu boa parte do século VIII a.C. Nos primeiros anos de Oseias, Israel era forte em sentido político e próspero economicamente. Os últimos anos de seu ministério, contudo, o colocaram em um período particularmente tumultuoso para o Reino do Norte, Israel. Os assírios se fortaleceram e, mais tarde, invadiram e destruíram o Reino do Norte em 722 a.C. Em 701 a.C., os assírios montaram cerco em torno de Jerusalém, todavia sem êxito. Desse modo, Oseias vive e prega em um período muito incerto e ameaçador.

Quais são os temas centrais de Oseias?

A mensagem básica de Oseias é semelhante à dos demais profetas pré-exílicos. Desse modo, Oseias proclama:

Os assírios sitiam uma cidade da Mesopotâmia. Nos últimos anos da vida de Oseias, os assírios se fortalecem e depois invadem e destroem Israel.

✚ Os profetas usam muitas vezes relacionamento do casamento como analogia do relacionamento entre Deus e o povo.

O Livro dos Doze

Os livros proféticos do AT são formados pelos quatro Profetas Maiores (Isaías, Jeremias, Ezequiel e Daniel) seguidos dos 12 Profetas Menores (Oseias, Joel, Amós, Obadias, Jonas, Miqueias, Naum, Habacuque, Sofonias, Ageu, Zacarias e Malaquias). Os termos "maiores" e "menores" não dizem respeito à importância ou ao destaque, e sim ao tamanho — Isaías, Jeremias, Ezequiel e Daniel são maiores que os outros 12 livros proféticos.

Tradicionalmente, os cristãos leem e estudam cada um dos Profetas Menores em separado. Isto é, os intérpretes supõem que cada livro componha uma unidade autônoma com uma mensagem independente. Na atualidade, entretanto, os estudiosos estão revendo essa abordagem. Apesar de ainda acreditarem que cada profeta menor tenha coerência própria e possa com toda a certeza ser compreendido de modo isolado dos demais, um número cada vez maior de estudiosos observa diversas ligações entre os 12 livros individuais chamados Profetas Menores. Por isso, em anos recentes vários estudiosos do AT sugeriram que os cristãos deveriam ler os 12 Profetas Menores não como livros independentes, mas como uma unidade — um grande livro intitulado o Livro dos Doze.

Qual é a evidência para tal abordagem? Desde muito cedo, alguns autores judeus extrabíblicos (c. de 200 a.C. a 100 d.C.) se referiram aos profetas Isaías, Jeremias, Ezequiel e aos Doze Profetas (os antigos autores judeus colocavam Daniel em outra parte da Bíblia). De igual modo, as primeiras traduções gregas dos Profetas Menores colocaram todos eles em um único rolo. Lembre-se também de que o número 12 comporta um significado simbólico especial.

Que temas unem o Livro dos Doze? A ênfase recai sobre o caráter e os atos de Deus. O "dia do Senhor" é um tema frequente (Os 1.5; 2.16-18; Jl 2.31; Am 5.18-20; Ob 15; Mq 2.4; Hc 3.16; Sf 1.7-16; Ag 2.23; Zc 14.1). De igual modo, o Livro dos Doze começa enfatizando o amor de Deus (Ml 1.2). Diversos temas secundários ou "palavras-chave" muitas vezes unem os livros. Por exemplo, Joel 3.16 declara que "O Senhor rugirá de Sião" e Amós, o livro seguinte, começa dizendo "O Senhor ruge de Sião" (1.2). Amós termina com a condenação de Edom (9.12) e Obadias, o livro seguinte, enfatiza a destruição de Edom.

1. Vocês (Judá) violaram a aliança; é melhor que se arrependam!
2. Não vão se arrepender? Então, merecem castigo!
3. Contudo, há esperança além do castigo para a restauração futura e gloriosa, tanto para Israel/Judá quanto para as nações.

Como os demais profetas, as acusações de Oseias contra Israel se enquadram em três categorias: idolatria, injustiça social e ritualismo religioso. Um dos principais temas que percorre o livro é o do amor de Deus em relação a seu povo.

O livro de Oseias pode ser subdividido em duas partes principais:

- A analogia do casamento (1—3)
- A quebra da aliança e o juízo vindouro (4—14)

Quais são os aspectos interessantes e singulares de Oseias?

- Oseias se casa com Gômer, uma prostituta, e seu relacionamento com ela ilustra o relacionamento de Deus com Israel.
- Oseias tem três filhos, todos com nomes muito simbólicos e significativos.
- Bastante ênfase é dada sobre o profundo amor de Deus para com o povo.
- Oseias usa não só a analogia marido/mulher, mas também a analogia pais/filhos.

Qual é a mensagem de Oseias?

A analogia do casamento (1—3)

Para ilustrar o relacionamento de Deus com Israel, Deus manda o profeta Oseias casar-se com uma prostituta! Uau, isso deve ter sido difícil para ele. Contudo, Oseias obedece e se casa com a prostituta chamada Gômer (1.2,3). Ela dá à luz dois filhos e uma filha, e todos eles recebem nomes significativos. O primogênito é chamado Jezreel, que é o nome do lugar em que todos os membros da dinastia régia anterior de Israel foram assassinados quando a atual dinastia conquistou o poder. O nome da criança anuncia que Deus não se esqueceu desse episódio e irá de igual modo julgar a dinastia atual de Israel (1.4,5). A segunda criança é a filha que recebeu o nome de Lo-Ruama, que significa "não amada", e o terceiro filho é chamado Lo-Ami, que significa "não meu povo". Esses nomes anunciam que a aliança entre Deus e Israel foi violada. Em todo o AT, no centro da aliança entre Deus e Israel estava a afirmação tripartite: eu serei seu Deus; vocês serão meu povo; habitarei no meio de vocês. Quando Deus dá ao filho de Oseias o nome "não meu povo", ele está proclamando o fim de seu relacionamento mediado pela aliança com Israel. Desse modo, o Reino do Norte é invadido e destruído pelos assírios em 722 a.C.

Contudo, logo na página seguinte, o livro de Oseias passa do juízo para a proclamação da restauração. Em 1.10, Deus se refere à aliança abraâmica (Gn 12; 15; 17) e promete que Israel será como a areia da praia. Depois, em Oseias 2, em que há um retrato poético e simbólico da relação matrimonial de Deus com Israel, o Senhor conta como sua esposa infiel (Israel) o abandonou por causa de seus amantes (os ídolos). De maneira incrível, e como reflexo da maravilhosa graça divina, ele a toma de volta e reata a relação matrimonial

✛ O Reino do Norte, Israel, era composto por dez tribos, das quais Efraim era a maior e a mais poderosa. Por isso, Oseias se refere muitas vezes a toda a nação do Reino do Norte pelo nome genérico "Efraim".

com ela. Desse modo, Deus reverte os nomes simbólicos do povo para "meu povo" e "meu amado" (2.1,23). Isso representa o restabelecimento da relação por meio de uma aliança. Então, para ilustrar essa restauração na vida de Oseias, Deus manda o profeta receber de volta sua esposa infiel, Gômer, e amá-la outra vez (3.1-3). Aparentemente, a promiscuidade de Gômer a levou a uma vida trágica resultante em escravidão. Oseias obedece a Deus, ele a compra para si e depois a recebe outra vez como mulher.

A quebra da aliança e o juízo vindouro (4—14)

Em Oseias 4, Deus levanta acusações "como em [um] tribunal" contra Israel, listando seus muitos pecados e ressaltando quão severa foi a quebra da aliança (principalmente segundo a definição de Deuteronômio). Deus acusa os israelitas de infidelidade, por não o amarem nem terem verdadeiro conhecimento dele (4.1). De fato, eles são caracterizados pelas muitas

As ruínas de Samaria, a capital de Israel, o Reino do Norte. Oseias anuncia o juízo contra Samaria (Os 7.1; 8.5,6; 10.5,7; 13.16).

✚ Jesus cita Oseias 6.6 duas vezes ("desejo misericórdia, não sacrifícios") aos fariseus hipócritas, acusando-os de deixarem de compreender o sentido desse versículo (Mt 9.13; 12.7).

violações dos Dez Mandamentos (maledicência, mentira, roubo, adultério, assassinato) (4.2). Seus sacerdotes, que deveriam se esforçar para manter a fidelidade do povo, são justamente quem os conduzem à idolatria (4.6-19).

Os vários capítulos seguintes de Oseias (6—13) dão continuidade ao tema do juízo. Como em outros livros proféticos, Deus declara não se impressionar com rituais insignificantes, dizendo: "Desejo misericórdia [amor leal] e não sacrifícios" (6.6). Em toda essa seção, o tema da conduta pecaminosa (idolatria, injustiça social) é entrelaçado com o tema do juízo (invasão, destruição e exílio; i.e., perda da terra prometida). Em Oseias 11, Deus passa da analogia de marido/mulher para a de pai/filho. Como pai amoroso, Deus declara ter ensinado Efraim (Israel) a andar quando era criança e ter cuidado dele. Deus agoniza por causa do castigo prestes a infligir e clama: "Como posso desistir de você, Efraim?" (11.8), e mais uma vez ele olha para a restauração futura além do castigo iminente (11.9-11).

Em Oseias 11—13, o Senhor muitas vezes se refere ao Êxodo, ao episódio espetacular de salvação e livramento que repercute por toda a Bíblia. Como em muitas outras passagens da Bíblia, aqui em Oseias Deus define a si mesmo e ao relacionamento com Israel dizendo: "Eu sou o SENHOR, o seu Deus, desde a terra do Egito" (12.9; 13.4).

O livro de Oseias termina com um apelo de última hora ao arrependimento. Se Israel apenas se arrependesse e se convertesse, declara Oseias com pesar, Deus o restauraria (14.1-8). Mas ele não se arrepende, e o castigo vem, de fato, sobre Israel. As palavras finais de Oseias ressoam como uma advertência proverbial: "Quem é sábio? Aquele que considerar essas coisas [...] Os caminhos do SENHOR são justos; os justos andam neles, mas os rebeldes neles tropeçam" (14.9).

"Lance fora o seu ídolo em forma de bezerro, ó Samaria!" (Os 8.5). Essa foto mostra uma estátua em pedra calcária do touro egípcio Ápis, a representação terrena do deus Ptah. Bezerros e touros eram adorados em todo o antigo Oriente Médio.

✚ Em Oseias 11.1, Deus reflete sobre como ele libertou Israel da escravidão do Egito, dizendo: "E do Egito chamei o meu filho". O texto de Mateus 2.15 cita esse versículo.

Como aplicar Oseias à nossa vida hoje

Romanos 5.8 declara: "Mas Deus demonstra seu amor por nós: Cristo morreu em nosso favor quando ainda éramos pecadores". A história de Oseias pinta um quadro magnífico sobre a profundidade do amor divino. Ainda que sejamos como a mulher infiel e inconstante para com Deus, abandonando a relação com ele para seguir nossos próprios desejos, esquecendo-nos de seu amor constante para conosco, ele ainda nos ama com um profundo e duradouro amor que nos convida de modo contínuo a voltar para ele. Se voltarmos para ele, ele nos perdoa e conduz a um relacionamento maravilhoso de amor que nos coloca sob seu cuidado poderoso.

Nosso versículo favorito de Oseias

Pois desejo misericórdia e não sacrifícios; conhecimento de Deus em vez de holocaustos. (6.6)

Um templo egípcio na cidade de Carnaque. Muitas vezes, no AT, Deus identifica a si mesmo como "o Senhor, o seu Deus, desde a terra do Egito" (Os 12.9; 13.4).

✝ Jesus cita Oseias 10.8 em um juízo contra Jerusalém quando carrega a cruz em direção ao Calvário (Lc 23.30).

- Gênesis
- Êxodo
- Levítico
- Números
- Deuteronômio
- Josué
- Juízes
- Rute
- 1Samuel
- 2Samuel
- 1Reis
- 2Reis
- 1Crônicas
- 2Crônicas
- Esdras
- Neemias
- Ester
- Jó
- Salmos
- Provérbios
- Eclesiastes
- Cântico dos Cânticos
- Isaías
- Jeremias
- Lamentações
- Ezequiel
- Daniel
- Oseias

Joel

- Amós
- Obadias
- Jonas
- Miqueias
- Naum
- Habacuque
- Sofonias
- Ageu
- Zacarias
- Malaquias

Joel

Pragas de gafanhotos e o Espírito do Senhor

O profeta Joel reúne muitas informações em seu pequeno livro de apenas três capítulos. Ele dedica todo o primeiro capítulo e parte do segundo descrevendo uma terrível praga de gafanhotos. Nos capítulos 2 e 3, ele fala do "dia do SENHOR", uma alusão ao período em que haverá condenação e libertação. Ele também descreve um acontecimento futuro maravilhoso em que o "Espírito do Senhor" será derramado sobre todo o povo de Deus. Joel também apela ao verdadeiro arrependimento insistindo para que o povo de Deus rasgue o próprio coração, não só as roupas: "Voltem-se para o SENHOR, o seu Deus", exorta Joel, "pois ele é misericordioso e compassivo, muito paciente e cheio de amor" (2.13).

Quem foi Joel?

Nós não temos muitas informações a respeito do profeta Joel. Ele não é mencionado em nenhuma passagem da Bíblia, exceto no primeiro versículo do livro que leva seu nome. Enquanto muitos outros livros proféticos, como Jeremias, nos dão informações sobejantes sobre seu autor, o livro de Joel não nos diz nada a respeito dele além de que a palavra do Senhor veio a ele. Contudo, esse único fato — que a palavra do Senhor veio a ele — o torna importante, enquanto os demais aspectos desconhecidos de sua vida, sobre os quais gostaríamos de conhecer (sua origem, em que época viveu etc.) provavelmente perderiam a importância em comparação com o que, de fato, conhecemos hoje a seu respeito.

Qual é o contexto de Joel?

Ao contrário da maioria dos outros livros proféticos, Joel não apresenta nenhum cabeçalho histórico. Em Oseias 1.1, por exemplo, o ministério do profeta Oseias está diretamente relacionado ao reinado de vários reis conhecidos. Por isso, podemos identificar o contexto histórico de Oseias de maneira bem precisa. A vida e a mensagem de Joel, entretanto, não estão relacionadas ao período de nenhum rei específico, e o livro também não menciona nenhum acontecimento histórico especial. No entanto, a maioria dos estudiosos acredita que a praga de gafanhotos descrita em Joel (principalmente a de Jl 2.1-11) prediz uma invasão estrangeira, ou a invasão assíria de Israel em 722 a.C., ou a invasão babilônica de Judá em 586/587 a.C. Muitos estudiosos supõem que Joel estivesse profetizando logo antes de um desses acontecimentos.

Quais são os temas centrais de Joel?

Os profetas pregam a Israel e Judá com o livro de Deuteronômio na mão. Isto é, os profetas anunciam que o povo de Israel rompeu os termos da aliança documentados de forma específica em Deuteronômio, por isso eles passarão pelas terríveis consequências previstas de forma inequívoca em Deuteronômio (em especial no cap. 28). Ao contrário da maioria dos outros profetas, Joel deixa de relacionar as transgressões específicas da aliança cometidas por Israel (idolatria, injustiça social, confiança no ritualismo religioso), e nos primeiros dois capítulos passa diretamente à acusação. Inspirado em Deuteronômio 28.38 e 28.42, Joel descreve uma terrível praga de gafanhotos que viria sobre a terra como sinal do castigo divino decorrente da rejeição e do abandono da legislação encontrada em Deuteronômio. Contudo, como os outros profetas, Joel também vai além do juízo para descrever o tempo maravilhoso de restauração futura — o tempo em que Deus derramará seu Espírito sobre todo o povo.

O pequeno livro de Joel pode ser esboçado da seguinte maneira:

- Anúncio do juízo e o chamado ao arrependimento (1.1—2.17)
  - A invasão iminente de gafanhotos (literal?) e um chamado ao arrependimento (1.1-20)

Gafanhoto peregrino do Oriente Médio.

- A invasão iminente de gafanhotos (figurada?) e um chamado ao arrependimento (2.1-17)
- A resposta de Deus (2.18—3.21)
  - Restauração e derramamento do Espírito de Deus a todo o seu povo (2.18-32)
  - Juízo sobre as nações (3.1-21)

Quais são os aspectos interessantes e singulares de Joel?

- Joel oferece um retrato amplo e bastante vívido de uma praga iminente de gafanhotos.
- Joel faz várias referências "àquele dia" ou ao "dia do SENHOR".
- Joel profetiza que Deus derramará seu Espírito sobre todo o povo, promessa que será cumprida em Pentecoste (no NT).

Qual é a mensagem de Joel?

Anúncio do juízo e o chamado ao arrependimento (1.1—2.17)

A invasão iminente de gafanhotos (literal?) e um chamado ao arrependimento (1.1-20)

Em Deuteronômio 28, Deus disse a Israel que, se o povo o abandonasse e desprezasse a lei, então ele lhes enviaria um castigo, consistindo em parte em uma praga de gafanhotos (Dt 28.38,42). Joel inicia o livro com uma descrição vívida do castigo da praga de gafanhotos. Em Joel 1.1-20, o profeta descreve uma praga devastadora de gafanhotos invadindo a terra e destruindo as plantações, as vinhas e os pomares. Provavelmente isso se refere a uma praga literal de gafanhotos sobre a qual Joel alerta Israel. Em Joel 1.13,14, o profeta chama os sacerdotes, os anciãos e todo o povo ao arrependimento por meio de um jejum, do uso de vestes de luto e do lamento a Deus. Joel associa esse tempo terrível de juízo ao "dia do SENHOR" (1.15), o período futuro em que Deus irromperá sobre a história humana para julgar quem o rejeita e se rebela contra ele e para salvar quem nele confia e lhe obedece.

A invasão iminente de gafanhotos (figurada?) e um chamado ao arrependimento (2.1-17)

Joel 2.1-11 continua descrevendo uma praga de gafanhoto, mas dessa vez ele é provável que ele esteja empregando linguagem figurada para mencionar uma invasão militar real, podendo se referir à invasão assíria de 722 a.C. ou à invasão babilônica de 587/586 a.C. Isto é, Joel destaca o fato de que um

✢ A praga de gafanhotos era um pesadelo que se repetia com regularidade no mundo do AT, de maneira semelhante aos furacões de hoje ou às enchentes do período de chuvas.

exército estrangeiro invadirá a nação como gafanhotos, devorando e destruindo tudo que está em seu caminho, como os gafanhotos fizeram em Joel 1.

Em 2.12-17, Joel chama o povo ao sincero arrependimento, para que se volte realmente a Deus de coração, não só no exterior ("Rasguem o coração e não as vestes"). A razão de esse arrependimento ser eficaz, Joel explica, é o caráter de Deus. Em Joel 2.13, o profeta nos oferece uma ótima descrição do caráter amoroso de Deus: misericordioso, compassivo, muito paciente e cheio de amor, que demora em enviar a calamidade.

A resposta de Deus (2.18—3.21)

Restauração e derramamento do Espírito de Deus a todo o seu povo (2.18-32)

Em Joel 2.18-32, Deus olha além do castigo para o tempo futuro de restauração. Um aspecto crucial desse tempo tratado com certa regularidade pelos profetas é a presença de Deus. Pecados persistentes e flagrantes como a idolatria e a injustiça social afastarão a presença divina de Israel, mas em Joel 2.27-32 Deus promete a nova era em que sua presença será experimentada pelo povo de uma maneira muito diferente do passado. Depois, em Joel 2.28-32, Deus faz a impressionante promessa de que ele derramará seu Espírito sobre o povo. Essa é uma promessa radicalmente nova e espetacular de um novo modo em que as pessoas experimentarão a presença de Deus. Joel e Ezequiel são os dois profetas que preveem esse novo e maravilhoso plano de ação entre Deus e seu povo (cf. Ez 34.26,27). Contudo, ainda que o povo de Deus seja libertado e venha a conhecer a presença divina desse modo muito especial, esse acontecimento é entrelaçado com todo o conceito do "dia do SENHOR" (2.31), o tempo que inclui a maravilhosa salvação para quem confia em Deus, mas também de terrível juízo contra quem o provoca (2.31,32).

Juízo sobre as nações (3.1-21)

O futuro ("dia do SENHOR") que os profetas descrevem é o que trará a maravilhosa salvação para quem confia em Deus, israelita ou gentio. Contudo, também será um tempo de juízo contra quem provoca Deus e se opõe a ele, israelita e gentio. Joel 3.1-21 descreve o juízo vindouro contra as nações gentílicas que provocaram Deus e se opuseram a ele.

Como aplicar Joel à nossa vida hoje

Joel nos faz lembrar de que o pecado é muito sério e que a ira e o juízo divinos são uma realidade que apenas o insensato ignoraria. Já a boa-nova

✚ Em Atos 2.16-21, Pedro cita Joel 2.28-32 para explicar a vinda do Espírito em Pentecoste e para exortar os judeus de Jerusalém a crerem em Cristo e serem salvos do juízo vindouro.

da Bíblia é que "todo aquele que invocar o nome do Senhor será salvo" (Jl 2.32; Rm 10.13). Voltar a Deus e crer em Jesus Cristo nos salvará do terrível juízo vindouro.

Joel também profetiza sobre a maravilhosa habitação interior do Espírito Santo. Uma das promessas centrais da aliança do AT é a promessa da presença de Deus ("eu habitarei em seu meio"). O povo do AT experimentou a presença de Deus principalmente por meio de sua habitação no tabernáculo e depois no templo. Por causa do pecado e desobediência deles, eles perderam a presença protetora e consoladora de Deus (Ez 8—10). No futuro, diz Joel, as coisas serão diferentes (e melhores!), pois o povo de Deus (todos os membros — homens, mulheres, jovens e velhos) desfrutarão da proteção e consolo da presença de Deus de um modo novo e melhor: por meio da habitação interior do Espírito! Todos os cristãos do NT, os crentes em Jesus Cristo, experimentam o poder e consolo da própria presença divina em nossa vida por meio dessa situação bastante privilegiada — o Espírito de Deus habitando em nosso meio.

Nosso versículo favorito de Joel

E todo aquele que invocar o nome do Senhor, será salvo. (2.32)

Comparando soldados com gafanhotos, Joel declara: "Eles atacam como guerreiros; escalam muralhas como soldados. Todos marcham em linha, sem desviar-se do curso" (2.7).

✛ Paulo cita Joel 2.32 ("todo que invocar o nome do Senhor será salvo") em Romanos 10.13.

- Gênesis
- Êxodo
- Levítico
- Números
- Deuteronômio
- Josué
- Juízes
- Rute
- 1Samuel
- 2Samuel
- 1Reis
- 2Reis
- 1Crônicas
- 2Crônicas
- Esdras
- Neemias
- Ester
- Jó
- Salmos
- Provérbios
- Eclesiastes
- Cântico dos Cânticos
- Isaías
- Jeremias
- Lamentações
- Ezequiel
- Daniel
- Oseias
- Joel
- **Amós**
- Obadias
- Jonas
- Miqueias
- Naum
- Habacuque
- Sofonias
- Ageu
- Zacarias
- Malaquias

Amós

As duras consequências da prática da injustiça

Se você quiser se manter complacente em relação ao pobre e estiver satisfeito com sua postura atual a respeito da injustiça, então deve evitar a leitura do livro de Amós. Da mesma maneira, se você é uma pessoa sensível ou alguém que gosta de ler apenas obras próprias ao público infantil, talvez os relatos de Amós sejam muito vívidos para você. Na época de Amós, Israel passava por um período de excessiva prosperidade dos ricos ao mesmo tempo que os pobres permaneciam em profunda pobreza. Amós é ríspido com os responsáveis por essa terrível injustiça social que se desenvolveu porque Israel tinha abandonado toda tentativa séria de se manter fiel à lei de Deuteronômio. Amós é mordaz, até brutal em sua crítica, e não tem a menor preocupação em ser politicamente correto. Ele irrita todo mundo. Sem dúvida, Amós é um dos profetas mais vívidos e francos. Por isso, leia-o por conta e risco próprios.

Quem foi Amós?

Muitos dos outros profetas vieram de famílias sacerdotais (p. ex., Jeremias e Ezequiel). Já Amós proveio da atividade rural. Ele é chamado de pastor em 1.1 e 7.14, um termo que provavelmente sugere "um criador de ovelhas"; isto é, Amós talvez fosse o proprietário de um rebanho de ovelhas de tamanho substancial. Além de "pastor", Amós também diz possuir uma plantação de figos silvestres. Assim, ele pode ter sido um fazendeiro/pastor que cultivava figos e criava ovelhas. Era de uma cidade chamada Tecoa, que ficava a cerca de 15 quilômetros ao sul de Jerusalém. Isso é importante, pois identifica Amós com o reino de Judá, no sul. Ironicamente, ele proferirá sua severa crítica e anúncio de juízo ao Reino de Israel, no norte.

Qual é o contexto de Amós?

O ministério de Amós ocorre no reinado de Uzias, rei de Judá (783-742 a.C.) e no reinado de Jeroboão II de Israel (786-746 a.C.). O primeiro versículo também situa sua profecia a "dois anos antes do terremoto". Evidências arqueológicas indicam que pode ter havido um terremoto de grande magnitude por volta do ano 760 a.C. É provável que Amós 1.1 se refira a esse terremoto. Na época de Amós, o Reino do Norte, Israel, era poderoso e bastante próspero, mas a prosperidade se limitava às classes superiores. A situação teológica de Israel era terrível. Lembre-se do que aconteceu. Depois da morte de Salomão, sobreveio uma guerra civil e o Reino do Norte, Israel, separou-se do Reino do Sul, Judá. Desse modo, Israel se desviou de imediato de Deus e construiu altares pagãos em centros de adoração, como Betel, Dã e Gilgal, e colocou ídolos de bezerro. (Para obter mais informações sobre o contexto, releia a narrativa que descreve esses acontecimentos em 1Rs 11—12). Na época de Amós, o Reino do Norte já estava mergulhado por completo na idolatria e na conduta moral corrompida que acompanhava a idolatria.

Quais são os temas centrais de Amós?

Em geral, Amós anuncia a mesma tríplice mensagem que o restante dos profetas pré-exílicos proclamou:

1. Vocês violaram a aliança; é melhor que se arrependam!
2. Não querem se arrepender? Então, merecem castigo!
3. Contudo, há esperança além do castigo para a restauração futura e gloriosa, tanto para Israel/Judá quanto para as nações.

Contudo, Amós dá mais destaque aos primeiros dois pontos — as transgressões que causaram o rompimento da aliança e o consequente castigo vindouro.

✛ No final de Joel há uma referência ao "rugido" de Deus como leão (3.16). Isso liga Joel a Amós, pois Amós apresenta Deus como um leão ameaçador rugindo.

Amós também destina sua mensagem quase de maneira exclusiva ao Reino do Norte, Israel. Outra diferença entre Amós e alguns dos outros profetas (p. ex., Isaías, Jeremias, Oseias) é que os outros tendem a salpicar algumas mensagens de esperança e restauração ao longo de sua mensagem, misturando essas passagens encorajadoras de esperança com passagens de ruínas e calamidade. Em Amós, todavia, procura-se em vão por qualquer expressão de esperança: não se encontra nada em Amós 1—3; também nada se encontra em Amós 4—6, exceto transgressão e castigo; o mesmo ocorre em Amós 7—8 e na primeira metade do capítulo 9. Por fim, depois de muita espera, bem no final de Amós, o profeta camponês oferece aos ouvintes alguns versículos de esperança em relação ao futuro Messias davídico (9.11-15). O tema que ocorre de forma repetida em todo o livro de Amós é a preocupação de Deus com a justiça social. Quando Israel ignora a lei de Deus e rompe o relacionamento de obediência a ele, logo se perde todo o senso de cuidado ético e eles caem em uma situação em que "o rico se torna cada vez mais rico e o pobre, cada vez mais pobre" — a exploração exercida pelos ricos e poderosos cresce sem impedimento. Amós é impiedoso na crítica contra essas pessoas e a situação que elas criaram.

O livro de Amós não está estruturado de forma clara, mas os vários aspectos de sua mensagem podem ser agrupados de forma mais livre nas seguintes unidades:

- Injustiça social e castigo (1.2—9.10)
  - Multidões de transgressões (1.2—2.16)
  - A ira de Deus virá como um leão devorador (3.1—4.13)
  - Deus exige a justiça, não apenas o ritual mecânico (5.1—6.14)
  - Quatro visões de juízo e uma confrontação (7.1—8.3)
  - Juízo contra Israel (8.4—9.10)
- O futuro rei davídico e a restauração (9.11-15)

Na época de Amós, Israel — o Reino do Norte — já estava bem atolado em idolatria. Esta figura retrata Aserá, uma deusa cananeia venerada por muitos de Israel e Judá (séc. VIII a.C.).

Quais são os aspectos interessantes e singulares de Amós?

- Amós é um fazendeiro rústico que reprova com veemência os ricos e poderosos.

- Amós enfatiza repetidamente o tema da justiça social ("corra a retidão como um rio"; 5.24).
- Amós usa linguagem vívida, porém mordaz (p. ex., ele compara as mulheres nobres de Israel a vacas; 4.1).
- Amós usa linguagem ilustrativa de juízo ("Assim como o pastor livra a ovelha, arrancando da boca do leão só dois ossos da perna ou um pedaço da orelha"; 3.12).
- Amós retrata Deus em sua ira como um leão faminto e pronto para devorar a presa.

Qual é a mensagem de Amós?

Injustiça social e castigo (1.2—9.10)

Multidões de transgressões (1.2—2.16)

A primeira frase de Amós 1.2 resume bem a mensagem do livro: "O Senhor ruge de Sião". A palavra "ruge" é usada em especial em relação a leões. Desse modo, Amós está comparando Deus a um terrível e perigoso leão prestes a agarrar a presa. De fato, a maior parte do livro de Amós enfatiza o terrível juízo que está por vir sobre Israel em consequência de sua insistente transgressão e rejeição a Deus. Em 1.3—2.16, Deus anuncia o juízo contra seis nações estrangeiras e vizinhas: Damasco (i.e., Síria/Aram), Gaza e Asdode (i.e., Filístia), Tiro, Edom, Amom e Moabe. Cada anúncio de juízo é introduzido pela fórmula: "Por três transgressões de x, e ainda mais por quatro, não anularei o castigo". Essa "fórmula" é uma forma poética de dizer que essas nações estão cometendo muitos pecados. As nações arroladas para o juízo estão ao redor de Israel, incluindo Judá, ao sul (2.4,5). Todos os ouvintes de Amós com certeza aprovariam Deus mandar o castigo sobre todas essas nações, pois eram nações inimigas de Israel. Mas em seguida, em 2.6-16, a posição se inverte e a condenação culminante dessa seção poética tem como alvo a própria nação de Israel. Por causa dos horrendos pecados de Israel (injustiça econômica e opressão dos pobres, imoralidade e idolatria), Deus vem também para julgá-lo.

Altares israelitas de Arade (séc. X-VII a.C.). Amós declara que Deus quer a justiça social, não o culto hipócrita.

Ética do Antigo Testamento
M. Daniel Carroll R.

O AT consiste em um recurso maravilhoso para questões éticas. Ele parte de onde todo sistema ético deve partir: o valor da vida humana e a preservação da ordem criada (Gn 1—2). Os seres humanos foram feitos à imagem de Deus. Portanto, todas as pessoas têm valor e potencial como representantes dele e devem zelar pela criação. A amplitude das preocupações do AT é impressionante: ele trata de questões pessoais (como sexualidade, o emprego do dinheiro e honestidade no ambiente de trabalho), de questões socioeconômicas e políticas, como a opressão dos pobres, a corrupção do governo e a guerra. Esse largo alcance das questões morais dá margem a diversas perspectivas sobre muitos tópicos. Um exemplo diz respeito ao tratamento dado aos pobres. Enquanto Provérbios põe a culpa por alguns infortúnios na preguiça ou sensualidade, os profetas denunciam a injustiça sistêmica que perpetua a exploração dos vulneráveis, e a lei prevê medidas para aliviar as necessidades de pobres, órfãos, viúvas e estrangeiros. Cada uma dessas perspectivas contribui para a compreensão mais plena do problema e seu tratamento.

No AT, Israel, o povo escolhido de Deus, deveria ser um farol ético diante do mundo. Eles deveriam ser o canal da bênção de Deus — espiritual e material (Gn 12) —, e sua sociedade deveria constituir um modelo do que Deus desejava para todas as nações (Dt 4.5-8). Os Livros Históricos descrevem o fracasso no cumprimento desse papel, e a literatura profética está repleta de denúncias sérias contra os males da sociedade israelita. Os profetas também enfatizam que é impossível separar a vida ética do culto a Deus, algo que Jesus e os autores do NT também repetem.

O desafio perene dos que reconhecem o AT como Escritura é determinar a melhor maneira de se apropriar do texto com vistas à vida moral de hoje. O AT contém textos que muitos acham questionáveis. Há relatos de mentira, manobras políticas, adultério, assassinato e estupro — até mesmo por parte de alguns dos líderes mais respeitados do povo de Deus. Nesses casos, é importante distinguir entre como o relato bíblico caracteriza esses episódios e o preceito de evitar essas condutas e atitudes. Os relatos em grande parte são apresentados como exemplos negativos que devem ser evitados. Além disso, alguns sistemas teológicos cristãos relutam em se apoiar no AT, porque o Israel teocrático da época não existe mais.

A saída é a apreciação de como o AT apresenta valores duradouros que transcendem os séculos. A lei é um paradigma. Ela estabelece como um povo antigo deveria encarnar os padrões éticos de Deus em todas as áreas da vida pessoal, social e religiosa. Esses princípios tomam de modo necessário um aspecto diferente no mundo moderno. O AT também retrata a vida de pessoas consagradas e sábias em suas narrativas, provérbios e livros proféticos. Também retrata um reino de abundância e paz mundial. O AT, em outras palavras, representa um guia ético para o presente e oferece uma esperança ética para o futuro.

A ira de Deus virá como um leão devorador (3.1—4.13)

Essa unidade compara a ira vindoura de Deus à destruição e devastação que um leão enlouquecido é capaz de provocar. "O leão rugiu, quem não temerá?", Amós pergunta em 3.8. Com respeito ao número de israelitas sobreviventes ao juízo vindouro (a invasão assíria), Amós emprega mais uma vez a figura do leão: "Assim como o pastor livra a ovelha, arrancando da boca do leão só dois ossos da perna ou um pedaço da orelha, assim serão arrancados os israelitas de Samaria". Portanto, a destruição será avassaladora.

Nessa unidade, Amós menciona duas vezes pecados associados à cidade de Betel (3.14; 4.4). Lembre-se de que em Betel o rei Jeroboão colocou ídolos de bezerro de ouro para Israel cultuar (1Rs 12.28,29). Amós também reprova com veemência as mulheres nobres, tanto quanto o faz com os homens, chamando-as de "vacas de Basã", e as acusa de oprimir os pobres (4.1). Em 4.6-11, Deus declara ter tentado avisar Israel para que se arrependesse e voltasse para ele, mas sem nenhum sucesso. Qual é a sóbria consequência do pecado provocador e obstinada rebeldia de Israel? "Prepare-se para encontrar-se com o seu Deus, ó Israel" (4.12).

Deus exige a justiça, não apenas o ritual mecânico (5.1—6.14)

Os temas de justiça e retidão percorrem todo o livro de Amós, mas eles são apresentados de modo mais enfático no capítulo 5. Nele Israel é acusado por ter cometido várias injustiças sociais: esmagar os pobres e extorquir deles o cereal (seu alimento); subornar os juízes para privar os pobres de justiça; corromper todo o sistema legal (5.11-13). As terríveis consequências são apresentadas nos versículos iniciais. Israel cairá (5.1,2) e somente 10% da população sobreviverá (5.3).

Nesse contexto de completa injustiça social, Deus declara que ele não tem prazer algum no culto hipócrita do povo; na verdade, ele "odeia" seus rituais religiosos (5.21-23). Em contraste com os rituais religiosos inúteis, Deus requer que "corra a retidão como um rio, a justiça como um ribeiro perene!" (5.24). Amós 6 continua proclamando o juízo contra os indivíduos ricos e complacentes que se divertem com a suntuosidade sem se preocupar com a sorte de Israel.

Quatro visões de juízo e uma confrontação (7.1—8.3)

Nessa unidade, Deus dá a Amós quatro visões a respeito do terrível castigo vindouro: uma praga destruidora de gafanhotos (semelhante à de Joel); um fogo destruidor; um muro abalado prestes a cair (representando as defesas abaladas de Israel); e um cesto de frutos maduros, indicando a chegada da hora do castigo. No meio dessas visões, há uma interrupção. Há um relato narrativo sobre o confronto de Amós com Amazias, um sacerdote de Betel (um local de culto pagão em Israel em que havia o ídolo de um bezerro de ouro). Amazias manda um relatório ao rei, acusando Amós de conspiração, e depois ordena que Amós pare de profetizar coisas ruins a respeito de Israel e volte para a terra dele em Judá (7.10-13). Amós responde dizendo que ele não é exatamente um profeta, mas um fazendeiro. Todavia, prossegue, Deus o mandou profetizar contra Israel. Amós conclui seu desafio a Amazias proclamando um juízo contra o próprio sacerdote israelita pagão e depois reitera a certeza do castigo vindouro e o exílio de Israel longe de sua terra (7.14-17).

✜ O livro de Amós termina com anúncio de juízo contra Edom (9.12), fazendo, assim, uma ligação com o próximo livro, Obadias, que se concentra justamente nesse tema.

Juízo contra Israel (8.4—9.10)

Nessa seção, Amós continua importunando os israelitas por causa de sua desonestidade econômica e pela exploração dos pobres (8.4-6). Então, Deus mais uma vez anuncia o juízo iminente contra Israel (8.7—9.10).

O futuro rei davídico e a restauração (9.11-15)

No fim do livro, logo quando se pensa que Amós não chegaria a trazer uma palavra de esperança e restauração, encontramos, por último, uma breve passagem que olha para além do terrível castigo a fim de anunciar o Messias davídico e a restauração de Israel à sua terra.

Como aplicar Amós à nossa vida hoje

O livro de Amós é severo ao nos desafiar, e também aos demais leitores, no que se refere ao interesse pelos pobres e por quem sofre. Em todo o livro, Deus abre repetidamente seu coração sobre essa questão. Ele fica indignado e impaciente com quem gosta de viver com luxo enquanto os pobres à sua volta passam necessidades. A verdade que se manifesta é assustadora: Deus está muito preocupado com os necessitados e os sofredores, e ele espera que seu povo tenha a mesma compaixão. Seu desejo é que seu povo se esforce para aliviar o sofrimento dos outros. Ele fica particularmente irritado conosco quando nos distanciamos da situação dos pobres e simplesmente nos concentramos em nosso alto padrão de vida. Da mesma forma, se desprezarmos o sofrimento dos outros, Deus considerará nosso culto a ele como algo hipócrita e não se agradará dele. Muitas vezes nós, cristãos, estabelecemos como objetivo de vida "conhecer a Deus". O livro de Amós nos auxilia a perseguir esse objetivo, pois ele revela muitas coisas a respeito do coração de Deus e da realização de sua vontade em relação ao povo. Deus não deseja de nós um culto hipócrita distante da empatia e compaixão do dia a dia. Deus deseja que nós nos importemos e nos esforcemos a fim de aliviar o sofrimento alheio. À medida que realizamos a sua vontade, podemos de fato conhecê-lo e adorá-lo do modo correto, pois nosso coração estará assim alinhado com o dele.

Um antigo par de sandálias. Amós denuncia o fato de que os necessitados estavam sendo comprados e vendidos por um par de sandálias (Am 2.6; 8.6).

Nosso versículo favorito de Amós

Em vez disso, corra a retidão como um rio, a justiça como um ribeiro perene! (5.24)

✚ Amós ressalta que o povo de Deus tem a responsabilidade de cuidar dos pobres. Esse tema não se limita ao AT, pois nos Evangelhos Jesus também faz disso um dos principais temas de sua pregação.

- Gênesis
- Êxodo
- Levítico
- Números
- Deuteronômio
- Josué
- Juízes
- Rute
- 1Samuel
- 2Samuel
- 1Reis
- 2Reis
- 1Crônicas
- 2Crônicas
- Esdras
- Neemias
- Ester
- Jó
- Salmos
- Provérbios
- Eclesiastes
- Cântico dos Cânticos
- Isaías
- Jeremias
- Lamentações
- Ezequiel
- Daniel
- Oseias
- Joel
- Amós
- **Obadias**
- Jonas
- Miqueias
- Naum
- Habacuque
- Sofonias
- Ageu
- Zacarias
- Malaquias

Obadias
O fim de Edom

A maioria dos profetas anuncia uma mensagem semelhante em três partes, destinada principalmente a Israel/Judá: 1) Vocês violaram a aliança, por isso arrependam-se! 2) Não querem se arrepender? Então, preparem-se para o juízo! 3) Esperança e restauração futuras. Chamamos isso de a "mensagem padrão dos profetas". Obadias, em contraste, é bem diferente. Ele não prega de forma direta a Israel ou Judá; em vez disso, se dirige à nação de Edom. Obadias é breve — apenas um capítulo — e anuncia juízo iminente sobre Edom por causa de seu pecado.

Imediatamente antes do livro de Obadias, Amós 9.12 menciona Edom. Obadias foi provavelmente colocado logo depois de Amós por causa desse elo. Embora Edom fosse uma nação real que foi, de fato, destruída, a Bíblia usará Edom algumas vezes como símbolo de todos os que se opõem a Deus e a seu povo (cf. Jl 3.19; Am 1.11,12; 9.12). O livro de Obadias talvez esteja usando Edom em ambos os sentidos.

Quem foi Obadias?

O nome Obadias significa "servo do Senhor". É um nome muito comum no AT, usado para se referir a 13 indivíduos diferentes. O profeta Obadias desempenha seu ministério logo após a queda de Jerusalém em 587/586 a.C. Assim, ele foi contemporâneo de Jeremias e Sofonias. Fora isso, sabemos muito pouco a seu respeito.

Qual é o contexto de Obadias?

Os nabateus expulsaram os edomitas e edificaram a impressionante cidade de Petra mostrada nesta figura.

A nação de Edom era vizinha de Judá na fronteira sudeste. Edom muitas vezes conspirou com Judá contra os grandes impérios, mas, quando os babilônios invadiram Judá e a vitória babilônica parecia inevitável, Edom mudou de lado e se juntou aos babilônios no saque contra Judá. Obadias profetiza que Edom será destruído pela traição e ataque contra Judá.

Quais são os aspectos interessantes e singulares de Obadias?

- Obadias é o menor livro do AT (contém apenas 21 versículos).
- Obadias emprega a expressão de juízo "dia do Senhor" contra Edom.
- A vívida descrição de Edom em Obadias 3 e 4 descreve a região ocupada pelas impressionantes ruínas de Petra, edificada pelo povo que destruiu e expulsou os edomitas.

Qual é a mensagem de Obadias?

Uma vez que a nação de Edom traiu Judá e colaborou no saque contra ela, Obadias profetiza a destruição de Edom. Os profetas muitas vezes anunciam o juízo contra várias nações, mas normalmente essas mesmas nações também são mencionadas no quadro profético da restauração futura, quando os gentios forem

✚ Jeremias profetiza contra Edom na mesma época em que Obadias profetizou. Na verdade, o pequeno livro de Obadias e Jeremias 49.7-22 são muito parecidos.

incluídos como parte do povo de Deus. A situação de Edom, entretanto, parece diferente. Obadias, junto com diversos outros profetas, anuncia o fim de Edom. Isto é, Edom será destruído e nunca mais será restaurado. Obadias anuncia então que Israel, em contraste, será restaurado no futuro e na verdade dominará a região antes controlada por Edom (v. 17-21).

Como aplicar Obadias à nossa vida hoje

O breve livro de Obadias nos faz lembrar de que o pecado tem consequências e que Deus, em última instância, julgará todos os que se opõem e se rebelam contra ele. O povo de Deus, todavia, será restaurado e por fim justificado. Nesse sentido, o tema de Obadias está ligado ao livro de Apocalipse, que incorpora esse mesmo tema no ponto culminante da história humana, quando Deus estabelecer o seu reino.

Nosso versículo favorito de Obadias

Pois o dia do SENHOR *está próximo para todas as nações.*
(v. 15)

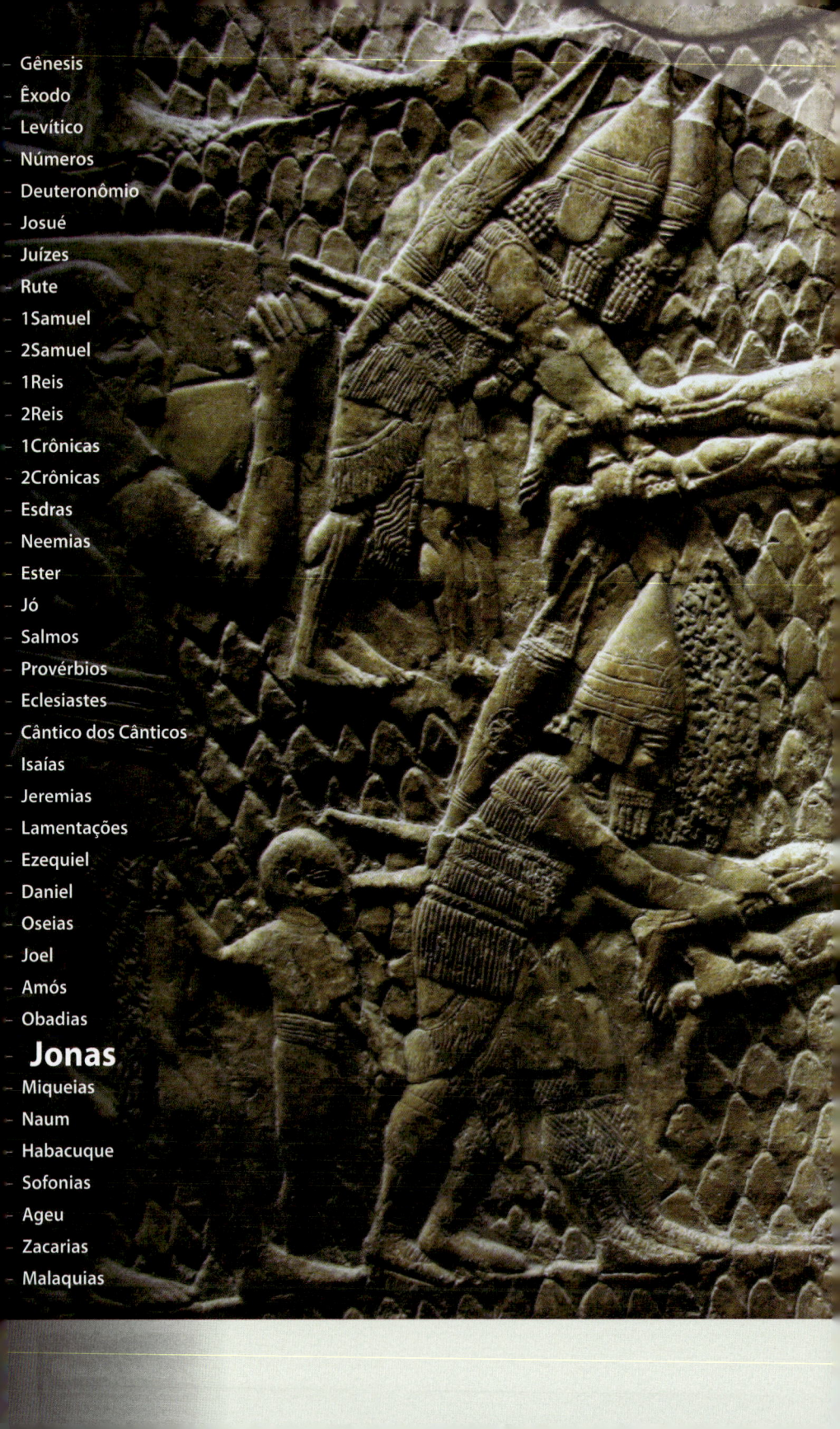

- Gênesis
- Êxodo
- Levítico
- Números
- Deuteronômio
- Josué
- Juízes
- Rute
- 1Samuel
- 2Samuel
- 1Reis
- 2Reis
- 1Crônicas
- 2Crônicas
- Esdras
- Neemias
- Ester
- Jó
- Salmos
- Provérbios
- Eclesiastes
- Cântico dos Cânticos
- Isaías
- Jeremias
- Lamentações
- Ezequiel
- Daniel
- Oseias
- Joel
- Amós
- Obadias
- **Jonas**
- Miqueias
- Naum
- Habacuque
- Sofonias
- Ageu
- Zacarias
- Malaquias

Jonas

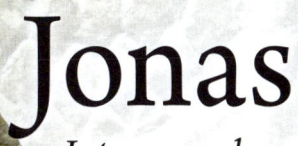

Interesse pela salvação dos gentios

A maioria de nós leu a história de Jonas e o grande peixe quando ainda éramos crianças. De fato, a história de Jonas é fascinante não só para crianças, mas para pessoas de todas as idades. Ela está repleta de ironia e de acontecimentos empolgantes. Ao contrário de Isaías, Ezequiel e Jeremias, quando Jonas é chamado por Deus para profetizar, ele no início se recusa a obedecer, preferindo fugir da presença de Deus. Só depois de quase morrer no mar, ele resolve reconsiderar e obedecer ao chamado. Além disso, o povo de Israel, em geral, desprezava a mensagem dos profetas. O povo não se arrepende, por isso sofre o castigo (a invasão assíria e depois a invasão babilônica). No livro de Jonas, em contrapartida, os destinatários (os pagãos ninivitas) atendem à mensagem profética, arrependem-se e suplicam para que Deus os livre. Desse modo, Jonas é na verdade o único profeta que realmente alcança êxito ao levar seus ouvintes ao arrependimento. De forma irônica, ele não gosta disso, e fica irritado a ponto de ser repreendido por Deus. No fim, além de conter uma mensagem de salvação para todos os povos, o livro de Jonas contrasta nitidamente com o restante dos livros proféticos; o que acontece em Nínive, cidade de pagãos, é o que deveria ter acontecido em Jerusalém, mas não aconteceu.

Com respeito ao estilo literário, o livro de Jonas também é bem diferente dos demais livros proféticos. A maior parte do livro é composta por narrativas em vez de pregações sob a forma de oráculos poéticos como os outros livros proféticos.

Quem foi Jonas?

O livro de Jonas não identifica a mensagem do profeta com um rei ou período histórico específico. Todavia, o livro identifica o profeta como "Jonas, filho de Amitai", profeta que também é mencionado em 2Reis 14.25. Com base na referência de 2Reis 14, podemos datar com precisão Jonas no período do reinado de Jeroboão II (786-746 a.C.), tornando-o assim contemporâneo de Oseias e Amós. A referência de 2Reis 14.25 também nos diz que Jonas era um profeta de Gate-Héfer (uma cidade na fronteira oriental do território de Zebulom), que previu o sucesso de Jeroboão II na expansão das fronteiras de Israel desde a Síria (Aram) ao norte até o mar Vermelho ao sul.

Qual é o contexto de Jonas?

No reinado de Jeroboão II (786-746 a.C.), a nação de Israel era bastante forte e próspera. De acordo com a menção anterior, Israel tinha subjugado a Síria (Aram) ao norte, de modo que a hegemonia israelita se estendesse até a fronteira com a Assíria. Na geração subsequente a Jeroboão II, os assírios subiriam ao poder e se tornariam o grande gigante do antigo Oriente Médio, subjugando quase todas as cidades e nações da região. Na época de Jonas, todavia, os assírios eram uma nação muito inconstante e enfraquecida. Ironicamente, é provável que eles não fossem mais fortes que Israel, nação que seria destruída totalmente por eles no século VIII a.C. Nínive era a capital da Assíria. Mesmo na época de Jonas, os assírios já tinham a reputação de ter guerreiros cruéis e odiosos. As nações temiam os assírios e ninguém gostava deles.

Quais são os temas centrais de Jonas?

Jonas é o livro que lida com o tema da obediência e mostra quão insensato é se recusar a obedecer a Deus ou tentar fugir dele e de seu chamado. Jonas também versa sobre a compaixão e o interesse pelos inimigos ou por aqueles que são apenas diferentes. Deus teve compaixão dos assírios de Nínive e repreendeu Jonas por essa falta de interesse na salvação deles.

As cidades do livro de Jonas

Jonas também é um livro que enfatiza o caráter grave e inimaginável do ato de ignorar o apelo profético ao arrependimento e à conversão a Deus por parte dos israelitas de Jerusalém. Os atos de arrependimento dos assírios de Nínive, desde o rei até o camponês mais humilde (até mesmo o gado), possibilitam o livramento deles, em contraste com a obstinação, hostilidade e falta de arrependimento dos reis e do povo de Israel e de Judá, que culminariam na invasão estrangeira e sua consequente condenação.

O livro de Jonas se subdivide de forma organizada em dois episódios paralelos:

- Jonas, os marinheiros e o livramento (1—2)
- Jonas, os ninivitas e o livramento (3—4)

Quais são os aspectos interessantes e singulares de Jonas?

- Jonas é muito diferente dos outros profetas (ele desobedece a Deus, seus ouvintes atendem à sua mensagem, ele fica mal-humorado quando as pessoas são salvas etc.).
- Jonas é engolido por um grande peixe (ou talvez uma serpente?), que simboliza tanto livramento quanto juízo.
- O arrependimento dos moradores da cidade de Nínive é tão completo que até o gado jejua e usa vestes fúnebres. Deus demonstra sua preocupação com o gado em 4.11 (de modo sarcástico?).

O tamanho de Nínive

Em Jonas 1.2, Deus se refere a Nínive como uma "grande cidade". Jonas 3.3 diz que Nínive era uma "cidade muito grande, sendo necessários três dias para percorrê-la". Traduzido literalmente do hebraico, esse versículo diz "Nínive era uma grande cidade para Deus, uma ida de três dias". Estudiosos e tradutores durante anos têm debatido sobre como traduzir a expressão "uma ida de três dias". No passado, muitos entenderam que se tratava do tamanho de Nínive; isto é, demorava-se três dias para percorrê-la. O problema com essa compreensão é que nenhuma cidade do antigo Oriente Médio era grande o suficiente para precisar de três dias de travessia. Além disso, a Nínive antiga foi escavada e verificou-se que o tempo necessário para atravessar o sítio arqueológico não passava de algumas horas (no máximo), não três dias. Recentemente, vários estudiosos argumentaram que "uma ida de três dias" não tem nada que ver com o tamanho físico da cidade; antes, refere-se à condição da cidade em relação ao protocolo exigido para visitas oficiais. Isto é, se um rei enviasse um emissário a Nínive, a condição da cidade exigia que o emissário permanecesse ali durante três dias.

- Os acontecimentos de Jonas 1—2 são paralelos aos acontecimentos de Jonas 3—4.
- A mensagem anunciada por Jonas (de apenas um versículo) é dirigida aos ninivitas, mas a mensagem literária é provavelmente destinada aos israelitas.

Qual é a mensagem de Jonas?

Jonas, os marinheiros e o livramento (1—2)

Nos primeiros versículos, Deus diz ao profeta Jonas para ir e pregar contra a cidade de Nínive. Surpreendentemente, em vez de obedecer, Jonas foge de Deus e embarca em um navio que ia para Társis, na direção oposta. Nínive fica ao norte e a leste de Israel, enquanto Társis (provavelmente uma cidade portuária na costa da Espanha) ficava no outro extremo do mundo então conhecido, o lugar mais longe de Nínive que se possa imaginar.

Talvez você conheça bem a história. Deus envia uma tremenda tempestade contra o navio. O que Jonas estaria pensando? Será que ele pensava ser capaz de fugir de Deus? Imaginava que o Deus de Israel fosse uma divindade local sem nenhum poder sobre o mar? Ou talvez que Deus se esquecesse dele? Os marinheiros tentavam remar de volta à costa, mas sem êxito. Por fim, eles confrontam Jonas e descobrem que ele era a causa da fúria da tempestade. Com relutância, lançam Jonas

✚ Quando os fariseus pedem um sinal, Jesus lhes responde que o único sinal que receberiam era "o sinal de Jonas" (Mt 12.38-41; Lc 11.29-32), uma predição da ressurreição de Jesus e uma acusação contra a incredulidade dos fariseus.

ao mar, e o mar se torna calmo de imediato, fazendo que os marinheiros temessem a Deus e lhe oferecessem sacrifícios.

Enquanto isso, um "grande peixe" engole Jonas. A Bíblia hebraica chama essa criatura de "grande peixe", e nós logo concluímos que se tratava de uma baleia. A antiga tradução grega do AT (a *Septuaginta*), todavia, traduz a expressão com uma palavra grega que significa "monstro marinho" ou "serpente do mar", e na arte da igreja primitiva esse animal é normalmente retratado como uma enorme serpente/monstro. Jonas passa três dias e três noites dentro dessa criatura (seja uma baleia, seja um monstro marinho). Em Jonas 2, o profeta clama a Deus de dentro da criatura. Nesse sentido, Jonas 2 é muito semelhante a alguns salmos. Deus ouve o clamor de Jonas e a criatura o vomita em terra seca.

Muitas pessoas tentaram explicar como isso poderia ter realmente acontecido; isto é, elas procuram demonstrar a possibilidade de um ser humano ser engolido por uma baleia e sobreviver. Alguns autores chegam a citar uma história de um marinheiro moderno (séc. XIX d.C.) que supostamente sobreviveu depois de ser engolido por uma baleia. Contudo, não há nenhuma evidência de que a história desse marinheiro realmente tenha acontecido. Além disso, suspeitamos que autores que citam essas histórias não compreenderam o relato de Jonas. Esse episódio — e outras ações extraordinárias de Deus na Bíblia — é por definição incomum, improvável e até

O livro de Jonas era bastante popular entre os primeiros cristãos, por isso há muitas cenas de Jonas nos túmulos de cristãos sepultados nas catacumbas perto de Roma. O sarcófago desta figura retrata várias cenas da vida de Jonas. Observe, contudo, que desde a Antiguidade traduções gregas e latinas de Jonas empregaram um termo para "peixe" que dá a entender um "monstro marinho" ou uma "serpente"; figuras como essas retratam o "peixe" parecido com um monstro marinho (veja a parte inferior do sarcófago).

impossível de acontecer. Essa é justamente a natureza dos milagres divinos. Perdemos de vista o sentido do milagre quando tentamos provar que ele "realmente podia ter acontecido". Ao contrário, sem a intervenção de Deus, o milagre não poderia ter acontecido. Isso é o milagre.

Jonas, os ninivitas e o livramento (3—4)

Depois da tempestade e da experiência com o peixe/criatura, Jonas se torna mais obediente e por fim chega a Nínive, onde prega uma mensagem muito breve de condenação: "Daqui a quarenta dias Nínive será destruída". Por mais incrível que pareça, e de modo muito diferente do que ocorreu em Israel e Judá, os ninivitas, desde o maior até o menor, creram em Deus e se arrependeram. O rei chega a convocar um tempo de jejum e arrependimento nacional para todo o povo (até mesmo para os animais). Quando Deus vê que os assírios realmente se arrependeram (i.e., mudaram seus atos), ele tem compaixão deles e cancela o castigo iminente.

Nesse momento, Jonas fica irado e se queixa com Deus (com certa ironia) dizendo saber que Deus era gracioso e compassivo, por isso ele não queria pregar aos ninivitas (Jn 4.1,2). Como uma criança emburrada, Jonas pede que Deus lhe tire a vida. Deus naturalmente não tira a vida de Jonas; antes, o repreende. Então Jonas sai da cidade para se sentar e esperar para ver o que aconteceria. Será que ele estava ignorando a exigência da "permanência de três dias"? O que ele achava que iria acontecer? Será que ele ainda esperava a destruição da cidade? Ele achava que sua atitude mudaria a mente de Deus?

Surpreendentemente, Deus lhe envia outro milagre. Dessa vez, ele não manda um grande peixe/criatura para livrar Jonas, mas uma planta que cresce de forma miraculosa e fornece uma sombra para proteger o profeta do sol causticante. No entanto, no dia seguinte uma lagarta devora a planta a ponto de matá-la. Jonas se queixa mais uma vez a Deus. A essa altura,

✚ Quando os habitantes de Nínive se arrependem, até o gado jejua e é coberto de vestes de luto (3.7). No último versículo do livro, Deus declara seu interesse por Nínive com seus 120 mil habitantes e muito gado.

Deus já parece impaciente com Jonas. Ele mostra como Jonas estava tão preocupado com a planta (i.e., o próprio bem-estar), mas não se preocupava de jeito nenhum com todos os habitantes de Nínive, uma cidade com 120 mil habitantes (sem mencionar o gado). Deus, todavia, está preocupado com o povo, por isso o salvará quando eles se arrependerem — como, de fato, o fizeram.

Observe que há muitos paralelos entre a história de Jonas 1—2 e a de Jonas 3—4. Na primeira história, Jonas é desobediente, mas acaba louvando a Deus pelo próprio livramento. Na segunda história, Jonas é obediente, mas termina criticando Deus por livrar os outros. Assim também, o navio, os marinheiros, o capitão e o peixe/criatura da primeira história se comparam à cidade de Nínive, ao povo, ao rei e à planta da segunda história.

Como aplicar Jonas à nossa vida hoje

Uma das aplicações óbvias do livro de Jonas é que se Deus nos manda fazer algo ou ir a algum lugar, devemos obedecer. Se Deus nos chama para um trabalho ou ministério específico, é tolice achar que conseguiríamos fugir dele e da obra para a qual ele nos chama.

Outra lição central para nós hoje é reconhecer que a compaixão divina não tem limites, e que ele ama todas as pessoas (até mesmo os cruéis e violentos assírios!). Um dos principais temas que percorre toda a Bíblia é que Deus salva as pessoas mais improváveis (a cananeia Raabe, a moabita Rute e toda a cidade assíria dos ninivitas).

Assim também, a história de Jonas representa uma acusação contra nós quando estamos mais preocupados com o próprio bem-estar que com o sofrimento dos perdidos. Para usar a analogia da planta de Jonas 4, será que estamos mais preocupados com o jardim que está secando que com a morte de nossos vizinhos?

Nosso versículo favorito de Jonas

Tendo em vista o que eles fizeram e como abandonaram os seus maus caminhos, Deus se arrependeu e não os destruiu como tinha ameaçado. (3.10)

Uma antiga âncora de navio.

- Gênesis
- Êxodo
- Levítico
- Números
- Deuteronômio
- Josué
- Juízes
- Rute
- 1Samuel
- 2Samuel
- 1Reis
- 2Reis
- 1Crônicas
- 2Crônicas
- Esdras
- Neemias
- Ester
- Jó
- Salmos
- Provérbios
- Eclesiastes
- Cântico dos Cânticos
- Isaías
- Jeremias
- Lamentações
- Ezequiel
- Daniel
- Oseias
- Joel
- Amós
- Obadias
- Jonas
- **Miqueias**
- Naum
- Habacuque
- Sofonias
- Ageu
- Zacarias
- Malaquias

Miqueias

Justiça, juízo e esperança para o futuro

Miqueias clama por justiça na terra. Ele é particularmente crítico dos líderes de Israel e de sua falta de justiça. Portanto, declara Miqueias, por causa da falta de justiça e da idolatria generalizada de Israel e Judá, o castigo divino estava próximo (a invasão assíria). Entretanto, Miqueias também olha para o futuro e anuncia um tempo glorioso em que Deus enviará um libertador para restaurar seu povo.

Quem foi Miqueias?

O nome Miqueias significa "quem é como o Senhor?". Ele foi contemporâneo de Isaías, Amós e Oseias. Profetizou em um período conturbado, quando os assírios estavam expandindo seu império e invadindo Israel e Judá (fim do séc. VIII a.C.). Aparentemente, as palavras de Miqueias tornaram-se bastante conhecidas. Quase cem anos depois, em 609 a.C., como está registrado em Jeremias 26.17-19, as palavras proféticas de Miqueias (3.12) foram citadas em defesa de Jeremias, que pregou o juízo contra Jerusalém.

Qual é o contexto de Miqueias?

Conforme a menção anterior, Miqueias é contemporâneo de Isaías, Amós e Oseias e profetiza nos reinados de Jotão, Acaz e Ezequias (nos últimos anos do séc. VIII a.C.). Em 722 a.C., os assírios conquistam Israel, o Reino do Norte, destruindo completamente a capital Samaria. Depois, em 701 a.C., os assírios montam cerco em Jerusalém, mas o Senhor intervém em consideração ao rei Ezequias e os derrota (2Rs 17—20; Is 36—39). A pregação de Miqueias se dá justamente nesse contexto.

Quais são os temas centrais de Miqueias?

Miqueias é um típico profeta pré-exílico, por isso a essência de sua mensagem pode ser sintetizada aos três temas padrão dos profetas:

1. Vocês (Judá/Israel) violaram a aliança; é melhor que se arrependam!
2. Não querem se arrepender? Então, merecem castigo!
3. Contudo, há esperança além do castigo para a restauração futura e gloriosa, tanto para Israel/Judá quanto para as nações.

De igual modo, como em muitos dos outros livros proféticos, quando Miqueias declara que Israel e Judá violaram a aliança, ele se concentra em três pecados principais: idolatria, injustiça social e ritualismo religioso. De modo semelhante ao dos demais livros proféticos, o livro de Deuteronômio oferece o contexto teológico para a mensagem de Miqueias. Quando Miqueias declara que Israel e Judá violaram a aliança, ele tem em mente a aliança encontrada em Deuteronômio.

Como alguns dos outros livros proféticos, Miqueias pode ser considerado mais uma antologia que um ensaio de esboço simples. Não obstante, a mensagem do livro parece se subdividir nas seguintes unidades centrais:

- Castigo, mas também promessa para o futuro (1—2)
- Justiça, liderança e o futuro governante (3—5)
- Vida na presença e esperança para o futuro (6—7)

"Das suas espadas farão arados" (Mq 4.3). Esta figura mostra uma antiga espada e um antigo arado.

✛ Apesar de muito menor, o livro de Miqueias é muito semelhante ao livro de Isaías. Na verdade, Miqueias 4.1-3 é praticamente idêntico a Isaías 2.1-4.

O cenário histórico predominante de Miqueias é a expansão do Império Assírio. Essa escultura de parede em relevo do palácio de Senaqueribe retrata uma cena de deportação de escravos.

Quais são os aspectos interessantes e singulares de Miqueias?

- Miqueias apresenta um jogo de palavras bem vívido sobre várias cidades.
- Miqueias profetiza que o futuro libertador/pastor procederá de Belém.
- Miqueias usa a figura impactante de espadas sendo forjadas em arados para simbolizar a paz que o Messias trará.
- Miqueias 6.8 resume de forma sucinta o que o Senhor deseja de seu povo: praticar a justiça, amar a misericórdia e andar humildemente com Deus.

Qual é a mensagem de Miqueias?

Castigo, mas também promessa para o futuro (1—2)

Miqueias sugere em 1.1 que sua profecia é dirigida a Jerusalém e a Samaria, respectivamente as capitais de Judá, o Reino do Sul, e Israel, o Reino do Norte. Em 1.2-7, Miqueias introduz sua profecia declarando que Judá e Israel são culpados de idolatria; o próprio Deus testifica contra eles e instaura o julgamento. A próxima unidade (1.8-16) emprega jogos de palavras repetidos para comunicar a mensagem de castigo futuro. Miqueias menciona várias cidades usando palavras de juízo que ou soam parecidas com o nome das cidades ou fazem um jogo

✚ Miqueias menciona várias cidades em 1.10-15, começando com Gate e terminando com Adulão. Em 1Samuel 22.1, Davi foge de Saul partindo de Gate e indo até Adulão.

de palavras com o significado da cidade (como se dissesse: "A escória de Vitória unida à milícia de Brasília tira dinheiro do Rio de Janeiro").

Em 2.1-5, Miqueias anuncia de maneira vívida que, como as pessoas pretendiam extorquir e roubar a terra dos outros (lembre-se de que a terra foi dada por Deus como herança), Deus pretendia enviar uma catástrofe contra eles. O castigo será o exílio e a perda da terra. Em 2.6-11, Miqueias pune os falsos profetas de sua época e, a seguir, termina o capítulo com uma breve declaração de restauração empregando a figura de um pastor.

Justiça, liderança e o futuro governante (3—5)

Miqueias 3 concentra-se nos líderes corruptos e em seu fracasso na prática da justiça na terra, um tema repetido por todo o livro de Miqueias (como nos demais livros proféticos). O capítulo termina com o juízo contra Jerusalém. Miqueias 4, em comparação, descreve a restauração messiânica futura, quando os exilados fracos e trôpegos serão reunidos, a paz prevalecerá ("Das suas espadas farão arados"), as nações correrão ao templo do Senhor para adorá-lo e o rei davídico governará. Em 5.1-5, Miqueias descreve o futuro rei davídico como um grande pastor. Ele virá de Belém (a cidade de Davi), apascentará seu povo como se fossem ovelhas e promoverá a paz entre eles.

Vida na presença e esperança para o futuro (6—7)

Miqueias 6 inicia-se com uma acusação mediante um "processo previsto em aliança" contra Israel (muito semelhante a Is 1). Em 6.6-8, o profeta trata do problema comum dos rituais religiosos — as pessoas achavam que, se participassem dos rituais religiosos (sacrifícios, queima de incenso etc.), com certeza Deus se agradaria delas. Em 6.6,7, Miqueias declara que Deus não se agrada necessariamente de rituais de sacrifício, por mais extravagantes que sejam (milhares de carneiros, um filho primogênito). Miqueias 6.8 declara que o Senhor realmente deseja que seu povo "pratique a justiça, ame a fidelidade e ande humildemente com o seu Deus". Entretanto, o povo não estava vivendo desse modo, e Miqueias 6.9—7.6 salienta quanto Deus estava aborrecido com a contínua injustiça social (balanças desonestas, violência, mentira, suborno etc.).

No fim do livro, Miqueias volta ao tema animador da esperança derivada da restauração futura. Lembre-se de que o nome Miqueias significa "quem é como o Senhor". Por meio de um provável jogo de palavras com o próprio nome, no fim do livro Miqueias pergunta-se: "Quem é comparável a ti, ó Deus, que perdoas o pecado e esqueces a transgressão do remanescente da sua herança?" (7.18). Os versículos finais de Miqueias ligam a restauração

✚ A profecia de Miqueias em 5.2 não só identifica a cidade de origem do Messias (Belém), como também liga o Messias à aliança davídica (2Sm 7), pelo fato de Belém ter sido a cidade de Davi. Mateus cita esse versículo em 2.3-6.

futura ao cumprimento da promessa de Deus a Abraão de Gênesis 12, 15 e 17, um tema que ressoará no NT.

Como aplicar Miqueias à nossa vida hoje

Miqueias 6.6-8 é particularmente aplicável a nós hoje. O que Deus quer de nós? Ele espera de nós apenas os rituais (como assiduidade na igreja)? Obviamente não. Deus deseja que nossa vida seja marcada pela prática da justiça e pelo desejo zeloso e profundo de amor e compaixão à medida que vivemos o cotidiano em íntimo relacionamento com ele, reconhecendo-o com humildade como nosso grande Criador e Senhor. Somente nesse contexto, nossos rituais (praticados na igreja) têm sentido e refletem a verdadeira adoração e o serviço a Deus.

A clara identificação que Miqueias faz de Belém como lugar do nascimento do futuro Messias (5.2) ilustra o aspecto profético eficaz dos profetas do AT, confirmando que Jesus representa de fato o cumprimento do AT. Isso deve nos encorajar a confiar em Deus, que tem claro controle da História e age de acordo com seu plano.

Nosso versículo favorito de Miqueias

Ele mostrou a você, ó homem, o que é bom e o que o Senhor exige: pratique a justiça, ame a fidelidade e ande humildemente com o seu Deus. (6.8)

A Igreja da Natividade de Belém. Miqueias profetiza que o futuro libertador-pastor procederá de Belém (5.2).

- Gênesis
- Êxodo
- Levítico
- Números
- Deuteronômio
- Josué
- Juízes
- Rute
- 1Samuel
- 2Samuel
- 1Reis
- 2Reis
- 1Crônicas
- 2Crônicas
- Esdras
- Neemias
- Ester
- Jó
- Salmos
- Provérbios
- Eclesiastes
- Cântico dos Cânticos
- Isaías
- Jeremias
- Lamentações
- Ezequiel
- Daniel
- Oseias
- Joel
- Amós
- Obadias
- Jonas
- Miqueias
- **Naum**
- Habacuque
- Sofonias
- Ageu
- Zacarias
- Malaquias

Naum
O fim de Nínive

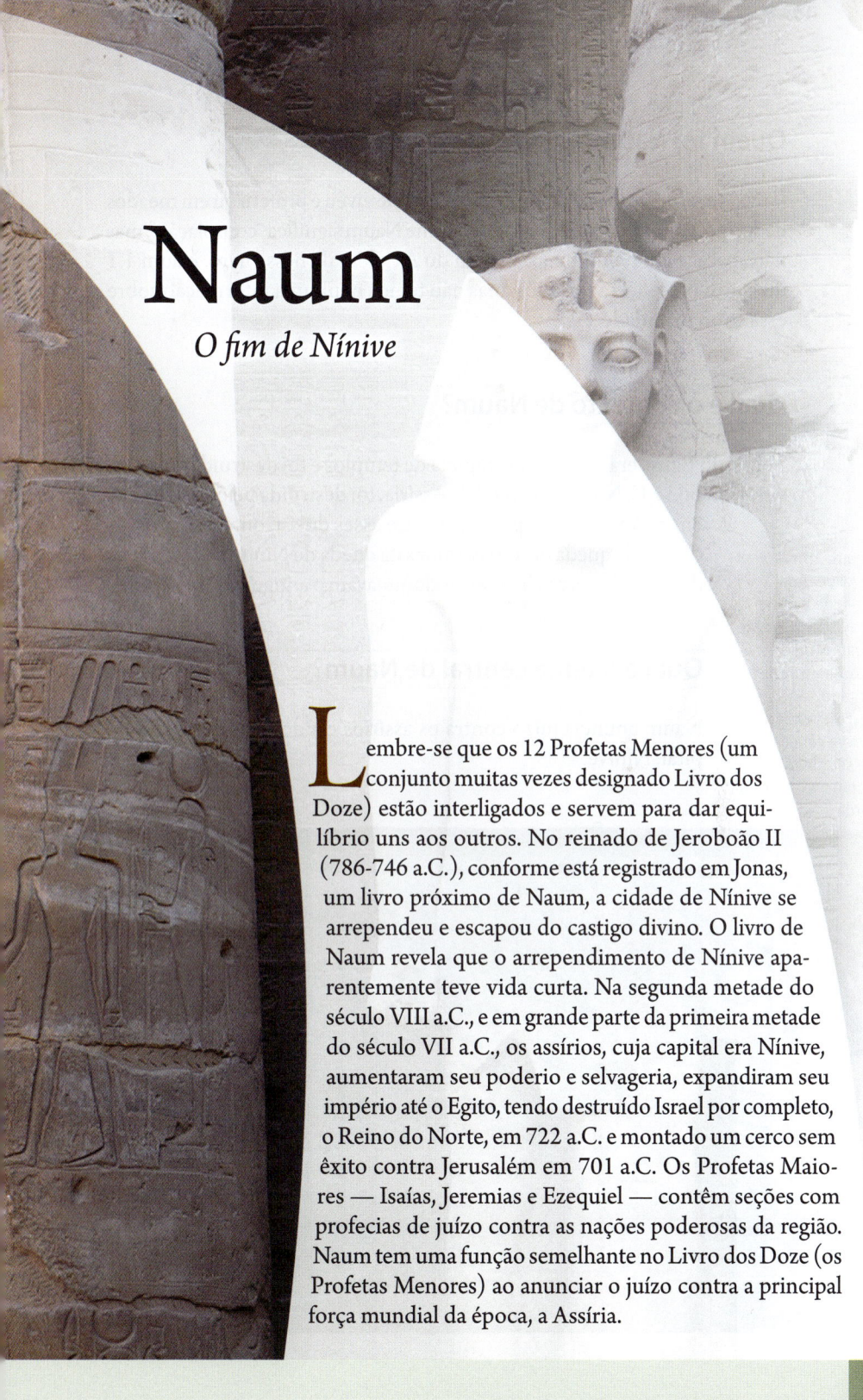

Lembre-se que os 12 Profetas Menores (um conjunto muitas vezes designado Livro dos Doze) estão interligados e servem para dar equilíbrio uns aos outros. No reinado de Jeroboão II (786-746 a.C.), conforme está registrado em Jonas, um livro próximo de Naum, a cidade de Nínive se arrependeu e escapou do castigo divino. O livro de Naum revela que o arrependimento de Nínive aparentemente teve vida curta. Na segunda metade do século VIII a.C., e em grande parte da primeira metade do século VII a.C., os assírios, cuja capital era Nínive, aumentaram seu poderio e selvageria, expandiram seu império até o Egito, tendo destruído Israel por completo, o Reino do Norte, em 722 a.C. e montado um cerco sem êxito contra Jerusalém em 701 a.C. Os Profetas Maiores — Isaías, Jeremias e Ezequiel — contêm seções com profecias de juízo contra as nações poderosas da região. Naum tem uma função semelhante no Livro dos Doze (os Profetas Menores) ao anunciar o juízo contra a principal força mundial da época, a Assíria.

Quem foi Naum?

Pouco se sabe a respeito do profeta Naum. Ele viveu e profetizou em meados de século VII a.C. (663-612 a.C.). O nome Naum significa "consolação", mas não aparece em nenhuma passagem do AT além de nesse livro. Naum 1.1 diz que o profeta era de Elcós, mas não temos nenhuma informação sobre essa tribo ou cidade.

Qual é o contexto de Naum?

Tebas, no Egito, era uma cidade repleta de templos e foi destruída pelos assírios em 663 a.C. Nínive, a capital da Assíria, foi destruída pelos babilônios em 612 a.C. Naum profetiza entre esses dois acontecimentos — depois da queda de Tebas e antes da queda de Nínive. A essa altura da História, os cruéis assírios dominavam o antigo Oriente Médio.

Qual é o tema central de Naum?

Naum anuncia juízo contra os assírios e a destruição de sua capital, Nínive.

Essa é uma cena aprazível de uma escultura de parede em relevo do rei assírio Assurbanipal. Ele e sua esposa estão se alimentando ao som de música, mas observe a aterradora cabeça de um de seus inimigos pendurada na árvore à esquerda.

Quais são os aspectos interessantes e singulares de Naum?

- Naum zomba do rei da Assíria com o anúncio do castigo iminente ("Quem ouve notícias a seu respeito bate palmas pela sua queda"; 3.19).
- Naum menciona a destruição da cidade egípcia de Tebas, um importante acontecimento na história do Egito.
- Naum serve de contraponto a Jonas, quando os ninivitas escaparam do castigo por meio do arrependimento.

Qual é a mensagem de Naum?

Nos versículos iniciais, Naum declara que o Senhor enviará um castigo contra seus inimigos. Depois, em todo o livro, Naum descreve o castigo vindouro contra Nínive, a capital assíria. Ele emprega uma linguagem vívida e impactante para descrever o fim da cidade. Por exemplo, em 2.11 ele compara a destruição de Nínive à destruição de uma toca dos leões, em que os filhotes e a leoa anteriormente comiam em segurança, mas que agora não podem mais fazê-lo. Naum termina o livro dizendo que quem ouvir a respeito da queda da Assíria baterá palmas em sinal de alegria, pois todos conheciam a força cruel do exército assírio.

Como aplicar Naum à nossa vida hoje

Naum nos lembra de que Deus por fim executa juízo e aplica o castigo contra quem se opõe a ele e oprime seu povo. No livro de Jonas, Deus respondeu com compaixão e perdão ao povo de Nínive quando este se humilhou, jejuou, abandonou seus atos pecaminosos e clamou a Deus por livramento. Todavia, com o passar do tempo e como os assírios se tornaram uma nação imperialista cruel e violenta, a ira divina se levanta e, sem qualquer arrependimento da parte do povo, Deus os julga usando a Babilônia para destruir Nínive, conforme a predição de Naum.

Nosso versículo favorito de Naum

O Senhor é bom,
  um refúgio em tempos de angústia.
  Ele protege os que nele confiam. (1.7)

- Gênesis
- Êxodo
- Levítico
- Números
- Deuteronômio
- Josué
- Juízes
- Rute
- 1Samuel
- 2Samuel
- 1Reis
- 2Reis
- 1Crônicas
- 2Crônicas
- Esdras
- Neemias
- Ester
- Jó
- Salmos
- Provérbios
- Eclesiastes
- Cântico dos Cânticos
- Isaías
- Jeremias
- Lamentações
- Ezequiel
- Daniel
- Oseias
- Joel
- Amós
- Obadias
- Jonas
- Miqueias
- Naum

Habacuque

- Sofonias
- Ageu
- Zacarias
- Malaquias

Habacuque

Conversando com Deus sobre o juízo

Às vezes notamos a extensão da maldade e do pecado ao nosso redor e indagamos por que Deus não faz alguma coisa a respeito. Foi justamente isso o que fez o profeta Habacuque. Ele viu coisas horríveis em Judá, sua nação, e se queixou com Deus: "Por que me fazes ver a injustiça, e contemplar a maldade?" (1.3). O livro de Habacuque trata da resposta divina a Habacuque e da luta do profeta com a resposta.

Quem foi Habacuque?

Temos muito pouco conhecimento a respeito de Habacuque além do fato de que foi um profeta. A declaração de Deus a ele em 1.6 nos permite situá-lo no período anterior a uma das invasões babilônicas a Judá. Habacuque 3 consiste em um salmo próprio para ser cantado (3.1,19). Por isso, vários estudiosos sugerem que Habacuque pudesse ser um profeta músico que atuava no templo, conforme a descrição encontrada em 1Crônicas 25.1. O nome Habacuque vem de uma palavra cuja raiz hebraica significa "abraçar".

Qual é o contexto de Habacuque?

O livro de Habacuque não é introduzido por um cabeçalho histórico identificando o livro com o reinado de algum rei, mas Habacuque 1.6 sugere como contexto do profeta o Reino do Sul, Judá, pouco antes das invasões babilônicas (597 ou 587/586 a.C.). Isso tornaria Habacuque contemporâneo de Jeremias e Sofonias. Josias, o último rei bom de Judá, foi morto pelos egípcios em 609 a.C., e os reis que o sucederam, junto com os nobres e a maioria dos sacerdotes e profetas oficiais, levaram a nação rapidamente ao declínio moral e teológico. O livro de Jeremias nos oferece uma boa visão da ostensiva idolatria e injustiça social características de Jerusalém no tempo de Habacuque. O profeta Habacuque é uma das poucas pessoas, além de outros verdadeiros profetas, que reagem contra essa degeneração.

Quais são os temas centrais de Habacuque?

Em essência, Habacuque segue o padrão dos três temas da mensagem profética:

1. Vocês (Judá) violaram a aliança; é melhor que se arrependam!
2. Não querem se arrepender? Então, merecem castigo!
3. Contudo, há esperança além do castigo para a restauração futura e gloriosa.

Todavia, o estilo de Habacuque é bem diferente do estilo dos outros livros proféticos, pois esse livro é estruturado como diálogo entre Habacuque e Deus. Desse modo, o livro pode ser esboçado da seguinte maneira:

- A pergunta de Habacuque a Deus: "Por que não fazes alguma coisa sobre toda essa injustiça em Judá?" (1.1-4).
- A resposta de Deus: "Já estou fazendo algo: suscitando os babilônios" (1.5-11).
- A pergunta seguinte de Habacuque: "Como assim? Eles são piores que nós" (1.12—2.1).
- A resposta de Deus: "Não obstante, aguarde, pois esse castigo com certeza virá" (2.2-20).
- A reação final de Habacuque: "Aguardarei o castigo e me regozijarei em Deus" (3.1-19).

✢ Tanto Habacuque quanto Jeremias viveram em Judá por volta da mesma época; assim, é provável que eles tenham se conhecido, apesar de um nunca mencionar o outro em seus livros.

Quais são os aspectos interessantes e singulares de Habacuque?

- O livro de Habacuque contém um diálogo entre o profeta e Deus.
- Habacuque lida com o motivo de Deus permitir a prática da injustiça em Judá.
- No NT, Paulo usa Habacuque 2.4 como fundamento para explicar a justificação pela fé (Rm 1.17; Gl 3.11).
- Habacuque aprende a se regozijar em Deus, apesar do juízo vindouro contra Judá, sua terra natal.

O livro de Habacuque descreve acontecimentos logo antes da ascensão dos babilônios ao poder. Essa tabuinha de argila apresenta a conquista babilônica de Nínive, a capital assíria, um acontecimento crucial para a transferência de poder da Assíria para a Babilônia.

Qual é a mensagem de Habacuque?

A pergunta de Habacuque a Deus: "Por que não fazes alguma coisa sobre toda essa injustiça em Judá?" (1.1-4).

Habacuque clama a Deus a respeito da injustiça e da maldade que ele observava a seu redor. Ele indaga a Deus sobre quanto tempo ele terá de protestar até que Deus o ouça e resolva fazer algo sobre a terrível situação de Judá.

A resposta de Deus: "Já estou fazendo algo: suscitando os babilônios" (1.5-11).

Deus diz a Habacuque que ele estava para fazer algo a respeito da situação de Judá. Ele está suscitando os babilônios (os caldeus) para castigar Judá pelos seus pecados. Deus então descreve como o implacável exército babilônico arrasará a terra, devastando com facilidade as cidades fortificadas de Judá.

A pergunta seguinte de Habacuque: "Como assim? Eles são piores que nós" (1.12—2.1).

A resposta de Deus não foi exatamente o que Habacuque estava esperando. Ao que parece, ele queria que Deus consertasse o problema a partir de dentro, não destruindo a nação por meio da invasão babilônica. Habacuque protesta, mostrando como os babilônios eram piores que os habitantes de Judá (1.13). Então, Habacuque resolve aguardar para ver como Deus responderia (2.1), supostamente desejando que ele revisse sua posição.

A resposta de Deus: "Não obstante, aguarde, pois esse castigo com certeza virá" (2.2-20).

Deus logo responde a Habacuque, mas ele não revisa seu plano de usar os babilônios para castigar Judá. A vinda do castigo era tão certa que Deus manda Habacuque registrar tudo. Deus instrui Habacuque a aguardar, pois com certeza ela virá. Então, Deus faz uma comparação de duas pessoas. Uma delas representa os babilônios — arrogantes e gananciosos, levando milhares de pessoas em cativeiro (2.5). A outra pessoa é alguém correto. Ainda que os babilônios trouxessem morte e destruição, essa pessoa confiará em Deus, permanecerá fiel a ele, e assim viverá (2.4). Contudo, os babilônios serão julgados mais tarde. Habacuque 2.6--20 contém cinco "ais" (como lamentações fúnebres) que deveriam ser cantados a respeito da queda dos babilônios. Em comparação, o plano de Deus prossegue, e Deus será glorificado (2.14). Essa seção é concluída proclamando que "O Senhor, porém, está em seu santo templo; diante dele fique em silêncio toda a terra" (2.20).

A reação final de Habacuque: "Aguardarei o castigo e me regozijarei em Deus" (3.1-19).

Esse último capítulo é diferente do restante do livro. Ele está na forma de um salmo, e conta com um cabeçalho introdutório próprio (3.1). Habacuque aceita o plano de Deus de castigar Judá, mas ele pede que em sua ira Deus se lembre de sua misericórdia (3.2). Habacuque também descreve Deus como o guerreiro conquistador que chega com um imenso poder (3.3-7). Contudo, Habacuque resolve ser como a pessoa descrita em 2.4.

Rítons, grandes recipientes feitos para misturar e beber vinho, foram encontrados em diversos sítios arqueológicos. Esse foi encontrado na Síria (séc. V a.C.). Habacuque, como diversos outros profetas, usa a imagem do beber do vinho como figura de juízo. Habacuque 2.16 declara: "A taça da mão direita do Senhor é dada a você".

Ele aceita o castigo vindouro da parte de Deus, mesmo que o deixe aterrorizado. Ele sabe que Deus é justo e no fim julgará os babilônios também. Então, já que sua confiança e fé estão firmes em Deus, Habacuque declara que ele regozijará e encontrará forças no Senhor (3.16-19).

Como aplicar Habacuque à nossa vida hoje

Habacuque nos ensina que, com muita frequência, não compreendemos como Deus age. Às vezes, como Habacuque, perguntamos por que Deus não intervém e faz alguma coisa. Esse livro nos ensina a confiar no plano maior de Deus e, até que ele se cumpra, aguardar com paciência e alegria, na certeza de que Deus está no controle dos resultados. Além disso, conforme Paulo explica de forma tão eloquente em Romanos e Gálatas, a fé em Deus é o componente crucial do verdadeiro relacionamento com Deus e deveria ocupar o lugar central da nossa compreensão cotidiana de como Deus age no mundo. Fé, vida, e salvação estão inextricavelmente ligadas.

Nosso versículo favorito de Habacuque

Mas o justo viverá por sua fidelidade. (2.4)

✚ O NT cita Habacuque 2.4 três vezes (Rm 1.17; Gl 3.11; Hb 10.37,38). Em Romanos e Gálatas, Paulo usa Habacuque 2.4 como fundamento para explicar a justificação pela fé.

- Gênesis
- Êxodo
- Levítico
- Números
- Deuteronômio
- Josué
- Juízes
- Rute
- 1Samuel
- 2Samuel
- 1Reis
- 2Reis
- 1Crônicas
- 2Crônicas
- Esdras
- Neemias
- Ester
- Jó
- Salmos
- Provérbios
- Eclesiastes
- Cântico dos Cânticos
- Isaías
- Jeremias
- Lamentações
- Ezequiel
- Daniel
- Oseias
- Joel
- Amós
- Obadias
- Jonas
- Miqueias
- Naum
- Habacuque
- **Sofonias**
- Ageu
- Zacarias
- Malaquias

Sofonias

O dia do Senhor está próximo

Às vezes nós, cristãos, nos interessamos apenas pelo amor de Deus e por sua grande salvação. De certo modo, não há nada errado nisso; o amor e a salvação são os principais temas da Bíblia e estão justamente no centro da mensagem do evangelho. Mas a salvação também está relacionada à justiça — isto é, somos salvos para alguma coisa (vida eterna) e de alguma coisa (da ira de Deus). Quando Jesus voltar, ele reunirá seu povo para a salvação, mas ele também trará juízo sobre quem o afrontou e se rebelou. De modo geral, os profetas, e Sofonias em particular, descrevem um tempo futuro em que Deus intervirá na história humana e, de acordo com seu plano, trará salvação e bênção para o povo que nele confia e terrível ira contra os que o rejeitaram. Sofonias chama esse momento da história de "o dia do Senhor".

Quem foi Sofonias?

Sofonias 1.1 situa o ministério de Sofonias no reinado de Josias, o último bom rei de Judá (640-609 a.C.) e um dos poucos reis de Judá que obedeceram a Deus e cultuaram somente a ele. Portanto, o ministério de Sofonias se sobrepõe aos primeiros anos do ministério de Jeremias. Sofonias é chamado "filho de Cuchi". "Cuchi", ou "Cuxe", refere-se à Etiópia, um reino africano poderoso bem ao sul do Egito, um povo que governou o Egito no final do século VIII e primeira metade do século VII a.C. Não temos certeza das implicações de o pai de Sofonias ter o nome de "Cuchi". Talvez fosse um nativo da Etiópia, talvez ele tivesse pele escura semelhante a um etíope. Talvez seus pais tenham lhe dado esse nome em homenagem aos etíopes, que tinham se aliado a Judá contra os assírios no final do século VIII a.C. e início do século VII a.C.

Qual é o contexto de Sofonias?

Conforme a menção anterior, o ministério de Sofonias estava intimamente associado ao reinado de Josias (640-609 a.C.). No início do reinado de Josias, os assírios ainda dominavam a região, tendo expulsado os etíopes do Egito e destruído Tebas, o centro da dominação religiosa etíope no Egito (cf. Na 3.8-10). Mas ao oriente da Assíria, os babilônios estavam se fortalecendo. Até o final do reinado de Josias, os assírios começaram a recuar e os babilônios a se expandir de forma agressiva.

Quais são os temas centrais de Sofonias?

Como os demais profetas pré-exílicos, a mensagem básica de Sofonias pode ser resumida nos três temas proféticos padrões:

1. Vocês (Judá) violaram a aliança; é melhor que se arrependam!
2. Não querem se arrepender? Então, merecem castigo!
3. Contudo, há esperança além do castigo para a

O retrato egípcio de um cuxita.

restauração futura e gloriosa, tanto para Israel/Judá quanto para as nações.

De igual modo, Sofonias acusa Judá das mesmas violações básicas da aliança que também enfureceram os outros profetas — idolatria, injustiça social e ritualismo religioso. A ideia central de Sofonias pode ser organizada nas seguintes unidades:

- Juízo: o dia do SENHOR (1.1—2.3)
- Juízo contra as nações (2.4-15)
- Juízo contra Jerusalém (3.1-8)
- Restauração de Jerusalém e das nações (3.9-13)
- Regozijo na salvação do Senhor (3.14-20)

Quais são os aspectos interessantes e singulares de Sofonias?

- Sofonias é chamado "filho de Cuchi", sugerindo alguma ligação com a antiga Etiópia, na África.
- O "dia do SENHOR" é um tema central em Sofonias.
- Sofonias prega salvação para todos os povos da terra.
- Sofonias declara que Deus canta quando ele se regozija sobre o seu povo.

Qual é a mensagem de Sofonias?

Juízo: o dia do SENHOR (1.1—2.3)

Sofonias não atenua sua mensagem com polidez nem usa palavras evasivas. Desde os primeiros versículos, sua mensagem é incisiva e contém descrições sobre o terrível castigo que se aproxima como parte do "dia do SENHOR". Deus declara: "Destruirei todas as coisas" (1.2) e "Estenderei a mão contra Judá" (1.4). De fato, a ira de Deus se aproxima, e está fortemente associada ao "dia do SENHOR", expressão que ocorre 17 vezes em 1.1—2.3. O castigo virá sobre as pecadoras Jerusalém e Judá, em razão da sua terrível idolatria (1.4-6). Essa ira sobrevirá à nobreza (1.8), aos sacerdotes corruptos (1.4,6,9) e aos ricos e complacentes (1.10-13,18). Por fim, em 2.1-3, surge o chamado ao arrependimento, quando Sofonias convoca o povo a buscar a Deus com humildade e obediência.

✜ O chamado de Sofonias 1.7 para calar-se "diante do Soberano, o SENHOR", liga Sofonias com Habacuque, dando continuidade ao tema de Habacuque 2.20: "O SENHOR, porém, está em seu santo templo; diante dele fique em silêncio toda a terra".

O dia do Senhor

Os profetas usam a expressão "o dia do Senhor" para se referir ao momento em que Deus intervirá na história humana de modo dramático e decisivo para fazer cumprir seu plano. Além dela, os profetas também empregam expressões semelhantes como "aquele dia" e "o dia" para comunicar o mesmo conceito. "O dia do Senhor" representa o tempo do juízo dos inimigos de Deus — os que se opõem a ele, oprimem seu povo e lhe são rebeldes. Será ainda tempo de juízo sobre Israel e Judá pela rejeição a Deus e pelas terríveis violações da aliança (Is 3.18—4.1; Am 5.18-20). Para o verdadeiro povo de Deus, que confia nele, "o dia do Senhor" é um tempo de maravilhosa bênção e restauração. Isso se aplica à restauração de Israel/Judá e às nações. "O Dia do Senhor" é um tema central que percorre todos os livros proféticos. Entre os Profetas Maiores, Isaías é quem mais emprega essa expressão. Ela também é um tema central e unificador do Livro dos Doze (os Profetas Menores), ocupando a função central em Joel e aqui em Sofonias.

O NT, intimamente ligado aos profetas do AT, também usa esse termo, empregando da mesma forma expressões sinônimas como "aqueles dias", "aquele dia" ou "o grande dia". Os autores do NT usam o termo para se referir ao momento futuro em que Deus se manifestará de modo espetacular na história humana para fazer cumprir seu plano. No NT, isso geralmente se refere à segunda vinda de Cristo, um tempo de livramento para o seu povo, mas um tempo de juízo para os incrédulos (Mc 13.24; 1Co 5.5; 1Ts 5.2; 2Ts 2.2; 2Pe 3.10,12).

Juízo contra as nações (2.4-15)

Nessa unidade, Sofonias prossegue para além de Judá e Jerusalém e proclama que o "dia do Senhor" inclui o juízo contra todas as nações. Sofonias une de forma simbólica todas as nações do mundo quando menciona as nações de cada ponto cardeal: Filístia, a oeste (2.4-7), Moabe e Amom, a leste (2.8-11), Etiópia, ao sul (2.12), e a Assíria, ao norte (2.13-15).

Juízo contra Jerusalém (3.1-8)

De acordo com a clara demonstração no livro de Jeremias, o povo de Jerusalém não dá a menor atenção às advertências de Sofonias e Jeremias.

Sofonias 3.1-8 declara que, por causa da rebeldia e atitude de desprezo de Jerusalém, Deus castigará a cidade.

Restauração de Jerusalém e das nações (3.9-13)

Em todo o livro, Sofonias proclama o juízo sobre Judá/Jerusalém e sobre todas as nações. Agora ele prossegue para além do juízo e descreve um tempo futuro de restauração e livramento, tempo de salvação para Judá/Jerusalém e para todas as nações. Nessa restauração inclui-se o reino africano da Etiópia, usado por Sofonias como representante de todos os gentios da terra.

Sofonias anuncia o juízo sobre as cidades da Filístia (2.4-7). Essas são as ruínas da cidade de Ascalom, da Filístia.

✚ Sofonias 3.9,10 contém diversas alusões à história da torre de Babel de Gênesis 11, sugerindo que o tempo da salvação futura incluirá a reversão do castigo executado contra a torre de Babel (como se viu em At 2).

Regozijo na salvação do Senhor (3.14-20)

O livro de Sofonias termina com um tom positivo. Para o povo de Deus, o "dia do Senhor" trará um maravilhoso tempo de salvação e restauração, caracterizado por alegria e celebração. "Cante, ó cidade de Sião!", anuncia Sofonias em 3.14. Até o Senhor se une a esse momento de regozijo cantando (3.17)! Você já imaginou que Deus se alegrasse tanto com a salvação do povo a ponto de começar a cantar?

Como aplicar Sofonias à nossa vida hoje

Como os demais profetas, Sofonias elimina toda piedade superficial e declara de forma categórica que as pessoas arrogantes, hostis e rebeldes que desprezam o chamado de Deus e rejeitam sua mensagem podem esperar sofrer um severo castigo. Os profetas são muito incisivos nessa questão. O pecado é um problema sério; Deus não vira o rosto para o lado e o ignora. Entretanto, Sofonias proclama uma mensagem que prefigura o evangelho. Deus oferece um caminho para a salvação dos que o buscam e ouvem de maneira humilde e obediente sua mensagem.

Um cilindro de argila com uma inscrição de Nabucodonosor, o registro de como ele restaurou o templo de Shamash, o deus-Sol.

Outra aplicação interessante de Sofonias é que sua mensagem nos possibilita conhecer melhor a Deus. Muitas pessoas retratam Deus como um ser sóbrio e indiferente, um velho de barba longa assentado em um trono, com olhar zangado para todos os que passam. Sofonias retrata Deus cantando e se regozijando com os que são salvos. Normalmente, esperamos que, quando entrarmos no céu e virmos Deus, ele estará sentado em um trono alto, talvez olhando com rigor para nós. Sofonias introduz a ideia de que, quando vir Deus pela primeira vez ele poderá estar transbordante de exultação e júbilo a ponto de romper em cânticos de alegria!

Nosso versículo favorito de Sofonias

O Senhor, *o seu Deus, está em seu meio,*
  poderoso para salvar.
  Ele se regozijará em você; com o seu amor a renovará,
  ele se regozijará em você com brados de alegria. (3.17)

- Gênesis
- Êxodo
- Levítico
- Números
- Deuteronômio
- Josué
- Juízes
- Rute
- 1Samuel
- 2Samuel
- 1Reis
- 2Reis
- 1Crônicas
- 2Crônicas
- Esdras
- Neemias
- Ester
- Jó
- Salmos
- Provérbios
- Eclesiastes
- Cântico dos Cânticos
- Isaías
- Jeremias
- Lamentações
- Ezequiel
- Daniel
- Oseias
- Joel
- Amós
- Obadias
- Jonas
- Miqueias
- Naum
- Habacuque
- Sofonias
- **Ageu**
- Zacarias
- Malaquias

Ageu
Reconstrução do templo

Muitos dos exilados israelitas, de fato, retornaram a Israel depois que o rei Ciro da Pérsia autorizou os povos cativos a voltarem a seus países. Contudo, esse retorno foi difícil. Os recursos eram escassos, e esses antigos exilados não tinham posses. Muitos deles se restabeleceram em Jerusalém e começaram a reconstruir a sociedade e a estrutura comercial. Todavia, as pessoas se preocuparam tanto com o próprio bem-estar que deixaram de se dedicar a Deus. Elas abandonaram por completo a ideia de reconstrução do templo de Deus, relegando assim o culto divino à margem de seus interesses particulares. Entretanto, Ageu os confronta a respeito dessa marginalização de Deus e os convence outra vez a se concentrarem no culto devido a Deus. Ageu proclama que o primeiro passo deve ser a reconstrução do templo. Este é o tema principal de Ageu.

Quem foi Ageu?

Ageu foi um profeta que viveu em Jerusalém no período pós-exílico. Ele anunciou as palavras de sua profecia em 520 a.C. Ao contrário dos destinatários de vários outros profetas, o povo realmente presta atenção e obedece às suas palavras, apressando-se a reconstruir o templo.

Qual é o contexto de Ageu?

Ageu profetizou no período pós-exílico. Os exilados israelitas tinham retornado da Babilônia e começaram a reconstruir a cidade de Jerusalém. A referência repetida em todo o livro a respeito do reinado dos reis persas (1.1,15; 2.10) lembra o leitor de que os persas ainda dominavam a região e que os reis davídicos não ocupavam o trono em Jerusalém.

Quais são os temas centrais de Ageu?

A maior preocupação de Ageu é a reconstrução do templo. Quando os exilados retornam a Jerusalém, o templo ainda estava em ruínas. Ageu censura o povo por construir casas boas para ele e negligenciar a reconstrução da casa de Deus. Isso, anuncia o profeta, reflete uma visão distorcida da adoração e do serviço. Ageu encoraja o povo a reconstruir o templo, e este se encarrega disso de forma obediente. O tema do livro se subdivide em quatro breves unidades:

- O chamado para a reconstrução do templo (1.1-15)
- A glória futura do templo (2.1-9)
- Passado da profanação à bênção (2.10-19)
- Restauração por meio do regente escolhido do Senhor (2.20-23)

Quais são os aspectos interessantes e singulares de Ageu?

- O livro de Ageu ressalta o contínuo domínio dos persas.
- Ageu se concentra na reconstrução do templo.
- Ageu fala da glória futura (Cristo) que virá sobre esse templo.

Qual é a mensagem de Ageu?

O chamado para a reconstrução do templo (1.1-15)

Nessa passagem, Ageu desafia o povo de Jerusalém para repensar suas prioridades. Os exilados que voltaram a Jerusalém conseguiram terminar

✚ Em Ageu, Deus exorta quatro vezes o povo: "Vejam aonde os seus caminhos os levaram" (1.5,7; 2.15,18).

Os profetas pós-exílicos

Depois da morte do rei Salomão, uma guerra civil dividiu a nação em dois países: Israel (no norte) e Judá (no sul). O Reino do Norte, Israel, se entrega de imediato à idolatria e nunca mais volta à adoração verdadeira a Deus. Judá, o Reino do Sul, logo segue o mesmo caminho e se entrega à idolatria e à injustiça social. Alguns reis lutaram contra essa tendência, mas não obtiveram sucesso. Os profetas pré-exílicos como Isaías, Amós e Jeremias pregaram repetidamente, mas sem êxito; ninguém, na verdade, lhes deu ouvidos. Até a época de Jeremias e Sofonias, os líderes e o povo tinham abandonado Deus por completo. Embora Deus insistisse com eles por meio dos profetas, o povo persistia em rebeldia e hostilidade, recusando-se a se arrepender e a se voltar para Deus. Por isso, o castigo veio. Os assírios destruíram Israel, o Reino do Norte, em 722 a.C., e os babilônios mais tarde destruíram Judá, o Reino do Sul, em 587/586 a.C. A presença de Deus deixa Jerusalém (Ez 10—11) e os babilônios arrasam a cidade, levando a maior parte da população para o exílio; desse modo, os israelitas perdem a terra prometida.

Todavia, depois disso o Senhor começa a revelar seu plano de restauração. Ciro, rei da Pérsia, derrota os babilônios e decreta, em 538 a.C., que os povos exilados como os israelitas pudessem voltar cada um para seu país. Por meio de vários grupos nos cem anos seguintes, os israelitas exilados e fragilizados voltam para a terra prometida. Este é o contexto em que os profetas pós-exílicos escrevem (Ageu, Zacarias e Malaquias).

Depois de Israel estar de volta, algumas pessoas poderiam ter pensado que o grande momento de restauração, predito tantas vezes pelos profetas pré-exílicos, tivesse iniciado. Entretanto, diversas coisas mostram que o grande livramento ainda estava por vir. De fato, Israel estava de volta, mas não havia um rei davídico sobre o trono e os persas ainda dominavam Israel em sentido político (um fato ressaltado em toda a literatura pós-exílica). Há de se destacar que, mesmo depois de Israel reconstruir o tempo, a presença de Deus não volta para lá. Em comparação com a entrada majestosa da presença de Deus no templo de Salomão, descrita em 1Reis 8.10,11, nada mais se diz a respeito da presença de Deus no templo reconstruído no período dos profetas pós-exílicos. Na verdade, os profetas pós-exílicos proclamaram que a situação criada pelo grupo esforçado de israelitas que haviam voltado para a terra não representava o grande momento de restauração e libertação predito pelos profetas pré-exílicos, ou o retorno "a como as coisas eram antes" sob a bênção de Deuteronômio. Eles também ressaltaram que os terríveis pecados de seus antepassados deveriam servir de lição, exortando a comunidade a seguir a Deus em total obediência. Contudo, os profetas pós-exílicos realmente anunciaram que o tempo da restauração já havia "começado", ainda que de forma limitada. Ageu, Zacarias e Malaquias disseram à nação desordenada de israelitas que voltaram para a terra que eles estavam vivendo entre o início da restauração e a consumação final, que ainda estava por vir. Esses profetas anunciaram que a comunidade pós-exílica estava vivendo em um interregno, e eles deveriam adorar e servir ao Senhor com fidelidade enquanto aguardavam o Messias que, de fato, traria a gloriosa restauração predita pelos profetas pré-exílicos.

as próprias casas, mas deixaram de reconstruir a casa de Deus. Por meio de Ageu, Deus declara que esse tipo de conduta egoísta lhe é desonrosa; por isso, eles não estavam sendo abençoados. Ao contrário do povo de Jerusalém na época de Jeremias, essas pessoas deram atenção ao profeta e realmente reconstruíram o templo. Então, Deus restabelece a promessa principal da aliança com seu povo: "Eu estou com vocês", uma promessa de consolo e poder (1.13).

A glória futura do templo (2.1-9)

O povo trabalha com toda a força para reconstruir o templo, mas ele não tinha os recursos para construir um templo pomposo, muito menos para uma estrutura majestosa como Salomão, seu antepassado, a havia construído. Por isso, eles ficaram decepcionados com o templo. Contudo, Deus não parece se incomodar com isso e os exorta a continuarem firmes e trabalhar, reafirmando: "Eu estou com vocês" (2.4). A presença de Deus entre eles era mais importante que o esplendor de pedras na estrutura do templo físico. Então, em 2.9 o Senhor declara: "A glória deste novo templo será maior do que a do antigo". Essa declaração é surpreendente, pois o antigo templo de Salomão era espetacular, e o templo reconstruído nem se comparava ao primeiro. Entretanto, essa promessa se cumpre quando Jesus Cristo entra no templo quinhentos e cinquenta anos depois. Quando Cristo chega a esse templo, ele traz consigo tamanha glória a ponto de ofuscar a glória do templo de Salomão, mesmo com todo o seu ouro e esplendor.

Passando da profanação à bênção (2.10-19)

A atitude anterior do povo, quando as pessoas estavam mais preocupadas com o próprio conforto que com a glória de Deus, era em essência uma espécie de "mácula". Nessa passagem, Deus ressalta que agora, por causa de sua obediência, eles passarão de maculados a abençoados.

Restauração por meio do regente escolhido do Senhor (2.20-23)

O governador da época, Zorobabel, era descendente de Davi, e ele ouviu com atenção a palavra profética e lhe obedeceu. Ele se tornou uma

"Eu farei de você um anel de selar" (Ag 2.23). Anéis de selar eram usados para autorizar e autenticar documentos oficiais. Nesta figura há um anel de selar real egípcio (575 a.C.).

✟ O livro de Esdras também descreve a reconstrução do templo. Como em Ageu 2.3, o povo em Esdras 3.12 fica decepcionado quando compara o modesto templo reconstruído com o templo originário de Salomão.

"prefiguração" do regente messiânico. Deus o chama de anel de selar, indicando que viria um tempo em que o governante não seria um rei persa, mas um rei davídico escolhido por Deus.

Como aplicar Ageu à nossa vida hoje

Ageu 1 fala de forma direta a muitos de nós hoje. Ageu mostra que o povo de Jerusalém estava desorientado com relação à prioridade, pois ele estava mais preocupado com a própria casa que com o culto a Deus. Isso nos diz algo hoje? Sim, com certeza. Gastamos cada vez mais com nós mesmos, muitas vezes dando ao Senhor o pouco que sobra, quando sobra. Ageu nos manda tornar Deus nossa prioridade em tudo, incluindo o nosso orçamento.

Nosso versículo favorito de Ageu

Acaso é tempo de vocês morarem em casas de fino acabamento, enquanto a minha casa continua destruída? (1.4)

Uma igreja moderna em construção. A aplicação de Ageu nos desafia em relação ao claro estabelecimento de nossas prioridades.

- Gênesis
- Êxodo
- Levítico
- Números
- Deuteronômio
- Josué
- Juízes
- Rute
- 1Samuel
- 2Samuel
- 1Reis
- 2Reis
- 1Crônicas
- 2Crônicas
- Esdras
- Neemias
- Ester
- Jó
- Salmos
- Provérbios
- Eclesiastes
- Cântico dos Cânticos
- Isaías
- Jeremias
- Lamentações
- Ezequiel
- Daniel
- Oseias
- Joel
- Amós
- Obadias
- Jonas
- Miqueias
- Naum
- Habacuque
- Sofonias
- Ageu
- **Zacarias**
- Malaquias

Zacarias
Olhando para o futuro

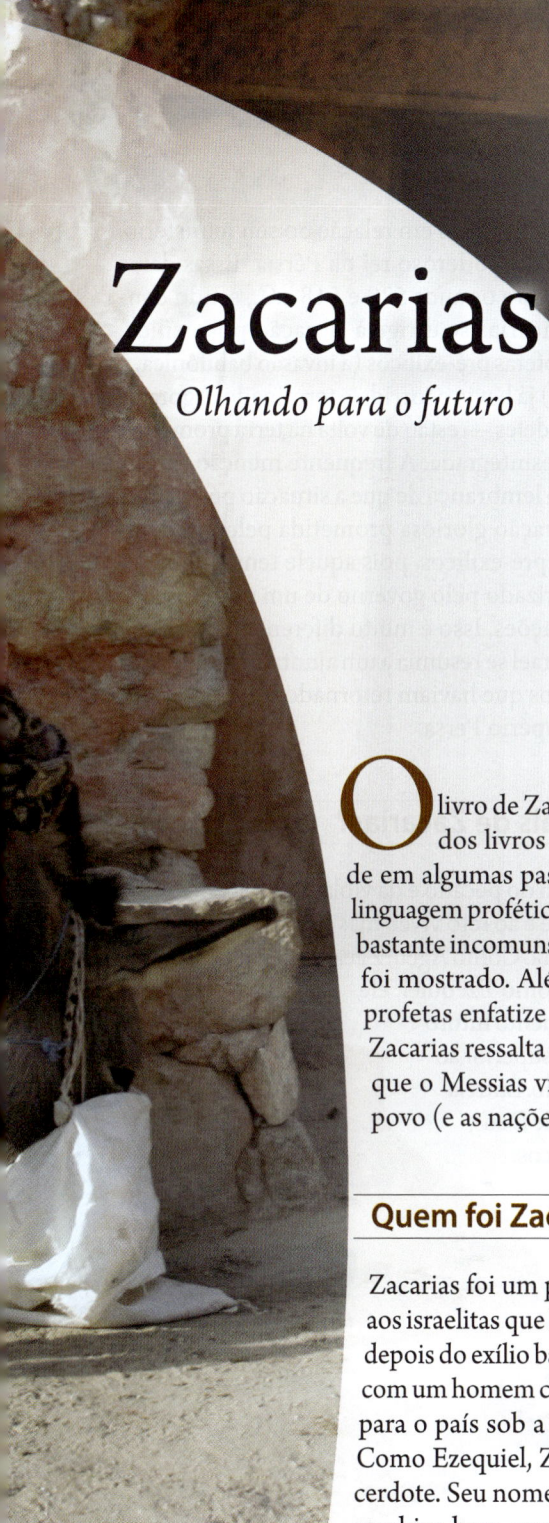

O livro de Zacarias é um pouco diferente dos livros dos outros profetas. Apesar de em algumas passagens Zacarias usar a típica linguagem profética, em outras ele descreve visões bastante incomuns, talvez até estranhas, do que lhe foi mostrado. Além disso, embora a maioria dos profetas enfatize a violação da aliança e o castigo, Zacarias ressalta o futuro, o tempo maravilhoso em que o Messias virá restaurar de forma gloriosa seu povo (e as nações) ao relacionamento com ele.

Quem foi Zacarias?

Zacarias foi um profeta pós-exílico que viveu e pregou aos israelitas que haviam retornado para Jerusalém/Judá depois do exílio babilônico. Zacarias 1.1 identifica seu avô com um homem chamado Ido, um sacerdote que retornou para o país sob a liderança de Zorobabel (Ne 12.4,16). Como Ezequiel, Zacarias provavelmente também era sacerdote. Seu nome significa "o Senhor lembra", nome que combina bem com a mensagem do livro.

Qual é o contexto de Zacarias?

Zacarias nos apresenta várias datas precisas em relação ao seu ministério, todas ligadas ao reinado de Dario, o poderoso rei da Pérsia. Essas datas situam o ministério de Zacarias entre os anos 520 e 518 a.C., sendo contemporâneo de Ageu. Assim, Zacarias se dirige à situação pós-exílica. O terrível castigo predito pelos profetas pré-exílicos (a invasão babilônica, a destruição de Jerusalém e o Exílio) já havia ocorrido e terminado. Agora os israelitas — ou pelo menos alguns deles — estão de volta na terra prometida e tentando reorganizar a nação desintegrada. A frequente menção de Zacarias ao rei Dario da Pérsia é uma lembrança de que a situação pós-exílica não cumpre exatamente a restauração gloriosa prometida pelos profetas Isaías, Jeremias e outros profetas pré-exílicos, pois aquele tempo maravilhoso de restauração será caracterizado pelo governo de um poderoso rei davídico sobre Israel e todas as nações. Isso é muito diferente da situação do período de Zacarias, quando Israel se resumia a um ajuntamento de uma pequena e lutadora ralé de exilados que haviam retornado e continuavam sob a dominação do poderoso Império Persa.

Quais são os temas centrais de Zacarias?

Zacarias não menciona o problema do pecado e da violação da aliança, e ele proclama um chamado à fidelidade e ao reto viver, mas sua ênfase está claramente na vinda da restauração futura. Como Ageu, Zacarias se preocupa com a reconstrução do templo, mas, como Ezequiel, ele também aponta para um acontecimento futuro muito maior e mais extraordinário, superior ao templo que eles estavam construindo. Entrelaçada à visão futura, está a presença de Deus, o tema constante dos livros proféticos.

Antiga lâmpada.

Como os demais livros proféticos, Zacarias também se dirige às nações estrangeiras. Ele proclama o juízo contra elas por meio de seus atos de injustiça, mas também as inclui em sua visão do futuro glorioso, quando elas correrão a Jerusalém para adorar a Deus.

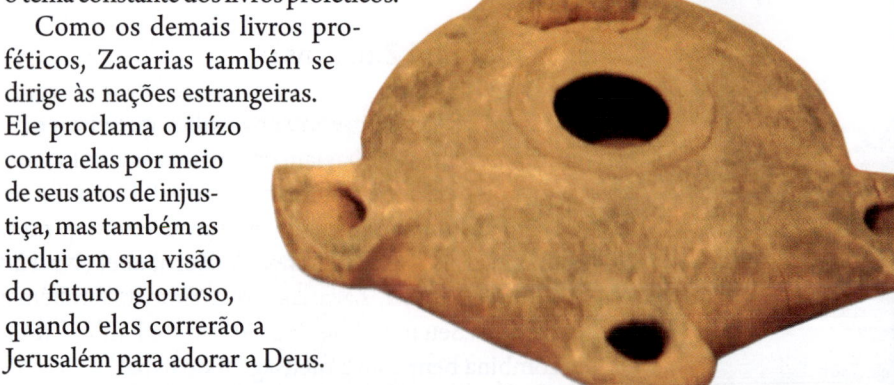

✢ Trechos de Zacarias, que junto com Daniel, Ezequiel e Apocalipse, contêm visões "apocalípticas". A literatura apocalíptica é caracterizada por visões incomuns e altamente simbólicas — muitas vezes interpretadas por um anjo.

Zacarias se subdivide em duas unidades principais. Os primeiros oito capítulos estão em forma de prosa e foram estruturados em torno de cabeçalhos históricos (datas). Os últimos seis capítulos são compostos de dois "oráculos" contendo principalmente poesia. Um esboço sugerido para Zacarias é o seguinte:

- Visões, justiça e restauração (1.1—8.23)
  - Chamado inicial ao arrependimento (1.1-6)
  - Oito visões (1.7—6.8)
  - Coroação simbólica do sumo sacerdote (6.9-15)
  - Chamado para viver pela justiça (7.1-14)
  - Restauração futura (8.1-23)
- A vinda do Messias (9.1—14.21)
  - Primeiro oráculo: O advento e a rejeição daquele que vem (9.1—11.17)
  - Segundo oráculo 2: O advento e a aceitação daquele que vem (12.1—14.21)

Quais são os aspectos interessantes e singulares de Zacarias?

- Zacarias contém algumas visões muito incomuns (um pergaminho voando, uma mulher dentro de um cesto etc.).
- Muitas das visões e figuras do livro de Apocalipse estão relacionadas com Zacarias.
- Zacarias descreve a entrada do futuro rei em Jerusalém montado em um jumento.
- Zacarias ouve que o Espírito de Deus dará poder aos que estão executando seu plano.

Qual é a mensagem de Zacarias?

Visões, justiça e restauração (1.1—8.23)

Chamado inicial ao arrependimento (1.1-6)

Bem no início do livro, Deus fala por meio de Zacarias para lembrar o povo de como seus antepassados pecaram contra ele (a mensagem profética pré-exílica). Então, Deus os chama ao arrependimento e à volta para ele. Ao contrário do povo da era pré-exílica (nos dias de Isaías e Jeremias), o povo realmente se arrepende e reconhece que o Exílio significou o merecido castigo dos seus antepassados.

Oito visões (1.7—6.8)

Em seguida, Zacarias recebe oito visões consecutivas. Em cada visão, um anjo o acompanha e lhe explica o significado. Esse tipo de figuras é chamado "apocalíptico" (veja a discussão sobre a literatura apocalíptica na p. 965).

Na primeira visão (1.7-17), Zacarias contempla quatro cavaleiros (embora o número seja implícito, pois não é declarado) que estão inspecionando o mundo e trazem o relatório de volta a Deus. O Senhor então declara que ele mesmo voltará a Jerusalém em misericórdia, fará que seu templo seja reconstruído e abençoará Jerusalém com prosperidade. Então, essa visão une os temas de restauração da presença, do templo, consolo e bem-estar.

Na segunda visão, Zacarias observa quatro chifres, representando as nações poderosas em torno de Israel que foram responsáveis por sua destruição. Em seguida, ele vê quatro artesãos, que amedrontam os chifres, aparentemente porque eles tinham poder para quebrá-los e lançá-los fora. Portanto, o castigo virá sobre aquelas nações que conquistaram e subjugaram Israel e Judá.

Em seguida (2.1-13), Zacarias vê um homem que estava medindo Jerusalém em preparação para reconstrução. Contudo, um anjo lhe diz que não havia necessidade de reconstruir os muros, porque a presença de Deus será a defesa da cidade. Apocalipse 21 apresenta uma visão semelhante sobre o futuro glorioso de Jerusalém no fim da história humana (um anjo medindo a cidade, e os portões sempre abertos — i.e., uma cidade totalmente em paz).

Na quarta visão (3.1-10), Zacarias vê a representação da purificação e restauração do sacerdócio, instituição que tinha se tornado extremamente corrompida no período pré-exílico (cf. em especial o livro de Jeremias). Deus então diz aos sacerdotes que ele trará seu Servo (lembre-se dos cânticos do Servo de Isaías), a quem ele chama de Renovo (Jr 23.5 associa o Renovo ao futuro rei davídico). Esse Servo e Renovo também é uma rocha com sete olhos (cp. com Ap 5.6), e nesse tempo Deus removerá o pecado da terra em um dia, apontando assim, em sentido profético, para o sacrifício expiatório de Jesus.

A quinta visão (4.1-14) contém um candelabro de ouro e duas oliveiras que fornecem azeite para o candelabro. O candelabro parece representar o templo, enquanto as duas oliveiras simbolizam os líderes ungidos de Deus, incluindo Zorobabel. O azeite de oliva dourado aparentemente simboliza o Espírito. O anjo explica que o atual governador, Zorobabel, vencerá enormes barreiras e completará o templo. Isso se cumprirá, ele continua, não por força ou poder, mas pelo Espírito de Deus (4.6).

✚ A cultura ocidental provavelmente derivou sua representação tradicional de anjos como mulheres com asas de Zacarias 5.9, embora o texto não identifique de forma explícita essas mulheres com anjos.

Em seguida, Zacarias vê um enorme pergaminho voando (5.1-4), proclamando juízo contra ladrões e mentirosos. Parte da mensagem pós-exílica envolvia o chamado a viver em obediência e conformidade com as exigências éticas da lei.

A sétima visão (5.5-11) é cômica. A palavra hebraica para "pecado, perversidade" está conjugada no feminino, por isso essa visão emprega uma mulher para representar a perversidade. Ela é empurrada para o interior de um cesto e transportada para a Babilônia, simbolizando a purificação da terra e a eliminação da iniquidade.

A última visão de Zacarias (6.1-8) é a de quatro carruagens

Visão de Zacarias das quatro carruagens, por Gustav Doré.

(semelhante à dos quatro cavaleiros da primeira visão), que percorriam a terra com poder que emanava da presença de Deus. Essa visão provavelmente antecipa a vinda do dia do Senhor, quando a justiça será estabelecida em todo o mundo.

Coroação simbólica do sumo sacerdote (6.9-15)

Zacarias é instruído a coroar o sumo sacerdote, unindo assim o sacerdócio ao ofício real para a tarefa de reconstruir o templo. Isso provavelmente também antecipa a dupla função do futuro Messias (Jesus) como sacerdote e rei.

Chamado para viver pela justiça (7.1-14)

De modo semelhante a Jeremias, Miqueias e outros profetas, nessa passagem Deus diz a seu povo que ele está muito mais interessado na verdadeira justiça — em especial a favor dos mais fracos na sociedade que com rituais sem sentido. Assim, Zacarias continua exortando o povo a praticar a justiça, um tema constante entre os Profetas.

Restauração futura (8.1-23)

Esse capítulo está repleto dos principais temas proféticos sobre a restauração futura: o retorno da presença de Deus (8.3) e a reunião do povo,

✚ No NT (Ap 6.1-8), o apóstolo João também tem uma visão com quatro cavaleiros, mas os cavaleiros de João trazem juízo, ao passo que os de Zacarias trazem notícias de paz.

acompanhada de paz e prosperidade (8.4-13) e a inclusão das nações do mundo entre os que buscam e adoram a Deus (8.20-23).

A vinda do Messias (9.1—14.21)

Primeiro oráculo: O advento e a rejeição daquele que vem (9.1—11.17)

Apesar de essa unidade começar com o juízo contra as nações (9.1-8), ela logo passa a uma descrição do futuro rei, aquele que realizará a grande restauração. Esse rei surge com grande poder, estabelecendo a paz. Ironicamente, ele também vem de maneira muito humilde ("montado em um jumento"). Zacarias 10 dá continuidade ao tema do ajuntamento.

No entanto, em Zacarias 11.4-17 algo inimaginável acontece — o povo rejeita esse grande e glorioso Pastor que Deus mandou para salvá-lo, um acontecimento semelhante à rejeição do Servo do Senhor em Isaías 53. Essa unidade, que fala de esperança e restauração, termina convenientemente em tom de juízo (11.15-17).

Segundo oráculo: O advento e a aceitação daquele que vem (12.1—14.21)

Tomando o tema central do Livro dos Doze (os Profetas Menores), a última unidade de Zacarias concentra-se no "dia do Senhor". Deus resgata Jerusalém e derrota seus inimigos (12.1-9). O povo responde com lamento e arrependimento (12.10-14). Deus então os perdoa e os purifica de seus pecados, removendo também os últimos vestígios de idolatria e falsas profecias (13.1-6). Essa restauração culmina no restabelecimento da fórmula da aliança que unia o povo de Deus a ele em todo o AT: "Ela invocará o meu nome, e eu lhe responderei. É o meu povo, direi; e ela dirá: 'O Senhor é o meu Deus' " (13.9). O último capítulo de Zacarias continua descrevendo o dia culminante do Senhor, o tempo do livramento para o povo de Deus, mas também o dia do castigo dos inimigos de Deus. Os últimos versículos ressaltam a santificação ("separação") de tudo em Jerusalém e Judá, provavelmente uma referência à obra futura de santificação pela qual todos que neles estiverem se tornam santos (são santificados).

Como aplicar Zacarias à nossa vida hoje

Zacarias está repleto de referências proféticas ao Messias que se cumpriram em Jesus Cristo. Isso pode ajudar a nos convencer, sem a menor sombra de dúvida, de que Jesus foi de fato o Messias prometido por Deus em todos os profetas do AT. Zacarias também nos oferece muitas orientações para a

✚ No NT, Jesus entra em Jerusalém montado em um jumento (Mt 21.4,5; Jo 12.14,15), cumprindo a profecia de Zacarias 9.9.

vida no dia a dia. Ele mostra que as importantes realizações da vida não se cumprem por meio de força e poder humanos, mas pelo Espírito de Deus. Zacarias nos lembra da forte ligação existente entre a santidade de Deus, sua presença e seu poder posto à nossa disposição. Além disso, Zacarias repete o tema profético sempre presente da justiça social, a exortação para que "Administrem a verdadeira justiça, mostrem misericórdia e compaixão uns para com os outros. Não oprimam a viúva e o órfão, nem o estrangeiro e o necessitado. Nem tramem maldades uns contra os outros" (7.9,10).

Nosso versículo favorito de Zacarias

" 'Não por força nem por violência, mas pelo meu Espírito', diz o SENHOR dos Exércitos." (4.6)

Em Zacarias 4, o profeta descreve uma visão que envolve duas oliveiras. Oliveiras ainda são cultivadas hoje em dia em todo o Oriente Médio.

- Gênesis
- Êxodo
- Levítico
- Números
- Deuteronômio
- Josué
- Juízes
- Rute
- 1Samuel
- 2Samuel
- 1Reis
- 2Reis
- 1Crônicas
- 2Crônicas
- Esdras
- Neemias
- Ester
- Jó
- Salmos
- Provérbios
- Eclesiastes
- Cântico dos Cânticos
- Isaías
- Jeremias
- Lamentações
- Ezequiel
- Daniel
- Oseias
- Joel
- Amós
- Obadias
- Jonas
- Miqueias
- Naum
- Habacuque
- Sofonias
- Ageu
- Zacarias
- **Malaquias**

Malaquias

A ligação do Antigo Testamento com o Novo Testamento

Malaquias é o último livro do AT, mas pode ser considerado apenas uma vírgula no final do AT, não um ponto final. Isto é, Malaquias aponta para o futuro dia do Senhor e declara que o profeta Elias será o sinal da manifestação desse dia. Desse modo, viramos a página de Malaquias para Mateus, e logo aparece João Batista, a quem o NT associa a Elias. Portanto, há uma ligeira quebra na sequência entre os Profetas (de acordo com o final de Malaquias) e os Evangelhos, que descrevem o cumprimento da mensagem profética.

Quem foi Malaquias?

O nome Malaquias significa "meu mensageiro". Essa palavra é usada para significar "meu mensageiro" em Malaquias 3.1. Alguns estudiosos sugerem que o nome do livro deveria ser "Meu mensageiro", mas, à luz da comparação com outros livros proféticos, provavelmente seja melhor considerar Malaquias o nome próprio do profeta — um nome próprio carregado de sentido.

Qual é o contexto de Malaquias?

Ao contrário do livro de Ageu, Malaquias não contém um cabeçalho histórico que identifique seu ministério ao reinado de algum rei. Por isso, é difícil situar a profecia de Malaquias com precisão. No entanto, a situação a que Malaquias supostamente se reporta no livro se assemelha muito à situação em que Neemias se encontrava. Caso Malaquias tenha sido de fato contemporâneo de Neemias, então o contexto do livro é de cerca de 430 a.C., ou noventa anos após Ageu e Zacarias.

Quais são os temas centrais de Malaquias?

Malaquias, junto com Ageu e Zacarias, dirige-se à comunidade pós-exílica — os israelitas que haviam retornado para Jerusalém e para a circunvizinhança depois do cativeiro babilônico. Alguns deles podem ter pensado que esse retorno cumpria a grande e gloriosa restauração de que os profetas antigos falaram. Mas, os profetas pós-exílicos (Malaquias, Ageu, Zacarias) discordam e lembram a todos que o grande dia do Senhor ainda estava no futuro, mesmo que o retorno dos exilados pudesse ser visto como o início da manifestação do plano divino de restauração.

Malaquias está particularmente interessado em como Israel viverá e adorará a Deus no tempo em que espera pela vinda do dia do Senhor. Então, Malaquias prega categoricamente contra os estilos corruptos de adoração e vida que estavam sendo praticados naquela época — sacrifícios inaceitáveis, sacerdotes corruptos, retenção do dízimo e sustento do templo e a injustiça social. O livro de Malaquias está estruturado em torno de seis diálogos entre Deus e os israelitas de Jerusalém. Desse modo, o esboço de Malaquias pode ser descrito assim:

- Diálogo 1: O amor do Senhor a Israel (1.1-5)
- Diálogo 2: A corrupção do sacerdócio (1.6—2.9)
- Diálogo 3: Infidelidade — divórcio e casamento com pagãos (2.10-16)
- Diálogo 4: Quando Deus fará justiça? (2.17—3.5)
- Diálogo 5: Vocês roubarão a Deus? (3.6-12)
- Diálogo 6: Livramento para a retidão, juízo para o perverso (3.13—4.3)
- Conclusão: Obedecer e aguardar (4.4-6)

✛ Como apoio de livros em uma estante, o tema do amor fiel de Deus inicia (Os 1—3) e termina (Ml 1.2) os Profetas Menores (também chamados de "o Livro dos Doze").

Pás de incenso adornadas como estas eram usadas em cultos no templo para retirar cinzas dos incensários. Malaquias repreende os sacerdotes de Jerusalém pelo culto corrompido, hipócrita e ritualista.

Quais são os aspectos interessantes e singulares de Malaquias?

- Malaquias termina o Livro dos Doze com o mesmo tema do início — o amor divino a seu povo.
- Malaquias está organizado em torno de seis diálogos ou discórdias entre Deus e o povo.
- Malaquias profetiza que Elias voltará, apontando para a revelação do dia do Senhor.
- Malaquias contém uma das linguagens mais categóricas contra o divórcio do AT.
- Em Malaquias, Deus acusa Israel de "roubar a Deus" porque o povo não consagrava o dízimo.

Qual é a mensagem de Malaquias?

Diálogo 1: O amor do Senhor a Israel (1.1-5)

O livro de Malaquias inicia-se com uma forte declaração do amor de Deus ao povo. O povo, todavia, depois de passar pelo exílio, é cético e pede

✚ Em Romanos 9.13, Paulo cita Malaquias 1.2,3 ("Todavia amei Jacó, mas rejeitei Esaú") para provar que nem todos descendentes físicos de Abraão faziam parte do verdadeiro Israel, mas apenas os pertencentes ao povo da promessa.

provas. Deus mostra que Jacó e Esaú eram gêmeos, mas que os edomitas, os descendentes de Esaú, desapareceram por completo, nunca mais foram restaurados, ao passo que Israel estava de volta na terra prometida, aguardando o maravilhoso cumprimento da restauração futura.

Diálogo 2: A corrupção do sacerdócio (1.6—2.9)

Uma das principais preocupações de Malaquias era que Israel servisse a Deus com fidelidade e o adorasse de forma correta enquanto aguardava a grande restauração vindoura. Contudo, o sacerdócio se corrompeu e as práticas de culto se degeneraram em sacrifício de animais mirrados e defeituosos; consequentemente, os sacerdotes reclamavam da qualidade do alimento. Então, ainda que Israel tivesse se desviado da idolatria e restabelecido o culto ao Senhor no templo reconstruído, logo a nação perdeu de vista o sentido próprio do culto, reduzindo-o a mero ritual, participando dele com relutância e sem espontaneidade. No segundo diálogo, Deus censura com severidade os sacerdotes e o povo por isso.

Diálogo 3: Infidelidade — divórcio e casamento com pagãos (2.10-16)

Nesse diálogo, Deus trata de duas práticas relacionadas ao casamento que ele não aprova. Em primeiro lugar, alguns israelitas estavam se casando com pessoas de outra religião; isto é, casavam-se com as filhas dos povos que adoravam ídolos. Deus os censura de forma categórica por essa prática. Afinal, casar-se com pessoas de outra religião foi justamente uma das causas que os levaram à idolatria e, como consequência, ao exílio. A outra prática objetada por Deus é o divórcio. Aparentemente, entre os israelitas o divórcio era bastante comum. Deus é bem incisivo em condená-lo e declarar: "Eu odeio o divórcio" (2.16).

Diálogo 4: Quando Deus fará justiça? (2.17—3.5)

Uma vez que os perversos continuavam prosperando e o dia do Senhor ainda não havia chegado, algumas pessoas se tornaram cínicas e perguntavam em tom sarcástico: "Onde está o Deus da justiça?" (2.17). Deus responde dizendo que seu mensageiro virá de fato preparar o caminho. Mas quando "o dia" chegar, declara Deus, será um tempo de refinação e purificação (3.1--4). Também será um tempo de justiça e juízo, mas esse juízo será contra os adivinhos, adúlteros, os que juram em falso e os praticantes da injustiça social (os que não pagavam o salário justo aos empregados, oprimiam as viúvas e os órfãos, privavam o estrangeiro de justiça e não temiam a Deus).

Elias e João Batista

Em Malaquias 3.1, Deus promete enviar seu mensageiro para preparar o caminho. Então, em 4.5, Deus declara que ele enviará Elias pouco antes da vinda do dia do Senhor. O NT associa de forma inequívoca João Batista com ambas as profecias, embora haja um pouco de confusão sobre a relação entre elas. Mateus, Marcos e Lucas associam claramente o ministério de João Batista ao mensageiro de Malaquias 3.1 (Mt 11.10; Mc 1.2; Lc 7.27). Além disso, Jesus parece identificar João Batista como cumprimento da profecia de Malaquias 4.5 a respeito de Elias (Mt 11.11-14; Mc 9.11-13). A ligação de João com o Elias da promessa de Malaquias 4.5 é tão óbvia que as pessoas lhe perguntam se ele era Elias (Jo 1.21), e ele responde de forma negativa, algo realmente intrigante para nós. Afinal, ele é ou não o Elias? A resposta a esse problema pode estar em Lucas 1.17, texto em que um anjo do Senhor diz a Zacarias que seu filho (João Batista) "irá adiante do Senhor, no espírito e no poder de Elias [...] para deixar um povo preparado para o Senhor". Então, João Batista ao que parece cumpre a profecia de Malaquias 4.5 no sentido de representar o "espírito e o poder" de Elias. Portanto, Cristo pode identificá-lo com a profecia a respeito de Elias, apesar de o próprio João declarar não ser literalmente Elias.

Diálogo 5: Vocês roubarão a Deus? (3.6-12)

Nesse diálogo, Deus acusa a comunidade pós-exílica de roubá-lo. "Como é que te roubamos?", eles perguntam (3.6-8). Deus declara que eles deixaram de trazer os dízimos ao templo, violando assim a Lei de Moisés. O funcionamento do templo e a própria subsistência do sacerdócio levítico dependiam dos dízimos do povo. Aparentemente, eles tinham abandonado esse compromisso, talvez supondo que esse dinheiro seria mais bem aproveitado para suprir suas próprias necessidades. Deus os desafia a testá-lo consagrando os dízimos e observando se ele não os abençoaria com abundância.

Diálogo 6: Livramento para a retidão, juízo para o perverso (3.13—4.3)

Como se vê em todo o livro de Malaquias, havia muita gente em Jerusalém que se tinha desviado de Deus, dizendo de modo cínico: "É inútil servir a Deus" (3.14). Eles não percebiam nenhum resultado imediato e concluíam que adorar a Deus não compensava em termos de tempo e dinheiro. Nesse último diálogo, Deus mostra que o dia do Senhor estava se aproximando de fato e resultaria no livramento dos reverentes a seu nome, mas também seria um fogo consumidor de castigo para os arrogantes que zombavam dele.

Conclusão: Obedecer e aguardar (4.4-6)

Nessa última breve unidade, Malaquias diz à comunidade que obedeça às leis entregues a Moisés (Êxodo, Levítico, Números e Deuteronômio) e aguarde com esperança a vinda de Elias, um sinal do grande dia do Senhor.

Como aplicar Malaquias à nossa vida hoje

Há diversas maneiras de aplicar Malaquias à nossa realidade. Podemos ver como é importante adorar a Deus de verdade, com sinceridade de coração, não apenas de modo ritual ou hipócrita. Da mesma forma, Malaquias nos lembra de que deixar de sustentar o verdadeiro culto a Deus era o mesmo que roubá-lo. Quando deixamos de contribuir com o dízimo na igreja local, retendo de forma egoísta esse dinheiro para nós, isso significa que não se adora a Deus com sinceridade; na verdade, ele está sedo roubado.

O livro de Malaquias também acrescenta ao testemunho dos demais livros bíblicos o fato de que a desejo de Deus para o casamento é que o homem e a mulher permaneçam fiéis um ao outro. Além disso, Malaquias também nos exorta ao casamento com o cônjuge da mesma fé.

Por último, Malaquias nos encoraja a continuar olhando para o futuro com esperança. Não devemos nos desanimar ou tornar cínicos só porque o ímpio prospera por breve tempo. Devemos confiar na palavra de Deus dita por meio dos profetas — ele age para manifestar seu reino e estabelecer a justiça em todo o mundo. O Senhor retornará, e todas as coisas serão submetidas a seu governo. A justiça será estabelecida, e o povo de Deus será abençoado além da imaginação.

Nosso versículo favorito de Malaquias

Mas, para vocês que reverenciam o meu nome, o sol da justiça se levantará trazendo cura em suas asas. (4.2)

Enquanto Israel aguarda a vinda do Messias, deve obedecer às leis e aos ensinamentos (Torá) dados por Deus a Moisés no monte Sinai.

✚ A profecia a respeito de Elias em Malaquias 4.5 bem no final do AT aponta para o ministério de João Batista no início dos Evangelhos do NT, formando assim uma transição harmoniosa entre os Profetas do AT e os Evangelhos do NT.

A história entre o Antigo e o Novo Testamentos

A história da Terra Santa entre o Antigo e o Novo Testamentos

James L. Johns

O Período Interbíblico

O intervalo entre o AT e o NT estende-se por cerca de quatro séculos, desde cerca de 430 a.C. Nesse período, o centro do poder mundial foi transferido da Ásia para a Europa. O Império Persa sucumbiu aos ataques dos macedônios, e com o tempo o Império Grego cedeu lugar ao domínio romano.

O Período Persa

O Período Persa se estende desde o final do relato do AT até 334 a.C.

Dada a falta de fontes persas, a maior parte do conhecimento sobre os fatos relativos ao Império Persa advém de historiadores gregos. Temos apenas referências limitadas de fontes externas sobre a história dos judeus nesse período.

Em 539 a.C., Ciro da Pérsia conquistou a Babilônia e começou a reinar sobre seus antigos territórios. O império de Ciro se estendeu desde a Grécia até a Índia, desde as montanhas do Cáucaso até o Egito. Ciro autorizou os judeus que quisessem a retornar para a Judeia e reconstruir o seu templo e a capital. Como consequência, o domínio persa sobre a Terra Santa na maior parte do tempo foi tolerante.

Durante o século IV a.C., o Império Persa de Ciro começou a se desmantelar e o poder europeu começou a se aproximar da Terra Santa pela primeira vez.

O Período Grego

Alexandre e os diádocos

Felipe II da Macedônia começou um novo período da história da Terra Santa depois de unir as cidades-estados da Grécia e Macedônia. O filho de Felipe, Alexandre III ("o Grande"), derrotou a Pérsia em uma batalha, unindo assim Egito, Terra Santa, Síria, Ásia Menor, Grécia e o território persa em um único e abrangente império. O extenso império foi administrado segundo os princípios da *pólis* grega (cidade-estado), com os gregos formando novas cidades e reorganizando as existentes. Esse processo de unir a cultura grega com as culturas nativas, ou "helenização", prosseguiu durante todo o Período Intertestamentário.

Depois da morte de Alexandre em 323 a.C., seu império foi dividido entre seus quatro generais, os diádocos ("sucessores"). O mais importante no que diz respeito à Terra Santa foi Ptolomeu I, cujas forças controlavam o Egito e o norte da África, e Seleuco Nicator (Seleuco I), cujo exército controlava a Síria, a Ásia Menor e a Babilônia.

O Período Ptolemaico

Os reis ptolemaicos governaram a Terra Santa de 323 a 198 a.C., permitindo aos judeus ter governo próprio e a guarda de seus costumes religiosos. Entretanto, em 198 a.C. Antíoco III, governador dos selêucidas, derrotou o rival ptolemaico e incorporou a Terra Santa a seu domínio.

✝ Boa parte da história da Terra Santa desse período está baseada em 1 e 2Macabeus. Estes livros, escritos em torno do final do século II a.C., são chamados deuterocanônicos (incluídos nas versões bíblicas católicas, mas não nas protestantes).

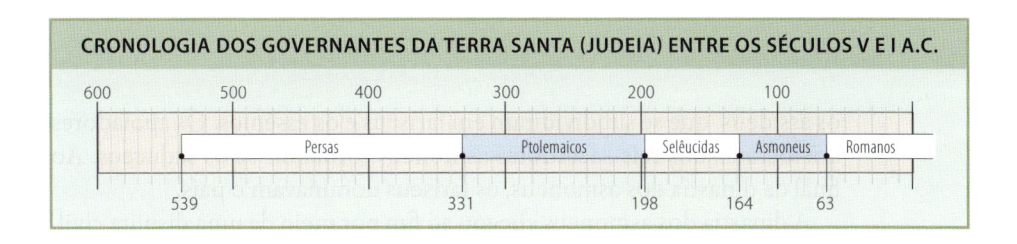

CRONOLOGIA DOS GOVERNANTES DA TERRA SANTA (JUDEIA) ENTRE OS SÉCULOS V E I A.C.

600	500	400	300	200	100	
	Persas		Ptolemaicos	Selêucidas	Asmoneus	Romanos
	539		331	198	164	63

O Período Selêucida

Antíoco III manteve a política de tolerância religiosa ptolemaica. Contudo, em 175 a.C., Antíoco IV "Epifânio" ("o deus manifesto") alcançou o poder mediante um acordo, dando início aos conflitos mais significativos com o judaísmo do segundo templo antes da invasão de Pompeu e do início do domínio romano. Antíoco IV, junto com outros em Jerusalém, apoiou a helenização radical da cidade. Ele baniu o judaísmo, tornou obrigatória a prática de culto pagão e trouxe mercenários estrangeiros para manter a ordem. No templo de Jerusalém, foi erigido um altar a Zeus, o deus sírio. Por volta de 167 a.C., animais proibidos pela Lei mosaica foram sacrificados sobre o altar, e nos arredores do templo era autorizada a prática da prostituição.

O Período Macabeu-Asmoneu

Uma família sacerdotal dos asmoneus, em homenagem a um de seus antepassados, liderada por um homem chamado Matatias e seus cinco filhos, suscitou uma revolta que, depois de duras batalhas, mostrou-se bem-sucedida. (Essa família também era conhecida pelo nome macabeus — derivado do apelido "macabeu" ["o martelo"] dado a Judas, um dos filhos de Matatias.)

Matatias e seus filhos organizaram uma milícia guerrilheira, incluindo inicialmente os assideus (hassidismo), e travaram guerra contra os sírios e os judeus que haviam abandonado a guarda da Torá. Antíoco IV revogou as proibições contra a guarda da Torá. Em 164 a.C., Judas Macabeu e sua força revolucionária derrotaram os sírios, reapoderaram-se do templo e o purificaram do paganismo.

A dinastia dos asmoneus se degenerou por causa de uma sequência de reis incapazes. As pretensões políticas dos asmoneus afastaram muitos dos primeiros defensores, incluindo

Alexandre, o Grande (300 a.C.).

os assideus, que se subdividiram em fariseus e os essênios. Os apoiadores aristocratas dos reis-sacerdotes asmoneus tornaram-se os saduceus. Ao final da dinastia dos asmoneus, os fariseus dominavam o país.

A dinastia dos asmoneus chegou ao fim por meio de uma disputa civil. Em 67 a.C., estourou uma guerra entre dois irmãos, Hircano II e Aristóbulo II, que disputavam o título de sumo sacerdote e rei. Ambos apelaram a Roma para resolver a questão, convidando, na prática, o general romano Pompeu a conquistar Jerusalém em 63 a.C. e conduzir a Judeia à administração direta de Roma.

O Período Romano

Sob seus imperadores, a cultura romana preservou a influência grega, com contribuições romanas distintas em relação à administração central e à garantia de paz por meio da força superior.

Pompeu, o general romano que assumiu o controle de Jerusalém e dos arredores, concedeu boa parte do antigo território asmoneu ao governador romano da Síria do território próximo. Depois de conferir apenas o título de sumo sacerdote a Hircano II, nomeou um idumeu (descendente de Esaú), chamado Antípatro e seus filhos, Fasael e Herodes, como governadores da Judeia e Galileia. Os anos de governo religioso restrito de Hircano II chegaram ao fim com a derrota para os partos. Roma, por sua vez, derrotou os partos e, em seguida, confirmou Herodes ("o Grande") como regente em 37 a.C., chegando a chamá-lo rei.

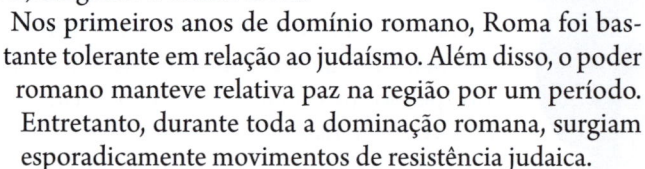

Antíoco III.

Antíoco IV.

Nos primeiros anos de domínio romano, Roma foi bastante tolerante em relação ao judaísmo. Além disso, o poder romano manteve relativa paz na região por um período. Entretanto, durante toda a dominação romana, surgiam esporadicamente movimentos de resistência judaica.

Herodes foi um governante eficiente e político sagaz. Ele agradava a Roma, possibilitando assim a preservação da estabilidade contra as forças externas. Dentre seus diversos projetos de construção, talvez a maior contribuição feita por ele para agradar aos judeus tenha sido a expansão e o embelezamento do templo de Jerusalém. Herodes também era conhecido por promover a cultura helenística (grega) em todo o seu reino. O reinado de Herodes esteve repleto de intrigas políticas, conluios, assassinatos, guerras e brutalidade internas até sua morte em 4 a.C. Sem a habilidade e a ambição do pai, os filhos de Herodes reinaram sobre regiões separadas da Terra Santa no início do período do NT.

✛ No AT, não são mencionadas sinagogas, contudo no Período Intertestamentário o culto no sábado tornou-se elemento central da religiosidade judaica, característica essencial de sua identidade.

o Novo Testamento

O contexto do Novo Testamento

Grant R. Osborne

Não é possível compreender com profundidade o NT sem conhecer a realidade política, social e religiosa à qual ele se destinava. Gálatas 4.4 diz: "Mas, quando chegou a plenitude do tempo, Deus enviou seu Filho". O objetivo aqui é descrever "a plenitude do tempo" escolhida por Deus — o contexto propriamente político, social e religioso do surgimento do NT.

O contexto político

Contexto político judaico

O Período do Antigo Testamento teve fim com os exílios na Assíria e Babilônia e o retorno dos exilados entre os séculos VI e V a.C. O Período Intertestamentário (v. "A história da Terra Santa entre o Antigo e o Novo Testamentos" nesta obra) transformou o judaísmo — uma religião hierárquica, centrada no templo — em uma religião mais democrática, centrada nas sinagogas com a função primordial de local de culto e de ensino (desenvolvida no Período Persa como forma de substituir o templo destruído). As sinagogas tinham líderes leigos que ensinavam a Torá e desenvolviam a "tradição oral", um conjunto de regras destinado a "edificar uma cerca em torno da lei" e ajudar o povo a obedecer à Torá em uma cultura muito diferente entre os anos 400 a.C. e 70 d.C. Os principais líderes eram os escribas e os fariseus (que surgiram dos assideus no Período Intertestamentário) e os saduceus (que surgiram dos asmoneus ou aristocratas desse mesmo período).

No topo da hierarquia política sob dominação romana, estava a família herodiana. Herodes, o Grande, era filho de Antípatro, um árabe idumeu nomeado procurador pelos romanos. Herodes estabeleceu a paz no território e começou a reconstruir o incrível templo de Jerusalém em 46 a.C., mas ele também construiu templos romanos e toda uma cidade romana na Terra Santa (p. ex., Cesareia Marítima) e introduziu um novo nível de cultura helenística na Terra Santa, processo iniciado pelos ptolomeus do século III a.C. Com a morte do rei Herodes, no ano 4 a.C., seu reino foi dividido entre os três filhos: Arquelau (etnarca da Judeia, Samaria e Idumeia), Antipas (tetrarca da Galileia e Pereia) e Filipe (tetrarca da Itureia e Traconites). Arquelau foi um dominador cruel, sendo deposto e substituído por governadores (como Pilatos). Antipas foi um regente melhor e ficou conhecido pela execução de João Batista e por tomar parte no julgamento de Jesus (Lc 23.7-12). Herodes Agripa II, um neto, tomou parte no julgamento de Paulo diante de Festo em Atos 25—26.

Nessa época, o sumo sacerdote já havia se tornado o líder civil e religioso dos judeus. Ele presidia o Sinédrio em Jerusalém, um concílio de setenta membros com funções legislativas e judiciais em relação ao povo. Os principais grupos eram os saduceus (entre os quais estavam os "principais sacerdotes"

✛ Muitas inovações encontradas no NT, e não no AT, desenvolveram-se no Período Intertestamentário (p. ex., os fariseus).

ou a aristocracia sacerdotal), os escribas (especialistas na Torá, muitos deles eram fariseus) e os anciãos (a nobreza leiga). Eles deliberavam sobre questões civis, religiosas e políticas relacionadas ao povo judeu (os romanos outorgavam a eles essa autoridade). Oficialmente, eles não tinham quase nenhuma autoridade sobre a Galileia, uma região administrativa separada, mas no judaísmo eles tinham influência até sobre territórios da Diáspora (p. ex., At 9.1,2, quando autorizam Paulo a perseguir os cristãos na Síria).

Em nível local, as sinagogas tinham grande influência. O "chefe da sinagoga" era o principal oficial, embora, de modo geral, ele fosse um tipo de patrono com uma posição honorífica. O oficial presidente era o "atendente" que se ocupava com as responsabilidades administrativas e cuidava da formação das crianças. A sinagoga era regida por três "anciãos" ou líderes leigos da congregação. A sinagoga não era apenas o centro de instrução, mas o núcleo da vida cívica da comunidade e o centro judicial da administração da disciplina em questões civis. Os transgressores eram reprimidos por fustigação (At 5.40) e excomunhão (Jo 9.34).

O contexto político greco-romano

Enquanto Roma dominava politicamente o mundo do século I, ideias e costumes gregos o dominavam em sentido cultural. Por isso, chamamos esse ambiente de mundo greco-romano. Ele abrangia toda a região desde a Espanha até o Eufrates, da Gália (e Grã-Bretanha) até o norte da África. E, ainda, a *pax romana* (paz romana) era mantida por meio da espada e a *ius gladii* (a lei da espada) controlava as terras. Desde a época de Augusto (sobrinho de Júlio César, Otávio, que destruiu a República Romana em honra ao tio assassinado), Roma dividiu seu território em dois tipos de províncias: senatorial (não militar, regida por um procônsul sob a autoridade do senado) e imperial (militar, regida por um procurador que se reportava ao imperador). O imperador controlava a política militar e exterior; o senado romano estabelecia as leis civis e detinha autoridade judicial.

Roma era o centro do governo ocidental, e Antioquia, o centro do governo oriental. Cada província era dirigida por um governador de nível senatorial, tendo oficiais locais em cada distrito responsáveis pelos impostos e pelas questões civis. Os impostos romanos diretos eram de dois tipos — um imposto territorial baseado no tamanho e na produção da terra (geralmente com dez magistrados nomeados para supervisionar essa arrecadação) e um imposto *per capita* geralmente de 1% de todos os povos subjugados fora da Itália. Além disso, havia impostos indiretos sobre as mercadorias transportadas, as mercadorias vendidas ou sobre heranças. Como se afirma no NT, era praxe a escolha de indivíduos nativos, chamados "publicanos", para a arrecadação de impostos. Esses publicanos muitas vezes abusavam da autoridade e fraudavam o povo, por isso eram muito malvistos.

✛ A *pax romana* possibilitou as viagens livres e eficientes de missionários cristãos por todo o Império Romano levando o evangelho.

O contexto social

O contexto social judaico

Na sociedade judaica, não havia tanta estratificação quanto na sociedade romana. No topo da hierarquia social, estavam os chefes dos sacerdotes e suas famílias, os anciãos aristocratas e os poderosos proprietários de terra. No mundo romano, não havia classe média, mesmo assim alguns tinham melhores condições que outros, como os comerciantes e até os pescadores. Os saduceus pertenciam principalmente à classe alta, e os fariseus, no topo da classe baixa ou (quando havia) na classe média. A maioria dos demais — pequenos agricultores, arrendatários de terras, trabalhadores de jornadas diárias, pessoas livres — formavam a classe baixa. Na verdade, havia mais judeus fora da Terra Santa (na Diáspora) que nela. Os judeus foram deportados em diferentes ocasiões — milhões durante os dois exílios, e ainda muitos outros arregimentados para os exércitos dos ptolomeus e dos selêucidas no período de dominação grega, e ainda milhares deportados por Pompeu, o Grande, quando Roma tomou o poder em 63 a.C., e muitos outros simplesmente se mudaram por causa da pobreza na Judeia e das vantagens econômicas em outros lugares. Nessas terras estrangeiras, alguns judeus mantiveram a identidade judaica com rigor, quase sem nenhuma interação com outras comunidades, mas muitos outros como Fílon de Alexandria ou Josefo participaram da cultura helenística e escreveram para recomendar o judaísmo ao mundo greco-romano. Nessas comunidades, as sinagogas se tornaram o centro social e religioso da vida judaica, e as leis de pureza, alimentação e do sábado mantiveram a identidade da população rigorosamente judaica.

O contexto social greco-romano

A sociedade romana era estratificada, mas não completamente rígida. Havia certo grau de mobilidade social, por exemplo, na classe militar por meio da combinação de grandes fortunas, ou por meio da união matrimonial. Entretanto, na maior parte das vezes, o modo de vida era um tanto fixo. Naturalmente, no topo estava o imperador e sua família, e abaixo dele havia três níveis de classe alta. Em primeiro lugar, estava a ordem senatorial, composta no século I por seiscentas famílias, cuja riqueza era determinada principalmente pela propriedade de terras na forma de enormes latifúndios fora de Roma, mantidos por escravos. Os romanos acreditavam que só a agricultura era uma atividade respeitável de verdade; o comércio e os negócios eram considerados não respeitáveis (mas eram tão lucrativos que muitos os mantinham na clandestinidade). Para pertencer a essa classe, a propriedade total do indivíduo deveria valer pelo menos 250 mil denários (o denário equivalia ao salário de um dia do trabalhador). Os pertencentes a essa classe formavam os magistrados do império, eram protetores de legiões e ocupavam os cargos mais

✛ Jesus veio definitivamente de uma família de classe baixa.

altos do império (pretores, governadores de províncias, juízes). Em segundo lugar, a ordem *equestre* (originariamente chamada assim por irem à guerra montados a cavalo). Era formada de cavaleiros proprietários de terras que valiam pelo menos 100 mil denários. A principal diferença entre eles e a classe superior era que, apesar de ricos, não estavam envolvidos de forma direta em cargos militares e políticos. Na maioria das vezes, as suas riquezas vinham também de grandes propriedades, e eles ocupavam posições administrativas de menor importância. Em terceiro, os *decuriões*. Eram os aristocratas das províncias (donos de 25 mil denários) que adquiriram riquezas por meio de terra, comércio, manufatura ou também herança. Eles serviam como magistrados superiores de governadores romanos e formavam um conselho de líderes da província. As classes inferiores estavam muito abaixo desses três grupos. Há o consenso de que não havia classe média como nós a conhecemos, embora houvesse uma distinção clara entre os pequenos proprietários de terra, comerciantes em geral (p. ex., padeiros, açougueiros, alfaiates etc.), soldados, ou artesãos (como Paulo) e os realmente pobres. Os homens livres (chamados "plebeus" quando cidadãos romanos) eram os mais pobres do grupo porque não tinham dinheiro e precisavam trabalhar por dia. Os escravos muitas vezes tinham vida mais confortável que os livres.

O contexto social romano era regido por duas principais construções sociais. A primeira, a sociedade baseada na relação patronal-clientela, como foi observado por Jesus quando chamou os que detinham a autoridade de "benfeitores" (Lc 22.25). Febe, de Romanos 16.2, pode ter sido uma benfeitora de Paulo (v. tb. Pilatos como "amigo de César" em Jo 19.12). O patrono era alguém da classe superior que se tornava fiador e fazia favores para os que estavam abaixo dele, dando-lhes assistência quando precisassem. Seus clientes tornavam-se devedores de lealdade e serviço, demonstrando gratidão e respeito por meio de diversos modos inferiores. A reputação do patrono dependia de quantos clientes ele tinha, a posição que os clientes ocupavam na sociedade e quantos o elogiavam em público. Segundo, o mundo do século I era uma sociedade fundamentada em critérios de honra e desonra, associada de modo constante ao reconhecimento público dos atos do indivíduo e de sua posição na sociedade. Desde o nascimento, a criança era levada a buscar em todas as coisas a reputação que incorporasse os valores culturais estimados pelo mundo romano. Isso se tornou uma das principais fontes de conflitos na igreja primitiva, por causa dos padrões diferentes dos contextos judeu e helenístico, mas, sobretudo, pela cosmovisão cristã. Por exemplo, Paulo foi zombado pela liderança de Corinto por não ter habilidades retóricas (sofísticas) que eles consideravam respeitáveis; a resposta de Paulo a isso foi que ele preferia a "loucura" da cruz a toda a "sabedoria" deste mundo (1Co 1.20-25). Essa é uma forte lembrança de que a honra do mundo é vergonha para Deus.

O contexto religioso

O contexto religioso judaico

Há dois aspectos distintos que diferenciavam a religião judaica das demais religiões do mundo antigo: eles adoravam um único Deus (monoteísmo *versus* politeísmo), e o Deus que eles adoravam era o Deus da aliança que os havia escolhido, chamado e amado dentre todas as nações. Além do mais, ele lhes prometeu uma terra e os levou de volta à terra depois de puni-los no exílio por sua idolatria. A fidelidade de Deus, apesar da infidelidade do povo, levou ao primeiro período de sua história (os quatrocentos anos após o retorno do exílio) em que eles como povo permaneceram fiéis às exigências da Torá e se recusaram a adorar outros deuses. Eles haviam se tornado povo da lei escrita, e a dádiva suprema de Deus era a Palavra revelada. Os escribas e fariseus dedicaram-se ao estudo da Torá e ao desenvolvimento de um conjunto de princípios (a Torá oral) que permitisse ao povo comum observá-la. O povo adorava Deus todos os sábados no templo (se fosse possível) ou nas sinagogas — construções que possuíam rolos com os textos sagrados em um nicho na parte da frente e bancos de pedra (ou cadeiras) para a congregação. Os oradores colocavam-se em pé para ler dos rolos e sentavam-se para pregar. O culto consistia na recitação do Shemá,* oração, cântico de salmos,

---

* Shemá, palavra hebraica que significa "Ouça" e introduz as ordenanças de Deuteronômio 6.4; por isso, designa os ensinamentos que eram recitados e deveriam ser lembrados pelo povo. [N. do T.]

✚ Jesus provavelmente concordava mais com os fariseus teologicamente em comparação a outros grupos religiosos, mas ele os criticava por sua hipocrisia — isto é, por não praticar sua teologia coerentemente.

leituras, sermão e bênção. O culto cristão seguiu esse modelo. Além disso, havia as festas religiosas do calendário religioso começando em março-abril com a Páscoa e festa dos pães sem fermento, seguida de Pentecoste (a festa das semanas) cinquenta dias depois. No mês de tisri (setembro-outubro), ocorriam três festas — das trombetas, o Dia da Expiação (Yom Kippur) e das cabanas. Em dezembro, havia a festa não bíblica das Luzes (Hanucá, da rededicação do templo em 164 a.C.), e em fevereiro-março acontecia o Purim. As três principais festas de peregrinação (as pessoas vinham das terras mais remotas) eram Páscoa, Pentecoste e cabanas.

Havia quatro grupos religiosos principais: os *fariseus*, descendentes dos assideus do Período dos Macabeus; eram os mestres leigos ("rabinos") anteriores à época de Jesus, que desenvolveram a tradição oral. Eles tinham profunda preocupação com a guarda do sábado, as leis dietéticas e os rituais de purificação em geral. Acreditavam que a "Torá oral" tinha se originado paralelamente à Torá escrita e que era normativa. Os *saduceus* descendiam dos aristocratas asmoneus (macabeus) e compunham a maioria das famílias dos sumos sacerdotes. Eles reconheciam somente a Torá como realmente canônica e, negavam a existência de anjos e de vida após a morte (não raro debatiam com os fariseus sobre essas questões, como em At 23.6-10). Eles não sobreviveram à destruição do templo no ano 70 d.C. Os *essênios* são mais conhecidos pela comunidade de Qumran, na região do mar Morto, onde produziram os rolos do mar Morto. Eles formavam uma seita monástica (apesar de alguns seguidores terem permissão para viver nas cidades) que procurava seguir a Torá de forma integral e acreditava que o judaísmo dominante representava um movimento apóstata. Os adeptos passavam por um período de um ano de noviciado, seguido de dois anos probatórios em que se esperava a entrega de todas as posses para viver em comunidade. Eles acreditavam que Deus os tinha predestinado a serem os únicos depositários da verdade; eles eram os "filhos da luz", enquanto o restante do judaísmo e os gentios eram "os filhos das trevas". Por fim, havia os *zelotes*, movimento existente apenas nos anos que antecederam a revolta de 66 d.C., mas com raízes em tempos mais remotos (p. ex., Simão, o zelote, Mc 3.18). O zelo deles pela derrota dos romanos era parte do "zelo" pela Lei e para livrar os judeus da influência pagã.

O contexto religioso greco-romano

Em muitos sentidos, a religião greco-romana era animista, os deuses representavam as forças naturais (p. ex., Júpiter, os céus; Juno, as mulheres; Apolo, a música ou a juventude; Diana, os bosques e a caça). Ao mesmo tempo, a religião era principalmente comunitária e corporativa, uma vez que os rituais tinham a intenção de manter a sociedade unida. Ao contrário da religião ocidental, a ênfase não estava na escolha do indivíduo, mas na participação coletiva nos ritos sagrados. A participação religiosa unia a identidade da família, da pólis e da nação. Não havia separação entre igreja e Estado; a religião permeava e unia todos os aspectos da vida. A religião também representava o contrato entre a divindade e a pessoa, tendo obrigações de ambos os lados. As regras da vida cúltica (como orar, oferecer certos sacrifícios etc.) garantiam que ambas as partes cumprissem suas responsabilidades. O propósito era influenciar os deuses para que agissem a favor do povo. Em todas as coisas, eles procuravam manter a paz com os deuses, e sempre que surgiam problemas eles achavam que de algum modo a harmonia havia sido desestabilizada. O sistema de votos, orações e sacrifícios pretendia manter esse relacionamento íntegro ou restabelecê-lo após a ocorrência de alguma ruptura.

O panteão grego era numeroso e variado, acompanhado de mitologia detalhada para respaldar o grande número de deuses. As divindades romanas não eram tão complexas quanto as gregas; seus deuses não se casavam nem tinham descendentes, não tinham nenhuma relação genealógica estabelecida, e nenhuma mitologia desenvolvida. Portanto, quando os romanos conquistaram os gregos, eles tomaram o controle dos deuses gregos e identificaram os próprios deuses de forma direta com as divindades gregas. Acima dos deuses, havia um conselho supremo composto por 12 divindades: Júpiter/Zeus, Juno/Hera, Vesta/Héstia, Minerva/Atenas, Ceres/Demetra, Diana/Ártemis, Vênus/Afrodite, Marte/Ares, Mercúrio/Hermes, Netuno/Posídon, Vulcano/Hefesto, e Apolo (para ambos). Também havia deuses terrenos e heróis. Orações e sacrifícios pretendiam manter o relacionamento com os deuses, que agiam de maneira semelhante aos patronos com seus clientes na sociedade greco-romana. Há muito tempo, os filósofos duvidavam da existência dos deuses, mas ao mesmo tempo o sentido da responsabilidade cívica e familiar mantinha as alianças vivas.

Além disso, famílias e profissões contavam com patronos divinos, por isso havia o culto romano em que grupos adoravam uma única divindade, que por sua vez se tornava seu fiador na vida. Os romanos também estavam abertos a novas divindades e novas ideias religiosas; por exemplo, as várias pessoas que se tornaram "tementes a Deus" e abraçaram a religião judaica. Também foi muito influente o número crescente de "religiões de mistério" (p. ex., os cultos a Ísis, Demetra, Cibele, Mitra), iniciadas no período do NT tendo crescido largamente até o século III. Um aspecto central dessa visão religiosa era que o ciclo de crescimento do plantio representava o ciclo da vida, morte e, principalmente, a vida após a morte. Ritos de iniciação secreta (= mistérios) permitiam aos adeptos a elevação acima da dimensão terrena, a união com a divindade e o alcance da imortalidade. Alguns estudiosos consideraram o cristianismo uma religião de mistério, mas as diferenças são maiores que as semelhanças.

✢ É encorajador saber que desde o início o cristianismo floresceu e cresceu em uma cultura pluralista com seus muitos deuses.

Panorama sobre a vida de Cristo

Mark L. Strauss

Os Evangelhos não nos oferecem datas precisas sobre o nascimento e o ministério de Jesus, mas é possível definir datas aproximadas. Sabemos que Jesus nasceu nos últimos anos do reinado de Herodes, o Grande (Mt 2.1; Lc 1.5), portanto por volta de 6 a 4 a.C. (O calendário atual — desenvolvido no século VI por Dionísio Exíguo — está baseado em um cálculo malfeito.) João Batista começou a pregar no décimo quinto ano de Tibério César (Lc 3.1), o que, dependendo de como se calculava, poderia se referir a 26 ou 29 d.C. A duração do ministério público de Jesus, iniciado logo após o de João, é incerta. Os três Evangelhos sinópticos (Mateus, Marcos e Lucas) apresentam uma perspectiva linear em que seria possível enquadrar todos os acontecimentos em um único ano. Jesus começa o ministério na Galileia e aos poucos se dirige ao sul, para Jerusalém, onde foi crucificado na Páscoa. Entretanto, o evangelho de João mostra Jesus visitando Jerusalém com regularidade por ocasião de várias festas judaicas. Percebem-se pelo menos três Páscoas (Jo 2.13; 6.4; 11.55), como outras festas (5.1; 7.2; 10.22). Uma vez que era normal um judeu da Galileia fazer esse tipo de percurso, os estudiosos tendem a considerar a cronologia de João mais precisa, por isso calculam que o ministério de Jesus pudesse ter durado entre dois anos e meio e três anos e meio, entre 27 e 30 d.C. ou 30 e 33 d.C.

✚ Quando Jesus morreu, ele tinha entre 34 e 39 anos de idade (de 6 a 4 a.C. a 30 ou 33 d.C.).

Nascimento e infância de Jesus

Dois dos quatro Evangelhos, Mateus e Lucas, apresentam relatos sobre o nascimento de Jesus (Mt 1—2; Lc 1—2). Há muitos paralelos entre os dois: em ambos, um anjo anuncia antes do nascimento de Jesus que ele será o Messias prometido da linhagem de Davi; Maria ainda era virgem quando engravida pelo poder do Espírito Santo; Jesus nasce em Belém, a cidade natal do rei Davi (Mq 5.2), mas foi criado em Nazaré da Galileia. Há também diferenças significativas. O relato de Mateus enfatiza José, enquanto o de Lucas ressalta Maria. Mateus conta a respeito da estrela que avisou os magos, a tentativa de Herodes matar Jesus e a fuga da família para o Egito. Lucas compara o nascimento de Jesus ao de João Batista e descreve o censo de César Augusto, a causa da ida de José e Maria a Belém, o nascimento de Jesus em um humilde estábulo e a visita dos pastores.

Mateus e Lucas apresentam genealogias que confirmam as credenciais de Jesus como Messias (Mt 1.1-17; Lc 3.23-38). Mateus, contudo, relaciona a ascendência de Jesus desde Abraão, passando por Salomão, filho de Davi. A genealogia de Lucas parte do lado oposto, começando por Jesus por meio da linhagem de Natã, outro filho de Davi, até Adão. Diversas explicações são dadas ao fato de Jesus ter duas genealogias. A mais tradicional e simples é que Mateus relaciona os antepassados de José, enquanto Lucas, os de Maria. Outras explicações sugerem que Lucas registra a descendência física de José, enquanto Mateus apresenta a genealogia real ou oficial, ou que Jesus tinha duas linhagens por causa de um casamento anterior por levirato de um antepassado (cf. Dt 25.5-10). Todas essas sugestões ainda são especulativas.

Muito pouco se sabe a respeito da infância de Jesus, exceto por alguns relatos de Lucas sobre a visita de Jesus a Jerusalém na Páscoa, quando Jesus tinha 12 anos de idade. Jesus demonstra nesse episódio uma crescente consciência de que Deus era seu Pai (Lc 2.40-52). É bem provável que Jesus tenha tido uma infância normal como um menino judeu que crescia em uma família israelita conservadora. Seu pai era um artesão (*tekton*), que trabalhava com madeira, pedra, ou metal, e os filhos seguiram a sua profissão (Mt 13.55; Mc 6.3). Jesus tinha quatro irmãos — Tiago, José, Judas e Simão — e pelo menos duas irmãs (Mc 6.3).

Preparação para o ministério

Os quatro Evangelhos registram o ministério de João Batista antes do ministério público de Jesus. João representa o início do evangelho, a ponte profética entre a antiga aliança e a nova. João entra em cena vestido de maneira que faz lembrar o profeta Elias, e proclama um chamado ao arrependimento à luz do juízo iminente de Deus. Ele nega ser o Messias e, em vez disso, aponta para Jesus, o "Cordeiro de Deus" que tira o pecado do mundo (Jo 1.29,36). João anunciou que ele era apenas um mensageiro e arauto, preparando o caminho para o Senhor (Is 40.3; Ml 3.1). Ele batizava com água, mas o Messias batizaria com o Espírito Santo e fogo.

Dois acontecimentos cruciais prepararam Jesus para sua função messiânica. Primeiro, ele se submeteu ao batismo de João, identificando-se com o povo arrependido de Deus. Quando ele saiu da água, uma voz do céu o declarou Filho de Deus (Mt 3.13-17 e paralelos). Segundo, o Espírito Santo o levou ao deserto onde Satanás o tentou durante quarenta dias. Ao resistir à tentação de Satanás de agir pelo próprio poder e para seu bem, Jesus se mostrou pronto para cumprir o plano de Deus (Mt 4.1-11 e paralelos).

O ministério na Galileia

Jesus iniciou o ministério público após a prisão de João Batista (sendo mais tarde executado) por Herodes Antipas. Sua mensagem foi: "O tempo é chegado [...] O Reino de Deus está próximo. Arrependam-se e creiam nas boas-novas!" (Mc 1.15). Na pregação de Jesus, o "Reino de Deus" significa a dinâmica do Reino de Deus, seu governo e autoridade sobre todas as coisas. Deus estava no processo de restaurar a criação caída e chamar o povo rebelde de volta para si mesmo.

O início do ministério de Jesus concentrou-se nas cidades e aldeias em torno do mar da Galileia. Foi ali que ele chamou os discípulos, anunciou o Reino de Deus, expulsou demônios, curou os enfermos. Os exorcismos demonstravam que o Reino de Deus estava atacando e subjugando a autoridade de Satanás no mundo. Curar enfermos representava uma prévia da restauração da criação anunciada por Isaías e pelos profetas, quando os coxos andariam, os cegos veriam e os surdos ouviriam (Is 35.5,6). De seus muitos seguidores, Jesus escolheu 12, e os designou *apóstolos* ("mensageiros"), enviando-os a pregar e curar (Mc 3.13-19). O número 12 é análogo às 12 tribos de Israel e confirma que Jesus de algum modo percebia seu ministério como a restauração e renovação da nação de Israel.

Apesar de a reputação de Jesus por meio do ensino e da cura ter lhe conferido imensa popularidade entre o povo comum da Galileia, ele enfrentou crescente oposição das autoridades religiosas. A reivindicação de autoridade divina, sua ligação com os pecadores e os coletores de impostos, e a aparente violação da lei do sábado deixaram os líderes religiosos judeus furiosos, os quais desafiavam sua autoridade e o acusavam de blasfêmia. O auge do ministério da Galileia veio quando, em passagem por Cesareia de Filipe, Jesus perguntou aos discípulos o que eles acreditavam a seu respeito. Simão Pedro, o frequente representante e porta-voz dos Doze, disse: "Tu és o Cristo!". A partir desse momento, Jesus passou a lhe ensinar que sua missão messiânica envolvia ir a Jerusalém para sofrer e morrer (Mt 16.13-23 e paralelos). Jesus imediatamente levou os três discípulos mais próximos — Pedro, Tiago e João — a uma montanha, onde sua aparência foi radicalmente transformada diante deles (uma transfiguração), revelando de forma breve sua glória divina (Mt 17.1-13 e paralelos).

Os últimos dias em Jerusalém

Apesar de o evangelho de João revelar que Jesus viajava muitas vezes entre a Galileia e a Judeia, os Sinópticos enfocam a última viagem como o momento decisivo de sua vida. Jesus vai a Jerusalém com um propósito. No Domingo de Ramos, ele entra em Jerusalém montado em um jumentinho vindo do monte das Oliveiras para cumprir o que foi anunciado em Zacarias 9.9 — sua primeira revelação pública como Messias. Ao entrar no templo, ele açoitou e expulsou os cambistas e vendedores de animais para o sacrifício. A ação foi um ato simbólico de juízo contra Israel por transformar o templo de Deus em mercado e deixar de ser luz de Deus para as nações. Também representava a prévia da destruição futura de Jerusalém. Esses atos provocadores não passariam despercebidos, e durante essa semana as autoridades religiosas de Jerusalém confrontaram Jesus muitas vezes, desafiando sua autoridade e tentando apanhá-lo em suas palavras. Jesus reagiu superando-os por meio de debates e frustrando-os ainda mais (Mt 22—23 e paralelos). Jesus também continuou a ensinar aos discípulos,

✢ O ministério de Jesus na Galileia concentrou-se em Cafarnaum, cidade que ficava na costa noroeste do mar da Galileia. Estava localizada na Via Maris, uma rota internacional de comércio.

predizendo a destruição de Jerusalém, e os instruiu sobre os acontecimentos que desembocariam no fim dos tempos e em seu retorno como o Filho do homem (Mt 24—25 e paralelos).

A paixão do Messias

Na quinta-feira à noite, a última noite antes da crucificação, Jesus convidou os discípulos para a última refeição. Ali ele transformou a Páscoa judaica em uma nova celebração — a ceia do Senhor —, um ritual em que seus discípulos comeriam pão e beberiam vinho em memória de sua morte sacrificial na cruz. Em seguida, Jesus levou os discípulos ao jardim do Getsêmani, um bosque de oliveiras próximo a Jerusalém, para um tempo de oração. Judas, que anteriormente havia concordado em trair Jesus, apareceu com os líderes religiosos, e um grupo de soldados prendeu Jesus.
Nas horas seguintes, Jesus foi apresentado à corte suprema judaica — o Sinédrio —, onde foi acusado de querer destruir o templo, blasfemar e alegar com falsidade ser o Messias. O sumo sacerdote o declarou culpado e proclamou a sentença de morte. Na manhã seguinte, levaram Jesus a Pilatos, o governador romano da Judeia, uma vez que o Sinédrio não tinha autoridade para executar os sentenciados à pena capital. Pilatos interrogou Jesus e determinou seu açoitamento, mas não encontrou motivo para executá-lo. Ainda assim, os líderes religiosos insistiram em suas exigências. Pilatos, sendo um governador inescrupuloso e interesseiro, e temendo a

✚ A morte humilhante de Jesus cumpre de maneira impressionante a profecia sobre o sofrimento do Servo do Senhor de Isaías 53.

influência dos judeus sobre seus superiores em Roma, cedeu por fim às demandas deles e deu ordens para que Jesus fosse crucificado. Como outras vítimas de crucificação, Jesus sofreu uma morte horrível por exaustão, perda de sangue e asfixia. Seu corpo foi tirado da cruz antes do início do sábado (pôr do sol da sexta-feira) e foi colocado em um túmulo novo pertencente a José de Arimateia, um membro do concílio superior dos judeus

A ressurreição do Messias

Na manhã de domingo, um grupo de mulheres foi ao túmulo para ungir o corpo de Jesus com especiarias como parte do processo de sepultamento. Todavia, encontraram o túmulo vazio, o corpo não estava lá, e um anjo anunciou que Jesus tinha ressuscitado dos mortos. Jesus, em seguida, apareceu a elas, aos 11 discípulos (Judas havia cometido suicídio) e a muitos outros. O NT descreve pelo menos dez diferentes aparições de Jesus após a ressurreição, evidência convincente de que ele havia de fato ressuscitado dos mortos (Mt 28; Mc 16; Lc 24; Jo 20—21; 1Co 15.3-8). A ressurreição de Jesus representa um fundamento da fé cristã, confirmando 1) que as alegações de Jesus a seu respeito eram verdadeiras — a reivindicação de ser o Messias e o Filho de Deus; 2) a morte de Jesus foi um sacrifício expiatório suficiente para o perdão dos pecados (Mc 10.45); 3) nós, como Jesus, ressuscitaremos em um corpo imortal e imperecível (1Co 15.35-49).

O que é um Evangelho? E por que há quatro Evangelhos?

Mark L. Strauss

Uma das primeiras constatações de leitores quando abrem suas Bíblias é encontrar quatro livros no início do Novo Testamento que contam basicamente a mesma história. Todos esses "Evangelhos" — Mateus, Marcos, Lucas e João — relatam a vida e o ministério de Jesus, culminando com sua morte e ressurreição. Os primeiros três Evangelhos — Mateus, Marcos e Lucas — são conhecidos como Evangelhos "sinópticos" (cujo sentido é "visão comum"), porque contêm muitas das mesmas histórias e registram basicamente a mesma cronologia da vida de Jesus. O quarto Evangelho — João — é bastante diferente, tendo um estilo distinto, e a maior parte do conteúdo sobre Jesus é exclusivo dele.

Então, o que é um Evangelho? A palavra "evangelho" traduz a expressão grega *euangelion*, que significa "boas-novas". Foi o termo escolhido pelos cristãos primitivos para descrever as boas-novas de salvação trazidas por Jesus, o Messias (cf. Is 52.7). Os cristãos usaram essa expressão pela primeira vez para se referir à mensagem verbal sobre Jesus. Em uma das suas primeiras cartas, o apóstolo Paulo escreve à jovem igreja de Tessalônica que "o nosso evangelho [*euangelion*] não chegou a vocês somente em palavra, mas também em poder, no Espírito Santo e em plena convicção" (1Ts 1.5). O evangelho consiste na mensagem de salvação manifestada por meio da vida, morte

✚ Usamos o termo "evangelho" tanto para se referir aos documentos escritos em nosso Novo Testamento (i.e., Mateus, Marcos, Lucas e João) quanto para a mensagem a respeito da vida, morte e ressurreição de Jesus.

e ressurreição de Jesus Cristo. Nesse sentido, há somente um evangelho, uma única mensagem da salvação de Deus acessível a todos os povos em todo lugar. No decorrer do tempo, a palavra *euangelion*, "evangelho", veio a ser empregada não só em referência à pregação oral dessa mensagem, mas também em relação aos relatos escritos sobre Jesus — os quatro "Evangelhos". O termo é muito apropriado, uma vez que essas obras não são meros livros históricos ou biografias de um homem importante. Elas são anúncios jubilosos da grande notícia de que Deus interveio na história humana para restaurar o que foi destruído e trazer esperança e reconciliação ao seu povo.

Por isso, surge naturalmente a pergunta: "Por que há quatro Evangelhos, não apenas um?". A razão é tanto histórica quanto teológica. Cada um dos Evangelhos foi escrito para transmitir certas verdades a respeito da vida e do ministério de Jesus. Alguns estudiosos entendem que cada Evangelho foi escrito para uma comunidade cristã particular a fim de atender às necessidades daquela comunidade. Outros argumentam que os autores dos Evangelhos escreveram de maneira mais generalizada para toda a igreja. Seja qual for a opinião correta (a resposta provavelmente está em meio-termo), não há dúvida de que cada Evangelho conta a história de Jesus de seu próprio modo e ressalta aspectos peculiares sobre a identidade e missão de Jesus. Mateus, por exemplo, é o Evangelho mais judaico, ressaltando o papel de Jesus como o Messias judeu que veio para cumprir as profecias do Antigo Testamento (Mt 1.1). Marcos ressalta a função de Jesus como o Servo Sofredor, cuja morte sacrificial pagou o resgate pelos nossos pecados (Mc 10.45). Os discípulos de Jesus são chamados para tomarem sua própria cruz e seguir Jesus através do sofrimento até alcançarem a vitória (8.34). Lucas enfatiza que Jesus é o Salvador do mundo, o qual por meio de sua morte e ressurreição trouxe salvação e reconciliação a todos os povos, em todo lugar, de todas as raças, gênero e condição social (Lc 3.6; 19.10). O Evangelho de João apresenta Jesus como o divino Filho de Deus, que veio revelar o Pai e oferecer vida eterna a todos que nele creem (Jo 1.18; 3.16).

Naturalmente, os quatro Evangelhos têm muito mais semelhanças do que diferenças. Todos eles apresentam Jesus como o Messias e o Filho de Deus, o qual cumpre as profecias do Antigo Testamento. Em todos os quatro, ele é o Salvador do mundo, cuja morte na cruz traz salvação e ressurreição para todos que nele creem. Contudo, o conteúdo, estilo, temas e propósito de cada Evangelho apresentam uma perspectiva e ângulo peculiares. Assim como as várias faces de um precioso diamante, os quatro Evangelhos completam e enriquecem nosso conhecimento a respeito de Jesus e da salvação alcançada por meio dele.

✚ No início de seu Evangelho, Lucas admite ter utilizado outras fontes escritas, como a de Marcos e talvez Mateus (cf. Lc 1.1-4).

O problema sinóptico

Matthew C. Williams

O "problema sinóptico" é a expressão usada para explicar como Mateus, Marcos e Lucas concordam, ainda que também discordem, em três áreas principais: conteúdo, estilo de linguagem e ordem.

Em termos do conteúdo, cerca de 90% do material de Marcos encontra-se em Mateus, enquanto cerca de 50% encontra-se em Lucas. Além disso, quase 235 versículos de Mateus e Lucas são semelhantes. Considerando os três anos de ministério de Jesus, é surpreendente que Mateus, Marcos e Lucas — os Evangelhos sinópticos ("visão conjunta") — frequentemente narram os mesmos acontecimentos. Comparados com João, os Evangelhos sinópticos têm muito em comum. Por que não se encontram nos Sinópticos relatos mais peculiares como os que se encontram no Evangelho de João?

Nas passagens em que há concordância de conteúdo, às vezes há semelhanças incríveis no estilo preciso de linguagem, até mesmo no emprego do mesmo tempo e modo verbais das palavras gregas. Uma vez que Jesus provavelmente falou em aramaico, essas semelhanças são ainda mais surpreendentes, porque os Evangelhos foram escritos em grego. Essas semelhanças não são apenas encontradas nas palavras de Jesus, mas nas descrições dos acontecimentos. Às vezes, os autores dos Evangelhos têm conteúdo parentético idêntico, os quais não foram proferidos por Jesus ("quem lê, entenda" em Mc 13.14=Mt 24.15). Apesar dessas semelhanças, cada autor do Evangelho também tem seu vocabulário, temas e ênfases particulares. Algumas passagens "paralelas" têm pouco em comum, pois cada autor do Evangelho escolhe suas próprias palavras para descrever um acontecimento.

Também é surpreendente como os três Evangelhos alternam concordância e discordância na ordem dos relatos. Às vezes os Sinópticos mantêm muitas passagens na mesma ordem. Essa semelhança chama ainda mais a atenção porque muitas passagens são reunidas por motivos temáticos, não por ordem cronológica. Por exemplo, a recapitulação da morte de João Batista provavelmente não seria colocada na ordem exata em dois Evangelhos com base na tradição oral, porque interrompe a sequência cronológica do relato (Mc 6.17-29 = Mt 14.3-12). Outras vezes, todavia, há pouca concordância na ordem.

Tendo em vista que qualquer solução precisa fazer justiça tanto a essas semelhanças quanto às diferenças, há várias explicações para esse problema sinóptico. Muitos estudiosos entendem que não há solução viável para o problema sinóptico. Nós simplesmente não possuímos informações suficientes para decodificar como eles se relacionam entre si.

Outros entendem que as tradições orais podem explicar as semelhanças entre os sinópticos, e sugerem que não há nenhuma relação literária entre os Evangelhos. Mas qual é a probabilidade de três autores diferentes muitas vezes escolherem exatamente as mesmas palavras e ordem de palavras para descrever acontecimentos da vida de Jesus? Seria também difícil explicar pela tradição oral as frases que parecem ser parentéticas, como "disse ao paralítico" (Lc 5.24) ou "quem lê, entenda" (Mc 13.14).

Consequentemente, a maioria dos estudiosos defende a existência de algum tipo de relação literária entre os Sinópticos — entendendo que os autores, sob a inspiração do Espírito, usaram outros Evangelhos como fonte escrita para escrever seu próprio Evangelho. Apesar de haver uma miríade de alternativas, as principais soluções literárias podem ser facilmente resumidas.

✝ O povo judeu era extremamente cuidadoso em transmitir suas histórias com exatidão.

A primazia marcana propõe que Marcos escreveu primeiro e que Mateus e Lucas usaram Marcos independentemente como fonte escrita para escrever seus Evangelhos. Algumas das soluções sobre a primazia marcana postulam uma fonte "Q" para explicar as semelhanças ocasionais entre Mateus e Lucas; recebendo, assim, o nome de "hipótese das duas fontes" (Marcos e Q são as fontes literárias) ou "hipótese das quatro fontes" (Marcos, Q, M [conteúdo mateusino], L [conteúdo lucano]). A principal linha de evidência da primazia marcana é que em muitas passagens parece que Mateus e Lucas aperfeiçoaram o vocabulário e a gramática de Marcos.

Outros proponentes da primazia marcana descartaram a necessidade de uma fonte Q sugerindo que Marcos foi escrito primeiro, seguido de Mateus e, depois, Lucas, que usou tanto Marcos quanto Mateus como fontes literárias.

A hipótese dos dois Evangelhos (ou Griesbach) sugere que Mateus foi escrito primeiro, Lucas usou Mateus, e Marcos usou tanto Mateus quanto Lucas. Essa teoria explica facilmente as "pequenas semelhanças" entre Mateus e Lucas.

O relacionamento dos Evangelhos entre si não é questão trivial, mas é bastante relevante por questões apologéticas, exegéticas e teológicas com respeito a cada Evangelho. Qualquer uma das opiniões é viável; a questão principal é determinar qual delas é mais provável.

Mateus

- Marcos
- Lucas
- João
- Atos
- Romanos
- 1Coríntios
- 2Coríntios
- Gálatas
- Efésios
- Filipenses
- Colossenses
- 1Tessalonicenses
- 2Tessaloniceneses
- 1Timóteo
- 2Timóteo
- Tito
- Filemom
- Hebreus
- Tiago
- 1Pedro
- 2Pedro
- 1João
- 2João
- 3João
- Judas
- Apocalipse

O evangelho de
Mateus

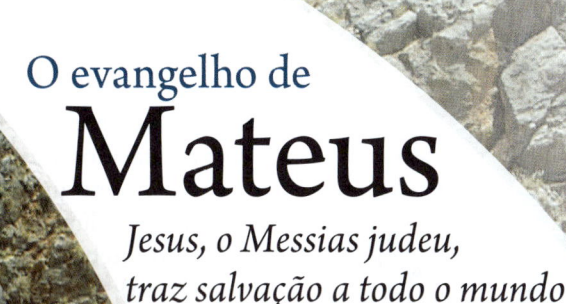

Jesus, o Messias judeu, traz salvação a todo o mundo

Se você fosse um cristão no início da igreja cristã, provavelmente teria conhecido a vida e os ensinamentos de Jesus por meio do Evangelho de Mateus. Nos primeiros anos, esse Evangelho foi o mais lido de todos os Evangelhos e ainda fala de modo impressionante ao leitor contemporâneo. Mateus é um Evangelho bem abrangente que nos conta primeira e principalmente a respeito de Jesus Cristo, mas também nos fala sobre o plano mestre de Deus, a nova comunidade de fé chamada igreja, de como devemos nos relacionar entre nós, e sobre a nossa missão neste mundo. Mateus abrange quase todos os aspectos da vida. Ao ler e estudar o livro de Mateus, você pode esperar que Deus fale a você sobre muitas coisas, de diversos ângulos.

Quem escreveu Mateus?

A tradição da igreja primitiva de forma unânime associou esse Evangelho a Mateus/Levi, o coletor de impostos que se tornou discípulo de Jesus (Mt 10.3; Mc 3.18; Lc 6.15; At 1.13). Cópias antigas desse Evangelho trazem um título que atribui sua autoria a Mateus. Além disso, o líder cristão

Belém, Nazaré e Egito

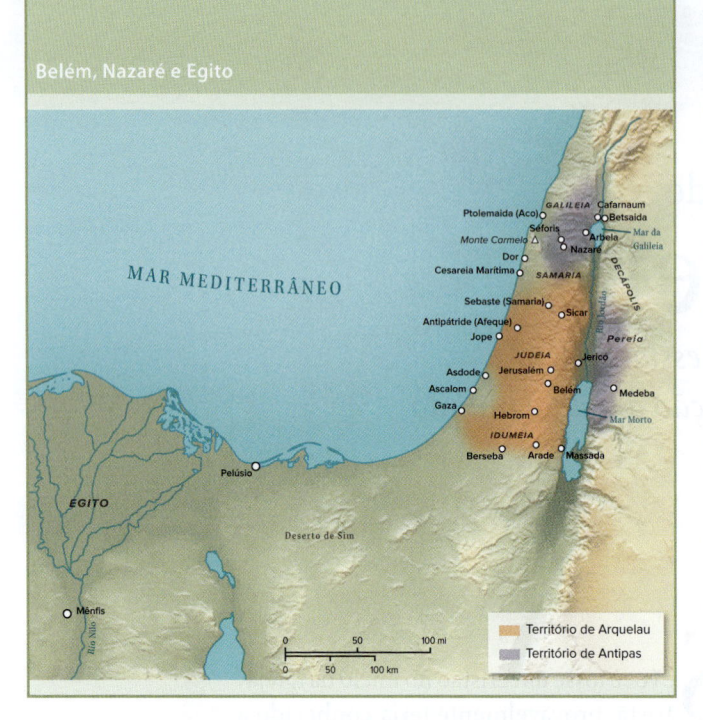

primitivo Papias (bispo de Hierápolis, na Ásia Menor, no início do séc. II) disse: "Mateus compôs (ou compilou) a *logia* (oráculos ou ditos, ou mesmo um Evangelho) em língua (ou estilo) hebraica (ou aramaica), e todos o interpretaram (ou traduziram) da melhor maneira possível" (Eusébio, *História eclesiástica* 3.39.16). Apesar de os estudiosos debaterem sobre o sentido exato da declaração de Papias (como se vê pelo número de expressões entre parênteses), ela realmente atribui um importante escrito cristão primitivo à pessoa de Mateus.

A conclusão tradicional de que Mateus foi o autor desse Evangelho dá sentido a grande parte do conteúdo do livro. O Evangelho é o único a dizer "Mateus, o publicano" (10.3). Talvez fosse uma referência sutil à graça redentora de Deus em sua vida. A história do chamado de Mateus para seguir Jesus encontra-se em Mateus 9.9-13. Marcos (2.14-17) e Lucas (5.27-32) referem-se a ele como Levi, sugerindo que ele fosse conhecido pelos dois nomes (como Simão e Cefas ou Pedro). Nesse Evangelho, percebe-se uma ênfase sobre questões relativas a dinheiro (17.24-27; 18.23-25; 20.1-16; 26.15; 27.3-5; 28.11-15). Por exemplo, esse é o único Evangelho que conta a respeito de Jesus pagar o imposto do templo. O livro está criteriosamente organizado e estruturado, como era de esperar de um coletor de impostos (semelhante a um contador de hoje?). É muito improvável que os cristãos primitivos atribuíssem esse Evangelho a um discípulo de origem questionável se não tivessem um bom motivo para fazê-lo.

Quem eram os destinatários de Mateus?

Mateus é o mais judaico dos quatro Evangelhos. Costumes judaicos são mencionados sem nenhuma explicação (p. ex., 15.2; 17.24-27; 23.5,27), e o próprio livro está organizado em cinco partes principais de ensino (ou discursos), lembrando o leitor dos cinco famosos livros do AT, o Pentateuco.

✢ Em todo esse Evangelho, Mateus usa expressões como "isso se deu para cumprir o que foi dito pelos profetas" (ou algo semelhante) para mostrar como a história de Jesus cumpre a história do AT.

É interessante que esse Evangelho tem muito em comum com a carta de Tiago, outro documento judaico-cristão antigo. Por essas e outras razões, a maioria dos acadêmicos entende que Mateus escrevia para uma comunidade judaico-cristã (ou pelo menos uma comunidade mista de cristãos judeus e gentios) em processo de romper com o judaísmo. Mateus está muito preocupado em mostrar que Jesus era o Messias judeu esperado há muito tempo e que cumpria as promessas de Deus feitas a Israel. Muitos leitores de Mateus teriam se envolvido em conflitos com a comunidade judaica maior, e ele queria lhes assegurar de que o verdadeiro povo de Deus segue o Messias Jesus. A maioria dos estudiosos evangélicos acredita que Mateus depende até certo grau do evangelho de Marcos (o testemunho do apóstolo Pedro) e que o escreveu logo depois de Marcos (datado entre o início e a metade da década de 60).

Quais são os temas centrais do evangelho de Mateus?

O principal interesse de Mateus é apresentar Jesus como o verdadeiro Rei e Messias. Desde o início, Jesus é revelado como o "Cristo [Messias], filho de Davi, filho de Abraão" (Mt 1.1). Mateus quer mostrar que esse novo movimento dentro do judaísmo (mais tarde conhecido por cristianismo) é o judaísmo autêntico porque essas pessoas estão seguindo o verdadeiro Messias — Jesus de Nazaré. Jesus é o Messias judeu, mas ele também cumpre o plano de Deus de levar a salvação às nações, e o Evangelho termina com a ordem "vão e façam discípulos de todas as nações" (Mt 28.19).

Os primeiros leitores de Mateus provavelmente precisavam de encorajamento para suportar a perseguição, permanecer firmes na fé e levar essa boa notícia a todas as nações. Justamente por isso o evangelho de Mateus era tão popular na igreja primitiva.

O esboço seguinte mostra como o livro está organizado em cinco discursos ou ensinos acompanhados de ensinamentos sobre quem é Jesus e o que significa segui-lo.

- Introdução: nascimento e infância do Messias (1.1—2.23)
- A preparação de Jesus para o ministério público (3.1—4.25)
- Discurso 1: O Sermão do Monte (5.1—7.29)
- Demonstração da autoridade messiânica de Jesus (8.1—9.38)
- Discurso 2: A missão do Messias (10.1-42)
- Oposição a Jesus, o Messias, e à sua missão (11.1—12.50)
- Discurso 3: As parábolas do Reino (13.1-52)
- A revelação da identidade de Jesus como Messias (13.53—16.20)
- Jesus, o Messias crucificado e ressurreto (16.21—17.27)

- Discurso 4: A comunidade do Messias (18.1-35)
- Jesus ensina sobre o verdadeiro discipulado (19.1—20.34)
- Jesus ensina sobre o falso discipulado (21.1—23.39)
- Discurso 5: O discurso do monte das Oliveiras (24.1—25.46)
- Crucificação e ressurreição de Jesus e a Grande Comissão (26.1—28.20)

Quais são os aspectos interessantes e singulares de Mateus?

- Dos Evangelhos sinópticos (Mateus, Marcos, Lucas e João), Mateus foi o Evangelho mais popular nos primeiros séculos da igreja por ter ligação direta com um apóstolo (Marcos e Lucas não foram escritos por apóstolos, e João foi escrito alguns anos mais tarde).
- O livro de Mateus é reconhecido como o mais judaico dos quatro Evangelhos.
- Jesus é retratado como Mestre e organiza seus ensinamentos em cinco longos discursos: o Sermão do Monte (5—7), a missão do Messias (10), as parábolas do Reino (13), a comunidade do Messias (18) e o discurso do monte das Oliveiras (24—25). Cada discurso termina com a frase: "tendo Jesus acabado de dizer essas coisas..." (ou algo semelhante).
- A organização em cinco discursos pode ter lembrado os leitores dos primeiros cinco livros do AT, como meio de retratar Jesus como o novo Moisés.
- O Sermão do Monte (Mt 5—7) inclui muitos dos ensinamentos mais famosos de Jesus.

As ruínas do Herodium, a fortaleza de Herodes construída próxima de Belém.

✚ Mateus trata mais das palavras de Jesus, enquanto Marcos destaca os atos de Jesus.

- Mateus apresenta Jesus e seus ensinamentos como o verdadeiro cumprimento da Lei e dos Profetas do AT.
- Esse Evangelho mostra Jesus como Filho de Davi, Rei, Cristo (ou Messias), Filho de Deus e Senhor.
- Jesus denuncia fortemente os líderes religiosos judeus da época.
- Mateus usa a expressão "Reino dos céus" mais vezes que a expressão mais comum "Reino de Deus" encontrada nos outros Evangelhos, talvez como uma forma evasiva judaica comum de evitar pronunciar o nome divino.
- Apesar de ser considerado o Evangelho mais judaico, Mateus também enfatiza a missão cristã aos gentios.
- O livro termina com uma clara afirmação da Grande Comissão (28.16-20).
- Esse é o único Evangelho que menciona explicitamente a "igreja" (16.16-20; 18.15-20).

Qual é a mensagem de Mateus?

Introdução: nascimento e infância do Messias (1.1—2.23)

Mateus ressalta como o nascimento e a infância de Jesus cumprem as Escrituras. Ele cita o AT cinco vezes nos primeiros dois capítulos (1.22,23; 2.5,15,17,18,23). Ele apresenta Jesus como o cumprimento da esperança de Israel, o Messias aguardado ansiosamente.

Jesus é o Cristo, filho de Davi, filho de Abraão (1.1-17)

Veja Lucas 3.23-38. Mateus começa com uma declaração extremamente importante sobre Jesus. Ele é "o Cristo" ou Messias, o enviado por Deus para restaurar Israel e estabelecer o Reino de Deus. Para esclarecer como Jesus é o Messias judeu, Mateus acrescenta "filho de Davi" (o mais importante rei de Israel) e "filho de Abraão" (o pai da nação judaica). A linhagem ou genealogia de Jesus está organizada em três divisões de 14 nomes, talvez porque o equivalente numérico do nome "Davi" em hebraico fosse 14. Mateus apresenta a genealogia oficial de Jesus por meio de José para mostrar que Jesus tinha direito ao trono de Davi. Mas, em sentido biológico, Mateus deixa claro que apenas Maria era progenitora humana de Jesus (a expressão "da qual" após Maria em 1.16 é feminina). No mundo antigo, a genealogia (ou linhagem) tinha o propósito de mostrar a posição ou condição social de uma pessoa. A ligação de Jesus com essa galeria da fama de personagens do AT com certeza comunicava sua importância. Mas Mateus também inclui quatro mulheres e, de certo modo, mulheres controvertidas

✢ As genealogias de Mateus e de Lucas ajudam a mostrar que Jesus é o rei messiânico da linhagem do rei Davi muito aguardado (cf. 2Sm 7.11-16; Is 9.1-7).

— Tamar, Raabe, Rute e Bate-Seba. Talvez ele quisesse nos mostrar que Jesus veio para ser o Salvador de todo tipo de pessoa, incluindo pessoas com histórias de vida escandalosas.

A concepção virginal de Jesus (1.18-25)

Veja Lucas 2.1-7. Maria e José estavam prometidos em casamento um ao outro, isto é, estavam noivos, o que significava que eles haviam realizado um acordo legal que duraria um ano. Antes de consumar o matrimônio, que aconteceria após a cerimônia nupcial, Maria encontrou-se grávida "pelo Espírito Santo". Esta é uma referência clara à concepção virginal de Jesus (v. tb. Mt 1.20). José era um homem íntegro e pretendia conciliar a compaixão (amor a Maria) com a retidão (a necessidade de preservar sua honra e reputação) tendo um divórcio em segredo. Deus intervém por meio de um sonho, algo que ele faria outras vezes em 2.12,13,19,22. José, o "filho de Davi", é orientado a acolher Maria como sua esposa, uma vez que a criança era uma obra autêntica de Deus. José deveria dar o nome ao menino de "Jesus", uma tradução grega do nome hebraico "Josué", cujo significado é "Javé salva". Esse acontecimento cumpre a promessa de Isaías 7.14, uma vez que Jesus era agora o Emanuel ("Deus conosco"). José responde com obediência a Deus (sempre uma boa escolha).

O nascimento de Jesus e a visita dos magos (2.1-12)

Dificilmente admitiremos que nossos presépios e canções natalinas, que retratam três sábios em torno da manjedoura, estão equivocados; contudo, parece que esse é o caso. Mateus 2.11 nos diz que Maria e José estavam morando em uma casa. Apesar de os magos trazerem três presentes, nenhuma passagem afirma que havia três reis. Os magos provavelmente eram astrólogos persas que estudavam os astros em busca de sinais de ação divina. O mais impressionante nessa história é o contraste entre os observadores de estrelas e o rei Herodes. Os estrangeiros estavam mais bem sintonizados com o que Deus estava fazendo por intermédio de Jesus que os entendidos judeus que deveriam estar aguardando sua vinda. Desde o início, Jesus foi adorado pelos menos esperados e os rejeitados pelos seus. Deus passa a perna em Herodes e intervém para salvar seu Filho especial junto com sua família.

Um garfo de joeira.

A fuga de Jesus para o Egito e o retorno a Nazaré (2.13-23)

Veja Lucas 2.39,40. Logo depois da partida dos magos, Deus intervém novamente. José é avisado por meio de um sonho a levar Jesus e Maria ao Egito para fugir de Herodes. Essa jornada ao Egito cumpre as Escrituras (Lc 11.1), uma vez que a experiência de Jesus se

✚ A proteção soberana de Deus ao menino Jesus e a seus pais é testemunhada por meio de toda a história do Natal.

compara à da nação de Israel (e a cumpre). Como Deus tinha anteriormente chamado Israel do Egito no Êxodo, agora ele chama seu Filho do Egito. Depois de Herodes ter sido enganado pelos magos, ele se enfurece e manda matar todos os meninos de menos de 2 anos que viviam na região de Belém (provavelmente em torno de 20 crianças). Isso lembra o sofrimento mencionado em Jeremias 31.15. Depois da morte de Herodes, Deus intervém outra vez instruindo José a retornar à Judeia. Em outro sonho, José é avisado sobre o cruel dominador Arquelau, por isso ele se refugia na Galileia, de forma específica em Nazaré. Isso também cumpre um tema das Escrituras (observe o plural "os profetas" em 2.23) que diz que Jesus "será chamado Nazareno". Uma vez que a Galileia era, em geral, desprezada e a pequena Nazaré era vista como uma localidade interiorana (v. Jo 1.46), somos lembrados de que Deus gosta de usar a fraqueza humana para cumprir seus propósitos.

A preparação de Jesus para o ministério público (3.1—4.25)

O ministério público de Jesus é precedido pelo ministério de João Batista, pela sujeição de Jesus ao batismo de arrependimento de João e pelas tentações de Jesus no deserto. Esses passos não só prepararam Jesus para o ministério público que viria, mas também nos comunicam que tipo de ministério Jesus teria.

João Batista prepara as pessoas para Jesus (3.1-12)

Veja Marcos 1.2-8; Lucas 3.1-18; João 1.19-28. Em Mateus, aprendemos que o futuro governo do Messias prometido por Deus está próximo ou está chegando (3.2). Consequentemente, as pessoas devem preparar o coração por meio do arrependimento. Multidões "de toda a região ao redor do Jordão" creem e são batizadas por João (3.5,6). Os líderes religiosos judeus vão inspecionar o ministério de João. João os compara com sarcasmo a um bando de víboras arrastando-se em fuga de um mato em chamas. Em vez de confiarem em sua herança religiosa (Abraão é nosso pai), eles deveriam produzir frutos que demonstrassem a verdadeira transformação de vida (3.9). Para quem não produz bons frutos como resultado do arrependimento, o juízo se aproxima, e isso se aplica também aos líderes religiosos (3.10). O papel de João foi o de preparar as pessoas para o mais poderoso (Jesus) que batizaria com o Espírito Santo e fogo, um símbolo de juízo (3.11). Mateus acrescenta outra nota de advertência quando descreve Jesus com "um garfo de joeira nas mãos" pronto para separar o trigo precioso da palha inútil (3.12). A vinda de Jesus requer uma decisão sobre o Reino de Deus.

Jesus se identifica com a humanidade pecadora por meio do batismo (3.13-17)

Veja Marcos 1.9-11; Lucas 3.21,22; João 1.29-34. Mateus inclui uma interessante conversa entre João e Jesus (3.14,15). João tenta impedir o batismo

✚ João Batista é comparado a Elias na missão de preparar o povo de Deus para o dia do Senhor (v. Ml 3.1; 4.5,6).

de Jesus, pois Jesus não precisava se arrepender. No entanto, Jesus insiste e explica a necessidade de ele ser batizado "para cumprir toda a justiça" (3.15). Essa frase ambígua provavelmente se refere à identificação de Jesus com a humanidade pecadora. Ele não precisava se arrepender, mas Israel sim, e de certo modo ele estava se arrependendo dos pecados de Israel. Mais tarde, ele tomará literalmente os pecados do mundo (Lc 12.49,50 refere-se à crucificação de Jesus como seu "batismo"). Quando Jesus sai da água, os céus se abrem, o Espírito Santo desce como uma pomba e o Pai proclama do céu: "Este é o meu Filho amado, de quem me agrado" (3.16,17). Esse é um episódio realmente trinitário — o Filho se submete, o Espírito Santo desce para capacitá-lo e o Pai outorga o batismo. Como no Evangelho de Marcos, três textos do AT se unem para anunciar quem era Jesus e o que ele veio fazer (3.17). Ele será um majestoso rei da linhagem do rei Davi (Sl 2.7), um sacrifício voluntário ou Cordeiro de Deus (Gn 22.2) e um servo (Is 42.1). Nós ouviremos esses mesmos três textos outra vez na transfiguração de Jesus.

Jesus, o Messias, resiste à tentação (4.1-11)

Veja Marcos 1.12,13; Lucas 4.1-13. Como o recém-ungido rei, esperaríamos que Jesus logo entrasse em marcha triunfal em Jerusalém para estabelecer seu Reino. Em vez disso, o Espírito o leva ao deserto para lutar contra o Diabo. Parece realmente estranho que o Espírito capacitasse Jesus para o ministério em um instante e no próximo o conduzisse ao deserto para ser tentado. Nós também às vezes experimentamos a mesma situação na vida tanto como um teste de Deus (que deseja nos fortalecer) quanto uma tentação de Satanás (que deseja nos destruir). A tentação não é pecado; antes, um convite ao pecado. Sabemos que Jesus foi tentado,

O vasto deserto da Judeia.

✚ Quando tentado, Jesus responde citando as escrituras de Deuteronômio 6—8, em que Moisés estava desafiando os israelitas a serem fiéis quando se preparavam para atravessar o rio Jordão e entrar na terra prometida.

Discipulado no Novo Testamento
Joseph R. Dodson

Na Grande Comissão, Jesus ordena que seus discípulos façam discípulos. Mas o que é um discípulo? Os cristãos não foram os únicos no mundo antigo a fazer discípulos. Por exemplo, João Batista tinha discípulos (Mt 9.14; Lc 7.18,19; Jo 1.35-37; At 19.1-3), como os fariseus (p. ex., Mt 22.16; Mc 2.18; Jo 9.28,29). Além disso, na época do NT muitas escolas filosóficas, como a dos sofistas e estoicos, tinham discípulos. Dentro de todos esses grupos, o discipulado envolvia principalmente a imitação: seguir e aderir ao exemplo de uma divindade ou mestre principal, ou ambos.

O discipulado cristão também envolvia a imitação. De acordo com Jesus, "O discípulo não está acima do seu mestre, mas todo aquele que for bem preparado será como o seu mestre" (Lc 6.40); de fato, como era o mestre, assim deveria ser o discípulo (Mt 10.25). Jesus deixa claro que somente seus discípulos teriam a vida eterna (p. ex., Mt 16.24-26; 19.21-23; Jo 10.27,28). Entretanto, imitá-lo requeria mudanças drásticas — a disposição de negar a si mesmo, deixar posses, abandonar familiares e sofrer perseguição (Lc 14.26,27,33; cf. Jo 6.60-66). Paulo também chamou discípulos a uma vida de imitação: "Sejam meus imitadores como eu sou de Cristo" (cf.1Co 4.16; 11.1; Fp 3.17; cf. 2Co 3.18; Gl 4.19; 1Tm 1.16); "pois vocês mesmos sabem como devem seguir o nosso exemplo" (2Ts 3.7-9); "sejam imitadores de Deus" (Ef 5.1; cf. 4.24); "seja um exemplo para os fiéis" (1Tm 4.12). De acordo com Paulo, o discipulado exige a imitação tanto em atitude quanto em ação, cultivando virtudes morais (como humildade e amor), como a prática de serviço abnegado (Rm 15.2,3; 2Co 8.9; Fp 2.1-11). Semelhantemente, o autor de Hebreus insistiu em que os discípulos seguissem os exemplos de fiel perseverança (Hb 6.12; 11.1-12; 13.7).

A temática da imitação ocorre de modo especial em contextos de sofrimento (1Ts 1.6,7; 2.14). Por exemplo, Pedro mostra aos cristãos o exemplo do sofrimento de Cristo para que eles seguissem "os seus passos" (1Pe 2.21-23). Na verdade, até mesmo Deus atua como agente de discipulado usando as aflições como meio de discipular seus filhos (Hb 12.7-13) e transformar o sofrimento em bem para que os discípulos de Cristo sejam conformados à sua imagem (v. Rm 8.17-29).

---

mas também sabemos que ele nunca pecou. Depois do jejum de quarenta dias, o tentador ataca. A primeira frase: "Se és o Filho de Deus", é mais corretamente entendida como: "Já que és o Filho de Deus". Satanás não duvida de que Jesus fosse o Filho de Deus, mas o desafia a usar o poder divino em benefício próprio. A primeira tentação (4.3,4) seduz Jesus a fazer a coisa correta (comer) na hora errada (durante o jejum). As pessoas precisam mais do que pão para viver; precisamos da verdade de Deus (Jo 4.13,14). Fome temporária da vontade de Deus é melhor que satisfação fora dela. O tempo apropriado é um elemento importante da obediência.

A próxima tentação (4.5-7) teve o objetivo de levar Jesus a provar Deus em vez de confiar nele. Satanás até cita (erroneamente) as Escrituras (Sl 91) para encorajar Jesus a fazer algo incomum, ousado e espetacular como meio de autopromoção. Mas a verdadeira questão é: "Vamos seguir Deus ou faremos com que Deus nos siga?". Jesus insiste que a verdadeira fé não tenta manipular Deus. Antes, a fé genuína se sujeita a Deus. Somente quando não temos a verdadeira fé, procuramos controlar Deus.

No último encontro (4.8-10) Jesus é tentado a tornar sua missão em prol de Deus maior que o próprio Deus. Jesus sabe que ele seria um rei servo-sofredor, mas Satanás o seduz a buscar seu governo soberano longe do sofrimento e morte de cruz. Ele está sendo tentado a cumprir sua missão de vida de modo que deixe Deus de fora. Jesus confronta a mentira de Satanás com a verdade de que qualquer atalho que eliminasse a cruz também eliminaria a coroa. Se Jesus se dobrasse a Satanás, ele não seria mais rei sobre todas as coisas. Jesus responde a todas as três tentações com as Escrituras: "está escrito" (Mt 4.4,7,10). Ele cita textos de Deuteronômio 6—8, em que Moisés desafia Israel a ser fiel ao atravessar o rio Jordão e entrar na terra prometida. Jesus tinha acabado de ser batizado no mesmo rio e está para iniciar seu ministério público. Justo no que Israel falhou em obedecer a Deus e abençoar as nações, Jesus, o Filho obediente, seria bem-sucedido. Ele responde a Satanás com a Palavra de Deus, citada de acordo com o contexto. Depois de uma longa tentação física e um período de intensa luta espiritual, os anjos lhe trazem consolo e encorajamento. Ele venceu a batalha inicial da guerra cósmica contra o mal. Jesus resistiu ao Diabo e o Diabo agora o abandona. Nossa estratégia deveria ser a mesma (Tg 4.7; 1Pe 5.8,9).

Jesus transfere-se para Cafarnaum (4.12-17)

Veja Marcos 1.14,15; Lucas 4.14,15. Depois de saber que João tinha sido preso, Jesus volta à Galileia. Ele se transfere de Nazaré para Cafarnaum, uma cidade situada na costa noroeste do mar da Galileia. Como é típico de Mateus, ele mostra que essa mudança cumpre o que está escrito nas Escrituras (Is 9.1,2). Ironicamente, a boa-nova para Israel sai de um lugar inesperado ("Galileia dos gentios"), como o povo vivendo nas trevas (provavelmente referindo-se a Israel) está para ver grande luz. Claro que a luz é Jesus, e sua mensagem é que o povo deveria converter o coração a Deus porque seu Reino estava próximo (4.17).

Jesus chama os discípulos (4.18-22)

Veja Marcos 1.16-20; João 1.35-51.

Jesus inicia seu ministério público (4.23-25)

Veja Marcos 1.39; 3.7-12; Lucas 4.44; 6.17-19. Jesus percorre toda a Galileia ensinando nas sinagogas, pregando as boas-novas do Reino

✚ O assunto preferido de Jesus de ensino e pregação era o Reino de Deus.

e curando pessoas. Sua popularidade se espalha para fora da Galileia, alcançando lugares como a Síria, Decápolis e além do Jordão — principalmente as regiões não habitadas por judeus. Jesus cura pessoas que sofriam de toda espécie de doença, de dores severas, convulsões (epilepsia), paralisia e possessão demoníaca (criteriosamente distinguida das doenças do mundo antigo). O Sermão do Monte que se segue é apresentado a um grupo étnico misto, muitos dos quais haviam sido curados ou libertados, mas agora precisavam ser instruídos sobre como seguir Jesus.

Discurso 1: O Sermão do Monte (5.1—7.29)

Aqui encontramos o que muitos dizem ser o sermão mais poderoso da História. Tanto Mateus (5—7) quanto Lucas (6.17-19) registram o sermão, apesar de a versão de Mateus ser bem mais extensa. É provável que Jesus tenha repetido seus ensinamentos sobre o Reino muitas vezes, e somos abençoados em poder ter um dos seus típicos "sermões".

A ocasião do sermão (5.1,2)

Veja Lucas 6.20. As "multidões" de 5.1 provavelmente eram as mesmas descritas em 4.25, mas os principais destinatários eram os discípulos de Jesus. Por isso, o sermão não especifica as exigências para quem deseja entrar no Reino, mas ensina os já comprometidos com Jesus sobre o significado de viver como comunidade de discípulos autênticos. O lugar é uma "encosta da montanha" ou o topo de um monte. A identificação tradicional desse lugar fica em um declive com vista para a costa norte do mar da Galileia.

As Bem-aventuranças (5.3-12)

Veja Lucas 6.20-23. A palavra "bem-aventurança" vem da palavra latina "bênção". A expressão "bem-aventurado" (*makarios*) significa mais que ser feliz; é como receber as felicitações ou aprovação de Deus. Obtemos o favor de Deus e estamos debaixo de sua bênção porque o seguimos. As bênçãos são derramadas sobre os que

O peixe-de-são-pedro do mar da Galileia.

O mestre Jesus
Joseph R. Dodson

Ele costumava ensinar. Dia após dia — nas sinagogas e no templo, no mar e na sua margem, em planícies e sobre montes, desde sua terra natal até Jerusalém. A maioria ficava impressionada com seus ensinamentos, cheios de autoridade e sabedoria; mas muitos, incluindo os próprios discípulos, muitas vezes não conseguiam compreender. Em certa ocasião, quando os discípulos entenderam seus ensinamentos, a maioria dos ouvintes os rejeitou e simplesmente foi embora (Jo 6.60-66). Uma vez Pedro ousou repreender Jesus pelo seu ensino (Mc 8.31,32). Enquanto alguns o glorificaram quando o ouviram (Lc 4.15), outros o acusaram de estar possuído de demônios (Jo 7.20) e procuraram matá-lo (Mc 11.18; Lc 23.4,5). Embora houvesse exceções (p. ex., Jo 3.2), muitos líderes judeus ficaram irritados com esses ensinamentos extraordinários vindos de um homem tão "sem preparo" (cf. Jo 7.15). Em resposta, Jesus declara que sua formação veio diretamente de Deus (Jo 7.16).

Jesus empregou pelo menos seis métodos de ensino. Ele ensinou a) contando parábolas, b) fazendo perguntas e respondendo a dúvidas, c) comentando as Escrituras, d) proclamando as bem-aventuranças e apregoando calamidades, e) contextualizando sua mensagem e f) realizando milagres. Jesus ensinou muitas coisas por meio de parábolas (v. Mc 4.10-20). Ele baseou algumas parábolas em relacionamentos interpessoais — como o filho perdido e o bom samaritano — e outras com temas agrários e econômicos — como a parábola do semeador e dos talentos. Jesus também ensinou as pessoas fazendo perguntas e respondendo a dúvidas: "O que é permitido fazer no sábado: o bem ou o mal, salvar a vida ou matar?" (Mc 3.4); "Portanto Davi o chama 'Senhor'. Então, como é que ele pode ser seu filho?" (Lc 20.44). Quando indagado sobre o pagamento de imposto, Jesus respondeu: "Então, deem a César o que é de César e a Deus o que é de Deus" (Mt 22.21). E, quando alguém lhe perguntou sobre o mandamento mais importante, Jesus respondeu: "Ame o Senhor, o seu Deus" (Mc 12.28-30). Jesus também ensinou as pessoas comentando as Escrituras; por exemplo, Isaías 61 (Lc 4.16-21) e o Pentateuco (Mt 5.21-48). Além disso, Jesus ensinou declarando as bênçãos e as advertências — "Bem-aventurados vocês os pobres [...] Mas ai de vocês os ricos" (Lc 6.20-26; v. tb. Mt 5.1-11; 23.1-39). Jesus também ensinou usando objetos de ilustração — o templo de Herodes (Jo 2.18-21), o poço de Jacó (Jo 4) ou uma figueira sem fruto (Mt 21.19-22). Por fim, Jesus usou seus milagres como lição: ele cura o paralítico para ensinar sua autoridade para perdoar pecados (Mc 2.10,11) e fala do Reino de Deus logo depois de um exorcismo (Lc 11.14-20). O elogio que Jesus fez a Maria pode demonstrar sua opinião sobre seus ensinamentos: ela escolheu o melhor, a única coisa necessária, o que não lhe será tirado — a oportunidade de sentar aos pés do Mestre e ouvir seus ensinamentos (Lc 10.42).

demonstram atitudes interiores corretas (os pobres, os que choram, os humildes, os que têm fome e sede de justiça, os misericordiosos, os puros de coração) e ações (pacificadores, perseguidos, insultados, caluniados). Algumas das bênçãos podem ser experimentadas no presente, enquanto muitas outras estão reservadas para a era futura. Não se esqueça de que o contexto pressupõe que os seguidores de Cristo enfrentarão a oposição do mundo. Mais que isso, vemos que a espiritualidade do Reino é uma espiritualidade "de dentro para fora", uma vez que os seguidores de Cristo devem refletir o caráter de Deus.

Influência de um discípulo (5.13-16)

Veja Marcos 4.21; 9.49,50; Lucas 8.16-18; 11.33; 14.34,35. Os discípulos são descritos como "o sal da terra" (5.13) e "a luz do mundo" (5.14). Em uma cultura sem eletricidade e refrigeração, sal e luz são muito importantes. Jesus está desafiando os seguidores a usar sua influência como agentes de transformação no mundo. O sal realça e preserva, enquanto a luz ilumina e revela. Em vez de abandonar nossa capacidade de influenciar e nos tornar inúteis, Jesus nos desafia a "deixar brilhar a nossa luz" diante das pessoas para que vejam nossas boas obras e louvem ao Pai.

Jesus cumpre a Lei e torna justo o coração (5.17-20)

Veja Lucas 16.16,17. Jesus não veio "abolir a Lei ou os Profetas", mas "cumprir" (5.17). Ele não se opõe ao AT, mas veio praticar o espírito da Lei e cumpri-la. Jesus não só interpreta o AT, mas ressalta seu verdadeiro propósito e intenção ao cumpri-lo em sua vida, ministério e ensino. Dessa maneira, Jesus se declara Senhor da Lei e dos Profetas! Jesus explica que a justiça do Reino não se restringe apenas a regras religiosas, nem por isso deixa de ter os padrões de santidade de Deus. Pelo contrário, como justiça interior ela parte de dentro para fora e excede em muito a piedade muitas vezes hipócrita demonstrada por alguns líderes religiosos.

A justiça de Jesus ilustrada em seis cenas (5.21-48)

Veja Marcos 9.43-48; Lucas 6.27-30,32-36; 12.57-59; 16.18. A maneira pela qual Jesus cumpre a Lei e os Profetas é claramente demonstrada em

A Igreja das Bem-aventuranças em Tabgha, próximo ao mar da Galileia.

✚ A justiça de Jesus excede a dos líderes religiosos porque ela sai do coração; não se limita à prática religiosa. A nova "lei" agora estava inscrita no coração das pessoas (v. Jr 31.33).

seis cenas. Em cada caso, vemos a) uma afirmação atribuída ao AT ou à tradição judaica ("vocês ouviram o que foi dito"), b) a reinterpretação de Jesus dessa afirmação ("eu lhes digo") e c) a ilustração e aplicação do ensino de Jesus (exceto em 5.31,32). Jesus não só condena o assassinato, mas também menciona a ira que leva ao assassinato. Os discípulos devem procurar se reconciliar sempre que possível (5.21-26). Junto com a condenação do adultério, Jesus também condena o adultério interior (ou cobiça), e os discípulos devem tomar decisões radicais para evitar situações que propiciem a cobiça (5.27-30). Jesus se posiciona contra o divórcio, salvo em casos de infidelidade matrimonial (5.31,32). Ele condena os juramentos e instrui seus seguidores a serem pessoas íntegras que mantêm a palavra (5.33-37). Em lugar de retaliação, Jesus orienta os discípulos a responderem a insultos pessoais com bondade e generosidade (5.38-42). Por fim, Jesus nos chama a amar os inimigos e a orar por quem nos persegue. Dessa maneira, vamos refletir de maneira madura o caráter do Pai celeste (5.43-48).

A maneira de Jesus de praticar atos autênticos de piedade (6.1-18)

Veja Marcos 11.25; Lucas 11.1-4. A justiça do Reino se manifesta em atos autênticos de piedade como dar esmolas (6.1-4), orar (6.5-15) e jejuar (6.16-18). Em todos esses casos, Jesus enfatiza a mesma ideia — não devemos praticar a fé com o intuito de impressionar as pessoas. Não precisamos divulgar nossa generosidade. Antes, devemos dar dinheiro com discrição e com a motivação de agradar ao Pai. Nossa recompensa vem somente de Deus. Devemos evitar orar para sermos vistos pelas pessoas. Se esta for nossa motivação, perderemos o galardão do céu. Antes, devemos dirigir a oração ao Pai. A Oração do Senhor (ou mais bem designada "oração dos discípulos", já que o Senhor não precisava pedir perdão) nos dá um modelo útil para oração — primeiro enfatiza a intimidade e submissão a Deus e depois expressa nossas necessidades de provisão física, perdão e proteção espiritual. Como acontece com o dar esmolas e a oração, devemos jejuar somente para sermos vistos pelo Pai, não para chamar atenção para nós mesmos.

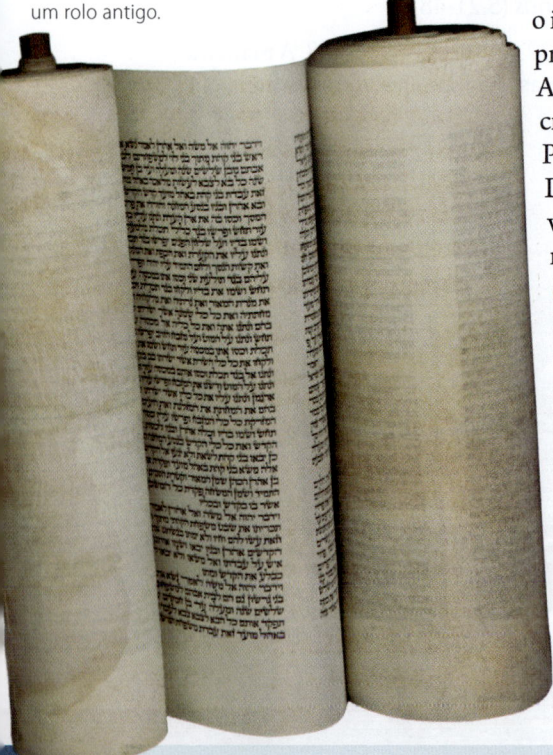

Uma réplica de um rolo antigo.

✚ Jesus veio para cumprir o AT, não para abolir ou destruí-lo. O AT é muito relevante para os cristãos.

Prioridades do Reino relacionadas às riquezas e preocupações (6.19-34)

Veja Lucas 11.34-36; 12.22-34; 16.13. Essa seção ensina os discípulos a como lidar com o dinheiro (e outros bens materiais) ou com a falta dele. Basicamente, devemos confiar em Deus e buscar seu Reino e sua justiça em primeiro lugar (6.33). Jesus nos instrui a buscar tesouros no céu, permanentes e seguros, em vez de tesouros terrenos, temporários e passageiros. Ele sabe que nosso coração sempre seguirá o tesouro (6.19-21). Depois ele retrata o olho como "candeia do corpo" (6.22,23). Os olhos têm aqui a função de uma expressão da alma (i.e., as prioridades ou foco) em vez de a entrada da alma. Se fizermos decisões sábias e estabelecermos prioridades divinas, então o que sai de nossa vida será luz, não trevas. Podemos usar o dinheiro para amar a Deus e servir às pessoas ou para amar o dinheiro e usar as pessoas. Jesus ousadamente retrata Deus e os bens materiais como deuses opostos (6.24). Servimos a um ou ao outro, mas nunca a ambos. Em 6.25-34, Jesus confronta os que se preocupam com as necessidades corriqueiras como alimento, água e vestuário. As pessoas são mais importantes para Deus que os pássaros, a vegetação ou as flores. Se Deus cuida da criação, quanto mais ele cuidará de seus filhos! Então, Jesus nos lembra de que a preocupação não consegue acrescentar nada à vida; ela é totalmente contraproducente e inútil. As pessoas que não conhecem Deus gastam toda a sua energia buscando suprir suas necessidades, mas os discípulos devem confiar, não se preocupar. As necessidades são reais, mas Deus é bom. (Muitas vezes ele utiliza a comunidade de discípulos para atender às necessidades de seus filhos.) Devemos buscar o que interessa a Deus, abandonar a preocupação e confiar em que ele cuidará de nós.

Relacionamentos do Reino (7.1-12)

Veja Marcos 4.24,25; Lucas 6.31,37-42; 11.9-13. Aqui lemos sobre como devemos nos relacionar com os outros e como Deus se relaciona conosco. Não devemos ser juízes dos outros, mas às vezes precisamos ter discernimento em emitir juízos e tomar decisões a respeito dos outros (7.5,6). Nosso padrão de julgamento será o mesmo que Deus aplicará a nós, de modo que devemos julgar com sabedoria e sensibilidade somente depois de examinar a própria vida. Em nosso relacionamento com Deus, devemos orar fervorosa e ousadamente ao amado Pai. Se pais humanos pecadores sabem cuidar bem de seus filhos, quanto mais o santo e amado Deus responderá com boas dádivas a seus filhos? O corpo do sermão termina com a famosa Regra de Ouro: "Em tudo, façam aos outros o que vocês querem que eles façam a vocês" (7.12). Ao contrário de outros mestres judeus, aos quais se atribuem dizeres semelhantes, Jesus é o único a declarar a regra de maneira positiva. Essa regra final representa o centro dos ensinamentos de Jesus sobre os relacionamentos.

A conclusão do sermão (7.13-27)

Veja Lucas 6.43-49; 13.23-27. Jesus conclui o sermão com três ilustrações com a mesma ênfase: no final, temos que tomar uma decisão por Jesus ou contra ele. A porta estreita leva à vida, enquanto a porta larga leva à destruição (7.13,14). A boa árvore produz bons frutos, enquanto a árvore ruim (os que professam falar em nome de Deus, mas são fingidos) não produz bons frutos (7.15-23). A pessoa sábia edifica sobre rocha firme, ouvindo e obedecendo aos ensinamentos de Jesus, enquanto o insensato edifica sobre a areia, deixando de atentar às suas palavras (7.24-27). O sermão termina com uma advertência solene. Há apenas dois modos ou opções, e nem todos os que estão associados a Jesus realmente têm um relacionamento pessoal com ele. Conhecendo Jesus pessoalmente (ou sendo conhecido por ele) é o que mais importa (7.21-23).

A reação das multidões (7.28,29)

Apesar de os principais destinatários de todo o sermão serem os discípulos de Jesus, as multidões ao redor estão maravilhadas com a autoridade do ensino dele. Ao contrário dos mestres religiosos com que eles estavam acostumados, a autoridade de Jesus não vem de outras pessoas. O sermão de Jesus chama os primeiros destinatários (e nós) ao reconhecimento de Deus como a fonte e o centro da vida e a viver de acordo com isso.

Demonstração da autoridade messiânica de Jesus (8.1—9.38)

Jesus agora confirma suas poderosas palavras com manifestações de autoridade. Em Mateus 8—9, encontramos três grupos de três milagres separados por breves ensinamentos sobre o significado de seguir Jesus. A autoridade messiânica de Jesus é demonstrada por meio de sua habilidade de curar enfermidades, acalmar a tempestade, expulsar demônios e até mesmo ressuscitar os mortos. Sua compaixão para com as pessoas o leva a servir-lhes. Isso se contrasta nitidamente com os líderes judeus que estavam mais interessados em manter sua influente posição religiosa que em pastorear as pessoas.

Jesus cura um leproso (8.1-4)

Veja Marcos 1.40-45; Lucas 5.12-16. Quando Mateus e Marcos compartilham o mesmo material, como é o caso aqui, Mateus (apesar de ser o Evangelho mais longo) geralmente é mais conciso. Por exemplo, Mateus não inclui o trecho encontrado em Marcos e em Lucas sobre a notícia que se espalhava por toda região a respeito das curas. Acima de tudo, o que não podemos deixar de perceber é que Jesus se torna "imundo" ao tocar nesse homem leproso para torná-lo limpo.

Jesus cura um servo do centurião (8.5–13)

Veja Lucas 7.1-10. Junto com o toque a um intocável do episódio anterior, Jesus agora cura o servo de um centurião romano. Os judeus devotos menosprezavam os soldados gentios e os consideravam cerimonialmente imundos. Mas o centurião se aproxima de Jesus com respeito (chamando-o "Senhor"), humildade (um poderoso gentio procurando ajuda de um mestre judeu itinerante) e grande fé (diferente de tudo que Jesus havia visto em Israel). Como consequência, Jesus anuncia com ousadia que no grande banquete celestial muitos gentios (vindo "do oriente e do ocidente") cearão ao lado dos famosos patriarcas judeus, enquanto alguns "súditos [ou herdeiros] do Reino" serão excluídos e lançados às trevas. Os judeus devotos nunca esperavam ser banidos do banquete celestial. Jesus, então, cura o servo do centurião a distância e manda o soldado para casa em paz (8.13). O que mais importa no Reino de Jesus não é a ascendência religiosa, mas a humilde fé em Jesus, o Messias.

Jesus cura a sogra de Pedro e outras pessoas (8.14-17)

Veja Marcos 1.29-34; Lucas 4.38-41. Depois de curar um leproso e um servo gentio, agora Jesus cura uma mulher — os três seriam desprezados pelos judeus ortodoxos. Jesus expulsa espíritos malignos "com uma palavra" (8.16), mostrando que é apenas por meio de sua poderosa palavra que os demônios são expulsos. Mateus também observa (como o faz muitas vezes) que o ministério de cura de Jesus cumpre as Escrituras, de forma específica Isaías 53.4. Essa passagem do Cântico do Servo menciona o Messias carregando as enfermidades e doenças do povo para reverter a maldição do pecado.

Âncoras antigas.

Seguir Jesus exige verdadeiro compromisso (8.18-22)

Veja Lucas 9.57-62. Depois desse primeiro grupo de três milagres, Jesus encontra-se com duas pessoas interessadas em segui-lo. A primeira parece superzelosa e se gaba, aparentemente de modo um tanto ingênuo, de que seguiria Jesus aonde quer que ele fosse. Jesus responde que, embora os animais tenham tocas, o "Filho do homem" (a primeira vez que esse importante título aparece no Evangelho de Mateus) "não tem onde repousar a cabeça" (8.20). Os discípulos em potencial deveriam saber desde o início que seguir Jesus traz consigo a possibilidade real de enfrentamento de rejeição e oposição. A segunda pessoa deseja postergar o discipulado até depois da morte do pai. Seguir Jesus requer a prioridade sobre todos os outros relacionamentos humanos. No fim, ambos deixam de atentar para as minuciosas exigências do discipulado de Jesus.

Jesus acalma a tempestade (8.23-27)

Veja Marcos 4.35-41; Lucas 8.22-25. Agora encontramos três outros milagres que demonstram a autoridade de Jesus sobre Satanás e o pecado. Mateus chama essa tempestade de *seismos* (lit., "um violento tremor"), o que pode indicar que Satanás tenha causado a tempestade. Além disso, quando Jesus acalma a tempestade, ele usa o mesmo termo (*epitimao*) usado em outras passagens quando ele expulsa demônios (v. Mc 1.25; 9.25; Lc 4.41). Depois de repreender seus discípulos por terem tão pouca fé e muito medo, Jesus acalma a tempestade. Os discípulos ficam espantados e perguntam: "Quem é este que até os ventos e o mar lhe obedecem?" (8.27). Os mais acostumados com as histórias do AT saberiam responder a essa pergunta — Deus é capaz de acalmar tempestades, como o fez na época de Jonas. É interessante que o "sinal de Jonas" é mencionado apenas alguns capítulos adiante em outro contexto de oposição satânica a Jesus (Mt 12.38-42).

Jesus expulsa demônios (8.28-34)

Veja Marcos 5.1-20; Lucas 8.26-39. Jesus agora se arrisca em território gentio e é confrontado por homens endemoninhados que viviam em um cemitério local. Os demônios logo reconhecem Jesus como o Filho de Deus e suplicam por misericórdia. Jesus lhes concede permissão para entrar em um rebanho de porcos que pastavam próximo dali. Ironicamente, os espíritos imundos destroem os animais imundos arremessando-os ao mar, um símbolo bíblico comum para o Diabo. Toda a população da cidade reage de forma negativa à demonstração do poder de Jesus e o manda embora dali. Mateus fala de dois homens endemoninhados, enquanto Marcos e Lucas mencionam apenas um (apesar de eles nunca dizerem "apenas um" e qualificarem os demônios como "legião" ou muitos). Em outras ocasiões, Mateus inclui dois elementos quando os outros Evangelhos falam de apenas um (Mt 9.27; 20.30). Craig Blomberg sugere que isso se deve ao fato de que, sensível aos destinatários judeus, Mateus segue o princípio de Deuteronômio 19.15, que diz que um fato precisa ser confirmado pelo testemunho de duas ou três testemunhas.*

Jesus cura e perdoa um paralítico (9.1-8)

Veja Marcos 2.1-12; Lucas 5.17-26. No terceiro milagre do segundo grupo de três, Jesus volta a Cafarnaum, onde perdoa e cura um paralítico. Aqui Jesus outra vez se identifica como "Filho do homem" (v. Dn 7.13,14), que tem "na terra autoridade para perdoar pecados" (Mt 9.6), algo que somente Deus pode fazer. Em contraste com os líderes judeus, a multidão responde com admiração e louvor a Deus.

O chamado de Mateus/Levi para ser discípulo (9.9-13)

Veja Marcos 2.13-17; Lucas 5.27-32. Depois do segundo grupo de três milagres, voltamos de novo para o sentido de seguir Jesus. Nesse caso, a resposta de Mateus ao chamado de Jesus ao discipulado é positiva. Como de costume, Mateus provavelmente tinha dois nomes, uma vez que é chamado de "Levi" em Marcos e em Lucas.

A questão do jejum (9.14-17)

Veja Marcos 2.18-22; Lucas 5.33-39. Com a vinda de Jesus, o Reino de Deus se aproxima. Nesse momento, é mais apropriado aos discípulos celebrar que jejuar. Jesus, o noivo (uma metáfora comum de Deus no AT), introduziu uma era completamente nova. Os novos caminhos do Reino

---

* BLOMBERG, Craig. Matthew. **New American Commentary**. Nashville: Broadman, 1992. p. 151.

O mar da Galileia.

✚ Em Daniel 7.13, "alguém semelhante a um filho de homem" é um ser celestial que recebe de Deus o Reino eterno na terra.

expressos nos ensinamentos de Jesus não podem se restringir aos velhos caminhos da retidão legalista.

Jesus cura uma mulher com hemorragia e ressuscita a filha de Jairo (9.18-26)

Veja Marcos 5.21-43; Lucas 8.40-56. Esse é o primeiro milagre da última série de milagres de Mateus 8—9. Na verdade, encontramos aqui duas curas reunidas em um único episódio, talvez para comparar e contrastar a mulher com hemorragia com a filha de Jairo. Mateus conclui dizendo que "a notícia deste acontecimento espalhou-se por toda aquela região" (9.26).

Jesus cura dois cegos (9.27-31)

Em Mateus 20.29-34, Marcos 10.46-52 e Lucas 18.35-43, encontramos um milagre parecido, contudo a localização é diferente da descrita aqui. Jesus com certeza curou muitos cegos no ministério terreno. Nesse caso, o cego demonstra ter discernimento particular sobre a identidade de Jesus quando o chama de "Filho de Davi" e demonstra grande fé (9.27,28). A capacidade de ele ver Jesus com os olhos espirituais resulta da cura física dos olhos. Jesus o adverte de não contar a ninguém sobre a cura, talvez para evitar que as pessoas tivessem a impressão errada sobre a missão maior de Jesus. No entanto, a notícia se espalha com rapidez, e a popularidade de Jesus cresce ainda mais (9.31).

Jesus cura um possesso de espírito mudo (9.32-34)

Veja Marcos 3.22; Lucas 11.14,15. Nesse terceiro milagre da série, Jesus é apresentado a um homem possesso por um espírito mudo. Jesus expulsa o demônio, o homem fala e a multidão reage com admiração: "Nunca se viu nada parecido em Israel" (9.33). Mas os líderes judeus o acusaram de realizar milagres pelo poder de Satanás. À medida que crescia a popularidade de Jesus, as reações se tornaram mais polarizadas: alguns entusiastas acolhiam bem Jesus (9.33), enquanto outros o rejeitavam com crueldade (9.34).

O ministério do Messias continua (9.35-38)

Veja Marcos 6.6,34; Lucas 8.1; 10.2. Jesus continua o ministério de ensino, pregação e cura (cf. 4.23-25). Ele é motivado "por compaixão" pelas multidões porque elas "estavam aflitas e desamparadas, como ovelhas sem pastor" (9.36). Essa última expressão — "ovelhas sem pastor" — pode ser uma alusão à acusação de Ezequiel contra os líderes de sua época (Ez 34) e servir de repreensão aos líderes religiosos da época de Jesus. Por meio dessa figura messiânica de um pastor, Jesus sugere que Deus tinha enviado para o guiar e cuidar de forma apropriada do povo. Imagina-se que talvez a compaixão de Jesus seja de fato a principal razão da oposição dos líderes.

✦ No AT, o Senhor se apresenta muitas vezes como um bom pastor a seu povo (p. ex., Is 40.11; Jr 31.10; Ez 34; Sl 23).

DOZE DISCÍPULOS

Mateus 10.1-4	Marcos 3.13-19	Lucas 6.12-16
Simão (Pedro)	Simão (Pedro)	Simão (Pedro)
seu irmão André		seu irmão André
Tiago, filho de Zebedeu	Tiago, filho de Zebedeu	Tiago
seu irmão João	João (filho do trovão)	João
	André[1]	
Filipe	Filipe	Filipe
Bartolomeu	Bartolomeu	Bartolomeu
Tomé	Mateus	Mateus
Mateus, o publicano[2]	Tomé	Tomé
Tiago, filho de Alfeu	Tiago, filho de Alfeu	Tiago, filho de Alfeu
Tadeu	Tadeu	
Simão cananeu	Simão cananeu	Simão, o zelote[3]
		Judas, filho de Tiago[4]
Judas Iscariotes	Judas Iscariotes	Judas Iscariotes

1. Marcos prefere manter os três discípulos mais importantes juntos na lista (i.e., Pedro, Tiago e João), enquanto Mateus e Lucas preferem manter Pedro e André juntos em suas listas.
2. É de esperar que Mateus mencionasse sua profissão de coletor de impostos.
3. Cananeu é a palavra aramaica para "zelote". Lucas traduz o aramaico para o grego.
4. Parece que Tadeu (Marcos e Mateus) e Judas, filho de Tiago (Lucas) são a mesma pessoa. Cinco dos nomes da lista são seguidos de qualificativos — p. ex., Tiago, filho de Zebedeu. O nome de Judas Iscariotes sugere que houvesse outro Judas — Judas, filho de Tiago. Talvez Marcos e Mateus se referissem ao outro Judas como Tadeu, por causa do estigma associado a Judas. É difícil saber por que Lucas não fez o mesmo.

Jesus se preocupa mais com as pessoas que com a construção de instituições ou programas religiosos. Desse modo, a figura se transfere do cuidado das ovelhas para a colheita de grãos, e para a convocação do "Senhor da colheita" de trabalhadores para trabalhar na colheita. A missão que Jesus tem em mente se torna o assunto principal do segundo discurso de Mateus 10.

Discurso 2: A missão do Messias (10.1-42)

Jesus envia os 12 discípulos como apóstolos, instruindo-os a respeito de sua missão, e lhes ensina o que esperar em resposta. Algumas das predições de Jesus se cumprem no futuro imediato com os Doze, ao passo que outras se cumprem mais tarde à medida que a igreja realiza a obra de Jesus (o livro de Atos contém muitos exemplos do cumprimento dessas predições).

O envio dos Doze (10.1-16)

Veja Marcos 3.13-19; 6.7-11; Lucas 6.12-16; 9.1-6; 10.3. Jesus chama 12 discípulos e os capacita para o ministério (10.1). Ele chama esses 12 de

Os 12 discípulos de Jesus
Mark L. Strauss

Apesar de Jesus ter muitos seguidores, ele escolheu 12 discípulos principais, aos quais nomeou e designou apóstolos. "Apóstolo" (*apóstolos*) significa "mensageiro" enviado por comissionamento. A escolha dos 12, feita por Jesus, faz lembrar as 12 tribos de Israel e sugere que Jesus considerava sua missão a restauração ou reconstituição do povo de Deus sob sua própria liderança. Jesus chega a dizer isso quando promete aos Doze que eles sentariam em tronos em seu Reino "julgando as doze tribos de Israel" (Lc 22.30). Esta é uma breve descrição dos Doze.

Simão Pedro. Simão Pedro sempre é mencionado em primeiro lugar na lista dos discípulos, e muitas vezes serve de representante e porta-voz deles. Jesus chamou Simão para ser discípulo e o apelidou de "Pedro" (gr.: *Petros*; ar.: *Cephas*; Jo 1.42), cujo significado é "rocha" ou "pedra". Conhecido por sua ousadia e espírito impetuoso, Pedro foi o primeiro a reconhecer Jesus como o Messias (Mt 16.13-20 e paralelos), mas posteriormente chegou a negar que conhecia Jesus (Mt 26.69-75 e paralelos). Após a ressurreição, Jesus restaurou Pedro à posição de liderança (Jo 21.15-19), e no livro de Atos Pedro aparece como principal liderança da igreja primitiva.

André, irmão de Simão Pedro. André era inicialmente seguidor de João Batista até que João lhe mostrou Jesus (o "Cordeiro de Deus"). André trouxe consigo seu irmão Simão para encontrar-se com Jesus (Jo 1.40-42). Ele é conhecido como o discípulo que conduzia outras pessoas a Jesus: o próprio irmão, o menino com os pães e peixes (Jo 6.8,9) e, junto com Filipe, um grupo de gregos que queria se encontrar com Jesus (Jo 12.20-22). André e Pedro eram de Betsaida (Jo 1.44), mas administravam seu negócio de pesca em Cafarnaum (Mc 1.29).

Tiago, filho de Zebedeu. Como Pedro e André, Tiago e seu irmão João eram pescadores que seguiram o chamado de Jesus (Mt 4.21,22). Jesus os apelidou de *Boanerges*, que significa "filhos do trovão" (Mc 3.17), talvez por causa da personalidade inconstante deles (Lc 9.54). Tiago foi preso e executado por Herodes Agripa I; ele foi o primeiro apóstolo a morrer como mártir (At 12.1,2).

"apóstolos", termo que, no singular, significa o que é enviado como representante ou agente autorizado por outro (10.2-4). Primeiro Jesus instrui os Doze a respeito de sua breve missão às "ovelhas perdidas de Israel" (10.5,6), que depois se expandirá para incluir todo o mundo (10.18; 24.14; 28.18-20). Os apóstolos deveriam pregar o Reino, curar enfermos, ressuscitar mortos e expulsar demônios (10.7,8), como viram Jesus fazer. Eles deveriam viajar com poucos pertences, apenas para a sobrevivência, e depender da hospitalidade generosa (10.9-13). Jesus os prepara para a rejeição (10.14,15), adverte-os sobre os perigos da missão e ordena que sejam astutos e ingênuos (10.16).

Os discípulos deveriam se preparar para a perseguição (10.17-25)

Veja Marcos 13.9-13; Lucas 6.40; 12.11,12; 21.12-19. Os seguidores de Jesus devem esperar ser tratados de maneira severa pelas autoridades diante de quem terão a oportunidade de testemunhar a respeito de Jesus

✚ Os apóstolos de Jesus também servem de pastores para seu povo disperso e perdido.

João, irmão de Tiago. João, Tiago e Pedro formam o "círculo íntimo", os discípulos mais achegados de Jesus, que o acompanharam em momentos cruciais de seu ministério: a ressurreição da filha de Jairo (Mc 5.37), a Transfiguração (Mc 9.2) e o jardim do Getsêmani (Mc 14.33). João é tradicionalmente identificado como o "discípulo amado" e o autor do quarto Evangelho, das cartas de 1 a 3João e do livro de Apocalipse.

Filipe. Filipe, que era de Betsaida, apresentou Natanael a Jesus (Jo 1.45). Fora da lista de discípulos, ele aparece somente em algumas situações no Evangelho de João (Jo 6.5-7; 12.21,22; 14.8,9).

Bartolomeu. Bartolomeu significa "filho de Tolmai" e pode ser outro nome para Natanael (Jo 1.45).

Mateus, o publicano. O Evangelho de Mateus identifica esse discípulo com o coletor de impostos chamado "Levi" por Marcos e Lucas (Mt 9.9; Mc 2.14; Lc 5.27). Segundo a tradição, ele é considerado o autor do Evangelho com o mesmo nome.

Tomé. Também conhecido por Dídimo (que significa "gêmeo"), é o discípulo que duvidou da ressurreição de Jesus até que viu e tocou no próprio Jesus (Jo 20.24-29). A tradição da Igreja diz que mais tarde Tomé evangelizou seguindo para o leste até chegar à Índia.

Tiago, filho de Alfeu. Às vezes identificado com o "Tiago, o mais jovem" (o mais jovem) de Marcos 15.40, ele pode ter sido irmão de Mateus/Levi, uma vez que o pai de ambos chamava-se Alfeu (Mc 2.14).

Tadeu, Lebeu, ou Judas, filho de Tiago. Esse é o nome mais questionável dos Doze. Mateus e Marcos se referem a Tadeu (alguns manuscritos dizem "Lebeu"). Lucas, porém, o chama de Judas, filho de Tiago, o que pode ser outro nome para a mesma pessoa.

Simão, o zelote. Em Lucas, esse discípulo é chamado "zelote"; em Marcos e Mateus, no grego, ele é chamado "cananeu", do termo aramaico que significa "zeloso" (não "cananeu"). Não fica claro se Simão era zeloso da Lei judaica ou se tinha sido um zelote — membro de um movimento revolucionário.

Judas Iscariotes, que traiu Jesus. "Iscariotes" provavelmente significa "homem de Queriote" (uma região da Judeia) e era nome de família (Jo 6.71). O quarto Evangelho afirma que Judas, como tesoureiro do grupo, costumava surripiar o dinheiro do grupo mesmo antes de trair Jesus (Jo 12.6).

(10.17,18). Quando isso acontecer, "o Espírito do Pai de vocês" colocará na boca deles as palavras certas (10.19,20). A perseguição decorre da devoção deles a Jesus (10.18,22). (Quando as dificuldades decorrem de outros motivos, como em razão de uma personalidade odiosa, os discípulos são os culpados.) Se o próprio Jesus foi odiado e acusado falsamente, seus seguidores não devem esperar menos (10.22,24,25). Deve-se esperar a perseguição, mas não se deve buscá-la; evitá-la talvez seja a coisa mais sábia a fazer (10.23). Essa hostilidade será especialmente dolorosa quando envolver membros da família (10.21). No contexto original, as pessoas que experimentavam divisões familiares como essas estavam abandonando uma tradição religiosa para seguir uma tradição diferente, como um mulçumano hoje que se converte ao cristianismo e sofre a rejeição da própria família. Jesus nos lembra de que é necessário perseverar, e ele voltará para vindicar seu povo (10.22,23).

Temer mais a Deus que as pessoas (10.26-33)

Veja Lucas 12.2-9. Os discípulos não devem temer a rejeição nem a perseguição (10.26). Deus responsabilizará os perseguidores por isso, e um dia todas as coisas serão manifestas (10.26,27). Em vez de temer a quem só pode destruir o corpo, os discípulos devem temer a Deus, que é capaz de destruir no inferno tanto a alma quanto o corpo (10.28). Nosso Pai responde ao nosso temor (ou obediência respeitosa) com amor e amparo (10.29-31). Nossa tarefa é professar Jesus em público e sermos fiéis em nosso testemunho em vez de temermos as pessoas e nos envergonharmos de Jesus. Esse desafio consiste em uma promessa e em uma advertência (10.32,33).

Lealdade a Jesus acima da família (10.34-39)

Veja Lucas 12.51-53; 14.25-27; 17.33; Jo 12.25. A missão de Jesus não traz automaticamente paz e harmonia (10.34). Reações variadas a ele despertam conflitos relacionais nas famílias (10.35,36). Qualquer um que puser lealdades familiares acima da lealdade a Jesus não é digno de ser discípulo dele (10.37). Os discípulos precisam estar dispostos a tomar sua cruz (símbolo de sofrimento e rejeição) e seguir Jesus (10.38). Paradoxalmente, os que tentarem garantir a vida distante de Jesus, a perderão, ao passo que quem perder a vida por amor a Jesus, a encontrará (10.39).

Recepção dos representantes de Deus (10.40-42)

Veja Marcos 9.41; Lucas 10.16; João 13.20. A maneira com que as pessoas reagem aos mensageiros de Jesus (profetas, justos e "os pequeninos", ou discípulos) mostra como elas reagiriam ao próprio Jesus. Isso, por sua vez, mostra como Deus reagirá a elas. Os que "receberem" esses seguidores de Jesus, talvez, de alguma maneira, protegendo-os de perseguição, não deixarão de ser recompensados. Mesmo nos piores momentos do povo de Deus, alguns reagirão a eles com compaixão.

Colheita de cevada.

✢ Os seguidores de Deus são advertidos muitas vezes da possibilidade de perseguição e aflição na vida. Sempre tem sido assim.

Oposição a Jesus, o Messias, e à sua missão (11.1—12.50)

Em Mateus 11—12, intensifica-se a oposição a Jesus. João duvida se Jesus é "aquele que deveria vir", as cidades circunvizinhas rejeitam sua mensagem e os líderes judeus levantam acusações. Ele recebe até uma sutil repreensão da própria família. Entretanto, em meio a isso tudo, Jesus é afirmado como servo de Deus ungido pelo Espírito, com um relacionamento singular com o Pai, e promete descanso para a alma de quem o seguir.

João Batista e Jesus (11.1-19)

Veja Lucas 7.18-35; 16.16,17. Mateus 11.1 (tb. 7.28,29) serve de conclusão ao discurso anterior. Alguns discípulos de João Batista aproximam-se de Jesus com uma pergunta: "És tu aquele que haveria de vir ou devemos esperar algum outro?" (11.3; cf. Mt 3.11). Jesus deixa sua obra messiânica de pregação e cura falar por si só (11.5). João e seus seguidores serão abençoados se não se escandalizarem com Jesus (11.6). Quando surgem dúvidas, devemos deixar a obra de Jesus revelar sua identidade. Jesus então comenta sobre o papel de João como mensageiro profético que veio preparar o caminho para o Messias (11.7-15). Ele então conta uma história sobre uma brincadeira de criança para mostrar como nem João nem Jesus atendem às expectativas das pessoas (11.15-19). João é muito retraído e estranho, e Jesus gosta de celebrações. Jesus sugere que essa geração é como um bando de crianças manhosas e mimadas. Mas no fim "a sabedoria é

✛ O AT predisse que o Messias traria cura, purificação, vida e perdão (p. ex., Is 35.4-6; 61.1; Jr 30.17; 33.6). As obras de Jesus revelam sua autenticidade.

comprovada pelas obras que a acompanham" (11.19), e veremos que João e Jesus estavam cumprindo a vontade de Deus.

Jesus repreende os que o rejeitam (11.20-24)

Veja Lucas 10.12-15. As cidades que Jesus repreende eram da Galileia, a principal região de seu ministério até aquele momento. Ele usa a forma dos "ais" do AT para enfatizar que, quanto maior o conhecimento da revelação, maior é a responsabilidade. Deus julgará essas pessoas com mais severidade porque elas entenderam claramente a mensagem de Jesus e presenciaram os milagres de seu ministério; mesmo assim o rejeitaram.

Jesus louva o Pai e oferece descanso para os que queriam segui-lo (11.25-30)

Veja Lucas 10.21,22. Apesar de ser mal compreendido e rejeitado, Jesus louva o Pai por ter se ocultado dos autoconfiantes e se revelado aos humildes e aos que confiam nele (11.25,26). Jesus tem um relacionamento singular e íntimo com o Pai (11.27). Ele convida os "cansados e sobrecarregados" para vir a segui-lo e encontrar "descanso para as suas almas" (11.28-30). Apesar de o termo "jugo" normalmente se referir à Lei, Jesus convida pessoas para o seguirem e a seus ensinamentos. Ele não nos acolhe para a vida passiva, mas para a vida de atividades tranquilas em que nossas cargas são aliviadas porque temos de quem depender. O que encontramos em Jesus é uma maneira completamente nova de viver.

A controvérsia sobre o sábado (12.1-14)

Veja Marcos 2.23—3.6; Lucas 6.1-11. Os adversários de Jesus agora o confrontam abertamente sobre dois incidentes relacionados ao sábado. Primeiro, Jesus e seus discípulos apanham e comem cereal no sábado e são acusados de colher, atividade proibida (12.1-8). Em resposta, Jesus lembra os líderes de que Deus prioriza misericórdia e compaixão acima dos rituais religiosos (Os 6.6; cf. Mt 9.35-38) e que "o Filho do

Jugo de madeira usado nos animais para arar a terra.

✚ Jesus usa a forma dos "ais" do AT para pronunciar juízo sobre cidades que receberam claras e repetidas revelações, mas mesmo assim o rejeitaram (v. Nm 21.29; Is 3.9-11; Jr 13.27; Ez 24.6-9).

A observância do sábado
Mark L. Strauss

A expressão "sábado" vem da palavra hebraica que significa "descanso" ou "cessação" (do trabalho). O princípio do descanso no sábado se baseia no relato da Criação. Deus criou os céus e a terra em seis dias, descansou no sétimo, e depois o abençoou e o declarou santo (Gn 2.2). O mandamento para descansar no sábado surge pela primeira vez nas Escrituras depois do êxodo do Egito, quando os israelitas foram proibidos de colher o maná no sábado (Êx 16.21-30). A ratificação oficial do mandamento foi promulgada por meio de Moisés no monte Sinai. O quarto dos Dez Mandamentos diz: "Lembra-te do dia de sábado, para santificá-lo" (Êx 20.8-11; Dt 5.12-15). Nenhum trabalho deveria ser realizado nesse dia — por seres humanos ou animais. Todos deveriam descansar. A sentença pela quebra do mandamento era a morte (Êx 31.14; Nm 15.32-36).

Desde o Período Intertestamentário, os rabinos se tornaram mais escrupulosos com referência ao sábado, procurando definir os parâmetros do que constituía trabalho. No *Talmude* há dois tratados inteiros dedicados à observância do sábado (ao todo, há aproximadamente 63 tratados). Apesar de o objetivo de aplicar a lei de Deus à vida diária ser nobre, isso muitas vezes leva ao legalismo — quando a letra da lei se torna mais importante que o espírito dela.

Sendo judeu fiel, Jesus guardou o sábado e participou dos cultos da sinagoga aos sábados (Lc 4.16). Contudo, ele muitas vezes entrou em conflito com os líderes religiosos a respeito do legalismo associado à sua guarda. Quando criticado porque seus discípulos apanharam cereal no sábado, Jesus deu o exemplo de Davi, que comeu pão consagrado quando ele e seus soldados passavam fome (1Sm 21.1-6). Ele disse que o sábado foi feito para os seres humanos, destinado ao benefício humano, não para se tornar um peso (Mt 12.1-14; Mc 2.23—3.6; Lc 6.1-11). Jesus também curou no sábado, uma vez que o alívio do sofrimento humano precedia as observâncias legalistas (Lc 13.10-17; 14.1-6; Jo 5.1-18; 9.1-41). Por fim, ele se declarou Senhor do sábado (Mc 2.28 e paralelos), chegando a ponto de dizer que o Pai trabalhava no sábado, portanto ele deveria fazer o mesmo (Jo 5.17).

O apóstolo Paulo sustentava que a Lei se cumpriu em Jesus e que é a fé em Cristo, não a observância legalista, que torna a pessoa justificada perante Deus (Rm 3.28; Gl 2.16; 3.1-3). Portanto, os gentios não precisavam ser circuncidados, guardar as leis dietéticas do AT, ou observar o dia de sábado, uma vez que essas leis eram apenas sombras da realidade — que é o próprio Cristo (Cl 2.16,17; cf. Gl 4.9-11). Embora o princípio do descanso do sábado — separar tempo especial de descanso, culto e reflexão — permaneça uma atividade essencial para os seres criados à imagem de Deus, para Paulo os cristãos não estão mais obrigados a guardar o mandamento específico do descanso no sétimo dia. Essa é antes uma questão de convicção pessoal. Paulo diz: "Algumas pessoas pensam que certos dias são mais importantes do que outros, enquanto que outras pessoas pensam que todos os dias são iguais. Cada um deve estar bem firme nas suas opiniões" (Rm 14.5, *NTLH*).

homem é Senhor do sábado" (12.7,8). Segundo, Jesus cura um homem com a mão atrofiada no sábado — outra atividade proibida (12.9-14; v. Mc 3.1-6). Jesus insiste em que as pessoas com certeza são mais importantes que ovelhas, que de acordo com a Lei podem ser resgatadas de uma vala no sábado. Depois de Jesus curar o homem, os fariseus deixam a sinagoga e planejam matá-lo.

Jesus é o servo de Deus ungido pelo Espírito (12.15-21)

Veja Marcos 3.7-12; Lucas 6.17-19. Sabendo que os fariseus tinham más intenções, Jesus se esquiva do conflito. Ele continua demonstrando compaixão, curando pessoas, pedindo para que elas não falassem a respeito dele aos outros. Em 12.18-21, Mateus observa que a resposta de Jesus cumpre a profecia do Servo Sofredor de Isaías (42.1-4), a mais extensa citação do AT do Evangelho de Mateus. O Servo é escolhido e amado por Deus e ungido pelo Espírito. Ele proclama justiça às nações (ou gentios), e elas respondem pondo a confiança nele. Ele cumpre sua missão não por meio de violência ou coerção, mas mediante obediência fiel e amável.

Controvérsia sobre o exorcismo (12.22-45)

Veja Marcos 3.22-30; 8.11,12; Lucas 6.43-45; 11.14-32; 12.10. Jesus continuava sofrendo oposição quando curou um homem endemoninhado que estava cego e mudo. O povo fica admirado e pergunta: "Não será este o Filho de Davi?" (12.23), mas os fariseus acusam Jesus de expelir demônios por "Belzebu, o príncipe dos demônios" (12.24). Eles não só negavam a divindade de Jesus, mas insistiam em que ele era diabólico! Depois de Jesus demonstrar a falsidade dessa alegação (cf. 12.25-28), a única opção é que ele expulsava demônios pelo Espírito de Deus, cuja ação evidencia a manifestação do Reino de Deus (12.28). Longe de trabalhar para Satanás, os exorcismos de Jesus demonstram que ele é o "homem mais forte" que prende e amarra o "homem forte" (i.e., Satanás; 12.29). Jesus é e sempre será o "homem mais forte". Uma vez que as pessoas são a favor de Jesus ou contra ele (12.30), atribuir a obra de Deus a Satanás é uma ofensa grave e constitui blasfêmia contra o Espírito Santo (12.31,32). Negar que o Espírito de Deus agia por meio de Jesus é um pecado imperdoável, pois só Jesus pode perdoar. As palavras revelam a condição do coração de uma pessoa como o fruto revela a condição de uma árvore (12.33). Pessoas boas comunicam palavras edificantes, mas pessoas más, como os fariseus, falam coisas ruins (12.34,35). Por meio das palavras, somos absolvidos ou condenados no dia do juízo (12.36,37). Em resposta, os líderes judeus pedem um sinal miraculoso (12.38), mas Jesus se recusa a entrar no jogo deles; o "sinal de Jonas" já havia sido dado, aludindo à futura morte e ressurreição de Jesus (12.39-41). Até mesmo os gentios de Nínive se arrependeram com a pregação de Jonas, e a rainha do Sul (Sabá) ouviu Salomão. No dia do juízo, ambos condenarão essa geração, que não ouve aquele que é muito maior que Jonas e Salomão (12.41,42). Toda essa seção da controvérsia começa com o exorcismo e termina com uma exortação de Jesus relacionada ao exorcismo (12.43-45). Se Deus não é convidado para ocupar o lugar do demônio expulso, este retornará e manterá a pessoa ainda mais escravizada. Da mesma forma, a não ser que essa perversa geração siga

✛ Apesar de os ninivitas darem ouvidos a Jonas e a rainha de Sabá ouvir Salomão, os líderes religiosos rejeitaram Jesus; por isso, um dia eles serão condenados por esses gentios que atenderam Deus.

Jesus (i.e., encha sua casa com Deus), a obra da libertação de Satanás redundará em nada. Eles ficarão piores que antes.

Controvérsias sobre a família (12.46-50)

Veja Marcos 3.31-35; Lucas 8.19-21. Agora a família de Jesus conversa com ele (ou talvez tenta evitar que ele cause mais problemas). Ele aproveita a oportunidade para redefinir "família" em termos espirituais. Seus discípulos são sua família. Não podemos deixar passar despercebida a referência de Jesus a Deus como "meu Pai que está nos céus" em 12.50. Apesar de muitos rejeitarem Jesus, quem realiza a vontade de Deus se torna membro da família de Jesus. Muitas pessoas com a família biológica desintegrada encontram enorme esperança ao fazer parte da família de Jesus.

Discurso 3: As parábolas do Reino (13.1-52)

Diante da crescente oposição, Jesus gasta tempo ensinando os interessados em segui-lo. Mateus 13, o terceiro discurso principal do Evangelho, contém oito parábolas que explicam mais a respeito de Jesus e de seu Reino.

A parábola do semeador (13.1-9)

Veja Marcos 4.1-9; Lucas 8.4-8. Essa parábola ensina que muitas pessoas ouvirão sobre o Reino e terão reações diversas. A semente é semeada em quatro tipos de solo: à beira do caminho, em terreno pedregoso, entre os espinhos, e em boa terra. A parábola ressalta os vários obstáculos encontrados pela mensagem do Reino, como a abundância de fruto do solo fértil.

Por que Jesus ensinava por meio de parábolas (13.10-17)

Veja Marcos 4.10-12; Lucas 8.9,10; 10.23,24. Jesus agora explica aos discípulos por que ele ensinava por meio de parábolas. O conhecimento desses segredos do Reino "foi dado" (por Deus) aos

A parábola do semeador (solo rochoso, espinhos, caminho, solo fértil).

discípulos, mas não aos demais. O plano soberano de Deus de esconder o Reino de estranhos cumpre Isaías 6.9,10. Curiosamente, o coração calejado dos estranhos na verdade os impede de aceitar a mensagem. Nessa explicação sobre o uso das parábolas, Jesus apela ao plano soberano de Deus e à responsabilidade humana. Os que estão com o coração aberto para Deus são abençoados. Em especial os que andam com Jesus são abençoados extraordinariamente, uma vez que presenciam o cumprimento de muitas promessas do AT.

Interpretação da parábola do semeador (13.18-23)

Veja Marcos 4.13-20; Lucas 8.11-15. Jesus agora explica aos ouvintes a parábola do semeador. A semente representa a mensagem de Jesus sobre o Reino. O solo fértil representa os que ouvem, entendem e obedecem (i.e., os verdadeiros seguidores). Os outros três solos representam pessoas que nunca se tornaram verdadeiros seguidores — uma vez que não entenderam, não perseveraram diante das dificuldades, nem resistiram às preocupações e riquezas do mundo. Os inimigos dos verdadeiros discípulos são evidentes: a carnalidade, o mundo e o Diabo. Só os verdadeiros seguidores produzirão frutos espirituais.

A parábola do trigo e do joio (13.24-30)

Essa parábola mostra que o trigo (os justos) e o joio (os ímpios) crescem juntos por um tempo. Mais uma vez, o inimigo (Satanás) joga sementes ruins com as boas sementes nesta era na tentativa de corromper toda a lavoura. Somente na colheita, ou juízo final, Deus separará o trigo do joio. Jesus explica essa parábola em 13.36-43.

As parábolas do grão de mostarda e do fermento (13.31-33)

Veja Marcos 4.30-32; Lucas 13.18-21. Essas parábolas ressaltam que uma coisa extremamente pequena pode se tornar algo muito grande e influente, como Jesus e seus seguidores começariam um movimento de transformação do mundo.

Resumo dos ensinamentos de Jesus por meio de parábolas (13.34,35)

Veja Marcos 4.33,34. Mateus observa que o ensino de Jesus por meio de parábolas cumpre o que está escrito em Salmos 78.2. Ambas as passagens revelam meios pelos quais Deus está agindo.

Explicação da parábola do trigo e do joio (13.36-43)

Jesus explica em particular, e de maneira clara, aos discípulos a parábola contada antes sobre o trigo e o joio (cf. 13.24-30). Jesus, o Filho do homem, ocupa um papel crucial no juízo vindouro no fim dos tempos. A condenação aguarda os que rejeitaram Jesus, enquanto a glória aguarda os que o seguiram.

✚ As parábolas de Jesus têm efeito duplo: elas revelam a verdade às pessoas com o coração receptivo e ocultam a verdade daqueles com o coração endurecido (v. Is 6.9,10).

As parábolas do tesouro escondido e da pérola de grande valor (13.44-46)

Essas duas parábolas ressaltam o caráter tão valioso do Reino que qualquer preço é digno de ser pago para alcançá-lo.

A parábola da rede (13.47-50)

Essa parábola compara o juízo final de Deus de todas as pessoas à escolha de vários tipos de peixes depois de arrastada a rede — os justos são salvos e os ímpios, castigados.

A parábola dos escribas do Reino (13.51,52)

Jesus conclui perguntando se os discípulos conseguiram obter um entendimento melhor por meio das parábolas. Então ele os compara a escribas ou mestres da lei que foram instruídos a respeito do Reino. Esses escribas do Reino serão capazes de instruir os caminhos de Deus com precisão a outras pessoas.

A revelação da identidade de Jesus como Messias (13.53—16.20)

Depois de concluir o terceiro discurso principal (v. tb. 7.28,29; 11.1), a questão central se volta para a identidade de Jesus. As respostas a Jesus continuam polarizando entre os que o entenderam mal e os que continuaram a segui-lo. Jesus prega com poder e realiza milagres, mas seus discípulos ainda contendem a respeito de sua identidade. Por fim, a seção culmina com a confissão de Pedro de que Jesus é o Cristo, o Filho do Deus vivo.

Um mosaico de pães e peixes na igreja de Tabgha.

Jesus é rejeitado em sua cidade (13.53-58)

Veja Marcos 6.1-6; Lucas 4.16-30. Depois de ensinar por meio de parábolas, Jesus volta para casa em Nazaré e ensina na sinagoga. Apesar de inicialmente impressionar as pessoas com sua sabedoria e milagres, mais tarde o povo da cidade se ofende com ele e o despreza como alguém sem importância.

Herodes manda decapitar João Batista (14.1-12)

Veja Marcos 6.14-29; Lucas 3.19,20; 9.7-9. Outro grupo que compreendeu mal a Jesus foi o dos que estavam na festa com Herodes Agripa. Ao ouvir as notícias sobre os milagres de Jesus, Herodes acredita que Jesus era João Batista ressuscitado dos mortos. Isso faz que Mateus conte a história sobre a morte de João a mando de Herodes.

Dando de comer a 5 mil pessoas — Israel (14.13-21)

Veja Marcos 6.30-44; Lucas 9.10-17; João 6.1-15. Além da ressurreição de Jesus, esse é o único milagre presente em todos os Evangelhos. Quando Jesus ouve a respeito da morte de João, ele se retira para um lugar solitário. As multidões o encontram, e Jesus tem compaixão delas, cura muitos doentes e alimenta de forma milagrosa um grande número de pessoas. Jesus também envolve os discípulos nesse milagre para lhes mostrar quem ele realmente era e talvez para demonstrar como agirá no futuro.

Jesus é adorado como Filho de Deus (14.22-36)

Veja Marcos 6.45-56; João 6.16-21. No Evangelho de Mateus, o relato de Jesus andando sobre as águas leva os discípulos à compreensão mais profunda a respeito de Jesus. Esse episódio de Pedro pedindo permissão para andar sobre as águas para se encontrar com Jesus só existe no Evangelho de Mateus (14.28-32). Pedro fica com medo por causa do vento e das ondas e clama para que Jesus o salve. Jesus o salva, repreende-o pela falta de fé e acalma o mar quando os dois entram no barco. Nesse momento, os que estão no barco confessam: "Verdadeiramente tu és o Filho de Deus" (14.33). Quando eles chegam a Genesaré, o povo "reconhece" Jesus e lhe traz os enfermos para serem curados (14.34-36).

Moedas de Herodes Agripa.

Jesus como verdadeiro mestre da Palavra de Deus (15.1-20)

Veja Marcos 7.1-23; Lucas 11.37-41. Jesus é confrontado por alguns fariseus e mestres da lei a respeito de os discípulos não observarem as tradições religiosas relacionadas à purificação cerimonial. Em resposta, Jesus pergunta por que os líderes tinham a liberdade de usar escapes religiosos para desobedecer aos mandamentos claros de Deus relacionados à honra aos pais. Eles estavam anulando a Palavra de Deus por meio de suas tradições. Ele cita Isaías 29.13, qualificando-os como hipócritas que honram a Deus com os lábios, mas de coração endurecido para com Deus. Então, Jesus explica à multidão à volta que deixar de se purificar exteriormente não torna a pessoa impura, e sim ter o coração pecaminoso. Quando ele ouve de seus discípulos que ofendeu os fariseus, Jesus parece não se preocupar. Ele diz: "Deixem-nos; eles são guias cegos" (15.14). Como verdadeiro mestre da Palavra de Deus, Jesus explica aos apáticos discípulos que não é o que entra pela boca da pessoa que a contamina no sentido espiritual, mas o mal que sai de dentro do coração. Em 15.19, Jesus lista sete males relacionais que podem tornar uma pessoa espiritualmente impura.

Jesus adorado como Filho de Davi (15.21-28)

Veja Marcos 7.24-30. À medida que Jesus ousa se aproximar mais de território gentílico (Tiro e Sidom), ele encontra uma mulher cananeia que suplica por livramento de sua filha endemoninhada. Ela clama a Jesus: "Senhor, Filho de Davi" (15.22), demonstrando uma compreensão especial de que Jesus era o Messias judeu. A mulher insiste e, apesar do fato de ela ser uma gentia, Jesus por fim lhe cura a filha. A princípio, Jesus parece ter sido insensível e rude em seus comentários à mulher, mas ele estava procurando mostrar duas coisas. Primeiro, a prioridade da sua missão era o povo escolhido de Deus, os judeus. Segundo, ele a estava testando, pedindo que ela mostrasse verdadeira fé e humildade ao confiar nele (o tipo de fé que os judeus deveriam ter, mas não tiveram). Além disso, é importante observar que o ministério de Jesus nessa e nas passagens ao redor demonstra seu amor e interesse pelos gentios.

Dando de comer a 4 mil — gentios (15.29-39)

Veja Marcos 7.31—8.10. Jesus volta à região do mar da Galileia (Marcos menciona "Decápolis"), mas permanece em território gentio. Ali ele continua curando os coxos, cegos, aleijados, mudos e muitos outros. As multidões predominantemente gentias ficam admiradas e louvam o Deus de Israel (15.31). O resumo do ministério de cura de Jesus (muito parecido com 14.13,14) é seguido de outra multiplicação de pães para alimentar uma multidão (muito parecida com 14.15-21), mas essa parece estar destinada aos gentios. Outra vez, a compaixão de Jesus o motivou a ministrar às multidões (15.32), e da mesma forma ele age por meio dos discípulos para alimentá-las.

✚ Enquanto os líderes religiosos hipócritas deixam de reconhecer Jesus, a mulher gentia confessa que ele é Senhor. Desde o início, fazia parte do plano de Deus incluir os gentios em sua família eterna (Gn 12).

Os líderes judeus rejeitam Jesus (16.1-12)

Veja Marcos 8.11-21; Lucas 11.16,29; 12.1,54-56. Os fariseus e saduceus, normalmente rivais, unem-se para pôr Jesus à prova. Eles pedem um "sinal do céu" ou algum tipo de prova de que Jesus seja o Messias de Deus. Jesus se admira de como eles são capazes de prever o clima, mas como líderes religiosos não conseguem discernir as realidades espirituais dos tempos. Como seria possível eles não entenderem a chegada do Reino de Deus manifestada por Jesus? Ele os chama de "geração perversa e adúltera" e se recusa a dar qualquer sinal, exceto o de Jonas, sua morte e ressurreição (v. Mt 12.38-41). Mais tarde, no barco com os discípulos, Jesus os adverte de estarem atentos ao "fermento" dos líderes judeus. Jesus não se referia apenas aos ensinamentos deles (16.12), mas também ao exemplo da sua rejeição como Messias (uma das poucas coisas sobre as quais os discípulos realmente concordavam). Os discípulos não compreendem Jesus, pois pensavam que ele os estava repreendendo por terem se esquecido de levar pão para se alimentarem. Jesus os repreende pela falta de entendimento e esclarece que ele não estava tratando do alimento físico. Teriam os discípulos se esquecido de como ele multiplicou milagrosamente o pão para pelo menos 9 mil pessoas? Jesus é capaz de fazer pão! A advertência de Jesus se refere à influência e liderança diabólica desses líderes religiosos. Os discípulos devem estar atentos. Às vezes fazemos bem em advertir as pessoas a respeito da liderança religiosa egocêntrica e desvirtuada.

Os discípulos reconhecem Jesus como Messias, o Filho do Deus vivo (16.13-20)

Veja Marcos 8.27-30; Lucas 9.18-21; João 6.66-71. Chegamos aqui em um momento decisivo do ministério de Jesus. Em Cesareia de Filipe, cidade de reputação pagã, Jesus pergunta aos discípulos: "Quem os outros dizem que o Filho do homem é?" (16.13). As multidões diziam que ele era uma figura profética como João Batista, Elias ou Jeremias. Mas Jesus era mais que um profeta e deseja saber o que os próprios discípulos pensavam a seu respeito. Então ele se dirige a todo o grupo (usando o pronome plural "vocês" duas vezes no v. 15) — "E vocês? [...] Quem vocês dizem que eu sou?" (16.15). Pedro, o porta-voz autodesignado, responde: "Tu és o Cristo [Messias], o Filho do Deus vivo" (16.16). Agora que Pedro confessou Jesus, Jesus tem algo a dizer a Pedro. Primeiro, ele abençoa Pedro por ter recebido essa revelação divina do Pai (16.17). Segundo, Jesus declara "você é Pedro" ou *Petros* (isso equipara à confissão de Pedro a respeito de Jesus: "Tu és o Cristo") e faz um jogo de palavras com o seu nome — "e sobre esta pedra (*petra*) edificarei a minha igreja" (16.18). A palavra "pedra", nesse contexto, deve se referir a Pedro. Terceiro, Jesus promete que Pedro servirá de fundamento sobre o qual a igreja será edificada. Essa é a primeira ocorrência da palavra "igreja" nos Evangelhos (v. as outras duas vezes em

---

✚ O termo "igreja" nos Evangelhos é empregado apenas por Mateus nos capítulos 16 e 18. Depois de Pentecoste (At 2), o termo será usado de maneira muito mais intensa.

Mt 18.17). Os apóstolos, por meio de Pedro, o principal porta-voz, servem de fundamento da igreja (Ef 2.20; Ap 21.14). Essa nova comunidade que Jesus estava criando se mostraria indestrutível e revestida de autoridade (16.18,19). Apesar da confissão de Pedro a respeito de Jesus como o Cristo ser, sem dúvida, um passo na direção certa, Jesus estava apenas começando a ensiná-los de que ele seria o Messias crucificado.

Jesus, o Messias crucificado e ressurreto (16.21—17.27)

Depois da confissão de Pedro do episódio anterior, Jesus começa a ensinar os discípulos sobre sua morte e ressurreição futura e sobre o que isso significava para eles como seus discípulos.

O Messias sofredor e o preço do discipulado (16.21-28)

Veja Marcos 8.31—9.1; Lucas 9.22-27. Pedro tinha acabado de confessar Jesus como "o Cristo". Agora ele explica que veio para ser o Messias crucificado e ressurreto (16.21). Pedro, o próprio porta-voz da inspirada confissão, agora começa a censurar Jesus por dizer coisas infames. Em resposta, Jesus repreende a Pedro de forma rápida e categórica por ele pensar como Satanás — que anteriormente tentou levar Jesus a evitar a cruz (v. Mt 4.1-11). Então, Jesus alerta os discípulos de que eles também deveriam estar prontos para percorrer o mesmo caminho, uma vez que segui-lo envolvia negar a si mesmo e estar disposto a sofrer. A escolha paradoxal era entre confiar a vida a Jesus (e salvá-la) e tentar preservar a própria vida (e perdê-la). A escolha tinha caráter eterno, e seria revelada quando o Filho do homem voltar em glória e recompensar as pessoas de acordo com o modo em que viveram (16.27). Alguns ouvindo Jesus podiam esperar ter um vislumbre da glória de sua "segunda vinda" antes de morrer, referência óbvia à sua transfiguração que haveria de acontecer em breve.

A transfiguração de Jesus: um vislumbre da glória futura (17.1-9)

Veja Marcos 9.2-10; Lucas 9.28-36. Cerca de uma semana depois, Jesus leva consigo Pedro, Tiago e João ao alto de um monte (provavelmente o monte Hermom) e se transfigura diante deles. A glória que ele manifestará na segunda vinda irradia em seu rosto e vestes. Moisés e Elias aparecem e conversam com

Chaves antigas.

As pessoas usavam siclos de prata como esses para pagar o imposto do templo.

Jesus, o que faz Pedro sugerir estender a experiência construindo-se três abrigos. Mas a nuvem da glória de Deus interrompe a divagação de Pedro e desce sobre o grupo. Então o Pai repete o que havia dito no batismo de Jesus: "Este é o meu Filho amado, de quem me agrado", e acrescenta: "ouçam-no" (Dt 18.15). Os discípulos precisam atentar para o que Jesus dizia sobre o sofrimento como o caminho para a glória do Messias e dos seguidores dele. Jesus tranquiliza os discípulos e os instrui a não dizer a ninguém sobre a experiência que tiveram até sua ressurreição dentre os mortos.

A vinda de Elias (17.10-13)

Veja Marcos 9.11-13. A presença de Elias no monte provavelmente fez os discípulos refletirem sobre a insistência dos escribas de que Elias precederia o Messias. Jesus admite que Elias deveria vir antes e restaurar todas as coisas, mas insiste que João Batista já veio cumprir o papel de Elias (cf. 11.14). Como João sofreu nas mãos dos líderes religiosos judeus, também o Filho do homem sofreria.

Jesus cura um menino endemoninhado (17.14-21)

Veja Marcos 9.14-29; Lucas 9.37-43; 17.5,6. Jesus e seu círculo mais íntimo de discípulos descem do monte da glória para encontrar a miséria de um menino endemoninhado que recebia assistência do restante dos discípulos. Jesus mostra sua frustração com a falta de fé dos discípulos e a ineficácia espiritual deles; então, prossegue para expulsar o demônio e restaurar o menino. Quando eles lhe perguntam por que não conseguiram expulsar o demônio, Jesus diz que foi por causa da falta de fé da parte deles. Ao pé do monte da Transfiguração, Jesus desafia seus seguidores à fé no poder de Deus "capaz de mover montanhas". Mesmo a pequena fé é capaz de testemunhar Deus fazer grandes coisas.

✛ Moisés também desceu do monte para encontrar o povo lá embaixo em conflito espiritual (Êx 32).

Segunda predição sobre a cruz (17.22,23)

Veja Marcos 9.30-32; Lucas 9.43-45. Pela segunda vez, Jesus prediz sua traição, morte e ressurreição para a vida. Diante dessa lembrança, os discípulos ficam "cheios de tristeza" (17.23).

Pagamento do imposto do templo (17.24-27)

Talvez como antigo coletor de impostos, Mateus estivesse interessado no que Jesus tinha a dizer sobre os impostos (ele é o único autor dos Evangelhos a incluir esse relato). Os coletores de impostos de Cafarnaum perguntam a Pedro se Jesus pagava o imposto do templo (correspondendo ao salário de dois dias de trabalho). Pedro diz que ele paga. Mais tarde, em casa, Jesus pergunta a Pedro se os reis terrenos arrecadam impostos dos próprios filhos ou de outras pessoas. Pedro responde com correção que eles arrecadam dos outros. Jesus conclui: "Então os filhos estão isentos" (17.26). A aplicação disso aos discípulos é que provavelmente os filhos de Deus (os "filhos", não os "outros") não precisam pagar impostos a Deus ou uns aos outros. A contribuição no NT é voluntária. Os discípulos também foram libertados da obrigação de manter a Lei judaica, incluindo o pagamento de imposto usado para manter o templo de Jerusalém. Mas, misteriosamente, Jesus ordena a Pedro que apanhe um peixe que lhe dará uma moeda para pagar o imposto referente a ambos. Fazendo assim, Jesus ensina outro importante princípio a ser aplicado — os discípulos também devem estar atentos para não causar ofensa sem necessidade.

Discurso 4: A comunidade do Messias (18.1-35)

Nesse quarto discurso do Evangelho de Mateus, Jesus ensina aos seguidores o significado de viver em comunidade — humildade nos relacionamentos, algumas vezes demonstrar amor exigente e estar disposto a perdoar.

Os discípulos devem ser humildes (18.1-5)

Veja Marcos 9.33-37; Lucas 9.46-48. Os discípulos querem saber como ser o maior no Reino. Provavelmente para a surpresa deles, Jesus usa uma criança para revelar a humildade como a qualidade que define a grandeza no Reino. E a humildade muitas vezes é demonstrada pelo modo com que tratamos os outros discípulos de Jesus (a expressão "uma criança" do v. 5 refere-se aos discípulos — v. Mt 10.40-42).

Alerta contra os que fazem os discípulos tropeçarem (18.6-9)

Veja Marcos 9.42-50; Lucas 17.1,2. Como antes, a expressão "pequeninos" refere-se aos discípulos (18.6). Agora Jesus alerta sobre o perigo

✚ Não raro Deus usa pessoas aparentemente insignificantes para cumprir seus importantes propósitos.

de fazer outras pessoas tropeçarem e caírem em sentido espiritual. Quem tem o hábito de fazer os outros pecar, pagará um preço alto por isso. Nunca devemos subestimar nossa influência sobre os outros para o bem ou para o mal, e Jesus nos lembra de tomar decisões drásticas de rejeitar qualquer coisa que nos leve a pecar (v. Mt 5.29,30).

O cuidado paterno e a proteção dos discípulos (18.10-14)

Veja Lucas 15.3-7. Somos instruídos a não desprezar ou menosprezar outros discípulos ("os pequeninos"), talvez em especial os que caem em pecado (v. Gl 6.1). Deus está muito comprometido em restaurar os filhos com dificuldades. Aliás, até os anjos os estão protegendo. Jesus conta a parábola da ovelha perdida. O pastor que tem cem ovelhas e perde uma irá, muito provavelmente procurar e resgatar a perdida. Deus age desse jeito (18.14), por isso somos chamados a imitar o Pai celestial.

Disciplina comunitária (18.15-20)

Veja Lucas 17.3; João 20.23. Aqui Jesus esboça o processo de como tratar de alguém que insiste em pecar e se recusa a arrepender-se. Em primeiro lugar, o ofendido deve falar de modo direto e particular com o ofensor. Se ele não der atenção, o ofendido deve levar duas ou três outras pessoas como testemunhas. Se mesmo assim o ofensor se recusa a se arrepender, então a igreja deve ser informada para a aplicação da disciplina comunitária (o segundo e último uso da palavra "igreja" no Evangelho de Mateus ocorre

O campo de um pastor próximo a Belém.

em 18.17). Jesus assegura à igreja que o que ela "ligar" ou "desligar" (denotando reter o perdão ou conceder perdão) estará sob a autoridade de Deus. Naturalmente, isso supõe que a igreja compartilhe do objetivo de Jesus de restaurar e siga as diretrizes estabelecidas por ele. Mateus 18.19,20 é citado muitas vezes fora de contexto e tomado como promessa geral de resposta à oração quando pelo menos duas pessoas concordam a respeito de algo. Nesse contexto de disciplina da igreja, entretanto, Jesus repete o que diz no versículo 18. Ele promete estar presente em espírito com sua igreja (não importando quão pequeno seja o grupo) quando estiverem trabalhando com a difícil questão de disciplina de pessoas não arrependidas. O Espírito de Jesus estará com eles nesse difícil processo de exercer o amor exigente.

A necessidade de perdoar: A parábola do servo impiedoso (18.21-35)

Veja Lucas 17.4. Há um equilíbrio na vida comunitária entre a manutenção de padrões de santidade e o perdão. Depois de ouvir Jesus falar sobre o amor exigente aplicado por meio da disciplina eclesiástica, Pedro agora pergunta sobre quantas vezes ele deve perdoar o companheiro que o ofende. De acordo com Jesus, devemos perdoar com liberalidade, sem a preocupação de manter um registro do número de vezes (a ideia por trás de "setenta vezes sete" no v. 22). Isso supõe o arrependimento do companheiro, pondo-o na posição de ser beneficiado pelo perdão. Em seguida, Jesus conta a parábola do servo impiedoso para ilustrar a ideia. Os seguidores devem conceder perdão de forma ilimitada ao próximo que suplica

✚ Vemos um exemplo de disciplina eclesiástica na prática em como o apóstolo Paulo trata de um ofensor na igreja de Corinto (v. 1Co 5.3-5; 2Co 2.6-8).

por misericórdia e deseja mudar. Em contraste, o juízo aguarda os que se recusam a perdoar (cf. Mt 6.14,15).

Jesus ensina sobre o verdadeiro discipulado (19.1—20.34)

Jesus deixa a Galileia para ir à Judeia, onde (conforme vinha predizendo) ele enfrentará a cruel morte de cruz. Enquanto isso, Jesus tem muito a dizer aos discípulos. Ele dispõe de pouco tempo para corrigir muitos dos equívocos deles sobre o significado de segui-lo. Os assuntos são apresentados em uma sequência intensa de recomendações em que Jesus prepara os discípulos sobre o que havia de acontecer.

O ensino de Jesus sobre o divórcio (19.1-12)

Veja Marcos 10.1-12; Lucas 16.18. Essa passagem sobre casamento, divórcio, novo casamento e celibato está situada no contexto de um teste dos fariseus. Por causa desse contexto controverso, não se deve esperar que os ensinamentos de Jesus respondessem a todas as questões contemporâneas sobre o assunto (p. ex., abuso ou abandono; v. 1Co 7.15). Alguns judeus consideravam o divórcio aceitável por motivos mínimos, como uma refeição mal preparada, enquanto outros aceitavam o divórcio somente em razão de algo mais grave, como um ato de imoralidade. Jesus mostra com clareza com base em Gênesis 1—2 que o propósito original de Deus para o casamento é a união permanente entre o homem e a mulher. Jesus diz

Plantação de sicômoros.

✚ Jesus fundamenta sua opinião sobre o casamento e divórcio no projeto original de Deus sobre o casamento encontrado em Gênesis 1—2.

que Moisés permitiu o divórcio como concessão a corações obstinados, mas isso não era o plano original de Deus. Então Jesus conclui: "Eu digo que todo aquele que se divorciar de sua mulher, exceto por imoralidade sexual, e se casar com outra mulher, estará cometendo adultério" (19.9). Os discípulos indagam se não é melhor deixar de se casar, dado o rigor da exigência. Jesus diz que permanecer solteiro era uma opção viável, mas apenas para os que criam que Deus os chamava para viver assim.

O Reino pertence aos que são como crianças (19.13-15)

Veja Marcos 10.13-16; Lucas 18.15-17. Depois de repreender os poderosos fariseus, Jesus agora reúne as criancinhas para abençoá-las. Os discípulos estão incomodados com essa intromissão, mas Jesus usa a ocasião para ilustrar como se entra no Reino de Deus — com fé semelhante à de uma criança.

O que é preciso para ter vida eterna? (19.16-26)

Veja Marcos 10.17-27; Lucas 18.18-27. Um jovem rico aproxima-se de Jesus e indaga sobre o que ele podia fazer para herdar a vida eterna (19.16). Em primeiro lugar, Jesus transfere o foco da questão da bondade do homem para a bondade de Deus. Depois ele orienta o jovem a obedecer aos mandamentos, em especial aos relacionados ao amor ao próximo (19.18,19). O jovem insiste no fato de guardar todos os mandamentos e pergunta o que mais ele precisava fazer. Jesus lhe ordena vender todos os bens, distribuir o dinheiro aos pobres e segui-lo. Nesse sentido, Jesus transfere o foco para o relacionamento da pessoa com Deus, recordando a parte do Sermão do Monte em que ele descreve os bens materiais como uma divindade rival (6.19-34). O jovem rico não consegue atender às exigências de Jesus por causa do apego ao dinheiro, por isso vai embora abatido. Quando Jesus diz que é quase impossível um rico optar por Deus em detrimento do dinheiro, os discípulos indagam sobre quem pode de fato ser salvo. Pelo fato de suporem que os ricos eram abençoados por Deus, eles ficam confusos com a declaração de Jesus. Jesus lhes assegura que o que parece impossível aos homens é possível a Deus. Conforme se vê em todo o NT, até os ricos, pela graça de Deus, são capazes de entrar no Reino.

Recompensa por seguir Jesus (19.27-30)

Veja Marcos 10.28-31; Lucas 18.28-30. Pedro fica curioso sobre o que Jesus tem guardado para os Doze, já que eles deixaram tudo para segui-lo. Jesus explica que, em seu retorno glorioso e na "regeneração de todas as coisas", seus discípulos receberão a responsabilidade de reinar e julgar com Cristo (19.28). Além disso, qualquer um que tenha deixado bens e família para seguir Jesus receberá "cem vezes mais e herdar[á] a vida eterna" (19.29). Em comparação com o jovem rico que desejava a vida eterna, a recompensa de seguir Jesus redundará em bênçãos sobejantes agora (apesar de não serem necessariamente bênçãos materiais) e, no futuro, a vida eterna.

A parábola dos trabalhadores da vinha (20.1-16)

Continuando a discussão de Jesus sobre receber a vida eterna, essa parábola ressalta a graça de Deus. Com Deus todas as coisas são possíveis! O dono de uma vinha contrata cinco grupos diferentes de trabalhadores diários para o trabalho na vinha. Curiosamente, o primeiro grupo trabalha o dia inteiro, enquanto o último, apenas uma hora antes do encerramento do expediente. No fim do dia, o dono paga o mesmo valor para todos os trabalhadores. Os que trabalharam desde cedo reclamam que mereciam mais, mas o dono insiste em que ele tratou a todos de forma justa e correta pagando o que foi combinado. Ao ser justo com todos, o dono manifestou graça para com os contratados no final do expediente. Embora Deus sempre seja justo, ele sempre é gracioso com os que menos merecem. Não devemos ter inveja por causa da generosidade de Deus (20.15).

Terceira predição da cruz (20.17-19)

Veja Marcos 10.32-34; Lucas 18.31-34.

Os discípulos devem procurar serviço, não status (20.20-28)

Veja Marcos 10.35-45; Lucas 22.24-30. Os dois irmãos Tiago e João procuravam posições de maior honra no Reino, e Mateus registra que a mãe deles, de fato, faz esse pedido (20.20,21). Jesus relaciona de imediato a glória ao sofrimento ("Podem vocês beber o cálice" do sofrimento, no v. 22). Com rapidez e ingenuidade, eles se orgulham de que poderiam sofrer, e Jesus lhes garante que eles de fato sofrerão; mesmo assim, ele diz que somente o Pai poderá escolher quem ocupará os lugares de honra. Os dez discípulos ficaram furiosos com a tentativa dos dois irmãos de montar uma estratégia para obter honra, por isso Jesus faz uma pausa para tratar desse assunto. Ele fala em 20.25-28 sobre liderar por meio do serviço. Ele diz que os pagãos se utilizam do poder para controlar e dominar, mas os discípulos devem ser totalmente diferentes. A grandeza no Reino está relacionada à entrega pessoal e não tem relação com tirar dos outros. Se Tiago e João quisessem posição de honra, eles deveriam se preparar para ser os primeiros a servir. No Reino, os líderes devem ser servos porque seguimos Jesus, o perfeito Servo líder. Na verdade, o principal motivo de Jesus vir à terra foi para servir e "dar a sua vida em resgate por muitos" (20.28). Aqui Jesus ensina de forma clara que ele morrerá em nosso lugar como substituto sem pecado pela culpa dos pecadores — o ato absoluto de serviço!

O cego recebe misericórdia e visão (20.29-34)

Veja Marcos 10.46-52; Lucas 18.35-43. Não podemos deixar de perceber a ironia de que os cegos enxergam quem Jesus é de verdade, ao passo que os discípulos têm dificuldades em compreender a missão (no episódio anterior) e os líderes judeus se preparam para matá-lo. Eles estão passando por Jericó, situada a cerca de 22 quilômetros de Jerusalém. Apenas Mateus menciona a presença de dois cegos (v. Mt 8.28-34; 9.27-31). Eles clamam repetidamente por misericórdia a Jesus como "Senhor" e "filho de Davi". Por compaixão, Jesus lhes restaura a visão e eles o seguem.

Jesus ensina sobre o falso discipulado (21.1—23.39)

Nesse momento, Jesus entra em Jerusalém e confronta os líderes no templo. Os líderes questionam a autoridade de Jesus e o provam reiteradamente. Ele os acusa de hipocrisia e desafia a autoridade deles de representar Deus ao povo. Depois de pronunciar uma série de ameaças por meio dos "ais" contra esses líderes religiosos hipócritas, a seção termina com Jesus chorando pelo fato de Jerusalém rejeitar de forma contínua os mensageiros de Deus.

Uma vinha.

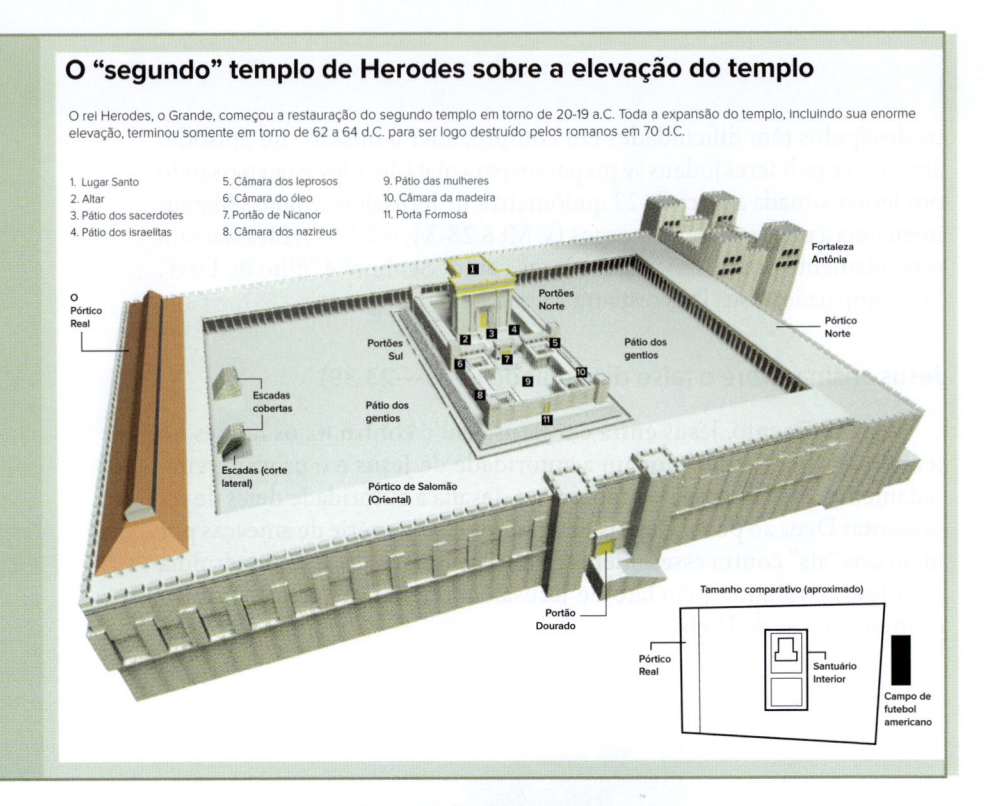

O "segundo" templo de Herodes sobre a elevação do templo

O rei Herodes, o Grande, começou a restauração do segundo templo em torno de 20-19 a.C. Toda a expansão do templo, incluindo sua enorme elevação, terminou somente em torno de 62 a 64 d.C. para ser logo destruído pelos romanos em 70 d.C.

1. Lugar Santo
2. Altar
3. Pátio dos sacerdotes
4. Pátio dos israelitas
5. Câmara dos leprosos
6. Câmara do óleo
7. Portão de Nicanor
8. Câmara dos nazireus
9. Pátio das mulheres
10. Câmara da madeira
11. Porta Formosa

O rei Jesus entra em Jerusalém (21.1-11)

Veja Marcos 11.1-10; Lucas 19.28-40; João 12.12-19. A jornada de Jesus a Jerusalém agora se completa quando o rei desce à cidade diante da aclamação das multidões. Para mostrar como se cumpriu Zacarias 9.9, Mateus cita a profecia (21.5). Também aprendemos de Mateus que o povo adorou Jesus como o "Filho de Davi" (21.9). Jesus entra na cidade como o rei prometido.

Jesus julga o templo (21.12-17)

Veja Marcos 11.15-17; Lucas 19.45,46. Jesus entra no pátio do templo e começa a atrapalhar as atividades comerciais. Como o pátio dos gentios era uma área extensa, Jesus estava tentando "purificar" o templo expulsando todos os vendedores e condenando o templo por meio de um ato dramático. As autoridades do templo converteram o lugar da presença de Deus em esconderijo religioso para os hipócritas (v. Is 56.7; Jr 7.11). Por meio desse ato dramático, Jesus condena o próprio templo. Ele não só condena os atos dos oportunistas, mas também o próprio lugar que alega mediar a presença de Deus. As pessoas devem olhar para Jesus, em vez de para o templo, para experimentar a presença poderosa de Deus. Depois de Jesus acolher e curar o cego e o coxo (pessoas normalmente consideradas indignas de entrar no templo), crianças gritam em louvor ao "Filho de Davi" (21.15). Envergonhados e furiosos, os líderes judeus reclamam do louvor

✚ Jesus condena o templo e se apresenta como o único e verdadeiro mediador da presença de Deus (v. Jr 7).

das crianças. Jesus responde citando Salmos 8.2: "Dos lábios das crianças e dos recém-nascidos suscitaste louvor" (21.16). Depois disso, Jesus vai para Betânia, seu refúgio nesses difíceis dias finais.

A maldição da figueira (21.18-22)

Veja Marcos 11.12-14,20-26. Quando Jesus não encontra fruto nessa figueira coberta de folhas, ele a amaldiçoa. Por meio desse segundo ato simbólico, Jesus condena o templo e sua liderança hipócrita. Então, ele exorta os discípulos à fé capaz de lançar "este monte" ao mar. A expressão "este monte" provavelmente se refere ao monte Sião, próximo de onde estavam, sobre o qual o templo havia sido construído. Os que confiavam em Jesus veriam a igreja como o verdadeiro templo do Espírito e a substituição do templo de Jerusalém com seu sacerdócio privilegiado e sistema sacrificial explorador. O caminho para Deus é por meio de Jesus, não por meio do templo de Jerusalém, que foi destruído no ano 70 d.C. pelos romanos.

Os líderes religiosos questionam a autoridade de Jesus (21.23-27)

Veja Marcos 11.27-33; Lucas 20.1-8. Aqui começa uma série de controvérsias entre Jesus e a liderança judaica. Quem contava com a autoridade genuína para representar Deus — Jesus ou os líderes religiosos judeus? — As autoridades perguntam a Jesus sobre quem lhe deu autoridade para fazer o que ele estava fazendo (p. ex., condenar o templo, realizar milagres, ser adorado). Jesus responde à pergunta com outra pergunta sobre a autoridade por trás do batismo de João: Era de Deus ou dos homens? Se eles dissessem "dos céus", então a pergunta natural seguinte seria: "Então por que vocês não creram nele?". Se dissessem "dos homens", então as multidões se voltariam contra eles, pois João foi um profeta popular. Eles se sentiram encurralados e preferiram não responder. Como resultado, Jesus se recusou a dar resposta à pergunta inicial deles. Em tudo que se seguiu, no entanto, Jesus de fato lhes respondeu a pergunta — sua autoridade procede do próprio Deus.

A parábola dos dois filhos (21.28-32)

Agora Jesus conta três parábolas que respondem à pergunta anterior dos líderes (21.23) e revelam mais a respeito de como as pessoas podem reagir a Jesus. Na primeira história, um pai orienta os dois filhos a irem trabalhar na vinha. O pai representa Deus, o filho rebelde representa a liderança judaica da época e o filho obediente representa os seguidores de Jesus. A surpresa na história é que os "publicanos e as prostitutas" aceitam Jesus e entram no Reino antes dos líderes religiosos, que rejeitaram João e Jesus.

A parábola dos lavradores maus (21.33-46)

Veja Marcos 12.1-12; Lucas 20.9-19. Essa história central captura com clareza a essência do relacionamento de Jesus com os líderes religiosos. O proprietário representa Deus, que cultivou com todo o cuidado sua vinha, Israel. Os "lavradores" representam a liderança religiosa judaica, a quem Deus confiou o povo. Deus enviou vários servos (p. ex., os profetas) para colher os frutos, mas todos eles foram maltratados e rejeitados (p. ex., 1Rs 18.4; 2Cr 24.20,21; Jr 20.1,2; cf. Mt 23.34). Então o dono da terra manda o próprio filho (representando Jesus como Filho de Deus) e os líderes o matam, prevendo o que em breve haveria de acontecer com Jesus. Quando o dono voltar, ele vingará a morte do filho e entregará a vinha a outros lavradores, que produzirão fruto. Mateus cita Salmos 118.22,23 para mostrar como Jesus cumpre as Escrituras. Os construtores são os líderes de Israel que rejeitam Jesus. Mas Deus exaltará Jesus como pedra angular, e será de fato uma obra maravilhosa! Jesus ousa concluir que o Reino de Deus estava sendo tirado dos líderes judeus e entregue a um novo povo (*ethnos*), uma nova comunidade que incluía judeus e gentios. Esse novo povo de Deus produzirá fruto. Quando Jesus (a pedra) e os líderes religiosos hipócritas se chocarem, Jesus vencerá (v. Is 8.14,15; Dn 2.44,45).

A parábola do banquete de casamento (22.1-14)

Veja Lucas 14.15-24. A terceira parábola compara o Reino dos céus a um banquete de casamento preparado por um rei para seu filho. Os servos do rei avisam os convidados de que o banquete está pronto, mas todos dão desculpas e se recusam a ir ao banquete, a ponto de matarem os servos (22.3-6). O rei sente-se insultado e furioso. Ele envia seu exército para condenar os assassinos e destruir a cidade, um símbolo do juízo vindouro da liderança judaica e de Jerusalém. Os servos remanescentes são enviados para reunir "todas as pessoas que puderem encontrar, gente boa e gente má" para o banquete (22.10). Quando o rei chega, ele avista um homem que não usava veste nupcial. Ou o homem deixou de se vestir de forma adequada ou ele rejeitou a veste nupcial oferecida pelo rei. O homem é aprisionado e castigado, representando o juízo eterno que aguarda quem rejeitar o rei. Jesus termina dizendo: "Pois muitos são chamados, mas poucos são escolhidos" (22.14). A parábola ensina que Deus convida todas as pessoas a entrar em seu Reino, mas os que rejeitam seu convite enfrentarão o juízo (p. ex., os líderes judeus), e os que professam conhecer o rei, mas não têm um relacionamento genuíno com ele (p. ex., Judas Iscariotes), também serão condenados (v. Mt 7.21-23).

✚ Deus sempre preferiu fidelidade à herança. Os seguidores de Cristo são os verdadeiros descendentes de Abraão e herdeiros das promessas de Deus (Gl 3.26-29).

O teste sobre o pagamento de imposto (22.15-22)

Veja Marcos 12.13-17; Lucas 20.20-26. Esse é o primeiro de três testes que os líderes apresentam a Jesus para justificarem a condenação dele à morte. Os fariseus e herodianos, normalmente adversários, agora se unem para testar Jesus a respeito da legitimidade do pagamento de impostos a Roma (César). Eles representam posições divergentes sobre o assunto e esperam apanhar Jesus na armadilha — seja qual for a resposta. Ele percebe a motivação maliciosa deles e os acusa de hipocrisia. Ele pede um denário com a efígie de César, que eles por acaso tinham. Então conclui que eles deveriam entregar parte do seu dinheiro a Roma e entregar a vida a Deus. E os homens ficam admirados com a brilhante resposta.

Um judeu usando os filactérios.

O teste sobre o casamento após a ressurreição (22.23-33)

Veja Marcos 12.18-27; Lucas 20.27-40. Esse segundo teste da série vem da parte dos saduceus.

O teste sobre o maior mandamento (22.34-40)

Veja Marcos 12.28-34; Lucas 10.25-28. O último teste vem dos fariseus e escribas quando um deles pergunta a Jesus sobre o maior mandamento, uma questão debatida muitas vezes no judaísmo. Inicialmente Jesus responde citando Deuteronômio 6.5 sobre amar a Deus e em seguida acrescenta Levítico 19.18 sobre amar as pessoas. Ao vincular esses dois mandamentos, ele demonstra a íntima relação entre amar a Deus e amar o próximo.

Jesus questiona os líderes religiosos (22.41-46)

Veja Marcos 12.35-37; Lucas 20.41-44. Depois de responder às diversas questões antagônicas deles, Jesus faz uma pergunta aos líderes

✚ Os Dez Mandamentos são sintetizados por Jesus em dois mandamentos: amar a Deus e amar o próximo. O apóstolo Paulo o reduz a um único mandamento — amor (Gl 5.14).

judeus. Ela está relacionada à verdadeira identidade do Messias. Jesus pergunta "De quem ele é filho?". Eles dão rapidamente uma boa resposta: "É filho de Davi". Então Jesus pergunta como Davi (falando pelo Espírito) chama o Messias (seu filho) de "Senhor". Jesus cita Salmos 110.1 como base de sua pergunta. Jesus está realmente mostrando que o Messias é "Senhor" (o nome divino de Deus no AT grego). Se Davi reconheceu o Messias como Deus, e Jesus é o Messias, por que os líderes estavam rejeitando Jesus? Eles não souberam responder e não se atreveram a fazer mais perguntas. Isso responde com clareza à pergunta original dos líderes de Mateus 21.23 e consolida a oposição deles a Jesus.

Ai dos escribas e fariseus (23.1-36)

Veja Marcos 12.38-40; Lucas 20.45-47. Nessa longa seção sobre o juízo, Jesus alerta as multidões e os discípulos sobre a hipocrisia dos líderes judeus. Ele recomenda às pessoas seguirem o que os líderes ensinavam (contanto que estivesse de acordo com os ensinamentos de Jesus), mas que evitassem imitar as práticas deles. Eles não praticavam o que pregavam (23.2,3). Já os discípulos deveriam se relacionar com autêntica humildade (23.8-12). Em 23.13-32, Jesus pronuncia sete advertências contra os escribas e fariseus. Ele os condena por: hipocrisia, falta de amor sincero para com as pessoas, motivação errada ao agradar às pessoas, coração impuro, sobrecarregar as pessoas com obrigações pesadas, atenção às questões mínimas e desprezo das mais importantes, perseguir os mensageiros fiéis a Deus e não aceitar a manifestação do Reino de Deus em Jesus. Nas palavras de Jesus, eles eram um bando de serpentes que com certeza será condenado ao inferno (23.33).

A "cadeira de Moisés" mencionada por Jesus em Mateus 23.2 era um assento na sinagoga reservado para uma autoridade.

Mestres da lei (os escribas)
Joseph R. Dodson

No NT, os mestres da lei (os escribas) eram os mestres profissionais da Torá da época; entretanto, na história subsequente eles são mais lembrados pelos confrontos com Jesus e a associação aos fariseus. Na verdade, quando os escribas se encontram com Jesus nos evangelho de Mateus, eles quase se confundem com os fariseus (p. ex., Mt 5.20; 12.38; 23.2-31); contudo, Lucas, que também retrata a proximidade dos dois grupos, revela uma distinção maior entre eles (v. Lc 11.39-46). É provável, então, que os escribas fossem uma subdivisão dos fariseus, os peritos estudiosos entre leigos devotos.

Uma vez que os mestres da Torá se dedicavam a compreender e aplicar a Lei à situação contemporânea, eles estavam ávidos para ouvir como Jesus a interpretava. Portanto, os escribas muitas vezes colocavam Jesus à prova e o importunavam com perguntas sobre suas convicções, estilo de vida e ações (Mt 15.1,2; 21.15,16; Lc 11.53,54): "Qual é o maior mandamento?"; "É certo pagar imposto a César ou não?"; "Por que comes com pecadores?"; "Com que autoridade estás fazendo estas coisas?". Em geral, porém, eles discordavam categoricamente de suas respostas. Jesus, por sua vez, também lhes fazia perguntas que esses "estudiosos" não conseguiam — ou não queriam — responder: "É permitido curar no sábado?"; "De onde era o batismo de João? Dos céus ou dos homens?"; "Se o Cristo é o filho de Davi, como então Davi o chama 'Senhor'?".

Ficar sem resposta diante das multidões por causa dessas perguntas com certeza deixou os mestres da lei constrangidos (Mc 11.29-33; Lc 14.3,4; 20.26). Assim também, o elogio das pessoas à autoridade de Jesus contra os ensinamentos deles sem dúvida os deixou contrariados (p. ex., Mt 7.29; Mc 1.22; 11.18). Por isso, diante dos comentários duros de Jesus para piorar a situação (Mt 23.1-32; Lc 11.45-51), não é surpreendente a animosidade dos escribas contra ele. A fúria deles contra Jesus foi tanta que se uniram ao plano dos chefes dos sacerdotes para matá-lo (Mc 11.18; 14.1; Lc 22.2). Por fim, com a traição de Judas, os mestres conseguiram o que queriam: prenderam rapidamente Jesus, acusaram-no de modo enérgico e o insultaram implacavelmente (Mt 26.57,58; 27.41,42; Mc 14.43-53; 15.1,31,32; Lc 23.10).

Entretanto, esses atos tinham um gosto de ironia por confirmarem a própria profecia de Jesus a respeito deles: "o Filho do homem será entregue aos chefes dos sacerdotes e aos mestres da lei. Eles o condenarão à morte [...] [mas] no terceiro dia ele ressuscitará!" (Mt 20.18,19; cf. 16.21; Mt 10.33,34; Lc 9.22). Essa ironia não se perdeu na igreja primitiva, que interpretou Salmos 2 em referência a esses acontecimentos específicos; na verdade, os mestres da lei conspiraram em vão ao se posicionar contra o Senhor e contra seu Ungido — apenas fizeram o que o próprio Deus já tinha decidido de antemão (At 4.24-28).

O rei lamenta sobre Jerusalém (23.37-39)

Veja Lucas 13.34,35. Essa seção começou em 21.1 com Jesus entrando em Jerusalém em meio ao louvor das multidões. Agora ele lamenta sobre a cidade. Ele chora porque os líderes rejeitaram o Messias de Deus. Ele não tem nenhum prazer em pronunciar o juízo porque seu coração se condói. Jesus gostaria de poder reunir os filhos rebeldes sob suas asas como a galinha reúne seus pintinhos, contudo não lhe restará ninguém (23.37).

Escultura em pedra do lado de dentro do arco de Tito em Roma retrata cativos de Jerusalém após a destruição do templo em 70 d.C.

O desejo de Deus e a vontade dos líderes judeus são duas coisas completamente diferentes, e Deus respeita a decisão humana ("eu quis" versus "vocês não quiseram"). Então, Jesus, o Filho de Deus, deixa o templo à desolação (Jr 22.5). Eles não verão mais Jesus até que declarem: "Bendito é o que vem em nome do Senhor" (Sl 118.26).

Discurso 5: O discurso do monte das Oliveiras (24.1—25.46)

Jesus descreve os acontecimentos (dores de parto) que ocorrerão em toda a História; contudo, eles não serão necessariamente os sinais do fim. Uma das "dores mais aguçadas" será a destruição de Jerusalém no ano 70 d.C. Em seguida, ele fala do período intermitente de grande aflição — todo o tempo entre a primeira e a segunda vindas de Jesus, ou talvez de um período particularmente intenso pouco antes do retorno de Cristo. Jesus fala de sua volta e lembra seus discípulos (incluindo nós) de que eles devem sempre estar preparados para esse acontecimento infalível, apesar do mistério de quando ocorrerá. O discurso termina com a descrição de Jesus do juízo final no fim dos tempos.

Jesus descreve a destruição do templo e os discípulos fazem perguntas (24.1-3)

Veja Marcos 13.1-4. Enquanto Jesus e os discípulos estavam saindo do pátio do templo, os discípulos comentam a respeito do esplendor da construção (24.1). Jesus os surpreende proclamando a destruição dessa impressionante edificação (24.2). Mais tarde, no monte das Oliveiras, os discípulos fazem duas perguntas: 1) Quando acontecerão essas coisas; 2) Quais serão os sinais da vinda de Jesus e do fim dos tempos? A longa resposta de Jesus tem sido chamada de "discurso do monte das Oliveiras", embora outros o chamem de discurso "apocalíptico" ou "escatológico". Em resposta a essas duas perguntas, Jesus fala sobre dois acontecimentos — a destruição de Jerusalém no ano 70 d.C. e sua segunda vinda no fim dos tempos. Ele fala do primeiro acontecimento no futuro próximo como indicação do segundo acontecimento no futuro distante. O futuro próximo está entrelaçado com o futuro remoto. É muito parecido com a vista de uma cordilheira a distância. Todas as montanhas parecem estar na mesma

✛ O ensino de Paulo sobre o fim dos tempos em 1 e 2Tessalonicenses se baseia em grande parte no ensino de Jesus do discurso do monte das Oliveiras.

distância, mas na verdade algumas montanhas estão muito mais próximas de onde estamos que outras, talvez muitos quilômetros mais próximo. Da mesma forma, algumas coisas mencionadas por Jesus nesse discurso se cumpririam no século I (futuro próximo) e outras no fim dos tempos (futuro distante). Felizmente, não precisamos entender todos os detalhes do discurso para poder compreender a mensagem principal de Jesus.

Jesus responde a duas perguntas dos discípulos (5.4-35)

DORES DE PARTO — EVENTOS QUE OCORRERÃO EM TODAS AS ÉPOCAS

Veja Marcos 13.5-13; Lucas 21.8-19. Jesus alerta os discípulos sobre as "dores de parto" que marcarão todas as épocas — desilusão, falsos messias, falsos profetas, guerras e rumores de guerras, fomes, terremotos, perseguição do povo de Deus, apostasia, traições, aumento da iniquidade, esfriamento do amor e a pregação do evangelho em toda a terra. Os que perseverarem até o fim serão salvos.

A DESTRUIÇÃO DE JERUSALÉM (24.15-20)

Veja Marcos 13.14-18; Lucas 21.20-24. Jesus alerta os discípulos sobre a iminente destruição de Jerusalém e seu esplendoroso templo. Quando eles virem "o sacrilégio terrível" que causa destruição no lugar santo, eles devem fugir para as montanhas. A passagem paralela de Lucas mostra com clareza que essa predição está relacionada à destruição de Jerusalém pelos romanos em 70 d.C. Lucas diz: "Quando virem Jerusalém rodeada de exércitos, vocês saberão que a sua devastação está próxima. Então os que estiverem na Judeia fujam para os montes, os que estiverem na cidade saiam, e os que estiverem no campo não entrem na cidade" (Lc 21.20,21). Se possível, os discípulos devem fugir da destruição causada por Roma.

O PERÍODO INTERMITENTE DA GRANDE TRIBULAÇÃO (24.21-28)

Veja Marcos 13.19-23; Lucas 17.22-24. Jesus alerta sobre um período de "grande tribulação" ou angústia. Essa angústia certamente incluirá o sofrimento associado à destruição do templo no ano 70 d.C., mas também se estenderá para além desse tempo. Surgirão falsos messias e falsos profetas que realizarão sinais e maravilhas, na tentativa de enganar o povo de Deus. Não devemos ser ingênuos diante dessas artimanhas religiosas. Quando Jesus voltar, sua vinda será pública, visível a todos e inconfundível. Com certeza, você não deixará de percebê-la.

A SEGUNDA VINDA DE JESUS (24.29-31)

Veja Marcos 13.24-27; Lucas 21.25-28. Depois do período da tribulação, Jesus, o Filho do homem, voltará em poder e grande glória em meio a distúrbios cósmicos (v. 29). A volta de Jesus será vista e ouvida (mas não

✚ Jesus avisa os discípulos que esperem tribulação e perseguição (p. ex., Jo 15.18-21; 16.33).

bem-vinda) por todos. Ele enviará os anjos para reunir seu povo de todas as partes para o encontro com ele.

A APROXIMAÇÃO DO RETORNO DE CRISTO (24.32-35)

Veja Marcos 13.28-31; Lucas 21.29-33. Como as folhas da figueira indicam a chegada do verão, também o cumprimento de "todas estas coisas" (cf. 24.4-28) revela a proximidade da volta de Cristo. Jesus promete que "essa geração" (provavelmente se referindo à geração dos Doze) não passaria sem que todas essas coisas acontecessem. Jesus não promete retornar no período de vida dos Doze, apenas diz que eles experimentariam o que ele estava anunciando, como de fato ocorreu. Jesus poderia voltar a qualquer momento!

A necessidade de estar sempre prontos para o repentino retorno de Cristo (24.36—25.46)

SOMENTE O PAI SABE O TEMPO DO RETORNO DE CRISTO (24.36)

Veja Marcos 13.32. Ninguém sabe quando Jesus voltará, nem os anjos do céu nem o próprio Filho. Ao decidir tornar-se humano, Jesus aceitou as limitações de seu conhecimento divino.

ILUSTRAÇÕES A RESPEITO DO SÚBITO RETORNO DE JESUS (24.37-41)

Veja Lucas 17.26-35. Nos dias de Noé, as pessoas continuavam sua vida corriqueira quando veio o dilúvio e "os levou a todos" (os ímpios foram "levados"). Assim será na vinda do Filho do homem. Dois homens no campo ou duas mulheres trabalhando no moinho serão separados. Os ímpios serão levados a juízo, enquanto os justos serão reunidos ao Senhor.

PORTANTO, VIGIEM! (24.42)

Em todo o discurso do monte das Oliveiras, a advertência de Jesus é no sentido de que fiquemos alertas ou "vigiemos" (24.4,42,43; 25.13). Em outras palavras, devemos estar preparados e prontos para seu retorno estando firmes em Jesus.

PARÁBOLAS SOBRE A VIGILÂNCIA (24.43—25.30)

Veja Marcos 13.33-37; Lucas 12.35-48; 19.11-27. Jesus conta quatro parábolas para ensinar os discípulos a se prepararem para seu retorno. A história do dono da casa e o ladrão (24.43,44) ressalta o retorno inesperado de Jesus, como um ladrão à noite. A parábola dos dois tipos de servos (24.45-51) demonstra que, quando o senhor voltar, o servo fiel estará fazendo o que lhe foi ordenado. O servo fiel será recompensado, enquanto o servo infiel será julgado. A parábola das dez virgens (25.1-13) também ressalta a necessidade de estar preparado e salienta a responsabilidade de cada indivíduo. A parábola dos talentos (25.14-30) instrui os discípulos a serem fiéis em aplicar todos os seus recursos para honrar e agradar a Cristo enquanto aguardam seu retorno.

✛ O retorno de Jesus será público, visível, estrondoso e óbvio a todos. Visto que não o perderemos, não seremos enganados por falsos mestres que dizem que ele já ocorreu.

AS OVELHAS E OS BODES: JUÍZO E GALARDÃO (25.31-46)

O discurso do monte das Oliveiras termina com uma ilustração sobre o que acontecerá no dia do juízo. Quando o rei Jesus retornar, ele separará os justos (ovelhas) dos ímpios (bodes). Ele recompensará os justos com sua permanente presença e banirá os ímpios para o castigo eterno. Nessa ilustração, o destino pessoal está diretamente relacionado ao que o indivíduo fez ou não "a algum dos meus menores irmãos" (25.40,45). O termo "irmão(s)" no Evangelho de Mateus refere-se a parentes biológicos ou a parentes espirituais (i.e., aos demais seguidores de Jesus). A palavra "menor" é um sinônimo de "pequenino", termo usado por Mateus para descrever os cristãos (10.42; 18.6,10,14). Uma vez que Cristo está ligado a seu povo de forma misteriosa e poderosa, particularmente a seu povo necessitado, as bênçãos e condenações estão associadas a como as pessoas se identificam com Cristo por meio do relacionamento com os outros seguidores.

Ao resumir os mandamentos ou instruções de Jesus no discurso do monte das Oliveiras, entendemos com clareza o que Deus diz:

1. Não devemos ser enganados por falsos mestres, falsos relatos ou falsos messias, ainda que eles realizem sinais e maravilhas e enganem as massas. Antes, devemos permanecer firmemente ancorados em Jesus e seus ensinamentos.

Ovelhas e bodes muitas vezes se misturam.

2. Não devemos ficar assustados com acontecimentos catastróficos no mundo como guerras, fomes e terremotos. Essas coisas acontecerão em toda a História e não são necessariamente sinais exclusivos do fim dos tempos.
3. Devemos estar preparados para sofrer pela causa de Cristo e seu Reino. Não devemos nos surpreender que o mundo nos odeia por nosso relacionamento com Jesus ("por minha causa" em 24.9).
4. Podemos ter certeza de que Jesus retornará.
5. Não é possível saber quando ele voltará. O retorno de Jesus sempre está "próximo" ou iminente, isto é, pode ocorrer a qualquer momento. Devemos evitar a tentação do engajamento em especulações inúteis sobre quando ele voltará.
6. Devemos estar atentos e preparados para seu retorno. Essa é a principal ordenança de todo o discurso do monte das Oliveiras.
7. Preparamo-nos quando fazemos o que Deus nos ordenou. Servos bons e fiéis usam suas habilidades, dons e recursos para os propósitos do Reino. Trata-se de fidelidade a ele.

Crucificação e ressurreição de Jesus e a Grande Comissão (26.1—28.20)

Na seção final do Evangelho de Mateus, Jesus é traído, negado, rejeitado pelos líderes judeus e pelas autoridades romanas e, por fim, executado na crueldade da cruz. Mas a morte não é a palavra final. Jesus, o Messias, foi milagrosamente ressuscitado dos mortos e comissionou seus seguidores a fazerem discípulos de todas as nações.

O plano para matar Jesus (26.1-5)

Veja Marcos 14.1,2; Lucas 22.1,2. Lemos aqui a quarta predição de Jesus da Paixão (v. Mt 16.21; 17.22,23; 20.17-19). Dentro de dois dias, ocorreria a Páscoa judaica, momento apropriado para o Filho do homem ser traído e crucificado. Os líderes judeus planejam prender e matar Jesus, mas tudo isso fazia parte do plano de Deus.

Jesus é ungido para o sepultamento (26.6-13)

Veja Marcos 14.3-9; João 12.1-8.

Judas promete entregá-lo por 30 moedas de prata (26.14-16)

Veja Marcos 14.10,11; Lucas 22.3-6; João 13.2. Judas combina com os líderes judeus de "entregar" ou trair Jesus por "trinta moedas de prata" (26.14,15; 27.9,10). Esse montante equivalia ao pagamento de cerca de

120 dias de trabalho do trabalhador médio. Não nos é dito por que Judas decidiu trair Jesus.

A última ceia e a ceia do Senhor (26.17-30)

Veja Marcos 14.12-26; Lucas 22.7-23; João 13.30. Jesus e seus discípulos se preparam para celebrar a Páscoa em sua última refeição juntos (26.17-20). Enquanto estão comendo, Jesus anuncia que um dos Doze iria traí-lo e confirma que este era de fato Judas (26.25). Como a refeição da Páscoa celebrava o fato de Deus ter livrado seu povo da escravidão por meio do Êxodo, com poder, essa última Páscoa passará a simbolizar o livramento de seu povo do pecado realizado pela morte e ressurreição de Jesus. A última ceia se torna a ceia do Senhor. O pão e o vinho representam o corpo e o sangue de Jesus, quebrado e derramado "em favor de muitos, para perdão de pecados" (26.28). A morte sacrificial de Jesus na cruz torna possível o perdão de pecados e o novo relacionamento com Deus. Jesus termina dizendo que ele não participará novamente da ceia até o dia em que ele a celebrar junto com seus discípulos "no Reino de meu Pai", evidentemente uma referência ao banquete messiânico no novo céu e na nova terra. Depois de cantar um hino, eles deixam o Cenáculo e vão ao monte das Oliveiras.

Pão sem fermento semelhante ao usado por Jesus e os discípulos na última ceia.

Jesus prediz que Pedro o negará (26.31-35)

Veja Marcos 14.27-31; Lucas 22.31-34; João 13.36-38.

A oração aflita do Getsêmani (26.36-46)

Veja Marcos 14.32-42; Lucas 22.39-46; João 18.1.

Preso pelos inimigos, abandonado pelos discípulos (26.47-56)

Veja Marcos 14.43-52; Lucas 22.47-53; João 18.2-12. Judas e uma multidão armada, enviada pelos líderes judeus, aproximam-se de Jesus no Getsêmani depois de um período de oração. Judas o trai por meio de um beijo, a saudação típica de amigos genuínos. Jesus responde: "Amigo, o que o traz?" (26.50), dando outra indicação de que ele estava no controle de toda essa sucessão de acontecimentos. Quando Pedro corta a orelha do ajudante

✚ Ao dizer que celebraria outra vez a ceia com os discípulos no futuro (Mt 26.29), Jesus faz alusão ao banquete messiânico vindouro (Is 25.6; Lc 14.15; Ap 19.7-9).

Julgamento(s) de Jesus
Bruce Corley

Os documentos do NT e outras fontes da época atestam um procedimento judicial contra Jesus em duas etapas: depois de ser declarado culpado de blasfêmia no tribunal religioso, o Sinédrio, os líderes judeus o acusaram de sedição perante Pilatos, que o julgou em tribunal político e o sentenciou Jesus à crucificação.

O julgamento e a morte de Jesus são confirmados e apoiados por vasto conjunto de evidências maior que qualquer outro acontecimento comparável do mundo antigo conhecido por nós. Os historiadores Josefo e Tácito apresentam breves anotações sobre o julgamento. Apesar de os documentos judeus serem sucintos, diversos textos rabínicos posteriores mantêm uma tradição comum a respeito de Jesus: ele foi executado como um mestre perigoso, instigador, que fez Israel se desviar. As evidências fora do NT atestam três fatos: 1) Jesus foi crucificado por autoridades romanas por sentença de Pôncio Pilatos (Josefo, Tácito); 2) os líderes judeus fizeram uma acusação formal contra Jesus e participaram de modo decisivo dos acontecimentos que levaram à sua execução (Josefo); 3) o envolvimento dos judeus no julgamento foi justificado como uma providência apropriada contra um herege ou instigador que quis desviar Israel (*Talmude*).

As melhores fontes de informação são os relatos da Paixão dos quatro Evangelhos, documentos que mostram alto grau de semelhança. Os autores dos Evangelhos narram uma história coesa de cerca de 20 episódios, começando com uma conspiração que converge no aprisionamento de Jesus. A decisão registrada em João 11.47-57 — a ordem de prisão emitida após a ressurreição de Lázaro — marca o início dos procedimentos legais, o que, na verdade, tornou Jesus um fugitivo da lei judaica.

A observação cronológica dos Sinópticos: "Faltavam apenas dois dias para a Páscoa" (Mc 14.1; par. Mt 26.2; Lc 22.1), refere-se ao encontro subsequente do concílio no palácio de Caifás. Aqui a discussão se concentra no plano sigiloso, conforme observa Lucas, "um meio de" (22.2) se livrar de Jesus sem causar tumulto durante as festividades (cf. Mt 26.4; Mc 14.2). A questão era como executar a decisão já tomada (Jo 11.53,57). O aprisionamento no Getsêmani foi instigado por agentes do tribunal judeu em colaboração com as autoridades romanas.

O julgamento judeu. Os Evangelhos relatam que logo após a prisão, provavelmente antes da meia-noite, os líderes judeus começaram a interrogar e julgar Jesus, discutindo o caso durante a noite e promulgando o veredicto de pena capital ao alvorecer. Os relatos dos Evangelhos reúnem quatro cenas vívidas. Primeiro, de acordo com João 18.24, Jesus foi inicialmente interrogado por Anás, o sumo sacerdote anterior (6-15 d.C.) e sogro de seu sucessor, José Caifás (18-36 d.C.). É provável que Anás e Caifás vivessem em diferentes alas da mesma residência em algum lugar da cidade alta. Segundo, enquanto Jesus estava dentro da residência do sumo sacerdote até provavelmente 3 horas da manhã (a hora do cantar do galo em Jerusalém no mês de abril), Pedro permanecia no pátio inferior do lado de fora negando conhecer Jesus (Mt 26.69; Jo 18.16). Terceiro, houve um julgamento durante a noite perante Caifás (Mt 26.59-68; Mc 14.55-65). Foi inventada uma falsa acusação de que Jesus havia ameaçado destruir o templo e reconstruí-lo em três dias (Mt 26.61; Mc 14.58; cf. Jo 2.19). Em seguida, o próprio sumo sacerdote, levado pelo desinteresse de Jesus em se defender das acusações, o pressiona a

do sumo sacerdote (Jo 8.10), Jesus lhe ordena guardar a espada, pois quem semeia violência tende a colher violência (26.52). Ele então lembra Pedro de que poderia pedir ao Pai 72 mil anjos para lidar com esse bando armado, mas isso impediria o cumprimento das Escrituras (26.53,54). O caminho

reconhecer a culpa: "Você é o Cristo, o Filho do Deus Bendito?" (Mc 14.61; par. Mt 26.63, "Filho de Deus"). Em Marcos, a resposta explícita "Sou" seguida pelo futuro "Filho do homem" (Mc 14.62; cf. Mt 26.64; Lc 22.69) associa a identidade de Jesus a três títulos nobres — Messias, Filho de Deus e Filho do homem. Essa alegação compreendia uma blasfêmia diante do tribunal, por isso: "Todos o julgaram digno de morte" (Mc 14.64; par. Mt 26.66). A acusação de blasfêmia continha três elementos: alegações messiânicas, ameaças contra o templo e falsa profecia — qualquer uma delas mereceria a pena capital. Por fim, Lucas registra a sessão da manhã do Sinédrio com a finalidade de formular as acusações contra Jesus (Lc 22.66).

O julgamento romano. As narrativas do julgamento perante Pilatos retratam um processo distinto cujo objetivo era garantir a sentença de morte nos termos da lei romana. O Sinédrio, sabendo muito bem que a blasfêmia aos olhos de Roma não era considerada ofensa capital, persuadiu o governador de que Jesus tinha cometido traição contra o Estado. A razão pela qual os judeus levaram o caso perante a autoridade romana é esclarecida por João: "A nós não nos é lícito matar pessoa alguma" (Jo 18.31, ARC). Pilatos não ratificou apenas a decisão dos judeus, mas procedeu a uma nova investigação do caso, indagando sobre as acusações contra Jesus: "Que acusação trazeis contra este homem?" (Jo 18.29, ARC; cf. Mt 27.12; Mc 15.3; Lc 23.2). Lucas expressa com precisão as palavras em forma tríplice: fazer desviar as nações, proibir o pagamento de impostos a César e dizer-se o Messias, um rei (Lc 23.2; cf. 23.5; alvoroçando o povo; 23.14, incitando o povo à rebelião). A óbvia implicação política dessa acusação explica a primeira e mais importante pergunta de Pilatos: "Você é o rei dos judeus?" (Mt 27.11; Mc 15.2; Lc 23.3; Jo 18.33). Logo após as duas tentativas fracassadas de Pilatos de eximir-se da responsabilidade por Jesus — e transferência de Jesus à jurisdição de Herodes Antipas e a libertação de Barrabás em vez de Jesus (Mt 27.15-26; Mc 15.6-15; Lc 23.6-25; Jo 18.39,40) —, Jesus foi sentenciado à morte por crucificação (Mt 27.26; Mc 15.15; Lc 23.24,25).

No lugar chamado *Litóstrofo* ("Pavimento de Pedra", Jo 19.13), a sentença formal de morte foi pronunciada do assento do tribunal (*bema*), de onde a lei romana exigia que o magistrado pronunciasse a sentença capital. A questão do reinado na corte de Pilatos despertou a atenção sobre sedição (Jo 19.12), um ato digno de crucificação. Sedição, ou incitação do povo à rebeldia, era qualificada como crime de traição sob a nomenclatura "ofensa contra a majestade" (*laesa maiestatis*), aplicada a todo tipo de "delito". Durante o principado, especialmente sob Tibério, julgamentos por lesa-majestade eram aproveitados como forma conveniente de se livrar de adversários. A natureza do alegado crime e sua punição seriam óbvias para Pilatos, mesmo quando tinha reservas sobre a culpa de Jesus.

Açoitar e zombar de condenados fazia parte da decisão de Pilatos e destaca o papel dos soldados romanos na execução da ordem judicial: "[...] os soldados do governador levaram Jesus ao Pretório [...] Então o levaram para crucificá-lo" (Mt 27.27,31; par. Mc 15.16,20). O fato de Pilatos ter tentado encerrar o julgamento fustigando Jesus estava em conformidade com a prática romana. O açoite podia ser infligido como primeiro passo da pena capital ou, conforme está nos Evangelhos (Lc 23.16,22; Jo 19.10), um castigo independente seguido de liberdade ou detenção (cf. At 16.23; 22.24). Os detalhes das narrativas dos Evangelhos estão, no todo, em notável concordância e são plenamente inteligíveis à luz da situação legal da Palestina romana.

de Deus é o caminho da cruz. Apesar de ele ter ensinado abertamente no templo, os líderes hesitaram em prendê-lo em um lugar público por serem covardes. Mais uma vez, Mateus observa que tudo aconteceu desse modo para cumprir o anúncio dos profetas. Tristemente, esse episódio termina com estas dolorosas palavras: "Então todos os discípulos o abandonaram e fugiram" (26.56). Não teríamos nós feito o mesmo?

Jesus interrogado pelos líderes judeus (26.57-68)

Veja Marcos 14.53-65; Lucas 22.54-71; João 18.13-28. Os líderes judeus interrogam Jesus procurando evidências que pudessem ser usadas para defender a pena capital de acordo com as leis romanas. Eles ouvem o testemunho de que Jesus alegou ser capaz de destruir o templo e reconstruí-lo em três dias (26.61; v. o que Jesus de fato disse em Jo 2.19). Quando Caifás, o sumo sacerdote, desafiou Jesus a se defender, ele permaneceu em silêncio. Tanto os judeus quanto os romanos levariam a sério qualquer ameaça contra o templo. Bastante consciente da íntima relação entre o Messias e a restauração de Jerusalém, o sumo sacerdote então diz a Jesus: "Exijo que você jure pelo Deus vivo: se você é o Cristo [Messias], o Filho de Deus, diga-nos" (26.63). Jesus responde: "Tu mesmo o disseste" (26.64). Então Jesus faz uma declaração bastante provocadora extraída de Daniel 7.13 e Salmos 110.1: "Chegará o dia em que vereis o Filho do homem assentado à direita do Poderoso e vindo sobre as nuvens do céu" (26.64). Jesus estava afirmando ser Filho do homem celestial que age ao lado de Deus como juiz divino. O sumo sacerdote rasga suas vestes e acusa Jesus de blasfêmia, um crime religioso digno de morte na visão deles (26.65,66). Os líderes judeus então o insultam cuspindo em seu rosto, abusando dele fisicamente e zombando dele: "Profetize-nos, Cristo. Quem foi que bateu em você?" (26.68).

Pedro nega a Jesus (26.69-75)

Veja Marcos 14.66-72; Lucas 22.56-62; João 18.25-27.

A sentença de Jesus e o suicídio de Judas (27.1-10)

Veja Lucas 23.1; João 18.28. Cedo de manhã, todo o Sinédrio judaico se reúne para promulgar um veredicto oficial sobre Jesus (v. Mc 15.1). Depois de decidirem que ele era digno de morte, entregam-no a Pilatos, o governador romano. Enquanto isso, Judas começa a se sentir culpado pela traição, mas já era tarde demais para reverter as consequências de seus atos. Ele entrega o dinheiro de sangue aos líderes judeus junto com a confissão, mas eles não queriam mais nada com ele. Judas foi usado e descartado pelos falsos pastores de Israel! Depois de jogar as 30 moedas no templo, Judas se enforcou. Ironicamente, os chefes dos sacerdotes insistem em preservar as leis de pureza no que se refere ao dinheiro de sangue, apesar de terem acabado de quebrar o maior mandamento ao condenar o Filho de Deus à morte. Eles utilizam o dinheiro para comprar um campo para enterrar estrangeiros, um campo que no tempo de Mateus era chamado "campo de Sangue" (27.8). Mateus observa como toda essa cena cumpre as Escrituras (mais provavelmente Jr 19.1-13; cf. Zc 11.12,13).

Jesus julgado diante de Pilatos (27.11-26)

Veja Marcos 15.2-15; Lucas 23.2-25; João 18.39,40. Diante de Pilatos, o governador romano, Jesus se reconhece "o rei dos judeus" (27.11), mas não se defende das demais acusações feitas pelos líderes judeus (27.12-14). Na festa da Páscoa, o governador tinha o costume de soltar um prisioneiro para apaziguar as multidões. Pilatos tenta soltar Jesus por causa de sua inocência e dá à multidão a oportunidade de escolher entre Jesus e Barrabás. Os líderes judeus instigam a multidão para pedir a liberdade de Barrabás (cujo nome ironicamente significa "filho do pai") para que Jesus, o Filho de Deus Pai, seja condenado à morte. Assentado na cadeira do julgamento, Pilatos recebe um recado de sua esposa insistindo em que ele não condenasse Jesus por causa de um terrível sonho sobre sua inocência. O povo clamava pela crucificação. Na verdade, as pessoas acreditavam representar Deus contra um falso messias.

A Fortaleza Antônia com suas quatro torres foi interligada ao complexo do templo. Esse é o lugar tradicionalmente aceito como o interrogatório de Jesus.

✚ Pouco tempo depois, na cruz, Jesus intercede por seus inimigos — provavelmente referindo-se aos judeus e aos romanos.

A crucificação de Jesus
Dan Wilson

A crucificação era um instrumento eficaz de crueldade e humilhação, de retribuição política e militar, e de intimidação e medo, usado por governantes do antigo Oriente Médio para controlar seus súditos, em especial os povos conquistados e os cidadãos da classe baixa. Foi a forma preferida de execução no mundo antigo antes do Período Romano. De modo particular, persas e cartagineses apreciavam o tormento de criminosos condenados e de inimigos do Estado.

Já em 519 a.C., o persa Dario I crucificou 3 mil dos principais cidadãos da Babilônia (Heródoto). Os gregos não utilizavam a crucificação de forma tão intensa quanto os outros, mas em 332 a.C. Alexandre, o Grande, crucificou 2 mil sobreviventes de sua invasão de Tiro. Apesar de os judeus considerarem a crucificação repugnante, provavelmente por causa da maldição expressa em Deuteronômio 21.23, o rei asmoneu Alexandre Janeu crucificou 800 fariseus no período judaico de influência helenística. Provavelmente os cartagineses apresentaram a crucificação aos romanos e, até o Período do NT, os romanos usavam com regularidade a crucificação de modo particular na execução de estrangeiros e escravos. Em 73 a.C., o general romano Marco Licínio Crasso sufocou uma revolta de escravos comandada por Espártaco e crucificou ao longo da Via Ápia mais de 6 mil gladiadores e escravos rebeldes em 6 mil cruzes. Vespasiano e Tito também usaram a crucificação para executar 3.600 judeus envolvidos no cerco de Jerusalém em 70 d.C. como intimidação de futuras revoltas.

Apesar de haver com certeza variações de acordo com os crimes específicos do condenado e até mesmo conforme o capricho dos soldados que executavam o ato, o procedimento padrão da crucificação romana era um tanto característico. Incluía a fustigação do criminoso, nem tanto como meio de tortura, mas como meio de coerção e repressão. A perda de sangue e as dores excruciantes dos açoites enfraqueciam até o indivíduo mais determinado. Normalmente o criminoso condenado levava ao lugar de execução pelo menos a viga sobre a qual seria morto. Isso visava ao seu enfraquecimento e diminuição da capacidade de resistência. O vexame público era crucial para a crucificação romana. Os romanos designavam lugares de crucificação próximos às principais vias de acesso às grandes cidades, para transformar a crucificação em um espetáculo público, evitando assim a possibilidade de uma execução isolada e reclusa.

Elas gritavam: "Que o sangue dele caia sobre nós e sobre nossos filhos!" (27.25). Pilatos literalmente lava as mãos como demonstração pública de inocência, mas solta Barrabás e manda Jesus ser açoitado em preparação para a crucificação. Fustigar, ou açoitar, era uma surra atormentadora (e muitas vezes fatal) com um chicote contendo fragmentos de metal ou de ossos para rasgar a pele da vítima. Por fim, Pilatos se revelou um indivíduo pragmático que se esquivava da responsabilidade de defender a justiça.

Jesus, o Messias, é crucificado (27.27-44)

Veja Marcos 15.16-32; Lucas 23.26-43; João 19.2,3,17-27. Depois de ser fustigado, espancado e humilhado, Jesus é levado para ser crucificado. Os soldados forçaram Simão de Cirene a carregar a cruz de Jesus até o Gólgota,

Com isso a crucificação se tornou uma forma de intimidação, um alerta às consequências de determinado crime, identificado por um sinal pendurado na cruz ou no pescoço do condenado. Chegando ao lugar da execução, o ofensor era colocado sobre a cruz e, em seguida, a cruz era colocada em pé. As mãos eram amarradas ou pregadas à viga, e os pés ficavam presos ao tronco vertical por um único prego que prendia os dois pés. Era normal o condenado apoiar-se em um pequeno pedaço de madeira que sustentava parcialmente seu peso. Nessa posição, era muito difícil respirar, mas não raro a pessoa sobrevivia vários dias. Não era incomum o corpo da pessoa crucificada ser deixado na cruz, não só até morrer, mas até que fosse devorado por animais, o que dispensaria o sepultamento.

O registro da crucificação de Jesus no NT está em harmonia com o que se sabe a respeito da crucificação de fontes extrabíblicas. Esses relatos, como partes de narrativas mais extensas da Paixão, oferecem ao leitor a forma de crucificação romana, todavia sem muitos dos detalhes mórbidos; os autores dos Evangelhos dizem simplesmente: "eles o crucificaram". Os quatro Evangelhos oferecem versões muito semelhantes sobre a crucificação de Jesus em Mateus 27.27-56; Marcos 15.16-41; Lucas 23.26-49 e João 19.16-30. Os quatro relatos incluem um açoite preliminar; o transporte da cruz por Simão de Cirene; a fixação de uma inscrição sobre a cruz; a crucificação no Gólgota (o lugar da Caveira); o cravar do corpo de Jesus na cruz; a zombaria dos soldados, os líderes religiosos e espectadores; e uma morte relativamente rápida seguida da remoção do corpo da cruz antes do início do sábado.

O substantivo "cruz" é usado 27 vezes no NT, 21 das quais indicando com clareza a cruz sobre a qual Jesus morreu ou, em sentido amplo, o episódio da cruz no fim da paixão de Jesus. Cinco vezes a palavra é mencionada por Jesus em referência à necessidade dos seguidores "tomarem a sua cruz" (Mt 10.38; 16.24; Mc 8.34; Lc 9.23; 14.27). O verbo "crucificar" é usado 53 vezes, 48 das quais referindo-se de forma nítida à crucificação de Jesus ou dos ladrões crucificados ao lado de Jesus; três das outras cinco vezes são usadas em relação aos que creem (Rm 6.6; Gl 2.20; 5.24).

A "loucura" da cruz mencionada em 1 Coríntios 1.18 diz respeito ao aspecto vergonhoso e ofensivo da crucificação em todas as culturas em que era utilizada como meio de execução. A cruz é "loucura" no sentido irônico de que um acontecimento tão atroz pudesse ter sentido espiritual e exibir o poder e a sabedoria do próprio Deus (1Co 1.23). Paulo estava determinado a não conhecer nada entre os coríntios "a não ser Jesus Cristo, e este crucificado" (1Co 2.2) e não via nenhuma razão de se gloriar "a não ser na cruz de nosso Senhor Jesus Cristo" (Gl 6.14). Ele ainda compreendia a morte de Jesus na cruz como ato final de obediência, seguido de exaltação à direita do Pai (Fp 2.8-11).

"o lugar da Caveira" (27.33). A conhecida palavra "Calvário" vem de crânio, em latim. A crucificação era um método de execução doloroso, humilhante e horrível, uma vez que a vítima se enfraquecia lentamente a ponto de nem conseguir respirar. Os cidadãos romanos não eram submetidos à crucificação por causa da reputação da crueldade desse tipo de morte. Tiraram a roupa de Jesus e o pregaram na cruz. Ele recusou o vinho entorpecente para suportar todo o peso do sofrimento. Os soldados lançaram sortes sobre suas vestes, a única coisa que ele possuía. Lia-se na placa sobre sua cabeça: "ESTE É JESUS, O REI DOS JUDEUS" (27.37). A morte por crucificação era destinada aos piores criminosos, como os dois que estavam ao lado de Jesus. Os transeuntes zombavam de Jesus e o insultavam pela alegação de poder destruir e reconstruir o templo: "Desça da cruz se é Filho de Deus!" (27.39,40). Ironicamente,

Jesus, o verdadeiro Filho de Deus, por sua morte, criará um novo templo, o povo de Deus. A zombaria chega ao ápice nas palavras hostis dos líderes judeus registradas em 27.41-43. Mal eles podiam imaginar que em apenas alguns dias Jesus seria vindicado como Rei de Israel e Filho de Deus. Jesus sofreu insulto até dos ladrões crucificados com ele (27.44).

A morte de Jesus, o Messias (27.45-50)

Veja Marcos 15.33-37.

Os acontecimentos imediatamente após a morte de Jesus (27.51-56)

Veja Marcos 15.38-41; Lucas 23.47-49. A ressurreição de Jesus parece ter efeitos sobrenaturais. Quando Jesus entrega seu espírito, a cortina do templo é rasgada ao meio de alto a baixo, provavelmente para mostrar que por intermédio da morte de Jesus abriu-se um novo caminho de acesso a Deus para gentios e judeus, e para mostrar o juízo de Deus contra o templo. Em seguida, Mateus fala de um terremoto quando Deus abriu o túmulo e "muitos santos que tinham morrido foram ressuscitados" e apareceram para muitas pessoas em Jerusalém (27.52,53). Isso aponta para o início de uma nova era de salvação em que a ressurreição de Cristo garantia a ressurreição futura do povo de Deus. O centurião romano também testemunha a morte de Jesus, exclamando: "Verdadeiramente este era o Filho de Deus!" (27.54). O último grupo de observadores era de algumas mulheres que viam tudo de longe (27.55,56). Elas haviam seguido Jesus desde a Galileia e cuidavam dele (Lc 8.2,3). Além de João (Jo 19.26,27), estas foram as únicas seguidoras fiéis presentes na crucificação.

Complexo do palácio de Herodes

Fortaleza Antônia

Mapa de Jerusalém nos tempos de Jesus.

✝ Na ressurreição de Jesus, alguns fiéis foram temporariamente ressuscitados dos mortos, como Lázaro havia sido ressuscitado antes (Jo 11).

O sepultamento de Jesus (27.57-66)

Veja Marcos 15.42-47; Lucas 23.50-56; João 19.38-42. José de Arimateia, um membro rico do Sinédrio, tornara-se seguidor de Jesus, e pediu a Pilatos o corpo de Jesus para lhe oferecer um sepultamento decente. José prepara o corpo de Jesus para ser sepultado, coloca-o em um túmulo novo (provavelmente o mesmo que ele pretendia usar para si algum dia) e fecha e entrada do túmulo com uma pedra enorme. Maria Madalena e a outra Maria aparentemente seguiram José desde a cruz até o túmulo. Os chefes dos sacerdotes e os fariseus recordaram que Jesus tinha predito sua ressurreição dos mortos depois de três dias (27.63). Eles pedem a Pilatos permissão para guardar o túmulo e evitar que os discípulos roubassem o corpo e depois dissessem que Jesus tinha ressuscitado. Pilatos concorda e os líderes judeus lacram o túmulo e colocam guardas a postos. De pouco adiantaria isso.

Jesus ressuscita dos mortos (28.1-15)

Veja Marcos 16.1-8; Lucas 24.1-12; João 20.1-18. As discípulas retornam ao túmulo no domingo de manhã para terminar de preparar o corpo de Jesus para o sepultamento apropriado. Mas um forte terremoto interrompe seus planos e um anjo do Senhor desce do céu e remove a pedra. Sua aparência era como relâmpago e suas vestes, brancas como a neve. Os guardas ficaram aterrorizados e desmaiaram. Mas foram as palavras do anjo às mulheres que anunciam o acontecimento que mudou a História: "Não tenham medo! Sei que vocês estão procurando Jesus, que foi crucificado. Ele não está aqui; ressuscitou, como tinha dito" (28.5,6). O anjo as convida a ver por si mesmas o túmulo vazio e depois as instrui a ir rapidamente contar aos discípulos: "Ele ressuscitou dentre os mortos e está indo adiante de vocês para a Galileia. Lá vocês o verão" (28.7). As mulheres deixam o túmulo tomadas de estranhas emoções: temor e grande alegria (28.8). Elas não vão muito longe antes do Jesus ressurreto aparecer repentinamente e saudá-las. Elas de imediato se prostram a seus pés, apegam-se a ele e o adoram (28.9). Ele as acalma e também as instrui a irem e dizer "a meus irmãos que se dirijam para a Galileia; lá eles me verão" (28.10). Jesus usa de maneira amorosa o termo "irmãos" para designar os que haviam sido menos leais nos últimos dias. A graça volta o coração para Deus como nenhuma outra coisa o faria. Enquanto isso, os guardas recuperaram a sua compostura e relataram tudo aos líderes judeus (28.11). Os líderes criam um plano para evitar maiores prejuízos (28.12-15). Eles subornam os guardas com grande quantidade de dinheiro e inventam uma história — os discípulos de Jesus roubaram o corpo enquanto os guardas dormiam. Os líderes prometem proteger os guardas de Pilatos, caso ele ouvisse a verdadeira história, e evitariam

✚ Em 1Coríntios 15, Paulo descreve a base da esperança cristã: a ressurreição de Jesus, que garante nossa ressurreição futura dentre os mortos.

que eles fossem punidos. Em contraste com a adoração das mulheres e a restauração dos discípulos, encontra-se o suborno, o engano e a corrupção da liderança judaica.

A Grande Comissão de Jesus (28.16-20)

Pouco tempo depois, Jesus se encontra com os 11 discípulos (menos Judas, naturalmente) em um monte na Galileia. Quando eles o avistam, alguns o adoram de imediato, enquanto outros não têm muita certeza de como reagir (o termo "duvidaram" em 28.17 provavelmente indica hesitação em vez de incredulidade). Então Jesus dá aos discípulos ordens de marcha para uma missão de abrangência mundial. Na verdade, uma vez que Jesus nos une à missão, suas palavras são comumente chamadas de "Grande Comissão". Uma vez que toda a autoridade no céu e na terra foi dada a Jesus pelo Pai, ele tem o direito de dizer a seus seguidores o que fazer (28.18). A ordem auxiliar ("vão") é essencial para a execução do mandamento principal ("façam discípulos"). Para discipular as nações, é preciso ir às nações. O "fazer discípulos" de Jesus envolve: 1) convidar pessoas para terem um relacionamento com Jesus e 2) ajudá-las a crescer nesse relacionamento. Devemos fazer discípulos de todas as "nações", ou todos os povos, sem excluir nenhum deles. As duas ações que se seguem explicam como devemos pôr em prática esse mandamento principal. "Batizar" refere-se à iniciação única e pública à comunidade cristã. O batismo representa a fase do nascimento da nova vida em Cristo. Trata-se do batismo "em nome" (singular) do "Pai, do Filho, e do Espírito" (um Deus em três pessoas). "Ensinar" diz respeito ao processo para toda a vida de ajudar as pessoas a crescer como cristãos. Em outras palavras, apenas a evangelização não cumpre a Grande Comissão. Esse tipo de ensino implica muito mais que discussão ou debate. Jesus não diz "ensinando-os a conhecer", mas "ensinando-os a obedecer". Discipulado envolve o ensino que resulta em obediência transformadora de vida. A comissão termina com a promessa de Jesus de estar presente conosco à medida que cumprimos o seu imperativo. O cumprimento dessa promessa começa no Pentecoste (At 2), quando o Espírito Santo passa a habitar nos que creem (cf. Jo 14.16,17).

Como aplicar Mateus à nossa vida hoje

O Evangelho de Mateus pode ser aplicado à nossa vida de diversas maneiras. Mateus ressalta que Jesus é o Messias, ou o Libertador, que veio nos resgatar do pecado. Dois mil anos mais tarde, ainda estamos lutando contra o pecado. Jesus veio para nos libertar. Ele veio primeiramente para os judeus em cumprimento às profecias das Escrituras. Uma vez que Jesus cumpriu a

✚ A missão de Jesus foi inicialmente destinada às ovelhas perdidas de Israel, mas, por fim, ela foi estendida a todos os povos (Mt 28.18-20; At 1.8; Is 42.6).

promessa original de Deus a Abraão (Gn 12.1-3), todas as nações recebem a bênção. Como gentios, também nos foi dado um Salvador.

Mateus também enfatiza os ensinamentos de Jesus. Os cinco discursos ressaltam o que significa ser um seguidor de Cristo hoje. Deus espera que vivamos de certo modo (5—7), sejamos movidos pela missão (10), orientados pelo Reino (13), que nos relacionemos uns com os outros com humildade e perdão (18) e sejamos fiéis enquanto aguardamos o retorno de Jesus (24—25). Se você estiver buscando orientação e estrutura para a caminhada com Deus, esses cinco discursos têm muito a oferecer.

Em Mateus, somos lembrados de que Jesus é poderoso e tem autoridade. Ele expulsa demônios, cura pessoas, acalma o mar tumultuoso, controla o próprio destino e um dia retornará como juiz do Universo. Mateus nos lembra de que Jesus é o Messias e o Rei divino. Às vezes nos esquecemos de que Jesus é poderoso e que ele na verdade pode mudar nossa vida. Em vez de confiar em nossa criatividade e habilidades, devemos nos sujeitar ao Rei e confiar em que ele agirá. Além disso, Mateus ressalta a compaixão de Jesus. Ele é motivado a realizar sua grande obra por ser o Pastor compassivo. Jesus se importa profundamente por todo aspecto de sua vida.

Mateus é o único Evangelho que menciona a "igreja" (16.18; 18.17). Jesus tem muito a dizer sobre como os cristãos devem tratar uns aos outros. Nossa fé deve se aplicar primeiramente à nossa própria família e comunidade antes de tentarmos exportá-la para o mundo. Precisamos ter uma atitude de um humilde servo, bem como de fortes doses de perdão para a manutenção de relacionamentos saudáveis na família de Deus. Isso nem sempre é fácil, mas é o que Deus espera de seus filhos.

Nossos versículos favoritos de Mateus

Então, Jesus aproximou-se deles e disse: "Foi-me dada toda a autoridade nos céus e na terra. Portanto, vão e façam discípulos de todas as nações, batizando-os em nome do Pai e do Filho e do Espírito Santo, ensinando-os a obedecer a tudo o que eu ordenei a vocês. E eu estarei sempre com vocês, até o fim dos tempos". (28.18–20)

O jardim de Getsêmani no monte das Oliveiras.

- Mateus
- **Marcos**
- Lucas
- João
- Atos
- Romanos
- 1Coríntios
- 2Coríntios
- Gálatas
- Efésios
- Filipenses
- Colossenses
- 1Tessalonicenses
- 2Tessaloniceneses
- 1Timóteo
- 2Timóteo
- Tito
- Filemom
- Hebreus
- Tiago
- 1Pedro
- 2Pedro
- 1João
- 2João
- 3João
- Judas
- Apocalipse

O Evangelho de
Marcos
Seguir Jesus, o Filho sofredor de Deus

Quando meus filhos eram pequenos, eu [Scott] desejava cumprir meu dever de pai cristão responsável lendo a Bíblia com eles. Decidi começar lendo o Evangelho de Marcos. Contudo, logo de cara encontramos um exorcismo, seguido de outro, até que minhas filhas mais novas começaram a perguntar: "Pai, o que é um demônio?", e: "Pai, há demônios debaixo de nossa cama?". Depois de ler apenas alguns capítulos, resolvi mudar para o Evangelho de João. Por quê? Porque Marcos parece um diário de soldado escrito em uma zona de combate. Marcos está repleto de exorcismos, confrontações, repreensões, advertências e por fim a morte violenta de seu herói. Mas, se você fosse um cristão que vivesse em Roma no final dos anos 60 d.C., o Evangelho de Marcos seria um bálsamo para sua alma. Para os cristãos contemporâneos que buscam seguir Jesus em vez de serem levados pela cultura dominante, Marcos contém exatamente o que precisam ouvir.

Quem escreveu Marcos?

Apesar de Marcos ser tecnicamente anônimo, desde muito tempo associou-se ao livro o título "Evangelho segundo Marcos". Papias, um dos líderes da igreja primitiva, bispo de Hierápolis, Ásia Menor, até cerca de 130 d.C., fez essa importante declaração a respeito de Marcos:

> [O Ancião dizia: Marcos, na capacidade de intérprete de Pedro, registrou com exatidão tudo que ele [Pedro?] contava de memória — embora não de forma cronológica — das coisas ditas ou feitas pelo Senhor. Pois ele [Marcos] não tinha ouvido o Senhor, tampouco o acompanhado, mas posteriormente, conforme afirmei, [ele ouviu e acompanhou] Pedro.*

Esse registro oferece evidência antiga e clara de que Marcos escreveu o segundo Evangelho, tendo como principal fonte as pregações de Simão Pedro. Outros autores cristãos antigos também reconheceram essa ligação entre Pedro e Marcos (p. ex., Justino Mártir, Ireneu, Tertuliano, Clemente de Alexandria). Essa afirmação de Papias é ainda mais convincente quando se descobre que o "Ancião" mencionado era uma referência provável ao apóstolo João. Em sentido estrito, então, o Evangelho de Marcos é o evangelho de Simão Pedro.

Há forte probabilidade de que Marcos seja o mesmo João Marcos mencionado em outras partes do NT. Sua mãe foi uma pessoa de destaque na igreja de Jerusalém (At 12.12), e ele acompanhou até certa altura seu primo Barnabé e Paulo na primeira viagem missionária, tendo depois abandonado o grupo (At 12.25; 13.5,13; 15.37). Mais tarde, ele se reconciliou com Paulo e até o serviu enquanto o apóstolo estava na prisão (Cl 4.10; 2Tm 4.11). Marcos permaneceu em Roma com Pedro, que se referiu com carinho a Marcos como "meu filho" (1Pe 5.13).

Quem eram os destinatários de Marcos?

A tradição antiga considera Roma o lugar de onde Marcos escreveu seu Evangelho. Ele provavelmente estava em Roma com Pedro na década de 60, na época em que a igreja enfrentava intensa perseguição sob o imperador Nero (v. 1Pe 3.13-17; 4.12-19; 5.13). Em 64 d.C., depois de um grande incêndio ter destruído grande parte de Roma, Nero se esquiva da responsabilidade e culpa os cristãos, provocando assim várias dificuldades à igreja. Muitos acreditam que Pedro e Paulo foram martirizados nessa época. Enquanto isso, surgia na Judeia uma revolta contra Roma que resultaria na destruição de Jerusalém e do templo entre os anos 69 e 70 d.C. (v. Mc 13). À luz desses dois acontecimentos mundiais terríveis, a igreja com certeza necessitava da sabedoria expressa no Evangelho de Marcos.

---

*EUSÉBIO, HISTÓRIA ECLESIÁSTICA 3.39.15, conforme a tradução de Richard Bauckham, **Jesus e Eyewitnesses** Grand Rapids: Eerdmans, 2006. p. 203.

✚ Paulo encoraja os cristãos à submissão aos governantes (Rm 13). Na época, Nero era imperador de Roma. Ironicamente, de acordo com muitos, ele também era o imperador que mais tarde condenou Paulo à morte.

Marcos escreve para um público composto de cristãos gentios de Roma e da região, embora a mensagem alcançasse um público mais abrangente logo depois do registro do Evangelho. Para seus destinatários gentios, Marcos explica os costumes judaicos (7.3,4; 15.42), traduz expressões aramaicas (3.17; 5.41; 7.34; 14.36; 15.34) e até explica expressões gregas usando termos equivalentes em latim (12.42; 15.16). Curiosamente, Marcos 15.21 refere-se a Rufo e Alexandre como filhos de Simão de Cirene, o homem que carregou a cruz de Jesus. Talvez fosse o mesmo Rufo mencionado por Paulo em Romanos 16.13, membro da igreja de Roma.

Quais são os temas centrais do Evangelho de Marcos?

O principal interesse de Marcos é mostrar que Jesus, o poderoso Messias e Filho de Deus, também é o Servo Sofredor. Observe como o objetivo de Marcos de mostrar Jesus como Filho sofredor de Deus engloba todo o Evangelho (grifo nosso):

Marcos 1.1 — "Princípio do evangelho de Jesus Cristo, o *Filho de Deus*".

Marcos 15.39 — "Quando o centurião que estava em frente de Jesus ouviu o seu brado e viu como ele morreu, disse: 'Realmente este homem era o *Filho de Deus*!'".

A sinagoga de Cafarnaum (pedras claras). Construção de período posterior a Cristo, mas está sobre os restos de uma sinagoga do século I (pedras escuras).

Entre esses dois marcadores, Jesus mostra o que significa ele ser o Filho de Deus e Messias (v. esp. Mc 8.28,29; 10.45). Marcos então associa o que Jesus é (cristologia) ao que significa seguir Jesus (discipulado). Aprendemos que seguir Jesus significa tomar o caminho da cruz, que a glória se alcança por meio do sofrimento — não só do Senhor, mas também dos que o seguem. Os primeiros leitores de Marcos, que navegavam nas águas turbulentas da perseguição, precisavam ouvir essa mensagem.

O esboço básico a seguir reflete como os propósitos de Marcos percorrem todo o Evangelho:

- Introdução: Jesus, o Filho sofredor de Deus, se prepara para o ministério público (1.1-13)
- Jesus começa seu ministério na Galileia: ensina e cura (1.14-45)
- Jesus ministra com poder divino, mas é rejeitado pelos líderes religiosos (2.1—3.6)
- Jesus ministra com poder divino, mas é rejeitado pelo próprio povo (3.7—6.6)
- Jesus ministra além da Galileia (6.6—8.21)
- Jesus, o Messias, vai a Jerusalém (8.22—10.52)
- Jesus, o Messias, confronta Jerusalém (11.1—13.37)
- O sofrimento, a morte e ressurreição de Jesus, o Filho de Deus (14.1—16.8)

Quais são os aspectos interessantes e singulares de Marcos?

- Jesus, o Filho de Deus e Messias, demonstra seu poder sobre Satanás, os demônios, o pecado, as enfermidades, a morte e a falsa religião.
- O livro contém uma narrativa de acontecimentos rápidos e muita ação (Marcos usa a expressão "imediatamente" mais de quarenta vezes, mas nem sempre vertida pela *NVI*).
- Marcos enfatiza as ações de Jesus, em especial seus milagres (mais milagres por página que qualquer outro Evangelho).
- Muitas vezes a reação das pessoas é de admiração pela autoridade de Jesus manifesta em seus ensinamentos e milagres (p. ex., 1.22,27; 2.12; 4.41; 5.20; 6.2,51; 7.37; 11.18).
- Não raro Jesus exigia daqueles com quem ele interagia que não revelassem quem ele era (1.34,43,44; 3.11,12; 5.43; 7.36; 8.26,30).

O rio Jordão

- Enquanto Marcos sempre retrata Jesus como o exemplo positivo a ser seguido, ele sempre retrata os discípulos como exemplos negativos do que o leitor deveria evitar.
- Marcos reflete uma visão apocalíptica, entendendo o mundo como um campo de batalha entre Deus e Satanás, o bem e o mal. Jesus intervém para libertar o mundo do domínio do mal e representar o Reino de Deus.
- A história da paixão de Jesus (seu sofrimento e morte) é bastante longa (cerca de 19% de Marcos comparado com 15% de Mateus e Lucas).
- Marcos enfatiza a cruz de Cristo e as exigências do discipulado (p. ex., 8.34-38; 9.35-37; 10.42-45).
- Marcos inclui várias séries de três (p. ex., três predições da morte de Jesus, três cenas no barco, três vezes ele encontra os discípulos dormindo no Getsêmani, três vezes Pedro o nega).
- Às vezes Marcos une dois acontecimentos em um "sanduíche" para ter certeza de que o leitor relacione os dois relatos e entenda um à luz do outro: 1) 3.20,21,22-30,31-35; 2) 5.21-24,25-34,35-43; 3) 6.7-13,14-29,30-44; 4) 11.12-14,15-19,20-25; 5) 14.1,2,3-9,10,11; 6) 14.53-65,66-72; 15.1-15; 7) 15.6-15,16-20,21-32.
- A história da ressurreição (16.1-8) é comparativamente curta. Os manuscritos mais antigos e mais confiáveis não contêm a seção de 16.9-20, e é provável que a conclusão original de Marcos tenha se perdido. Outra explicação é que Marcos tenha propositadamente terminado a história de maneira abrupta em 16.8 para ressaltar um aspecto teológico: este é apenas o "princípio do evangelho" (1.1). A história do Evangelho vai além das últimas páginas de Marcos para a vida dos seus leitores e além deles.

Qual é a mensagem de Marcos?

Introdução: Jesus, o Filho sofredor de Deus, se prepara para o ministério público (1.1-13)

Ao contrário de Mateus e Lucas, que iniciam com o relato do nascimento de Jesus, o Evangelho de Marcos prossegue de forma direta para o ministério público de Jesus. A boa-nova de Jesus Cristo, o Filho de Deus, começa com o ministério de João Batista seguido do batismo e da tentação de Jesus.

O início de algo novo (1.1)

A frase inicial de Marcos: "Princípio do evangelho de Jesus Cristo, o Filho de Deus", nos diz o que esperar de todo o livro: "boa notícia". A boa notícia apresentará Jesus, o "Cristo" ou Messias (8.29; 9.41; 12.35; 13.21; 14.61; 15.32). Ele é o aguardado Rei e o Regente enviado por Deus para trazer salvação. Mas Jesus é mais do que um herói humano comum. Ele é o único "Filho de Deus" que derrota Satanás, perdoa pecados, proclama a verdade libertadora, cura os enfermos, ressuscita os mortos e manifesta o Reino de Deus. Apesar de inscrições antigas que foram descobertas alegarem que o imperador romano era "Filho de Deus", Jesus é retratado de forma nítida em Marcos como o verdadeiro Filho de Deus. Curiosamente, o termo "evangelho" — usado sete vezes em Marcos (1.1,14,15; 8.35; 10.29; 13.10; 14.9) — era usado na época para se referir às celebrações ligadas ao imperador romano (p. ex., seu aniversário). As primeiras palavras de Marcos mostram como Jesus era o contraste radical dos imperadores cruéis como Nero. Apesar de o caminho de Jesus não ser fácil, no fim ele conduz à vida, não à morte. Isso é definitivamente uma boa notícia!

O primeiro ato (1.2-8)

Veja Mateus 3.1-12; Lucas 3.1-18; João 1.19-28. Marcos começa seu Evangelho descrevendo o ministério profético de João Batista. Na verdade, a boa-nova de Deus começa muito antes com os profetas do AT. Nos versículos 2 e 3, Marcos une citações do AT de Êxodo 23.20, Isaías 40.3 e Malaquias 3.1 para mostrar que Jesus cumpre a promessa de Isaías sobre a salvação futura. Vestido à semelhança de Elias na Antiguidade (2Rs 1.8), João prepara o caminho para Jesus, o mais poderoso, que batizaria as pessoas não com água para o arrependimento (como João estava fazendo), mas com o Espírito de Deus.

A chegada do Filho sofredor de Deus (1.9-11)

Veja Mateus 3.13-17; Lucas 3.21,22; João 1.29-34. Jesus vem dos rincões de Nazaré na Galileia para ser batizado por João no rio Jordão em algum lugar a leste de Jerusalém, talvez próximo a Jericó. Durante o batismo, Deus

✝ O rio Jordão, onde o próprio Jesus foi batizado, está associado muitas vezes com acontecimentos cruciais na Bíblia, como a travessia do povo de Israel para a terra prometida.

MILAGRES DE JESUS

Curas

A cura da sogra de Pedro	Mc 1.29-31; Mt 8.14-17; Lc 4.38,39
Um leproso	Mc 1.40-45; Mt 8.1-4; Lc 5.12-15
Um paralítico	Mc 2.1-12; Mt 9.1-8; Lc 5.17-26
Homem com a mão atrofiada	Mc 3.1-6; Mt 12.9-14; Lc 6.6-11
Mulher com hemorragia	Mc 5.25-29; Mt 9.20-22; Lc 8.43-48
Um mudo e surdo	Mc 7.31-37
Um cego	Mc 8.22-26
O cego Bartimeu	Mc 10.46-52; Mt 20.29-34; Lc 19.35-43
O servo de um centurião	Mt 8.5-13; Lc 7.1-10
Dois cegos	Mt 9.27-31
Mulher aleijada havia dezoito anos	Lc 13.10-17
Homem doente	Lc 14.1-6
Dez leprosos	Lc 17.11-19
Filho de um oficial em Caná	Jo 4.46-54
Paralítico em Betesda	Jo 5.1-18
Um cego de nascença	Jo 9.1-41
O servo do sumo sacerdote	Lc 22.49-51; Jo 18.10,11

Ressurreição de mortos

Ressurreição da filha de Jairo	Mc 5.22-24,35-43; Mt 9.18-26; Lc 8.41,42,49-56
Ressurreição do filho da viúva de Naim	Lc 7.11-16
Ressurreição de Lázaro	Jo 11.1-45

Exorcismos

Homem possesso na sinagoga	Mc 1.23-27; Lc 4.33-36
O endemoninhado geraseno	Mc 5.1-20; Mt 8.28-34; Lc 8.26-39
Filha de uma mulher cananeia	Mc 7.24-30; Mt 15.21-28
Menino endemoninhado	Mc 9.14-29; Mt 17.14-20; Lc 9.37-43
Endemoninhado cego e mudo	Mt 12.22; Lc 11.14
Endemoninhado mudo	Mt 9.32-34

Milagres da natureza

Acalma a tempestade	Mc 4.35-41; Mt 8.22-25; Lc 8.22-25
Multiplica pães	Mc 6.35-44; Mt 14.15-21; Lc 9.12-17; Jo 6.5-15
Anda sobre as águas	Mc 6.45-52; Mt 14.22-33; Jo 6.16-21
Multiplica pães	Mc 8.1-9; Mt 15.32-39
Amaldiçoa a figueira	Mc 11.12-14,20-25; Mt 21.17-22
Prediz a moeda na boca do peixe	Mt 17.24-27
Prediz a primeira pesca	Lc 5.1-11
Transforma água em vinho	Jo 2.1-11
Prediz a segunda pesca	Jo 21.1-14

"abre" o céu e o Espírito desce sobre Jesus. Depois da morte de Jesus, Deus novamente "abre" a cortina do templo que separava o Lugar Santíssimo para mostrar que todas as pessoas agora tinham acesso à presença de Deus por meio de Jesus (Mc 15.38; Hb 10.19,20). No batismo de Jesus, Deus também fala com base no AT para revelar quem era Jesus. De Salmos 2.7 (um salmo régio), a expressão "Tu és o meu Filho" declara que Jesus é o Filho de Deus e o Rei. O termo "amado", provavelmente derivado de Gênesis 22.2, em que Abraão é solicitado a sacrificar o único filho, aponta para Jesus como o sacrifício perfeito, o Cordeiro de Deus. A expressão "de ti me agrado" reflete Isaías 42.1 (um Cântico do Servo), que diz Jesus, o Filho de Deus e Rei, sofrerá como o Servo para salvar seu povo.

O início da batalha (1.12,13)

Veja Mateus 4.1-11; Lucas 4.1-13. "Logo após" ("imediatamente") o Espírito levou Jesus ao deserto para enfrentar inimigos espirituais e físicos (somente Marcos menciona "animais selvagens", talvez como encorajamento aos cristãos perseguidos em Roma). Em todo o Evangelho de Marcos, Jesus se ocupa com Satanás e as forças das trevas, mas aqui temos poucos detalhes sobre as tentações de Jesus. O mais importante é que Jesus, ao contrário do povo de Israel antes dele, persevera com fidelidade nos quarenta dias de provação no deserto e atravessa com sucesso o Jordão para dentro da terra a fim de cumprir o plano de Deus.

Jesus começa seu ministério na Galileia: ensina e cura (1.14-45)

Logo de início, Jesus anuncia: "O Reino de Deus está próximo". A fim de mostrar que Deus estava estabelecendo seu Reino, Jesus começa a criar uma nova comunidade, ele ensina com autoridade e realiza poderosos milagres. O povo fica maravilhado.

O tempo é chegado! (1.14,15)

Veja Mateus 4.12-17; Lucas 4.14,15. O ministério de Jesus começa oficialmente após o fim do ministério de João. Depois da prisão de João, Jesus se retira para o norte, na região da Galileia, pregando a mensagem: "O tempo é chegado [...] O Reino de Deus está próximo" (1.15). O "Reino de Deus" refere-se ao reinado de Deus que se manifestava no mundo na pessoa de Jesus. No futuro distante, o Reino de Deus também incluirá um lugar e um reinado. As referências às "boas-novas" (evangelho) em 1.14,15 formam um sanduíche em torno de "Reino", esclarecendo que as boas-novas são a vinda do Reino de Deus em Jesus.

✚ Em seu batismo, a voz do Pai une três textos importantíssimos do AT para descrever Jesus e sua missão: Gênesis 22.2; Salmos 2.7; Isaías 42.1.

A sinagoga
Jeff Cate

A sinagoga servia como centro religioso, cultural e social da comunidade judaica de Israel e do exterior. O conhecimento atual sobre as antigas sinagogas está baseado em referências literárias e escavações arqueológicas.

O termo grego *synagoge* refere-se à edificação ou ao povo que se reunia para encontros. No AT, especialmente na Torá, o termo se refere à "congregação" do Israel nacional, mas nunca à edificação ou ajuntamento local. Portanto, a origem da sinagoga como instituição é discutível. Tradicionalmente, muitos judeus associam a sinagoga a Moisés (At 15.21), ainda que não haja evidências claras. É mais provável que a sinagoga tenha surgido fora da Terra Santa em um período posterior, talvez durante o exílio na Babilônia ou mais tarde na Diáspora, quando os judeus viviam longe de Jerusalém. Sabe-se que havia sinagogas antigas na Babilônia e no mundo Mediterrâneo, e somente em Israel mais de cem sinagogas foram encontradas nas escavações.

No início, casas particulares ou recintos exteriores serviram de locais de reunião dos judeus para oração e leitura da Torá. Só mais tarde foram erigidas construções específicas para servirem de sinagogas. Muitas grandes cidades tinham mais de uma sinagoga, às vezes chegando a uma dúzia.

A planta da sinagoga variava, em especial porque alguns utilizavam construções originariamente edificadas para outras finalidades. As sinagogas eram construídas de forma que os participantes pudessem orar voltados para Jerusalém. O objeto central era uma arca portátil contendo rolos ou um santuário permanente da Torá. As Escrituras eram lidas, lições ensinadas e bênçãos proferidas de um pódio. Os participantes normalmente ficavam assentados em banquetas de pedra ao longo das paredes internas.

As sinagogas também serviam como centros de educação e estudo. A instrução religiosa, incluindo a leitura das Escrituras e a discussão da Lei, servia de educação básica para os jovens judeus. Uma vez que a sinagoga era, em geral, uma construção grande, muitas vezes também funcionava como lugar de reuniões públicas e políticas.

O oficial que presidia a sinagoga era o "chefe da sinagoga" ou "chefe da assembleia" (Mc 5.22; Lc 13.14; At 13.15; 18.8,17), que mantinha a ordem, escolhia os dirigentes do culto, convidava oradores e representava a assembleia ao mundo exterior. As sinagogas também utilizavam assistentes para ministrar orações, recitações e outras responsabilidades.

Os Evangelhos mostram Jesus ensinando e curando nas sinagogas da Galileia. De acordo com Atos, a estratégia de Paulo para a expansão do cristianismo foi começar pelas sinagogas. Os primeiros seguidores de Jesus continuaram se reunindo nas sinagogas até serem excluídos por completo no final do século I. Não é surpresa, então, que Tiago 2.2 se refira a uma assembleia cristã como "sinagoga" em vez de "igreja" (gr., *ekklesia*). Provavelmente, as sinagogas serviram como modelo formativo das práticas litúrgicas dos cristãos primitivos.

Jesus começa a criar uma comunidade (1.16—20)

Veja Mateus 4.18-22; João 1.35-51. No início do ministério, Jesus chama discípulos como primeiro passo para formar uma nova comunidade de seguidores. Ao contrário do modelo de discipulado dos rabinos em que os alunos escolhiam os mestres, Jesus toma a iniciativa de chamar os discípulos.

Além disso, a principal lealdade dos discípulos seria a Jesus, não a um conjunto de regras ou tradições. Inicialmente ele chama quatro pescadores (dois pares de irmãos) para segui-lo, prometendo prepará-los para se tornarem pescadores de homens (1.17). Esses homens comuns responderam de maneira extraordinária, deixando a família e o trabalho para seguir Jesus (1.18,20).

Novo ensinamento com autoridade (1.21-28)

Veja Lucas 4.31-37. Jesus baseia seu ministério na Galileia, em Cafarnaum, uma cidade à margem noroeste do mar da Galileia. Seus ensinamentos divergiam em muitos pontos dos "mestres da lei" (escribas), os quais apenas citavam outras autoridades. Jesus ensinava com poder genuíno da parte de Deus (1.22,27). Certo sábado, enquanto Jesus ensinava na sinagoga, um homem possesso de espírito imundo clama a Jesus. Apesar de o demônio parecer admitir derrota diante do "Santo de Deus", na verdade estava tentando controlar Jesus dando-lhe um nome (uma estratégia comum de guerra de acordo com os livros antigos sobre magia). Jesus apenas diz ao(s) demônio(s) a se calar e deixar o homem. O povo fica admirado de que o ensino de Jesus tivesse poder sobre as forças das trevas, e a boa-nova se espalha com rapidez por toda a Galileia.

Um milagre para a sogra de Simão e outros (1.29-34)

Veja Mateus 8.14-17; Lucas 4.38-41. Simão Pedro e seu irmão André tinham casa em Cafarnaum bem próximo da sinagoga. A sogra de Simão, que vivia com ele e sua esposa, estava na cama com febre.

Jesus sai da sinagoga para a casa, onde ele a cura de forma completa, conforme a resposta imediata dela em servi-lo indica. Esse é o primeiro milagre registrado de cura do ministério de Jesus, mas com certeza não o último. Depois do término do sábado, ao pôr do sol, os enfermos e endemoninhados se alinham para o encontro com Jesus. Marcos faz distinção entre os fisicamente enfermos e os endemoninhados (1.32,34; 6.13). Com a população de Cafarnaum entre 1.000 e 1.500 pessoas, Jesus deve ter avançado noite a dentro ministrando aos que o procuravam (1.33,35).

Uma antiga lâmpada a óleo.

Oração traz perspectiva (1.35-39)

Veja Lucas 4.42-44. Apesar de ainda estar escuro e de ter dormido muito pouco (se é que dormiu), Jesus deixa a casa cheia de pessoas para encontrar

✢ A criação de uma nova comunidade de 12 mostraria para muitos a restauração de Israel com as 12 tribos.

um lugar de oração. Provavelmente, ele sobe ao monte em torno do mar da Galileia a oeste. Ele reúne forças e perspectiva de sua conversa com o Pai. Quando os discípulos o encontram, ele lhes anuncia que a partir daquele momento levariam as boas-novas para além dos limites seguros de Cafarnaum a fim de que todos pudessem ouvi-las.

Tocando em um intocável (1.40-45)

Veja Mateus 8.1-4; Lucas 5.12-16. Jesus encontra uma pessoa tomada de uma doença de pele repulsiva que a tornava ritualmente impura. De acordo com Levítico 13—14, o leproso tinha que ficar em quarentena — separado do restante da comunidade — e somente o sacerdote poderia determinar se o indivíduo estava em condições de se reintegrar à sociedade. Normalmente, tocar no leproso tornava a pessoa imunda, mas o toque miraculoso de Jesus cura o homem no mesmo instante (1.41,42). Jesus adverte o homem categoricamente de não falar nada sobre aquilo e se apresentar ao sacerdote "para que sirva de testemunho" (provavelmente se referindo aos sacerdotes, que precisavam ouvir a respeito das obras de Deus por meio de Jesus). Contudo, em vez de seguir a orientação de Jesus, o homem conta a todos sobre sua cura, de modo que Jesus se torna ainda mais popular.

Jesus ministra com poder divino, mas é rejeitado pelos líderes religiosos (2.1—3.6)

O Reino de Deus se manifesta com Jesus, mas o povo o receberá? Muitos sim, mas ironicamente os líderes religiosos se opõem a ele. É uma questão sobre "quem está no controle". Nas histórias de cinco conflitos de Marcos 2.1—3.6, Jesus associa a si mesmo com Deus, ministra com autoridade e enfrenta a crescente oposição dos líderes judeus.

Somente Deus pode curar e perdoar (2.1-12)

Veja Mateus 9.1-8; Lucas 5.17-26. Você já ouviu sobre a fé que remove montanhas. E sobre a fé que faz um buraco no telhado de barro seco? Jesus reage à fé desses quatro homens curando o paralítico amigo deles. Mas, de forma surpreendente, Jesus primeiro diz ao homem: "Os seus pecados estão perdoados".

Pele de animal usada para carregar água ou vinho.

✚ A cura do leproso por Jesus é um bom exemplo de como ele cumpre a Lei do AT em vez de aboli-la ou se tornar escravo das tradições que a acompanhavam.

Filho do homem

Rodney Reeves

Jesus referiu-se a si mesmo muitas vezes na terceira pessoa (cerca de um quinto delas no evangelho de Marcos). Surpreendentemente, ele não se denominou "Cristo" nem "Filho de Deus", dois títulos prediletos dos cristãos. Algumas vezes ele se referiu a si mesmo como "profeta" (Mc 6.4; Jo 4.44) e "Mestre" (Lc 22.11; Jo 13.14). Entretanto, sua autodesignação predileta era "Filho do homem", título um tanto vago que pode significar diversas coisas. Talvez Jesus tenha se denominado Filho do homem como forma de se identificar com a humanidade. Em outras palavras, Jesus estava declarando ser filho de Adão (no heb., "Adão" significa "homem" ou "humanidade") como qualquer outra pessoa. Alguns acham que Jesus usava esse título como modo de se referir a si mesmo em público, semelhante ao uso de "alguém" em português (como em "alguém diria que..."). Desse modo, Jesus não estaria reivindicando qualquer aspecto especial de sua identidade; ele estaria apenas, por modéstia, evitando o uso da primeira pessoa em público. A fragilidade dessas interpretações são: 1) nenhum dos contemporâneos de Jesus questionaria sua humanidade (eles se ofendiam quando ele dizia ter natureza divina), por isso não haveria razão de ele enfatizar sua humanidade; 2) Jesus não era reticente em falar de si mesmo na primeira pessoa, então por que ele se sentiria obrigado às vezes a adotar etiquetas sociais? (Além disso, estudiosos confirmam que referências na terceira pessoa não eram prática comum na época de Jesus.) Portanto, a maioria dos estudiosos argumenta que Jesus estava mesmo alegando possuir uma identidade especial quando se apresentava como Filho do homem.

As poucas ocorrências de o "filho do homem" no AT referem-se primordialmente à fragilidade da humanidade. Quando Deus ou um anjo dirigem-se a um profeta, este é chamado "filho do homem" (muitas vezes em Ezequiel, p. ex., 2.1; tb. Dn 8.17) — obviamente, para contrastar a mensagem divina transmitida a um mensageiro humano. Em algumas passagens de Salmos, Jó e Isaías, "filho do homem" refere-se à humanidade como um todo (Jó 35.8; Sl 8.4), a Israel em particular (Sl 80.17; Is 56.2), ou à vulnerabilidade de todos os seres humanos (Is 51.12). Em todos esses casos, a expressão "filho do homem" é usada para enfatizar a finitude dos seres humanos comparada à majestade de Deus. A única passagem em que "filho do homem" se refere a um ser celestial é na visão de Daniel do ancião (Dn 7.13). Nessa visão, aquele que é "semelhante a um filho de homem" (observe o símile) recebe de Deus um Reino eterno na terra. Essa é provavelmente a associação que Jesus estava fazendo quando ele se denominava Filho do homem. Ele acreditava estar inaugurando um Reino celestial na terra (Mt 4.17). Como Filho do homem, ele detinha a autoridade de perdoar pecados (Mc 2.10) e o domínio sobre a guarda do sábado (Mc 2.28). Jesus até citou Daniel 7.13 duas vezes a seu favor: perante seus discípulos (Mc 13.26) e durante seu julgamento (14.62). Entretanto, surpreendente foi a insistência de Jesus na afirmação de que o Filho do homem — esse governante celestial — haveria de sofrer e morrer para cumprir a profecia de Daniel (10.33).

Os mestres da lei (escribas) ficaram furiosos e concluíram: "Somente Deus pode perdoar pecados. Esse Jesus está querendo se passar por Deus". Foi muito bom eles entenderem. O pecado não está no cerne dos problemas humanos? Uma vez que Jesus se importa com o coração do homem, além do corpo, ele cura os relacionamentos dele antes de o curar no sentido físico. Jesus também envia uma clara mensagem aos escribas: "O Filho do homem [Jesus] tem na terra [aqui mesmo] autoridade [neste mesmo instante] para perdoar pecados [algo que apenas Deus pode fazer]" (2.10). Impressionante! (2.12).

O médico da alma (2.13-17)

Veja Mateus 9.9-13; Lucas 5.27-32. Pessoas saudáveis não precisam de médico; os doentes, sim. É isso que Jesus quis dizer quando chamou Levi para ser seu discípulo ("Mateus" em Mt 9.9). Não pense que Levi era diferente dos outros publicanos. Eles eram considerados traidores corruptos que trabalhavam para os romanos e enganavam o próprio povo. Mateus e seus amigos pecadores eram os "doentes" da analogia de Jesus. Como um médico compassivo, Jesus põe a cura desses doentes acima da própria reputação (verdadeira retidão, não retidão pretensa). Entretanto, para curá-los ele precisava se relacionar com eles juntando-se a eles em uma mesa de comunhão — um sinal de verdadeira amizade. Contudo, Jesus não ministra sozinho (os pecadores comiam com "Jesus e seus discípulos" no v. 15), e ele nunca concorda com seus pecados. Em comparação, não passa pela mente dos "justos" (v. 17) que eles precisem de um médico da alma.

O noivo (2.18-22)

Veja Mateus 9.14-17; Lucas 5.33-39. Tudo depende do momento propício da realização, principalmente quando se trata de um jejum ou de um banquete. Enquanto o noivo está presente, os convidados devem celebrar em vez de jejuar. Quem é o "noivo"? No AT, Deus é o noivo (Is 61.10; 62.5; Jr 2.2,32). Agora, Jesus é o noivo, uma identificação clara de Jesus com Deus. Antes de Jesus "lhes ser tirado" (uma alusão velada à sua morte), seus discípulos deviam celebrar. Para enfatizar seu argumento, Jesus acrescenta duas ilustrações usando itens comumente encontrados na descrição de casamentos — uma sobre o pano novo e o velho, outra sobre o vinho novo e o velho e os odres. O velho (judaísmo tradicional) e o novo (Jesus) simplesmente não se misturam. Por meio de Jesus, Deus está renovando todas as coisas.

Um campo de mostarda.

✚ Em todos os Evangelhos, Jesus reivindica direitos e privilégios atribuídos exclusivamente a Deus (p. ex., perdoar pecados, curar enfermidades, dizer-se Senhor do sábado).

Senhor do sábado (2.23-28)

Veja Mateus 12.1-8; Lucas 6.1-5. Jesus e seus discípulos caminhavam próximo a uma plantação de cereais. Isso foi em um sábado. Casualmente apanharam e comeram aos grãos. Evidentemente, um grupo de fariseus os estava seguindo. Eles acusaram os discípulos de Jesus de transgredir a lei do sábado. Jesus parece sempre entrar em discussão com esses líderes religiosos por causa da transgressão de leis sobre os alimentos ou do sábado. Ele responde contando uma história de 1Samuel 21 em que Davi come os pães sagrados para validar a decisão de pôr as necessidades humanas elementares acima das regras do sábado e dos alimentos. Os fariseus precisavam mudar as prioridades. Além disso, ao falar como "Senhor do sábado" (v. 28), Jesus mais uma vez identifica a si mesmo com Deus (cf. 2.7-10,19).

Assassinos discretos (3.1-6)

Veja Mateus 12.9-14; Lucas 6.6-11. Quando Jesus entra na sinagoga, ele vê um homem com a mão atrofiada. Mas os líderes religiosos do auditório nem sequer dão atenção ao homem, uma vez que estavam mais preocupados em examinar criteriosamente o que Jesus fazia. A motivação dos fariseus era acusar Jesus e destruir seu ministério. Eles observavam se Jesus ia transgredir a lei curando aquele homem no sábado. Se ele o fizesse, seria culpado e os fariseus o condenariam. Mas Jesus já sai na ofensiva pedindo que o homem se colocasse de pé diante de todos. Aí então eles notaram o homem (3.3). A pergunta de Jesus no versículo 4 destina-se aos fariseus, e eles respondem com um silêncio absoluto. Apesar de estar repleto de compaixão pelo homem, Jesus estava muito entristecido pelo endurecimento do coração dos fariseus (3.5). Às vezes a compaixão e a ira caminham juntas no mesmo coração justo. Jesus cura o homem de imediato. Os fariseus se enfurecem e começam a conspirar com os herodianos, seus rivais políticos, sobre como matar Jesus.

Jesus ministra com poder divino, mas é rejeitado pelo próprio povo (3.7—6.6)

À medida que a popularidade de Jesus cresce, ele escolhe 12 homens para ampliar seu ministério. Ele formava uma nova comunidade, apesar da falta de compreensão da própria família e da rejeição das autoridades judaicas. Jesus ensina a respeito do Reino por meio de parábolas e continua realizando milagres para demonstrar seu poder divino, mas infelizmente o Filho de Deus não é bem-vindo na própria cidade natal.

✚ Jesus redefine a família de modo que a fé toma prioridade sobre a hereditariedade.

A família de Jesus
Bobby Kelly

Um estudo sobre a família de Jesus ressalta sua autêntica humanidade e fornece uma compreensão sobre diversos líderes mais importantes do desenvolvimento do cristianismo judaico.

O NT apresenta Maria como mãe de Jesus, e José, o carpinteiro, como pai. Entretanto, para abarcar a concepção virginal (Mt 1.18; Lc 1.26-28) é necessário reconhecer José como pai adotivo. O uso desse adjetivo explica a relativa falta de menção de José no NT, não obstante a narrativa do nascimento em Mateus (Mt 1—2), ou na tradição da Igreja. Maria é outra história. Embora Paulo não mencione Maria pelo nome em seus escritos, ele declara que Jesus nasceu de mulher (Gl 4.4), fundamentando o nascimento humano de Jesus. Maria domina o relato de Lucas sobre o nascimento de Jesus (Lc 1—2) e aparece em várias outras passagens nos Evangelhos. Apesar de Maria ser caracterizada como alguém que não compreende a natureza da missão de Jesus (Mc 3.20,21; Jo 2.1-12), Lucas a relaciona como uma das 120 pessoas que se reuniram em Jerusalém depois da ascensão de Jesus (At 1.13,14).

Paulo apresenta uma das referências mais antigas à presença dos irmãos biológicos de Jesus (1Co 9.5), citando de modo específico o nome de Tiago, irmão de Jesus, como líder da igreja de Jerusalém em meados do século I (Gl 1.19; 2.9). Os Evangelhos sinópticos fornecem mais detalhes. Marcos 6.3 (cf. Mt 13.56) menciona quatro irmãos de Jesus: Tiago, José, Judas (provável autor da epístola de Judas do NT) e Simão, e pelo menos duas irmãs. Fontes extracanônicas identificam as irmãs com Maria, ou Ana, e Salomé.

Desde o século II (Tertuliano), a aparente clareza dos termos "irmão" (*adelphos*) e "irmã" (*adelphe*) levou à crença de que esses eram realmente irmãos e irmãs "de sangue" nascidos de Maria e José após o nascimento de Jesus. Essa posição, comumente chamada visão de Helvídio, um proponente do século IV, foi desafiada por pelo menos duas correntes de tradições. Uma delas, identificada com Epifânio, o bispo de Salamina do século IV, defendia que os "irmãos" e "irmãs" de Jesus na verdade eram filhos nascidos de José de um casamento anterior. Jerônimo popularizou a teoria concorrente, argumentando que os nomes relacionados em Marcos 6.3 na verdade são de primos de Jesus, filhos da irmã de Maria, Maria de Cleopas. Os dois argumentos pretendem defender o desenvolvimento da tradição da virgindade perpétua de Maria. Apesar de o termo "irmão" no grego poder realmente ser empregado para se referir a parentes masculinos por mais distantes que sejam, e até mesmo figuradamente para qualquer pessoa devota a Jesus, não há motivo, além das exigências eclesiásticas e confessionais, para pensar que as pessoas mencionadas pelo nome no texto tivessem outra relação com Jesus além de irmãos e irmãs.

Infelizmente, qualquer outra afirmação sobre a família de Jesus se apoia unicamente em especulações extraídas de fontes extracanônicas fragmentárias e lendárias. Por fim, deve-se observar que a verdadeira família de Jesus consiste nos que fazem a vontade de Deus (Mc 3.35).

O lago de água doce conhecido como mar da Galileia (ou mar de Genesaré).

Multidões desesperadas e demônios falantes (3.7-12)

Veja Mateus 4.24,25; 12.15-21; Lucas 6.17-19. Diante da conspiração dos fariseus de matá-lo, Jesus procura se retirar com os discípulos. Mas ele não consegue escapar das multidões. Parecia que pessoas vinham de toda parte (3.8), na esperança de se livrar de suas enfermidades e demônios. Apesar de as multidões chegarem a ponto de espremê-lo, os demônios tentavam controlá-lo chamando-o de "Filho de Deus" (3.11). Apesar da veracidade dessa "confissão", a fonte era diabólica e o momento não era propício. Por isso, ele lhes ordena que se calem.

Os companheiros de Jesus: os 12 condenados ou os 12 formidáveis? (3.13-19)

Veja Mateus 10.1-4; Lucas 6.12-16; 9.1-5; 10.3. Jesus sobe a encosta de um monte (historicamente, lugar de revelação). Dentre os discípulos que o seguiam, ele escolhe 12 para "apóstolos" a fim de que pudessem 1) estar com ele (comunhão); 2) anunciar a mensagem (testemunhas); 3) ter autoridade para expulsar demônios (ministério). Por que 12 indivíduos? Porque os judeus aguardavam o momento em que Deus restauraria Israel por meio das 12 tribos e estabeleceria seu Reino na terra. Jesus estava agora formando o novo Israel, e o Reino de Deus estava próximo. Que grupo interessante de homens! Dentre eles havia quatro pescadores (Pedro, André, Tiago e João), dois "filhos do trovão" (Tiago e João), um desprezado publicado (Mateus/Levi), um nacionalista extremado (Simão, o zelote) e o futuro traidor (Judas Iscariotes).

Demente ou possesso de demônio? (3.20-35)

Veja Mateus 7.16-20; 9.32-34; 12.22-27,46-50; Lucas 6.43-45; 8.19-21; 11.14-32; 12.10. Aqui Marcos intercala duas histórias — a reação da família biológica de Jesus (3.20,21,31-35) e a acusação dos escribas (3.22-30). A família de Jesus estava provavelmente tentando resguardar sua reputação e honra detendo Jesus. Eles achavam que ele tinha perdido a cabeça. Ao ser acusado pelos estudiosos da Lei de Jerusalém de estar possuído de demônio, Jesus usa uma lógica contundente para refutar suas alegações: não faz sentido Satanás expulsar Satanás, já que isso significaria autodestruição. O único que é mais forte do que Satanás é Deus, e ele estava agindo por meio de Jesus. Entretanto, os escribas correm o risco de blasfemar contra o Espírito (um pecado imperdoável) atribuindo deliberadamente a obra de Deus por meio de Jesus à obra de Satanás (3.30). No final, Jesus redefine família em termos espirituais, não biológicos.

Revelar e ocultar (4.1-34)

Veja Mateus 5.15; 7.1-5; 13.1-35; Lucas 6.37-42; 8.4-18; 10.23,24; 11.33; 13.18-21. Essa é a primeira vez nesse Evangelho que Marcos nos oferece uma

✚ O momento propício para a revelação de Jesus como Filho de Deus é importante, principalmente em Marcos. Aos poucos, ele revela que sua missão de Messias incluía o sofrimento e a glória.

Barco de pesca do século I descoberto enterrado no mar da Galileia na década de 1980.

amostra do ensino de Jesus. Uma parábola (termo que significa "lançar ao lado") é uma breve história contendo dois níveis de significado, em que certos detalhes da história representam algo mais. As parábolas de Jesus em Marcos 4 incluem a parábola do semeador (4.1-9) e sua interpretação (4.13-20), junto com a parábola da candeia (4.21-23), da medida (4.24,25), da semente que cresce em segredo (4.26-29) e da semente de mostarda (4.30-32). Muitas vezes, suas parábolas revelam algum aspecto do Reino de Deus (p. ex., "o Reino de Deus é semelhante a..."). Elas também ocultam a verdade espiritual dos de fora, pessoas com o coração não receptivo (v. 4.10-12,25,33,34). Por esse motivo, os que têm ouvidos devem usá-los para prestar atenção ao que Jesus dizia (4.9,23).

Quem é este? (4.35-41)

Veja Mateus 8.23-27; Lucas 8.22-25. Depois das cinco parábolas, Marcos apresenta quatro milagres que ilustram o poder de Jesus sobre a natureza (4.35-41), os demônios (5.1-20) as doenças e a morte (5.21-43). Eles perguntam: "Quem é este?" (4.41). A resposta: ele é o Filho de Deus! Mas lamentavelmente, quando Jesus volta à sua cidade natal e aos seus parentes, eles ficam ofendidos com ele (6.1-6). Nessa história, Jesus e os discípulos estão navegando da costa oeste (território judaico) à costa leste (território gentílico) do mar da Galileia, um lago situado em uma depressão rodeado de colinas e propício para tempestades repentinas. Jesus dormia enquanto o mar (que representava o mal para os judeus) se enfurece. Os discípulos, incluindo alguns pescadores veteranos, entram em pânico e acordam Jesus para ajudá-los. Ele primeiro repreende o mar (a mesma palavra usada para a repreensão de um demônio em 1.25) e depois repreende os discípulos por se amedrontarem e pela falta de fé (4.40). Agora eles descobrem que Jesus era mais que um simples "mestre", já que até o mar lhe obedecia (4.41).

Espíritos imundos, animais imundos e pessoas imundas (5.1-20)

Veja Mateus 8.28-34; Lucas 8.26-39. Esse segundo relato de milagre da série mostra o poder de Jesus sobre os espíritos maus. No território dos gentios, Jesus é confrontado por um homem endemoninhado e confinado a uma vida entre os túmulos como um animal selvagem e autodestruidor. A legião de demônios implora para que Jesus os lance nos porcos. Jesus permite que os espíritos imundos destruam os animais imundos lançando-os em um lugar simbolicamente imundo (o mar). Talvez Jesus quisesse mostrar que a vida humana vale mais que um rebanho inteiro de animais ou demonstrar o poder de Deus na conquista de exércitos de demônios. Há reações diversas. Os criadores de porcos queriam que ele fosse embora por ter causado um prejuízo ao seu negócio. O povo fica atônito por seu singelo poder espiritual. O homem queria seguir Jesus, mas obedece às instruções dele de ir falar ao próprio povo o que Deus lhe tinha feito (5.18-20). Nessa região gentílica, Jesus é menos propenso a ser mal-entendido, ele não hesita em admitir ser "Senhor" (5.19).

A história das duas filhas (5.21-43)

Veja Mateus 9.18-26; Lucas 8.40-56. O terceiro e o quarto milagres da série são intercalados para dramatizar o poder de Jesus sobre a enfermidade e a morte. Jairo, o influente chefe da sinagoga, se preocupa muito com a filha de 12 anos de idade; também Jesus se preocupa bastante com a "filha" (5.34) que está doente e socialmente isolada por doze anos. Jairo esperava que Jesus trouxesse um toque de cura à sua filha, enquanto a pobre mulher com hemorragia queria apenas tocar nas vestes de Jesus. A fé da mulher resultou na cura, enquanto Jairo é exortado a manter a fé e não temer quando descobre que a filha havia morrido. Em seu tempo, Jesus vai até a menina e lhe restaura a vida. Ele ordena às poucas testemunhas que não contem a ninguém sobre o milagre e deem à menina algo para comer. Ela passou por muito sofrimento.

Kursi (ou Gergesa), na costa leste do mar da Galileia. Provavelmente foi aqui que Jesus curou o endemoninhado.

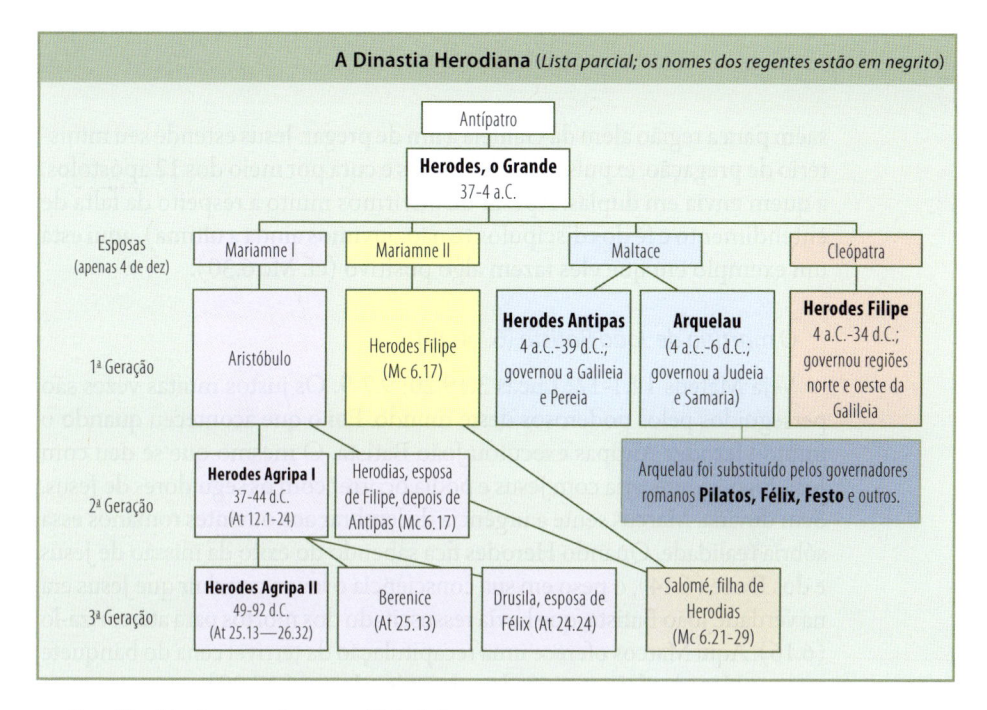

A Dinastia Herodiana (Lista parcial; os nomes dos regentes estão em negrito)

		Antípatro		
		Herodes, o Grande 37-4 a.C.		
Esposas (apenas 4 de dez)	Mariamne I	Mariamne II	Maltace	Cleópatra
1ª Geração	Aristóbulo	Herodes Filipe (Mc 6.17)	**Herodes Antipas** 4 a.C.-39 d.C.; governou a Galileia e Pereia / **Arquelau** (4 a.C.-6 d.C.; governou a Judeia e Samaria)	**Herodes Filipe** 4 a.C.-34 d.C.; governou regiões norte e oeste da Galileia
2ª Geração	**Herodes Agripa I** 37-44 d.C. (At 12.1-24)	Herodias, esposa de Filipe, depois de Antipas (Mc 6.17)	Arquelau foi substituído pelos governadores romanos **Pilatos, Félix, Festo** e outros.	
3ª Geração	**Herodes Agripa II** 49-92 d.C. (At 25.13—26.32)	Berenice (At 25.13)	Drusila, esposa de Félix (At 24.24) / Salomé, filha de Herodias (Mc 6.21-29)	

Familiaridade gera desonra (6.1-6a)

Veja Mateus 13.53-58; Lucas 4.16-30. Jesus volta a Nazaré e começa a ensinar na sinagoga. A população dessa cidade rural provavelmente era de cerca de cem pessoas. A turma com quem Jesus cresceu continuava dando trabalho para ele ali. O comentário deles mostra que estavam tentando forçar Jesus a voltar ao ambiente da infância. Eles raciocinam que "esse carpinteiro não tem como ser tão sábio e poderoso quanto parece". Chamando-o de "filho de Maria" provavelmente mostram que ainda não se esqueceram da controvérsia sobre seu nascimento. Jesus pode acalmar o mar, expulsar uma legião de demônios, curar enfermidades graves e até ressuscitar uma menina, mas ele não consegue mudar o coração endurecido e obstinado dos que pensam conhecê-lo melhor. Dessa vez é Jesus quem fica admirado com a falta de fé.

Jesus ministra além da Galileia (6.6—8.21)

Muitas vezes as principais seções de Marcos começam com uma cena relacionada aos discípulos (1.16-20; 3.13-19; 6.6-13) e terminam com a rejeição de Jesus (3.1-6; 6.1-6). À medida que a influência e o ministério de Jesus crescem, a oposição aumenta.

O ministério multiplicado por meio dos Doze (6.6-13)

Veja Mateus 9.35-38; 10.1,7-16,40; 11.20-24; Lucas 8.1; 9.1-6; 10.1-16. Depois de ser rejeitado pelos próprios conterrâneos, Jesus e seus discípulos

✚ Jesus e muitos líderes cristãos antigos tiveram confrontos com governantes da dinastia de Herodes.

saem para a região além da Galileia a fim de pregar. Jesus estende seu ministério de pregação, expulsão de demônios e cura por meio dos 12 apóstolos, a quem envia em duplas. Apesar de ouvirmos muito a respeito da falta de entendimento e fé dos discípulos (e não ouvimos ainda a última), aqui está um exemplo em que eles fazem algo positivo (cf. Mc 6.30).

O martírio de João Batista (6.14-29)

Veja Mateus 14.1-12; Lucas 3.19,20; 9.7-9. Os justos muitas vezes são perseguidos pelos poderosos deste mundo. Foi o que aconteceu quando o ímpio Herodes Antipas executou João Batista. O mesmo que se deu com João logo aconteceria com Jesus e podia ocorrer com os seguidores de Jesus. Sem dúvida, Marcos sente a urgência de lembrar aos ouvintes romanos essa sóbria realidade. Quando Herodes fica sabendo do êxito da missão de Jesus e dos Doze (6.14), o peso em sua consciência o leva a concluir que Jesus era na verdade João Batista, que havia ressuscitado dos mortos para aterrorizá-lo (6.16). Aqui Marcos oferece uma recapitulação da terrível cena do banquete em que Herodes foi pressionado a decapitar João (6.17-29).

Cinco mil ilustrações (6.30-44)

Veja Mateus 14.13-21; Lucas 9.10-17; João 6.1-15. Os apóstolos voltam a Jesus e contam sobre o êxito de sua missão (6.30). Apesar das tragédias, como a morte de João, nada é capaz de impedir a expansão do Reino de Deus. Marcos compara o infame banquete de 6.17-29, em que o autonomeado rei Herodes destrói a vida, à festa atual em que o rei Jesus dá vida a seu povo. Jesus envolve os discípulos em todas as fases dessa experiência de pastoreio. Depois de retornar da missão, Jesus chama os discípulos para se retirar para um lugar sossegado a fim de descansar, mas as multidões se apressam para o lugar aonde eles iam. Os discípulos sabem que o povo precisa se alimentar, e Jesus os desafia a lhe dar de comer. Olhando apenas para os próprios recursos a fim de resolver o problema, eles se frustram em pensar no custo do alimento para toda a multidão. Então Jesus alimenta de forma extraordinária mais de 5 mil pessoas com uma sacola de alimentos, usando os discípulos para

✚ Os cristãos primitivos de Roma precisavam saber que mesmo a perseguição, como a morte de João Batista, não era capaz de impedir o engrandecimento do Reino de Deus.

João Batista
Preben Vang

De acordo com Lucas 3.1,2, João começou seu ministério em torno do ano 28 d.C. Seu apelido "Batista" deve ter pego logo, uma vez que a primeira referência que Mateus faz já supõe que seus leitores o reconheciam (3.1). Como filho de Zacarias e Isabel, João era de origem sacerdotal, mas, ao contrário de seu pai que ministrava no templo, João reuniu um grupo de discípulos para servir com ele no deserto da Judeia, próximo ao rio Jordão. Ele reacendeu a devoção de Israel a Deus a fim de preparar o povo para aceitar e reconhecer a visitação de Deus por meio de Cristo.

A descrição de João feita nos Evangelhos está carregada de referências ao AT. Ao ressaltar seu nascimento de pais idosos, os autores dos Evangelhos lembram os líderes sobre a aliança de Deus com Abraão, colocando assim João como elo entre as primeiras e as segundas promessas de Deus por meio da aliança (Gn 18.11; Lc 1.7). O ambiente de João no deserto e sua descrição como lugar de arrependimento e preparação antes da chegada do Reino comparam-se ao período de preparação de Israel antes de entrar na terra prometida. A descrição detalhada das vestes de João (Mc 1.6), muito mais que sua mera representação como beduíno, estabelece um paralelo claro com a tradição profética do AT (2Rs 1.8; cf. Zc 13.4) e torna João o profeta que Deus usaria para avivar o povo (Lc 7.26). Para dar mais destaque a essa ligação profética da aliança, João compreende sua pessoa e missão à luz de Isaías 40.3 (Lc 3.4) — como o escolhido de Deus para preparar o caminho para a chegada do Reino: a chegada da nova aliança prometida pelo Espírito (Ez 36.27,28; Mc 1.8). Uma vez que a vinda do Reino de Deus está claramente relacionada com o cumprimento das promessas divinas sobre o fim dos tempos, a mensagem de João, como a dos antigos profetas, salienta a necessidade do arrependimento completo para evitar o juízo final de Deus (Mt 3.7-10).

Ao contrário dos fariseus e de outros grupos contemporâneos, João não dava importância à purificação ritual; antes, de forma profética, ele conclamava o povo à misericórdia e fidelidade (Lc 3.11-14; cf. Os 6.6). Os que com renovada devoção arrependiam-se de seus caminhos alienados e (re)tornavam a Deus eram batizados. Esse batismo não era um rito exclusivo de um pequeno grupo de seguidores; todo o que se arrependesse com sinceridade poderia participar. Era um batismo de arrependimento (Mc 1.4), não para converter as pessoas em discípulos de João, mas para chamá-las à preparação para a vinda do Reino de Deus (Mc 1.8).

A mensagem intransigente de João lhe custou a vida. Quando ele chamou o rei Herodes a se arrepender da vida promíscua, João foi preso e, logo em seguida, decapitado (Mt 14.1-12). O efeito dessa mensagem, entretanto, deu-lhe o *status* de profeta do AT e a crescente convicção de que ele poderia ressuscitar dos mortos (Mt 14.2; 16.14).

No topo dessa colina, fica a fortaleza de Maqueronte, onde Herodes Antipas mandou executar João Batista.

Um antigo tanque judaico de banho, ou *mikve*.

organizar o povo, distribuir os alimentos e recolher as sobras. Cada apóstolo ficou com um cesto de pão e peixe como forma de recordar que Jesus tem a capacidade sobrenatural de prover o alimento.

Deus está passando (6.45-52)

Veja Mateus 14.22,23; João 6.16-21. Depois do envio dos discípulos para missão e da participação deles na multiplicação dos pães para 5 mil pessoas, Jesus e os discípulos estão de volta ao mar para mais uma prova (v. tb. 4.35-41). Jesus os instrui a entrar no barco e atravessar até Betsaida enquanto ele permanece orando mais um pouco. No meio da noite, enquanto eles se esforçavam, remando contra o vento, Jesus aparece diante deles. Eles entram em pânico achando que se tratava de um fantasma. Ele os acalma, entra no barco, e tudo acaba bem. Nessa experiência, Jesus se apresenta mais uma vez como Deus. Ele alimentou a multidão no deserto; agora ele atravessa o mar, pronto para "passar por eles" (v. 48), o que sugeria a passagem de Deus por Moisés (Êx 33.19,22; cf. Gn 32.31,32). Jesus responde ao clamor deles de maneira muito semelhante à forma com que Deus respondeu a Moisés da sarça ardente: "Sou eu!", ou "Eu sou" (Êx 3.14). Marcos diz que mesmo assim eles não entendem: "pois não tinham entendido o milagre dos pães" (6.52).

O toque de cura (6.53-56)

Veja Mateus 14.34-36. Genesaré era um distrito localizado a noroeste do mar da Galileia. A popularidade de Jesus como curador divino continuava se espalhando por toda a região. Esperava-se que os discípulos estivessem atentos a isso.

Obediência aos mandamentos de Deus em vez de se esconder atrás de tradições humanas (7.1-23)

Veja Mateus 15.1-20; 23.4-36; Lucas 11.37-41. Os fariseus e escribas de Jerusalém acusavam Jesus de ser um mentor fraco, incapaz de ensinar aos discípulos a guarda da "tradição dos líderes religiosos" (7.5). Nesse caso, a tradição estava relacionada ao lavar as mãos de caráter cerimonial (7.3,4). Jesus não se importava com a pureza? Com certeza ele se preocupava com a pureza, mas em que consistia a verdadeira pureza? Jesus diz à multidão que não era o alimento, mas a condição do coração da pessoa que definia a pureza (7.14,15). Mais tarde, ele diz aos discípulos que a maldade que sai do coração contamina a pessoa (v. a lista de exemplos de Jesus em 7.21,22). Ele acusava os líderes

✚ Jesus muitas vezes se apresentava aos discípulos usando figuras e termos do AT com os quais estavam familiarizados.

religiosos de hipocrisia (7.6,7). Eles desprezavam os principais mandamentos de Deus (p. ex., honrar os pais; 7.9,10) e recorriam a alguns subterfúgios (p. ex., recusar-se a sustentar os pais, alegando que o dinheiro tinha sido "dedicado" a Deus; 7.11,12). Não deveríamos nos esconder atrás das tradições religiosas humanas a fim de evitar os mandamentos de Deus. A pureza é uma questão do coração.

A fé de um estrangeiro (7.24-30)

Veja Mateus 15.21-28. Depois da discussão sobre a pureza em 7.1-23, em que Jesus declara que todos os alimentos são puros (7.19), os três próximos episódios enfatizam o ministério de Jesus aos não judeus. Na região gentílica de Tiro, Jesus é confrontado por uma mulher grega que lhe pede para expulsar um demônio de sua filha. Jesus insiste em que seu ministério estava concentrado em Israel (os "filhos"), mas a mulher responde com humildade que até mesmo os "cachorrinhos" podiam comer do que as crianças deixavam cair no chão. Então, Jesus cura a filha dessa mulher.

Ministério prático (7.31-37)

Veja Mateus 15.29-31. Jesus vai de uma região dos gentios (Tiro e Sidom) a outra (Decápolis), onde cura um surdo e mudo. De forma prática, Jesus

Cristo (Messias)
Joseph R. Dodson

A palavra "Cristo" significa "ungido". No AT, refere-se principalmente aos reis israelitas (cf. Is 45.1), embora em alguns casos o termo seja atribuído aos sumos sacerdotes do Senhor. Às vezes, Israel evocava esse título como apelo do povo para que Yahweh o resgatasse, bem como ao rei, descendente de Davi, a quem o Senhor tinha ungido. Com o tempo, o termo "messias" passou de mero título do rei para o de uma personalidade do fim dos tempos, cheia de promessas eternas, como o futuro filho de Davi de Isaías 9.6,7:

> Porque um menino nos nasceu [...]
> E ele será chamado
> Maravilhoso Conselheiro, Deus Poderoso,
> Pai Eterno, Príncipe da Paz [...]
> Ele estenderá o seu domínio sobre o trono de Davi[...]
> e sobre o seu reino [...] desde agora e para sempre.

Também em Isaías, anuncia-se que esse rei receberá a unção do Espírito de Deus (Is 11.2) e que ele se tornará um sinal de esperança para *todas* as nações (11.10).

Junto com essas associações, começam a surgir no Período Intertestamentário as expectativas de um sumo sacerdote ungido e um "profeta como Moisés". Por isso, o termo passa a ter ligação com outros títulos, como "o filho do homem" e "o escolhido de Deus" (p. ex., 1*Enoque* 48—52). No entanto, continuava a haver uma variedade de compreensões messiânicas. Na verdade, boa parte da literatura judaica ignorou por completo o tema — até o Período do NT.

No NT, a ideia do Messias já era claramente identificada: ele *é* Jesus de Nazaré — o Filho do homem, Filho de Deus; o escolhido e ungido; o profeta como Moisés, o sacerdote da linhagem de Melquisedeque e o rei eterno de Davi. Não é exagerada a importância que os autores do NT deram a Jesus como o *Cristo*: a pergunta que seus adversários lhe fazem — "Você é o Cristo, o Filho do Deus Bendito?" (Mc 14.61) — e a confissão feita por Pedro — "Tu és o Cristo, o Filho do Deus vivo" (Mt 16.16); o título pelo qual os anjos o anunciam

toca nos ouvidos e na língua suspirando uma oração em direção ao céu ("abre-se"). Ele proíbe os que viram a cura de mencionar o assunto, pois não queria que seus milagres substituíssem a mensagem do Reino. Mas o homem e seus amigos não se contêm e gritam de alegria (cf. Is 35.6). Como a boa obra de Deus na Criação, Jesus faz todas as coisas bem (cf. Gn 1.31).

Gentios com fome (8.1-10)

Veja Mateus 15.32-39. Mais uma vez, Jesus milagrosamente multiplica o pouco alimento que pôde ser encontrado para alimentar milhares de pessoas. A multidão em Decápolis era formada predominantemente por gentios. Eles estão com Jesus em um lugar afastado por vários dias e precisam de comida. Como antes, os discípulos só conseguem pensar em uma solução humana. Por compaixão, Jesus milagrosamente também alimenta essa multidão, reforçando a lição de fé para seus discípulos.

✠ A compaixão de Jesus pelos necessitados e famintos demonstra a preocupação de Deus com os pobres enfatizada em grande parte no Antigo Testamento (p. ex., Dt 10.18; Pv 19.17; Is 10.1,2).

e demônios se dirigem a ele (Mc 1.34); o remate com que Mateus termina sua genealogia (1.16); e as credenciais pelas quais os autores iniciam as epístolas (p. ex., Rm 1.1; 1Pe 1.1; Jd 1.1).

Além disso, João Batista negou que ele mesmo *fosse* o Cristo (Jo 1.20), e a primeira coisa que seu discípulo André disse a Pedro foi "Achamos o Messias" (Jo 1.41). Até mesmo a mulher samaritana disse saber sobre a vinda do Messias, e Jesus respondeu: "Eu sou o Messias! Eu, que estou falando com você" (Jo 4.25,26). A mensagem anunciada por Pedro (2.36), pregada por Filipe (8.5), defendida por Apolo (18.28) e explicada por Paulo (9.22; 17.2,3) em Atos consiste no anúncio: *"Jesus é o Cristo"*.

Na verdade, a identidade de Jesus como Messias era tão importante para Paulo que 70% de todas as ocorrências do termo no NT estão nos escritos dele. Além disso, ele acrescentou Cristo ao nome de Jesus. Paulo professou ter proclamado "o evangelho de Cristo" desde Jerusalém até o Ilírico e que pretendeu pregar onde "Cristo ainda não era conhecido" (Rm 15.19,20). Por fim, Paulo compreendeu que a fé salvadora vinha do ouvir, e o ouvir da palavra de Cristo (Rm 10.17).

A mensagem que Paulo considerava mais importante era "que Cristo morreu [...] foi sepultado e ressuscitou [...] e apareceu [...]" (1Co 15.3-5). Mesmo assim, o conceito do Messias sofredor — principalmente, crucificado — parecia um paradoxo inaceitável a muitos judeus (p. ex., 1Co 1.23). Não obstante, constrangido pelo amor de Cristo, Paulo permanecia embaixador de Cristo apelando para que o mundo fosse reconciliado por meio de Cristo (2Co 5.15-21). O apóstolo estava tão cativado pelo Messias que dizia nem mais viver; antes, "Cristo vive em mim" (Gl 2.20).

Da mesma forma, Paulo muitas vezes se refere aos fiéis como "o corpo de Cristo", os que "são de Cristo" e os que estão "em Cristo". Aos gálatas, Paulo diz que não descansará até que Cristo "seja formado em vocês" (Gl 4.19), e aos colossenses, "a sua vida está escondida com Cristo" (Cl 3.3). Paulo não foi o único a associar os fiéis intimamente a Cristo. Apesar de a designação ter sido usada no início de forma derrogatória, os discípulos de Cristo ficaram conhecidos como *cristãos* — um nome que, conforme Pedro proclama, deve ser motivo de louvor, não de vergonha (1Pe 4.16).

Fariseus insensíveis e discípulos tapados (8.11-21)

Veja Mateus 12.38-42; 16.1-12; Lucas 11.16,29-32; 12.1,54-56. Jesus podia multiplicar alguns pães para alimentar milhares de pessoas, mas isso não era suficiente para os fariseus que queriam um "sinal do céu" (8.11). Jesus reage de maneira bastante emocional à recusa insensível deles de crer que Deus já estava agindo por meio de muitos milagres (cf. Mc 1.41). Enquanto Jesus e os discípulos atravessavam o mar, Jesus os adverte do fermento dos fariseus e de Herodes. Por eles terem se esquecido de levar pão no barco, começam a se acusar pela falha. Contudo, mais uma vez, os discípulos estavam pensando em termos puramente físicos. Eles tinham visto Jesus alimentar 5 mil pessoas com apenas cinco pães e quatro mil pessoas com apenas sete pães, contudo deixaram de compreender o sentido espiritual de tudo isso. Jesus os repreende com sete perguntas de jogo rápido terminando com: "Vocês ainda não entendem?" (Mc 8.17-21).

Jesus, o Messias, vai a Jerusalém (8.22—10.52)

Essa seção central de Marcos começa e termina com Jesus curando um cego. A primeira cura acontece em Betsaida, na região norte do mar da Galileia, e a última acontece em Jericó, quando Jesus se aproxima de Jerusalém. Entre esses dois lugares de milagre, Jesus começa a revelar sua verdadeira identidade e missão aos discípulos. O momento decisivo é a confissão de Pedro sobre Jesus ser o Messias, seguida de três predições sobre a morte de Jesus, três respostas equivocadas dos discípulos e três ensinamentos sobre o significado de seguir o Filho sofredor de Deus.

A cura de um cego em Betsaida (8.22-26)

Essa cura (registrada apenas em Marcos) introduz a seção central desse Evangelho e contrasta nitidamente a cegueira espiritual dos discípulos demonstrada na passagem anterior. Jesus cura o cego em estágios, um processo comparável a como os discípulos obtinham discernimento espiritual (primeiro reconhecendo Jesus como o Messias e depois como o Messias sofredor). Da mesma forma que em muitos outros casos, Jesus diz ao homem curado para não divulgar o acontecido (8.26).

Seguindo o Messias sofredor, parte 1 (8.27—9.1)

Veja Mateus 16.13-28; Lucas 9.18-27; João 6.66-71. Em um momento crucial da missão, Jesus leva os discípulos a Cesareia de Filipe, ao norte. Longe de Jerusalém e em um lugar mais conhecido pelos cultos pagãos (incluindo César como Senhor), Jesus faz difíceis perguntas aos

Cesareia de Filipe, onde Pedro confessa Jesus como o Messias e onde Jesus começa a revelar que ele iria sofrer.

✢ As predições de Jesus sobre a própria morte sacrificial nos lembram do papel do Servo do Senhor de Isaías 52—53, que sofre pelos pecados da nação.

discípulos: "Quem vocês dizem que eu sou?". Pedro dá a resposta certa: "Tu és o Cristo" (Messias). Jesus então começa a lhes ensinar que ele deveria sofrer e morrer antes de ressurgir. (Essa é a primeira de três predições sobre a Paixão na parte central de Marcos.) Pedro contesta de forma total a ideia de um Messias sofredor e que teria de morrer, mas Jesus se mantém firme à missão dada por Deus e resiste à tentação de Satanás (verbalizada agora por Pedro) de evitar a cruz. Ele convoca toda a multidão à volta para explicar que o seguir envolvia abrir mão do controle da própria vida, estar disposto a experimentar vergonha e rejeição e dedicar-se aos ensinamentos de Jesus (8.34). O paradoxo é: quem desejar salvar a vida, acabará por perdê-la; e quem perder a vida por Jesus, a salvará. Como o indivíduo reage a Jesus nesta vida determinará a resposta de Jesus a esse indivíduo no dia do juízo. A seção termina com a promessa de Jesus de que algumas pessoas presentes ali na multidão veriam o Reino de Deus chegar com poder.

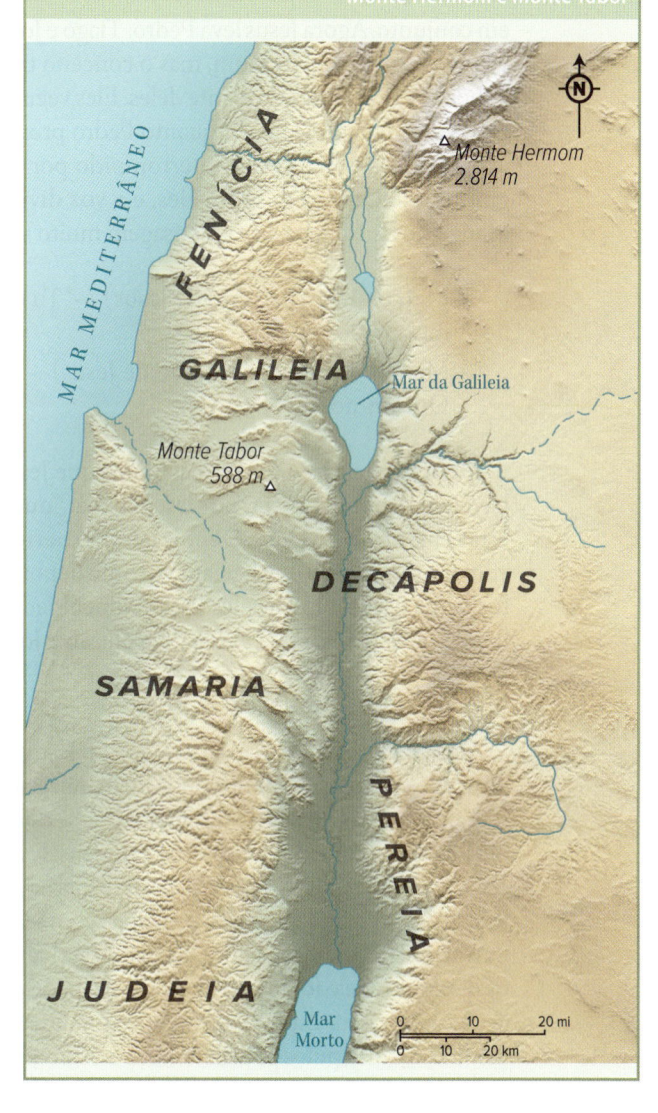

Glória sobre o monte (9.2-13)

Veja Mateus 17.1-13; Lucas 9.28-36. Cerca de uma semana depois, Jesus cumpre a promessa feita em 9.1. A atípica referência temporal de 9.2 mostra que a confissão de Pedro e a transfiguração de Jesus devem ser compreendidas em conjunto. Agora Jesus leva Pedro, Tiago e João ao topo do monte (provavelmente o monte Hermom, mas o conceito tradicional referenda o monte Tabor) e é transfigurado diante deles. Eles veem uma apresentação prévia da glória do Filho de Deus. Enquanto Pedro propunha construir abrigos para Moisés, Elias e Jesus, ele é interrompido por Deus. A nuvem da presença gloriosa de Deus vem sobre eles, e a voz divina fala pela segunda vez no evangelho de Marcos, uma mensagem muito semelhante à primeira:

- Marcos 1.11 (batismo de Jesus)—"Tu és o meu Filho amado; de ti me agrado".
- Marcos 9.7 (transfiguração de Jesus)—"Este é o meu Filho amado. Ouçam-no!"

Deus estava dizendo aos discípulos que Jesus era de fato o Messias que havia de sofrer e morrer, por isso ele diz: "ouçam-no" (Dt 18.15). A cruz estava no plano de Deus. Depois dessa experiência, Jesus lhes diz para não contar a ninguém o que haviam visto até depois de ele "ressuscitar dos mortos", uma expressão que eles teriam dificuldade de entender. Por fim, Jesus lhes explica que Elias já viera, uma alusão a João Batista (v. Mt 17.11-13).

Dificuldades lá embaixo (9.14-29)

Veja Mateus 17.14-21; Lucas 9.37-43. Jesus e seu círculo mais íntimo de discípulos descem do monte, onde foi manifestada a sua glória, para se encontrarem com os outros nove discípulos que se esforçavam para expulsar demônios, criando confusão com os líderes judeus. Faltavam-lhes poder e sabedoria espirituais. Jesus parece passar por uma experiência de frustração solitária com todo o grupo, talvez, de modo principal, com seus discípulos (9.19). O pai de um menino reconhece a fraqueza de sua fé na habilidade de Jesus, talvez porque os discípulos dele foram malsucedidos, e pede ajuda para vencer sua falta de fé (9.23,24). Jesus expulsa o demônio com uma única repreensão e restaura o menino. Os discípulos podem tem superestimado sua capacidade de ministrar como Jesus, mas, sem ele, eles não tinham nenhum poder (9.28,29).

✢ A presença de Moisés e Elias na transfiguração de Jesus comunica com clareza que Jesus estava cumprindo as promessas do AT. A tentativa de Pedro de pôr Jesus no mesmo nível dessas figuras do AT não seria suficiente. Jesus é o Filho unigênito de Deus.

Seguindo o Messias sofredor, parte 2 (9.30-50)

Veja Mateus 5.13; 10.42; 17.22,23; 18.1-9; Lucas 9.43-45; 10.16; 14.34,35; 17.1,2; João 13.20. Jesus prediz pela segunda vez seu futuro sofrimento e morte (9.30,31). Mais uma vez, contudo, os discípulos deixam de entender, pois tinham receio de pedir esclarecimentos. Entretanto, eles entram em intensa discussão sobre qual deles seria o maior (9.34). Deve ter sido muito doloroso para Jesus ver seus seguidores seguirem o caminho errado no sentido espiritual exatamente no momento em que ele lhes abria o coração. Eles aguardavam um messias guerreiro que derrotaria os romanos e estabeleceria um poder político e terreno. Jesus tinha coisas muito maiores em mente, todavia a cruz fazia parte de seus planos. Usando uma criança como ilustração, Jesus com toda a paciência ensina que a verdadeira grandeza no Reino de Deus envolve a humildade e o serviço (9.35-37). Ele os proíbe de criar barreiras para excluir os rivais que também realizavam o ministério de compaixão (9.38-40). Jesus promete recompensar todos os que ministram em seu nome (9.41) e pronuncia uma forte advertência contra qualquer um que dificultasse o discipulado ao tolerar o pecado (9.42-48). Os discípulos deveriam viver em paz uns com os outros e não se destruir por causa da concorrência egoísta (9.49,50).

Responsabilidades relacionais do seguidor de Cristo (10.1-31)

Veja Mateus 19.1-30; Lucas 16.18; 18.15-30. A jornada de Jesus a Jerusalém dá um salto importante a partir de 10.1, quando ele entra no território da Judeia. Os três episódios de Marcos 10.1-31 compartilham o mesmo tema dos relacionamentos, em especial sobre os relacionamentos familiares. Em 10.1-12, Jesus enfrenta um desafio dos fariseus relacionado ao divórcio. Ele muda de foco da permissão outorgada por Moisés para o que Deus projetou originariamente para o casamento (ao citar Gn 1.27; 2.24) — o homem e a mulher devem viver juntos em caráter permanente. Em seguida, Jesus explica aos discípulos que o novo casamento com outra pessoa, depois do divórcio, constitui adultério (10.11,12). No segundo episódio, quando os discípulos repreendem as pessoas por trazerem seus filhos a Jesus, Jesus repreende os

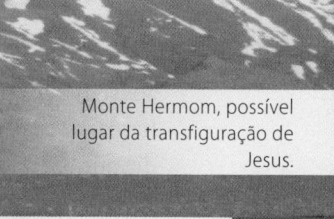

Monte Hermom, possível lugar da transfiguração de Jesus.

Jesus, o Servo
Rodney Reeves

Jesus nunca chamou a si mesmo de servo ou escravo. No entanto, ele deu a entender que era um servo quando ensinou aos discípulos sobre sua missão, dando-lhes o exemplo de serviço a fim de o seguirem (Mc 10.43-45; Jo 13.12-17). Em ambos os casos, Jesus ressalta a humildade decorrente da atitude de servo (não a obediência do servo, seu relacionamento com o Senhor, ou as tarefas que ele realiza). E nos dois casos Jesus ilustra o ensino da humildade por meio do próprio sacrifício oferecido para o bem dos outros. Depois de Tiago e João perguntarem sobre as posições de honra de seu Reino, Jesus contrastou a forma em que os "governantes das nações" usam suas posições de poder com o modo pelo qual os discípulos servem uns aos outros. As pessoas importantes dentre os gentios conquistam o poder para "exercer poder" sobre os subalternos; os discípulos de Jesus se tornarão importantes ao abrir mão do poder. A moral é baseada no exemplo de Jesus: até o Filho do homem (que deveria ser servido por seus inferiores) veio para servir e dar "sua vida em resgate por muitos" (Mc 10.43-45). Naturalmente, é importante observar a ocasião dessa conversa: ela acontece momentos antes de Jesus e seus discípulos entrarem em Jerusalém, onde Jesus seria crucificado e o "sangue da aliança [seria] derramado em favor de muitos" (14.24).

No Evangelho de João, não há menção à "ceia do Senhor". Antes, há o registro de uma história em que Jesus realiza a tarefa servical de um empregado doméstico ao lavar os pés dos discípulos, apesar das objeções de Pedro (Jo 13.1-11). Jesus estava até vestido a caráter. Ele "tirou sua capa" e colocou uma toalha nas pernas e na cintura, como um servo doméstico. Tendo terminado, Jesus voltou à mesa completamente vestido e perguntou aos discípulos se eles tinham entendido a lição que ele acabara de ilustrar. Eles o chamam corretamente de "Senhor", contudo ele se humilhou e lavou os pés deles como um servo. Portanto, eles devem fazer o mesmo uns aos outros, porque "nenhum escravo é maior do que o seu senhor" (v. 16). O estilo de Jesus era do humilde serviço.

À luz dessas histórias, é de certo modo surpreendente que a igreja primitiva não tenha dado mais ênfase a Jesus como o cumpridor do papel do "humilde" Servo do Senhor, de acordo com a profecia de Isaías (42.1-9; 49.1-7; 52.13—53.12). Mateus argumenta que Jesus cumpriu a profecia, mas, ao que parece, isso dizia mais respeito à retirada de Jesus do meio das multidões que com sua humilhante morte na cruz (Mt 12.15-21). Lucas se aproxima mais dessa ligação quando registra o sermão de Pedro e as orações dos primeiros cristãos: eles se referiam a Jesus como o Servo de Deus que sofreu nas mãos de Pilatos e de Herodes (At 3.13; 4.27). O exemplo mais claro vem de um hino cristão primitivo citado por Paulo: Jesus se humilhou tornando-se homem — como um escravo ele foi "obediente até a morte, e morte de cruz!" (Fp 2.7,8). Apesar da relutância do NT em mencionar Cristo como um servo, ao longo dos anos os cristãos representaram o papel de servo de Jesus em muitos poemas, várias liturgias, diversos cânticos, sermões e textos devocionais.

---

discípulos e acolhe as crianças com braços abertos (10.13-16). O Reino pertence aos capazes de "receber" o Reino "como uma criança" (v. 15). Em comparação às crianças que recebem dádivas com alegria, o terceiro episódio descreve um homem rico que se apega com firmeza aos seus bens (10.17-31). Ele pergunta a Jesus o que é necessário para herdar a vida eterna. Apesar de ter guardado os mandamentos, Jesus diz que lhe faltava uma coisa. Ele deveria vender tudo que tinha, dar o dinheiro aos pobres e seguir Jesus. O homem vai embora deprimido, por não desejar abrir mão de seus pertences. Os ricos têm dificuldade de entrar no Reino, Jesus alerta, mas tudo é possível para Deus, por isso há esperança. Pedro afirma: "Nós deixamos tudo para seguir-te" (v. 28). Jesus lhe assegura que quem tiver deixado tudo receberá em abundância no presente e na era futura a vida eterna.

Seguindo o Messias sofredor, parte 3 (10.32-45)

Veja Mateus 20.17-28; Lucas 18.31-34; 22.24-30. Jesus lidera a caminhada a Jerusalém. As multidões estão admiradas, enquanto os discípulos temem. Algo importante estava para acontecer. Pela terceira vez, Jesus anuncia a proximidade de sua paixão. Ele seria traído, condenado pelos líderes judeus, torturado e morto pelos gentios, mas três dias depois ressuscitaria (10.33,34). O que acontece em seguida nos deixa muito espantados e boquiabertos. Os discípulos não só falham na compreensão, como Tiago e João têm a ousadia de pedir para assentar nos lugares de honra quando Jesus estabelecer seu Reino (10.35-37). Jesus lhes responde de forma categórica que eles não sabiam o que estavam pedindo, uma vez que deixaram de lado o sofrimento (representado pelo "cálice" e o "batismo") de seu ilustre pedido (10.38-40). O orgulho deles, no versículo 39, nos lembra do orgulho posterior de Pedro — de que ele nunca decepcionaria Jesus. Os outros dez discípulos ficam furiosos com os dois irmãos, e Jesus aproveitou a situação para lhes ensinar com clareza a respeito do discipulado e da liderança (10.41-45). Enquanto os líderes das nações "exercem poder" sobre as pessoas, os líderes do Reino devem ministrar como servos que moldam a vida pelo exemplo de Jesus, que não "veio para ser servido, mas para servir e dar a sua vida em resgate por muitos" (10.45; cf. Is 53; Fp 2.5-11). Muitos têm razão em considerar o versículo 45 a passagem principal do Evangelho de Marcos.

Cura de um cego em Jericó (10.46-52)

Veja Mateus 9.27-31; 20.29-34; Lucas 18.35-43. Em nítido contraste com a aparente cegueira dos Doze no episódio anterior, o cego Bartimeu é capaz de enxergar Jesus como ele é ao reconhecê-lo duas vezes como "Filho de Davi". Ele deixa suas vestes de mendigo (em contraste com o jovem rico de 10.17-31) e corre para Jesus, que pergunta: "O que você quer

Uma antiga pedra de moinho usada para espremer azeitonas (Mc 9.42).

✚ No contexto da comunidade cristã primitiva, a posição social era posta em segundo plano, dada a igualdade estabelecida pela posição espiritual em Cristo (v. 1Co 12.25; Gl 3.28; Tg 2.1-13).

que eu faça?" (cf. a mesma pergunta feita a Tiago e João em 10.36). Ele responde: "Mestre, eu quero ver", e Jesus lhe concede a visão no último milagre de Marcos. Ao ouvir Jesus lhe dizer "Vá", Bartimeu segue Jesus a caminho de Jerusalém, um exemplo de verdadeiro discípulo.

Jesus, o Messias, confronta Jerusalém (11.1—13.37)

Essa seção de Marcos descreve o que acontece de domingo a terça-feira da semana da Paixão (a semana do sofrimento). Sua "entrada triunfal" na cidade marca o início da semana, que inclui a maldição da figueira e a condenação do templo, os debates com os líderes religiosos, o ensino na área do templo e a continuação do ensino do monte das Oliveiras.

A entrada humilde do rei (11.1-11)

Veja Mateus 21.1-9; Lucas 19.28-40; João 12.12-19. Na semana da Páscoa, em Jerusalém, a população cresce de forma significativa e as expectativas estão em alta. Jesus entra na cidade de modo impressionante, indo do monte das Oliveiras até a cidade. Acreditava-se que o Messias apareceria nesse "monte" nos últimos dias (Zc 14.4,5). Jesus fez preparativos para montar um jumentinho na cidade, cumprindo a profecia de Zacarias 9.9. Agora o segredo é revelado, quando Jesus se manifesta de maneira aberta ao mundo. Ele é o muito aguardado Messias, o Rei dos judeus. Mas ele monta um humilde jumentinho em vez de um pomposo garanhão, simbolizando que sua conquista ocorrerá por meio do sofrimento e sacrifício, em lugar do uso de poder militar. Enquanto Jesus desce a Jerusalém, algumas pessoas do meio da multidão estendem capas e galhos de palmeiras diante dele, louvando e confessando Jesus como Messias. Ele vai ao templo e inspeciona a situação antes de voltar a Betânia.

O monte das Oliveiras visto do monte do Templo.

✚ Jesus cumpre a expectativa do AT de que o Messias apareceria no monte Sião nos últimos dias.

O templo de Herodes
Jonathan M. Lunde

Entre os projetos arquitetônicos mais espetaculares de Herodes, o Grande, estava a reconstrução do templo e ampliação de seu pátio. Essa construção substituiu a relativamente inexpressiva construção do templo depois do Exílio sob a liderança de Zorobabel (516/515 a.C.). Apesar de a estrutura do templo de Zorobabel ter sido completamente suplantada, o templo de Herodes não é considerado o terceiro templo, uma vez que os sacrifícios não foram interrompidos em todo o período de construção. O trabalho começou em 20/19 a.C. e se estendeu até o ano 63 d.C., apesar de a maior parte do trabalho ter terminado dentro de uma década. Ele foi destruído mais tarde pelos romanos no ano 70 d.C.

De acordo com seu antecessor, o templo de Herodes estava dividido em três recintos principais. O átrio servia de saguão de entrada do templo. O acesso ao santuário se dava por meio da parede de trás fechada com o véu, onde ficavam a menorá de sete lâmpadas, a mesa dos pães da Presença e o altar do incenso. Dois véus grossos separavam esse espaço do Lugar Santíssimo mais para dentro. No templo de Herodes, esse lugar, ocupado pela arca da aliança no templo de Salomão, estava vazio — exceto pela protuberância do leito de rocha do monte em todo o chão. O deslumbrante exterior da edificação era totalmente branco onde não estava coberto de ouro.

O templo em si ficava de frente para o oriente, situado no nível mais alto do monte do Templo. Cada pátio subsequente ficava em um nível mais baixo.

Em torno do templo, havia um muro alto com três portões do lado norte e três, do sul. Do lado de dentro do muro, em direção ao oriente, existia um pátio onde ficava o grande altar (Mt 23.35). Fora dali, o pátio era dividido em duas partes — a faixa interior era o pátio dos sacerdotes, enquanto a exterior era o pátio de Israel, acessível apenas aos homens judeus (Mt 5.23,24; Lc 18.10-13; 24.53). Esses pátios eram separados de outro pátio do lado oriental por uma parede de outro portão. Conhecido como pátio das mulheres, permitia-se o acesso ali tanto a homens quanto a mulheres judias (Lc 2.37).

Em torno de tudo isso, estava o grande pátio exterior, a área que foi duplicada por Herodes (do tamanho aproximado de 30 campos de futebol). Mas essa área também era dividida — uma área retangular em torno do templo era reservada apenas para os judeus, separada do pátio dos gentios por meio de um corrimão baixo. As entradas por essa barreira eram marcadas por lajes esculpidas advertindo os gentios da consequente morte caso tentassem entrar ali (cf. At 21.27-29).

Esse pátio exterior era rodeado em todos os lados por colunatas cobertas, e a do lado sul era o magnífico pórtico real de Herodes (Mt 21.23; Lc 2.46). Jesus provavelmente expulsou os cambistas e vendedores de oferendas sacrificiais dessa área e do pátio adjacente (Mt 21.12-16 e paralelos). No canto noroeste do pátio, ficava a fortaleza Antônia, construída por Herodes para proteger o monte do Templo. A escadaria ao sul dava acesso fácil ao pátio (At 21.31,32).

Maldição de uma figueira e a condenação do templo (11.12-26)

Veja Mateus 21.10-22; Lucas 19.45-48. Marcos une os relatos sobre Jesus amaldiçoando a figueira (11.12-14,20-25) com a condenação do templo (11.15-19) a fim de que as pessoas entendam que o sentido das duas histórias é idêntico. Em vez de purificar, ou reformar o templo, Jesus condena a figueira e o templo. No caminho de Betânia a Jerusalém (apenas alguns quilômetros), Jesus amaldiçoa uma figueira infrutífera que sinalizava com falsidade (por meio de suas muitas folhas) a produção de frutos. Logo ele faria a mesma coisa com o templo por dar a falsa impressão de que o povo poderia de fato encontrar Deus ali. O templo ficava no centro de Jerusalém e servia de centro econômico, político e religioso do judaísmo. O pátio dos gentios era o lugar em que as pessoas trocavam dinheiro (por uma taxa) para pagar o imposto do templo. Ao interromper os cambistas, Jesus condena de forma simbólica o templo. Em vez de representar a presença de Deus, o templo agora estava sob o juízo divino. Não se tratava mais de um lugar de oração para todos os povos (Is 56.7); antes, tornou-se um esconderijo religioso de pessoas com o coração corrompido (Jr 7.11; cf. Mc 7.1-23). Como antes, as multidões ficam maravilhadas com os ensinamentos de Jesus, e os chefes dos sacerdotes e escribas querem assassiná-lo (11.18). No dia seguinte, Pedro mostra a figueira ressecada. Então descobrimos que o novo modo de fé, oração e perdão em Jesus substitui de maneira completa o velho ritual do templo com suas práticas corruptas de negócios, seu sacerdócio hipócrita e o inútil sistema de sacrifícios. Deus agora nos encontra em Jesus (11.22-25).

Debate e ensino no pátio do templo (11.27—12.44)

Veja Mateus 21.23-27,33-46; 22.15-46; 23.1-36; Lucas 6.39; 10.25-28; 11.39-44,46-52; 20.1-47; 21.1-4. Essa seção representa uma série de intensos intercâmbios entre Jesus e os líderes judeus, envolvendo a autoridade de Jesus. A seção termina com o exemplo contrastante de uma viúva engajada na verdadeira adoração. A parábola no meio se torna um resumo muito significativo da reação dos líderes judeus a Jesus.

DEBATE SOBRE AUTORIDADE E JOÃO BATISTA (11.27-33)

Quando eles perguntam a Jesus a respeito da fonte de sua autoridade, Jesus responde com uma pergunta sobre a fonte do batismo de João — divina ou humana? Eles não respondem, tampouco Jesus o faz.

✝ Mesmo na dedicação do templo de Salomão, Salomão admite que aquela edificação não seria capaz de conter a presença de Deus (1Rs 8.27). Contudo, a plenitude de Deus residia em Jesus (Cl 1.15-20).

PARÁBOLA DOS LAVRADORES MAUS (12.1-12)

Nessa parábola, o proprietário da vinha representa Deus. Os lavradores maus representam a liderança religiosa judaica, os servos representam os vários servos de Deus (p. ex., os profetas), e o filho "amado" (v. 6) representa Jesus. A mensagem é muito clara: o proprietário da vinha julgará os lavradores maus e entregará a vinha a outros lavradores.

DEBATE SOBRE O PAGAMENTO DE IMPOSTOS A CÉSAR (12.13-17)

Os líderes judeus tentam pegar Jesus em uma armadilha interrogando-o sobre a correção do pagamento de impostos a César. Jesus responde com uma resposta tanto/quanto (em vez de, ou/ou). Dar a Deus o que lhe pertence (todas as coisas, incluindo os seres humanos, que lhe refletem a imagem) e dar a César os impostos dele.

DEBATE SOBRE A RESSURREIÇÃO (12.18-27)

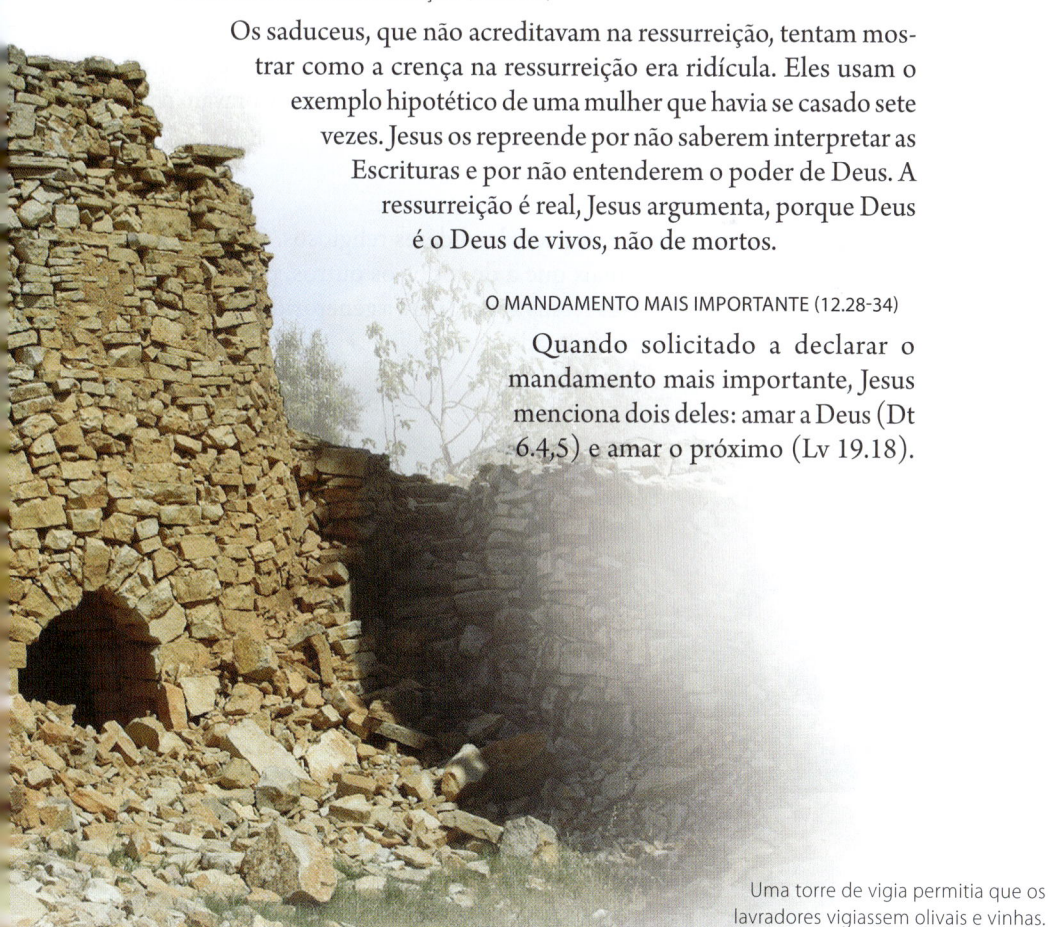

Os saduceus, que não acreditavam na ressurreição, tentam mostrar como a crença na ressurreição era ridícula. Eles usam o exemplo hipotético de uma mulher que havia se casado sete vezes. Jesus os repreende por não saberem interpretar as Escrituras e por não entenderem o poder de Deus. A ressurreição é real, Jesus argumenta, porque Deus é o Deus de vivos, não de mortos.

O MANDAMENTO MAIS IMPORTANTE (12.28-34)

Quando solicitado a declarar o mandamento mais importante, Jesus menciona dois deles: amar a Deus (Dt 6.4,5) e amar o próximo (Lv 19.18).

Uma torre de vigia permitia que os lavradores vigiassem olivais e vinhas.

✚ A parábola dos lavradores maus de Marcos 12 resume a história do trato de Deus com Israel (cf. Is 5.1,2).

Nenhum outro mandamento é maior que estes. A essa altura, ninguém ousa perguntar mais nada a Jesus.

DEBATE SOBRE O FILHO DE DAVI (12.35-37)

Jesus faz a seguinte pergunta aos mestres da lei (os escribas): por que os escribas dizem que o Cristo é filho de Davi quando Davi mesmo o chama "Senhor"? Jesus não estava negando que o Messias fosse Filho de Davi, mas estava acrescentando que o Messias era muito mais do que isso. Na frase "O Senhor (Yahweh) disse ao meu Senhor (*Adonai*)" de Salmos 110.1, o primeiro "Senhor" refere-se a Deus ,e o segundo originariamente referia-se ao rei de Israel. Na coroação do rei, Deus comissionava o rei a ser o seu regente auxiliar. Depois do fim da monarquia, os direitos e as responsabilidades do rei foram transferidos ao Messias. Como figura divina, o Reino do Messias duraria para sempre.

JESUS REPREENDE OS ESCRIBAS (12.38-40)

Os escribas que amavam as vestes religiosas e os lugares mais importantes eram também os mesmos que devoravam as casas das viúvas e oravam para se exibirem. Hipócritas! O castigo deles será severo.

A OFERTA DA VIÚVA (12.41-44)

Essa pobre viúva judia se destaca dos líderes religiosos. Sua pequena oferta representava muito mais que a de todos os outros, porque ela dá "tudo o que possuía para viver". Jesus aponta para a generosidade sacrificial dela como exemplo da verdadeira adoração.

No ano 70 d.C., os romanos jogaram essas pedras do templo em uma rua da cidade.

✚ O salmo 110 é o citado e aludido com mais frequência em todo o NT.

A destruição de Jerusalém em 70 d.C.

Paul Jackson

Em toda a sua história, Jerusalém teve sua cota de angústia e horror. Em 586 a.C., Nabucodonosor arrasou a cidade, seus muros e o templo de Salomão. Em 134 d.C., Jerusalém foi destruída depois da revolta de Bar Kochba, que resultou na expulsão de todos os judeus da cidade. A incapacidade de Israel de se arrepender de seus fracassos morais, apontados por vários profetas e até mesmo pelo Filho de Deus, levou à destruição de Jerusalém.

A destruição da cidade no ano 70 d.C. marca a segunda das três vezes em que a cidade santa de Davi caiu. Na verdade, as atrocidades contínuas haviam começado no ano 66 d.C. — quando Céstio Galo marchou ao sul da Síria com sua legião para esmagar uma rebelião na Judeia. Mas ele precisou se retirar e, ao retroceder, sofreu severas perdas diante dos insurgentes judeus. Isso pode ter levado os moradores de Jerusalém a sentir que estivessem revivendo os dias gloriosos de Judas Macabeu. Entretanto, depois que os conflitos foram resolvidos em Roma, Vespasiano, um novo general, voltou para iniciar a dominação sistemática de todas as áreas em torno de Jerusalém. Mais tarde, ele comissionou a tarefa final de esmagar essa revolta judaica a Tito, o comandante militar da Judeia.

O cerco de Jerusalém começou em abril de 70. Apesar de os defensores terem resistido desesperadamente, até o fim de setembro todas as tentativas de resistir a Tito fracassaram. A única tarefa que ainda deveria ser executada era a destruição das três grandes fortificações restantes, dentre elas sua quase invencível Massada.

É interessante que Jesus predisse de forma codificada a destruição de Jerusalém em Lucas 23.28-31. Ao ser levado em direção ao Gólgota, fora da cidade, ele se dirigiu a algumas mulheres que lamentavam com uma observação triste e desanimadora. O ponto-chave de sua mensagem estava ligado à sua referência à lenha "verde" e "seca" do versículo 31. Se os homens executassem esse tipo de castigo contra ele quando a lenha estivesse verde, o que eles fariam se a lenha estivesse seca? Lenha seca queima melhor. O contraste é mais aprofundado quando se compara a madeira sobre que Jesus foi crucificado com a madeira de Jerusalém. Na verdade, Jesus estava avisando sobre coisas piores no horizonte. A crucificação de Jesus é uma coisa, mas a destruição de Jerusalém seria outra.

Apesar de ser importante ler todo o relato de Josefo para entender o horror completo, um extrato é suficiente para destacar a brutalidade:

> Eles foram açoitados e submetidos à tortura de todos os tipos, antes de serem mortos; depois eram crucificados contra os muros. Tito na verdade compadeceu-se da sorte deles, quinhentas ou mais pessoas eram capturadas todos os dias [...] mas o principal motivo da não interrupção das crucificações era a esperança de que o espetáculo levasse os judeus à rendição, pelo medo de que resistência contínua os envolvesse em algo semelhante. Os soldados por mera raiva e ódio se divertiam pregando os prisioneiros em posições diferentes; e o número era tão grande que não havia espaço para todas as cruzes nem cruzes suficientes para todos os corpos (Josefo, *Guerra judaica* 5.449-51).

O discurso do monte das Oliveiras (13.1-37)

Veja Mateus 24.1-51; Lucas 12.35-48; 17.20-37; 21.5-36. Enquanto Jesus e os discípulos saíam do templo, um deles comenta sobre as impressionantes pedras e magníficas construções. Jesus os surpreende, dizendo: "Não ficará pedra sobre pedra; serão todas derrubadas" (13.2). Mais tarde, no monte das Oliveiras, ele fornece mais detalhes sobre quando o templo seria destruído. Jesus conecta dois eventos importantes: (1) a destruição de Jerusalém e o templo pelos romanos em 70 d.C. e (2) o seu retorno no fim dos tempos. Parte do que Jesus estava dizendo se cumpriria no século I (futuro próximo), e a outra parte, no fim dos tempos (futuro distante). Jesus adverte os discípulos de que surgiriam falsos messias, guerras e rumores de guerras, terremotos e fomes, perseguições e traições (13.5-12), mas aqueles que perseverassem até o fim seriam salvos (13.13). Jesus continua a descrever em 13.14-23 os terríveis dias em que o templo seria destruído, embora a extensão do sofrimento pareça ir além desse evento. O que mais importa é o alerta de Jesus nos versículos 21 e 22 para não sermos enganados por falsos messias e falsos profetas. A partir de 13.24, não há dúvidas de que Jesus está descrevendo eventos relacionados ao seu retorno no fim dos tempos. A vinda do Filho do homem com grande poder e glória é certa (v. 26), mas a hora em que acontecerá é incerta (v. 32-35). Portanto, os seguidores de Cristo devem "estar alertas" e preparados para o seu retorno inesperado.

O sofrimento, morte e ressurreição de Jesus, o Filho de Deus (14.1—16.8)

A história chega ao ápice na segunda parte da semana da Paixão (quarta-feira a sábado), conforme registrado em Marcos 14—16. Os líderes judeus continuam montando um esquema para matar Jesus e são apoiados pela traição de Judas. A fé dos discípulos passa por uma dura prova. Jesus ama seus amigos até o fim, sujeita-se aos planos do Pai, suporta o sofrimento injusto e a tortura brutal e se entrega por meio da morte em resgate por muitos. Mas o último capítulo da história é a ressurreição!

O dilema dos líderes (14.1,2)

Veja Mateus 26.1-5; Lucas 22.1,2. Jesus havia condenado o templo e repreendido a hipocrisia da liderança. Agora os líderes religiosos querem se vingar dele com a morte, mas temem a reação negativa do povo no período da festa, por causa da popularidade de Jesus. No fim, o seu desejo de matar Jesus supera o receio.

Maravilhoso ato de adoração (14.3-9)

Veja Mateus 26.6-13; João 12.1-8. Entre o plano dos líderes de matar Jesus e o plano de Judas de traí-lo (v. 10,11), lemos a respeito de um ato íntimo de adoração. Jesus está em seu refúgio em Betânia na quarta-feira da semana da Paixão. Naquela noite, durante uma refeição na casa de Simão, o leproso, Maria unge Jesus para o sepultamento com um frasco de perfume muito caro. Quando alguns (Jo 12.4 diz que foi Judas) tentam impedi-la por estar desperdiçando muito dinheiro, Jesus defende o gesto dela como

✚ O ato de serviço sacrificial da mulher a Jesus é apresentado como um intervalo entre o plano diabólico dos líderes religiosos e a traição de Judas.

um maravilhoso ato de adoração — ela estava ungindo o corpo de Jesus para seu sepultamento.

Judas se vende (14.10,11)

Veja Mateus 26.14-16; Lucas 22.3-6; João 13.2. Como pessoa íntima, ou "um dos Doze", Judas procura os líderes judeus e oferece lhes entregar Jesus. Essa oportunidade agrada aos líderes. Eles lhe prometem um pagamento como recompensa. Então Judas procura a melhor oportunidade para levar a cabo a traição.

Uma última refeição (14.12-26)

Veja Mateus 26.17-30; Lucas 22.7-23; João 13.30. A última refeição de Jesus com seus discípulos foi uma ceia da Páscoa. Ele encarrega Pedro e João de fazerem os preparativos. Estes entram na cidade, encontram um homem carregando um pote com água, seguem-no até uma sala superior e preparam a ceia da Páscoa (14.12-16). No início da noite (em torno das 18 horas, ou ao pôr do sol), Jesus se reúne com os discípulos na sala superior. Enquanto comiam, Jesus anuncia que um dos Doze haveria de traí-lo e o identifica (14.17-21). A Páscoa celebrava o ato poderoso de Deus na libertação de seu povo da escravidão por meio do Êxodo. Como anfitrião, Jesus agora confere um novo significado aos elementos da refeição com base na morte e ressurreição prestes a acontecer (14.22-24). Como Cordeiro de Deus, a morte sacrificial de Jesus trará libertação do pecado. Jesus promete se abster da refeição até a vinda do Reino de Deus em plenitude, quando ele participará do banquete messiânico. Depois de cantar um hino (de acordo com a tradição judaica, os salmos 113 a 118), eles vão para o monte das Oliveiras e o jardim do Getsêmani.

Frasco de perfume do século I em forma de tâmaras, uvas, pinhas, bolotas e conchas.

✚ O maior ato de salvação de Deus foi a cruz de Cristo. A celebração desse ato é a ceia do Senhor. A cruz e a ceia do Senhor são paralelos ao Êxodo e à Páscoa no AT.

Deserção e rejeição (14.27-31)

Veja Mateus 26.31-35; Lucas 22.31-34; João 13.36-38. Jesus prevê que todos os discípulos o abandonarão (citando Zc 13.7), mas lhes assegura que ressuscitará dos mortos e se encontrará com eles outra vez na Galileia. Pedro superestima sua força e subestima o poder do mal. Ele se orgulha da capacidade de permanecer com Jesus mesmo que todos os outros o abandonem. Jesus prediz de forma específica que Pedro o negará três vezes naquela mesma noite, mas Pedro continua se orgulhando com veemência de que ele nunca o rejeitará. Os outros discípulos dizem a mesma coisa.

Franca honestidade e total submissão (14.32-42)

Veja Mateus 26.36-46; Lucas 22.39-46; João 18.1. Jesus e seus discípulos chegam ao Getsêmani (que significa "prensa de oliva"), um conjunto de oliveiras na encosta do monte das Oliveiras. Ele pede aos discípulos para esperá-lo enquanto luta em oração. Jesus então leva consigo Pedro, Tiago e João mais adiante, onde lhes confessa a enorme angústia que sente (14.34). Pede-lhes que continuem vigiando enquanto se afasta e se prostra no chão em oração. Primeiro ele pede que, se possível, essa hora de sofrimento passe (14.35,36). Com franca honestidade, Jesus expressa seus pensamentos e sentimentos mais profundos ao Pai. Depois Jesus prossegue da honestidade à total submissão ao Pai: "Contudo, não seja o que eu quero, mas sim o que tu queres" (14.36). Enquanto Jesus luta em oração, os discípulos dormem. Ele volta três vezes a Pedro, Tiago e João apenas para encontrá-los dormindo. Apesar de terem se orgulhado do desejo de morrer por Jesus, eles não conseguem sequer permanecer acordados. Por fim, Jesus lhes diz: "Levantem-se e vamos! Aí vem aquele que me trai!" (14.42).

O beijo de morte (14.43-52)

Veja Mateus 26.47-56; Lucas 22.47-53; João 18.2-12. Judas chega com um bando armado enviado pelos líderes judeus. Ele indica a localização de Jesus e dos discípulos no momento em que é possível prendê-lo sem muito tumulto. Na escuridão do jardim, Judas identifica Jesus com um desleal beijo traidor. Jesus é agarrado e preso. Pedro reage desembainhando a espada e golpeando o servo do sumo sacerdote (Jo 18.10). Jesus manda Pedro guardar a espada e, em seguida, cura a orelha do servo. Jesus pergunta por que eles não o prenderam quando ensinava no templo, insinuando que eram covardes e hipócritas. Conforme Jesus tinha predito, todos os discípulos o abandonaram. Apenas Marcos registra o interessante detalhe do jovem (talvez o próprio jovem João Marcos ou a testemunha-chave desses acontecimentos) que foi agarrado, mas saiu correndo nu, deixando as vestes para trás.

O julgamento judeu (14.53-65)

Veja Mateus 26.57-68; Lucas 22.54,55,63-71; João 18.13-24. Jesus é levado para ser interrogado pelos líderes judeus. Pedro segue o cortejo até o pátio do sumo sacerdote, onde se esquenta próximo da fogueira. O Sinédrio (o concílio judaico) tenta sem sucesso forjar acusações contra Jesus (14.55-59). Com a maioria de saduceus, eles estavam particularmente incomodados com a ameaça de Jesus contra o templo. Para dar prosseguimento, o sumo sacerdote faz uma pergunta crucial: "Você é o Cristo, o Filho do Deus Bendito?". Jesus responde abertamente: "Sou". Então, Jesus acrescenta uma declaração unindo duas passagens do AT: Salmos 110.1 ("E vereis o Filho do homem assentado à direita do Poderoso") e Daniel 7.13 ("vindo com as nuvens dos céus"). Agora ele reivindica a posição e a autoridade divinas para julgar. Os líderes judeus na verdade estão sendo julgados. O sumo sacerdote rasga as vestes e acusa Jesus de blasfêmia. Ele o condena, e começam a castigá-lo com violência.

Um soldado romano com um açoite de fustigação.

Noite escura para um discípulo (14.66-72)

Veja Mateus 26.69-75; Lucas 22.56-62; João 18.15-18,25-27. Enquanto Jesus permanece fiel diante das figuras mais poderosas do judaísmo, Pedro se recusa a reconhecer Jesus quando perguntado por um grupo de servos. Pedro é reconhecido por duas servas como um dos seguidores de Jesus (v. Mt 26.71). Em ambos os casos, ele o nega com veemência. Mais tarde, quando é identificado por outros no pátio do sumo sacerdote como galileu e discípulo de Jesus, ele invoca uma maldição contra si mesmo e jura: "Não conheço o homem" (v. 71). Pedro então ouve o galo anunciar pela segunda vez o nascer do sol. Ele se lembra da predição de Jesus e, caindo em si, chora muito por conta da própria infidelidade.

O julgamento romano (15.1-15)

Veja Mateus 27.1-26; Lucas 23.1-25; João 18.29-40; 19.16. Ao amanhecer, todo o Sinédrio se reúne para oficializar sua decisão da noite anterior (15.1). Eles querem ver Jesus morto e desejam que sua morte seja pública e vergonhosa; no entanto, só os romanos poderiam executar a sentença de morte por crucificação. Quando Jesus admite ser "o Cristo" (uma figura política), os líderes judeus conseguiram o que lhes faltava para enviá-lo a Pilatos. Perante Pilatos, Jesus admite ser "o rei dos judeus" (15.2), mas ele permanece em silêncio enquanto os chefes dos sacerdotes o bombardeiam com acusações. Pilatos parece querer fustigar Jesus por causar confusão e depois deixá-lo partir de acordo com o costume de devolver ao povo um prisioneiro no período de festa (15.6-9). Durante todo o julgamento romano, os líderes judeus incitam a multidão contra Jesus (15.3,11), enquanto a própria multidão é facilmente manipulada a ponto de exigir com violência a crucificação de Jesus (15.11,13-15). Pilatos desejava, acima de tudo, acalmar a multidão; então ele entrega Jesus para ser açoitado e crucificado. Enquanto isso, Barrabás é solto.

Jesus, o Filho sofredor de Deus (15.16-47)

Veja Mateus 27.27-66; Lucas 23.26-56; João 19.1-42.

HUMILHADO PELOS SOLDADOS (15.16-20)

Os soldados zombam de Jesus colocando uma capa roxa nele (cor da realeza), uma coroa de espinhos e gritando: "Salve, rei dos judeus!". Eles batem na cabeça dele com varas, cospem nele e se prostram (com ironia), fingindo adorá-lo. Depois tiram a capa, colocam sua roupa de volta e o levam para ser crucificado.

"Colina da Caveira", próxima do jardim do túmulo.

✢ Muito do que acontece com Jesus foi predito pelo profeta Isaías (v. Is 52.13—53.12).

AJUDADO POR SIMÃO DE CIRENE (15.21,22)

Depois de ser açoitado, Jesus estava aparentemente muito fraco para carregar a cruz. Simão de Cirene (hoje Líbia) é forçado a carregar a cruz até o Gólgota (nome aramaico para "lugar da Caveira" — ou por ser um lugar com formato de caveira ou por ser conhecido pelas execuções). É provável que os nomes dos filhos de Simão sejam mencionados por serem conhecidos dos destinatários do evangelho em Roma.

CRUCIFICAÇÃO (15.23-27)

Jesus recusa o vinagre entorpecente e sofre sem nenhum analgésico. A crucificação causava dores insuportáveis e morte lenta pela perda de sangue, exaustão e, principalmente, asfixia, quando a pessoa não tem mais forças para respirar. Além disso, os romanos normalmente tiravam as roupas da vítima para tornar a morte ainda mais vergonhosa. Jesus é crucificado entre dois ladrões por se rebelar contra o governo (traição) como sugeria a inscrição: "O REI DOS JUDEUS". Por trás dessa acusação política, estava a acusação religiosa de blasfêmia dos judeus.

INSULTADO (15.29-32)

Jesus é insultado e abusado verbalmente pelos transeuntes, pelos líderes judeus e até pelos dois homens crucificados com ele. Por mais irônico que seja, muito do que eles diziam era verdadeiro — o templo do seu corpo seria de fato destruído e reconstruído; para salvar os outros, ele não podia salvar a si mesmo; e ele *é* o Cristo, o Rei de Israel.

MORTE (15.33-39)

As trevas do juízo (cf. Am 8.9,10) tomam conta da terra entre o meio-dia e as 15 horas, o tempo normal do sacrifício da tarde no templo. Jesus então cita Salmos 22.1 (o salmo do justo sofredor): "Meu Deus! Meu Deus! Por que me abandonaste?". Esta é a única das últimas sete palavras de Jesus na cruz registrada em Marcos. Alguns acham que ele estava clamando por Elias; então se afastam e observam se Elias viria libertá-lo. Mas Jesus, ao fim do seu sofrimento, dá um grande grito e expira. A cortina do templo é rasgada em duas partes, de alto a baixo, mostrando que por meio de sua obra o acesso a Deus foi aberto (cf. Mc 1.10). O centurião romano, testemunha desses acontecimentos, conclui: "Realmente este homem era o Filho de Deus!" (v. 39; cf. Mc 1.1). Essa confissão de um gentio deve ter agitado de modo profundo os sentimentos dos leitores de Marcos em Roma, que também confessavam ser Jesus o Filho de Deus.

TESTEMUNHO DAS MULHERES (15.40,41)

Marcos observa a presença de muitas mulheres testemunhas da crucificação, em especial de três mulheres mencionadas pelo nome. Ele também observa que elas seguiam Jesus na Galileia e lhe supriam as necessidades.

✦ Ironicamente, apesar de durante seu ministério Jesus ter se recusado a se promover como um líder político, ele foi mais tarde crucificado como um messias político: "O REI DOS JUDEUS" (Mc 15.26).

SEPULTAMENTO REALIZADO POR JOSÉ DE ARIMATEIA (15.42–47)

Sexta-feira é o dia da preparação, anterior ao descanso do sábado. José, membro do Sinédrio e simpatizante de Jesus (v. Jo 19.38), consegue permissão para levar o corpo de Jesus. Pilatos fica surpreso ao saber que Jesus tinha morrido tão rápido, mas o centurião confirma a morte de Jesus. José enrola o corpo de Jesus em um pano de linho e o coloca em um novo túmulo cavado na rocha. Duas mulheres testemunham o sepultamento.

A ressurreição do Filho de Deus (16.1—8)

Veja Mateus 28.1-8; Lucas 24.1-12; João 20.1-13. As três mulheres mencionadas em 15.40 como testemunhas da crucificação chegam ao túmulo logo depois do nascer do sol no primeiro dia da semana. Elas levavam especiarias para ungir corretamente o corpo de Jesus, mas estavam preocupadas em como remover a pedra pesada. Elas chegam e verificam que alguém já havia removido a pedra. Quando entram no túmulo, encontram um anjo — um jovem vestido de branco (v. 5). Ele as acalma do medo e depois anuncia: "Vocês estão procurando Jesus, o Nazareno, que foi crucificado. Ele ressuscitou! Não está aqui. Vejam o lugar onde o haviam posto" (v. 6). Apesar de Marcos não descrever muitos detalhes, não há dúvida de que ele reconhece com clareza a ressurreição de Jesus Cristo. As mulheres são instruídas a dizer "aos discípulos dele e a Pedro" (talvez enfatizando que o erro de Pedro não foi fatal) para seguirem para a Galileia, onde Jesus os encontraria. Tremendo de medo, as mulheres saem correndo, supostamente à procura dos discípulos.

Como aplicar Marcos à nossa vida hoje

O Evangelho de Marcos enfatiza que Jesus é o Servo Sofredor. Com certeza, Jesus é o Filho de Deus e reina soberano sobre todo o poder maligno, mas a grande demonstração de seu poder acontece na cruz, onde ele entrega a vida em resgate por muitos (10.45). Se o Filho de Deus empregou seu poder para servir às pessoas, quanto mais nós devemos empregar o poder dado por Deus a nós para servir? Os pagãos usam o poder para controlar as pessoas, mas esse Evangelho nos diz para usarmos o poder da maneira que Jesus o fez, para amar as pessoas e lhes servir. Às vezes somos tentados a cumprir a vontade de Deus usando o método do mundo. Marcos nos lembra de que a vontade de Deus deve ser cumprida da maneira de Jesus, da maneira do Servo Sofredor. Com nossa família e amigos, no trabalho ou no lazer, sozinhos ou em comunidade, devemos nos concentrar em empregar os dons, a influência e a autoridade recebidos para beneficiar outras pessoas e edificá-las.

✚ Em toda a experiência da Paixão, somente as seguidoras de Jesus permanecem fiéis.

Como você deve se lembrar, o Evangelho de Marcos foi escrito originariamente para cristãos que enfrentavam perseguição. Marcos dá muita ênfase às exigências do discipulado. Seguir Jesus é difícil, ainda mais em um ambiente de oposição. Às vezes esperamos que os outros nos aceitem, gostem de nós e nos elogiem, mas essa não é a experiência normal dos seguidores de Jesus. Com certeza, devemos evitar a perseguição causada apenas por nossa personalidade incômoda ou pelo comportamento insensível. Mas, quando somos ridicularizados, menosprezados ou excluídos por causa da ligação com Jesus, devemos perceber que isso é algo de essência normal para o discipulado cristão.

O Evangelho de Marcos nos lembra de que a vida cristã consiste em ações, não só em palavras. Como diz o apóstolo Paulo em 1Coríntios 4.20: "Pois o Reino de Deus não consiste em palavras, mas em poder". Apesar de os ensinos de Jesus serem realmente importantes, Marcos ressalta as obras realizadas por ele. Em nossa cultura, em que sobram discursos "cristãos" sem eficácia, o estilo de vida cristão sempre fala mais alto. Que Deus nos dê a graça de manter nossas palavras e ações intimamente unidas para a glória dele!

Nosso versículo favorito de Marcos

Pois nem mesmo o Filho do homem veio para ser servido, mas para servir e dar a sua vida em resgate por muitos. (10.45)

Um túmulo e uma pedra de rolar.

- Mateus
- Marcos

Lucas
- João
- Atos
- Romanos
- 1Coríntios
- 2Coríntios
- Gálatas
- Efésios
- Filipenses
- Colossenses
- 1Tessalonicenses
- 2Tessaloniceneses
- 1Timóteo
- 2Timóteo
- Tito
- Filemom
- Hebreus
- Tiago
- 1Pedro
- 2Pedro
- 1João
- 2João
- 3João
- Judas
- Apocalipse

O Evangelho de
Lucas

Jesus, o Salvador de todos os povos

Como seguidor de Jesus, você já sentiu alguma vez a necessidade de ouvir uma palavra de encorajamento? Com certeza. A vida é difícil. Você pode ter passado por uma rejeição ou oposição por causa da fé em Jesus Cristo. Talvez seus novos amigos cristãos sejam muito diferentes de seus antigos amigos e às vezes você não se sente à vontade no meio deles. É maravilhoso pensar que há um Evangelho escrito de modo especial para encorajar os cristãos. Tanto Lucas quanto sua sequência, Atos, são dedicados a Teófilo, para que ele (e outros como ele) pudesse ter "a certeza das coisas que te foram ensinadas" (1.4). Teófilo provavelmente era um novo convertido que estava tentando se enquadrar nessa nova comunidade dos seguidores de Jesus. Ele precisava de encorajamento. Se você estiver enfrentando crescente pressão para se afastar de Jesus a fim de ser aceito por um grupo de amigos, tenha esperança! O que você está para ler o irá encorajar e revigorar. Jesus chama você à perseverança e a permanecer firme. Ele deseja que você fique informado de que faz parte do maravilhoso plano de Deus. E você pertence de verdade à nova comunidade de Deus, a igreja. As coisas não são perfeitas ainda, mas Deus é fiel e continua agindo. Confie nele e continue no caminho de Jesus.

Quem escreveu Lucas?

Todas as evidências da igreja primitiva apontam para Lucas como autor de Lucas—Atos, um único livro em dois volumes. Lucas era um médico gentio com boa educação e missionário cooperador do apóstolo Paulo (Cl 4.14; Fm 24). De forma surpreendente, Lucas, o gentio, é o autor da maior parte do NT, tendo escrito até mais do que Paulo. Ao que parece, ele não foi testemunha ocular de Jesus, mas fez uma cuidadosa pesquisa e entrevistou diversas testemunhas oculares (Lc 1.1-4). Ele era um hábil linguista, e Lucas—Atos reflete um grego de excelente nível literário. Em algumas partes de Atos, a história muda da terceira para a primeira pessoa (as partes "nós") para mostrar a probabilidade de que Lucas tenha acompanhado Paulo em algumas de suas viagens missionárias (At 16.10-17; 20.5-21; 27.1—28.16). Lucas permaneceu com Paulo até o fim do ministério deste (2Tm 4.11).

Quem eram os destinatários de Lucas?

Lucas menciona seu destinatário — o "excelentíssimo Teófilo" (Lc 1.3; At 1.1). O nome significa "amado por Deus", e seu título ("excelentíssimo") faz referência a pessoa da nobreza e rica. É bem provável que ele tenha custeado a cópia dos rolos de Lucas—Atos para que tivessem maior circulação. Além disso, o que Lucas diz em 1.1-4 sugere que é provável que Teófilo fosse seguidor de Cristo. Lucas fala dos acontecimentos "que se cumpriram entre *nós*" (1.1) e da instrução anterior recebida por Teófilo (1.4). Mas o Evangelho de Lucas também foi destinado a um público maior. Muitos estudiosos acreditam que Lucas tivesse em mente os cristãos gentios, talvez até as igrejas plantadas por Paulo. Ele tem o cuidado de explicar costumes judaicos (p. ex., Lc 22.1,7) e enfatizar

Estátua de César Augusto, o imperador romano da época do nascimento de Jesus Cristo.

✚ O que Jesus começa a fazer no Evangelho de Lucas, ele continua no livro de Atos à medida que o Espírito Santo age por meio de seus seguidores.

a obra universal e abrangente de Deus (p. ex., relacionando os antepassados de Jesus além dos patriarcas judeus até chegar a Adão). Em termos de datas, o Evangelho foi provavelmente publicado em torno da mesma época que Atos, e a data mais provável para a escrita de Atos gira em torno de 62 d.C., quando Paulo estava preso em Roma (At 28.30). Uma vez que Lucas faz uso de outras fontes (talvez Marcos e Mateus), é provável que o Evangelho tenha sido composto entre o início e meados da década de 60.

Quais são os temas centrais de Lucas?

O propósito de Lucas em seu Evangelho está diretamente ligado ao propósito de Atos. Nessa obra de dois volumes ele explica o grande plano de Deus por meio de Jesus Cristo e da igreja (Lc 1.20; 4.21; 9.31; 21.22,24; 24.44--47). Ele escreve para instruir Teófilo e outras pessoas como ele a fim de que tenham certeza das coisas que lhes foram ensinadas (Lc 1.4). Em outras palavras, Lucas—Atos se apresenta como um manual de discipulado para novos convertidos provenientes do contexto pagão e que viviam em uma cultura indiferente ou hostil à fé cristã. Lucas deseja informar seus leitores de que sua fé reside em fatos da História presenciados por testemunhas oculares. A fé cristã não tinha sido inventada por uma comunidade distante dos acontecimentos. Deus havia se manifestado de verdade na História por meio da pessoa de Jesus e oferecido a salvação a todos os povos. O esboço a seguir reflete o principal tema de Jesus como Salvador de todo o mundo.

- O nascimento de Jesus, o Salvador (1.1—2.52)
- A preparação do Salvador para o ministério público (3.1—4.13)
- O ministério do Salvador na Galileia (4.14—9.50)
- A viagem do Salvador a Jerusalém (9.51—19.44)
- O ministério do Salvador em Jerusalém (19.45—21.38)
- O Salvador é traído, julgado e crucificado (22.1—23.56)
- A ressurreição e ascensão de Jesus, o Salvador de todos os povos (24.1-53)

Quais são os aspectos interessantes e singulares de Lucas?

- Lucas é o primeiro livro de uma obra em dois volumes: Lucas—Atos
- A parte central de Lucas (9.51—19.44) apresenta a jornada de Jesus a Jerusalém, enquanto Atos enfatiza a jornada da igreja a partir de Jerusalém em missão a todo o mundo (At 1.7,8).
- Lucas é o Evangelho para todos os povos, incluindo os marginalizados pela sociedade (18.9-14; 19.1-10), os gentios e samaritanos (2.32;

4.25-27; 10.29-37), as mulheres (8.1-3; 10.38-42; 21.1-4; 23.27-31; 23.55—24.11), os pobres (14.12-14; 16.19-31), os enfermos (4.18; 13.10-17; 17.11-19) e os "pecadores" (7.36-50).
- Somente Lucas e Mateus incluem o relato do nascimento de Jesus, e Lucas acrescenta outros aspectos sobre a infância de Jesus.
- As histórias sobre o nascimento de Jesus em Lucas apresentam quatro famosos "hinos" — o *Magnificat* (1.46-55), o *Benedictus* (1.68-79), o *Gloria in excelsis* (2.14) e o *Nunc dimittis* (2.29-32).
- As necessidades e preocupações das mulheres são destacadas nesse Evangelho (p. ex., 8.1-3).
- Lucas apresenta mais parábolas de Jesus que os outros Evangelhos e contém algumas das parábolas mais conhecidas de Jesus (p. ex., "o bom samaritano", "o filho pródigo").
- Lucas dá ênfase ao Espírito Santo, à oração e alegria.
- O Evangelho de Lucas é o maior livro do NT em número de versículos.
- Lucas é o único Evangelho que identifica seu destinatário — "excelentíssimo Teófilo" (Lc 1.3; cf. At 1.1).

Qual é a mensagem de Lucas?

O nascimento de Jesus, o Salvador (1.1—2.52)

Lucas conta a história do nascimento de Jesus alternando-a com João e Jesus. Lucas mostra que Jesus era superior a João, mas que João teve um papel muito importante ao preparar o caminho do Salvador. Muito do que se lê nos dois primeiros capítulos só é encontrado nesse Evangelho.

O prefácio (1.1-4)

Nesse parágrafo inicial, Lucas situa formalmente os estágios do desenvolvimento dos Evangelhos: os próprios acontecimentos (1.1), o período em que as histórias sobre Jesus e seus ensinamentos foram anunciados e transmitidos de forma oral (1.2), os diversos registros compostos (1.1) e o próprio Evangelho de Lucas (1.3). Lucas cumpriu com cuidado sua lição de casa de história; assim, ele inicia seu Evangelho declarando seu método, o destinatário e o propósito ao escrever.

Uma moeda de ouro com a efígie de César Augusto.

✚ Mateus e Lucas contêm relatos do nascimento de Jesus.

Anúncio do nascimento de João Batista (1.5-25)

O pai de João, Zacarias, era um sacerdote, e sua mãe era descendente de Arão, de modo que João se originava de uma linhagem religiosa ilustre (1.5). Seus pais eram justos e íntegros, mas não haviam sido abençoados com filhos (1.6,7). Zacarias teve a rara oportunidade de ministrar no Lugar Santo do templo. Enquanto ele queimava o incenso, o anjo Gabriel lhe aparece e anuncia que Deus havia respondido à sua oração — o casal terá um filho que se chamará João. Este não só será "motivo de prazer e de alegria" para seus pais, como também terá um papel importante no plano divino de redenção (1.14-16). Cheio do Espírito Santo enquanto ainda estava no ventre da mãe, João partirá no espírito e no poder do profeta Elias para preparar o povo para o Salvador (1.15-17). Zacarias ficou temporariamente mudo por duvidar do anúncio de Gabriel (1.18-20). Quando ele sai do templo sem poder falar, o povo percebe que ele havia tido uma visão (1.21,22). Depois de Zacarias voltar para casa, Isabel engravida e louva a Deus pelo favor recebido (1.23-25).

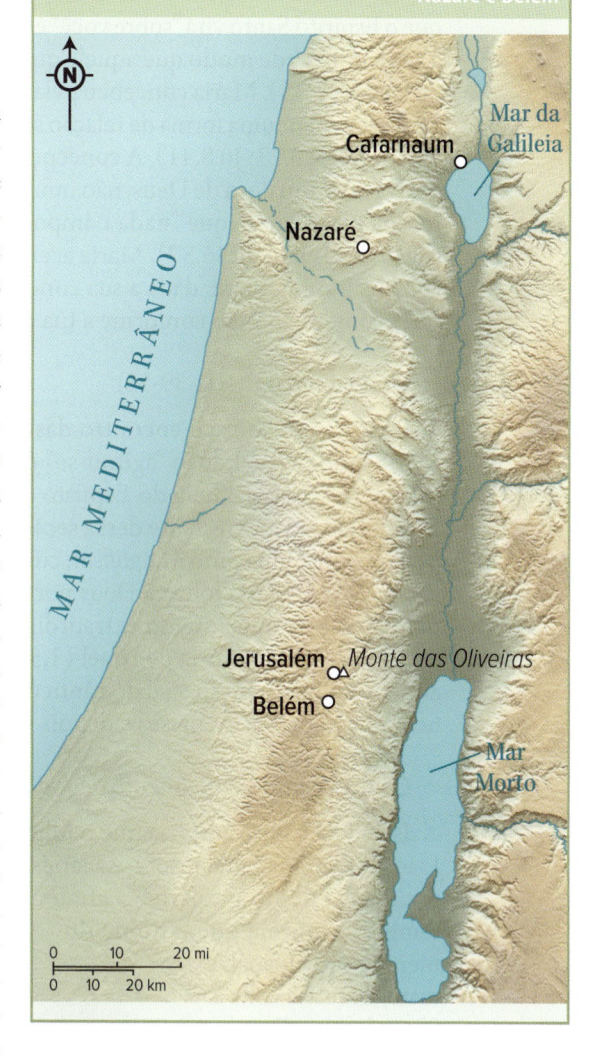

Anúncio do nascimento de Jesus, o Salvador (1.26-38)

Maria também recebe uma visita do anjo Gabriel (1.26-28). Apesar de ser uma moça ainda adolescente da pequena cidade de Nazaré, Maria é "agraciada" ou favorecida por Deus (1.28,30). Ela foi escolhida para dar à luz Jesus, o "Filho do Altíssimo" (1.32,33). Como era esperado, Maria pergunta como isso seria possível, pois ela era virgem e estava prometida em casamento a José, mas ainda não estava casada com ele. Gabriel explica

✚ Lucas mostra como a chegada de Jesus cumpre a promessa de Deus de trazer salvação a Israel.

que o Espírito Santo virá "sobre você" e "o poder do Altíssimo a cobrirá com a sua sombra", de modo que aquele que há de nascer será chamado "Filho de Deus" (1.35). Maria concebeu pela influência sobrenatural do Espírito Santo sem nenhuma forma de relação sexual humana (v. Mt 1.18,20,25; Mc 6.3; Lc 1.35; 3.23; Jo 8.41). A concepção virginal de Jesus nos mostra que a salvação é um dom de Deus, não uma conquista humana. Maria também recebe um sinal de que "nada é impossível para Deus" — a gravidez de sua prima Isabel (1.36,37). Maria aceita com humildade esse papel privilegiado, porém difícil, dada a sua condição social: "Sou serva do Senhor; que aconteça comigo conforme a tua palavra" (1.38).

Maria visita Isabel (1.39-56)

Lemos aqui sobre o encontro das mães de João e de Jesus. Quando Maria saúda Isabel, João "agitou-se" de alegria no ventre dela (1.41,44; v. tb. 1.15). Isabel, cheia do Espírito Santo, abençoou Maria e louvou a Deus (1.41-45). O restante dessa seção contém o maravilhoso cântico de Maria conhecido como *Magnificat*, cujo título vem da primeira palavra da versão latina. Maria louva a Deus por lhe ter permitido pela graça tomar parte desse acontecimento extraordinário (1.46-49) e pelos poderosos feitos em toda a história de Israel (1.50-55). Seu cântico nos lembra dos antigos salmos, em especial do cântico de Ana em 1Samuel 2.1-10. Maria fica com Isabel vários meses e depois volta a Nazaré (1.56).

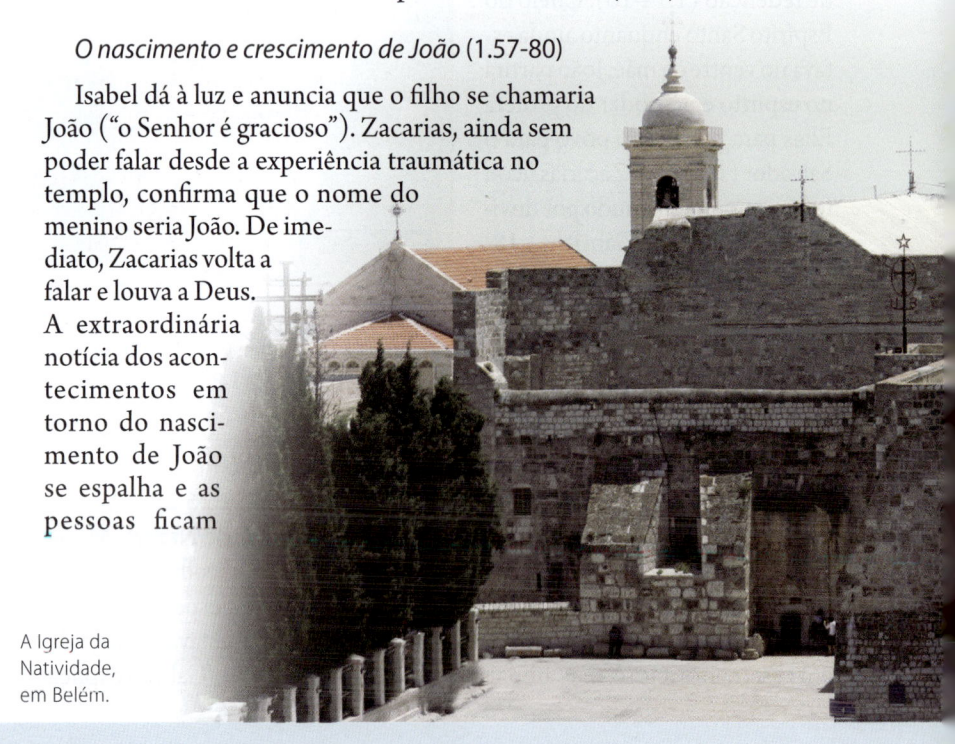

O nascimento e crescimento de João (1.57-80)

Isabel dá à luz e anuncia que o filho se chamaria João ("o Senhor é gracioso"). Zacarias, ainda sem poder falar desde a experiência traumática no templo, confirma que o nome do menino seria João. De imediato, Zacarias volta a falar e louva a Deus. A extraordinária notícia dos acontecimentos em torno do nascimento de João se espalha e as pessoas ficam

A Igreja da Natividade, em Belém.

O nascimento virginal

Preben Vang

O nascimento de Cristo de uma virgem narra o modo pelo qual Deus escolheu se encarnar. As Escrituras ressaltam que Maria concebeu um filho por meio da influência sobrenatural do Espírito Santo de Deus, sem qualquer relação sexual humana. Isso significa que o Filho que ela deu à luz foi *gerado pela vontade de Deus*, não por alguma causa humana.

A evidência bíblica da concepção virginal parece, à primeira vista, escassa. Somente Mateus e Lucas contam essa história, e o relato de cada um descreve detalhes diferentes. Marcos e João parecem desinteressados pelo caráter especial do nascimento de Jesus, e os relatos parecem se ocupar com o ministério dele. Isso significa que a concepção virginal não tem tanta importância para a fé cristã? Longe disso! Ainda que só Mateus e Lucas apresentem "relatos completos" sobre a virgindade de Maria no momento da concepção de Jesus, todo o NT reitera isso quando trata do assunto (cp. Mc 6.3 com Mt 13.55). O verdadeiro significado da concepção virginal trata da própria natureza de Jesus. Deus poderia ter resolvido enviar Jesus ao mundo por meio de uma criação especial semelhante ao que ele fez com Adão. Entretanto, a representação de Mateus e de Lucas de como Deus ligou a eternidade à História põe a natureza eterna de Cristo no próprio centro da fé cristã. O Evangelho de João expõe isso de modo mais claro com sua afirmação inicial sobre a preexistência de Jesus antes do nascimento histórico em Belém.

Em outros termos, a concepção virginal une ou funde a natureza preexistente (ou eterna) de Cristo com sua existência histórica (ou temporal) a fim de preservar em coexistência as duas naturezas. Sem a concepção virginal, seria preciso um ponto de adoção, um momento histórico específico em que Jesus se tornasse "Filho de Deus". O problema do conceito de adoção é que, em última instância, torna Jesus 100% homem, não Deus. A adoção modifica a pertença, não o ser!

Alguns estudiosos tentaram associar a impecabilidade de Jesus à concepção virginal. Entretanto, essa tentativa interpreta mal o conteúdo bíblico e torna o pecado uma questão de herança e de cromossomos. Além disso, parece sugerir que Maria não havia pecado apenas por ser virgem. É mais proveitoso afirmar que pelo fato de Jesus ser 100% humano (nascido de mulher), ele poderia ter pecado; mas, por ser 100% Deus (nascido do Espírito), ele também tinha a opção de *não* pecar. Ao contrário do primeiro Adão, Jesus permaneceu sem pecar e restaurou a destruição causada pelo primeiro Adão (Rm 5.19; Hb 4.15). O fato de Jesus ter nascido de mulher garante que ele consiga se identificar 100% com a condição humana. O fato de ele ter nascido do Espírito de Deus garante que a salvação oferecida por ele seja eterna, da parte de Deus. A concepção virginal ainda é importante para a fé cristã.

maravilhadas com o que Deus estava realizando. Agora Zacarias, cheio do Espírito Santo, louva a Deus por prover graciosamente a salvação (1.68-75) e pelo papel de João na preparação do povo para a vinda de Jesus, o Salvador (1.76-79). João cresce e se fortalece no sentido espiritual enquanto vive no deserto se preparando para o ministério público (1.80).

O nascimento de Jesus (2.1-20)

Veja Mateus 1.18-25; 2.1-12. Uma vez que José pertencia à linhagem e dinastia do rei Davi, ele vai a Belém, a cidade de Davi, para se registrar no censo. Jesus nasceu entre 6 e 5 a.C., cerca de seis meses depois de João (1.26). Não havia lugar para o casal na "hospedaria", que provavelmente era um quarto de uma casa de família (Lc 22.11). Por causa da ocupação dos quartos, Maria dá à luz junto aos animais no estábulo e coloca o pequeno Jesus em uma "manjedoura", ou cocho. Teria um jeito mais humilde para o Filho de Deus ter entrado no mundo? Perto dali, um anjo do Senhor aparece para simples pastores, anunciando: "Não tenham medo. Estou trazendo boas-novas de grande alegria para vocês, que são para todo o povo: Hoje, na cidade de Davi, nasceu o Salvador, que é Cristo, o Senhor" (2.10,11). Os céus irrompem em júbilo com alegria, celebração e louvor a Deus pelo nascimento do Salvador (2.13,14). Deus é glorificado, e os que seguem Deus experimentam a paz (2.14). Enquanto isso, os pastores vão visitar Jesus e saem louvando a Deus e proclamando ao mundo todas as maravilhas que testemunharam (2.17,18,20). Todas essas experiências são impressionantes para Maria, que "guardava todas essas coisas e sobre elas refletia em seu coração" (2.19).

A dedicação de Jesus no templo (2.21-40)

Veja Mateus 2.22,23. Como José e Maria eram judeus devotos, eles levam o menino para ser circuncidado ao oitavo dia e lhe dão o nome "Jesus" (Deus salva), seguindo as leis de purificação prescritas em Levítico 12.2-4. O fato de eles oferecerem duas rolas provavelmente demonstra que provinham de uma família de trabalhadores humildes. No templo, eles se encontram com Simeão, um homem justo e cheio do Espírito, que reconhece Jesus como Messias e louva a Deus por enviar o Salvador a todos os povos (2.29-32). Simeão também acrescenta que a missão de Jesus de trazer

Manjedoura de pedra (Lc 2.7).

✚ Simeão prediz que Jesus será não só o Messias glorioso, mas também o Messias sofredor (Lc 2.34,35).

salvação envolveria sofrimento e dor (2.34,35). Eles também se encontram com Ana, uma idosa fiel que louva a Deus por sua providência e confirma a identidade de Jesus (2.36-38). A família volta para Nazaré, onde Jesus cresce em força, sabedoria e na graça de Deus (2.39,40).

A visita do menino Jesus no templo e seu crescimento (2.41-52)

Esse é o único relato existente de Jesus entre a infância e a vida adulta. O "silêncio" dos quatro Evangelhos sobre os anos da juventude de Jesus provavelmente diz muita coisa sobre a vida normal de Jesus como menino e jovem. Aos 12 anos, ele vai a Jerusalém com a família para a festa da Páscoa. Quando a família volta para casa, Jesus fica para trás conversando sobre teologia no templo com os mestres judeus. Ele impressiona os peritos religiosos com seu entendimento. Depois de seus pais retornarem e o repreenderem com amabilidade, Jesus responde: "Não sabiam que eu devia estar na casa de meu Pai?" (2.49). Eles ficaram sem entender. Mesmo em idade precoce, Jesus revela o relacionamento singular com o Pai e sua missão divina. Jesus volta para a pequena cidade onde ele vivia de modo obediente, crescia em sabedoria, estatura e graça diante de Deus e dos homens (2.52). Mais uma vez, Maria "guardava todas essas coisas em seu coração" (2.51).

A preparação do Salvador para o ministério público (3.1—4.13)

O profeta João prepara o caminho para Jesus, o Salvador. O mais poderoso ainda estava por vir! Jesus iniciou o ministério público submetendo-se ao batismo de João. Suas credenciais como Salvador de toda a humanidade estão relacionadas com Adão. Quando Satanás confronta o Filho de Deus no deserto na tentativa de sabotar todo o plano, Jesus se mantém fiel.

O ministério de João Batista (3.1-20)

Veja Mateus 3.1-12; 14.3,4; Marcos 1.1-8; 6.17,18; João 1.19-28. Lucas situa o ministério de João Batista na história mundial, não apenas na história local (3.1,2). "Veio a palavra do Senhor a João", o profeta, para pregar o "batismo de arrependimento para o perdão dos pecados" (3.2,3). Esse tipo de linguagem introduz os profetas do AT e identifica João como o continuador do ministério profético. Lucas cita as Escrituras de Isaías para mostrar que "toda a humanidade verá a salvação de Deus" (Is 40.3-5). Somos lembrados de que Jesus é o Salvador de todo o mundo! Quando João confronta as multidões com a urgente necessidade de produzir "frutos que mostrem o arrependimento" (3.8), eles perguntam: "O que devemos fazer então?" (3.10). O fruto genuíno do arrependimento deve ser demonstrado por meio de ações éticas concretas. João indica três exemplos: 1) os

✢ O profeta Isaías do AT havia predito que o Messias teria a sabedoria de Deus, e Lucas ressalta o crescimento de Jesus em sabedoria (Lc 2.40,52).

ricos devem ser generosos; 2) os publicanos devem agir com honestidade; 3) os soldados devem evitar a crueldade e falsidade, em vez disso devem se contentar com seu salário (3.11-14). Apesar de algumas pessoas imaginarem que João talvez fosse o Messias, ele esclarece que não é. Ele se diz indigno de desatar as sandálias de Jesus (uma tarefa degradante até para um servo), e o seu batismo é ofuscado em comparação com o batismo de Jesus com o Espírito Santo e fogo. João não era o Messias, mas o Messias estava vindo... logo! A integridade e ousadia profética de João o levam à prisão e, por fim, à própria morte (3.19,20; v. tb. Mc 6.14-29).

O batismo de Jesus (3.21,22)

Veja Mateus 3.13-17; Marcos 1.9-11; João 1.19-34.

A genealogia de Jesus (3.23—38)

Veja Mateus 1.2-17. No antigo Oriente, as genealogias eram importantes para estabelecer a legitimidade dos governantes. A genealogia de Mateus confirma que Jesus era o Messias judeu, mostrando assim sua ligação com o rei Davi e Abraão, o pai da nação judaica. Já Lucas associa a linhagem de Jesus a Adão, ressaltando sua importância para toda a humanidade.

A tentação de Jesus (4.1—13)

Veja Mateus 4.1-11; Marcos 1.12,13. O relato de Lucas sobre a tentação de Jesus no deserto é muito semelhante ao de Mateus, exceto pela segunda e terceira tentações que estão em ordem inversa. Os autores antigos muitas vezes reorganizavam os acontecimentos por tema ou, no caso, por ordem teológica. É muito provável que Lucas tenha deixado a tentação relacionada ao templo por último porque a ida de Jesus a Jerusalém é um tema importante em Lucas. Além disso, é importante notar a ligação que Lucas faz com a genealogia. A última frase da seção anterior diz "[...] filho de Adão, filho de Deus". Agora Satanás se dirige a Jesus, dizendo "Filho de Deus". Jesus é o Filho único de Deus que, por causa da própria fidelidade, oferece salvação ao restante dos homens.

O ministério do Salvador na Galileia (4.14—9.50)

Jesus começa o ministério de salvação pelo anúncio do Reino de Deus, da cura de enfermidades, da expulsão de demônios e do chamado dos discípulos na Galileia. Apesar de ele ser rejeitado na cidade em que vivia, ele estende seu ministério para além dos limites característicos judaicos para alcançar um leproso, um paralítico, um publicano e um soldado gentio, entre outros. Ele é censurado por um fariseu, mas foi apoiado por um grupo de discípulas

✚ Citando Isaías 40.5, além do que é citado em Mateus e Marcos, Lucas ressalta como a salvação provida de Deus estará ao alcance dos gentios e dos judeus.

leais e ungido por uma pecadora. Ele transmite os valores do Reino por meio de parábolas para as pessoas interessadas em ouvi-lo, e realiza milagres para demonstrar seu poder sobre todos os poderes. A insistente pergunta "Quem é este?" é respondida por fim por Pedro, que confessa Jesus como "o Cristo". Mas Jesus deixa claro que ele veio para ser o Salvador sofredor. Apesar de ser rejeitado pelo mundo, a glória do Filho é prevista na Transfiguração.

O resumo do ministério na Galileia (4.14,15)

Veja Mateus 4.12-17; Marcos 1.14,15. Lucas enfatiza que Jesus volta à Galileia "no poder do Espírito", ministra na Galileia e todos o louvam.

Jesus prega em Nazaré (4.16-30)

Veja Mateus 13.53-58; Marcos 6.1-6. Jesus volta para a cidade em que residia, Nazaré, e ensina na sinagoga. Quando solicitado a ler uma passagem dos profetas, Jesus escolhe passagens de Isaías 61.1,2 e 58.6, que revelam seu papel de ungido pelo Espírito como Salvador e Messias (4.18,19). Como era de costume, Jesus então se assenta para começar sua exposição da mensagem. Ele diz: "Hoje se cumpriu a Escritura", e todos ficam maravilhados com suas palavras graciosas (4.20-22). Depois Jesus desafia a intenção deles predizendo que exigiriam ainda mais milagres (4.23). Jesus conclui: "Nenhum profeta é aceito em sua terra" (4.24), e ele dá dois exemplos da História. Antes, Elias e Eliseu foram enviados e recebidos pelos estrangeiros da nação de Israel,

Ruínas de uma sinagoga em Corazim.

quando foram rejeitados pelos israelitas (4.25-27). Agora, a multidão da cidade reage irada e furiosa arrastando-o para o penhasco. Mas a hora do sofrimento dele não tinha ainda chegado, de modo que ele sai ileso (cf. Lc 22.53; Jo 7.30). Essa é a primeira vez no Evangelho de Lucas, porém não a última, que Jesus enfrenta rejeição do povo de Israel.

O ministério de Jesus em Cafarnaum (4.31-44)

Veja Mateus 4.23; 8.14-17; Marcos 1.21-39. O ministério de Jesus inclui o ensino e a cura na sinagoga de Cafarnaum: ele cura a sogra de Simão Pedro e muitos doentes até tarde da noite. Enquanto ele expulsa demônios de muitas pessoas, os demônios tentavam controlar Jesus, dizendo: "Tu és o Filho de Deus!" (4.41). Mas Jesus os repreende e os impede de falar por saberem que ele era "o Cristo", ou Messias (4.41). Jesus desejava ser reconhecido como Messias pelos seguidores fiéis, não por espíritos demoníacos. Ao amanhecer, Jesus se retira e planeja levar a boa-nova do Reino também a outras cidades.

Pesca e chamado dos discípulos (5.1-11)

Veja Mateus 4.18-22; Marcos 1.16-20; cf. João 1.35-42. Lucas relata o chamado dos quatro primeiros discípulos de Jesus no contexto de uma pesca miraculosa. Depois de ensinar às multidões de um barco de pesca, Jesus instrui Pedro a levar o barco para o fundo e lançar as redes. Pedro reclama haver tentado pescar a noite toda sem sucesso, mas confia em Jesus o suficiente para lançar as redes mais uma vez. Por milagre, eles arrastam uma enorme quantidade de peixes a ponto de o barco quase afundar. Como pescador experiente, Pedro sabia que aquilo não ocorreu por acaso; então se prostra aos pés de Jesus e diz: "Afasta-te de mim, Senhor, porque sou um homem pecador!" (5.8). O milagre de Jesus aponta para uma realidade espiritual muito mais profunda quando ele diz a Pedro: "Não tenha medo; de agora em diante você será pescador de homens" (5.10). Tão logo Pedro toma consciência de quem ele é (um pecador) em relação a Jesus (o Senhor poderoso), ele se submete a Jesus. Deus usará os que dependem dele para trazer pessoas para o seu Reino. Os dois grupos de irmãos deixam tudo e seguem Jesus (5.11).

Jesus cura um leproso (5.12-16)

Veja Mateus 8.1-4; Marcos 1.40-45. Lucas acrescenta que Jesus muitas vezes "retirava-se para lugares solitários e orava" (5.16). O equilíbrio do ministério de Jesus entre o povo e o tempo a sós em oração nos oferece um excelente referencial a ser seguido.

✚ Lucas enfatiza a vida de oração de Jesus e registra nove de suas orações (3.21; 5.16; 6.12; 9.18,28; 11.1; 22.32; 23.34,46).

O rolo de Isaías. Jesus lê uma passagem de Isaías durante sua exposição na sinagoga de Nazaré.

Jesus cura um paralítico (5.17-26)

Veja Mateus 9.1-8; Marcos 2.1-12. Lucas registra que líderes religiosos "procedentes de todos os povoados da Galileia, da Judeia e de Jerusalém" vieram ouvir os ensinamentos de Jesus, mostrando como eram crescentes a popularidade e influência dele (5.17). Curiosamente, Lucas também observa que "o poder do Senhor estava com ele para curar os doentes" (5.17). Se o Filho de Deus dependia do Espírito de Deus em seu ministério terreno, quanto mais nós!

O chamado de Levi/Mateus (5.27-32)

Veja Mateus 9.9-13; Marcos 2.13-17.

A questão do jejum (5.33-39)

Veja Mateus 9.14; Marcos 2.18-22. Lucas acrescenta a terceira ilustração às duas apresentadas tanto em Mateus quanto em Marcos: "E ninguém, depois de beber o vinho velho, prefere o novo, pois diz, 'O vinho velho é melhor!' " (v. 39). Jesus parece admitir que muitos que ouvem este novo ensino vão preferir o ensino mais confortável, o velho, e o rejeitarão.

Obras controvertidas no sábado (6.1-11)

Veja Mateus 12.1-14; Marcos 2.23-28; 3.1-6.

A casa de Pedro em Cafarnaum próxima da sinagoga. A casa é hoje coberta por uma moderna estrutura com piso de vidro.

A escolha dos 12 discípulos (6.12-16)

Veja Mateus 10.1-4; Marcos 3.13-19. Lucas observa que, antes de Jesus escolher 12 discípulos e designá-los "apóstolos", ele foi a um monte passar a noite toda em oração ao Pai (6.12).

Jesus dá continuidade a seu poderoso ministério (6.17-19)

Veja Mateus 4.24,25; 12.15--21; Marcos 3.7-12. Antes de ensinar aos discípulos e às multidões sobre como se relacionar com Deus e com o próximo no sermão da planície, Jesus continua curando enfermos e expulsando demônios. Sua fama continua crescendo.

O sermão de Jesus na planície (6.20-49)

Veja Mateus 5.1—7.29. Lucas observa anteriormente (6.17) que Jesus ensinou em um lugar "plano", ou num platô. Há diversos lugares planos nas colinas ao redor do mar da Galileia, por isso esse relato não é incompatível com o ambiente do monte de Mateus. Quase todo o sermão de Lucas pode estar contido no Sermão do Monte de Mateus. A única diferença é que depois das bem-aventuranças de 6.20-23, Lucas inclui uma lista de "ais" em 6.24-26. Lucas dá um tom mais físico e social, sugerindo que Jesus se importa tanto com nossas necessidades físicas quanto com as espirituais. Os pobres, famintos, pranteadores, odiados, excluídos, insultados e rejeitados por causa do relacionamento com Jesus são abençoados, porque eles se identificam com os verdadeiros profetas da Antiguidade (6.20-23). Mas os ricos, abastados, arrogantes e universalmente honrados jazem sob a maldição de Deus, pois estes lançam sua sorte com a dos falsos profetas (6.24-26).

A cura do servo de um centurião (7.1—10)

Veja Mateus 8.5-13. Um centurião romano comandava um pelotão de até cem soldados. É algo curioso que esse soldado gentio mande um grupo de líderes judeus locais pedir a Jesus pela cura de seu servo (7.3). Apesar de o centurião não ser um autêntico convertido ao judaísmo, ele era simpático ao povo judeu e às suas práticas de culto (7.4,5). Enquanto Jesus ia ao vilarejo, recebe o recado do centurião — "Senhor, não te incomodes, pois não mereço receber-te debaixo do meu teto" (7.6). Esse homem nem sequer se considerava digno de se aproximar de Jesus. Ele acreditava que Jesus curaria seu servo a distância, o que Jesus, de fato, fez (7.7,10). Jesus elogia a profunda fé desse militar "pagão" (gentio) (7.9).

A cura do filho de uma viúva (7.11-17)

Enquanto Jesus e os discípulos se aproximavam da pequena cidade de Naim, eles encontraram um cortejo fúnebre. Uma viúva havia perdido o único filho, deixando-a sem familiares e, portanto, sem meios de se sustentar naquela sociedade. Jesus "se compadeceu dela" e a consolou (7.13). Em vez de se contaminar tocando no defunto, Jesus cura o moço e o devolve à sua mãe (7.14,15). Essa é uma de várias ocasiões em que as curas de Jesus não estavam baseadas na fé da pessoa, mas de forma única em sua soberana vontade. Além disso, a principal preocupação de Jesus aqui é a necessidade da mulher. Aterrorizadas, as testemunhas louvam a Deus pelo "grande profeta" que havia se levantado entre elas (cf. 1Rs 17.7-24; 2Rs 4.32-37) como evidência de que "Deus interveio em favor do seu povo" (7.16). A fama de Jesus continua se espalhando por toda a terra dos judeus (7.17).

Jesus e João Batista (7.18-35)

Veja Mateus 11.1-19. Lucas é muito semelhante a Mateus nesse episódio, exceto pelo fato de acrescentar um comentário em 7.29,30: "Todo o povo, até os publicanos, ouvindo as palavras de Jesus, reconheceram que o caminho de Deus era justo, sendo batizados por João. Mas os fariseus e os peritos na lei rejeitaram o propósito de Deus para eles, não sendo batizados por João". Desse modo, Lucas intenciona repreender de propósito os líderes judeus.

Uma pecadora unge Jesus na casa do fariseu (7.36-50)

Compare acontecimentos semelhantes, porém distintos, em Mateus 26.6--13; Marcos 14.3-9; João 11.55—12.11. Em Mateus e Marcos, a unção ocorre na casa de um leproso, onde um fariseu nunca entraria. Por isso, sabemos que esse é um episódio distinto, ainda que semelhante. Jesus se relacionava de modo regular com pecadores. O episódio começa com Jesus aceitando um convite para comer com Simão, um fariseu (7.36). Devemos observar que, embora Jesus criticasse os fariseus por sua hipocrisia, ainda assim ele se aproximava dos fariseus em particular. Durante a refeição, uma pecadora se aproxima de Jesus e unge os pés dele com suas lágrimas, seca-os com seus longos cabelos (sinal de promiscuidade), beija-os e os unge

Denário de prata com a efígie de César Augusto.

✚ Depois do sermão de Jesus na planície, Lucas mostra como diversos tipos de pessoas reagiram a Jesus: um soldado romano, uma mãe em luto, João Batista e seus discípulos, os fariseus e uma pecadora.

Uma pintura de Ludolf Backhuysen, datada de 1695, de uma violenta tempestade no mar da Galileia.

com perfume caro (7.37,38). O fariseu de imediato condena Jesus por deixá-la proceder desse modo, o que leva Jesus a contar uma história (7.39,40). Na parábola, dois homens deviam dinheiro: um devia uma quantia imensa, e o outro, uma quantia bem menor. O credor cancela a dívida de ambos. Jesus pergunta: "Qual deles o amará mais?". Simão responde com correção: "Suponho que aquele a quem foi perdoada a dívida maior" (7.42,43). Então Jesus aplica a história à situação imediata e conclui: "Portanto, eu digo, os muitos pecados dela lhe foram perdoados; pois ela amou muito. Mas aquele a quem pouco foi perdoado, pouco ama" (7.47). A mulher tinha consciência de sua culpa e vergonha, enquanto Simão se sentia confiante por causa da própria retidão. Ambos precisavam de perdão, mas somente a mulher reconhecia sua necessidade. Jesus então proclama perdão e salvação pela sua fé e a despede (7.48,50). Os demais hóspedes fazem a recorrente pergunta: "Quem é este?" (7.49).

As mulheres que ministram a Jesus (8.1-3)

Lucas enfatiza o papel das mulheres na missão do Reino (1.5-39; 2.36-38; 7.11-17,36-50; 10.38-42; 13.10-17; 15.8-10; 18.1-8). Aqui ficamos sabendo de um grupo de discípulas abençoadas pelo ministério de Jesus que o acompanhava, dando-lhe apoio financeiro. O nome de três delas é mencionado: Maria Madalena, que foi libertada de possessão demoníaca; Joana, esposa do mordomo de Herodes; e Susana. As mulheres desempenhavam um papel importante em todo o ministério de Jesus e na vida da igreja primitiva (At 1.14).

A parábola do semeador (8.4-8)

Veja Mateus 13.1-9; Marcos 4.1-9.

Por que parábolas? (8.9,10)

Veja Mateus 13.10-15; Marcos 4.10-12.

✦ As pessoas muitas vezes perguntavam sobre a identidade de Jesus — Lucas 7.19; 8.25; 9.9. Jesus responde a essas perguntas apontando para suas obras de redenção — Lucas 7.22 (cf. 4.18; Is 29.18,19; 35.5,6; 61.1,2).

Mulheres discípulas de Jesus
Bobby Kelly

Os Evangelhos apresentam mulheres como figuras centrais no ministério de Jesus. O fato de Jesus incluir mulheres em posições tão vitais e variadas marcou um enorme contraste com a condição das mulheres judias, gregas e, até certo ponto, romanas. Embora seja preciso ter cautela de não exagerar nessas afirmações sobre a condição das mulheres no século I, é certo dizer que elas contavam com poucas oportunidades fora das funções domésticas e detinham pouco controle sobre a própria vida. Vistas nesse contexto, as implicações revolucionárias da proclamação de Jesus às mulheres são compreendidas com mais clareza.

Maria, a mãe e futura seguidora de Jesus, domina o relato de Lucas sobre o nascimento. O cântico de Maria (Lc 1.46-55) representa a celebração absoluta do "nascimento" de uma revolução que viraria de cabeça para baixo a ordem corrente, ou, talvez o mais correto seja dizer, viraria de cabeça para cima (Lc 1.46-55). Nessa revolução, os soberbos e os poderosos são humilhados e ficam famintos, enquanto os humildes e pobres são exaltados e saciados. O cântico também sugere que as mulheres, como Maria, permanecerão junto dos homens nessa revolução. A presença de Isabel (Lc 1.5-7,24,25,39-45,57-60) e da profetisa Ana (Lc 2.36-38) confirma isso. Homens e mulheres participarão igualmente da vinda do Reino de Deus.

Os Evangelhos apresentam as mulheres como modelos de fiéis discípulas, algumas delas de longa data, que sustentavam a missão no sentido financeiro (Lc 8.1-3) e, muitas vezes, tinham êxito, enquanto os discípulos fracassavam. A lista dessas mulheres inclui Maria Madalena; Maria, a mãe de Tiago e Jesus; Salomé; Maria, a esposa de Cleopas; Joana; Susana; Maria e Marta de Betânia; e diversas outras mulheres anônimas. Apesar de os Evangelhos retratarem as mulheres como seguidoras fiéis de Jesus, a maior evidência ocorre na semana da Paixão. Apenas as mulheres permaneceram com Jesus até o fim. A mulher anônima que unge Jesus "para [seu] sepultamento" surge como uma das poucas, talvez a única, que parece entender a predição de Jesus sobre sua morte e ressurreição no terceiro dia. Assim, ela o unge na terça-feira, já que seu corpo seria levado no domingo. Os Doze permaneceriam na ignorância completa. Além disso, são as "filhas de Jerusalém" que choram por Jesus quando ele é levado à crucificação (Lc 23.27-31). Nos Sinópticos, embora os homens permanecessem de fato junto das mulheres como testemunhas da crucificação, a ênfase recai com clareza sobre as mulheres que "estavam observando de longe" (Mc 15.40; par. Mt 27.55,56; Lc 23.49). João ressalta a presença das mulheres junto do discípulo amado diante da cruz (Jo 19.25-27). De modo semelhante, apenas as mulheres observam o local da crucificação de Jesus (Mt 27.60,61; Mc 15.47; Lc 23.55,56). Apesar de cada Evangelho destacar as mulheres de forma um pouco diferente junto ao túmulo vazio, fica claro que as mulheres foram as principais testemunhas, as primeiras a serem comissionadas a "ir contar" e as que demonstram confiança em nítido contraste com os confusos discípulos (Mt 28.1-10; Mc 16.1-8; Lc 24.1-12; Jo 20.1-18).

Alguns intérpretes modernos devem resistir à pressão de tornar Jesus um igualitário radical. Jesus fez pouco ou quase nenhum esforço de reverter as expectativas domésticas tradicionais em relação às mulheres do século I. Apesar de as mulheres constituírem parte do círculo maior dos seguidores de Jesus, ele não incluiu nenhuma mulher entre os Doze. Contudo, Jesus agiu de acordo com as estruturas de sua época para elevar a condição da mulher na sociedade, de modo geral, e com certeza no futuro reinado de Deus.

A interpretação da parábola do semeador (8.11-15)

Veja Mateus 13.18-23; Marcos 4.13-20.

A importância de dar ouvidos a Jesus (8.16-18)

Veja Mateus 5.14-16; Marcos 4.21,22. No mundo antigo, lâmpadas cheias de óleo ficavam no lugar de onde sua luz pudesse resplandecer para todas as pessoas presentes no ambiente, não sob um jarro ou uma cama. Da mesma forma, as pessoas também devem atentar às palavras de Jesus, o equivalente à luz espiritual, para que possam se beneficiar da luz dele.

A verdadeira família de Jesus (8.19-21)

Veja Mateus 12.46-50; Marcos 3.31-35.

Jesus acalma a tempestade (8.22-25)

Veja Mateus 8.23-27; Marcos 4.35-41. Esse episódio começa uma série de quatro milagres para mostrar o poder de Jesus sobre a natureza (8.22--25), as forças demoníacas (8.26-39), as enfermidades (8.43-48) e a morte (8.40-42,49-56). Depois dessa demonstração de poder, Jesus envia os Doze para fazer exatamente as mesmas coisas. Seu ministério de salvação é estendido aos Doze.

Jesus expulsa uma legião de demônios (8.26-39)

Veja Mateus 8.28-34; Marcos 5.1-20.

A filha de Jairo e a mulher com hemorragia (8.40-56)

Veja Mateus 9.18-26; Marcos 5.21-43.

A estrada deserta e perigosa que liga Jerusalém a Jericó.

O palácio de Herodes
Larry R. Helyer

A dinastia de Herodes influenciou de forma significativa a sociedade de Jesus e dos apóstolos, ocupando um papel de proeminência na vida política e cultural do Período do Segundo Templo por quatro gerações.

O senado romano nomeou Herodes, o Grande (nascido em torno de 73 a.C.), "rei dos judeus" no ano 40 a.C. No auge do poder político, ele exerceu controle tirânico sobre seu reino. Apesar de ser detestado pela maioria dos súditos judeus, alguns, os herodianos, apoiavam sua dinastia (Mc 3.6; 12.13). Ele transformou seu modesto domínio em um exemplo admirável da cultura greco-romana, tendo o templo de Jerusalém como uma das maravilhas do mundo romano (Mc 13.1).

Herodes, o Grande, é o vilão na história dos magos (Mt 2.1-18). Paranoico com a ideia de ser derrotado por rivais, atacava diversos adversários, a ponto de matar até membros da própria família por suspeitar de traição. O massacre dos inocentes em Belém é coerente com esse período turbulento de sua vida. A morte de Herodes em 4 a.C. indica a data mais tardia possível para o nascimento de Jesus.

Arquelau, filho de Herodes, o Grande, é mencionado apenas uma vez no NT em relação à volta da família de Jesus do Egito. Com receio de viver sob seu domínio, José volta para Nazaré na Galileia (Mt 2.22). Augusto César expulsou Arquelau no ano 6 d.C. por incompetência e opressão.

Herodes Antipas, outro filho de Herodes, o Grande, tornou-se tetrarca da Galileia (Lc 3.1) e foi quem prendeu e executou João Batista (Mc 6.14-29). Quando a fama de Jesus como pregador e curador se espalhou, Antipas ficou perplexo (Lc 9.7), pensando que talvez se tratasse de João Batista que havia ressuscitado (Mt 14.1,2). Jesus o chama de "aquela raposa" (Lc 13.32). Antipas foi quem instigou Jesus a realizar um milagre e zombou dele enquanto o julgava (Lc 23.7-12). Depois de sua imprudente tentativa de obter o título de "rei", o imperador Calígula o expulsou no ano 39 d.C.

O território de Herodes Filipe (Lc 3.1), terceiro filho de Herodes, o Grande, foi o local da confissão de Pedro (Mc 8.27-30) e da Transfiguração (Mc 9.2-9). Filipe casou-se com Salomé, que dançou diante do Herodes Antipas e pediu a cabeça de João Batista (Mc 6.22-28). Filipe morreu sem deixar filhos em 34 d.C.

Agripa I, neto de Herodes, o Grande, perseguiu a igreja primitiva. Ele executou o apóstolo Tiago e prendeu o apóstolo Pedro (At 12.1-4). Lucas diz que um anjo do Senhor o feriu de morte (At 12.19-23).

Agripa II, um bisneto, aparece no NT, junto com sua irmã Berenice, em ligação com a prisão e defesa de Paulo perante Festo, o governador romano (At 25.13—26.32). No ano 66 d.C., Agripa tentou em vão conter o movimento de rebelião e auxiliou os romanos a esmagar a revolta (66-73 d.C.). Ele morreu em torno do ano 100 d.C., o último Herodes a dominar parte da Terra Santa.

Jesus envia os Doze (9.1-6)

Veja Mateus 9.35; 10.1-16; Marcos 6.6-13. Os discípulos deveriam anunciar o Reino (o equivalente a anunciar o evangelho conforme o v. 6) e ministrar às pessoas expulsando demônios e curando as enfermidades. Desse modo, a palavra verdadeira e os feitos miraculosos se validavam mutuamente, refletindo o poder e a autoridade de Jesus.

Quem é Jesus? (9.7-9)

Veja Mateus 14.1,2; Marcos 6.14-16. Quando Herodes toma conhecimento de tudo o que Jesus estava fazendo, fica perplexo com todas as explicações (João Batista ressuscitou, Elias ressurgiu, ou um dos profetas ressuscitou). Lucas destaca a pergunta de Herodes: "Quem é este?", em toda essa seção central do Evangelho (p. ex., 4.36; 5.21; 7.49; 8.25; 9.18-20). Pedro dará a resposta certa em sua confissão de Jesus como "o Cristo de Deus" (9.20).

Alimentação da multidão (9.10-17)

Veja Mateus 14.13-21; Marcos 6.30-44; João 6.1-15.

A confissão de Pedro (9.18-21)

Veja Mateus 16.13-20; Marcos 8.27-30; João 6.66-71.

O preço de seguir o Salvador sofredor (9.22-27)

Veja Mateus 16.21-28; Marcos 8.31—9.1; João 12.25.

A transfiguração de Jesus (9.28-36)

Veja Mateus 17.1-9; Marcos 9.2-10. Jesus leva Pedro, João e Tiago para o alto de um monte a fim de orar, e durante a oração ele é transfigurado (9.28,29). Jesus fala com Moisés e Elias "sobre a partida de Jesus" (ou êxodo), que se cumpriria em Jerusalém (9.31). Os três discípulos estavam sonolentos quando a glória de Jesus os despertou (9.32). No evangelho de Lucas, a voz do céu diz: "Este é o meu Filho, o *Escolhido*; ouçam-no!" (9.35, grifo nosso; cf. Is 42.1; 49.7; Lc 23.35), expressando o papel especial do Filho no plano salvador do Pai.

Jesus é bem-sucedido no ponto em que os discípulos fracassaram (9.37-43)

Veja Mateus 17.14-20; Marcos 9.14-29.

Mais sobre seguir o Salvador sofredor (9.43-50)

Veja Mateus 10.42; 17.22—18.5; Marcos 9.30-41. Enquanto as multidões ficavam maravilhadas com Jesus, ele avisa aos discípulos que o Filho do homem será traído; todavia, eles não entendem (9.43-45). Eles não só demoraram a entender a identidade e missão de Jesus, como estavam preocupados com quem seria o maior dentre eles. Jesus chama uma criança para ilustrar o sentido espiritual de que o menor será o maior (9.46-48). Entre os seguidores de Jesus, poder e hierarquia deveriam ocupar interesse secundário como a humildade infantil. Apesar da confissão inspirada de Pedro, os discípulos continuam tropeçando. Eles não tinham força para expulsar um demônio, discutem sobre quem seria o maior e tentam impedir alguém de expulsar demônios em nome de Jesus por não fazer parte do grupo deles. Jesus lhes diz: "Não o impeçam [...], pois quem não é contra vocês, é a favor de vocês" (9.49,50). Quão oportunas são essas palavras aos discípulos competidores!

A viagem do Salvador a Jerusalém (9.51—19.44)

A ida de Jesus a Jerusalém está no centro do Evangelho de Lucas, mas essa viagem não segue um caminho direto à cidade santa. Por exemplo, em Lucas 10.38-42 ele está em Betânia, bem próximo de Jerusalém, ao passo que em Lucas 17.11 ele atravessa Samaria e a Galileia, na região norte do país. Apesar de aumentar o percurso, o objetivo final de Jesus é Jerusalém, onde ele cumprirá o plano de Deus como Salvador sofredor. É a jornada ao destino divino. O Pai acabara de dizer aos discípulos que o "ouçam" (Lc 9.35). "Ouvir Jesus" (permitindo que ele defina o que significa segui-lo) é um importante tema em toda essa seção da jornada de Jesus.

Monte próximo de Betsaida, na Galileia, possível local da multiplicação dos pães para a multidão de 5 mil pessoas.

✢ Toda a parte central do Evangelho de Lucas apresenta a "viagem de Jesus a Jerusalém". No livro de Atos, os seguidores de Jesus viajarão a partir de Jerusalém anunciando a boa-nova ao mundo.

Os fariseus no Novo Testamento
Joseph R. Dodson

O NT apresenta os fariseus sob uma perspectiva desfavorável. Jesus os acusa de serem filhos do inferno (Mt 23.15), gananciosos (Lc 16.14) e raça de víboras (Mt 23.33). Provavelmente desde o início da revolta dos macabeus (168-164 a.C.), esse grupo surgiu do desejo de preservar a Torá diante da crescente profanação política e religiosa; ainda assim, apesar dessas nobres intenções, os Evangelhos — principalmente Mateus — retratam o farisaísmo como o oposto da verdadeira retidão (p. ex., Mt 5.20; Lc 18.10-14). Portanto, em comparação aos herdeiros do Reino de Deus (Mt 21.41-45; 23.13), Jesus rebaixa os fariseus — eles são os cegos que conduzem cegos (Mt 15.14; cf. Jo 9.40), uma geração perversa que exige sinais (Mt 12.38,39; 16.4), hipócritas gananciosos que engolem camelos e coam mosquitos (Mt 23.24) e túmulos caiados que encerram cadáveres (Mt 23.27). Por fim, em razão dos pecados deles, Jesus declara que eles não escaparão da sentença do inferno (Mt 15.12,13; 23.13).

Entretanto, os fariseus também atacavam Jesus e conspiravam contra ele por sua prática aparentemente profana de se associar com pecadores (p. ex., Mt 9.11-14; Mc 2.16,17; Lc 15.2), pelo desprezo às tradições de Israel, em especial as relacionadas ao sábado (Mt 15.1-14; Mc 2.23,24; 7.1-5; Lc 6.2; 11.37,38) e por dizer que era Deus (p. ex., Lc 5.17-21). Eles desdenharam de Jesus chamando-o de beberrão e glutão, dizendo até que ele se assemelhava a demônios (Mt 12.24; Lc 7.34). Além disso, em João 12.42,43, o autor ressalta a influência significativa dos fariseus, impedindo que muitos confessassem sua fé em Cristo.

Apesar dessa mútua difamação nos Evangelhos, havia fariseus, como Nicodemos, que consistiam em exceções à regra (v. Jo 3.1-21; 7.50; 19.39,40). Alguns deles até fizeram parte do Concílio de Jerusalém de Atos 15. Naturalmente, a mais notável dessas exceções foi Paulo, que às vezes utilizava a seu favor tanto seu *status* de fariseu quanto algo de sua antiga teologia farisaica (v. At 23.6; 26.5). Assim, as semelhanças de pensamento — como a crença na ressurreição dos mortos, o juízo e o galardão eterno, além da estima pela providência divina sem excluir a responsabilidade humana — não deve causar surpresa. Apesar de Paulo considerar sua condição de fariseu uma vantagem, ele passa a relegá-la à condição de esterco quando comparada ao supremo valor do conhecimento de Cristo (Fp 3.4-8).

O que significa seguir Jesus (9.51—10.24)

Veja Mateus 8.18-22; 9.37,38; 10.7-16,40; 11.20-27; 13.16,17; João 4.35; 13.20. À medida que Jesus e os discípulos enfrentam hostilidades em Samaria, Tiago e João querem repetir o milagre de Elias clamando por fogo do céu (1Rs 18.38). Mas seguir Jesus significa não revidar os ataques de quem nos rejeita. Os discípulos autênticos devem estar preparados para servir e sofrer por Jesus (9.57-62). Então ele envia os 72 (ou 70 dependendo do texto original) para realizar o que ele havia anteriormente comissionado os Doze a fazer (Lc 9.1-6): viajar sem muita bagagem, depender da hospitalidade, curar os enfermos e anunciar o Reino. Jesus lhes diz: "A colheita é grande, mas os trabalhadores são poucos" (10.2). A solução é orar para que mais pessoas participem da missão de Jesus. Há tantas coisas para resolver neste mundo arruinado. Os discípulos saem "como cordeiros entre lobos", mostrando que a missão pode ser arriscada (10.3). Os que derem ouvidos aos discípulos estarão ouvindo Jesus e o Pai (10.16). Os 72 retornam jubilosos pela missão bem-sucedida, em especial pelo poder sobre os demônios (10.17). Jesus se alegra que a missão deles tenha resultado no enfraquecimento de Satanás e de sua influência, mas a batalha espiritual não deve ser o foco principal (10.18,19). Antes, eles deviam se regozijar acima de tudo por ter um relacionamento eterno com Deus (10.20). Cheio de alegria mediante o Espírito Santo, Jesus louva o Pai por seu plano mestre e pronuncia uma bênção sobre os discípulos (10.21-24).

O relacionamento com o próximo, com Jesus e com o Pai (10.25—11.13)

Veja Mateus 6.9-13; 7.7-11; 22.34-40; Marcos 12.28-34. Essa seção enfatiza relacionamentos. Um perito da lei põe Jesus à prova com uma pergunta sobre como obter vida eterna. Jesus extrai dele a resposta certa: amar a Deus e ao próximo (Lv 9.18; Dt 6.5). O perito, querendo "justificar-se", pede para Jesus definir "próximo" (10.29). Em resposta, Jesus profere a parábola do bom samaritano, em que vemos o princípio de que o amor ao próximo deve transcender todas as barreiras humanas como raça, religião ou condição econômica (10.30-37). O próximo episódio ocorre em Betânia, localidade próxima a Jerusalém, onde Marta preparava com capricho uma refeição para Jesus e os discípulos. Jesus se incomoda com o nervosismo de Marta e elogia Maria por ouvi-lo. Fazer coisas boas para Deus às vezes nos distrai do próprio relacionamento com Deus. Em seguida, Jesus ensina aos discípulos como se comunicar com o Pai por meio da oração. A instrução sobre oração (11.1-4) é seguida de uma breve parábola sobre a oração (11.5-8) e uma exortação à oração (11.9-13). Os seguidores de Jesus devem amar as pessoas que passam por necessidades, não devem permitir que o serviço a Deus nos desvie do tempo com Deus e devem cultivar o relacionamento com Deus por meio da oração.

Réplica do ídolo Pã, adorado em Cesareia de Filipe.

✠ Lucas mostra com regularidade como Jesus passou a ministrar aos marginalizados, conforme a ilustração da parábola do bom samaritano (Lc 10.29-37).

Controvérsias sobre o ministério de Jesus (11.14-54)

Veja Mateus 5.15; 6.22,23; 9.32-34; 12.22-30,38-45; 15.1-9; 16.1-4; 23.1-36; Marcos 3.22-27; 4.21; 7.1-9; 8.11,12. Enquanto Jesus provoca a admiração das multidões com seus milagres, alguns o acusavam de realizar milagres pelo poder de Satanás (11.14-23). Isso não pode ser verdade, já que Jesus estava revertendo a obra de Satanás. Jesus expulsa demônios "pelo dedo de Deus", referindo-se ao poder divino demonstrado no Êxodo (11.20; v. Êx 8.19). Vemos a chegada do Reino de Deus quando vemos Jesus desfazendo as obras perniciosas de Satanás. Jesus é mais poderoso que Satanás (11.21-23). Os libertados das amarras do Diabo têm a responsabilidade de preencher essa lacuna com uma nova lealdade a Jesus (11.24-26). Nesse momento, uma mulher no meio da multidão bendiz a mãe de Jesus por tê-lo dado à luz, mas Jesus responde com uma bênção sobre os que "ouvem a palavra de Deus e lhe obedecem" (11.27,28). À medida que crescem as multidões, Jesus as repreende como uma geração maligna por se interessar apenas nos milagres (11.29-32). O único sinal que as pessoas receberiam seria a pregação de Jonas e a sabedoria de Salomão. Mas essa geração foi visitada pelo Filho do homem, e mesmo assim deixaram de obedecer-lhe. Mais uma vez, Jesus ilustra a importância de prestar atenção ao que se ouve usando a analogia da lâmpada (v. Lc 8.16-18). Então Jesus faz uma refeição com um fariseu, mas ele deixa de cumprir o ritual de lavar as mãos antes das refeições (11.37,38). Quando o fariseu fica chocado com a falta de devoção de Jesus, este responde com uma série de repreensões. Os fariseus tinham o coração imundo, negligenciavam a justiça e o amor, eram arrogantes e desprovidos de integridade (11.39-44). Quando um dos peritos da lei (ou escribas) insiste em que Jesus os estava insultando a eles também, ele dá sequência e também os repreende (11.45-54). Os especialistas da lei religiosa sobrecarregavam as pessoas, mas não faziam nada para ajudá-las; eles permaneciam na tradição dos que haviam rejeitado os profetas de Deus e privado o povo da verdade divina. Como se pode imaginar, os fariseus e mestres da lei começam então a se opor a Jesus com ferocidade.

Avisos sobre o juízo vindouro (12.1—13.9)

Veja Mateus 5.21-26; 6.19-21,25-34; 10.17-22,26-36; 12.31,32; 16.2,3,5,6; 24.42-51; 25.1-13; Marcos 3.28-30; 8.14,15; 13.11,33-37. À medida que cresce a popularidade de Jesus, ele fala mais sobre a necessidade da preparação para o comparecimento diante do tribunal de Deus (12.1). Boa parte do que Jesus diz nessa seção se relaciona com a retidão e fidelidade diante de Deus. Jesus observa que se tenha cautela contra a influência ("fermento") hipócrita dos fariseus, uma vez que um dia todas as coisas serão reveladas à vista de todos (12.2,3). Como consequência, os discípulos devem temer o Senhor, que se importa profundamente com eles (12.4-7). Se confessarmos Jesus diante das pessoas, ele nos confessará diante do Pai no dia do juízo. Se nós o desonrarmos,

✚ Jesus não buscava agradar às pessoas nem evitar conflitos a todo custo. Ele contendia com coragem pela verdade de Deus, todavia o fazia em amor.

ele nos desonrará (12.8,9). Confessar Jesus significa submeter-se ao Espírito Santo, que nos revestirá de poder para testemunhar perante o público hostil (12.11,12). Jesus apresenta a parábola do rico insensato para ilustrar o que ele havia acabado de falar (12.13-21). O homem rico é egoísta (observe a frequência do pronome "eu") e de modo repetido põe a confiança nos seus bens em vez de crer em Deus. Mas o que dizer dos generosos? Quem cuidará deles? Jesus assegura aos discípulos que o Pai celeste cuidará de suas necessidades (12.22-34). Não há necessidade de ouvir; antes, eles devem buscar em primeiro lugar o Reino de Deus e continuar investindo no tesouro celestial. Em vez de confiar nos bens ou se preocupar com as necessidades básicas, os seguidores de Jesus devem ser fiéis à medida que aguardam seu retorno (12.35-48). Jesus voltará no momento menos esperado (12.40,46). Por isso, a fidelidade deve ser nosso foco (12.43). Os conhecedores da vontade de Deus que deixam de segui-la podem aguardar severa condenação (12.45-47). Os desconhecedores da vontade de Deus e que não se encontram preparados para a vinda dele podem aguardar condenação menos severa (12.48). Jesus anuncia uma mensagem dura à qual as pessoas responderão de maneira diferente, até mesmo a ponto de dividir famílias (12.49-53). O "batismo" de Jesus (sua morte por crucificação) não só trará salvação, como também condenação ("fogo sobre a terra"). Jesus critica as multidões por saberem discernir o clima, mas não as coisas espirituais (12.54-59). Então Jesus menciona duas recentes tragédias para confrontar o mito de que tragédias só acontecem a graves pecadores (13.1-4). Todos são pecadores, declara Jesus, e a morte é inevitável. As pessoas devem se arrepender e estabelecer um relacionamento correto com Deus (13.5). Jesus então conta uma história sobre uma figueira improdutiva para ilustrar o fracasso de Israel em manter um relacionamento frutífero com Deus (13.6-9). O tempo está se esgotando — o juízo se aproxima.

Jesus lembra seus seguidores de que, assim como Deus cobre os campos de flores, ele lhes suprirá as necessidades básicas.

✢ Jesus não hesitou em falar sobre o juízo vindouro de Deus.

Quem entrará no Reino? (13.10—14.24)

Veja Mateus 7.13,14,21-23; 8.11,12; 13.31-33; 19.30; 22.1-14; 23.37-39; Marcos 4.30-32; 10.31.

Nessa seção, dois milagres no sábado são seguidos por ilustrações e parábolas, seguindo-se uma extensa exposição sobre como se entra no Reino de Deus. No centro, Jesus reafirma seu objetivo de morrer em Jerusalém. Ele cura uma mulher aleijada em uma sinagoga e um homem com hidropisia na casa de um importante fariseu no sábado (13.10-17; 14.1-4). A liderança judaica continua obstinada. Nas ilustrações e parábolas que se seguem, Jesus fala sobre o Reino (13.18-30; 14.5-24). À medida que o Reino de Deus se expande, as pessoas (incluindo os líderes judeus) devem procurar entrar nele. Isso deve levar à humildade (14.11); haverá muitas surpresas em relação aos que estarão no banquete celestial (13.28-30; 14.15-20). Na seção central sobre "Jerusalém" (13.31-35), os fariseus alertam Jesus de que Herodes deseja matá-lo (13.31). Jesus não se intimida. Ele continua seu ministério de libertação "hoje e amanhã", mas "no terceiro dia" ele cumprirá o objetivo de morrer em Jerusalém (13.32,33). Jesus, então, lamenta sobre Jerusalém (e sobre toda a nação de Israel) por rejeitar os mensageiros de Deus. Consequentemente, eles também estão rejeitando Deus, que anseia por proteger e cuidar deles. Em vez disso, agora eles enfrentam o juízo divino (13.35a; cf. 1Rs 9.7,8; Sl 69.25; Jr 12.7; 22.5). Israel não verá Jesus outra vez até seu retorno, mas será muito tarde (13.35b; cf. Sl 118.26).

O preço do discipulado (14.25-35)

Veja Mateus 5.13; 10.37-39; Marcos 9.49,50. Os que desejam seguir Jesus devem considerar o preço. Qualquer um que ame a própria família mais do que a Jesus não pode ser discípulo dele (14.26). (Sabemos com base em Mt 10.37 que a expressão retórica "odiar" usada por Lucas significa "amar menos".) Também, todo o que quiser evitar sofrimentos e rejeições não pode ser discípulo de Jesus (14.27). Jesus então ilustra as exigências para os discípulos. Na primeira história, um homem pretende construir uma torre, mas não faz o planejamento apropriado e acaba ficando sem material. Ele não termina a construção da torre (14.28-30). Na segunda, um rei considera sair à guerra contra outro rei que possui um exército mais poderoso. Ele decide que tentar fazer a paz é melhor que sofrer perdas (14.31,32). Da mesma forma, é melhor fazer as pazes com Deus a se opor a ele. Fazer as pazes com Deus envolve a disposição de abandonar tudo (14.33). Em qualquer cultura em que a exigência para se tornar um seguidor de Cristo é reduzida ao mínimo esforço possível ("basta fazer algo simples"), as palavras de Jesus são contundentes, como devem ser. O discipulado tem um preço alto, e as pessoas merecem saber de início com o que estão se comprometendo, ainda que o número de convertidos não atinja a meta pretendida.

Deus busca pecadores (15.1-32)

Veja Mateus 18.10-14. Apesar de o custo de seguir Jesus ser alto, Deus busca com diligência e amor os pecadores, como essas três parábolas ilustram. Em cada caso, algo foi perdido — uma ovelha, uma moeda e dois filhos. Essas histórias nos oferecem um retrato claro sobre o coração de Deus. Quando a ovelha (representando a pessoa perdida) se perde, o pastor (a representação de Deus) sai à sua procura até encontrá-la. Quando a encontra, ele se regozija e convida os amigos para celebrarem com ele. Jesus termina dizendo: "Haverá mais alegria no céu por um pecador que se arrepende do que por noventa e nove justos que não precisam arrepender-se" (15.7). Em outras palavras, Deus ama recuperar os perdidos! Na segunda história, uma mulher (representando Deus) procura com diligência por uma moeda perdida (a representação de uma pessoa perdida) até encontrá-la. Ela também se regozija e chama as amigas para se alegrarem com ela. Mais uma vez, Jesus conclui: "Há alegria na presença dos anjos de Deus por um pecador que se arrepende" (15.10). A última parábola é uma das mais famosas de Jesus — a parábola do filho pródigo. Uma vez que normalmente identificamos um princípio central para cada uma das principais personagens das parábolas de Jesus, essa história ensina três verdades. Primeira, o filho mais novo (representante dos publicanos e pecadores) nos lembra de que nossos pecados nunca são capazes de exaurir a graça de Deus. Ele sempre acolherá de volta filhos rebeldes tão logo estes se arrependam. Segunda, o filho mais velho (representante dos líderes judeus) nos lembra de que nunca devemos abusar da graça de Deus ou nos magoar quando ele manifesta sua graça a pessoas que não a merecem. Todos nós somos indignos! Por último, o pai (representando Deus) nos lembra de que Deus busca tanto os pecadores injustos quanto os que se consideram virtuosos. Deus corre para se encontrar com o filho mais novo (15.20) e sai da festa para procurar o filho mais velho (15.28). Ele busca o perdido, seja qual for sua condição.

O retorno do filho pródigo, de Rembrandt.

Como utilizar o dinheiro e os bens (16.1-31)

Veja Mateus 5.17-20,31,32; 6.24; 11.12,13; 19.3-12; Marcos 10.2-12. Muitas vezes Jesus discute o uso de bens em relação com os discípulos.

✝ As três "parábolas do perdido" de Lucas 15 parecem se destinar a dois grupos mencionados de forma específica em 15.1,2: os "publicanos e pecadores" e os "fariseus e os mestres da lei".

Jesus e o Reino de Deus
Preben Vang

A principal mensagem de Jesus era a proximidade do Reino de Deus (Mc 1.15; cf. Lc 4.43). Os demais temas ensinados por Jesus, por exemplo, amor aos inimigos (Mt 5.44) e a salvação pela graça, não por obras (Mt 22.1-10; Lc 23.43), devem ser compreendidos à luz do ensino sobre o Reino. Eles são esclarecedores a respeito da qualidade de vida e da natureza do Reino de Deus.

A afirmação de Jesus de que o Reino de Deus se aproximava era tão radical que não só os defensores do judaísmo do século I (fariseus, saduceus etc.) perceberam logo que essa mensagem contrariava seus ensinamentos, como também os próprios seguidores de Jesus tiveram dificuldade de entendê-la. Por causa disso, boa parte do ensinamento de Jesus sobre o Reino procede de respostas a perguntas e ilustrações por meio de parábolas (p. ex., Mc 4). Até João Batista ficou confuso e indagou sobre a missão de Jesus. Jesus respondeu mostrando os efeitos da presença do Reino: "Os cegos veem, os aleijados andam, os leprosos são purificados, os surdos ouvem, os mortos são ressuscitados e as boas-novas são pregadas aos pobres" (Lc 7.22).

Quando Jesus usava a expressão "Reino de Deus/dos céus" ele não se referia a uma região ou território político, mas à realidade da presença renovada de Deus entre o povo. Para Jesus, o Reino de Deus não dizia respeito às fronteiras de Israel; tampouco se referia à restauração do reino de um descendente de Davi no sentido geográfico e político. Antes, Jesus usa a expressão para explicar que Deus interveio na História para tornar sua presença conhecida com a finalidade de redimir toda a criação das consequências da Queda. Em outros termos, nos ensinamentos de Jesus, o Reino de Deus é a esfera em que Deus domina e manifesta sua glória.

De acordo com Jesus, o Reino de Deus já está aqui. Jesus o inaugura! A "era futura" irrompeu na "era presente". Deus torna sua presença perceptível agora. Ao mesmo tempo, a experiência presente mostra com clareza que o Reino de Deus não se manifesta agora em sua plenitude. O mal continua existindo; a "era antiga" ainda está aqui. No tempo presente, Deus ainda não é "tudo em todos" (1Co 15.28). Vivemos ainda "entre as eras", por assim dizer — na tensão entre o já/ainda não. A promessa "da era vindoura" já se iniciou, mas não está completa.

Ele começa com a inquietante parábola do administrador astuto (16.1-3). Quando o administrador é ameaçado de perder o emprego, decide agir com esperteza reduzindo a dívida de várias pessoas para com seu patrão, talvez deduzindo a própria comissão. No fim, tanto o administrador quanto o patrão são elogiados, um aspecto importante em uma cultura que valoriza a honra e despreza a desonra. Jesus não elogia nenhum comportamento antiético, mas ele elogia de fato a esperteza do administrador (16.8). Jesus então encoraja os discípulos a empregar as riquezas para fortalecer relacionamentos (16.9). A forma com que lidamos com pequenas responsabilidades é a melhor indicação de como lidaremos com as grandes (16.10-12). Além disso, não podemos servir a Deus e aos bens materiais; por isso, devemos amar a Deus acima de todas as coisas e empregar o dinheiro com sabedoria (16.13). Os fariseus, que amavam o dinheiro, desprezavam Jesus por seus comentários. Ele os fazia lembrar de que Deus conhece o nosso coração e que o sistema de valores do mundo aborrece a Deus (16.14,15). Em meio à discussão sobre os bens, Jesus reitera aos ouvintes que sua mensagem estava inteiramente afinada com a revelação anterior de Deus (16.16,17), incluindo as exigências éticas (16.18).

Na parábola do rico e Lázaro que vem em seguida (16.19-31), o rico havia vivido em opulência nesta vida, enquanto o pobre sofria muitíssimo. Depois da morte, tudo se inverte. O rico sofre o tormento do inferno, enquanto o pobre mendigo desfruta da presença de Deus (16.22,23). O rico implora em vão o alívio de seu castigo, porque a separação entre o céu e o inferno era intransponível (16.24-26). O rico suplica para que alguém alerte seus familiares a fim de que eles não passem também pelo mesmo tormento, mas lhe é dito que eles dispunham de "Moisés e os Profetas; que os ouçam" (16.29). O rico insiste para que alguém dentre os mortos vá alertá-los (16.30). A verdade é que quem não deu ouvidos à revelação de Deus por meio do AT não se convencerá, ainda que alguém (i.e., Jesus) "ressuscite [...] dentre os mortos" (16.31). Quem afirma seguir Jesus, deve demonstrar compaixão pelos necessitados, sendo generoso com seus recursos e bens.

O interior de uma casa típica da Galileia.

Como a verdadeira fé se manifesta? (17.1-19)

Veja Mateus 17.19-21; 18.6,7, 15,21,22; Marcos 9.28,29,42. A verdadeira fé começa com uma preocupação com os membros da comunidade (17.1-3). Provocar o tropeço de outro seguidor de Cristo resulta em terrível castigo, por isso precisamos vigiar a nós mesmos. A verdadeira fé também envolve a disposição de confrontar os irmãos na fé e de perdoá-los quando se arrependem (17.3,4). Os discípulos de Jesus pedem mais fé, mas Jesus diz que saber empregar a fé é mais importante que lhe aumentar a quantidade (17.5,6). Em seguida, Jesus apresenta a parábola do servo dedicado para ilustrar a atitude correta da fé genuína (17.7-10). Depois de o servo cumprir tudo o que lhe foi ordenado, ele deve ainda

✚ Uma verdadeira marca do seguidor de Jesus é a generosidade. Vemos isso em todo o Evangelho de Lucas (p. ex., 16.19-31), tanto quanto no livro de Atos, quando os primeiros cristãos partilham os bens com liberalidade uns com os outros (At 2.44,45; 4.32-37).

se considerar "servo inútil" diante de Deus. Na fé autêntica, não há lugar para ostentação e vanglória, apenas humildade. Ele é Deus, e nós somos servos. A única resposta apropriada à graça imerecida de Deus é a gratidão, de acordo com a ilustração da história da cura dos dez leprosos (17.11-19). Quando Jesus cura os dez homens acometidos de lepra, uma doença bastante contagiosa e danosa para o convívio social, apenas um deles volta para agradecer. O que volta para expressar gratidão é um samaritano, enquanto os nove leprosos judeus deixam de reconhecer a obra singular de Deus por meio de Jesus. A gratidão é uma virtude difícil de simular e, às vezes, os de fora da tradição religiosa manifestam gratidão de forma mais adequada pelo livramento extraordinário recebido de Deus.

Quando o Reino de Deus se manifestará? (17.20—18.8)

Veja Mateus 24.17,18,23-28,37-41; Marcos 13.14--16,19-23. A maioria dos judeus esperava que o Reino de Deus surgisse de forma fantástica e trouxesse imediata vitória política sobre seus inimigos. Jesus insiste em que o Reino de Deus está agora "no meio de vocês" (17.21). Temos a tendência de pensar no Reino de Deus existindo no nosso coração, dentro de nós, mas a melhor tradução realmente é "no meio de vocês" ou "entre vocês". Jesus argumenta que o Reino de Deus já chegou por meio de sua pessoa e ministério! Contudo, o Reino ainda não se manifestou em toda a sua glória. Isso acontecerá no retorno de Jesus, mas primeiro ele precisa sofrer e ser rejeitado (17.25). Jesus diz respeito à sua segunda vinda com mais detalhes (17.22-37; cf. Mt 24—25; Mc 13). Seu retorno será público, espetacular e inconfundível (17.24). As pessoas continuarão suas atividades corriqueiras e serão surpreendidas com a chegada dele (17.26-30). No seu retorno, os justos serão separados dos ímpios, e os ímpios sofrerão a condenação (17.31-37). A vinda de Jesus é infalível, mas a hora do seu retorno não é informada. Enquanto isso, os seguidores de

✚ Jesus ensina que o Reino de Deus já chegou com ele, mas ainda não foi consumado de forma plena, algo que só acontecerá com sua segunda vinda.

Jesus enfrentarão oposição e sofrerão injustiça. Jesus conta a parábola do juiz iníquo em 18.1-8 para encorajar as pessoas a orar e perseverar (18.1). Um juiz que não teme a Deus nem se importa com as pessoas se nega a conceder a uma viúva acesso à justiça. Ela o atormenta com persistência até que ele consente com ela, pelo menos para não ser mais importunado. Jesus conclui que, se um juiz corrupto pode ser levado a conceder justiça, quanto mais o Deus compassivo e generoso "fará justiça aos seus escolhidos, quem clamam a ele dia e noite" (18.7). Deus com certeza vindicará seu povo; entretanto, quando Jesus voltar, "encontrará fé na terra?" (18.8).

Verdadeira justiça (18.9-30)

Veja Mateus 19.13-30; Marcos 10.13-31. A seção anterior terminou com uma pergunta: Quando Jesus vier, encontrará fé na terra? Agora encontramos uma visão clara do tipo de fé ou justiça que Jesus deseja encontrar. Ele conta a parábola do fariseu e do publicano para as pessoas confiantes em sua própria justiça e que menosprezam os outros (18.9-14). A história é um contraste entre o soberbo fariseu que se orgulha da exemplar devoção e o contrito publicano que apenas suplica pela misericórdia de Deus. Com um final surpreendente, o publicano, não o fariseu, sai justificado de diante de Deus. A verdadeira justiça não pode ser separada da humildade genuína. Jesus então encoraja as criancinhas a virem a ele para serem abençoadas. Ele declara que todo o que deseja entrar no Reino deve fazê-lo "como uma criança" (18.15-17). A verdadeira justiça inclui a dependência de Deus e a confiança nele como as de uma criança. A história do homem rico encerra a seção (18.18-30). Jesus diz ao homem rico que ele deveria vender tudo o que possuía, dar o dinheiro aos pobres e segui-lo — essa era a verdadeira justiça. Observando-se o nível de exigência, os discípulos indagam sobre a possibilidade de alguém ser salvo. Mas, conforme as conversas subsequentes mostram, o que é impossível para nós é possível para Deus (18.27). Somente Deus pode capacitar as pessoas para viverem a justiça salvadora.

A chegada de Jesus a Jerusalém (18.31—19.44)

Veja Mateus 9.27-31; 20.17-19,29-34; 21.1-9; 25.14-30; Marcos 10.32-34,46-52; 11.1-10; 13.34; João 12.12-19. Enquanto Jesus se aproxima de Jerusalém, ele prediz outra vez sua morte próxima. Quando explica aos discípulos que eles se dirigiam a Jerusalém onde ele iria sofrer, morrer e ressuscitar, eles não conseguem compreender como o Messias e Salvador poderia ser derrotado. A falta de discernimento espiritual dos discípulos é contrastada de forma cabal no que se segue.

Antiga agulha de tecelagem.

✚ Quando Jesus chega a Jerusalém, ele chora pela cidade em antecipação à sua futura rejeição (Lc 19.41-44).

Ao passar por Jericó, Jesus se encontra com um mendigo cego que suplica por misericórdia do "filho de Davi" (18.35-43). Quando Jesus o cura, o homem de imediato segue Jesus, e tanto ele quanto a multidão louvam a Deus (18.43). Jesus então encontra Zaqueu, um rico coletor de impostos que sobe em uma árvore para ver Jesus (19.1-10). Jesus agracia o "pecador" desprezado com sua presença em uma refeição. Zaqueu se arrependeu, conforme evidencia a disposição de abrir mão das riquezas. Jesus anuncia: "Hoje houve salvação nesta casa! Porque este homem também é filho de Abraão. Pois o Filho do homem veio buscar e salvar o que estava perdido" (19.9,10). Enquanto os discípulos se esforçavam para seguir Jesus nos termos dele, um cego reconhece de fato quem era Jesus, e um homem rico entra no Reino. Os dois são sinais claros de que o Salvador estava agindo.

À medida que se aproximam de Jerusalém, o povo esperava que o Reino de Deus se manifestasse de uma vez (19.11). Jesus conta a parábola das dez minas para corrigir essa falsa expectativa (19.11-27). Nessa história, um nobre vai a uma terra distante para ser coroado rei antes de retornar (19.12). (Jesus subirá ao Pai para ser exaltado como Senhor dos senhores antes de retornar para consumar o Reino.) O nobre distribui dez minas a dez servos (uma mina equivalia a três meses de salário), com instruções para fazer render o dinheiro (19.13). Quando o homem volta como rei, recebe os relatórios dos três servos (19.14,15). Dois investem bem o dinheiro e são recompensados com mais responsabilidades (19.16-19); no entanto, pelo fato de o terceiro servo não fazer render seu dinheiro, até mesmo sua mina lhe é tirada (19.20-26). Esse servo demonstra uma visão equivocada do senhor e um coração desleal. Os que não queriam que o nobre (ou Jesus) se tornasse rei sofrem certo castigo (19.14,27). Os primeiros discípulos precisavam corrigir suas expectativas sobre quando Jesus seria coroado rei. Enquanto aguardamos o retorno de Jesus como rei ungido, precisamos aplicar com fidelidade o que ele nos deu. Por fim, Jesus, o Salvador, entra em Jerusalém (19.28-44). Lucas observa como a estrondosa celebração e o louvor das multidões incomodavam alguns fariseus (19.37-39). Mas Jesus se recusa a repreender seus seguidores pelo louvor; antes, repreende os fariseus: "Se eles se calarem, as pedras clamarão" (19.40). Até mesmo as pedras reconhecem o que os fariseus não são capazes de enxergar. Jesus se emociona bastante e chora pela cidade (19.41). Como é trágico o fato de Deus visitar a cidade e não ser reconhecido (19.42-44). A predição de Jesus sobre o castigo da cidade coincide com a destruição de Jerusalém pelos romanos no ano 70 d.C.

O ministério do Salvador em Jerusalém (19.45— 21.38)

Antes da semana da Paixão, Jesus passa um tempo em Jerusalém ensinando na área do templo. Ele estava em conflito constante com a liderança judaica que queria matá-lo, mas eles são atrapalhados por sua sabedoria e

Acompanhando Jesus durante a semana da Paixão
Adaptado de Michael J. Wilkins, Matthew. *NIVAC*. Grand Rapids: Zondervan, 2003.

Dias do calendário moderno	Episódio da semana da Paixão
Sexta-feira	• Chegada a Betânia (Jo 12.1)
Sábado	• Celebração à noite, Maria unge Jesus (Jo 12.2-8; cf. Mt 26.6-13)
Domingo	• Entrada triunfal em Jerusalém (Mt 21.1-11; Mc 11.1-10; Jo 12.12-18) • Inspeção da área do templo (Mc 11.11) • Retorno a Betânia (Mt 21.17; Mc 11.11)
Segunda-feira	• Maldição da figueira no caminho a Jerusalém (Mt 21.18-22; cf. Mc 11.12-14) • Condenação do templo (Mt 21.12,13; Mc 11.15-17) • Milagres e desafios no templo (Mt 21.14-16; Mc 1.18) • Retorno a Betânia (Mc 11.19)
Terça-feira	• Reação à maldição da figueira na volta a Jerusalém (Mt 21.20-22; Mc 11.20,21) • Discussões com líderes religiosos de Jerusalém e ensino no templo (Mt 21.23—23.39; Mc 11.27—12.44) • Discurso do monte das Oliveiras (escatológico) no retorno a Betânia (Mt 24.1—25.46; Mc 13.1-37)
Quarta-feira	• "Quarta silenciosa" — Jesus e os discípulos permanecem em Betânia para os últimos momentos de comunhão • Judas volta sozinho a Jerusalém a fim de se preparar a traição (Mt 26.14-16; Mc 14.10,11)
Quinta-feira	• Preparação para a Páscoa (Mt 26.17-19; Mc 14.12-16) *Depois do pôr do sol:* • Refeição da Páscoa e a última ceia (Mt 26.20-35; Mc 14.17-26) • A pregação no Cenáculo (Jo 13—17) • Orações no Getsêmani (Mt 26.36-46; Mc 14.32-42)
Sexta-feira	*Em algum momento provavelmente depois da meia-noite:* • Traição e aprisionamento (Mt 26.47-56; Mc 14.43-52) • Julgamento judaico — Jesus comparece em três etapas perante: — Anás (Jo 18.13-24) — Caifás e parte do Sinédrio (Mt 26.57-75; Mc 14.53-65) — Sinédrio pleno (talvez logo após o nascer do sol) (Mt 27.1,2; Mc 15.1) • Julgamento romano — Jesus comparece em três etapas perante: — Pilatos (Mt 27.2-14; Mc 15.2-5) — Herodes Antipas (Lc 23.6-12) • Crucificação (entre 9 e 15h) (Mt 27.27-66; Mc 15.16-39)
Sábado	• O corpo de Jesus no túmulo
Domingo	• A ressurreição de Jesus • Testemunhas da ressurreição (Mt 28.1-8; Mc 16.1-8; Lc 24.1-12) • Aparições após a ressurreição (Mt 28.9-20; Lc 24.13-53; Jo 20—21)

por temerem as multidões. Em contraste com os líderes hipócritas, Jesus chama a atenção à adoração pura e sacrificial da viúva pobre. Ela faz o que os líderes supostamente deveriam fazer. Jesus passa um bom tempo ensinando seus seguidores sobre seu retorno e os acontecimentos que antecederiam esse importante episódio.

Jesus entra na área do templo (19.45-48)

Veja Mateus 21.10-19; Marcos 11.15-19. Jesus entra na área do templo e expulsa os cambistas. Eles haviam tornado o lugar de oração em um esconderijo de hipócritas. Enquanto Jesus ensinava diariamente no templo, os líderes judeus procuravam um modo de matá-lo, mas eram impedidos por causa de sua popularidade diante das pessoas.

A autoridade de Jesus é questionada (20.1-8)

Veja Mateus 21.23-27; Marcos 11.27-33.

Parábola dos lavradores maus (20.9-19)

Veja Mateus 21.23-27; Marcos 12.1-12.

Pagamento de imposto a César (20.20-26)

Veja Mateus 22.15-22; Marcos 12.13-17. Já que os líderes judeus estavam com medo das pessoas (20.19), eles agiram de forma traiçoeira mandando espias para pegar Jesus em alguma coisa que ele dissesse (20.20). Eles procuram apanhá-lo na questão do imposto pago a Roma, mas ele escapa com sabedoria da armadilha. A moeda tinha a efígie de César e devia ser entregue a este, ao passo que a vida humana tem a imagem de Deus e deve ser dedicada a Deus. Sem conseguir apanhar Jesus na armadilha, seus adversários ficam em silêncio.

Vista de Jerusalém a partir do monte das Oliveiras.

✛ Quando Jesus vê o lugar de oração de todas as nações servindo de esconderijo para líderes hipócritas, ele se ira com razão.

O Sinédrio
Larry R. Helyer

A palavra "Sinédrio" normalmente se refere ao supremo concílio judaico de Jerusalém. Entretanto, em Mateus 5.22, 10.17 e Marcos 13.9, ela se refere aos tribunais locais, e em Lucas 22.66 e Atos 4.15, refere-se, provavelmente, à câmara onde se reunia o Sinédrio.

De acordo com a tradição judaica, o Sinédrio começou com os 70 anciãos convocados por Moisés para auxiliá-lo a resolver disputas (cf. Nm 11.16). Entretanto, a verdadeira origem provavelmente remonta ao Período Persa, quando foi chamado de "concílio dos anciãos". No período dos procuradores romanos, o Sinédrio de Jerusalém exerceu o poder máximo.

O Sinédrio de Jerusalém era composto por aristocratas de origem sacerdotal pertencentes ao grupo dos saduceus, e era presidido pelo sumo sacerdote. Até o período do NT, representantes dos fariseus também eram admitidos como membros (Jo 11.47; At 5.34; 23.6).

Após a ressurreição de Lázaro, o Sinédrio decidiu matar Jesus (Jo 11.47-53). Depois do aprisionamento de Jesus, um interrogatório preliminar foi feito na casa de Anás, o sumo sacerdote anterior (Jo 18.12-18). Em seguida, Jesus é enviado a Caifás, o sumo sacerdote da época (Jo 18.24). Ao amanhecer, todo o Sinédrio se reúne (Lc 22.66). Testemunhas afirmam que Jesus falou contra o templo, mas seus relatos eram conflitantes (Mt 26.59-61; Mc 14.53-65). O sumo sacerdote faz Jesus jurar e exige que ele diga se é o Messias. A resposta de Jesus sugere uma confirmação. Com base nisso, o Sinédrio o acusa de blasfêmia (Mt 26.63-66; Mc 14.60-64). Sendo insuficiente para merecer a pena capital, o Sinédrio entrega Jesus a Pôncio Pilatos com a acusação de traição, uma vez que a alegação de ser o Messias continha implicações nacionalistas (Mt 27.11-14; Mc 15.1-5; Lc 23.1-5).

Tempos depois, o Sinédrio admoesta os apóstolos a parar de pregar sobre o nome de Jesus e os açoita (At 4.5-21; 5.21-41). O martírio de Estêvão ocorre após sua corajosa defesa perante o Sinédrio e seu ataque mordaz contra a liderança da instituição (At 6.12—8.1).

O apóstolo Paulo compareceu perante o Sinédrio sob a acusação de violar a santidade do templo (At 21.27-30). Ele baseia sua defesa com astúcia na doutrina da ressurreição física, uma convicção partilhada com membros fariseus do Sinédrio, mas rejeitada pelos saduceus. A consequência é um "júri dividido", uma vez que os fariseus saem em defesa de Paulo (At 23.6-10). Alguns judeus, com a cumplicidade dos chefes dos sacerdotes e anciãos, procuram convocar outra reunião do Sinédrio a fim de assassinar Paulo (At 23.12-15). Pela providência divina, o plano é descoberto e frustrado (At 23.16-35).

Em consequência da primeira revolta judaica (66-73 d.C.), o governo romano dissolveu o Sinédrio. Um novo "Sinédrio" foi constituído em Jâmnia (c. 68-80 d.C.), bem diferente do predecessor, composto de mestres rabínicos (sucessores dos fariseus) e interessados apenas em questões da lei religiosa. Sua autoridade se baseava na concordância voluntária dos judeus devotos.

Uma pergunta sobre a ressurreição (20.27-40)

Veja Mateus 22.23-33; Marcos 12.18-27. Os saduceus, que não acreditavam na ressurreição, procuram apanhar Jesus com uma pergunta sobre a ressurreição. Eles apelam à lei do levirato, explicada em Deuteronômio 25.5,6. No exemplo ridículo dos saduceus, sete irmãos se casam com a mesma mulher e querem saber qual deles será seu verdadeiro marido na ressurreição. Jesus os rechaça por não compreenderem a natureza da vida após a ressurreição. Os que ressuscitarem para a vida na era vindoura não se casarão nem morrerão; eles serão como os anjos, diz Jesus (20.35,36). Os líderes judeus ficam impressionados, e ninguém ousa fazer mais perguntas.

Jesus questiona os líderes judeus (20.41-44)

Veja Mateus 22.41-46; Marcos 12.35-37.

Cuidado com os mestres da lei (20.45-47)

Veja Mateus 23.1-36; Marcos 12.38-40.

A oferta da viúva pobre (21.1-4)

Veja Marcos 12.41-44. Em contraste com a hipocrisia dos líderes judeus se coloca a adoração genuína de uma pobre viúva. As duas moedas de cobre (*lepta*) eram as moedas de menor valor em circulação. Mas a oferta dela valia muito mais que a de todos os outros porque ela ofertou da sua pobreza "tudo o que possuía para viver" (21.4). Não é o que ofertamos, mas quanto sobra que mostra o nível do sacrifício.

O discurso do monte das Oliveiras (21.5-36)

PREDIÇÃO SOBRE A DESTRUIÇÃO DO TEMPLO (21.5,6)

Veja Mateus 24.1,2; Marcos 13.1,2.

SINAIS QUE ANTECEDERÃO O FIM (21.7-11)

Veja Mateus 24.3-8; Marcos 13.3-8.

O *leptos* de Alexandre Janeu era às vezes chamado "ninharia da viúva".

PERSEGUIÇÕES FUTURAS DOS DISCÍPULOS (27.12-19)

Veja Mateus 24.9-14; Marcos 13.9-13. Antes de todos esses acontecimentos iniciais (as "dores de parto"), os discípulos devem esperar sofrer por amor a Jesus. A perseguição lhes dará a oportunidade de testemunhar, e o Senhor dará as palavras e a sabedoria necessárias no momento certo. A perseguição será particularmente dolorosa porque a traição virá de amigos e familiares. Alguns até serão mortos por causa da lealdade a Jesus. Apesar de os discípulos experimentarem perseguição ou tribulação,

✚ Jesus anuncia a vindoura destruição do templo e avisa os discípulos sobre a futura perseguição.

As últimas sete frases de Jesus na cruz

1. "Pai, perdoa-lhes, pois não sabem o que estão fazendo." (Lc 23.34)
   Essa oração para que o Pai perdoasse seus inimigos e executores foi, na verdade, respondida por sua morte, que tornou possível o perdão.
2. "Eu garanto: Hoje você estará comigo no paraíso." (Lc 23.43)
   Essa promessa oferece o paraíso — lugar de vida, descanso, paz e comunhão com Deus — ao criminoso arrependido e crucificado junto de Jesus.
3. "Aí está o seu filho", "Aí está a sua mãe." (Jo 19.26,27)
   Tendo José provavelmente morrido antes dessa época, Jesus, o filho mais velho, era responsável por cuidar de sua mãe. Ele o faz confiando-a ao "discípulo a quem ele amava".
4. "Meu Deus! Meu Deus! Por que me abandonaste?" (Mt 27.46; Mc 15.34; cf. Sl 22.1)
   Jesus cita Salmos 22.1, uma oração do rei Davi que sofria injustamente. Como principal sofredor inocente, Jesus também confessa seus sentimentos ao se sentir abandonado por Deus.
5. "Tenho sede." (Jo 19.28; cf. Sl 22.14,15; 69.21)
   Jesus provavelmente pediu algo para beber a fim de poder proferir as últimas poucas palavras e assim cumprir as Escrituras. Aqui ele faz alusão a Salmos 22.14,15 e 69.21.
6. "Está consumado!" (Jo 19.30; cf. Sl 22.31)
   A expressão alude à obra redentora; "consumado" significa "quitado", e o tempo verbal sugere uma ação encerrada, mas com resultados em andamento. A obra do Filho foi completada — agora e sempre!
7. "Pai, nas tuas mãos entrego o meu espírito." (Lc 23.46; cf. Sl 31.4,5)
   O pano de fundo é Salmos 31.4,5. Jesus anuncia a restauração da comunhão com o Pai e se entrega aos cuidados dele.

nenhum deles experimentará a ira de Deus (i.e., ninguém perecerá). Ao perseverar até o fim, obtemos vida. Devemos aguardar a perseguição até Jesus voltar. Estamos preparados para sofrer por Cristo?

A DESOLAÇÃO DE JERUSALÉM (21.20-24)

Veja Mateus 24.15-22; Marcos 13.14-20.

O RETORNO DO FILHO DO HOMEM (21.25-28)

Veja Mateus 24.29-31; Marcos 13.24-27. Os cristãos devem se encorajar quando pensam sobre o retorno de Cristo. Jesus diz: "Ergam a cabeça porque estará próxima a redenção de vocês" (21.28). Fomos salvos e estamos sendo salvos, mas no retorno de Cristo nossa salvação será plena e inteiramente cumprida.

✚ Lucas identifica de forma explícita o "sacrilégio terrível" mencionado em Mateus 24.15 e Marcos 13.14 (cf. Dn 9.27; 11.31; 12.11) com a destruição de Jerusalém pelos romanos no ano 70 d.C. (v. Lc 21.20,21).

A ressurreição de Jesus
Darrell L. Bock

O contexto e a importância da ressurreição. A ressurreição de Jesus representa uma variação da expectativa judaica da ressurreição do corpo no fim da História. Os judeus aguardavam uma ressurreição que seria seguida de um julgamento e da vindicação dos justos (Dn 12.1-4). A diferença apresentada pela ressurreição de Jesus diz respeito à ressurreição antes do fim dos tempos e sem ser acompanhada do juízo. A ressurreição provocou a exaltação de Jesus por Deus, algo que Jesus tinha predito quando foi interrogado pela liderança judaica e respondeu que o Filho do homem (Jesus) se assentaria ao lado direito de Deus, apesar da crucificação que a liderança estava pretendendo (Mc 14.53-72). Na verdade, Jesus antedisse que Deus mostraria quem era o escolhido ao vindicá-lo da morte.

Essa ideia é justamente o motivo de a ressurreição ser tão significativa. A maioria das pessoas pensa que a ressurreição é importante porque aponta para a vida após a morte. Com certeza, esse é um aspecto central de seu ensinamento. Como Paulo afirma em 1Coríntios 15.20-28, Jesus é o primogênito dentre os mortos (o primeiro a derrotar a morte). Entretanto, o mais importante é o que e a ressurreição diz a respeito de Jesus. Por isso, na mesma passagem, Paulo passa a discutir o papel do Jesus exaltado em decorrência da ressurreição. A posição de Jesus à direita de Deus como consequência da ressurreição lhe dá condições de distribuir as bênçãos da nova era, algo descrito em Atos 2.30-36.

A apresentação da ressurreição. Curiosamente, o NT nunca descreve a ressurreição. Antes, o NT registra os efeitos da ressurreição, conforme se constata pelo túmulo vazio e as aparições. Ninguém testemunhou a ressurreição; os textos apenas testificam o impacto do acontecimento. Não raro, os céticos gostam de argumentar que a igreja primitiva inventou os relatos. Mas o que as Escrituras apresentam em relação à ressurreição contradiz essas alegações. Em primeiro lugar, as mulheres foram as primeiras testemunhas do túmulo vazio e recebem o primeiro anúncio da ressurreição. É sabido que no século I as mulheres não eram consideradas testemunhas fidedignas de acordo com a lei. Então, se alguém quisesse inventar uma história para criar uma ideia controvertida (os gentios não acreditavam na ressurreição nem os saduceus), escolheria testemunhas desautorizadas para iniciar o caso? É muito improvável. As mulheres iniciam a história, pois elas foram as primeiras a ouvir o anúncio. Em segundo lugar, se você inventasse uma história para obter credibilidade, retrataria a incredulidade dos principais líderes ao ouvir as notícias iniciais? Quando as mulheres relatam a ressurreição aos discípulos, eles acharam que o relato delas não fazia sentido (Lc 24.11). Somente Pedro e João vão confirmar

A PARÁBOLA DA FIGUEIRA (21.29-33)

Veja Mateus 24.32-36; Marcos 13.28-32

VIGIEM E OREM! (21.34-36)

Veja Marcos 13.33-37. Aqui encontramos instruções específicas sobre o significado de vigiar e orar enquanto aguardamos o retorno de Jesus. Devemos evitar estar sobrecarregados com "libertinagem, bebedeira e ansiedades da vida", para que o dia de seu retorno não nos apanhe de surpresa. Devemos vigiar e orar para que perseveremos diante de tudo o que há de acontecer e estarmos em pé diante do Filho do homem.

o que aconteceu (Lc 24.12; Jo 20.3). Essa incredulidade não põe os discípulos em situação confortável em termos da própria fé. Contudo, foi essa a reação deles. Terceiro, se a igreja primitiva tivesse inventado a história, poderia ter criado algo mais simples que se enquadrasse nas expectativas judaicas. Eles poderiam apenas ter argumentado que Jesus ressuscitaria no fim dos tempos, conforme as expectativas dos judeus, e que ele conduziria o juízo. Mas não ocorreu o que se esperava. Algo criou o precedente do terceiro dia da ressurreição na história. Essas características do relato da ressurreição mostram a alta improbabilidade de que a história tenha sido inventada.

Outras histórias mais céticas sobre a ressurreição. Alguns gostam de sugerir que a ressurreição não passava de uma experiência derivada de uma visão. De modo geral, é considerada uma indução produzida pelo luto. Mas isso não explica as refeições de que Jesus participou (Lc 24.36-43), nem a série de aparições, como a que ocorreu diante de quinhentas testemunhas conforme 1Coríntios 15.6. Outros ainda argumentam que as tradições mais antigas eram respeitantes ao túmulo vazio, o que não requer um corpo ressuscitado, antes poderem dar margem à retirada do corpo para criar a impressão de uma ressurreição. A principal dificuldade com essa teoria, que Mateus 28.13 observa, é que os discípulos foram perseguidos e estavam dispostos a morrer por essa crença na ressurreição. As pessoas que teriam movido o corpo teriam de fazê-lo de modo tão satisfatório diante do túmulo protegido e, depois, convencer outras pessoas da suposta ressurreição. Elas teriam de se dispor a guardar o segredo até a morte. Isso também não é o suficiente para explicar o ponto de partida do anúncio feito pelas mulheres, um ponto que, mais uma vez, não soa como invenção. Em suma, a melhor explicação para a ressurreição é que tenha acontecido de fato.

A partir de onde é possível traçar a origem da esperança da ressurreição na igreja? A pergunta aqui é histórica. A resposta bíblica é que se vê a ressurreição sendo pregada quase logo após a ressurreição, conforme o livro de Atos mostra. Uma resposta histórica (i.e., um argumento para ser usado para quem não aceita o caráter teológico especial da Bíblia) é que sabemos que a ressurreição foi pregada poucos anos após esse acontecimento. A conversão de Paulo (Saulo) é uma indicação disso. Quando Jesus aparece a esse perseguidor da igreja (At 9), Saulo precisava ter ouvido mensagens sobre o Jesus ressurreto para poder reconhecer o Jesus ressurreto que lhe aparecia. Isso nos diz que até a conversão de Paulo, passados poucos anos da morte de Jesus, estava em vigor o conceito de um Jesus ressurreto e exaltado.

A centralidade da ressurreição. Primeiro aos Coríntios 15 expressa com grande clareza que a ressurreição é o acontecimento central da fé cristã. Ela aponta para o Jesus exaltado à direita de Deus. Mostra que há vida após a morte. Por isso a igreja celebra esse acontecimento todos os anos e prega sobre ele com regularidade do púlpito.

O ministério de Jesus em Jerusalém (21.37,38)

Lucas resume o ministério de Jesus em Jerusalém. Todos os dias ele ensinava no templo, e todas as noites ele se retirava para o monte das Oliveiras, próximo dali. Apesar de a liderança judaica se opor a ele de forma incessante, por um tempo ele manteve a popularidade diante das multidões. Tudo isso estava para mudar.

O Salvador é traído, julgado e crucificado (22.1—23.56)

Durante todo o seu ministério, Jesus dizia que "deveria" ir a Jerusalém a fim de sofrer, morrer e ressuscitar. Este era seu destino divino. A longa jornada termina com a realização de sua predição. Depois de um breve ministério contencioso na área do templo, Jesus é por fim traído por um de seus próprios discípulos. Para salvar as pessoas de seus pecados, o Salvador precisa morrer e ressuscitar. A hora das trevas chegou, mas não será a palavra final.

A conspiração para matar Jesus (22.1,2)

Veja Mateus 26.1-5; Marcos 14.1,2.

Judas trai seu Salvador (22.3-6)

Veja Mateus 26.14-16; Marcos 14.10,11; João 13.2. Satanás entra em Judas Iscariotes, um dos Doze, que então decide trair Jesus longe das multidões. Os líderes judeus ficam muito satisfeitos em fazer um acordo com Judas por um valor não muito alto (v. Mt 26.15). Agora nada os impede de matar Jesus.

A última ceia (22.7-23)

Veja Mateus 26.17-30; Marcos 14.12-26; João 13.1-30. Jesus faz os preparativos para a última refeição com seus discípulos, uma ceia de Páscoa em celebração ao resgate extraordinário da escravidão do povo de Deus no Egito. Ele manda à frente Pedro e João para fazer os preparativos. Eles entram na cidade, encontram um homem carregando um jarro de água e o seguem até uma grande sala no andar superior, onde preparam a refeição (22.7-14). Eles teriam sentado em volta de várias mesas baixas ou em almofadas ao chão em forma de U. Todos se reclinavam para a esquerda com as pernas apontadas para fora, usando sua mão direita para comer (22.14). É bem provável que o anfitrião (nesse caso, Jesus) sentasse próximo à base das mesas tendo os convidados de honra de um e de outro lado. Ironicamente, Judas pode ter ocupado um dos lugares de honra, ao lado de Jesus. Jesus transforma essa última refeição ou ceia de Páscoa na ceia do Senhor, por meio de suas palavras e seus atos registrados em 22.15-20. Jesus lhes dá o pão partido e diz: "Isto é o meu

Oliveiras muito antigas no monte das Oliveiras.

✝ Jesus ensina que o sacrifício de sua vida sobre a cruz estabelecerá a nova aliança predita por Jeremias (v. Lc 22.20; Jr 31.31-34).

As aparições de Jesus após a ressurreição
Darrell L. Bock

Alguns textos-chave de aparição. Primeira aos Coríntios 15.5-8 contém uma lista das principais aparições de Jesus, além da aparição inicial às mulheres registrada nos Evangelhos. Está escrito: "e apareceu a Pedro e depois aos Doze. Depois disso apareceu a mais de quinhentos irmãos de uma só vez, a maioria dos quais ainda vive, embora alguns já tenham adormecido. Depois apareceu a Tiago e, então, a todos os apóstolos; depois destes apareceu também a mim". Uma das aparições mais detalhadas acontece a dois homens a caminho de Emaús em Lucas 24.13-15. No relato, eles expressavam a esperança de que Jesus fosse o prometido Messias, mas ainda estavam incertos sobre as alegações a respeito do túmulo vazio. A certa altura, Jesus abre as Escrituras e se revela a eles. João 20.10-18 compartilha detalhes sobre uma aparição a Maria Madalena. A natureza física do corpo de Jesus é evidente quando ela se apega a ele. Jesus pede que ela o solte, porque ele precisa se dirigir ao Pai. A aparição a Tomé, em João 20.24-29, é significativa porque Jesus aparece para quem nutria dúvidas e o convida a tocar nele e comprovar que realmente era ele. Isso resulta na confissão de Tomé: "Meu Senhor e Deus meu", um aspecto culminante do Evangelho de João e o chamado à crença sem ter de observar o Jesus ressurreto.

Algumas observações sobre as aparições. Primeira, e de forma curiosa, não há registro de nenhuma aparição particular a Pedro. Os céticos gostam de sugerir que a igreja inventou esses relatos de aparições, mas isso parece muito improvável, uma vez que não há nenhuma aparição particular a Pedro que tenha sido "inventada". Tampouco há uma aparição detalhada a Tiago. Se, de fato, esses relatos houvessem sido inventados, seria difícil imaginar a causa de não contarem com detalhes tão importantes. A falta dessas aparições indica a atenção da igreja na apresentação desse material. Segunda, outros céticos gostam de argumentar que essas aparições são o resultado da esperança da igreja em meio ao sofrimento, como se fossem acontecimentos induzidos pelo sofrimento. Mas a alegação do aparecimento de Jesus a quinhentas pessoas de uma só vez descarta a noção de sugestão emocional, principalmente quando Paulo observa que muitas dessas pessoas ainda estavam vivas. Terceira, alguns tentaram distinguir os relatos do túmulo vazio dos relatos da aparição, mas essa é uma distinção artificial feita por céticos que argumentam que o conceito da ressurreição física foi um desenvolvimento posterior no pensamento da igreja. Por último, há aparições em que Jesus come com os discípulos (Lc 24.36-43). Estes relatos são destinados a mostrar que a ressurreição teve natureza física (i.e., corporal) contra a sugestão de que essas aparições resultaram de visões ou sonhos.

---

corpo dado em favor de vocês" (22.19). Depois ele toma o cálice e diz: "Este cálice é a nova aliança no meu sangue, derramado em favor de vocês" (22.20). O pão e o cálice representam a entrega de Jesus para o perdão dos pecados. Ele promete não comer a refeição outra vez "até que se cumpra o Reino de Deus" em sua plenitude (22.16,18). Agora é o momento do sofrimento; mais tarde virá o tempo de celebração. Durante a refeição, Jesus prediz que um dos discípulos logo o trairia (22.21-23).

O maior no Reino (22.24-30)

Veja Mateus 19.28; 20.24-28; Marcos 10.41-45. Ao mesmo tempo que Jesus abre o coração e ensina o sentido de sua iminente morte, os discípulos discutem sobre quem era o maior dentre eles. Ele falava sobre seu sofrimento sacrificial, e eles se preocupavam com posição de destaque e privilégios. Jesus lhes diz que, entre seus seguidores, os líderes devem servir. Ele mesmo dá o exemplo do líder que serve (22.27). Os Doze (menos Judas), todavia, com certeza serão recompensados, uma vez que eles receberão o Reino e importantes responsabilidades de liderança nele (22.28-30).

Jesus prediz a negação de Pedro (22.31-34)

Veja Mateus 26.31-35; Marcos 14.27-31; João 13.36-38. Satanás deseja peneirar os discípulos como o trigo, mas Jesus intercede a favor deles, em especial por Pedro, o porta-voz do grupo. Apesar de Pedro se gabar da disposição de morrer com Jesus, na verdade, ele logo irá negar que o conhece. Jesus ora para que a fé de Pedro não falhe e que, depois de ele se voltar para Deus, possa fortalecer os outros cristãos. A experiência de Pedro ocorrerá exatamente como Jesus orou.

As duas espadas (22.35-38)

Nas primeiras missões, os discípulos viajavam com pouca bagagem e dependiam da hospitalidade de estranhos (v. Lc 9—10). Agora a atmosfera mudou de hospitalidade para oposição.

A Igreja de São Pedro em Gallicantu (que significa "o galo cantou") foi construída para lembrar o fato de Pedro negar Jesus no pátio da casa do sumo sacerdote. É improvável que seja o lugar exato da casa de Caifás.

✚ A mensagem de Jesus sobre o envio dos discípulos em uma missão (Lc 22.35-37) pode ter encorajado mais tarde esses mesmos discípulos a se tornarem envolvidos na obra missionária descrita no livro de Atos.

Eles terão que carregar as próprias provisões, até mesmo uma espada para se protegerem (22.36). Jesus provavelmente usa o termo "espada" para representar a necessidade de armamento espiritual no futuro. Essa nova situação com certeza afetará Jesus enquanto ele for para a cruz, cumprindo as Escrituras (22.37; v. Is 53.12). Os discípulos, contudo, se equivocaram de forma absoluta sobre o que Jesus tinha dito e lhe disseram que eles tinham tomado duas espadas. Essa é uma das vezes em que Jesus parece não aguentar mais a ignorância deles e, por isso, apenas muda de assunto (22.38).

A oração de Jesus no Getsêmani (22.39-46)

Veja Mateus 26.36-46; Marcos 14.32-42; João 18.1. Jesus pede duas vezes aos discípulos que orem a fim de que "não caiam em tentação" (22.40,46). A falta de oração nos torna especialmente vulneráveis à tentação. Na versão de Lucas sobre os acontecimentos, alguns manuscritos antigos não contêm os versículos 43 e 44 sobre a intervenção de anjos e o suor de Jesus tornando-se em gotas de sangue. Se esses versículos forem originais, compreendemos a intensidade da luta de Jesus em ter de enfrentar a cruz. De qualquer modo, Jesus não suou gotas de sangue. Antes, seu suor "era como gotas de sangue" (22.44).

Jesus é traído e preso (22.47-53)

Veja Mateus 26.47-56; Marcos 14.43-52; João 18.2-12. O relato da prisão de Jesus é mais detalhado que nos outros Evangelhos. Lucas é o único que registra Jesus curando a orelha do servo do sumo sacerdote (22.51), um detalhe esperado da parte de um médico. Isso também demonstra a compaixão de Jesus para com os que queriam destruí-lo. A hora das trevas chegou (23.53).

O julgamento judaico de Jesus e a negação de Pedro (22.54-71)

Veja Mateus 26.57-75; Marcos 14.53-72; João 18.13-27.

Jesus no tribunal perante Pilatos e Herodes (23.1-25)

Veja Mateus 27.1,2,11-26; Marcos 15.1-15; João 18.28-40; 19.16. Os líderes judeus levam Jesus a Pilatos a fim de obter a pena de morte. Eles acusam Jesus de subverter a nação, opor-se ao pagamento de imposto a César, dizer-se o Cristo, um rei (23.2). Apesar de Jesus admitir ser o "rei dos judeus" (23.3), Pilatos declara Jesus inocente três vezes (23.4,14,15,22). Os líderes judeus continuam insistindo que Jesus causava alvoroço entre as pessoas com seus ensinamentos onde quer que passasse. Pilatos manda Jesus a Herodes Antipas para outro interrogatório (23.6,7). Herodes quer se divertir vendo Jesus realizar um milagre, o que Jesus se recusa a fazer (23.8-10). Jesus é ridicularizado por Herodes e seus soldados e, por fim, é enviado de volta a Pilatos (23.11,12). Pilatos outra vez declara Jesus inocente das acusações forjadas contra ele e pretende mandar açoitar Jesus e soltá-lo (23.13-16). Mas o povo começa a implorar pela libertação de Barrabás. Pede-se a crucificação de Jesus, e Pilatos finalmente cede (23.18-25).

Jesus, o Salvador, é crucificado (23.26-49)

Veja Mateus 27.31-56; Marcos 15.20-41; João 19.17-30. Enquanto Jesus é levado ao Gólgota para ser crucificado, ele é acompanhado por uma grande multidão, incluindo um grupo de mulheres que choravam (23.26-31). Jesus fala para elas não chorarem por ele, mas por si mesmas e por seus filhos. O dia da condenação de Israel se aproximava depressa (v. Os 10.8). Se Deus permite o sofrimento de seu amado Filho (a árvore verde), com quão maior severidade julgará a nação (a árvore seca, infrutífera)? Dois criminosos também são levados para serem crucificados. Enquanto Jesus é pregado na cruz, Lucas registra a primeira de suas sete últimas frases: "Pai, perdoa-lhes, pois não sabem o que estão fazendo" (23.34).

Seu pedido para que Deus perdoasse seus inimigos e executores se torna possível por meio da própria morte. Infelizmente, Jesus sofre contínua zombaria durante a crucificação (23.35-38). Lucas registra uma discussão entre os dois criminosos crucificados ao lado de Jesus (23.39-43). No começo, os dois ladrões zombam de Jesus (Mt 27.44; Mc 15.32), mas, próximo ao fim, um passa por uma transformação de coração. Ele pede para Jesus se lembrar dele quando entrar em seu Reino, sugerindo que Jesus e seu Reino não poderiam ser alcançados pela morte. Jesus garante ao homem: "Hoje você estará comigo no paraíso" (23.43 representa a segunda "frase" da cruz). A confissão do homem no minuto final é suficiente para lhe garantir um lugar no lar celestial. Do meio-dia até as 3 horas da tarde, uma escuridão paira sobre o cenário. A cortina do templo é rasgada em duas partes, e Jesus profere a sétima e última frase: "Pai, nas tuas mãos entrego o meu espírito" (23.46). O soldado romano que estava em pé próximo dali louva a Deus e confessa a inocência de Jesus (23.47). As testemunhas, abatidas, aos poucos vão deixando o lugar, mas os que o conheciam, incluindo as discípulas da Galileia, permanecem longe em silêncio (23.48,49).

Sepultamento de Jesus (23.50-56)

Veja Mateus 27.57-66; Marcos 15.42-47; João 19.38-42.

A ressurreição e ascensão de Jesus, o Salvador de todos os povos (24.1-53)

No terceiro dia, Jesus ressuscita dentre os mortos! De acordo com o plano de Deus, o caminho para a glória incluía o sofrimento. Depois de ressuscitar,

Jesus aparece a vários discípulos, comprovando-lhes que ele estava vivo de verdade e explicando o que havia acontecido. Ele os comissiona a testemunhar a todas as nações e lhes promete poder do alto para essa tarefa. Ele sobe ao céu, mas seu ministério na terra continuará por meio da igreja capacitada pelo Espírito. O livro de Atos continua a história impressionante do Salvador.

A ressurreição de Jesus (24.1-12)

Veja Mateus 28.1-10; Marcos 16.1-8; João 20.1-18. No primeiro dia da semana (domingo), algumas discípulas voltam ao túmulo para terminar de ungir o corpo de Jesus para o sepultamento. Elas são surpreendidas ao encontrar a pedra do túmulo já removida. Então entram no túmulo, mas não encontram o corpo. De repente, dois homens (anjos) aparecem em vestes brancas resplandecentes e perguntam às mulheres por que elas estavam procurando o vivo entre os mortos. "Ele não está aqui! Ressuscitou!", eles anunciam enquanto lembram as mulheres de que Jesus havia falado anteriormente sobre sua traição, crucificação e ressurreição (24.6,7). As mulheres relatam tudo o que viram aos 11 apóstolos, mas os homens no início não acreditam. Entretanto, Pedro corre ao túmulo, olha para dentro dele e encontra as vestes, mas não o corpo de Jesus.

As aparições de Jesus após a ressurreição (24.13-43)

Veja João 20.19-23. Depois da ressurreição, Jesus aparece a várias pessoas diferentes e em diversos lugares. Certa ocasião, ele aparece a dois discípulos que viajavam a Emaús, uma pequena aldeia distante uns poucos quilômetros de Jerusalém. Cleopas e o outro discípulo discutiam sobre o que havia acontecido, quando Jesus, de repente, coloca-se ao lado deles. Eles não o reconhecem e não entendem como aquele homem podia estar tão alheio aos acontecimentos importantes relacionados a Jesus de Nazaré. Eles dizem que Jesus era "um profeta, poderoso em palavras e em obras diante de Deus e de todo o povo" (24.19). Eles esperavam que ele (o Messias) libertasse Israel, mas os líderes judeus o mataram. Desde a crucificação, esses dois discípulos ouviram relatos estranhos, porém confiáveis, de um túmulo vazio (24.21-24). Jesus então repreende esses dois discípulos por serem tardios em aceitar que o Messias devia sofrer antes de ser glorificado, e lhes explica o que as Escrituras dizem a seu respeito (24.25-27). Naquela noite, quando Jesus toma o pão, dá graças e o parte, seus olhos se abrem e eles o reconhecem. Ele desaparece de imediato. Eles se perguntam: "Não estava queimando o nosso coração enquanto ele nos falava no caminho e nos

Um cravo romano perfurando o calcanhar de uma pessoa crucificada.

expunha as Escrituras?" (24.32). Eles voltam no mesmo instante a Jerusalém a fim de relatar aos discípulos o que havia acontecido e ali descobrem que Jesus também apareceu a Simão Pedro (24.33-35). Enquanto ainda conversavam, Jesus aparece entre eles (24.36). Ele acalma seus seguidores temerosos e os convida para lançar fora todas as dúvidas olhando para as feridas de suas mãos e pés (24.37-40). Fantasmas não possuem feridas de crucificação. Jesus agora tinha um corpo ressurreto! Para lhes fortalecer a fé, ele come um pedaço de peixe assado na presença deles (24.41-43).

A promessa de despedida, a comissão e a ascensão de Jesus (24.44-53)

Jesus lembra seus discípulos de que sua morte e ressurreição haviam de acontecer para o cumprimento das Escrituras. Ele os ajuda a entender como o plano de Deus incluía a crucificação e a ressurreição do Messias. Agora será "pregado o arrependimento para perdão de pecados a todas as nações, começando por Jerusalém" (24.47). Jesus promete derramar poder sobre os discípulos para testemunharem. Todavia, eles deviam permanecer em Jerusalém até serem "revestidos do poder do alto" (24.49; cf. At 1.4,5,8). A história de Atos começa em Jerusalém e prossegue para todas as nações como cumprimento da ordenança de Jesus. Enquanto Jesus abençoa o encontro dos discípulos próximo de Betânia, ele sobe ao céu (24.50,51; cf. At 1.9,10). Os discípulos voltam à cidade com grande alegria e louvam continuamente a Deus no templo enquanto aguardam receber o poder para sua missão.

Como aplicar Lucas à nossa vida hoje

O Evangelho de Lucas nos conta sobre quem é Jesus e como devemos viver como seus discípulos. Lucas apresenta um relatório rigoroso sobre o nascimento e a infância de Jesus para que saibamos que Jesus é o único Filho de Deus. Por meio de milagres extraordinários e poderosos ensinamentos, Jesus traz a salvação de Deus a todo o mundo. Ele é o Salvador de todos os povos — judeus e gentios, ricos e pobres, homens e mulheres, religiosos e pagãos. Ninguém está fora do alcance da graça de Deus se simplesmente se entregar a ele com arrependimento e fé. Jesus veio "buscar e salvar o que estava perdido", e isso inclui todos os seres humanos (19.10). Quer perdoando uma mulher pecadora, quer recebendo em casa um filho pródigo, salvando um gentio enfermo, quer honrando uma viúva pobre, Jesus alcança todas as pessoas, quer na esperança de lhes transformar a vida. O mesmo é verdadeiro hoje. Ninguém está longe da graça de Deus!

Jesus também chama seus seguidores para viver um estilo de vida radicalmente diferente. Devemos calcular o preço de seguir Jesus. O discipulado envolve mais que meros aparatos religiosos. Jesus exige de nós total lealdade. Ele nos chama para tornar as pessoas nossa prioridade. Aprendemos com Jesus a ser especialmente compassivos para com os pobres e os que a sociedade marginaliza. Muitas vezes, no ministério de Jesus, ele busca os menos favorecidos ignorados pelos poderosos. Jesus enfatiza a importância da oração, alegria e gratidão. Ele também nos diz que não podemos viver a vida cristã pela própria força; precisamos depender do poder do Espírito Santo. Como a indispensável jornada de Jesus a Jerusalém, nosso caminho como seus seguidores inclui o desejo de sofrer e a esperança da glória. Jesus se *dirigiu* a Jerusalém a fim de sofrer pelos pecados do mundo, e ele nos capacita a *prosseguir* de Jerusalém levando a melhor notícia que existe — o mundo tem um Salvador!

Provável localização de Emaús

Nossos versículos favoritos de Lucas

Mas o anjo lhes disse: "Não tenham medo. Estou trazendo boas-novas de grande alegria para vocês, que são para todo o povo. Hoje, na cidade de Davi, nasceu o Salvador, que é Cristo, o Senhor". (2.10,11)

No modelo da Jerusalém do século I, a localização tradicional do Gólgota ficava fora da segunda muralha da cidade.

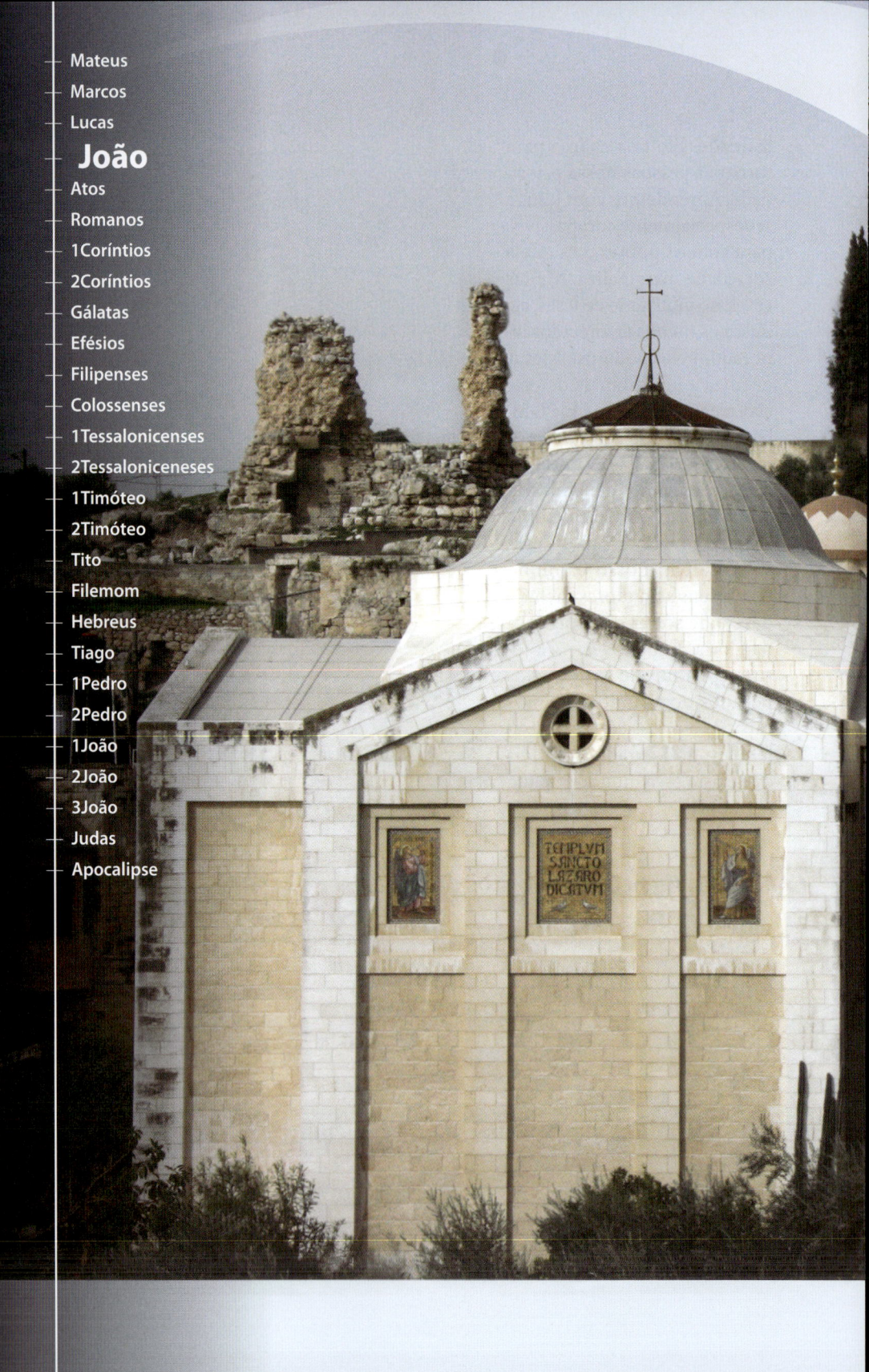

- Mateus
- Marcos
- Lucas
- **João**
- Atos
- Romanos
- 1Coríntios
- 2Coríntios
- Gálatas
- Efésios
- Filipenses
- Colossenses
- 1Tessalonicenses
- 2Tessaloniceneses
- 1Timóteo
- 2Timóteo
- Tito
- Filemom
- Hebreus
- Tiago
- 1Pedro
- 2Pedro
- 1João
- 2João
- 3João
- Judas
- Apocalipse

O Evangelho de
João
Crer em Jesus, o Filho enviado do Pai

Se você leu os Evangelhos ultimamente, com certeza deve ter observado que João é um pouco diferente.

Na verdade, cerca de 90% do conteúdo do Evangelho de João não é encontrado em Mateus, Marcos ou Lucas (os Evangelhos sinópticos). Clemente de Alexandria, um dos principais líderes da igreja primitiva, notou a mesma coisa a respeito de João:

> Mas, por último, João, percebendo que os fatos exteriores foram solidamente apresentados pelos outros Evangelhos, sendo impelido pelos amigos e inspirado pelo Espírito, compôs um Evangelho espiritual. (Eusébio, *História eclesiástica*, 6.14.7.)

Trata-se de fato de um "Evangelho espiritual". O vocabulário de João não é técnico. A linguagem é simples, mas o sentido é profundo. Agostinho, um dos pais da Igreja, é citado muitas vezes por ter dito: "O Evangelho de João é profundo o suficiente para um elefante nadar e raso o suficiente para uma criança não se afogar". Temos o costume de distribuir uma cópia de João para crianças e novos convertidos; todavia, os estudiosos continuam lutando com sua mensagem teológica. João é um companheiro singular e animador dos Sinópticos. Desfrute-o!

Quem escreveu João?

A tradição da igreja primitiva aponta João, filho de Zebedeu, um dos Doze, como o autor desse Evangelho (p. ex., Ireneu, Tertuliano, Clemente de Alexandria). Ireneu foi aluno de Policarpo, que foi um discípulo do próprio João. De acordo com Ireneu, João viveu em Éfeso no fim de sua vida e de lá escreveu seu Evangelho (*Contra heresias* 3.1.1). João se refere a si mesmo como "o discípulo a quem Jesus amava" (13.23; 19.26; 20.2; 21.7,20). Ele deixa claro que foi testemunha ocular da vida e do ministério de Jesus (1.14; 19.35; 21.24,25). João era judeu e, junto com Pedro e Tiago, fazia parte do círculo mais íntimo de Jesus. Da cruz, Jesus confia sua mãe, Maria, aos cuidados de João (19.26,27).

Quem eram os destinatários de João?

Como testemunha ocular e um dos apóstolos de Jesus, João se torna um dos líderes da igreja na região de Éfeso. Nessa época, a igreja sofria crescente oposição do judaísmo. Vemos sinais desse contexto no Evangelho. A expressão "os judeus" ocorre mais de 70 vezes para descrever os adversários de Jesus, e uma nítida divisão é estabelecida entre a igreja e "o mundo". João também observa vários exemplos de pessoas sendo expulsas da sinagoga (9.22; 12.42; 16.2). Muitos estudiosos acreditam que João escreveu no final do século I (entre meados dos anos 60 e meados de 90), principalmente para cristãos que se retiraram da sinagoga. Além de encorajá-los a continuar confiando em Jesus em meio às circunstâncias difíceis, ele também escreve para convidar outros à fé em Cristo.

Quais são os temas centrais de João?

João declara seu propósito ao escrever em 20.31: "Mas estes [sinais miraculosos] foram escritos para que vocês creiam que Jesus é o Cristo, o Filho de Deus e, crendo, tenham vida em seu nome". Muitos livros poderiam ser escritos sobre Jesus, mas João escreveu seu Evangelho para que as pessoas fossem fortalecidas na fé em Jesus. Começamos e continuamos nossa vida cristã por meio da fé. Ao nos entregarmos a Jesus, o Messias, e o Filho de Deus, experimentamos a vida, e João deseja que seus leitores experimentem a vida!

O Evangelho tem início com a identificação de Jesus como a Palavra que estava com Deus e que era Deus, mas que agora tinha se tornado humano para nos trazer vida (Jo 1.1-18). A parte central do Evangelho é dividida em dois livros. O "livro dos sinais" (1.19—12.50) contendo sete milagres ou sinais que Jesus realizou para se identificar e convidar as pessoas à fé.

✚ Policarpo, discípulo de João, foi um líder da igreja de Esmirna, uma das sete igrejas mencionadas em Apocalipse 2—3.

O "livro da glória" (13.1—20.31) se concentra na última semana da vida de Jesus. A semana da Paixão é várias vezes descrita em João como a glorificação de Jesus (7.39; 12.16,23,28; 13.31,32; 17.1,4; 21.19). A conclusão (21.1-25) descreve as aparições de Jesus aos discípulos depois da ressurreição, a restauração de Pedro por Jesus e uma palavra sobre o autor do Evangelho. O esboço é simples, porém profundo:

- Prólogo (1.1-18)
- O "livro dos sinais" (1.19—12.50)
- O "livro da glória" (13.1—20.31)
- Epílogo (21.1-25)

Quais são os aspectos interessantes e singulares de João?

- João omite muitos discursos e histórias encontrados em Mateus, Marcos e Lucas (p. ex., o batismo de Jesus, a Transfiguração, as parábolas e os exorcismos), mas inclui outros não encontrados nos Sinópticos (p. ex., a transformação da água em vinho, a ressurreição de Lázaro, a lavagem dos pés dos discípulos).
- João usa palavras simples e compreensíveis que com frequência carregam profundo sentido teológico (p. ex., "a Palavra tornou-se carne e viveu entre nós" em 1.14 ou "eu sou o pão da vida" em 6.35).

Escavações arqueológicas em Betsaida (Jo 1.44).

- Jesus é apresentado com clareza como ser humano e divino (1.1-18).
- Há sete usos da expressão "eu sou" e sete importantes milagres ou sinais para mostrar que Jesus é o único Filho de Deus.
- Jesus reivindica um relacionamento singular com o Pai (p. ex., 5.17,18; 8.42; 10.30; 14.9,10).
- Quase metade desse Evangelho (13—21) trata da última semana de vida de Jesus — a semana da Paixão.
- A vida eterna é uma realidade presente (p. ex., 3.15,16,36; 5.24,25; 6.47; 11.23-26) e uma esperança futura (p. ex., 5.28,29; 6.39; 11.25).
- Jesus inclui muitos ensinamentos seus sobre o Espírito Santo como Conselheiro ou Advogado (v. Jo 14—16).
- João usa muitos símbolos espirituais ou metáforas (p. ex., palavra, pão, luz, porta, pastor, água).
- João é marcado por um forte dualismo (p. ex., luz *versus* trevas, pertencer a Deus *versus* pertencer ao mundo).
- Há muitas ironias em todo o Evangelho de João, como o momento em que os chefes dos sacerdotes rejeitam Jesus como rei e dizem a Pilatos: "Não temos rei, senão César" (19.15).
- Muitos dos ensinamentos de Jesus ocorrem sob a forma de longas conversas (p. ex., com Nicodemos ou a mulher samaritana), debates acalorados (p. ex., com os judeus em Jo 7) e em exposições particulares (p. ex., o discurso de despedida em Jo 13—17).

Qual é a mensagem de João?

Prólogo (1.1-18)

O Evangelho de João não inclui o relato do nascimento de Jesus, pelo menos não do modo convencional como Mateus e Lucas. Antes, João apresenta uma introdução teológica sobre Jesus. Ele identifica Jesus como a "Palavra" (*logos*) que existia com Deus desde antes da Criação e ele próprio é Deus (1.1). Na filosofia grega, a "palavra" era o princípio de razão que governava todas as coisas. Na história judaica, a "palavra" era muitas vezes associada à sabedoria divina (v. Pv 8—9), mas ainda

Antigos vasilhames de pedra como estes protegiam o conteúdo de impurezas rituais.

✜ No AT, Deus executa sua vontade por meio de sua palavra (p. ex., Gn 1—2; Dt 8.3; Sl 33.6; Is 55.11).

A encarnação
Preben Vang

Encarnação significa "fazer-se carne" (lat., *in carne*) e não deve ser confundido com o termo de som parecido reencarnação. Em sentido bíblico, "encarnação" é o termo usado para expressar o que aconteceu quando Jesus, que esteve com Deus por toda a eternidade, entrou no cenário histórico como ser humano. Portanto, o significado de encarnação vai além das circunstâncias específicas em torno do nascimento de Jesus (1Tm 3.16). Por exemplo, João argumenta que quem rejeita a encarnação comprova ser um anticristo (1Jo 4.2; 2Jo 7). Da mesma maneira, Paulo interpreta a obra de Jesus na cruz à luz da encarnação (Cl 1.22) e considera a encarnação a razão de Cristo cumprir o que a Lei de Moisés não foi capaz (Rm 8.3; Ef 2.15).

A ênfase bíblica sobre a encarnação move a fé do campo da mitologia ao campo da História. Deus não está "lá fora em um lugar desconhecido"; ele resolveu se inserir na História e se revelar de maneira pessoal. A encarnação de Cristo protege a fé cristã de se tornar uma especulação alienada sobre o eterno; ela garante a ligação entre Deus e as problemáticas da vida humana. Como consequência, a fé cristã não pode ser indiferente às questões históricas da fé. Diferentemente dos escritos gnósticos, por exemplo, em que Deus apenas envia proposições sublimes, indefinidas, atemporais, para a meditação interior (p. ex., *O Evangelho de Tomé*), a fé cristã reconhece as ações de "vida real" de Deus no cenário humano e responde a elas.

No centro da doutrina cristã sobre a encarnação, está a afirmação sobre o ser de Cristo. A história da encarnação do NT impossibilita qualquer noção de que Jesus tenha sido um mero profeta/indivíduo devoto adotado por Deus. Antes, Jesus era 100% Deus e 100% homem. Não "apenas" homem, nem "apenas" Deus, nem 50% cada. Uma das maneiras de pensar sobre isso é reconhecer que tudo o que Jesus disse, fez e pensou foi exatamente o que Deus teria dito, feito e pensado. Dizer que Jesus era 100% Deus não significa que ele era igual ao Pai, mas que seu ser é o mesmo que o do Pai. Tudo o que diz respeito a Jesus é uma expressão exata de Deus, contudo Jesus não é o Pai.

Ao contrário dos cristãos primitivos, que conheceram Jesus como ser humano e procuravam entender sua divindade (Jo 10.25-30; 14.9,10,28), os cristãos hoje procuram entender o sentido da humanidade de Jesus e acham mais fácil considerá-lo apenas 100% Deus e desconsiderar sua humanidade. Ser 100% Deus significa que ele é o verdadeiro Salvador — não só alguém que pode indicar o caminho ao Deus Salvador. Ser 100% homem significa que ele está acostumado de modo total com a experiência humana. A encarnação convida os seguidores de Cristo a viver de forma que proclamem ativamente que o amor de Deus não é um amor distante, mas um amor presente e pessoal (Hb 2.18; 4.15).

de forma mais direta com a autoexpressão de Deus. Observe quanto João 1.1 se parece com Gênesis 1.1:

> Gênesis 1.1 — "No princípio Deus criou os céus e a terra".
>
> João 1.1-3 — "No princípio era aquele que é a Palavra. Ele estava com Deus e era Deus. Ele estava com Deus no princípio. Todas as coisas foram feitas por intermédio dele; sem ele, nada do que existe teria sido feito".

Em Gênesis 1, Deus cria todas as coisas por meio de sua palavra ou fala pessoal ("e Deus disse"). É desse modo que Deus se expressa. Observe o número de temas paralelos em Gênesis 1 e João 1 (p. ex., criação, trevas, luz, vida). Vemos por meio do AT que a palavra de Deus tem uma qualidade pessoal (p. ex., Sl 19.1-4; Is 55.10,11). João diz que agora essa "Palavra" pessoal de Deus se manifestou na pessoa de Jesus de Nazaré (Jo 1.1; Ap 19.13). Jesus é a expressão perfeita de Deus. Jesus não é apenas o Criador (1.1,2); ele é também o Salvador (1.3-5). Ele traz vida e luz ao mundo em trevas, e o mundo não consegue prevalecer sobre ele. Nos primeiros capítulos do Evangelho, João Batista testemunha a respeito de Jesus (1.6-9,15,19-34; 3.22-36). João nega repetidas vezes que ele seja o Cristo e aponta para Jesus como a verdadeira luz (1.6-9), o preexistente (1.15), o Cordeiro de Deus (1.29), o Filho de Deus (1.34), o Cristo (3.28) e o noivo (3.29). Os discípulos de João Batista que viviam na região de Éfeso próximo do final do século I não tinham dúvidas sobre quem era o maior. Apesar da identidade de Jesus, o mundo o rejeita (1.10). Lamentavelmente, ele é preterido até pelo próprio povo, o povo judeu, mas todos os que o aceitam se tornam filhos de Deus (1.11-13). A Palavra se tornou "carne" (1.14). João poderia ter expressado de modo mais respeitável dizendo que Jesus se tornou "homem" (*anthropos*) ou assumiu um corpo (*soma*), mas, em vez disso, ele usa uma expressão tangível, quase rude — "carne" (*sarx*). Jesus entrou de maneira completa e plena na condição humana com todas as suas limitações e fragilidades. O termo técnico para Deus se tornar humano é "encarnação", uma palavra que significa "estar em carne". A frase "viveu entre nós" do versículo 14 é importante, principalmente pela ligação com a palavra "glória". Durante a peregrinação de Israel no deserto, Deus resolveu "viver entre eles" e tornar sua presença conhecida por meio de uma tenda temporária chamada tabernáculo (Êx 40.34,35). Agora Deus "montou seu tabernáculo" entre nós na pessoa de Jesus, por isso podemos contemplar a presença gloriosa de Deus. Moisés nos deu a Lei, mas Jesus nos traz graça e verdade; precisamos de ambas! O prólogo do Evangelho de João ensina de forma inequívoca que Jesus é completamente humano (1.10,11,14,18) e completamente divino (1.1-5,9,10,14,18). Não podemos ver Deus, mas o "Deus Unigênito, que está junto do Pai, o tornou conhecido" (1.18). A palavra traduzida por "tornou conhecido" significa "fazer exegese" ou "conduzir para fora". Jesus revela o caráter e natureza do Deus invisível. Se você deseja saber como Deus é, olhe para Jesus!

O "livro dos sinais" (1.19—12.50)

A primeira parte de João se concentra nos sinais miraculosos de Jesus que revelam sua identidade como "o" enviado do Pai e chama as pessoas à fé. Tudo isso acontece antes de chegar o momento da glorificação.

✤ No AT, Deus revelou sua presença por meio do tabernáculo e do templo, mas agora ele "armou seu tabernáculo" entre nós por intermédio de Jesus.

O testemunho de João Batista (1.19-34)

Veja Mateus 3.1-17; Marcos 1.2-11; Lucas 3.1-22. Quando os líderes judeus procuram saber quem era João, ele mais que depressa confessa não ser o Cristo ou Elias, nem mesmo o profeta (1.19-21). João, na verdade, ocupa um papel secundário. Ele é a voz no deserto que prepara o caminho para o Senhor (1.22,23; cf. Is 40.3). Sua tarefa era testemunhar a respeito de Jesus. Quando Jesus aparece, João declara: "Vejam! É o Cordeiro de Deus, que tira o pecado do mundo!" (1.29). Ao contrário do cordeiro pascal, o autossacrifício de Jesus será capaz de fato de remover o pecado. João é inferior a Jesus não apenas porque Jesus morrerá pelos pecados do povo, mas também porque Jesus batizará as pessoas com o Espírito Santo (1.32,33). O testemunho de João é de que Jesus era na verdade o Filho de Deus (1.34).

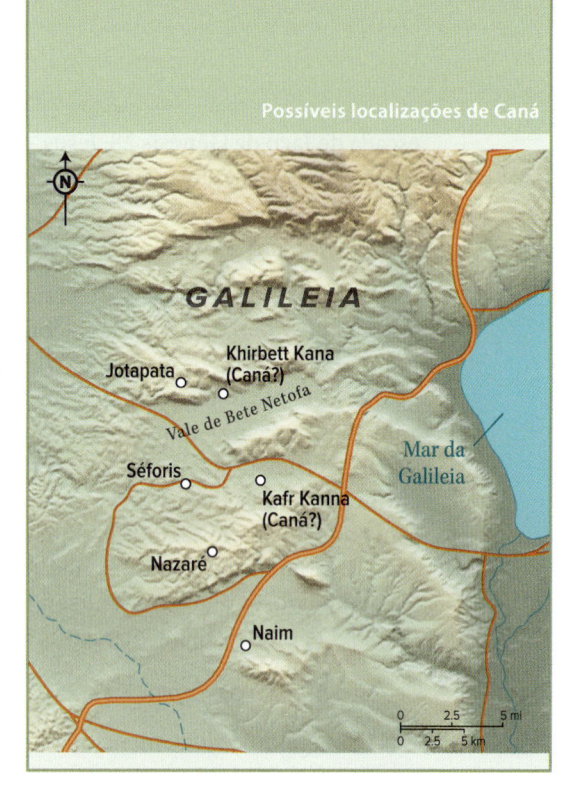

O testemunho dos primeiros discípulos (1.35-51)

Veja Mateus 4.18-22; Marcos 1.16-20. João Batista cumpre seu papel com fidelidade e mostra Jesus aos discípulos (1.35-37). De imediato, André e outro discípulo seguem Jesus (1.37-40). Depois, André traz seu irmão, Simão, para se encontrar com Jesus, o Messias (1.40-42), que logo dá a Simão um novo nome — "Cefas" (aramaico) ou "Pedro" (grego), cujo significado é "rocha" (1.42). A vida de Pedro nunca mais seria igual! No dia seguinte, Jesus chama Filipe para segui-lo, e Filipe conta a Natanael (1.43-45). Natanael queria com toda a honestidade saber se algo bom podia vir da pequena e distante cidade de Nazaré, e Filipe lhe faz o desafio: "Venha e veja" (1.46). Jesus vê Natanael se aproximando e lhe faz um sincero elogio: "Aí está um verdadeiro israelita, em quem não há falsidade" (1.47). Natanael fica imaginando de onde Jesus o conhecia, mas, quando Jesus diz ter visto Natanael debaixo da figueira, antes de Filipe o convidar (1.48), Natanael reconhece que Jesus é "o Filho de Deus" e o "Rei de Israel" (1.49). Jesus então diz a todos que eles logo verão coisas mais grandiosas, talvez se referindo aos sinais miraculosos que se seguiriam. Usando a figura da

✛ Natanael chama Jesus de "Cordeiro de Deus" em alusão ao cordeiro pascal de Êxodo 12 e para indicar o caráter sacrificial da missão de Jesus.

escada de Jacó de Gênesis 28, Jesus, o Filho de Deus, será agora o lugar da revelação de Deus a respeito de si mesmo (1.51).

Sinal número 1 — Jesus transforma água em vinho (2.1-12)

Os casamentos eram acontecimentos sociais importantes na cultura judaica, e o prolongamento da celebração muitas vezes servia para lembrar todos do regozijo aguardado para o banquete messiânico nos últimos tempos. Jesus e sua família participavam de um casamento em Caná quando os anfitriões perceberam que o vinho havia acabado, sinal de uma catástrofe social de primeira grandeza (2.1-3). Maria implora a Jesus que faça algo, mas ele lhe diz que sua hora de se revelar ainda não chegara (2.4). No entanto, Jesus transforma miraculosamente água em vinho, e em um bom vinho (2.5-10). Em vez de passar vexame, o noivo é elogiado. Esse foi o primeiro "sinal milagroso" que Jesus realizou para revelar sua glória e despertar a fé (2.11). De modo espetacular, Jesus anuncia a chegada da era messiânica.

Jesus purifica o templo (2.13-25)

O Evangelho de João menciona a purificação do templo bem mais cedo no ministério de Jesus do que o fazem Mateus, Marcos e Lucas. É provável que tenham ocorrido duas purificações do templo. Jesus celebra a Páscoa em Jerusalém quando decide expulsar os cambistas e seus animais do pátio do templo. Ele os acusa de transformar a casa de seu Pai em mercado (2.13-16). Apesar de o zelo de Jesus fazer lembrar aos discípulos textos como o de Salmos 69.9, os judeus exigiram um sinal miraculoso para comprovar sua autoridade (2.17,18). Jesus explica: "Destruam este templo, e eu o levantarei em três dias" (2.19). Eles achavam que ele estivesse falando do templo físico, mas a referência era à sua futura morte e ressurreição, o sinal absoluto (2.19-22). Jesus realiza outros sinais nesse período, e as pessoas creem (*pisteuo*) nele (2.23). Mas, com toda a prudência, Jesus não "se confiava [*pisteuo*] a eles", pois sabia quão inconstante é o ser humano (2.24,25). Jesus sabe que só Deus pode ser a fonte da fé das pessoas.

A conversa de Jesus com Nicodemos (3.1-21)

Nicodemos, um fariseu e membro do poderoso Sinédrio, procura Jesus em particular. Ele expressa seu interesse em Jesus, mas representa a liderança judaica e demonstra profunda ignorância espiritual (3.4,10). Jesus lhe diz categoricamente que para entrar no Reino de Deus a pessoa tinha de "nascer de novo" (ou "nascer do alto"). Nicodemos não consegue entender por interpretar as

Siclos de prata da cidade de Tiro eram a principal moeda usada para pagar o imposto do templo na Judeia.

✚ Quando Jesus transformou a água em vinho em Caná, demonstrou que trazia a salvação final da parte de Deus a ser completada com um banquete messiânico (v. Is 25.6).

Casamento judaico e os costumes da celebração matrimonial
Craig S. Keener

Mais do que muitos de seus contemporâneos do Mediterrâneo, o povo judeu valorizava o casamento e a geração de filhos. Os rabinos de períodos posteriores trataram a procriação como dever sagrado, e tentar evitar a concepção era considerado pecaminoso; eles exigiam o divórcio em caso de infertilidade. Apesar de alguns sábios judeus considerarem o casamento uma distração do estudo da Torá, a maioria o considerava um alívio da tentação (consequentemente, da distração). Todavia, alguns judeus divergiam dessa predominância cultural; por exemplo, muitas fontes antigas sugerem que alguns essênios mantinham-se celibatários.

Entretanto, quase todos os judeus religiosos limitavam moralmente a relação sexual ao casamento, e esperava-se que os casados mantivessem relações sexuais normalmente. A norma era a monogamia. Apesar de a poligamia ser legal para quem tivesse condições econômicas, havia pouquíssimos casos (o mais óbvio era Herodes, o Grande). As duas escolas de fariseus (Shammai e Hillel) divergiam sobre os motivos pelos quais os maridos podiam se divorciar da esposa: os primeiros limitavam aos casos de infidelidade da esposa, mas os últimos aceitavam o divórcio por praticamente qualquer motivo (Jesus, aparentemente, tinha opinião semelhante à da escola de Shammai). De acordo com os costumes gregos, as mulheres mais ricas também podiam se divorciar do marido, apesar de isso provavelmente não ter sido a norma para a maioria dos judeus ou galileus.

Na Antiguidade, a idade para o casamento era bem inferior à atual; de acordo com a lei, as moças judias podiam se casar a partir do momento em que entrassem na puberdade, e muito provavelmente casavam-se na adolescência, e os homens, de modo geral, a partir dos 20 anos. Uma vez que os judeus eram contra o descarte de meninas recém-nascidas (ao que parece, praticado por alguns gregos), os maridos eram normalmente mais próximos em idade de sua mulher que entre os gregos (em que maridos tinham talvez em média doze anos de diferença). O noivado era um acordo econômico entre famílias com maior compromisso que os noivados modernos; podia ser terminado apenas pelo divórcio ou a morte de um dos cônjuges.

A celebração do casamento (às vezes depois de um ano de noivado) durava, preferencialmente, sete dias, apesar de muitos convidados, fora os participantes principais e os familiares, participarem apenas de alguns desses dias. A primeira noite provavelmente era a mais importante, e a primeira relação sexual ocorria de modo geral nessa noite. Os banquetes de casamento ofereciam comida e vinho, por isso eram caros; as pessoas convidavam o maior número possível de pessoas, às vezes todos os moradores da vila. Os casamentos e os funerais representavam o resumo da alegria e da tristeza, respectivamente, e juntar-se à procissão de qualquer um deles era considerado uma obrigação comunitária.

As mulheres judias tinham mais liberdade de sair em público que as mulheres atenienses. No entanto, os sacerdotes desaprovavam que os homens conversassem com mulheres além da própria esposa ou de parentes. Depois de casadas, o costume era que as mulheres judias cobrissem o cabelo em público, reservando sua visão apenas para o marido. Idealmente, os deveres do marido incluíam dar o sustento financeiro à mulher de acordo com o padrão de vida a que ela estava acostumada em sua criação, e ter relações sexuais. Os deveres específicos da mulher incluíam moer farinha, cozinhar, amamentar e fiar. Também se esperava que as mulheres obedecessem ao marido nessa cultura (uma expectativa enfatizada muito mais entre os autores judeus helenísticos).

palavras de Jesus em sentido literal, mas Jesus explica que a pessoa tinha de "nascer da água e do Espírito" (3.4-8). Muito provavelmente, a figura da água não se refere ao batismo cristão ou ao nascimento natural, mas ao nascimento

Vida eterna

Nicholas Perrin

No AT, o conceito de "vida" está basicamente limitado à vida no presente (Dt 30.19). A vida era reconhecida como um ato criador e dádiva de Deus. As bênçãos da vida (incluindo segurança, saúde e prosperidade) também eram dádivas divinas. Desfrutar da plenitude da vida era considerado em certo sentido desfrutar do próprio Deus, porque Deus é a fonte de toda a vida.

Em sua visão sobre a ressurreição, Daniel 12 marca a transição da ênfase na vida neste mundo para a vida infindável, a realidade pós-morte: "Multidões que dormem no pó da terra acordarão: uns para a vida eterna, outros para a vergonha, para o desprezo eterno" (Dn 12.2). Aqui, as palavras "vida eterna" (a única ocorrência dessa expressão em todo o AT) estão intimamente ligadas ao estado da ressurreição. Uma vez que a literatura judaica mais próxima da época de Jesus manteve essa associação (*Salmos de Salomão* 3.16; 1*Enoque* 37.4; *Testemunhos de Aser* 5.2), sua linguagem de "vida eterna" deve também ter transmitido o conceito de ressurreição.

Em suas respectivas ênfases, João e os Evangelhos sinópticos tratam a vida eterna de modo diferente. Quando comparados ao evangelho de João, os Evangelhos sinópticos usam a expressão de modo muito restrito. Em comparação, João refere-se à "vida" ou "vida eterna" — as duas expressões são quase sinônimas — mais de 30 vezes. Na verdade, a razão de João escrever seu Evangelho é justamente pela probabilidade de seus leitores obterem a vida eterna (Jo 20.31). Nos Evangelhos sinópticos, de modo geral, a ocorrência de "vida eterna" se refere à futura era da ressurreição (Mt 25.46; Mc 10.17,30; Lc 10.25). Apesar de João também conceber a vida eterna como esperança futura (Jo 3.36; 5.39), ao contrário do testemunho dos Sinópticos, ele ressalta a possibilidade da apropriação dessa vida já no presente (5.24; 10.10).

Alguns sugerem que a ênfase de João sobre o aspecto presente da vida eterna reflete a influência da filosofia grega platônica. Embora não haja dúvida de que o Evangelista use termos apreciados por leitores acostumados com a filosofia grega, a essência de seu pensamento é derivada em maior escala do pensamento judaico. Em certos textos filosóficos gregos, por exemplo em *Poimandres*, a vida eterna é obtida mediante o autoaperfeiçoamento e a intuição impessoal da realidade. Em comparação, João compreende a vida eterna como um dom (Jo 5.25; 6.51), recebido pela fé (3.15; 5.24) e idêntico ao conhecimento pessoal de Deus, o Pai e o Filho (17.3). Uma vez que Jesus é o mediador e a fonte divina da autorrevelação, ele é também o mediador (6.32,33; 10.10) e a fonte (4.13,14; 11.25; 14.6) da vida eterna. Até que a vida eterna se manifeste em plenitude na ressurreição geral, ela permanece um agente ativo na transformação da vida do indivíduo e na capacitação para a missão coletiva.

---

espiritual relacionado à nova vida no Espírito (v. Is 44.3-5; Ez 36.25-27). Nicodemos ainda não entende (3.9), e Jesus o repreende por ser "mestre em Israel" e não conseguir entender a obra do Espírito (3.10), rejeitando assim o testemunho de Jesus e de seus seguidores (3.11,12). Jesus, o Filho do homem, veio do céu e será exaltado na cruz para que "todo o que nele crer tenha a vida eterna" (3.13-15). Agora, chega-se ao famoso texto de João 3.16: "Porque Deus tanto amou o mundo que deu o seu Filho Unigênito, para que todo o que nele crer não pereça, mas tenha a vida eterna". Apesar de Deus ter enviado seu Filho para salvar o mundo, em vez de condená-lo, tudo depende de como as pessoas vão reagir (3.17). Elas experimentarão a salvação ou a condenação. Quem crer em Jesus não será condenado (v. Rm 8.1), mas quem rejeitar Jesus já está condenado (3.18). João repete essa mensagem usando figuras de luz e trevas (3.19-21). Jesus, a luz, veio ao mundo. Alguns amam as trevas e odeiam a luz, temendo que seus atos pecaminosos sejam expostos, enquanto outros vivem pela verdade e abraçam a luz para que seus atos que dão glória a Deus sejam manifestos.

Outros testemunhos de João Batista (3.22-36)

Como João continua seu ministério como precursor do Messias, alguns de seus discípulos passam a sentir inveja da crescente popularidade de Jesus (3.22-26). João aproveita a oportunidade para elogiar Jesus mais uma vez. Ele caracteriza Jesus como o "noivo", e a si próprio como o amigo do noivo (3.27-29). João anuncia a todos com alegria que Jesus deve se tornar mais importante e ele menos (3.30). O contentamento de João com o ministério conferido a ele por Deus nos desafia a estarmos contentes e gratos também. Jesus é superior a João porque ele vem do céu com uma mensagem celestial, mas nem todos aceitam seu testemunho (3.31-33). A verdade está ligada, em última instância, à revelação divina, representada por Jesus (3.34). O Pai concedeu seu Espírito e toda a autoridade ao Filho (3.34,35). Mais uma vez, nossa resposta a Jesus determina nossa sorte — a vida eterna ou a ira da condenação divina (3.36).

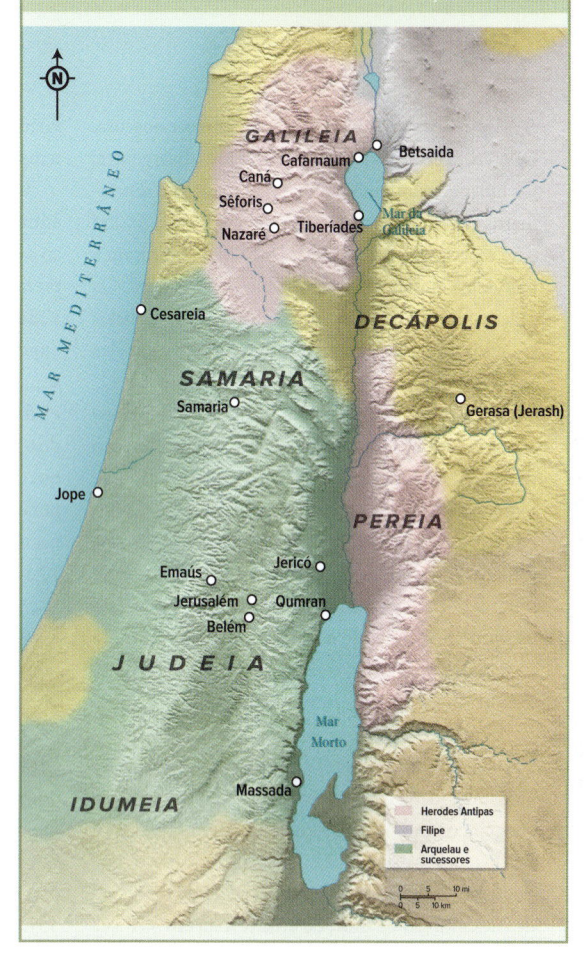

A conversa de Jesus com a mulher samaritana (4.1-42)

Jesus volta ao norte da Galileia passando por Samaria a fim de cumprir um compromisso divino (4.1-6). Quando uma mulher samaritana vai ao poço fora da cidade para tirar água, Jesus a surpreende pedindo água. Era extremamente incomum um mestre judeu falar com uma mulher dessas, mas Jesus se envolve em uma longa conversa com ela (4.9). Ele começa

✢ Há diversos contrastes no Evangelho de João, como luz e trevas, vida e condenação, crer e não crer, verdade e mentira, e "do alto" e "do mundo".

Os samaritanos
Jonathan M. Lunde

A origem dos samaritanos é historicamente obscura. Diferentes grupos apresentam opiniões divergentes. Os judeus argumentam que os antepassados dos samaritanos eram os estrangeiros transferidos da Assíria para a Terra Santa (2Rs 17.24-41) que abraçaram a fé judaica ainda preservando sua religião pagã. Os judeus dizem que esse mesmo grupo foi rejeitado pelos exilados que retornaram para a Judeia quando eles se ofereceram para reconstruir o templo (Ed 4.1-4).

Já os samaritanos alegam consistir no remanescente fiel de israelitas que rejeitaram a profanação da fé quando o lugar de adoração foi transferido de Siquém para Siló e, mais tarde, para Jerusalém. Como consequência, eles afirmam ter preservado o verdadeiro lugar de adoração no monte Gerizim e o verdadeiro sacerdócio. Josefo complementa essa posição recapitulando a expulsão de um sacerdote de Jerusalém, cujo sogro (Sambalate) construiu para ele um santuário no monte Gerizim.

Estudos recentes rejeitam a ligação entre os samaritanos e 2Reis 17 ou Esdras 4, uma vez que essas passagens funcionam mais provavelmente como referencial geográfico e político. Os samaritanos têm sido identificados com os não exilados, os israelitas do Norte, que migraram para Siquém depois da violenta repressão de Alexandre, o Grande, de uma revolta em 331 a.C. Estes se uniram a ou foram precedidos por sacerdotes expulsos de Jerusalém durante as rigorosas reformas em decorrência de Esdras e Neemias. Em algum momento no século IV a.C., eles construíram um templo no monte Gerizim, tornando explícita sua rejeição do templo de Jerusalém e suas tradições (cf. Jo 4.19-24).

Com o passar do tempo, cresceram as tensões entre samaritanos e judeus sobre questões relativas ao sacerdócio legítimo, ao local do templo e às interpretações tradicionais. Essas tensões eclodiram em 128 a.C., quando o asmoneu João Hircano conquistou Siquém e destruiu o templo samaritano. Essa antipatia se manifestou posteriormente quando, entre os anos 6 e 7 d.C., os samaritanos espalharam ossos nos arredores do templo durante a Páscoa e no massacre dos peregrinos galileus em Jerusalém no ano 52 d.C. São dignas de nota as instruções de Jesus aos discípulos de não entrar nas cidades samaritanas em viagens missionárias (Mt 10.5) e a rejeição de Jesus por uma aldeia samaritana (Lc 9.51-53; cf. tb. Jo 8.48).

Os samaritanos podem ser mais bem entendidos como uma forma conservadora de judaísmo, que aderia unicamente à própria revisão da Lei — o Pentateuco Samaritano. Em geral, eles acreditavam em um único Deus que comunicou sua lei ao povo por meio de Moisés. A caracterização provocadora de Jesus do samaritano como o que de fato amou seu próximo sugere um conceito positivo sobre a prática dos samaritanos de observar a Lei (Lc 10.30-35). Os samaritanos também aguardavam a vinda, nos últimos tempos, de um profeta como Moisés. A menção da mulher samaritana sobre a vinda do Messias pode ser uma paráfrase de João da referência dela a esse "profeta" (Jo 4.25).

---

com uma analogia espiritual ("água viva" em 4.10). Ela o entende mal tomando suas palavras de modo literal, assim como Nicodemos o fez antes (4.11,12,15). Jesus explica mais sobre a "água viva" antes de revelar sua percepção profética sobre a vida pessoal da mulher (4.16-19). Quando ela tenta mudar de assunto da própria vida para a religião, Jesus explica que os verdadeiros adoradores de Deus (quer judeus, quer samaritanos) adorarão a Deus "em espírito e em verdade" (4.20-24). Quando a mulher tenta postergar toda a questão até o retorno do Messias, Jesus declara ser o

Messias (4.25,26). Quando os discípulos retornam, ficam chocados ao ver Jesus conversando com a mulher, mas não dizem nada (4.27). Talvez por causa do entusiasmo, a mulher deixa o pote de água junto ao poço e volta depressa para a cidade com a notícia de que havia encontrado um homem que poderia ser o Messias (4.28-30). Enquanto isso, os discípulos insistem que Jesus coma, mas ele declara que seu alimento é realizar a vontade do Pai e cumprir aquele compromisso (4.31-34). Usando um provérbio do campo, Jesus diz que os campos estavam prontos para a colheita (4.35; cf. Mt 9.37,38; Lc 10.2). Deus estava agindo, e os discípulos colheriam os benefícios dessa obra (4.36-38). Muitos samaritanos da cidade acreditam em Jesus por causa do testemunho da mulher e confessam que Jesus é na realidade o "Salvador do mundo" (4.39-42).

Sinal número 2 — Jesus cura o filho de um oficial (4.43-54)

Jesus volta a Caná da Galileia, onde havia realizado o primeiro milagre — ao transformar água em vinho (4.43-46). Um oficial real, cujo filho estava mortalmente enfermo em Cafarnaum, veio implorar a Jesus para ir curar seu filho (4.46,47). Embora Jesus normalmente repreendesse as pessoas que desejavam ver sinais e maravilhas em vez de crer nele, ele tem compaixão e cura o filho desse homem a distância (4.48-53). O homem aceita a palavra de Jesus e volta para casa para encontrar o filho sadio. Nesse momento, ele e toda a sua família creem em Jesus (4.53). Este foi o segundo sinal miraculoso de Jesus (4.54).

Sinal número 3 — Jesus cura o homem junto ao tanque de Betesda (5.1-47)

Enquanto participava de uma festa em Jerusalém, Jesus cura um homem que estava inválido havia trinta anos. O homem estava próximo ao tanque de Betesda, na esperança de chegar às águas da cura quando elas se agitavam. Jesus ignora a tradição local relacionada às águas e cura o

Um poço de água do Oriente Médio.

✚ Jesus conversa não só com Nicodemos, membro da liderança religiosa de Israel, mas também com a mulher samaritana, uma pessoa marginalizada pela sociedade.

Os sete sinais do Evangelho de João
Matthew C. Williams

A palavra "sinal" (*semeion* em grego) aparece 17 vezes no Evangelho de João, sempre entre os capítulos 2 e 12, com uma ocorrência excepcional em 20.30. Embora Jesus tenha realizado muitos sinais (2.23; 20.30), João escolheu os que despertariam a fé em Jesus, de modo que os crentes encontrassem vida (20.30,31). Os sinais significam algo mais glorioso que os próprios milagres. Entretanto, às vezes, é difícil compreender de forma plena o sentido velado nos sinais. Eles apontam para a verdadeira natureza da identidade messiânica de Jesus e de sua missão como Filho enviado pelo Pai para trazer vida. Os sinais nos mostram que o Deus de amor está ativo e interessado na criação.

Quando um sinal é compreendido com correção, ele conduz à fé em Jesus como o agente divino da salvação. Contudo, eles não forçam a fé. Depois da ressurreição de Lázaro dentre os mortos, por exemplo, muitos creem em Jesus (11.45), mas os líderes judeus planejam matá-lo (11.53). Apesar da insuficiência da fé baseada nos sinais (2.23,24), ela era melhor que fé nenhuma, e, muitas vezes, serviu de degrau em direção à verdadeira fé e salvação. Um dos objetivos de João era que as pessoas cressem até quando não tivessem visto um sinal, ao contrário de Tomé (20.29).

Com certa frequência se diz que o Evangelho de João registra sete sinais. João, porém, usa o termo "sinal" de forma explícita para designar apenas quatro dos milagres de Jesus:

1. A transformação da água em vinho (2.1-11) significa que, ao transformar a água usada para a purificação cerimonial dos judeus em vinho de qualidade (Am 9.11-14), Jesus estava renovando Israel e estabelecendo a nova aliança, que era superior à antiga aliança (2.10; cf. Hb 8.6-12).
2. A cura do filho do oficial (4.46-54) significa que Jesus é o portador da vida. O filho estava à beira da morte, mas Jesus o curou e lhe deu vida.
3. A multiplicação dos pães para alimentar 5 mil pessoas (6.1-15) significa que só Jesus pode

homem de imediato (5.5-9). Naturalmente, o homem pega sua maca e anda, mas os judeus o condenam por violar a lei do sábado ao carregar a maca (5.9,10). Mais tarde, Jesus se encontra de novo com o homem e lhe diz que foi curado para sempre e que não deveria mais cometer pecado (5.14). Com certeza, nem todo sofrimento é decorrente direto do pecado, mas, nesse caso, talvez fosse. Jesus trata da pessoa toda, corpo e espírito. Os judeus começam a perseguir Jesus por curar no sábado (5.16). A resposta de Jesus os põe em situação ainda mais complicada. Ele diz que Deus é seu Pai, que Deus trabalha no sábado, por isso ele também trabalha no sábado (5.17). Os judeus consideram blasfêmia as afirmações de Jesus e procuram ainda mais um modo de matá-lo (5.18). Jesus, o Filho, é relacionado ao Pai de modo singular; eles trabalham em cooperação (5.19,20). Jesus tem a capacidade de ressuscitar mortos (5.21,25,26) e julgar (5.22,27,30). O modo de tratarmos Jesus é o mesmo que tratamos o Pai (5.23). Assim, quem acolhe Jesus e o Pai não experimentará condenação nem morte espiritual, mas vida eterna (5.24,28,29). Em seguida, Jesus aponta para três testemunhas além dele

satisfazer de fato a fome espiritual. Como o pão era um ingrediente fundamental da dieta mediterrânea para a sobrevivência física, a ingestão completa de Jesus — fé integral nele — é necessária para a vida espiritual.
4. A ressurreição de Lázaro dos mortos (11.38-44; 12.18) tem o significado importante de que Jesus veio dar vida aos que nele creem: "Eu sou a ressurreição e a vida". Ela também antecipa a ressurreição do próprio Jesus dentre os mortos — o sacrifício de sua vida a fim de dar vida a outros.

João se refere de modo indireto a dois outros atos milagrosos de Jesus como "sinais":

5. A cura do inválido (5.1-9; cf. 7.31) significa que o Reino de Deus já chegou, quando "os coxos saltarão como o cervo" (Is 35.6). Jesus, o Filho, se faz semelhante a Deus, o Pai (5.18), trabalhando para curar os necessitados a fim de dar vida, mesmo que seja no sábado (5.21,24-26).

6. A cura do cego (9.1-7; cf. 9.16) significa que Jesus é capaz de curar a cegueira física e também a espiritual. No AT, a cegueira era evidência de maldição ocasionada pela desobediência (Dt 28). Agora, em Jesus, há uma inversão da maldição de Deus: a luz, ou a salvação, é dada aos que lhe respondem (9.38); mas, para aos que o rejeitam, haverá cegueira ou condenação (9.40,41).

A maioria dos estudiosos, entretanto, não se agrada de apenas seis sinais, uma vez que no judaísmo o número seis representa imperfeição. Por isso, eles procuram pelo sétimo sinal, o número que indica perfeição ou inteireza. No entanto, não há consenso sobre qual seria o sétimo sinal. As propostas variam entre a purificação do templo (2.13-22), o andar sobre as águas (6.16-21), a ressurreição de Jesus e a pesca milagrosa (21.1-11). Devemos nos lembrar, contudo, de que João não enumera com clareza sete sinais, e nem sequer usa o número sete em seu Evangelho. Talvez João estivesse menos interessado no número exato de sinais do que em seu objetivo: fé e vida em Jesus.

que confirmam suas alegações: João Batista (5.33-35), os sinais que o Pai lhe concedeu realizar (5.36-38) e as Escrituras (5.39,40). Depois Jesus vira a mesa contra seus oponentes e os acusa de amar os elogios sobre sua vida religiosa, mas de não amar a Deus (5.41-44). Eles se orgulham de conhecer os escritos de Moisés, mas agora as palavras de Moisés os acusam porque eles rejeitam Jesus (5.45-47).

Sinal número 4 — Jesus alimenta 5 mil pessoas (6.1-15)

Veja Mateus 14.13-21; Marcos 6.30-44; Lucas 9.10-17. Os atos de alimentar 5 mil pessoas, andar sobre a água e ensinar sobre o pão do céu acontecem na Páscoa e estão ligados a como Deus livrou uma vez seu povo através das águas e os sustentou no deserto com o maná. Nesses últimos dias, Deus mais uma vez liberta e sustenta seu povo por intermédio de Jesus. O milagre da multiplicação dos pães leva as pessoas a quererem proclamar Jesus rei pela força, mas ele se retira até o tempo determinado (6.14,15).

✚ João 6 reflete diversos temas da Páscoa do AT: alimentação da multidão, libertação através das águas e o pão que cai do céu.

Os "Eu Sou" de Jesus
Matthew C. Williams

João usa a expressão "eu sou" (*ego eimi* em grego) muito mais vezes que os Evangelhos sinópticos. João emprega, de maneira peculiar, sete construções "eu sou" com predicados. Essas expressões explicam diferentes aspectos da missão de Jesus como o enviado de Deus para cumprir as promessas de Israel trazendo vida:

1. "Eu sou o pão da vida" (6.35,41,48,51) — ele atende não só às necessidades físicas, como também às espirituais.
2. "Eu sou a luz do mundo" (8.12; 9.5) — ele cumpre a cerimônia da luz da festa das cabanas e revela como encontrar vida e liberdade em meio às trevas.
3. "Eu sou a porta das ovelhas" (10.7,9) — ele conhece de forma íntima suas ovelhas, protege-as e as alimenta. Jesus é o único caminho para entrar no aprisco e ser "salvo" (10.9).
4. "Eu sou o bom pastor" (10.11,14) — ele vai em socorro do ferido e do perdido, em comparação aos maus "pastores", a cega liderança judaica (Ez 34; Jo 9.40,41).
5. "Eu sou a ressurreição e a vida" (11.25) — ele destrói o caráter permanente da morte.
6. "Eu sou o caminho, a verdade e a vida" (14.6) — ele apresenta o único caminho para o Pai.
7. "Eu sou a videira verdadeira" (15.1,5) — ele cumpre a antiga designação dada a Israel, povo que era chamado "a vinha" no AT. Em comparação com a falta de fruto de Israel (Jr 2.21), Jesus segue de forma obediente o Pai, como o fazem seus seguidores que permanecem ligados à vinha.

Em outras ocasiões, porém, "eu sou" é usado sem predicado (às vezes ocorre traduzido por "eu o sou"). Alguns pensam que o uso dessa expressão vem de um contexto helenístico porque a expressão "eu sou"

Sinal número 5 — Jesus anda sobre as águas (6.16-21)

Veja Mateus 14.22-33; Marcos 6.45-52. Como Deus demonstrou seu poder sobre o mar no episódio do Êxodo, também Jesus demonstra seu poder sobre a natureza. Depois de os discípulos terem remado horas contra um forte vento e águas turbulentas, Jesus vai ao encontro deles andando sobre as águas. Eles ficam aterrorizados, mas Jesus lhes diz: "Sou eu!" ("eu sou" em grego), lembrando aos discípulos judeus da declaração "eu sou" de Deus a Moisés (Êx 3.14). Jesus é o Deus encarnado, conforme os demais usos da afirmação "eu sou" do Evangelho de João confirmarão. As multidões seguem Jesus até Cafarnaum.

Jesus, o pão da vida (6.22-71)

Quando as multidões encontram Jesus, ele as repreende por quererem mais alimento e não compreenderem o sentido espiritual do milagre (6.25,26). Antes, deveriam consumir o alimento oferecido pelo Filho do homem que conduz à vida eterna (6.27). Há somente uma obra que Deus exige, e esta

pode ser encontrada em diversos textos religiosos e de magia da Antiguidade. Contudo, até o presente não se encontrou uso semelhante ao dos Evangelhos.

É mais proveitoso procurar a origem no contexto do AT. Quando Moisés pede para saber o nome de Deus, ele responde: "Eu Sou o que Sou" e manda a Moisés dizer:"Eu Sou me enviou a vocês" (Êx 3.13,14). Fica claro que a *Septuaginta* (a tradução grega do AT) usa a expressão "eu sou" de forma coerente como título de Deus, principalmente no livro de Isaías: "Para que vocês saibam e creiam em mim e entendam que *eu sou* Deus. Antes de mim nenhum deus se formou, nem haverá algum depois de mim. Eu, eu mesmo, sou o SENHOR" (43.10,11); "*Sou eu, eu mesmo*, aquele que apaga suas transgressões" (43.25).

Jesus usa "eu sou" como título para se identificar com o Soberano Deus do AT. Jó nos diz que apenas Deus anda sobre as águas (9.8). Quando Jesus anda sobre as águas, os discípulos ficam estarrecidos. Jesus responde: "Coragem! Sou eu! Não tenham medo!" (Mc 6.45-50). No julgamento de Jesus, o sumo sacerdote lhe pergunta se ele era o Cristo, o Filho de Deus. Jesus responde "*eu sou*", significando que ele era realmente o Filho de Deus.

Essa utilização absoluta de "eu sou" é mais comum no Evangelho de João. Os usos mais importantes se encontram em João 4.26: "*Eu sou o* Messias! *Eu*, que estou falando com você"; 8.24: "Se vocês não crerem que *Eu Sou*, de fato morrerão em seus pecados"; 8.28: "Quando vocês levantarem o Filho do homem, saberão que *Eu Sou*"; 8.58: "antes de Abraão nascer, *Eu Sou!*"; e 13.19: "Estou dizendo antes que aconteça, a fim de que, quando acontecer, vocês creiam que *Eu Sou*". Quando o bando vai prender Jesus e diz que está procurando Jesus de Nazaré, " 'Sou eu', disse Jesus. [...] Quando Jesus disse: 'Sou eu', eles recuaram e caíram por terra" (Jo 18.4-6). Os soldados agem como se tivessem na presença de um ser divino, prostrando-se ao chão diante de Jesus.

Jesus não é apenas aquele que vem *em* nome do Pai, mas ele vem *com* o nome do Pai — Jesus não é apenas um ser humano; ele é o *divino* "Eu Sou". Assim podemos entender por que os líderes judeus não conseguiram entender. O judaísmo monoteísta não conseguia admitir o conceito do Messias divino. Tomé, todavia, entendeu bem quando exclamou: "Senhor meu e Deus meu!" (Jo 20.28).

é crer em Jesus (6.28,29). Ironicamente, as pessoas que testemunharam a multiplicação dos pães para 5 mil pessoas agora exigem de Jesus um sinal miraculoso, alegando que Deus supriu seus antepassados com o maná no deserto (6.30,31). Jesus os faz lembrar de que Moisés não era a fonte do maná. Antes, Deus é o doador do verdadeiro pão do céu (6.32,33). Quando a multidão exige esse pão celestial, Jesus proclama com ousadia: "Eu sou o pão da vida" (6.33-35). O problema é que as multidões já haviam contemplado Jesus, o pão da vida, mas ainda não criam nele (6.36,41,42). Alguns, no entanto, creem de verdade em Jesus, e aquele que o Pai traz ao Filho será protegido e ressuscitado para a vida eterna no último dia (6.37,39,40,44). Jesus reitera ter vindo do céu para revelar o Pai e fazer a vontade dele (6.38,45,46). Os que ingeriram o maná no deserto morreram, mas quem crer em Jesus, o pão do céu, nunca morrerá (6.47-50). É interessante a informação contida nos versículos 41 e 43 que eles "murmuravam", talvez associando-os a seus antepassados que murmuraram contra Moisés, apesar de receberem o maná. Os discípulos de Jesus também se queixam em 6.61. Então, Jesus convida a multidão a comer o pão do céu, que, segundo ele, é a sua carne (i.e., sua vida corporal) que será entregue (na cruz) para o mundo (6.51). Os judeus ficam estupefatos e chocados com essa imagem ofensiva de comer a carne de Jesus (6.52). Mas Jesus insiste nessa imagem convidando os ouvintes a comerem sua carne e beberem seu sangue (6.53-57). Isso significa que devemos receber Jesus de forma profundamente pessoal e íntima. Comer a carne e beber o sangue é uma representação de assimilação, absorção e recepção da revelação de Deus em Jesus e o início de um relacionamento com ele. Talvez haja uma referência secundária à ceia do Senhor, que Jesus haveria de instituir perto do fim de seu ministério terreno. Jesus repete a mesma ideia no versículo 58: aquele que se alimenta do pão do céu viverá eternamente. Não havia nada parecido em sua herança judaica que pudesse preparar as pessoas para essas palavras ofensivas e vívidas de Jesus. Consequentemente, a partir desse momento, muitos deixam de segui-lo (6.60,61,64-66). Jesus declara que se, eles se ofendiam por causa da morte sacrificial, ficariam muito mais ofendidos com sua ressurreição e ascensão (6.61,62). Jesus esclarece que suas palavras não devem ser entendidas literalmente ("a carne não produz nada que se aproveite" no v. 63). Antes, ele expressava palavras vivificadoras e inspiradas pelo Espírito (6.63). Então Jesus pergunta aos Doze se eles também queriam abandoná-lo. Pedro fala em nome do grupo: "Senhor, para quem iremos? Tu tens as palavras de vida eterna. Nós cremos e sabemos que és o Santo de Deus" (6.68,69). Contudo, um dos Doze é o traidor (6.70,71).

Escavações em Tiberíades.

✢ A declaração de Jesus sobre comer sua carne e beber seu sangue é esclarecida posteriormente quando ele institui a ceia do Senhor.

Jesus vai à festa das cabanas em Jerusalém (7.1-13)

A festa das cabanas (ou tabernáculos) era uma das três principais festas do calendário judaico, junto com a Páscoa e Pentecoste. A festa celebrava a colheita do outono e servia de lembrança da providência de Deus para com o povo durante a peregrinação no deserto (Lv 23.33-43).

Dessa vez, os próprios irmãos de Jesus não creem nele. Antes, zombam dele como se fosse um milagreiro e o aconselham a ampliar suas relações públicas indo a Jerusalém (7.1-5). Jesus insiste em que seu tempo ainda não tinha chegado; mais trade, porém, vai a Jerusalém de forma secreta (7.6-10). As multidões se dividem em sua reação a Jesus (7.11-13).

Jesus ensina durante a festa (7.14-36)

Enquanto Jesus ensinava na área do templo, a reação das multidões é divergente. Em 7.16-19, Jesus repete o que disse em João 5 sobre ser enviado pelo Pai. Em 7.21-24, Jesus defende seu milagre da cura de um enfermo no sábado (Jo 5.1-11). Se era permitido circuncidar no sábado, por que ele não poderia curar o homem todo no sábado? Em 7.28,29, Jesus admite sua origem humana, mas insiste que ele é mais do que um profeta de Nazaré. Ele afirma mais uma vez proceder do Pai. Em 7.33,34, Jesus anuncia que ele logo voltaria para o Pai e que o mundo não o poderia seguir. O restante dessa seção consiste em várias reações às palavras de Jesus. Nesse momento, seus ensinamentos são mal compreendidos porque os ouvintes tomavam suas palavras em sentido literal (7.35,36). Alguns ficam admirados com seu profundo conhecimento (7.15). Os líderes judeus planejam matá-lo (7.19,20,25,32), mas hesitam em confrontá-lo durante a festa (7.25,26). Outros ficam apenas confusos (7.27). Por fim, alguns "creram nele", concluindo que o Messias não seria capaz de fazer mais sinais miraculosos que Jesus (7.31).

Jesus oferece água viva (7.37-52)

Na festa das cabanas, os sacerdotes tiravam água do tanque de Siloé e conduziam uma procissão ao templo, onde derramavam água na base do altar como meio de agradecer a Deus por sua provisão. Além disso, liam passagens dos Profetas (p. ex., Ez 47; Zc 14), que mencionavam a água viva jorrando do templo. No último dia da festa, Jesus convida publicamente os sedentos a vir a ele e saciarem a sede de modo permanente (7.37). Jesus proverá água viva, uma promessa que se cumpre mais tarde quando ele é glorificado e derrama o Espírito Santo (7.38,39). Novamente, a reação a Jesus é divergente (7.40-44). Os guardas do templo, que tinham a missão de prender Jesus, são cativados por suas palavras e voltam aos líderes judeus de mãos vazias (7.45-47). Os ansiosos líderes começam a reagir de forma negativa em relação a Jesus, a ponto de negligenciarem a sabedoria e a justiça (7.48-52).

✚ Diante da incredulidade da própria família e da oposição dos líderes religiosos, Jesus cumpre sua missão com sabedoria, evitando o confronto direto até chegar a hora de sua morte.

Jerusalém nos tempos de Jesus
Nicholas Perrin

A Jerusalém antiga atingiu o auge de seu tamanho pouco tempo antes da Primeira Revolta Judaica (66—70 d.C.), depois da decisão de Agripa I de incorporar os distritos arredores do norte construindo o que é chamado de "terceiro muro". A Jerusalém dos tempos de Jesus, delimitada apenas pelo "primeiro muro" e "segundo muro", era consideravelmente menor: não chegava a 1,3 quilômetro quadrado.

O primeiro muro era não só o mais antigo, como o mais extenso. A partir do canto sudoeste do templo (que ficava localizado na oriental colina do canto nordeste da cidade), seguia para o oeste até o palácio de Herodes (o Pretório) no canto noroeste. Não há dúvida de que Herodes, o Grande (37—4 a.C.), escolheu esse lugar — a extremidade norte, longe do templo — para construir não só a base de suas operações, como também três impressionantes torres: Hípico, Fasael e Mariane, porque o lado norte de Jerusalém era o único sem a proteção natural dos montes. Dali, o muro mergulhava para o sul por aproximadamente 800 metros, ao longo do cume da colina ocidental, de frente para o vale do Hinom (que Jesus chamou de Geena). Na intercessão do muro com a porta dos Essênios, assim chamado por causa de sua proximidade do "bairro dos essênios" e da estrada que seguia para Qumran, virava para o leste. Depois de circundar alguns importantes tanques, incluindo o tanque de Siloé (Jo 9.7), o muro da cidade se dirigia ao norte, voltando em direção ao templo, abraçando o monte oriental de frente para o vale de Cedrom, a leste.

Apesar da dificuldade de determinar precisamente o curso do segundo muro, construído durante o século II a.C. como extensão da extremidade norte da cidade, temos praticamente certeza de que partia da porta de Genate (provavelmente ficava próximo da metade da extensão norte do primeiro muro), subindo ao norte por aproximadamente 400 metros, e depois voltava para a Fortaleza Antônia, que ficava no canto noroeste da área do templo. Nos tempos de Jesus, esses mesmos muros serviam de proteção para uma população básica de 40 a 50 mil pessoas.

A cidade de Jerusalém era bastante diversificada economicamente. Em um extremo estava a classe alta do sumo sacerdote, a qual vivia em casas luxuosas e amplas nas proximidades do palácio de Herodes. No outro extremo estava "o pobre", uma classe de camponeses sem terra que tinham abandonado o campo e se refugiado na cidade, com esperança de se manter mendigando ou fazendo trabalho que não exigia habilidade específica. Entre essas classes estavam os comerciantes, artesãos e negociantes — a maioria dos quais dependia do templo e de negócios relacionados ao templo. O relacionamento entre as classes sociais era geralmente tenso: o ressentimento econômico que fervilhava na época de Jesus teria explicado, pelo menos parcialmente, o surgimento dos zelotes e a subsequente revolta judaica uma geração após a morte de Jesus. As repetidas advertências de Jesus contra a ganância era uma continuação da pregação de João Batista sobre esse assunto (Lc 3.10-14), as quais casualmente também eram destinadas contra os moradores de Jerusalém (Mc 15).

A mulher pega em adultério (7.53—8.11)

Essa história não se encontra nos manuscritos gregos mais antigos e mais confiáveis. Consequentemente, alguns estudiosos concordam que não fazia parte do Evangelho original de João. No entanto, há indícios nos registros históricos de que esse trecho reflita um acontecimento real da vida de Jesus.

A cidade era igualmente mesclada no nível sociocultural. Os peregrinos judeus da Galileia e do exterior faziam peregrinações regulares à Cidade Santa, o que levava a sua população a inflar durante as festas. Dado o caráter tão politizado dessas festas, e do caráter tão politizado do próprio templo, os romanos certamente também queriam marcar sua presença militar e política. Ela era uma presença ao mesmo tempo temida e ressentida. Finalmente, na condição de um local de turismo universal (que tinha tanto a ver com a fama política de Herodes quanto com as melhorias no templo), a cidade atraía visitantes de todas as partes do mundo conhecido. O turbilhão do redemoinho cultural dentro dos muros de Jerusalém praticamente garantia que qualquer ousada reivindicação política, incluindo as alegações implícitas de Jesus como Messias, não passariam despercebidas nem incontestes. A mistura política e cultural de Jerusalém, junto com a vigilância criteriosa dos romanos contra qualquer um que fosse propenso a perturbar o *status quo*, certamente influenciou o estilo, conteúdo e período da proclamação pública de Jesus.

É principalmente o Evangelho de João que ressalta o ministério de Jesus em Jerusalém. Em João 5, por exemplo, lemos a respeito do aleijado que ia ao tanque próximo da porsa das Ovelhas, ao norte da área do templo. Através dessa mesma porta, pastores conduziam os rebanhos para o sacrifício; pode ter sido um lugar apropriado para o contexto da parábola de Jesus da ovelha e da porta da ovelha (Jo 10.1-18). Em outras passagens, quando Jesus declara ser "luz do mundo" (Jo 8.12) ou se identifica como "água viva" (Jo 7.37,38), ele provavelmente usava figuras derivadas dos rituais do templo, os quais aconteciam nas festas da época. Especialmente em João, Jerusalém e seu templo se transformam no principal cabedal de figuras para o ensino de Jesus.

Tanto João quanto os Evangelhos sinópticos apresentam relatos detalhados da última semana de Jesus em Jerusalém. É quase certo que há um sentido simbólico na entrada de Jesus em Jerusalém pelo leste, isto é, vindo do outro lado do monte das Oliveiras (Mc 11.1-11; cf. Zc 14.4). Nos dias subsequentes, Jesus e seus discípulos passam a noite na vizinha Betânia, mas realizam suas atividades diárias em ou bem próximo do templo (Mc 11—13). Depois de participar da última ceia, que a tradição antiga identifica como tendo ocorrido no monte Sião (o lado sul da colina ocidental da cidade), Jesus e seus discípulos prosseguem para o leste, passando pelo templo, e através do vale de Cedrom para o Getsêmani (Jo 18.1), no declive inferior do monte das Oliveiras. Depois de ser preso, Jesus foi então levado e trazido várias vezes à casa de Caifás, próxima do palácio de Herodes, e a base de Pilatos próxima da Fortaleza Antônia (Lc 22.47—23.25; Jo 18). A melhor evidência constata que Jesus foi crucificado exatamente a oeste dali, fora dos muros da cidade, em um lugar atualmente ocupado pela Igreja do Santo Sepulcro. Depois de ressuscitado, Jesus aparece aos discípulos durante quarenta dias, e finalmente ascende ao céu do monte das Oliveiras (At 1.12). O que isso sugere em termos do retorno de Jesus é uma questão debatida entre os estudiosos.

De todo modo, é evidente que essa pequena área formada pela Jerusalém do século I ultrapassa de longe qualquer outra área em termos de importância — tanto para o judaísmo do século I como um todo quanto para Jesus. Jerusalém foi o lugar central da esperança escatológica do judaísmo; também foi o cenário final do ministério e chamado de Jesus. Dadas as complexidades da vida econômica e social, que constituía um microcosmo do mundo romano como um todo, o fato de Jesus voltar o rosto para Jerusalém permitiu não só o cumprimento das Escrituras, como também o confronto com as realidades obscuras que assombravam indivíduos de todas as épocas e lugares.

Os líderes judeus trazem a Jesus uma mulher flagrada em adultério e lembram que a Lei de Moisés determinava o castigo dessa ofensa com a morte por apedrejamento. Eles queriam pegar Jesus em uma armadilha. Depois de pensar sobre isso, Jesus responde: "Se algum de vocês estiver sem pecado, seja o primeiro a atirar pedra nela" (8.7). Os acusadores da mulher saem um a um, deixando apenas Jesus e a mulher. Jesus não a condena, mas a deixa ir, embora com a advertência para que ela abandonasse a vida de pecado (8.11).

Jesus é a luz do mundo (8.12-30)

Tochas acesas na festa das cabanas lembravam os peregrinos da presença de Deus no deserto por meio da coluna de fogo (Êx 13—14). Jesus agora diz ser "a luz do mundo", a verdadeira fonte da presença de Deus (8.12). Os fariseus tentam desqualificar seu testemunho, mas Jesus apela mais uma vez à sua origem celestial e ao relacionamento singular com o Pai (8.13-19). Ele continua ensinando na área do templo sem ser preso porque "sua hora ainda não havia chegado" (8.20). Jesus fala abertamente aos líderes judeus que eles não podiam ir para onde ele ia (8.21); eles morrerão em seus pecados (8.21,24) e são deste mundo (8.23), tudo isso porque não o receberam (8.24). Em decorrência disso, eles podem aguardar o juízo (8.25,26). A verdadeira identidade de Jesus se tornará evidente a todos quando ele, o Filho do homem, for levantado (8.28,29). As três referências de João a esse levantar provavelmente se referem à crucificação de Jesus e à sua ressurreição/exaltação (3.14; 8.28; 12.32-34). Jesus logo manifestará quem ele diz ser. Contudo, apesar da oposição, muitos creem nele (8.30).

Jesus é o "Eu Sou" (8.31-59)

Agora Jesus desafia a sinceridade da fé dos mencionados em 8.30. Parece que eles afirmam crer, todavia seus atos não confirmam suas palavras. Os verdadeiros discípulos abraçarão a palavra de Jesus, reveladora da verdade e libertadora das pessoas do poder do pecado (8.31,32). Jesus é a verdade e tem o poder de libertar as pessoas da escravidão do pecado (8.33-36). Muitos demonstram sua recusa em aceitar a palavra de Jesus tentando matá-lo (8.37). Jesus os acusa de se comportarem como o seu pai, identificado por ele mais adiante como o Diabo (8.38,41,44). O acalorado diálogo continua à medida que os judeus argumentam que seu pai espiritual é Abraão (8.39). Jesus responde que as ações deles contradizem sua declaração de ter Abraão por pai verdadeiro (8.39-41). Eles negam ser "filhos ilegítimos", talvez uma acusação sarcástica sobre a própria linhagem de Jesus (8.41). Eles insistem: "O único Pai que temos é Deus" (8.41). Jesus responde que, se Deus fosse o Pai deles, eles o amariam e o aceitariam, mas eles se recusam porque o Diabo, não Deus, é o pai espiritual deles (8.42-47). Jesus deixa muito claro que quem não o aceita, não pertence a Deus (8.47). Os judeus então acusam Jesus de estar possuído por um demônio e de ser um estrangeiro (8.48). Jesus nega estar possesso pelo demônio e diz que aqueles que guardam a sua palavra nunca morrerão (8.49-51). Eles reagem com força contra a alegação dele de evitar a morte, uma vez que até o próprio Abraão e os profetas acabaram morrendo.

✚ Jesus cumpre muitas das tradições judaicas relacionadas à festa das cabanas; ele é a "água viva" (7.37,38) e a "luz do mundo" (8.12).

Será que Jesus se considerava maior que Abraão? (8.52,53). Outra vez, Jesus declara ter um relacionamento especial com o Pai, concluindo que Abraão se regozijou com o pensamento de ver Jesus se manifestar (8.54-56). Eles se opõem dizendo que Jesus tem menos de 50 anos, por isso nunca teria visto Abraão (8.57). Nesse ponto da discussão, Jesus faz a afirmação mais forte sobre sua relação com Deus: "Eu afirmo que antes de Abraão nascer, Eu Sou!" (8.58). Jesus não só se coloca antes de Abraão, como também compartilha o nome divino "Eu Sou" (Êx 3.14). Jesus é um com Deus! Não é à toa que os judeus tomam pedras para matá-lo por blasfêmia (8.59). Todavia, seu tempo não havia ainda chegado e, assim, ele desaparece.

Sinal número 6 — Jesus cura um cego de nascença (9.1-41)

Jesus encontra um homem cego de nascença, e seus discípulos indagam sobre quem teria pecado para lhe causar a cegueira (9.1,2). Jesus diz que a cegueira do homem serve de oportunidade para Deus manifestar sua obra iluminadora (9.3). Por ser a "luz do mundo" (8.12-30), Jesus restaura a visão do homem. Ele mistura sua saliva com terra e a coloca nos olhos do homem, instruindo-o a se lavar no tanque de Siloé (9.4-7). Outra vez, Jesus transgride a lei do sábado para curar

Os restos modernos do tanque de Siloé.

✚ Jesus não só afirma ser maior que Abraão (o pai dos israelitas), como também afirma ser igual a Deus quando usa o nome divino "Eu Sou" (Jo 8.58; Êx 3.14).

Divindade e humanidade de Cristo
Thomas H. McCall

Os cristãos ortodoxos acreditam que Jesus Cristo é uma pessoa humana e divina. Apesar de ser uma única pessoa, ele possui duas "naturezas", e, nas palavras da venerável *Fórmula de Calcedônia* (451), ele tem essas naturezas "sem confusão, sem mudança, sem divisão, sem separação; a diferença das naturezas não é de modo algum suprimida pela união". Essa afirmação de fé, que está no cerne da fé cristã, tem fundamento no testemunho da Bíblia sobre a humanidade e a divindade de Jesus Cristo.

A humanidade de Jesus é atestada de diversas maneiras. As genealogias de Jesus (Mt 1.1-17; Lc 3.23-38) testemunham o fato de que ele era descendente de ancestrais humanos específicos. O NT diz que ele nasceu em "forma humana" (Fp 2.7), que ele se desenvolveu (Lc 1.80; 2.4,52) e se tornou um trabalhador (Mt 13.55; Mc 6.3). Os Evangelhos dizem que Jesus teve fome (Mt 4.2; 21.18) e sede (Mt 25.35; Jo 19.28), além de ter se sentido exausto em várias ocasiões (p. ex., Mt 8.24). A própria vida emocional tão plena e vibrante de Jesus é totalmente evidente no retrato dos Evangelhos sobre sua vida: ele demonstra ira e cólera (p. ex., Mc 3.5; 11.15-19), profunda compaixão (p. ex., Mt 9.36; 14.14; 15.32; Lc 13.34; Jo 11.35), imensa tristeza por aqueles que rejeitam o amor de Deus (p. ex., Mt 23.37) e abertamente "chorou sobre" a cidade de Jerusalém (Lc 19.41). Seu conhecimento (pelo menos humano) é demonstrado com clareza como sendo limitado (Mc 5.30-33; 13.32; Lc 2.52), e ele demonstra sentir muita pressão e agonia no jardim de Getsêmani, onde "seu suor era como gotas de sangue" (Lc 22.42-44) — "A minha alma está profundamente triste, numa tristeza mortal" (Mt 26.37,38). E, principalmente, Jesus morreu em decorrência da crucificação. João 1.14 diz com clareza que a Palavra eterna "tornou-se" carne, e esse testemunho à plena e total humanidade de Jesus se reflete em 1João 1.1: "O que era desde o princípio, o que ouvimos, o que vimos com os nossos olhos, o que contemplamos e as nossas mãos apalparam — isto proclamamos a respeito da Palavra da vida".

A divindade de Cristo é igualmente atestada nas Escrituras. Jesus é adorado pelos primeiros cristãos, e isso é evidência de que seus seguidores desde o início compreenderam que ele era mais que um ser humano apenas (p. ex., Jo 18.6; 1Co 16.22; Hb 1.6; Ap 22.20). Esses seguidores entenderam que Jesus Cristo era preexistente (Jo 1.1,2; 1Co 8.6; Fp 2.5-11; Cl 1.15,16; Hb 1.5,6; Ap 1.17; 2.8; 22.13). Eles tinham um ótimo motivo para pensar assim: o próprio Jesus se declara preexistente e divino (Jo 8.58; 13.19). O NT vai além, pois afirma de forma categórica que Jesus deve ser compreendido como alguém que realiza obras que apenas Deus é capaz de fazer. Jesus Cristo é o Criador, pois "todas as coisas foram feitas por intermédio dele; sem ele, nada do que existe teria sido feito" (Jo 1.3; cf. Cl 1.16; Hb 1.10). Jesus é o mantenedor do cosmo; ele derrotou a morte (2Tm 1.10) e seu senhorio é eterno (Hb 1.8). Ele toma sobre si a autoridade para declarar o perdão de pecados (p. ex., Mc 2.5-11; Lc 5.24; Rm 10.9,13) e faz a assustadora declaração de que será o juiz em cujas mãos estará o destino final de todas as pessoas (p. ex., Mt 25.31-46; Rm 2.16; 2Ts 1.7,8). De fato, o *status* de exaltação do homem Jesus é retratado no mínimo em completa unidade e igualdade com o Pai, pois o Filho é a "expressão exata" do ser de Deus (Hb 1.3, *ARA*), e ele declara ser "um" com Deus (Jo 10.30; 17.22), uma vez que nele "habita corporalmente toda a plenitude da divindade"

(Cl 2.9). Por isso, não causa surpresa que os títulos de Cristo testifiquem sua divindade. Em particular, o uso paulino de "Senhor" em referência a Jesus está carregado de implicações de divindade: quando lemos que "se dobre todo joelho [...] e toda língua confesse que Jesus Cristo é o Senhor, para a glória de Deus Pai" (Fp 2.10,11), fica evidente que Paulo inclui o servo abnegado com uma afirmação enfática de monoteísmo extraída do AT (Is 45.23). De maneira semelhante, quando Paulo diz que "há um único Deus, o Pai, de quem vêm todas as coisas e para quem vivemos" (1Co 8.6), ele está simplesmente incluindo Jesus no *Shemá* (Dt 6.4). Por fim, o NT não evitou se referir a Jesus como Deus (Jo 1.1,18; 20.28; Rm 9.5; Tt 2.13; Hb 1.8,9; 2Pe 1.1).

A humanidade de Cristo é tão bem atestada que qualquer tentativa de evitá-la ou negá-la (docetismo, de *dokeo*, que significa "parecer" ou "aparecer") não é muito comum, e se torna suscetível a rápido e resoluto repúdio. O testemunho bíblico a respeito da humanidade de Jesus é uma evidência muito clara e decisiva contra o docetismo.

Já a divindade de Cristo tem sido rejeitada ou mal compreendida. O conceito de adoção (a visão de que Jesus Cristo era apenas um ser humano adotado por Deus e lhe foi concedido um *status* especial) é a rejeição extrema e completa da divindade de Cristo; mais uma vez, no entanto, o testemunho das Escrituras sobre a condição exaltada e preexistente de Cristo se solidifica de forma categórica contra a adoção. O arianismo, por sua vez, é uma interpretação alternativa muito mais sutil e requintada. Apegando-se a todas as indicações bíblicas sobre a ignorância, fraqueza ou subordinação do Filho ao Pai, os arianos argumentavam que o Filho, de fato, gozava de preexistência e era "divino" — mas apenas como uma divindade criada e de categoria inferior. Em resposta, os defensores da ortodoxia argumentaram que o multifacetado testemunho bíblico sobre a plena divindade de Jesus exigia muito mais do que o arianismo poderia afirmar, e que nada menos que a plena igualdade ontológica de Jesus a seu Pai ameaçava o conhecimento genuíno de Deus e até mesmo a salvação (pois, se Jesus Cristo não fosse divino, então não poderíamos confiar na revelação dele como a revelação de *Deus*, e ele não seria capaz de realizar a expiação pelos nossos pecados), e que o arianismo implicaria no abandono do monoteísmo. De modo semelhante, o apolinarianismo (o ensino de que *parte* da natureza humana foi substituída pelo Logos divino), o nestorianismo (conhecido pela ênfase na distinção das duas naturezas a ponto de ameaçar a unidade da pessoa) e as várias versões do monofisismo (a ênfase na unidade da pessoa a ponto de fundir as duas naturezas em uma só) foram todos rejeitados pelo fato de não conseguirem abranger a totalidade do testemunho bíblico sobre a humanidade e a divindade de Cristo, e se algum deles fosse verdadeiro, não poderíamos nos unir a Deus em Cristo — e, consequentemente, ser salvos.

O testemunho das Escrituras sobre a divindade e a humanidade de Cristo, em última instância, leva às conclusões encontradas no *Credo nicenoconstantinopolitano* e na *Fórmula de Calcedônia*. Os cristãos ficam maravilhados com o mistério da encarnação ao mesmo tempo que lutam com as fascinantes questões: Que tipo de natureza humana foi assumido? Qual é a melhor maneira de entender a *communicatio idiomatum* — como as propriedades de cada uma das naturezas se relacionam à pessoa e umas com as outras? O Deus-homem Jesus Cristo é um todo composto de partes? Mas, como os cristãos o fazem, eles afirmam a plena humanidade, sem nada diminuir, como a completa igualdade e plena divindade do Filho encarnado de Deus.

uma pessoa. Em todas as Escrituras, somente Deus é capaz de curar os cegos, e agora ele faz isso por meio de Jesus (9.32,33). A discussão que se segue envolve vários grupos. Os vizinhos divergem se aquele era o mesmo homem e por fim o levam aos fariseus para pedir a orientação deles (9.8-13). Diante do milagre óbvio, os fariseus também se dividem sobre a pessoa de Jesus (9.14-17). Eles parecem mais preocupados com a questão do sábado que com qualquer outra coisa. Em seguida, os judeus questionam os pais do homem (9.18-23). Os pais reconhecem que é seu filho, confessam o desconhecimento de como ele podia agora enxergar e fazem outras perguntas ao filho com medo de serem expulsos da sinagoga. Por fim, os fariseus questionam o próprio homem que era cego (9.24-29). Ironicamente, em toda a história, o homem recebe a visão física e a luz espiritual, enquanto os líderes judeus caem ainda mais em trevas e cegueira espiritual. Observe a progressão das afirmações do homem a respeito de Jesus:

9.11 → "O homem chamado Jesus [me curou]."

9.17 → "Ele é um profeta."

9.25 → "Não sei se ele é pecador ou não. Uma coisa sei: eu era cego e agora vejo!"

9.33 → "Se esse homem não fosse de Deus, não poderia fazer coisa alguma."

9.38 → "Então o homem disse: 'Senhor, eu creio.' E o adorou."

Em contraste, os fariseus duvidam que Jesus proceda de Deus, pois ele transgride a lei do sábado (9.16); eles consideram Jesus um pecador (9.24); questionam a origem de Jesus (9.29) e rejeitam as obras miraculosas dele (9.34). Jesus resume todo o episódio: "Eu vim a este mundo para julgamento, a fim de que os cegos vejam e os que veem se tornem cegos" (9.39). Os fariseus perguntam: "Acaso nós também somos cegos?". Na prática, Jesus responde: "Sem dúvida!" (9.40,41).

Jesus, o Bom Pastor (10.1-21)

No episódio anterior, os líderes judeus tratam o cego com desprezo. Essa seção mostra como Jesus é contrastado de maneira absoluta com esses líderes. Ele é a "porta das ovelhas" (10.7) e o "bom pastor" (10.11), ao passo que os líderes judeus são "assalariados" (10.12,13) ou mesmo "ladrões e assaltantes" (10.1,8). Como verdadeiro líder espiritual, Jesus conhece seu povo, oferece-lhes segurança e sustento espiritual e, sobretudo, dá a própria vida por eles (10.3,4,9-11,14,15,17,18). Jesus se dedica de modo integral aos seguidores e voluntariamente sacrifica a sua vida para que eles recebam a vida plena. Já os líderes judeus são insensíveis, egoístas e só causam danos a seus seguidores.

✢ A história da cura do cego de nascença por Jesus está repleta de ironia à medida que o cego começa a enxergar enquanto os líderes religiosos começam a ficar cegos.

Maria, Marta e Lázaro
Matthew C. Williams

Maria, Marta e Lázaro aparecem juntos somente em João 11—12. Não sabemos muito a respeito deles: eles moravam em Betânia, importavam-se muito uns com os outros (conforme se observa na tristeza das irmãs pela morte do irmão) e amavam Jesus.

Lucas 10.38-42 registra que Marta abriu sua casa para Jesus e o serviu, enquanto sua irmã, Maria, permaneceu sentada aos pés de Jesus para ouvi-lo. Marta e Maria também tinham profunda fé em Jesus. Ambas sabiam que se Jesus "estivesse aqui meu irmão não teria morrido". A declaração de fé de Marta em Jesus talvez seja o ápice do Evangelho de João: "Sim, Senhor, eu tenho crido que tu és o Cristo, o Filho de Deus que devia vir ao mundo" (Jo 11.27; cf. 20.30,31). Depois da ressurreição de Lázaro, Marta serve outra refeição a Jesus em sua homenagem, durante a qual Maria adora Jesus de modo extravagante ungindo-lhe os pés com perfume caro (Jo 12.1-3).

Sabemos que Jesus amava essa família (Jo 11.5) e ao que parece a visitava com frequência. Quando Lázaro adoeceu, as irmãs mandaram um recado a Jesus, esperando que ele as ajudasse. Apesar das ameaças de morte na Judeia, Jesus, o Bom Pastor que dá a vida pelas ovelhas (Jo 10.11), voltou à Judeia para ajudar Lázaro (cujo nome em hebraico significa "Deus ajudou"). Jesus aguardou de propósito dois dias para ir até Lázaro, de modo que, quando ele chegou, já haviam passado quatro dias desde a morte de Lázaro. Essa situação era impossível no contexto judaico por causa da crença de que o espírito de uma pessoa morta abandonava o corpo após três dias. Como já havia passado quatro dias, não restava mais esperança. Mesmo Marta pensava que Jesus não podia fazer mais nada (11.24,39). Diante dessa situação impossível, Jesus ressuscitou Lázaro dentre os mortos, uma manifestação poderosa da glória de Deus. Jesus veio dar vida aos que creem nele. Apesar da ressurreição de Lázaro ter levado muitos judeus a crer nele (11.45), ela também levou os líderes judeus a planejarem matar Jesus (11.46-53).

Alguns negam a historicidade do milagre, porque o nome Lázaro é usado em uma parábola (Lc 16.19-31). Lázaro, todavia, era o terceiro nome mais comum entre os judeus desse período. Outros céticos observam que os Evangelhos sinópticos não registram esse milagre. Mas os Sinópticos enfatizam milagres que ocorreram na Galileia, não nas proximidades de Jerusalém; e eles registram duas outras ressurreições (o filho da viúva, em Lc 7, e a filha de Jairo, em Mc 5).

Outros sugerem que Lázaro é "aquele a quem Jesus amava", o autor do quarto Evangelho (baseado em 11.3,5,36). Mas não faz muito sentido Lázaro ser chamado pelo nome aqui e depois ser designado de forma criptográfica como "aquele a quem Jesus amava".

Um curral feito de pedra.

✢ Jesus retrata a si mesmo com o Bom Pastor, em contraste com os falsos profetas de Ezequiel 34.2-10.

Mais uma vez, a reação a Jesus se divide entre os que o consideram endemoninhado e louco e os que ficam admirados com sua capacidade singular de curar o cego (10.19-21).

"Eu e o Pai somos um" (10.22-42)

A festa da dedicação (ou Hanucá) celebrava a purificação do templo depois de sua profanação por Antíoco Epifânio em 167 a.C. (1Macabeus 4.36-61). Os líderes judeus perguntam a Jesus se ele é o Cristo (10.24). Jesus aponta para suas palavras e seus milagres, mas não esperava que eles cressem nele porque eles não eram seus seguidores (10.25,26). As "ovelhas" de Jesus o seguem, e recebem a vida eterna. Ninguém as tira dos braços de Jesus ou das mãos do Pai, uma vez que Jesus e o Pai são um (10.27-30). Essa declaração não significa que Jesus e o Pai são a mesma pessoa, mas que possuem a mesma autoridade e total unidade em propósito e vontade. Os judeus se preparam para apedrejar Jesus por dizer-se Deus, o que eles consideravam blasfêmia (10.31-33). Jesus cita o salmo 82 em sua defesa. Se as Escrituras usam o termo "deuses" para se referir a alguém além do próprio Deus, não é apropriado usar o termo "Filho" para o Filho único de Deus? Não é blasfêmia de Jesus dizer-se o Filho de Deus; a afirmação é verdadeira (10.34-36)! Jesus desafia os líderes a crerem em seus sinais miraculosos, ainda que não acreditem em suas palavras, para que eles entendam seu relacionamento especial com o Pai (10.37,38). Mais uma vez, eles tentam prendê-lo, mas ele escapa. Jesus atravessa o Jordão, para onde João estava batizando, e muitos daquela região creem nele (10.39-42).

Sinal número 7 — Jesus ressuscita Lázaro dentre os mortos (11.1-54)

Jesus era amigo de Lázaro e de suas irmãs, Marta e Maria (11.5). Quando ele ouve que Lázaro estava doente, Jesus declara que a enfermidade não será para a morte, mas servirá para glorificar a Deus e seu Filho (11.1-4). Apesar dos protestos temerosos de seus discípulos, Jesus volta à vizinhança de Jerusalém, mas com dois dias de atraso, para que o milagre que estava para acontecer lhes estimulasse a fé (11.7-16). O tempo de seu ministério terreno está chegando ao fim (11.9,10); contudo, Jesus está no controle e sabe o que deve fazer antes de chegar a hora. Quando Jesus chega a Betânia, quatro dias depois de Lázaro ter morrido, as duas irmãs vêm ao encontro dele — primeiro Marta e depois Maria — com o mesmo lamento: "Senhor, se estivesses aqui meu irmão não teria morrido" (11.21,32). Jesus diz a Marta que Lázaro ressuscitaria, e ele falava sobre algo que aconteceria antes da ressurreição final dos justos (11.23,24). Jesus declara de forma explícita: "Eu sou a ressurreição e a vida. Aquele que crê em mim, ainda que morra, viverá" (11.25,26). Quando ele pergunta se Marta crê nisso, ela confessa que ele é "Senhor", "o Cristo" e "o Filho de Deus" (11.27). Quando Maria e os outros veem Jesus chorando com comoção, ele "agitou-se [antes: 'irritou-se'] no espírito e perturbou-se" (11.33,38). Jesus estava em "luto exasperado" pela morte e devastação que ela causa. Em torno dele, as pessoas tomadas pela tristeza e, diante disso, Jesus chora! Se o Filho de Deus chorou, também temos permissão de chorar quando passamos por sofrimentos causados pela morte (11.35,36). Jesus se dirige ao túmulo, ainda furioso com a morte (11.38). Ele assume o controle e profere ordens que reverterão a maldição da morte:

11.39—"Tirem a pedra."
11.40—"Não lhe falei que, se você cresse, veria a glória de Deus?"
11.43—"Lázaro, venha para fora!"

Tradicional túmulo de Lázaro em Betânia.

O Pai responde à oração do Filho por um sinal que fortalece a fé (11.41,42). A ressurreição de Lázaro é uma antecipação do que Jesus fará com a morte no último dia (v. 1Co 15.51-58).

A reação do povo ao milagre, como de costume, é variada. Muitos judeus creem em Jesus, enquanto outros relatam o caso aos líderes religiosos (11.45,46). Os líderes religiosos convocam uma reunião extraordinária para discutir o problema. Se eles deixarem Jesus continuar realizando sinais miraculosos, todos crerão nele e os romanos tomarão o templo deles e a nação (11.47,48). Eles resolvem não deixar Jesus continuar, mas mesmo assim os romanos destroem Jerusalém. Também está repleta de ironia a declaração de Caifás de que é melhor um homem morrer pela nação do que toda a nação perecer (11.49,50). Caifás, o sumo sacerdote, foi um profeta além do que ele podia imaginar, uma vez que Jesus morreria por toda a nação e criaria uma família de Deus completamente nova, que incluiria judeus e gentios (11.51,52; cf. Jo 10.16). Mas, sob a perspectiva humana, com a ressurreição de Lázaro a sentença de morte de Jesus é selada; então, ele se retira para Efraim com os discípulos (11.53,54).

✚ Desde a ressurreição de Lázaro por Jesus, os líderes religiosos começaram a planejar a morte de Jesus (Jo 11.53).

Jesus é ungido em Betânia (11.55—12.11)

Veja Mateus 26.6-13; Marcos 14.3-9. Jesus segue outra vez a Jerusalém para a Páscoa (v. Jo 2.13; 6.4). Todos queriam vê-lo, principalmente depois da ressurreição de Lázaro (11.55,56). Os líderes religiosos queriam encontrá-lo a fim de prendê-lo (11.57). Ele vai a Betânia e participa de um banquete em sua homenagem (12.1,2). Enquanto estava ali, Maria unge a cabeça e os pés de Jesus, preparando-o para o sepultamento, ao usar um perfume muito caro (12.3). (Esse provavelmente é o mesmo episódio relatado em Mateus e Marcos.) Judas Iscariotes, um ladrão hipócrita, se opõe a esse desperdício, mas Jesus defende a ação de Maria como um ato precioso de devoção (12.4-8). As multidões chegam não só para ver Jesus, mas para ver Lázaro, a quem Jesus havia ressuscitado (12.9). Os líderes religiosos agora planejam matar também Lázaro, uma vez que muitos judeus passaram a crer em Jesus por causa dele (12.10,11).

A entrada triunfal de Jerusalém (12.12-19)

Veja Mateus 21.1-9; Marcos 11.1-10; Lucas 19.28-40. Enquanto Jesus entra de forma humilde em Jerusalém, a multidão o aclama "Rei de Israel" (12.13). Há muitas coisas que os discípulos não entendem, senão depois da morte na cruz e da ressurreição (12.16). A popularidade de Jesus cresce por causa da ressurreição de Lázaro (12.17,18), e os fariseus, frustrados, concluem: "Olhem como o mundo todo vai atrás dele!" (12.19).

A chegada da hora da glorificação de Jesus (12.20-50)

Um grupo de gentios tementes a Deus procura Jesus durante a festa (12.20--22), e isso o leva a falar sobre sua obra de salvação para todo o mundo. Jesus agora diz com clareza: "Chegou a hora de ser glorificado o Filho do homem" (12.23). Até esse momento, a "hora" ou "tempo" de Jesus sempre esteve no futuro (2.4; 7.30; 8.20), mas agora essa glorificação (i.e., sua morte, ressurreição e exaltação) está próxima. A morte de Jesus resultará em vida para muitos (12.24). Os que deixam a vida ou a perdem a serviço de Jesus encontrarão a vida eterna e o lar celestial (12.25,26; cf. Mt 16.24; Mc 8.34; Lc 9.23). À medida que Jesus enfrenta a "hora", seu coração é perturbado. Apesar de ser franco sobre o sofrimento iminente na cruz, ele se sujeita ao plano glorioso do Pai (12.27,28). O Pai confirma o Filho com uma voz vinda do céu que a multidão não consegue entender (12.27-30).

Moeda judaica com galhos de palmeiras.

✚ Betânia, uma pequena vila a pouco menos de 4 quilômetros de Jerusalém, se tornou um refúgio para Jesus. A casa de Marta, Maria e Lázaro representava o lugar mais próximo de um lar que Jesus pudesse ter na terra.

Uma coisa é certa: a crucificação do Filho na cruz derrotará o príncipe deste mundo (12.31-33). Enquanto a multidão estava curiosa sobre a obra de Jesus, ele a desafia a responder à luz obtida por todos eles (12.34-36). Nossa resposta a Jesus é mais importante que apenas a satisfação da nossa curiosidade. Mesmo depois de Jesus ter realizado todos os sinais, a maioria das pessoas não crê, e isso cumpre Isaías 6.10 e 53.1 (Jo 12.37-40). Na visão de Deus assentado no trono (Is 6), o profeta viu de fato a glória de Jesus (Jo 12.41). A boa notícia é que alguns realmente creem, mesmo entre os líderes judeus; contudo, sua fé permanece precária (12.42,43). Quando aceitamos Jesus, também aceitamos o Pai e passamos das trevas para a luz (12.44-46). Mas os que se negam a crer enfrentarão o juízo do Pai mediante as palavras de Jesus, que procedem de Deus (12.47-50).

O "livro da glória" (13.1—20.31)

A segunda parte do Evangelho de João destaca a última semana de Jesus culminando na sua glorificação — a "hora" de sua crucificação, ressurreição e exaltação. Enquanto o "livro dos sinais" (Jo 2—12) se dirige a todos os que quisessem ouvir, muitas vezes com reações diversas, o "livro da glória" se dirige de modo principal aos que creem. Os capítulos 13—20 de João não são retratados como uma exposição sóbria e distante, mas como palavras pessoais e finais de um grande amigo.

Tamareiras crescem na área urbana de Jerusalém e muitas vezes serviram de símbolo de justiça (Sl 92.12).

Jesus lava os pés dos discípulos (13.1-17)

Jesus sabe que seu "tempo" de retornar para o Pai chegou; então ele ama seus seguidores com toda a fidelidade até o fim de sua vida (13.1). Como anfitrião da ceia da Páscoa, Jesus faz algo surpreendente. Ele assume o papel do servo e faz algo que nem mesmo se esperava de servos judeus — lava os pés dos discípulos (13.2-5). Amar significa servir. Pedro se opõe porque o ato não se coaduna com a dignidade de Jesus, mas Jesus insiste que parte de ser um discípulo é deixar-se amar por Deus (13.6-10). Depois de lavar os pés dos discípulos, Jesus explica o que fez. Se Jesus, sendo "Mestre e Senhor" se humilha para servir aos discípulos, quanto mais deveriam os discípulos servir uns aos outros (13.12-14)? O ato

✚ Nos Evangelhos, a glória é muitas vezes associada ao serviço e sofrimento.

de serviço humilde de Jesus serve para nós de exemplo. Não somos maiores que nosso Mestre; se ele serviu, quanto mais nós devemos servir (13.15,16). Conhecer é bom, mas praticar é recompensador (13.17).

Jesus prediz a traição por Judas (13.18-30)

Veja Mateus 26.21-25; Marcos 14.18-21; Lucas 22.21-23. Jesus já havia dito que um dos discípulos não estava "limpo" (13.10,11), e agora ele entra em detalhes. Jesus prediz que um dos Doze o trairá (13.18-21), cumprindo Salmos 41.9. Podemos imaginar como esse anúncio inesperado surpreendeu emocionalmente os discípulos (13.22). Pedro faz sinal para João ("o discípulo a quem Jesus amava"), que se reclinava ao lado de Jesus, para lhe perguntar a respeito de qual discípulo ele falava (13.23-25). Jesus diz a João que era aquele a quem ele entregaria o pão (13.26). Por ironia, ao mergulhar o pão na tigela e passá-lo a Judas, Jesus honra aquele que logo o entregaria para ser crucificado. Quando Judas recebe o pão, Satanás entra nele (13.27). Jesus lhe diz para fazer logo o que tinha de fazer, e só mais tarde os outros discípulos entendem o que aconteceu (13.27-29). Assim que Judas deixa a sala, é noite e sobrevêm as trevas (13.30; cf. Lc 22.53).

O discurso de despedida de Jesus (13.31—17.26)

O NOVO MANDAMENTO (13.31-35)

Jesus e o Pai serão glorificados pelo que havia de acontecer em breve (13.31,32). Enquanto isso, Jesus prepara os discípulos para sua partida dando-lhes um novo mandamento: "Amem-se uns aos outros. Como eu os amei" (13.33,34). Apesar de o mandamento de amar uns aos outros não ser novo, o próprio amor de Jesus por nós se torna o modelo e padrão do nosso amor. Além disso, esse amor entre os que creem servirá de testemunho para todos de que somos seguidores de Jesus (13.35).

JESUS PREDIZ QUE PEDRO O NEGARÁ (13.36-38)

Veja Mateus 26.31-35; Marcos 14.27-31; Lucas 22.31-34. Pedro não presta atenção ao mandamento de Jesus sobre o amor, pois está preocupado com a partida de Jesus. Quando Jesus diz a Pedro que ele não podia segui-lo agora, Pedro se gaba de que daria a vida por Jesus (13.36,37). Jesus então prediz que, antes de o galo cantar, Pedro o negará três vezes (13.38).

JESUS É O CAMINHO PARA O PAI (14.1-14)

Aquela noite foi muito emotiva para os discípulos, e Jesus os exorta a não continuarem perturbados. Ele evoca a confiança em lugar do medo (14.1). Jesus está partindo para lhes preparar um lugar e retornará algum dia a fim de levá-los para casa (14.2,3). Isso pode se referir à preparação, da parte de Jesus, de um lar celestial para seus seguidores ou ao envio do Espírito Santo

✚ Somente João registra o discurso de despedida de Jesus naquela quinta-feira à noite antes de ser levado à cruz na sexta-feira. As últimas palavras de Jesus em João 13—17 são profundamente comoventes.

para habitar em seus seguidores. Tomé protesta que eles não conhecem o caminho (14.5), e Jesus responde: "Eu sou o caminho, a verdade, e a vida" (14.6). Todos que veem o Pai o enxergam por meio de Jesus, e conhecer Jesus é conhecer o Pai (14.6,7). Como se não tivesse ouvido nada do que Jesus disse, Filipe pede para ver o Pai (14.8). Jesus reitera a sua íntima ligação com o Pai, expressa tanto em suas palavras inspiradas quanto em seus sinais miraculosos (14.9-11). Jesus assegura aos discípulos que eles repetiriam os sinais dele e fariam outros ainda maiores (14.12). Isso é possível porque Jesus subirá ao Pai e enviará seu Espírito, e porque Jesus responderá às orações oferecidas em sintonia com seu caráter e para a glória do Pai (14.13,14).

NOSSO RELACIONAMENTO COM JESUS — A OBEDIÊNCIA E O ESPÍRITO SANTO (14.15-26)

Jesus promete não deixar seus seguidores órfãos (14.18). Por causa da ressurreição dele, os discípulos também ressuscitarão um dia (14.19). A realidade espiritual é que Jesus está no Pai, os discípulos estão em Jesus, e Jesus está neles (14.20). Para assegurar que eles experimentem essa realidade, Jesus promete o Espírito Santo ("outro Consolador" do mesmo tipo de Jesus), que estará com eles e neles para sempre (14.16,17,26). O Espírito habitará apenas nos seguidores de Jesus (14.17) e, como o Espírito da verdade, ele nos lembrará do que Jesus ensinou (14.17,26). Se eles amam Jesus, obedecerão aos seus mandamentos (14.15,21,23,24).

JESUS PROMETE SUA PAZ (14.27-31)

Jesus deixa com seus discípulos a paz, a confiança inabalável de que Deus está no controle e de que eles se relacionam de forma correta com o Pai por meio do Filho. O mundo não pode oferecer essa paz. Como consequência, os discípulos não têm nenhuma razão de desespero nem de deixar o medo tomar conta de sua vida (14.27). Jesus diz de novo que ele voltará para o Pai. Sua partida faz parte do plano de Deus e de maneira alguma indica uma vitória de Satanás (14.30,31). Por esse motivo, a fé dos discípulos deve na verdade ser fortalecida por causa da partida de Jesus (14.28,29).

JESUS É A VIDEIRA VERDADEIRA (15.1-17)

Jesus apresenta uma metáfora ampliada da videira e dos ramos. Apesar de Israel ser representado muitas vezes como a videira

Uma vinha em Judá ilustra a analogia de Jesus da videira e dos ramos.

✚ Observe quão abnegado Jesus se mostra na última noite, cuidando de seus seguidores, prometendo-lhes o Espírito Santo, sua paz, uma morada celestial futura, alegria e resposta às orações deles.

de Deus (p. ex., Is 5.7), Jesus agora apresenta-se como a videira verdadeira (15.1). Na verdade, Jesus se apresenta não poucas vezes como o fiel substituto da nação infiel (p. ex., quando ele condena o templo). As duas categorias de ramos (vivos e mortos) correspondem a dois tipos de pessoas: os que creem e os incrédulos. Os ramos mortos e infrutíferos são eliminados (15.2,6), enquanto os vivos e frutíferos são podados para que produzam ainda mais fruto (15.2-5). Como os ramos devem permanecer na videira para que produzam fruto, assim os discípulos devem permanecer vitalmente ligados a Jesus guardando seus ensinamentos (15.4,5,9,10). Os que permanecem em Jesus terão respostas às suas orações e produzirão frutos para a glória de Deus (15.7,8). A base do nosso relacionamento é o amor de Jesus, e a resposta adequada é obediência, que por sua vez resulta em imensa alegria (15.9-11). Mais uma vez, Jesus nos ordena a amarmos uns aos outros como ele nos amou entregando a vida por nós (15.12,13). Os discípulos de Jesus são agora "amigos" confiáveis a quem ele revelará o Pai (15.14,15). Fomos escolhidos e designados por Jesus para produzir frutos duradouros, à medida que buscamos o Pai em oração e amamos uns aos outros (15.16,17).

JESUS PREDIZ O ÓDIO DO MUNDO (15.18—16.4)

No Evangelho de João, o termo "mundo" muitas vezes se refere às pessoas que se opõem a Deus. Jesus diz aos discípulos que o mundo os odiará porque primeiro o odiou (15.18,19). Se os discípulos pertencessem ao mundo, o mundo os amaria. Mas Jesus os chamou para fora do mundo, e eles devem esperar ser tratados como Jesus foi tratado (15.19-21). O mundo é culpado porque Jesus entrou no mundo e revelou o Pai por meio das palavras e dos milagres dele (15.22,24). Mas o mundo rejeitou o Filho e o Pai, cumprindo

O vale de Cedrom separa o monte das Oliveiras e do monte do Templo.

✚ Como nos outros Evangelhos, Jesus diz a seus seguidores que eles enfrentariam perseguição no mundo.

assim as Escrituras (15.23-25; Sl 35.19; 69.4). Os discípulos não enfrentam a hostilidade do mundo sozinhos. O Espírito Santo, o Conselheiro ou Auxiliador, estará com eles e testificará junto aos discípulos (15.26,27). Em suma, os discípulos devem esperar ser perseguidos por pessoas que pensam estar servindo a Deus (16.2). (Somos lembrados aqui de que às vezes o "mundo" inclui a oposição religiosa a Jesus.) Uma vez que o mundo não conhece verdadeiramente Jesus ou o Pai, ele perseguirá os seguidores de Jesus (16.3). Mas Jesus alertou seus seguidores sobre a vinda de perseguições para que eles pudessem se preparar (16.1,4).

A OBRA DO ESPÍRITO SANTO (16.5-15)

Os discípulos continuam tristes com a notícia da partida de Jesus (16.5,6). Ele os consola lembrando-os de que sua partida ocasionará a vinda do Espírito Santo sobre eles (16.7). O Espírito continuará a obra de Cristo, convencendo o mundo do pecado, da justiça e do juízo (16.8-11). Os discípulos não conseguem absorver tudo o que Jesus desejava lhes dizer no momento, mas, quando o Espírito da verdade vier, ele os guiará a toda a verdade (16.12,13). O Espírito glorificará Jesus, lembrando os discípulos a respeito de seus ensinamentos e preparando-os para o futuro (16.13-15).

A TRISTEZA SERÁ TRANSFORMADA EM ALEGRIA (16.16-22)

Os discípulos ficam confusos com a afirmação de Jesus de que "mais um pouco" e eles não o verão mais; em seguida, "um pouco mais" e eles o verão outra vez (16.16-19). Ele está se referindo à sua crucificação em breve, fazendo que eles fiquem profundamente tristes, seguida de sua ressurreição, que transformará a tristeza deles em júbilo (16.19,20). Sua experiência pode ser comparada à agonia das dores de parto seguida da alegria do parto (16.21). Apesar de sofrerem agora, mais tarde eles se regozijarão, e ninguém lhes tirará essa alegria (16.22).

PEDIR EM NOME DE JESUS (16.23-28)

Depois da ascensão de Jesus e da vinda do Espírito, os discípulos serão capazes de pedir ao Pai qualquer coisa em nome de Jesus e receberão o que pedirem (16.23,24). A expressão qualificadora "em nome de Jesus" significa qualquer coisa que esteja em harmonia com o caráter de Jesus e sua glória. A fé em Jesus, o enviado do Pai, é a fonte do relacionamento direto com o próprio Pai (16.25-28).

JESUS VENCEU O MUNDO (16.29-33)

Os discípulos agora acreditam entender todas as coisas com clareza e até confessam que Jesus veio de Deus (16.29,30). Mas Jesus sabe que a fé deles é frágil; em questão de apenas algumas horas, Pedro o negará, e todo o grupo o abandonará (16.31,32). Ele sabe que eles enfrentarão dificuldades (ou tribulação) no mundo, mas eles não devem desanimar. A cruz e a ressurreição de Jesus demonstrarão que ele venceu o mundo. Por esse motivo, os que se relacionam com Jesus serão protegidos pela paz (16.33).

A ORAÇÃO DO SENHOR (17.1-26)

No que é às vezes chamada de a "verdadeira" Oração do Senhor, Jesus ora por si mesmo (17.1-5), pelos primeiros discípulos (17.6-19) e pelos futuros discípulos (17.20-26). Uma vez que sua hora chegou, Jesus pede ao Pai para glorificá-lo a fim de que ele possa glorificar o Pai (17.1). Enquanto Jesus suporta em obediência a cruz e o Pai o ressuscita dos mortos, o plano divino será executado e resultará na glorificação do Pai e do Filho. O Filho tem autoridade de dar vida eterna, definida aqui como o relacionamento vivo e pessoal com o único Deus verdadeiro, de acordo com a revelação de Jesus Cristo (17.2,3). Jesus glorificou o Pai, completando a obra confiada a ele na terra. Agora ele pede ao Pai para restaurar a glória de que ele desfrutava antes da Criação e anterior à humilhante encarnação (17.4,5; Fp 2.5-11). Jesus então intercede pelos primeiros discípulos, que se tornarão as pedras angulares da igreja (17.6-19). Ele lhes havia revelado o Pai, e eles aceitaram essa revelação (17.6-8,10). Agora, Jesus intercede por eles, porque ele está voltando para o Pai, e eles permanecerão no mundo (17.9,11). Ele ora pela proteção espiritual deles para que estejam unidos. Essa unidade resulta em alegria sobejante (17.11-13). Em seguida, Jesus ora para que eles não saiam do mundo, mas para que sejam protegidos do mal enquanto enfrentam o ódio do mundo (17.14-16). Por último, pede para que eles cresçam em santidade e verdade a fim de que sua missão neste mundo seja bem-sucedida (17.17-19). Você pode ficar surpreso ao saber que Jesus também intercedeu por você e por mim — por todos os futuros discípulos (17.20-26). Ele suplica para que nós sejamos um, como o Pai e o Filho são um (17.20,21). Essa unidade oferecerá um testemunho poderoso ao mundo sobre o plano salvador de Deus (17.22,23). Jesus também pede para que nós vejamos sua glória futura, indicando que a História não terminará até que nos unamos a ele no novo céu e nova terra (17.24). Enquanto isso, devemos nos apegar a Jesus, à sua revelação do Pai, e ao amor do Pai por nós (17.25,26). Como é maravilhoso saber que experimentamos o próprio amor que o Pai tem pelo Filho! Um aspecto da oração de Jesus é respondido quando deixamos Deus nos amar.

Jesus é preso (18.1-12)

Veja Mateus 26.47-56; Marcos 14.43-52; Lucas 22.47-53. Depois do discurso de despedida, Jesus conduz os discípulos pelo vale de Cedrom a um olival, chamado Getsêmani nos outros Evangelhos. Quando chega o bando que veio prendê-lo, Jesus o confronta corajosamente usando o nome divino: "Sou eu" (18.5,8). O grupo recua e se prostra ao chão, muito semelhante ao modo como as pessoas em todas as Escrituras fazem quando encontram com Deus face a face (18.6; cf. Is 6.5; Ez 1.28; At 9.4; Ap 1.17). Por ser o Bom Pastor, Jesus protege repetidamente seus discípulos, cumprindo João 6.39 (18.4,5,7,8). Quando Pedro corta a orelha de Malco, Jesus lhe ordena a guardar a espada. Jesus beberá o cálice do sofrimento dado a ele pelo Pai (18.10,11).

A inscrição de Pôncio Pilatos encontrada em Cesareia em 1961 o identifica como "governador da Judeia".

Jesus diante de Anás, e a negação de Pedro (18.13-27)

Veja Mateus 26.57-75; Marcos 14.53-72; Lucas 22.54-71. Depois de Jesus ser preso, ele é levado a Anás, o sogro de Caifás, para um interrogatório preliminar (18.12-14). Ele interroga Jesus sobre seus discípulos e ensinamentos, mas pouca informação nova vem à luz. Jesus diz que ensinou abertamente entre os judeus, e o sumo sacerdote pode obter evidências daqueles que o ouviram ensinar. Essa resposta provocou um golpe inesperado no rosto de Jesus vindo de um oficial que estava próximo (18.22,23). Anás, então, manda Jesus a Caifás (18.24). Enquanto isso, Simão Pedro e outro discípulo, conhecido do sumo sacerdote, conseguem entrar no pátio do palácio em que Jesus era interrogado (18.15,16). Pedro é inquirido duas vezes sobre o fato de ser discípulo de Jesus, e é impelido a admitir que estava com Jesus no olival (18.17,25,26). Em todas as vezes, Pedro nega qualquer ligação com Jesus, e depois da terceira vez o galo cantou, conforme Jesus havia predito (18.27).

Jesus perante Pilatos (18.28—19.16)

Veja Mateus 27.1,2,11-26; Marcos 15.1-15; Lucas 23.1-25. O julgamento de Jesus perante Pilatos é repleto de ironia. Para começar, os judeus levam Jesus a Pilatos a fim de obter uma ordem de execução, mas eles se recusam a entrar no palácio romano porque isso os tornaria cerimonialmente impuros e os impediria de participar da refeição da Páscoa (18.28). Os líderes judeus precisavam obter de Pilatos a condenação de Jesus à morte (18.31,32). Pilatos pergunta a Jesus se ele era o "rei dos judeus" (18.33).

Jesus por fim admite ser um rei, mas diz com clareza que seu Reino não é deste mundo (18.36,37). Todos os que estão do lado da verdade ouvem Jesus, mas a pergunta cínica de Pilatos "Que é a verdade?" revela seu coração (18.37,38). Pilatos então declara que não tem base para condenar Jesus por nenhum crime e pergunta aos judeus se ele poderia soltar Jesus, o "rei dos judeus" (18.38,39). Eles imploram pela soltura de Barrabás, alguém culpado verdadeiramente de suscitar uma rebelião (18.40). Pilatos manda açoitar Jesus e vesti-lo como rei, em tom de zombaria, antes de apresentá-lo para possível libertação (19.1-5). Mas os líderes religiosos não demonstram nenhuma simpatia e continuam exigindo a crucificação de Jesus (19.6). Os judeus insistem que sua lei exigia a condenação à morte de quem se dissesse "Filho de Deus" (19.7). A zombaria e diversão de Pilatos terminam, e ele agora passa a temer (19.7,8). Ele interroga Jesus em um nível mais ameaçador, mas Jesus responde: "Não terias nenhuma autoridade sobre mim se esta não te fosse dada de cima. Por isso, aquele que me entregou a ti é culpado de um pecado maior" (19.11). Pilatos agora tenta libertar Jesus, mas a causa tomou proporções maiores. Em total ironia, os líderes religiosos (que dizem se submeter apenas a Deus como rei) fazem duas declarações que levam Pilatos a mandar crucificar Jesus:

> 19.12—"Daí em diante Pilatos procurou libertar Jesus, mas os judeus gritavam: 'Se deixares esse homem livre, não és amigo de César. Quem se diz rei opõe-se a César'."
>
> 19.15—"Mas eles gritaram: 'Mata! Mata! Crucifica-o!' 'Devo crucificar o rei de vocês?', perguntou Pilatos. 'Não temos rei, senão César', responderam os chefes dos sacerdotes."

✝ Jesus demonstra de maneira repetida estar no controle de seu destino e se submete voluntariamente à morte vindoura sobre a cruz (p. ex., Jo 18.4-9,36; 19.11).

A crucificação e a morte de Jesus (19.17-30)

Veja Mateus 27.31-56; Marcos 15.20-41; Lucas 23.26-49. Jesus leva a cruz pelo menos por parte do caminho até a Caveira (Gólgota), local de sua crucificação (19.16-18). Para o desânimo dos líderes religiosos, Pilatos coloca uma inscrição na cruz que diz: "JESUS NAZARENO, O REI DOS JUDEUS" (19.19-22). O texto de Salmos 22.18 se cumpre quando os soldados dividem as roupas dele em quatro e lançam sortes sobre a túnica sem costura (19.23,24). Quando Jesus vê sua mãe em pé, ali perto, ele enuncia a terceira frase da cruz, confiando a mãe aos cuidados de João (19.25-27). Nem mesmo a cruz o faz negligenciar as obrigações práticas do amor.

Logo antes da morte, Jesus profere a quinta frase da cruz: "Tenho sede", cumprindo assim as Escrituras (19.28; Sl 22.14,15; 69.21). Ele aceita o vinagre dos soldados e profere a sexta frase da cruz: "Está consumado!" (19.30; Sl 22.31). Em duas breves palavras, Jesus declara que sua obra redentora está completa e permanecerá para sempre completa! Então, ele curva a cabeça e entrega o espírito (19.30). Ele morre em um madeiro, carregando a maldição da ira de Deus pelos pecados do mundo (Dt 21.23; Gl 3.13).

Jesus é perfurado e sepultado (19.31-42)

Veja Mateus 27.57-66; Marcos 15.42-47; Lucas 23.50-56. Uma vez que o dia seguinte (sábado) seria um sábado especial, os judeus não queriam que os corpos permanecessem pendurados na cruz. Eles pedem a Pilatos para que as pernas das vítimas sejam quebradas para lhes apressar a morte. Quando chegam a Jesus, percebem que ele já estava morto, por isso não lhe quebraram as pernas (19.31-33,36; Êx 12.46; Nm 9.12; Sl 34.20). No entanto, um dos soldados perfura o lado de Jesus com sua lança, fazendo que saísse sangue e água (19.34). Esse ato confirma a certeza da morte de Jesus e, mais uma vez, cumpre as Escrituras (19.36,37; Zc 12.10). O discípulo a quem Jesus amava (João) é a testemunha pessoal desse episódio e apresenta esse verdadeiro testemunho para que muitos creiam em Jesus (19.35). José de Arimateia, acompanhado por Nicodemos, leva o corpo de Jesus e o prepara para o sepultamento (19.38-40). Eles depositam o corpo em um novo túmulo em um jardim próximo de onde ele foi crucificado (19.41,42). Jesus morreu. Foi sepultado. Mas ressuscitará.

A Igreja do Santo Sepulcro, em Jerusalém, tradicionalmente aceita como o lugar da morte de Jesus.

✚ Três das sete frases de Jesus na cruz estão registradas em João (v. artigo na p. 639).

O Filho ressurreto aparece aos discípulos (20.1-29)

Veja Mateus 28.1-10; Marcos 16.1-8; Lucas 24.1-12,36-43. Todos os Evangelhos registram que as primeiras testemunhas da ressurreição de Jesus foram mulheres. Em João 20.1,2, Maria Madalena, provavelmente acompanhada por outras mulheres, descobre que o túmulo estava vazio e corre para contar a Pedro e ao discípulo a quem Jesus amava. Em João 20.3-9, sabemos que Pedro e João correram de imediato ao túmulo. João chega primeiro, mas somente olha dentro do túmulo, enquanto Pedro vai logo entrando quando chega ali. Eles descobrem as vestes de sepultamento, mas não o corpo. Nesse momento, João "viu e creu", embora os discípulos não compreendessem de forma total que Jesus devia ressuscitar dos mortos (20.8,9). Em João 20.10-18, lemos a respeito da aparição de Jesus a Maria Madalena. Maria chora em profusão (a ela pergunta-se duas vezes: "Mulher, por que você está chorando?"), e, quando ela encontra os dois anjos e o homem que ela imaginava ser o jardineiro, pede mais informações sobre onde o corpo foi colocado. Quando Jesus ("o jardineiro") a chama pelo nome, ela imediatamente o reconhece. Ela clama "Rabôni!" e se apega a ele. Jesus lhe diz para soltá-lo a fim de que ele possa ir "para meu Pai e Pai de vocês, para meu Deus e Deus de vocês" (20.17). Maria volta aos discípulos com a impressionante notícia "Eu vi o Senhor" (20.18). Em 20.19-23, Jesus aparece aos discípulos (menos Tomé) escondidos de medo e os saúda com sua paz. Ele mostra as marcas nas mãos e no lado, e os discípulos exultam em ver o Senhor ressurreto. Em seguida, Jesus os comissiona e sopra sobre eles o Espírito Santo, provavelmente uma provisão temporária até o Pentecoste. Parte da missão incluirá pronunciar o perdão ou o juízo, dependendo da resposta dos ouvintes da mensagem sobre Jesus. Em João 20.24-29, uma semana depois, Jesus aparece outra vez aos discípulos, e agora Tomé está presente. Quando Jesus aparece, outra vez ele os cumprimenta com a paz antes de se virar para Tomé e o convidar a tocar nas suas mãos e no seu lado, algo que Tomé insistia que ele deveria fazer antes de crer que Jesus havia ressuscitado dos mortos. Jesus insiste que Tomé "pare de duvidar e creia", e Tomé nem precisa tocar nele para crer; ele confessa Jesus como "Senhor meu e Deus meu". Jesus então pronuncia uma bênção sobre os que creem sem ver a pessoa do Senhor ressurreto.

Duas câmaras mortuárias de um túmulo do século I dentro da Igreja do Santo Sepulcro.

✙ Em uma situação semelhante à de Atos 1—2, João registra a comissão dos discípulos e sua capacitação com o Espírito Santo.

O propósito do Evangelho de João (20.30,31)

O evangelho de João apresenta alguns, mas não todos, sinais miraculosos de Jesus. Se João tentasse registrar tudo, "nem mesmo no mundo inteiro haveria espaço suficiente para os livros que seriam escritos" (21.25). Mas João escreveu seu Evangelho para que as pessoas cressem em Jesus como Messias e Filho de Deus e, em decorrência disso, experimentassem a vida no nome dele (20.31). Assim, João tem em mente não só a fé inicial ou conversão, mas toda a experiência de vida resultante do relacionamento com Jesus.

Epílogo (21.1-25)

Essa última seção de João liga as pontas soltas relacionadas às principais personagens da história e descreve a missão futura da Igreja de maneira simbólica. Em primeiro lugar, lê-se em 21.1-14 sobre a terceira aparição de Jesus aos discípulos e o milagre da grande pesca. De início, eles não reconhecem o estranho na praia mandando que eles lancem as redes do lado direito do barco (21.4-6). Contudo, depois de as redes ficarem carregadas de peixes, João reconhece o homem como "o Senhor", e Pedro de pronto veste sua roupa e nada até a margem (21.6-8). Muitos especulam sobre o sentido dos 153 peixes, sem chegar a uma conclusão decisiva, mas o sentido maior é que a rede estava cheia, como a missão da Igreja será plena ou bem-sucedida. Além disso, quando Jesus dá aos discípulos pão e peixe (21.13), isso lembra o milagre da multiplicação dos pães (Jo 6). O mesmo simbolismo da missão da Igreja se manifesta na próxima seção quando Jesus manda Pedro alimentar suas ovelhas (21.15-23). A "fogueira" (*anthrakia*) só é mencionada em João 18.18 (no pátio do palácio do sumo sacerdote local em que Pedro nega Cristo) e em 21.9 (na praia onde Jesus restaura Pedro). Isso reflete justamente o caráter de Jesus ao levar em conta a visão e o cheiro da negação para preparar o ambiente da restauração.

	Três perguntas de Jesus	Três respostas de Pedro	Três ordenanças de Jesus
21.15 →	"Simão, filho de João, você me ama [agape] mais do que estes?"	"Sim, Senhor, tu sabes que te amo [phileo]."	"Cuide dos meus cordeiros."
21.16 →	"Simão, filho de João, você me ama [agape]?"	"Sim, Senhor, tu sabes que te amo [phileo]."	"Pastoreie as minhas ovelhas."
21.17 →	"Simão, filho de João, você me ama [phileo]?"	"Senhor, tu sabes todas as coisas e sabes que te amo [phileo]."	"Cuide das minhas ovelhas."

Alguns sugerem que *agape* refere-se ao amor de Deus, enquanto *phileo*, ao amor humano, mas essa distinção não se sustenta no NT. Nesse contexto, os dois verbos são usados de modo simples como sinônimos de "amar". Por motivos estilísticos, João também usa diferentes palavras para "conhecer", "cuidar/pastorear" e "cordeiros/ovelhas". O mais significativo é o número três. Pedro colocou-se próximo da fogueira três vezes e negou o Senhor. Agora ele se coloca próximo da fogueira e afirma três vezes seu amor a Jesus. A restauração substitui o fracasso. A graça é poderosa! Jesus agora confia a Pedro uma nova responsabilidade — a de conduzir o povo de Deus e cuidar dele.

Romeiros passando pela Via Dolorosa (o caminho do sofrimento) em Jerusalém, o trajeto aceito pela tradição como o que Jesus percorreu para chegar ao lugar da crucificação.

É irônico que antes Pedro se orgulhava de estar pronto a morrer por Jesus, e agora Jesus prediz que Pedro de fato morrerá como mártir (21.18,19). Por fim, Jesus redireciona o foco de Pedro para o presente: "Siga-me!" (21.19). Pedro quer saber o que vai acontecer com o discípulo a quem Jesus ama, mas Jesus lhe diz para evitar comparações (21.20-23). A comparação entre discípulos pode ser espiritualmente mortal! Jesus faz Pedro recordar outra vez de sua prioridade: "Quanto a você, siga-me!" (21.22). O testemunho desse Evangelho vem do discípulo a quem Jesus ama (João), e a comunidade da fé reconhece esse testemunho como verdadeiro (21.24).

Como aplicar João à nossa vida hoje

A primeira coisa que percebemos sobre o Evangelho de João é como ele apresenta sua mensagem: teologia profunda em linguagem simples. O modelo de João de essência densa com palavras simples nos desafia a evitar terminologia

✚ Apesar de Pedro ter decepcionado Jesus, ele agora é restaurado e logo será usado por Deus de maneira poderosa (v. At 2—4).

cristã técnica e as tolices religiosas e superficiais quando comunicamos a história de Jesus.

Além disso, esse Evangelho convida à compreensão de Jesus Cristo. Crer em Jesus significa em primeiro lugar, e acima de tudo, crer em Jesus de acordo com a revelação das Escrituras. Desde a entrada do pecado neste mundo, os seres humanos tentam refazer Deus de acordo com nossa imagem. O Evangelho de João nos oferece um retrato equilibrado e abrangente de Jesus. Ele é plenamente divino e um com o Pai, mas ao mesmo tempo plenamente humano (1.1-18). Jesus entrou no mundo para revelar o Pai. Quando começamos a perder de vista quem Deus é e como ele é, precisamos olhar outra vez para Jesus como revelado nos Evangelhos. Jesus não é apenas um dos grandes líderes religiosos do mundo; ele é o Deus encarnado.

O Evangelho de João foi escrito para que as pessoas possam crer em Jesus e experimentar a vida eterna. Em João 17.3, a vida eterna é definida como o conhecimento de Deus por meio do relacionamento com Jesus Cristo. Isso nos ajuda a entender que crer em Jesus é muito mais que mero assentimento intelectual. A verdadeira fé inclui o discipulado sincero.

Em João, há um nítido contraste entre o bem e o mal, a luz e as trevas, os discípulos e o mundo, a verdade e a falsidade, a crença no Filho e a rejeição dele, e assim por diante. A atitude "preto no branco" do Evangelho de João nada contra a correnteza da cultura pluralista, politicamente correta, e nos lembra de que seguir Jesus às vezes requer assumir posições claras e corajosas.

Atualmente, há muita conversa sobre "glória" nos meios cristãos, e essas discussões seriam auxiliadas pela leitura atenta do Evangelho de João. Em João, a glória está repetidamente ligada à crucificação, ressurreição e ascensão de Jesus. A glória de Cristo não se limita apenas ao desejo de receber louvor de discípulos dedicados, mas pode ser vista com mais clareza no desejo de se humilhar morrendo na cruz. Na perspectiva bíblica, a glória não se refere apenas ao Deus que domina com poder sobre todas as coisas, mas ao Deus que desce às profundezas do pecado e sofrimento humanos a fim de produzir vida.

Nossos versículos favoritos de João

Porque Deus tanto amou o mundo que deu o seu Filho Unigênito, para que todo o que nele crer não pereça, mas tenha a vida eterna. Pois Deus enviou o seu Filho ao mundo, não para condenar o mundo, mas para que este fosse salvo por meio dele. (Jo 3.16,17)

O livro de Atos e as cartas de Paulo

"Atos dos Apóstolos" ou, com mais precisão, "Atos do Espírito Santo por intermédio dos apóstolos e de outros cristãos", conta a história do nascimento e crescimento da igreja primitiva, desde o início, por volta do ano 30, até o início dos anos 60 do século I. Conquanto tenhamos quatro relatos da vida de Jesus — Mateus, Marcos, Lucas e João —, há apenas um relato da vida da igreja primitiva (ainda que tenhamos as epístolas do NT, que também apresentam um grande volume de informações a respeito da vida comunitária dos primeiros cristãos). Lucas, o gentio cooperador do apóstolo Paulo, escreveu Lucas e Atos como uma obra única em dois volumes (v. Lc 1.1-4; At 1.1,2). Jesus, agora por meio do seu Espírito e da igreja, continua a obra iniciada no seu ministério terreno. Atos 1.8 sumariza como todo o livro é organizado: "Mas receberão poder quando o Espírito Santo descer sobre vocês, e serão minhas testemunhas em Jerusalém, em toda a Judeia e Samaria, e até os confins da terra". No evangelho de Lucas, Jesus viaja a Jerusalém rumo à cruz e à ressurreição, enquanto no livro de Atos a igreja se move de Jerusalém para levar o evangelho da morte e da ressurreição de Jesus às nações. A personagem central na primeira metade de Atos (1—12) é Simão Pedro, e Paulo assume esse papel na segunda parte do livro (13—28). Em Atos, o evangelho marcha em triunfo desde Jerusalém, a cidade santa e berço do cristianismo, a Roma, o centro do Império Romano.

Muitas das 13 epístolas de Paulo podem ser integradas com certa segurança na cronologia do livro de Atos. Suas primeiras cartas são Gálatas e 1 e 2Tessalonicenses; suas cartas "principais" são Romanos e 1 e 2Coríntios; as cartas "da prisão" são Efésios, Filipenses, Colossenses e Filemom e as "pastorais" são 1 e 2Timóteo e Tito. A ordem das cartas nas versões da Bíblia em português não é cronológica, mas baseada em seu tamanho.

Panorama da vida e das cartas de Paulo

Data do acontecimento	Data da carta	Acontecimento	Ref. em Atos	Carta (localização)
30/33		Morte e ressurreição de Jesus	1.3-11	
31-34		Conversão de Paulo	9.1-30; 22.3-21; 26.2-23	
46-47		Barnabé e Paulo levam uma oferta para as vítimas da fome em Jerusalém	11.30	
47-49		Primeira viagem missionária	13—14	
	49			Gálatas (Antioquia)?
49		Concílio de Jerusalém	15	
50-52		Segunda viagem missionária	15.36—18.22	
	51-52			1 e 2Tessalonicenses (Corinto)
53-57		Terceira viagem missionária	18.23—21.16	
	53			Gálatas (Éfeso)?
	54			1Coríntios (Éfeso)
	56			2Coríntios (Macedônia)
	57			Romanos (Corinto)
57-59		Prisão em Jerusalém	21.26-33	
		Dois anos de prisão em Cesareia	24—26	
59		Viagem a Roma	27.1—28.14	
60-62		Prisão domiciliar por dois anos em Roma	28.30	
	60-62			Cartas da prisão: Filemom, Colossenses, Efésios, Filipenses

Data do aconte-cimento	Data da carta	Acontecimento	Ref. em Atos	Carta (localização)
63		Libertação da prisão e obra missionária posterior?		
	63-67			Cartas Pastorais: 1Timóteo, Tito, 2Timóteo
64-67		Segundo aprisionamento em Roma, seguido de martírio		

- Mateus
- Marcos
- Lucas
- João

Atos
- Romanos
- 1Coríntios
- 2Coríntios
- Gálatas
- Efésios
- Filipenses
- Colossenses
- 1Tessalonicenses
- 2Tessalonicenses
- 1Timóteo
- 2Timóteo
- Tito
- Filemom
- Hebreus
- Tiago
- 1Pedro
- 2Pedro
- 1João
- 2João
- 3João
- Judas
- Apocalipse

Atos

Testemunhas fortalecidas pelo Espírito e enviadas ao mundo

Temos quatro Evangelhos, mas apenas um livro de Atos — logo, temos quatro versões da vida e do ministério de Jesus, mas apenas um relato da vida da igreja primitiva. Isto faz de Atos nossa janela para o mundo dos primeiros cristãos, os primeiros crentes a viver na era da graça no poder do Espírito que neles habitava. Conquanto sejamos ávidos para ver como a igreja primitiva era, Atos nos lembra que não se tratava de uma igreja perfeita (v. At 5.1—6.7). O que aprendemos de Atos é que servimos ao Deus perfeito e fiel que utiliza pessoas reais em situações reais para cumprir seus propósitos gloriosos.

Quem escreveu Atos?

Lucas, o gentio culto, médico e missionário, cooperador de Paulo, escreveu o Evangelho que traz seu nome e Atos. Para mais informações, leia "Quem escreveu Lucas?" na seção correspondente ao Evangelho de Lucas.

Quem eram os destinatários de Lucas?

Lucas e Atos são endereçados ao mesmo destinatário: "[o] excelentíssimo Teófilo", um recém-convertido necessitado de instrução e encorajamento na fé (Lc 1.3; At 1.1). Veja "Quem eram os destinatários de Lucas?" na seção correspondente ao Evangelho de Lucas, para mais detalhes. O livro de Atos também foi dirigido a todas as comunidades cristãs no século I, e para a igreja como um todo.

Com respeito à datação de Atos, a maioria dos estudiosos defende a datação entre os anos 70 e 90 do século I. Os estudiosos conservadores tradicionalmente apontam a data entre 62 e 64, concluindo que Lucas terminou o livro enquanto Paulo ainda estava na prisão aguardando o resultado de seu pedido de apelação a César. Qualquer que tenha sido a data da composição, o final abrupto do livro reflete o propósito literário de Lucas de mostrar a chegada de Paulo a Roma.

Quais são os temas centrais de Atos?

O propósito de Lucas em Atos coincide com o propósito no Evangelho que leva seu nome. Nessa obra de dois volumes ele explica como Deus continuou a levar adiante seus propósitos redentores por intermédio da igreja. O Espírito continua por meio do povo o que Jesus iniciou (At 1.1,2). Mais especificamente, Lucas apresenta em Atos a "história teológica" da igreja primitiva. Lucas assegurou a seus leitores o interesse de produzir uma história cronológica e investigada com cuidado (Lc 1.1-4). Mas é preciso recordar que qualquer escritor precisa selecionar acontecimentos e experiências, incluindo-os ou excluindo-os em razão da restrição de espaço. O relato de Lucas é exato, mas seletivo. Por exemplo, Lucas não dedica muito espaço para narrar a permanência de Paulo em Corinto por dezoito meses (At 18.1-18), mas o fez ao narrar a permanência muito menor de Paulo em Filipos (talvez alguns meses; v. At 16.12-40) ou Atenas (algumas semanas; v. At 17.16-34). Lucas toma essas decisões com base no propósito de apresentar um relato do que Deus faz por meio da igreja primitiva. Lucas dá aos leitores experiências exemplares ou representativas do progresso do propósito de Deus. Por essa razão, pode-se afirmar que Lucas escreve uma "história teológica" — um registro preciso de acontecimentos e mensagens que demonstram o que Deus faz em seu povo e por meio dele. Eis um esboço do livro de Atos:

- Preparação para o Pentecoste (1.1-26)
- Pentecoste: a vinda do Espírito Santo (12.1.47)
- O Espírito Santo trabalha por meio dos apóstolos (3.1—4.37)
- Ameaças à igreja (5.1—6.7)
- Estêvão, o primeiro mártir (6.8—8.3)
- Filipe, o evangelista (8.4-40)
- A conversão de Paulo (9.1-31)

✚ Lucas apresenta não apenas uma história confiável, mas também uma teologia profunda no livro de Atos.

- O ministério de Pedro além de Jerusalém (9.32—11.18)
- O cristianismo chega a Antioquia (11.19-30)
- Disseminação do evangelho a despeito dos obstáculos (12.1-25)
- A primeira viagem missionária de Paulo (13.1—14.28)
- O Concílio de Jerusalém (15.1-35)
- A segunda viagem missionária de Paulo (15.36—18.22)
- A terceira viagem missionária de Paulo (18.23—21.16)
- Paulo testemunha em Jerusalém (21.17—23.35)
- O testemunho de Paulo em Cesareia (24.1—26.32)
- Viagem e testemunho de Paulo em Roma (27.1—28.31)

Quais são os aspectos interessantes e singulares de Atos?

- Trata-se da segunda parte de uma obra em dois volumes: Lucas-Atos
- Descreve a primeira geração de cristãos — o período entre a crucificação de Jesus (por volta do ano 30) e o fim do ministério de Paulo (meados da década de 60).

✢ Pedro é a personagem principal da primeira parte de Atos, e Paulo, da segunda.

- As personagens humanas principais de Atos são Pedro (At 1—12) e Paulo (At 13—28). Pedro ministra principalmente no contexto judaico, enquanto Paulo o faz no contexto gentílico.
- Os "discursos" de Pedro, Paulo e outros compreendem cerca de um terço do livro. Na maior parte deles, Lucas apresenta um resumo exato do que foi dito, e não a transcrição completa (um exemplo é o sermão de Pedro na praça do templo, iniciado por volta das 15 horas e que durou até o pôr do sol, mas Lucas descreve o sermão em apenas 17 versículos; v. At 3.1; 4.3).
- Lucas escreveu cerca de 28% do NT.
- Atos 1.8 descreve a expansão geográfica do Evangelho que nos ajuda a entender todo o livro: Jerusalém e Judeia (At 1—7), além de Jerusalém (8—12) e até os confins da terra (13—28).
- Lucas inclui seis relatos do progresso da igreja ao longo do livro de Atos: 6.7; 9.31; 12.24; 16.5; 19.20; 28.31.

Cristãos visitam o pavimento superior da Igreja de Santa Maria dos Cruzados em Jerusalém, para lembrar o local e os acontecimentos do Pentecoste (At 2.1,2).

Pentecoste
Preben Vang

Lucas escreveu o livro de Atos para mostrar que a igreja deu continuidade ao ministério de Jesus. O poder capacitador para esse ministério foi concedido a cada seguidor de Cristo pelo derramar do Espírito Santo no Pentecoste (At 2.1-4). A obra dos primeiros cristãos foi muito mais que uma simples convicção de mente e o relato das primeiras experiências com o rabino deles (Jesus). Em lugar de iniciar seu ministério logo após a ascensão de Jesus, os discípulos esperaram que o Espírito de Deus os capacitasse para poder anunciar as mensagens de Deus e realizar as obras de Deus. Fortalecidos pelo Espírito, eles podiam agora, à semelhança de Jesus, proclamar a presença do Reino de Deus, demonstrar sua presença por meio de milagres e realizar a missão que originariamente fora outorgada a Israel (Is 42.6): levar pessoas de todos os povos e nações a um novo relacionamento com Deus.

O Pentecoste cumpriu as promessas proféticas de Deus no AT sobre a nova aliança por meio do seu Espírito. Deus escreveria sua lei no coração humano e guiaria as pessoas por seu Espírito, transformaria todos em profetas (Jr 31.31; Ez 36.24; Jl 2.28-32). O Pentecoste então foi o acontecimento que instituiu a igreja que Jesus constituíra.

Para os judeus, o Pentecoste era uma celebração anual ligada à colheita e à aliança. Como a celebração da colheita, era um banquete de ação de graças que festejava a providência divina. Como celebração da aliança, era uma comemoração da outorga da Lei no Sinai. A origem de Pentecoste no relato do Êxodo (23.16) deu ao acontecimento de Atos 2 um contexto imediato de presença, provisão e propósito histórico (Dt 16.9-12). O povo de Deus viera a Jerusalém de longe para celebrar a libertação do cativeiro e a presença divina em seu meio (Dt 16.11). É bastante significativo que a celebração judaica tradicional do Pentecoste tenha se tornado o acontecimento escolhido por Deus para derramar seu Espírito. A descida do Espírito de Deus sobre os discípulos não foi um acontecimento fenomenal e extraordinário para um pequeno grupo de pessoas em uma esquina de Jerusalém, mas uma evidência que Deus estava realizando uma nova aliança na qual sua presença se tornaria disponível a todos os que confiassem no que ele fez mediante o Filho, Jesus Cristo.

Atos 2 descreve como um grupo de 120 discípulos estava reunido em uma casa dez dias após a ascensão de Jesus quando subitamente ouviram o som como de um vento poderoso, que os fez lembrar das teofanias do AT (1Rs 19.11,12; 2Rs 2.11) e da outorga da Lei no Sinai (Êx 19.16-19). O novo acontecimento do Pentecoste transformou os assustados e medrosos seguidores de Jesus em evangelistas ousados, que falaram sem temor a grandes multidões nas ruas de Jerusalém. Mais de 3 mil pessoas passaram a crer depois do primeiro sermão pregado pelo apóstolo Pedro.

Qual é a mensagem de Atos?

Preparação para o Pentecoste (1.1-26)

Muitos temas importantes do livro são apresentados no capítulo 1 (p. ex., a missão da igreja, o poder do Espírito Santo, a importância da oração). Lucas observa que seu primeiro volume registra "tudo o que Jesus começou a fazer e a ensinar, até o dia em que foi elevado aos céus" (1.1,2). Portanto, a implicação é que Atos registra o que Jesus continuou a fazer e a ensinar por meio do seu

✚ A promessa de Deus de derramar o seu Espírito sobre o seu povo foi cumprida no Pentecoste (Is 44.3; Jr 31.31-34; Ez 36.24-27; Jl 2.28,29).

O Espírito Santo no Novo Testamento
Craig S. Keener

João Batista profetizou a respeito de alguém poderoso que batizaria com o Espírito Santo e com fogo (Mt 3.11; Lc 3.16). Como apenas Deus poderia derramar o próprio Espírito, João provavelmente reconheceu como divino aquele que viria; ele batizaria os ímpios com fogo (cf. Mt 3.10,12; Lc 3.9,17), mas os penitentes, em contraste, com o Espírito Santo. Esse batismo provavelmente abrange toda a esfera de atuação da obra do Espírito (o que inclui a salvação e a capacitação para o serviço do Reino de Deus.). O AT (e alguns grupos judeus, como os essênios) algumas vezes relacionavam o Espírito à purificação espiritual (Ez 36.25-27); com mais frequência o AT e o judaísmo relacionaram o Espírito ao poder, tal como os profetas bíblicos fizeram.

Não apenas João, mas as Escrituras também profetizaram que o Espírito seria derramado no tempo da restauração prometida para o povo de Deus (Is 44.3; 59.21; Ez 36.24-28; 37.14; 39.29; Jl 2.28,29). Por causa disso, Jesus falou do Reino ativo nas obras que realizou pelo Espírito (Mt 12.28; cf. Lc 11.20). De igual modo, Paulo falou do Espírito como "garantia" (2Co 1.22; 5.5; Ef 1.13,14), "primeiros frutos" (Rm 8.23) ou antecipação do futuro dos cristãos (1Co 2.9,10; cf. tb. Hb 6.4,5).

Paulo mostra que tudo na vida dos crentes depende do Espírito. O Espírito produz nos crentes o fruto do caráter do próprio Deus, em contraste com a mera justiça humana (Gl 5.16-25; Rm 8.2-17). De igual maneira, cada crente é convidado a ministrar aos outros por ministérios ou "dons" da graça potencializados pelo Espírito (1Co 12.1-31; cf. Ef 4.11-13). Todos os dons de Deus são, por definição, bons; diferentes dons são dados a diferentes crentes ao servirem uns aos outros (ainda que em 1Co 12.31 e 14.1 os crentes aparentemente possam também procurar alguns dons para edificar os outros).

Lucas tem a tendência de enfatizar a dimensão profética de fortalecimento do Espírito (At 2.17,18). Ainda que Lucas decerto concorde com os demais escritores do NT que o Espírito atua na conversão (cf. Lc 3.16; At 2.38,39), ele enfatiza em especial o Espírito depois da ascensão. Depois da crucificação e ressurreição, Jesus ressuscitado aparece aos apóstolos pelo período de quarenta dias, falando-lhes a respeito do Reino e instruindo-os a não deixar Jerusalém até que recebessem a "promessa de meu Pai [...] o Espírito Santo" (1.2-5). Em um desses encontros pós-ressurreição, eles perguntam a Jesus: "Senhor, é neste tempo que vais restaurar o reino a Israel?". Mas ele lhes diz que sua responsabilidade não era especular sobre "os tempos ou as datas" (1.7). Eles deveriam voltar a atenção para o recebimento do poder do Espírito e atuar como testemunhas de Jesus, primeiro em Jerusalém e depois por todo o resto do mundo (1.8). Em 1.9-11, Lucas registra a ascensão de Jesus ao céu, o que também implica sua exaltação à destra de Deus (Ef 1.20,21; Fp 2.9; Hb 1.3; 2.9). Os apóstolos, as mulheres, a mãe e os irmãos de Jesus se reuniam regularmente no cenáculo de Jerusalém para orar (1.12-14; parece que a ressurreição convenceu os irmãos de Jesus de que ele era o Messias). Em 1.15-26, Lucas relata a substituição de Judas Iscariotes. A vacância entre os Doze foi criada pela decisão ímpia de Judas e seu

poder do Espírito que inspira o testemunho (At 1.8). Quando os outros escritores articulam princípios a respeito do Espírito, apenas Atos apresenta a experiência da Igreja. Lucas mostra que, ainda que em princípio os crentes recebam o Espírito na conversão e aí possam experimentar a dimensão fortalecedora dessa experiência (10.44,45), algumas vezes eles experimentaram essa dimensão posteriormente (8.14-17) e puderam fazê-lo em várias ocasiões (4.8,31; 13.9). Talvez Lucas tenha registrado incidentes de oração em outras línguas em três das recepções iniciais do Espírito (2.4; 10.45,46; 19.6) dada a ênfase do seu livro (At 1.8): esse dom é um símbolo poderoso da capacitação concedida pelo Espírito para a igreja como um todo falar de Deus ao transpor barreiras culturais.

O Evangelho de João algumas vezes associa o Espírito à água da vida (cf. Jo 7.37-39). Ao fazê-lo, o Evangelho revela o dom de Jesus como maior que a água dos rituais judaicos, como o batismo de João (Jo 1.31-33), maior que a pureza ritual (2.6), o batismo de prosélitos (3.5), o poço dos samaritanos (4.12-14) e um local de curas (5.6,7,8). Com base em Zacarias 14 e em Ezequiel 47, o povo judeu tinha a expectativa de rios de água viva que no tempo do fim fluiriam do templo de Jerusalém; Jesus, alicerce do templo espiritual, alega ser o verdadeiro doador dessa água em João 7.37-39.

O discurso de despedida de Jesus anuncia que o Espírito virá como *parakletos* (Jo 14.16,26; 15.26; 16.7), palavra que tem sido traduzida por "ajudador", "intercessor", "conselheiro" e "advogado". O Espírito, que veio habitar nos crentes após a ressurreição de Jesus (20.22), assegurará sua permanência constante na presença de Deus, como seu lugar de habitação (14.16,17,23). Por isso mesmo, depois da ascensão de Jesus o Espírito continuaria a revelar Jesus e torná-lo presente (16.13-15; 15.15). Não obstante, sua revelação sempre manteria continuidade com o Jesus real e histórico (14.26; 16.14,15; 1Jo 4.2,3). Ele também daria continuidade ao ministério de Jesus no mundo, talvez por meio do testemunho dos crentes (Jo 15.26,27; 16.7-11).

A descrição que João faz do *parakletos* em João 14—16, bem como algumas passagens trinitárias (a mais conhecida é Mt 28.19), mostra que o Espírito é uma pessoa como o Pai e o Filho. Mas o foco primário do NT está na ação do Espírito: revelar o Filho, transformar os crentes à semelhança de Jesus e capacitar os crentes a experimentar Cristo e compartilhar sua vida escatológica e o ministério do Reino com as outras pessoas.

---

subsequente suicídio (1.15-20). A traição de Jesus cometida por Judas deve ter sido bastante dolorosa para os outros apóstolos, pois ele compartilhara do ministério deles. Mas, como as Escrituras deveriam ser cumpridas (Sl 69.25; 109.8), Pedro liderou o grupo a fim de encontrar um substituto para Judas (1.21-26). Eles propuseram dois homens igualmente qualificados. Depois de uma oração, lançaram sortes, e o escolhido foi Matias, que foi acrescentado aos onze. Conquanto aparentemente o processo de tomada de decisão pareça se basear no acaso, a igreja tinha orado e reduzido a lista a dois candidatos igualmente qualificados antes de buscar a direção soberana de Deus (observe-se a oração feita em 1.24).

A Torre da Ascensão no Monte das Oliveiras.

✢ Em Isaías 49.6, o "Servo do Senhor" é comissionado para ser "luz para os gentios, para que você leve a minha salvação até os confins da terra". Agora Jesus comissiona os discípulos a levarem o evangelho até os confins da terra (At 1.8).

Pentecoste: a vinda do Espírito Santo (2.1-47)

Quando todos os discípulos oravam e esperavam, o Espírito Santo prometido veio de maneira poderosa (2.1-13). A festa judaica do Pentecoste (também chamada de festa das semanas ou das primícias) era celebrada 50 dias depois da Páscoa para comemorar a colheita dos grãos. Os 120 crentes estavam reunidos em um só lugar onde o milagre do Pentecoste ocorreu (2.1).

Esse acontecimento representa um grande passo no programa redentor de Deus, o tempo em que o Espírito Santo viveria de modo permanente nos crentes. Surge um som como de um vento violento vindo do céu e enchendo a casa (2.2), línguas que pareciam de fogo repousam sobre cada pessoa (2.3) e todos são cheios do Espírito Santo e falam em outras línguas (2.4). Esse derramar poderoso da presença pessoal de Deus atrai judeus tementes a Deus de muitas nações que ouviram galileus cheios do Espírito falando em suas línguas nativas (2.5-11). Maravilhados e perplexos, eles se perguntam sobre o significado disso, mas alguns dentre a multidão zombam dos crentes, dizendo que estão bêbados (2.13).

Em 2.14-21, Pedro, com base nas Escrituras, explica o que aconteceu. Os crentes não estão bêbados, pois são apenas 9 horas da manhã. Aconteceu o que Joel predissera (2.14-21; Jl 2.28-32). Os últimos dias chegaram e Deus derramou seu Espírito sobre todos os crentes. Pedro então, mais uma vez, utiliza as Escrituras para demonstrar que Jesus é o Messias. Primeiro ele fala

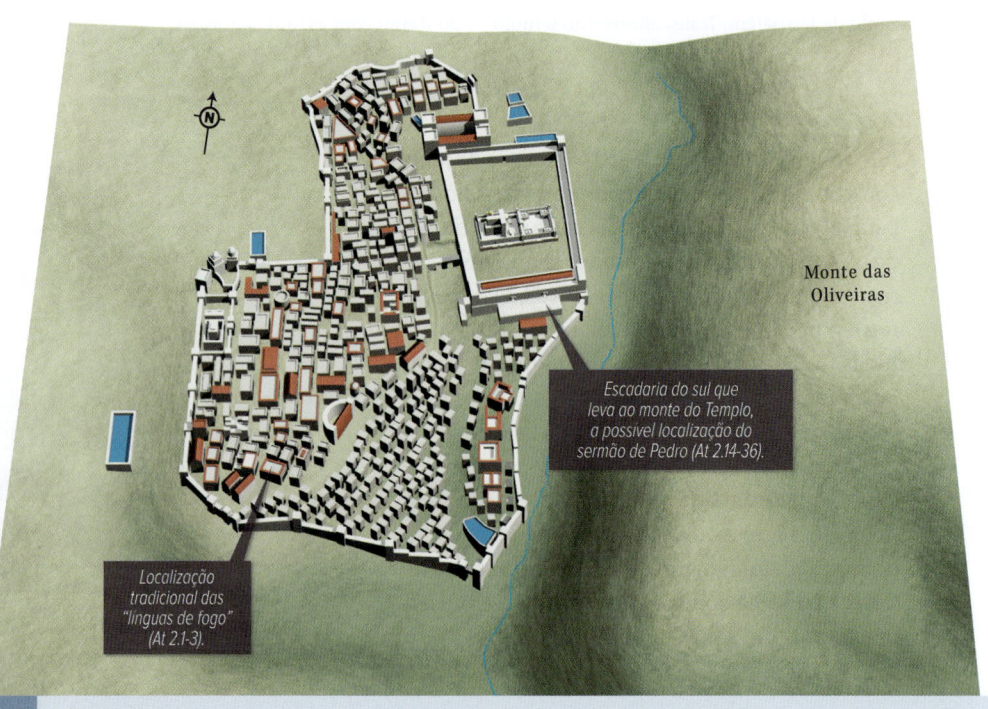

Monte das Oliveiras

Escadaria do sul que leva ao monte do Templo, a possível localização do sermão de Pedro (At 2.14-36).

Localização tradicional das "línguas de fogo" (At 2.1-3).

✤ No AT, o Espírito de Deus atuava em alguns indivíduos selecionados com o fim de capacitá-los para a realização de tarefas específicas. No Pentecoste, o Espírito atua em todos os crentes para capacitá-los para o cumprimento da missão da igreja.

O uso de *koinonia* em Lucas
Scott Jackson

Em Atos 2.42, Lucas usa a palavra *koinonia* como chave para a descrição da vitalidade da igreja primitiva. Considerando que Lucas escreveu quase um terço do NT, é significativo que a palavra *koinonia* apareça apenas aqui em seus escritos. Parece que Lucas cuidadosa e estrategicamente escolheu essa palavra para auxiliar seus leitores a entender o que aconteceu na igreja de Jerusalém. Então, o que aconteceu de fato e o que Lucas quer dizer com essa palavra?

O contexto imediato dos primeiros capítulos de Atos ajuda a responder (At 2.42-47). O contexto revela que os primeiros crentes participam de atividades litúrgicas em conjunto, como ouvir o ensino dos apóstolos, participar da ceia do Senhor, da oração e do culto com regularidade. Além disso, eles partilhavam seus bens uns com os outros, chegando a vender propriedades e dar o dinheiro aos apóstolos para a distribuição aos necessitados, recebiam pessoas em casa e repartiam o alimento em refeições comunitárias. Essas atividades de participação conjunta resultaram na experiência de milagres, salvação e unidade da igreja primitiva. Todos esses acontecimentos e experiências parecem ilustrar a *koinonia* em Lucas.

A palavra *koinonia* era comum na sociedade greco-romana. Era utilizada em contextos religiosos, familiares e sociais. Escritores greco-romanos a usaram para refletir alguns dos ideais mais elevados de intimidade, compartilhamento, inter-relacionamentos, amizade e unidade. Parece que Lucas tomou a palavra emprestada da cultura e dessa sociedade para explicar e ilustrar os relacionamentos especiais que se desenvolveram na igreja primitiva — relacionamentos que de fato atingiam os mais altos ideais greco-romanos.

A palavra *koinonia* é derivada da raiz grega *koinos*, que significa "comum". Com base nessa raiz, Lucas ilustra a *koinonia* ao descrever as participações específicas comuns modeladas pela igreja primitiva; assim parece melhor definir o uso que ele dá à palavra como "participação conjunta na vida guiada pelo Espírito" (i.e., partilhar na vida comum do Espírito). Tomando por base o testemunho da igreja primitiva, conclui-se que essa vida promove igualdade étnica e social. É a vida abundante, miraculosa, esperançosa e alegre entre os amigos da família de Deus. É a vida em que as pessoas vencem as dificuldades juntas. É uma vida de fé. É a melhor vida possível. É vida no Espírito. Que a igreja de Deus hoje continue a buscar, abraçar e a experimentar essa vida de *koinonia*.

---

a respeito da morte e ressurreição de Jesus (2.22-28; Sl 16.8-11) antes de descrever sua exaltação (2.29-35; Sl 110.1). Sua conclusão é: "Este Jesus, a quem vocês crucificaram, Deus o fez Senhor e Cristo" (2.36). Os ouvintes ficam "aflitos em seu coração" e perguntam como devem reagir (2.37). Pedro os desafia ao arrependimento e à confissão pública da fé mediante o batismo, dizendo que quando o fizerem receberão o prometido dom do Espírito Santo (2.38,39). De forma surpreendente, cerca de 3 mil pessoas se tornam seguidoras de Jesus (2.40,41).

Lucas apresenta um retrato da vida comunitária da igreja em 2.42-47. Os novos crentes se dedicam a quatro práticas: o ensino apostólico, a comunhão ou partilha, a observação da ceia do Senhor (provavelmente como parte da refeição comunitária) e a oração (2.42). A comunidade também

✚ No livro de Atos, os apóstolos "testemunham" a respeito da crucificação e ressurreição de Jesus (v. At 1.22; 2.32; 3.15; 5.32; 10.39,41; 13.1; 22.15).

A igreja nos lares
Scott Jackson

Depois da ascensão de Jesus ao céu, os crentes seguiram suas instruções e voltaram a Jerusalém, onde esperaram pelo prometido dom do Espírito Santo (At 1.4). Em Jerusalém, permaneceram em uma casa com um cômodo superior grande e se reuniam constantemente em oração (At 1.12-14). A passagem antecipa o papel importante que as casas desempenhariam na vida e missão da igreja primitiva.

Pouco depois dessa reunião de oração, o Espírito prometido veio sobre os crentes, que mais uma vez estavam reunidos em uma casa (At 2.1). O resultado do acontecimento foi o testemunho ousado dos discípulos em toda a Jerusalém. O testemunho produziu grande colheita espiritual com cerca de 3 mil pessoas sendo salvas em um único dia, enquanto novos crentes continuavam a ser acrescentados à igreja a cada dia (At 2.47).

Como a igreja cuidava desses novos crentes? Como eles eram ensinados? Onde se reuniam para orar e adorar? De que maneira poderiam eles identificar as necessidades uns dos outros e entender a elas? Essas questões devem ter sido alvo da preocupação dos apóstolos depois do nascimento da igreja de Cristo. De acordo com o livro de Atos, a resposta não foi construir grandes templos (isso só ocorreu a partir do século IV quando Constantino iniciou a construção de basílicas cristãs). A solução dos primeiros cristãos foi dividir os crentes em grupos pequenos. Além de no átrio do templo, eles se reuniam com regularidade em casas para ensino, oração, adoração, cuidado para com os necessitados, refeições comunitárias e a ceia do Senhor (At 2.46). Portanto, o nascimento da igreja nos lares coincide com o nascimento da igreja.

Presume-se que muitas igrejas domésticas fossem casas grandes cujos proprietários eram cristãos de classe elevada (arqueólogos descobriram casas do século I, pertencentes a cristãos ricos, que podiam reunir até cem pessoas). Exemplos de proprietários de casas assim são Maria, a mãe de João Marcos (At 12.12), Lídia (At 16.15), Ninfa (Cl 4.15), Filemom (Fm 2) e Priscila e Áquila (Rm 16.3-5; 1Co 16.19). No século I a posse de uma casa era sinal claro de riqueza, e a igreja primitiva utilizava os crentes abastados como pessoas úteis ao abrir o lar para reuniões cristãs e fornecer hospitalidade e cuidado material. É também notável que muitas mulheres eram anfitriãs de várias dessas igrejas domésticas.

As igrejas domésticas eram ideais para a igreja primitiva. Elas atendiam à necessidade prática de providenciar locais para reuniões relativamente insuspeitos na época em que a perseguição era ameaça constante. Poderiam se multiplicar com facilidade à medida que a igreja crescia. Permitiam que a igreja servisse refeições comunitárias e a ceia do Senhor, dois aspectos bastante importantes do culto dos primeiros cristãos. Por fim, as igrejas domésticas proviam o ambiente para a vivência de discipulado, intimidade e para que a *koinonia* cristã fosse experimentada.

experimenta um senso de maravilhamento a respeito do que Deus está fazendo, compartilha os bens com os necessitados, passa tempo em culto comunitário e acolhe os novos convertidos (2.43-47).

O Espírito Santo trabalha por meio dos apóstolos (3.1—4.37)

Fortalecida pelo Espírito, a igreja começou a testemunhar em Jerusalém. Por serem judeus cristãos, os primeiros crentes continuaram a ir ao templo para orar. Certa vez Pedro e João se encontraram com um mendigo aleijado na porta Formosa (3.1-4). Em resposta ao pedido de dinheiro do homem, Pedro respondeu: "Não tenho prata nem ouro, mas o que tenho, isto lhe dou. Em nome de Jesus Cristo, o Nazareno, ande" (3.6). O homem foi curado de forma instantânea e começou a andar e a pular, louvando a Deus no pátio do templo (3.7,8). Todos ficaram perplexos e admirados com o que aconteceu (3.9,10).

Quando a multidão se reúne no pórtico de Salomão, Pedro prega o segundo sermão (3.11-26). Para começar, Pedro estabelece a conexão entre a cura do mendigo e a mensagem cristã a respeito de Jesus crucificado e ressurreto (3.12-16). Os apóstolos não hesitam em atribuir ao poder de Jesus a fonte da cura, não ao próprio caráter ou a qualquer habilidade deles (3.12,16).

Por ser Jesus a fonte da cura, Pedro usa as Escrituras para desafiar a multidão judaica a se arrepender e aceitar Jesus como o Messias de Deus, predito por Abraão e Moisés (3.17-26).

A cura do homem e a mensagem dos apóstolos fizeram que os sacerdotes e os guardas do templo prendessem Pedro e João para serem interrogados perante o Sinédrio (4.1-22). Eles estão perturbados teologicamente pelo fato de os apóstolos proclamarem a ressurreição dos mortos em Jesus, doutrina negada pelos saduceus (4.1,2). Eles estão muito preocupados politicamente porque a cura do homem indica para muitas pessoas o caminho da fé em Jesus (4.4,9,16,17,21,22). Pedro proclama com ousadia que o Jesus crucificado e ressuscitado é o responsável pela cura do homem e que a salvação só é encontrada em Jesus (4.12). O Sinédrio os adverte de não falarem mais no nome de Jesus, esperando dessa maneira prejudicar o movimento cristão (4.17,18). Mas Pedro e João declaram que devem obedecer a Deus, não aos homens, e prometem que continuarão a falar do que viram e ouviram (4.19,20).

Escadaria sul do monte do Templo, possível localização do sermão de Pedro

Depois de sua libertação, Pedro e João reportam aos demais crentes o que tinha ocorrido, e os crentes responderam com oração (4.23-31). Eles louvam a Deus por ser o Soberano Senhor e Criador que não é surpreendido pela oposição a seu povo (4.24-27; Sl 2.1,2). Pedem ousadia para anunciar a mensagem e que continuarão a operar sinais milagrosos e maravilhas em nome de Jesus (observe-se que eles não oraram pedindo que a oposição cessasse). Em resposta à oração, o local de sua reunião tremeu, todos ficaram mais uma vez cheios do Espírito Santo e anunciaram a palavra de Deus com intrepidez (4.31).

✚ Pedro, um judeu falando a judeus nos arredores do templo, atribui a cura do mendigo aleijado ao "Deus de Abraão, de Isaque e de Jacó, o Deus dos nossos antepassados" que "glorificou seu servo Jesus" (At 3.13).

Lucas mais uma vez descreve a vida conjunta da comunidade em 4.32-37, com o foco na prática da partilha de bens materiais (cf. At 2.42-47). Enquanto os apóstolos continuaram a testemunhar a ressurreição de Jesus, o povo voluntariamente vendia suas propriedades e ofertava com generosidade para atender às necessidades dos membros da comunidade. A contribuição de Barnabé contrasta com as personagens principais do episódio seguinte.

Ameaças à igreja (5.1—6.7)

Ainda que Deus esteja em ação e a comunidade floresça, ameaças sérias à igreja começam a surgir. Em contraste com a integridade e generosidade de Barnabé (4.36,37) estão as ações gananciosas, hipócritas e enganadoras de Ananias e Safira (5.1-11). O casal não era obrigado a ofertar à igreja, mas vendeu uma propriedade e pareceu ter dado todo o dinheiro conquanto tivesse guardado em segredo parte do produto da venda. Pela mentira ao Espírito e pelo engano da comunidade, os dois morrem. Lucas não diz que foram condenados eternamente, apenas que eles experimentaram o juízo divino, por meio da morte física (o julgamento imediato nesse caso não é repetido no NT como padrão, mas nos dias críticos do princípio da igreja, e Deus nesse momento usou ações dramáticas). Como resultado, "grande temor apoderou-se de toda a igreja e de todos os que ouviram falar desses acontecimentos" (5.11).

Lucas registra em 5.12-16 que o povo continuou a se reunir no pórtico de Salomão e o Senhor acrescentava mais e mais pessoas ao grupo dos crentes. Os apóstolos realizavam muitos sinais e maravilhas, como curar doentes e libertar endemoninhados. Jesus de fato continua a fazer o que fizera em seu ministério, por meio do Espírito e dos apóstolos.

Estrada principal que passa por Samaria, também conhecida como Sebaste.

✚ A generosidade dos primeiros cristãos (At 2.42-47; 4.32-35) foi ameaçada pela cobiça de pessoas como Ananias e Safira (At 5.1-11).

Martírio no Novo Testamento
Douglas S. Huffman

Martírio, ser morto por causa da fé, é um ato extremo de perseguição religiosa. A expressão em português "mártir" é derivada do termo grego que inclui uma ideia mais abrangente de "testemunha" (*martys* e cognatos). A observação de Paulo sobre Jesus "testificar" (*martyreo*) perante Pilatos (1Tm 6.13) associa o testemunho com uma provável morte. Semelhantemente, Jesus é mencionado como "a testemunha fiel, o primogênito dentre os mortos" (Ap 1.5; cf. 3.14). Jesus advertiu seus seguidores de que eles sofreriam perseguição, incluindo morte, por causa de seu testemunho (*martyrion*; v. Mt 10.17-25; 24.9-14; Mc 13.9-13; Lc 21.12-19; cf. Jo 16.1-4). A exortação para que seus seguidores "tomem sua cruz" é uma alusão clara à morte potencial por causa da fé (Mt 10.38; 16.24-27; Mc 8.34-38; Lc 9.23-26; 14.27). Apocalipse (2.13; 6.9-11; 12.11; 17.6) também faz uma ligação entre morte e ser testemunha (*martys*) ou dar testemunho (*martyria*). No entanto, foi somente no final do século II ou meados do século III que "mártir" se tornou um termo técnico para designar quem morreu por sua fé religiosa (p.ex., *Martírio de Policarpo* 1-2; Ireneu, *Contra Heresias* 5.9.2; Clemente de Alexandria, *Stromata* 4.4-5, 21); o termo "confessor" era usado para quem dava testemunho perante as autoridades, mas não era morto (cf. Eusébio, *História Eclesiástica* 5.2.1-4). Morrer por causa da fé era visto como admirável, e os mártires eram honrados como heróis do cristianismo (cf. Ap 2.10). Apesar de alguns cristãos desejarem o martírio (p.ex., Inácio de Antioquia em sua *Efésios* 1.2; *Tralianos* 4.2; 10; *Romanos* 1.1-8.3), a igreja logo decidiu que martírio voluntário não era honroso (p.ex., Clemente de Alexandria, *Stromata* 4.10; *Martírio de Policarpo* 4.1; Justino Mártir, *Apologia* 2.4; cânone do Concílio de Elvira 60). O Novo Testamento menciona santos do Antigo Testamento (e talvez judeus fiéis do Período Macabeu) que foram mortos por sua fé e pregação (Mt 23.27-36; Lc 11.44-51; At 7.51-53; Hb 11.32-40). João Batista foi preso e morto por se opor à impiedade de Herodes Antipas (Mt 14.1-12; Mc 6.14-29; Lc 3.19,20; 9.7-9). Jesus foi perseguido e morto por sua fidelidade a Deus (Jo 5.2-18; At 7.51-53). Estêvão é considerado o primeiro mártir especificamente cristão, que morreu por sua fé no Senhor Jesus Cristo ressurreto (At 6.8—8.2). O testemunho de Paulo em Atos 22.20 é uma ocorrência importante da palavra *martys* no contexto da morte de Estêvão como "testemunha" de Cristo. O apóstolo Tiago foi morto por Herodes Agripa I (At 20.22-24; 21.13; Rm 8.35-39; Fp 1.12-21; 2.17; 2Tm 4.6-8). Fontes extrabíblicas registram o martírio dos apóstolos — todos, exceto João, de quem se diz que teve morte natural em Éfeso.

Como a cura do mendigo aleijado teve como consequência a primeira prisão e interrogatório (4.1-22), milagres também ocorreram mais tarde na segunda prisão e audiência perante o Sinédrio (5.17-42). Os milagres são sinais que apontam para Jesus como Senhor e Messias e desafiam o povo a ter fé. Depois de serem levados à prisão, os apóstolos foram resgatados por um anjo e assim puderam continuar a falar com ousadia a respeito da nova vida em Cristo (5.18-21). Quando descobertos no pátio do templo ensinando o povo, são presos de novo (5.21-26). Quando perguntados por que não pararam de ensinar no nome de Jesus, Pedro respondeu: "É preciso obedecer antes a Deus do que aos

✚ Ainda que o NT ensine claramente a submissão ao Estado quando este promove a justiça e restringe o mal, os crentes são obrigados a obedecer a Deus.

Fórum da cidade de Samaria. Pedro e João viajaram a essa cidade a fim de orar pelos novos convertidos samaritanos (At 8.14).

homens" (5.27-29). Pedro mais uma vez narra o que Deus fez por intermédio de Jesus e o papel dos apóstolos como testemunhas fortalecidas pelo Espírito desses acontecimentos históricos (5.30-32).

Um fariseu chamado Gamaliel convence o Sinédrio furioso a não executar os apóstolos, e sim libertá-los, com esperança de que o movimento logo terminasse (5.33-39). Depois de serem açoitados, os apóstolos foram libertados com a advertência de não falarem mais no nome de Jesus (5.40). Os apóstolos se rejubilam por serem considerados dignos de sofrer pelo "Nome" e "todos os dias, no templo e de casa em casa, não deixavam de ensinar e proclamar que Jesus é o Cristo" (5.41,42).

Além da hipocrisia interna e da perseguição externa, a igreja enfrenta o desafio de atender com adequação ao número crescente de discípulos e a ameaça de uma divisão (6.1-7). O problema é que algumas viúvas estão sendo esquecidas na distribuição diária de alimentos (6.1,2). A solução proposta permitiria aos Doze concentrarem a atenção na oração e no ministério da Palavra de Deus, ao passo que sete homens cheios do Espírito Santo e de sabedoria foram escolhidos para supervisionar essa distribuição (6.3,4). Todos os sete nomes mencionados em 6.5 são gregos, indicação de que as viúvas menosprezadas na distribuição de agora em diante terão quem as represente. Dois dos sete, Estêvão e Filipe, desempenharão papéis importantes nos capítulos seguintes de Atos. Lucas conclui a seção com um relatório positivo do progresso da missão cristã (6.7).

Estêvão, o primeiro mártir (6.8—8.3)

A história do martírio de Estêvão é também a história de como o cristianismo difere do judaísmo. Lucas dá bastante destaque ao discurso de Estêvão por causa da importância para a missão cristã além de Jerusalém e do templo. Estêvão é descrito como "cheio de graça e do poder de Deus" e "realizava grandes maravilhas e sinais no meio do povo", além de repleto de sabedoria e do Espírito em debates públicos (6.8-10). Estêvão é acusado de blasfêmia e preso por falar contra o templo e contra a Lei (6.11-15).

Ele se defende perante o Sinédrio em um discurso longo reproduzido em 7.1-53. Estêvão conta a história da redenção de Abraão até Davi, dando destaque a alguns pontos importantes: 1) Deus não pode ser limitado a um lugar ou região (p.ex., o templo de Jerusalém): 2) o culto verdadeiro não está confinado ao templo; 3) os judeus rejeitaram os mensageiros de Deus no passado e mais recentemente rejeitaram o Messias de Deus, Jesus. Depois das palavras de conclusão da acusação em 7.51-53, os membros do Sinédrio ficam furiosos (7.54). Estêvão olha para o céu e vê Jesus, o Filho do homem, exaltado à destra de Deus, e isso fez os líderes judeus perderem as estribeiras (7.55,56). Eles o arrastaram para fora da cidade e o apedrejaram até a morte, enquanto um jovem chamado Saulo a tudo observa e aprova (7.57,58; 8.1). Estêvão responde como Jesus fizera na cruz: "Senhor Jesus, recebe o meu espírito [...] Senhor, não os consideres culpados deste pecado" (7.59,60). A partir desse dia, teve início uma grande perseguição contra a igreja de Jerusalém, forçando todos, com exceção dos apóstolos, à dispersão por toda a Judeia e Samaria (8.1; cf. At 1.8). Lucas também menciona que Saulo começou a perseguir a igreja com intensidade (8.3).

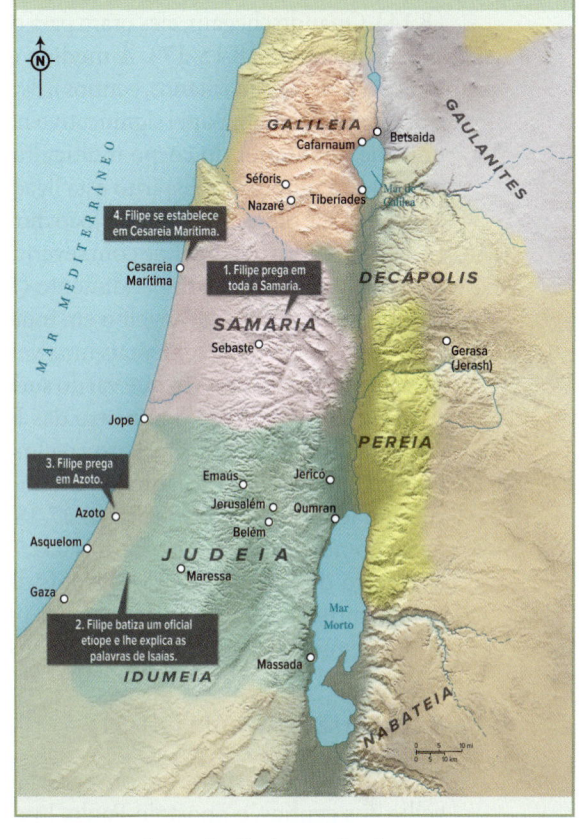

Filipe, o evangelista (8.4-40)

O testemunho da igreja em toda a Judeia e Samaria tem início em 8.4. Filipe, outro dos sete indicados em Atos 6.1-7, vai a uma cidade na região de Samaria e proclama Cristo, expulsa demônios, cura doentes, produzindo assim grande alegria para o povo (8.4-8). Muitas pessoas creem e são batizadas, incluindo Simão, o Mago, que tinha muitos seguidores na cidade (8.9-13). Quando os apóstolos de Jerusalém tomam conhecimento de que Samaria aceitou a Palavra de Deus, eles enviam Pedro e João para investigar

✚ Estêvão resume a história do AT em seu discurso em Atos 7 e morre de uma maneira que imita a morte de Jesus (ao perdoar seus executores).

(8.14). Quando chegam, eles oram para que os samaritanos possam receber o Espírito Santo (8.15-17). À medida que o evangelho cruza fronteiras étnicas (judeus, samaritanos, gentios), os apóstolos confirmam a experiência e desempenham um papel significativo na outorga do Espírito. Isso confere unidade no interior do corpo multicultural de Cristo. Quando Simão observa que a outorga do Espírito está ligada à imposição de mãos feita pelos apóstolos, ele oferece a Pedro e a João dinheiro para ter a mesma capacidade (8.18,19). Pedro o repreende com severidade por tentar comprar o poder de Deus e o conclama ao arrependimento (8.20-24). Pedro e João retornam a Jerusalém pregando o evangelho em muitos povoados samaritanos (8.25).

A atenção agora se volta mais uma vez para Filipe. Deus o direcionou a pegar a estrada do deserto que vai do sudoeste de Jerusalém a Gaza (8.26). Filipe se encontra com o ministro das Finanças da Etiópia que fora a Jerusalém para prestar culto (provavelmente um temente a Deus ou um convertido ao judaísmo), que no momento do encontro está em sua carruagem lendo o livro de Isaías (8.27,28). Quando o homem pede ajuda para entender uma passagem em Isaías 53, Filipe lhe explica as boas-novas a respeito de Jesus (8.31-35). Depois de batizar o oficial, Filipe é levado pelo Espírito e viaja por várias cidades pregando o evangelho, enquanto o etíope segue seu caminho regozijando-se em sua nova fé (8.36-40).

A conversão de Paulo (9.1-31)

Agora lemos a respeito da conversão radical do homem que levará o evangelho aos gentios, o apóstolo Paulo. Lucas registra a conversão três vezes, tamanha sua importância: 9.1-30; 22.3-21; 26.2-23. A caminho de Damasco para perseguir os pertencentes ao Caminho (o primeiro nome pelo qual os cristãos foram conhecidos), Paulo é lançado ao chão e cegado por uma luz celestial (9.1-3). Ao perseguir os seguidores de Jesus, Paulo estava na verdade perseguindo Jesus (9.4,5). Jesus diz ao perseguidor cego para entrar em Damasco e aguardar instruções posteriores (9.6-9). O principal inimigo da igreja é transformado em uma das principais testemunhas de Cristo. Enquanto isso, o Senhor dá uma visão a Ananias, um discípulo que vivia em Damasco, e também ao próprio Paulo, a respeito do que acontecerá a seguir (9.10-12). Ananias em princípio levanta objeções por conta da reputação notória de Paulo, mas o Senhor responde: "Vá! Este homem é meu instrumento escolhido para levar o meu nome perante os gentios e seus reis, e perante o povo de Israel" (At 9.15). Ananias então se encontra com Paulo para que ele possa recobrar a visão e ser cheio do Espírito (9.17-19). Quase de imediato Paulo começa a pregar Jesus como o Filho de Deus nas sinagogas de Damasco, surpreendendo a todos os que antes o conheciam como oponente de Cristo (9.19-22). Quando os judeus conspiram para matá-lo, alguns amigos o retiram da cidade, arriando-o em um cesto do lado de fora da muralha da cidade, e assim ele foge (9.23-25). Paulo volta a Jerusalém e tenta se unir aos discípulos, mas estes ficam com medo dele (9.26). Barnabé toma a iniciativa de se aproximar de Paulo, recém-transformado em crente, e o apresenta aos cristãos cautelosos de Jerusalém (9.27). Paulo então fala com ousadia a respeito de Cristo em Jerusalém até que os judeus gregos tentam matá-lo. Nesse momento, os crentes o enviam até Cesareia e, de lá, a Tarso (9.28-30). Lucas conclui o relato dessa história dramática de conversão com o segundo resumo do progresso do evangelho: "A igreja passava por um período de paz em toda a Judeia, Galileia e Samaria. Ela se edificava e, encorajada pelo Espírito Santo, crescia em número, vivendo no temor do Senhor" (9.31).

Foto da Rua Direita em Damasco, tirada por volta de 1900 (At 9.11).

O ministério de Pedro além de Jerusalém (9.32—11.18)

Pedro se envolveu na missão aos samaritanos (8.14-25). Agora ele se unirá à missão na Judeia (9.32-43) e até na missão aos gentios (10.1-48). Enquanto Pedro viaja pelas cidades costeiras da Judeia, dois milagres notáveis acontecem. O primeiro, a cura de um paralítico chamado Eneias, em Lida, que faz os residentes na região se voltarem para o Senhor (9.32-35). O segundo, Deus usa Pedro para ressuscitar uma discípula chamada Tabita (ou "Dorcas" em grego), que sempre fazia o bem e ajudava os pobres (9.36-43).

Depois de sua morte, Pedro foi chamado para ir de Lida a Jope. Quando chega, observa as roupas que Dorcas fizera, retira os pranteadores do quarto e ordena: "Tabita, levante-se". Dorcas ressuscita, causa de muitos crerem no Senhor (9.42). Pedro fica por um pouco em Jope, perto de Cesareia, onde vive o gentio chamado Cornélio.

A conversão de Cornélio representa um grande passo na missão cristã (10.1—11.18). O evangelho rompe com o início judaico para incluir também os gentios. A história começa quando um centurião romano chamado Cornélio tem uma visão do Senhor, o qual lhe diz que suas orações foram atendidas, dando instruções para chamar Pedro, que então estava em Jope (10.1-8). A visão de Cornélio é repetida quatro vezes na narração da história (10.3-6,22,30-32; 11.13,14). A seguir, Pedro tem uma visão do céu, que lhe

✚ Paulo, no passado um perseguidor feroz da igreja (At 8.1-3), sofreria perseguição como parte da missão de apóstolo aos gentios (At 9.15,16).

Soldados romanos
Joseph R. Dodson

Os soldados romanos desempenham quatro papéis no NT: são agentes do governo, exemplos de gentios que têm fé, protetores de Paulo e metáfora para os discípulos cristãos. Como agentes do governo, os soldados executam ordens como o açoitamento e a crucificação de Jesus, e ao fazê-lo zombaram do Messias e disputaram suas roupas em um jogo (Mt 27.26-31; Lc 23.36; Jo 19.23,24,32-34). Depois eles cumpriram a ordem recebida de vigiar o túmulo de Jesus (Mt 27.65) e após a ressurreição deste — seguindo instruções dos líderes judeus — corroboraram a mentira de que os discípulos haviam roubado o corpo de Jesus (Mt 28.12). Em Atos, os soldados também atuam como agentes do governo, pois são apresentados como responsáveis pela guarda de Pedro e de Paulo na prisão (12.4-18; 24.23; 28.16).

Em segundo lugar, os soldados romanos no NT são algumas vezes apresentados como exemplos de fé dos gentios e inclusão na comunidade cristã. Por exemplo, o centurião em Mateus 8.5-13 impressiona Jesus com sua fé (cf. Lc 7.2-9); em consequência, Jesus apresenta esse soldado como exemplo de muitos outros gentios de todo o mundo que participarão com os patriarcas no Reino dos céus. De modo semelhante, em Atos 10.1-48 Deus usa outro soldado, Cornélio, para demonstrar a Pedro que o Senhor não tem nenhuma parcialidade para com os judeus; antes, Deus aceita até os gentios que o temem e agem com justiça (v. 34,35). Outro possível ato de fé é o do centurião de Mateus 27.54, que, ao testemunhar a crucificação, declara que Jesus era de fato o Filho de Deus (cf. Lc 23.47). Mas, em contraste com o exemplo positivo desses centuriões, João apresenta em Apocalipse 6.15-17 uma visão de generais que se escondem diante da ira do Cordeiro, e, em Apocalipse 19.17-21, a visão das carcaças deles sendo comidas por aves no juízo final.

Em terceiro lugar, Deus usa soldados para proteger Paulo de oponentes hostis, de modo que o apóstolo possa chegar a Roma; mais de uma vez os soldados salvam Paulo de multidões violentas (At 21.30-35; 22.22-24) e de pessoas que pretendiam assassiná-lo (At 23.11-35; v. tb. 27.41,42).

Por fim, os escritores do NT se inspiram no compromisso e na vocação dos soldados romanos para ilustrar o discipulado cristão. Por exemplo, Epafrodito e Arquipo são apresentados como soldados companheiros de Paulo (Fp 2.25; Fm 2). Além disso, Paulo admoesta Timóteo a combater o bom combate (1Tm 1.18), a participar do sofrimento como bom soldado de Cristo (2Tm 2.3) e a evitar o envolvimento com "assuntos civis" de modo que o oficial que o arregimentou fique satisfeito (2Tm 2.4). De igual modo, Paulo compara os líderes cristãos a soldados, para argumentar que esses líderes também merecem ser assalariados (1Co 9.7). Por essa breve apresentação, pode-se ver que os soldados romanos desempenham variados papéis no NT.

---

dá permissão para matar e comer animais impuros, ordenando-lhe não chamar de "impuro ao que Deus purificou" (10.15). Como já aconteceu na vida de Pedro, ele ouve a mesma instrução três vezes antes que a visão termine (10.9-16). As duas visões resultam na viagem de Pedro à casa de Cornélio em Cesareia (10.17-23). Um anjo disse a Cornélio para enviar três homens a Jope para encontrar Pedro, e o Espírito disse a Pedro para acompanhá-los.

Quando Pedro chega, ele entra na casa de Cornélio, ainda que seja contra a lei a associação de judeus com gentios. Os dois homens compartilham as visões que o Senhor lhes dera (10.24-33). Pedro então inicia a pregação

✢ À medida que o evangelho se moveu dos judeus para os samaritanos e os gentios, os apóstolos foram enviados aos novos convertidos, que receberam o Espírito Santo (At 8.14-17; 10.34-46), produzindo unidade na igreja.

(10.34-43). Agora ele já sabe que Deus não tem favoritismos; antes, aceita pessoas de todas as nações que o temem e fazem o que é justo. Ele explica como Deus se revelou em Jesus de Nazaré, como os líderes judeus o crucificaram, como Deus o levantou dos mortos e ele apareceu a muitos discípulos. Pedro e os demais discípulos foram apontados como testemunhas para proclamar: "todo o que nele crê recebe o perdão dos pecados mediante o seu nome" (10.43).

Mas o sermão de Pedro foi interrompido pelo Espírito Santo que veio sobre os gentios que ouviam a mensagem (10.44-48). Os judeus cristãos que viajavam com Pedro ficaram impressionados que o dom do Espírito agora fora concedido aos gentios. Depois de receberem o Espírito, eles foram batizados em nome de Jesus Cristo.

A cena final tem lugar mais uma vez em Jerusalém, onde Pedro responde às críticas dos judeus cristãos pelo fato de ter ele entrado na casa de um gentio (11.1-3). Pedro defende seus atos resumindo os fatos (11.4-16). Ele conclui afirmando: "Se, pois, Deus lhes deu o mesmo dom que nos tinha dado quando cremos no Senhor Jesus Cristo, quem era eu para pensar em opor-me a Deus?" (11.17). O relato convence os judeus cristãos. Eles não apresentam mais objeções e louvam a Deus por conceder aos gentios "arrependimento para a vida" (11.18).

O cristianismo chega a Antioquia (11.19-30)

Antioquia da Síria era a terceira maior cidade do Império Romano, menor apenas que Roma e Alexandria. Cristãos anônimos de Chipre e de Cirene foram a Antioquia e lá partilharam com os gentios as boas-novas de Jesus Cristo, resultando em grande número de conversões (11.19-21). A igreja de Jerusalém ouve o que lá estava acontecendo, e para lá envia Barnabé, que ao chegar encontra evidências de uma obra genuína de Deus.

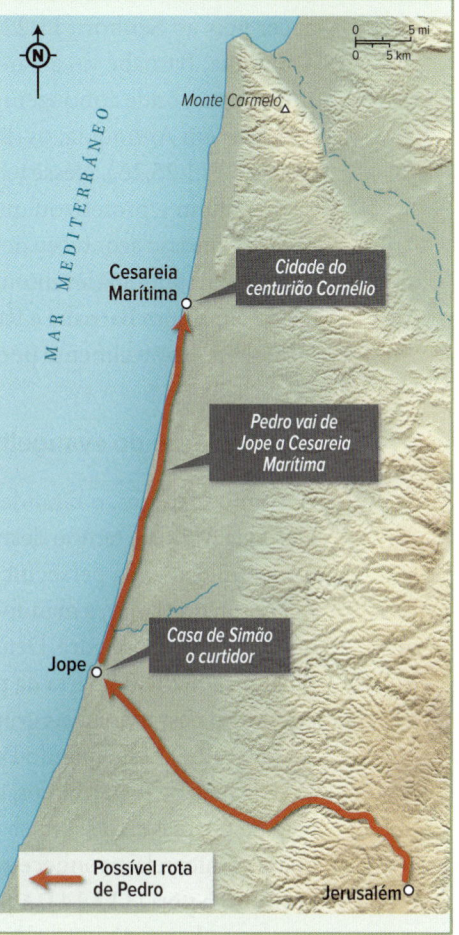

Esse homem bom, cheio do Espírito Santo e de fé, os encoraja a permanecer fiéis ao Senhor (11.22-24). À medida que a obra se expande em Antioquia, Barnabé vai a Tarso para se encontrar com Paulo. Eles voltam a Antioquia, onde conduzem um ministério de ensino por um ano. Lucas registra: "em Antioquia, os discípulos foram pela primeira vez chamados cristãos" (11.25,26). Nesse tempo, um profeta cristão chamado Ágabo veio de Jerusalém e profetizou que viria uma fome severa (11.27,28). Lucas observa que isso aconteceu no reinado do imperador Cláudio (41-54 d.C.). A igreja de Antioquia levantou uma oferta para as vítimas da fome e a enviou a Jerusalém com Barnabé e Paulo (11.29,30). Eles entregaram a oferta em Jerusalém provavelmente por volta do ano 46.

Disseminação do evangelho a despeito dos obstáculos (12.1-25)

Como Herodes, o Grande, tentou matar o menino Jesus, o neto dele, Herodes Agripa I, tentou destruir a igreja nascente (12.1). Os apóstolos se tornaram o alvo da perseguição de Agripa. Ele executou Tiago, irmão de João e um dos Doze, e mandou prender Pedro (12.2-4). Enquanto a igreja ora com fervor por Pedro, Deus age para libertá-lo (12.5). Primeiro, um anjo milagrosamente o liberta da prisão, tirando as correntes que o prendiam, fazendo-o passar por dois grupos de guardas e, por fim, abrindo a porta do cárcere (12.6-11). Quando Pedro percebe que não foi um sonho, vai até a casa da mãe de João Marcos, onde o povo se reunia para orar (12.12). Ele bate na porta e uma serva chamada Rode responde (12.13). De maneira quase cômica, ela reconhece a voz de Pedro, mas volta correndo até o grupo sem abrir a porta (12.14). A princípio, eles não acreditam nela, mas Pedro continua a bater até que finalmente o deixam entrar (12.15,16). Ele explica como Deus o libertou e os instrui a contar a Tiago e aos outros crentes o que havia acontecido (12.17). Tiago é o irmão mais novo de Jesus que se tornou o líder da igreja de Jerusalém (At 15.13-21; 21.18). Pela manhã, quando os guardas descobrem que Pedro havia fugido, Herodes ordena uma busca abrangente e ainda a execução dos guardas (12.18,19). Lucas então narra a história da arrogância de Herodes e da sua consequente morte sob o juízo divino (12.19-23). O terceiro relatório do progresso da igreja está em 12.24: "Entretanto, a palavra de Deus continuava a crescer e a espalhar-se". Quando Barnabé e Paulo completaram a missão em Jerusalém, retornaram a Antioquia com João Marcos para se prepararem para a primeira viagem missionária aos gentios (12.25). A partir desse momento em Atos, o foco muda de Jerusalém e dos apóstolos para Paulo e a missão aos gentios.

✚ Barnabé foi muito influente na vida de Paulo. Ele defendeu Paulo perante a igreja em Jerusalém quando havia dúvidas da sua conversão e mais tarde o recrutou para um extenso ministério de ensino em Antioquia (At 9.36,37; 11.25,26).

Nomes romanos
E. Randolph Richards

Os cidadãos romanos tinham um nome tríplice: o nome pessoal (*praenomen*), o nome ancestral ou do clã (*nomen*) e o nome da família ou da tribo (*cognomen*). Diferentemente da cultura brasileira, os romanos com frequência usavam apenas o nome de família nas cartas. *Nomen* (nome de clã) em geral não era usado em cartas (v. *T. Vind.* 291). Os nomes pessoais eram tão limitados e comuns que eram escritos apenas com a inicial. Por isso o famoso orador M. (Marco) Túlio Cícero se referia a si mesmo como Cícero. O *nomen*, nome do clã — na falta de termo melhor — vinha dos *gens*, em referência ao ancestral fundador da família (ou da família que concedia a cidadania). A cultura romana contava com grandes famílias aristocráticas, como os clãs Julius, Brutus, Aemilius, Vettenius e Sergius.

Atos 13.7 menciona o procônsul Sérgio Paulo, talvez L. (Lúcio) Sérgio Paulo, irmão de Q. (Quinto) Sérgio Paulo. Eles talvez tivessem uma ligação familiar com o aristocrático clã Sergius; no entanto, o mais provável é que um ancestral da família Paulus tenha recebido a cidadania, e assumido o *nomen* de Sergius. Homens libertos usavam o nome pessoal como nome da família. Por isso Marco Túlio Cícero libertou seu secretário-escravo chamado Tiro, que se tornou Marco Túlio Tiro. Ele não adotou o nome da família Cícero.

E "Saulo, também chamado Paulo" (At 13.9). É improvável que o apóstolo tenha mudado seu nome; ele apenas começou a usar uma parte diferente dele. Seu nome talvez fosse Saul(us) Paul(us) ou Paul(us) Saul(us). Não sabemos seu nome completo. Nenhum cidadão romano no NT é apresentado com os três nomes, mas é mais provável que os romanos usassem os três nomes do que gregos, egípcios, judeus e cristãos (Apion, p.ex., era chamado de Antonius Maximus). Atos apresenta a troca de nome de Paulo no exato momento em que ele se encontrou com Sérgio Paulo. Paulo mais tarde visitou Antioquia da Pisídia, onde os Pauli tinham ligações. Alguns sugerem que a família de Saulo fora alforriada (i.e., o costume da manumissão) por um Paulus (At 22.28). Sendo assim, talvez seu nome fosse Paulo Saulo, mas parece pouco provável que "Paulo" fosse o nome do seu clã, pois em suas cartas é assim que ele sempre se apresenta. Não é impossível que o apóstolo tivesse ligações distantes com a família Paulus, sendo, portanto, Saulo Paulo.

Com base em inscrições, óstracos (inscrições em cerâmica) e em Flávio Josefo, sabemos que o nome Saulo era bastante comum na Terra Santa, mas não na Diáspora. Mas o rei Saul foi a pessoa mais famosa de Benjamim, a tribo de Paulo (Fp 3.5), fazendo de "Saulo" um grande nome familiar e tribal. Seja como for, por que a troca de Saulo para Paulo? Apenas os judeus estariam familiarizados com o rei hebreu chamado Saul que vivera mil anos antes, tornando-o um grande nome ou talvez um apelido em Jerusalém. Muitos gregos jamais ouviram falar de alguém chamado Saul. Eles concluiriam que se tratava de um apelido. Eles conheciam apenas o adjetivo "saulos" (que significava o andar provocante da prostituta). Além disso, à medida que Saulo ia para regiões em que a família Paulus era bem conhecida, a ligação com o nome seria útil, enquanto o nome "Saulo" não.

A primeira viagem missionária de Paulo (13.1—14.28)

A missão cristã aos gentios teve início formal com o comissionamento da parte da igreja de Antioquia (13.1-3). Enquanto adoravam, o Espírito lhes diz que devem separar Barnabé e Saulo para a obra. Eles jejuam, oram e lhes impõem as mãos antes de enviá-los.

A primeira viagem missionária de Paulo (Atos 13—14)

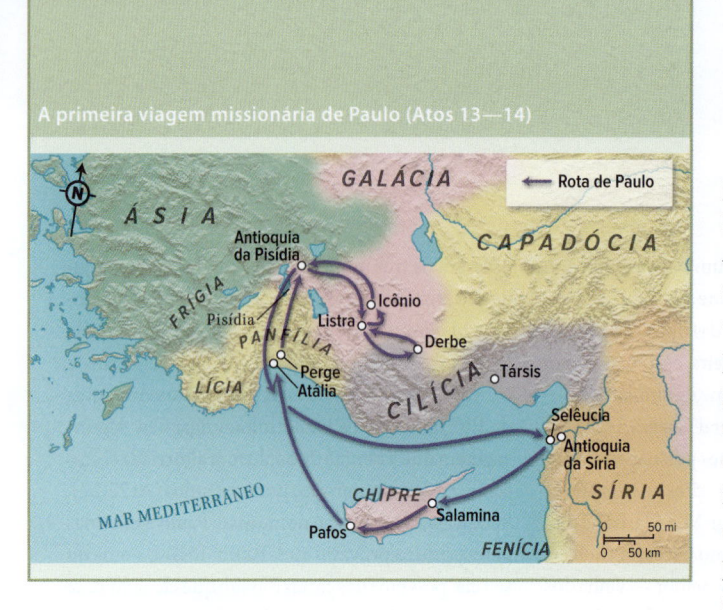

Acompanhados por João Marcos, Barnabé e Paulo deixam Antioquia e navegam até Chipre, onde proclamam o evangelho primeiro nas sinagogas (13.4,5). Quando chegam a Pafos, na outra extremidade da ilha, Elimas, um feiticeiro judeu, tenta impedi-los de partilhar as boas-novas com Sérgio Paulo, o procônsul (13.6-8). Mas Paulo o repreende e lhe diz uma palavra de julgamento (13.9-11). Quando Sérgio Paulo observa o poder do ensino de Paulo a respeito do Senhor, ele crê (13.12). Incidentalmente, o nome de Paulo é mudado de "Saulo" para "Paulo", não por sua conversão, mas pela entrada em uma nova esfera de ministério em que "Paulo" era o nome mais apropriado pelas razões explicadas na caixa "Nomes romanos" (p. 719).

A equipe navega de Chipre até o continente, Perge, na Panfília. Lá, por motivo desconhecido (doença, desconforto com a missão aos gentios, exaustão por uma viagem dura sobre as montanhas em Antioquia, a liderança de Paulo sobre seu primo Barnabé), João Marcos abandona a equipe missionária para retornar a Jerusalém (13.13; cf. 15.38,39). Paulo e Barnabé percorrem a acidentada jornada de quase 160 quilômetros em direção ao interior, até Antioquia da Pisídia, onde Lucas dá os detalhes de um dos sermões de Paulo na sinagoga (13.14-52). Paulo percorre a história do AT para relembrar as promessas de Deus para seu povo (13.16-25). Então ele mostra como as promessas de Deus a Israel foram cumpridas em Cristo (13.26-37). Ele conclui com o convite à aceitação do perdão disponível em Jesus e a advertência contra a rejeição da oferta de Deus (13.38-41). O povo parece interessado no que ele tem a dizer e concorda que ele fale mais (13.42,43).

A recepção no sábado seguinte não foi tão amigável e calorosa. Quando os judeus veem as grandes multidões que se formam para ouvir Paulo, eles começam a se opor à equipe missionária, motivados por inveja (13.44,45). Tendo cumprido a obrigação de proclamar a palavra de Deus primeiro aos judeus, que aparentemente não se consideram dignos de receber a vida eterna, Paulo e Barnabé se voltam para os gentios (13.46,47). Enquanto muitos dos gentios creem, os judeus provocam a oposição da parte dos cidadãos líderes da cidade (13.48-50). Como resultado, Paulo e Barnabé

✦ A igreja de Antioquia era "missionária". As três viagens missionárias de Paulo têm início em Antioquia (At 13.1-3; 15.35,36; 18.23).

Prisões romanas
Brian M. Rapske

Em Atos, Lucas dedica à descrição das experiências do ministério do apóstolo Paulo em prisões romanas o mesmo espaço reservado à narrativa do avanço missionário. Além disso, cinco das 13 epístolas de Paulo são epístolas da prisão. Logo, conhecer um pouco das prisões romanas, da cultura prisional e do processo romano de condenação à prisão é útil para melhor compreensão desses textos.

O sistema romano de encarceramento atendia a vários propósitos. O acusado poderia ser preso para a própria proteção ou para impedir sua fuga. As prisões também eram o espaço onde os condenados esperavam o cumprimento da pena de morte, e podiam até mesmo ser o local da execução. Os magistrados usavam a prisão como modo de coerção. A lei romana não contemplava a prisão como punição, mas muitos magistrados de maneira consciente atrasavam o processo dos prisioneiros para, na prática, tornar a prisão um castigo.

O alcance das possibilidades prisionais romanas, do mais severo ao mais brando, era: prisão, custódia militar, entrega às autoridades civis e liberdade pelo pagamento de fiança. Cada possibilidade, por sua vez, sofria variações. Os cárceres poderiam ser bons ou péssimos. A guarda poderia ser relaxada ou bastante atenta. Correntes e grilhões poderiam ser aplicados ou não aos prisioneiros. As correntes podiam ser leves ou tão pesadas que feriam os prisioneiros a ponto de aleijá-los com o passar do tempo.

A severidade das condições da prisão variava não apenas de acordo com a seriedade do crime alegado, mas também quanto ao *status* de relacionamentos do acusado (Ulpiano, *Digest* 48.2.3). Por isso, quando acusado pelos romanos no tribunal de Filipos, Paulo e Silas não puderam afirmar sua cidadania romana sem, por implicação, negar sua condição judaica (= cristianismo). Como consequência, os apóstolos sofreram a humilhação da prisão e do açoitamento severo em público, tratamento que normalmente era destinado apenas aos criminosos de baixa condição social (At 16). Já nas situações em que as autoridades romanas tomaram conhecimento da cidadania de Paulo, as condições de sua prisão foram melhoradas (a tenda do centurião em Jerusalém, a residência do governador em Cesareia e prisão domiciliar em Roma).

Há um memorial para os apóstolos Paulo e Pedro em uma capela localizada na mais antiga prisão romana, conhecida como Cárcere Mamertino. Essa prisão consistia em uma estrutura abobadada e um local subterrâneo para execuções chamado *Tullianum*. Não é possível afirmar com certeza se Paulo e Pedro foram aprisionados lá. Havia outras prisões em Roma: a prisão da Pedreira, a prisão dos Cem, a prisão construída no local do teatro de Marcelo e as prisões pequenas dos postos de bombeiros espalhados pela cidade.

A última carta de Paulo, 2Timóteo, é uma epístola da prisão que testemunha a respeito de outra dinâmica importante. A cultura greco-romana era orientada pelos conceitos de honra e vergonha; nessa estrutura, uma das consequências sociais da prisão era a desonra e vergonha do preso (At 16.37; 1Ts 2.2). Era necessária coragem para levar aos prisioneiros alimentos, roupas ou qualquer outro tipo de ajuda, pois os ajudadores deveriam se proteger da "infecção" de serem ligados de alguma maneira a quem caiu em desgraça pública (2Tm 1.8-12; cf. Hb 10.34). Paulo elogia Onesíforo e sua família por ficarem a seu lado e ajudá-lo no tempo da prisão em Roma (2Tm 1.16-18). Mas, infelizmente, o apóstolo também se lembra de outros que o abandonaram quando ele mais precisava de ajuda (2Tm 4.9,10,16).

deixam Antioquia da Pisídia e vão para Icônio, cheios de alegria e do Espírito Santo (13.51,52).

Em Icônio, como de costume, eles vão à sinagoga compartilhar as boas-novas de Cristo. Eles proclamam o Senhor com ousadia, que confirma a mensagem com sinais e maravilhas (14.3). A reação é mista, mas eles são forçados a deixar a cidade quando tomam conhecimento de um plano para persegui-los e até mesmo apedrejá-los (14.4-7).

Em Listra, Deus usa Paulo para curar um aleijado, por isso a multidão tenta adorar Barnabé e Paulo como se eles fossem os deuses Zeus e Hermes (14.8-13). Eles resistem com veemência, protestando que são apenas seres humanos que ali chegaram como mensageiros do Deus vivo, criador do céu e da terra (14.14-18). Alguns judeus de Antioquia e Icônio chegaram e convenceram a multidão de que Paulo era inimigo deles. Eles o apedrejaram e o arrastaram para fora da cidade, pensando que estivesse morto (14.19). Os discípulos se reúnem a seu redor, ele se levanta, volta à cidade e, no dia seguinte, Paulo e sua equipe vão para Derbe, onde pregam as boas-novas e conquistam grande número de convertidos (14.20,21).

A equipe volta para Listra, Icônio, Antioquia da Pisídia, Perge, Atália e por fim, Antioquia da Síria. Eles lembram os discípulos de que seguir Jesus não raro envolve dificuldades e os encorajam a permanecer firmes na fé (14.22). Também indicam presbíteros em cada igreja e os consagram ao Senhor (14.23). E retornam para Antioquia, onde foram comissionados. Reúnem a igreja e "[relatam] tudo o que Deus tinha feito por meio deles e como abrira a porta da fé aos gentios"(At 14.27). Eles ficaram um bom tempo em Antioquia com os discípulos (14.28).

O Concílio de Jerusalém (15.1-35)

Atos 1.8 apresenta a estrutura do livro todo. A missão cristã tem início em Jerusalém (At 1—7), então alcança a Judeia e Samaria (At 8—9) e o território gentio (At 10—12). A principal ação missionária se deu fora dos limites da terra de Israel, a viagem missionária de Paulo, que foi bem-sucedida (At 13—14). Mas, antes que a missão aos gentios pudesse continuar como esforço unificado, a igreja precisava chegar ao consenso sobre a conclusão da missão. A questão foi discutida no Concílio de Jerusalém em Atos 15, que provavelmente aconteceu no ano 49.

A ocasião foi quando alguns homens da Judeia voltaram a Antioquia e ensinaram que os gentios deveriam ser circuncidados para serem salvos (15.1). Paulo e Barnabé discordaram completamente desses legalistas, e a igreja os indicou para se dirigirem a Jerusalém e discutirem o assunto com os apóstolos e os anciãos (15.2). Eles chegaram e relataram tudo o que Deus fizera por intermédio deles para levar a salvação aos gentios (15.3,4). Eles discutem o problema em 15.5-21;

O Concílio de Jerusalém
Paul Jackson

Ainda que a inclusão dos gentios na igreja do século I tenha sido notável em Atos 8—12, os principais resultados da primeira viagem missionária de Paulo são registrados em Atos 13—14. Até esse momento, a entrada de gentios na igreja consistia em um fio d'água. Mas esse fio se transformou em uma torrente. Logo, não é de admirar que judeus fortemente conservadores que defendiam a circuncisão, vindos de Jerusalém, chegassem a Antioquia da Síria exigindo que os novos "judeus cristãos" se tornassem judeus antes de outra coisa. Depois de argumentar e debater com eles (15.2), Paulo e Barnabé tomaram o caminho do sul para participar do que é conhecido como o Concílio de Jerusalém, com o objetivo de resolver o problema, provavelmente no ano 49.

"O que constitui o povo de Deus?" Sem uma conclusão favorável, os futuros esforços para alcançar os gentios estariam comprometidos, e a igreja seria apenas um subgrupo do judaísmo. Depois de muitos debates preliminares, Pedro relembrou os acontecimentos de Atos 10, com a sinopse do seu "segundo" sermão de Pentecoste, que foi concluído com o Espírito vindo sobre os gentios como acontecera com os judeus. Então Barnabé e Paulo relataram as maravilhas do poder do Espírito entre os gentios (15.12). Por fim, Tiago, o pastor da igreja, usou habilidades pastorais para solidificar o testemunho dado. Ironicamente, ele assegurou o resultado certo ao construir uma ponte para a população judaica da igreja. Primeiro, ao se referir a Pedro por Simão, seu nome hebraico, ele os lembrou de sua herança comum e afirmou o forte compromisso de Pedro com o plano de Deus. Talvez Tiago tivesse a intenção de afirmar que, se Simão, um judeu cristão, pregou aos gentios, o restante da igreja também deveria fazê-lo. Tiago cita dois profetas do AT do século VIII a.C. que anunciaram o favor de Deus aos gentios (Is 45.21; Am 9.11,12).

Vemos o resultado no versículo mais importante do capítulo. O julgamento de Tiago ressaltou a verdade do evangelho — a única exigência para a salvação dos gentios é a fé em Jesus Cristo (15.19). Tendo apontado para um terreno comum entre judeus e gentios, Tiago sabia que os gentios cristãos inevitavelmente teriam contato com os judeus cristãos, por isso foi necessário incluir na decisão do Concílio algumas regras para a vida comunitária (v. 20,21). Elas foram chamadas "quadrilátero de Jerusalém", e serviam para orientar os cristãos a evitarem ofensas desnecessárias aos judeus. Tendo alcançado o consenso, os membros do concílio elaboraram uma carta oficial para ser lida na igreja em Antioquia (v. 22-29). Judas e Silas, dois profetas da igreja, não apenas entregaram a carta, como também permaneceram lá um tempo encorajando e fortalecendo os irmãos com várias outras palavras semelhantes. O Concílio de Jerusalém, portanto, construiu uma ponte importante entre a viagem missionária de Paulo e o restante da missão aos gentios.

Quando viajava de Pafos até Antioquia da Pisídia, a equipe missionária teria passado pelas imponentes montanhas Taurus. Nesse momento, João Marcos voltou para Jerusalém.

✚ Paulo foi apedrejado e considerado morto em Listra (At 14.19,20). Ironicamente, Timóteo, o fiel colaborador de Paulo, era desse local. De um lugar de grande sofrimento proveio um amigo para o resto de sua vida.

O culto a Ártemis
Mark W. Wilson

Ártemis, conhecida pelos romanos como Diana, era uma divindade grega popular. Filha de Zeus e de Leto, irmã gêmea de Apolo, é representada na arte e na literatura como caçadora e virgem casta. Parece que no contexto da Ásia Menor ela assumiu as características de uma deusa-mãe. Nas proximidades de Éfeso, havia um bosque chamado Ortígia, que os efésios diziam ser o local do nascimento de Diana. A celebração de seu nascimento era uma das maiores festas religiosas de Éfeso e atraía milhares de peregrinos. Outra festa muito popular era a Artemísia: nela rapazes e moças escolhiam com quem iriam se casar.

O templo de Ártemis existente no século I da era cristã era na verdade o quinto templo nesse lugar. Este templo foi construído no século IV a.C. depois da destruição do templo anterior edificado por Creso, rei da Lídia (560 a.C.), queimado por um incendiário. O quinto templo era a maior edificação religiosa do mundo helenístico, medindo 70 por 130 metros e contendo 127 colunas. Era uma das Sete Maravilhas do Mundo Antigo. A imagem cultual associada a esse período era a Ártemis com muitos seios que aparece em moedas e estátuas. Duas delas foram descobertas por arqueólogos austríacos e estão à mostra no museu de Éfeso. Não se sabe ainda se os muitos seios da imagem devem ser identificados com ovos, testículos de touro ou seios propriamente.

Interpretá-la depende em parte se Ártemis deve ser vista como a deusa da fertilidade, do comportamento orgiástico ou como a protetora das virgens e famílias. Dois outros templos de Ártemis foram localizados na província da Ásia — em Sardes e em Magnésia, às margens do rio Meander.

Além da função religiosa, o templo de Ártemis atendia a três outros propósitos em Éfeso: 1) econômico, como o centro bancário; 2) cívico, como o depósito das inscrições governamentais; 3) social, como abrigo, proteção e auxílio a devedores e indigentes. A relação especial entre a cidade e Ártemis, sua divindade padroeira, é evidenciada pelo clamor levantado pelos ourives e pela multidão: "Grande é a Ártemis dos efésios!" (At 19.28,34). O clero local aquietou a todos ao lembrar que todos sabiam que Éfeso era a guardiã do templo (*neokoros*) de Ártemis e de sua imagem caída do céu (19.35). O relacionamento de neocorato é apresentado em algumas moedas de Éfeso, que apresentam a imagem de uma mulher segurando um templo em suas mãos estendidas.

No livro apócrifo *Atos de João*, capítulo 42, o apóstolo João é apresentado como participante da destruição do templo de Ártemis. A verdade é que o último templo foi destruído pelos godos por volta de 262 d.C. No século V da era cristã, as ruínas do templo foram transformadas em uma igreja.

os crentes do grupo dos fariseus argumentaram que os gentios precisavam ser circuncidados e deveriam obedecer à Lei de Moisés (15.5); Pedro, Tiago, Paulo e Barnabé argumentaram que os gentios não deveriam ser sobrecarregados com nada disso (15.6-21). O ponto de partida foi que Deus aceitou os gentios pela graça como evidencia a dádiva do seu Espírito (15.8). O Concílio concluiu com Tiago declarando que os judeus cristãos não deveriam dificultar as coisas para os cristãos gentios que se voltavam para Deus (15.9). Eles enviaram o resultado aos crentes gentios em Antioquia e em outros lugares por meio de Paulo, Barnabé, Judas (Barsabás) e Silas: não se deveria acrescentar aos gentios crentes em Cristo a exigência da circuncisão e da obediência à Lei (15.22-35).

Mas eles deveriam solicitar aos gentios cristãos que evitassem quatro coisas: os alimentos sacrificados a ídolos, carne de animais estrangulados, o sangue e a imoralidade sexual (15.20,29). Abstendo-se dessas práticas particularmente ofensivas, os gentios e os judeus poderiam desfrutar de comunhão à mesa sem impedimentos — um aspecto importante da vida comunitária da igreja primitiva.

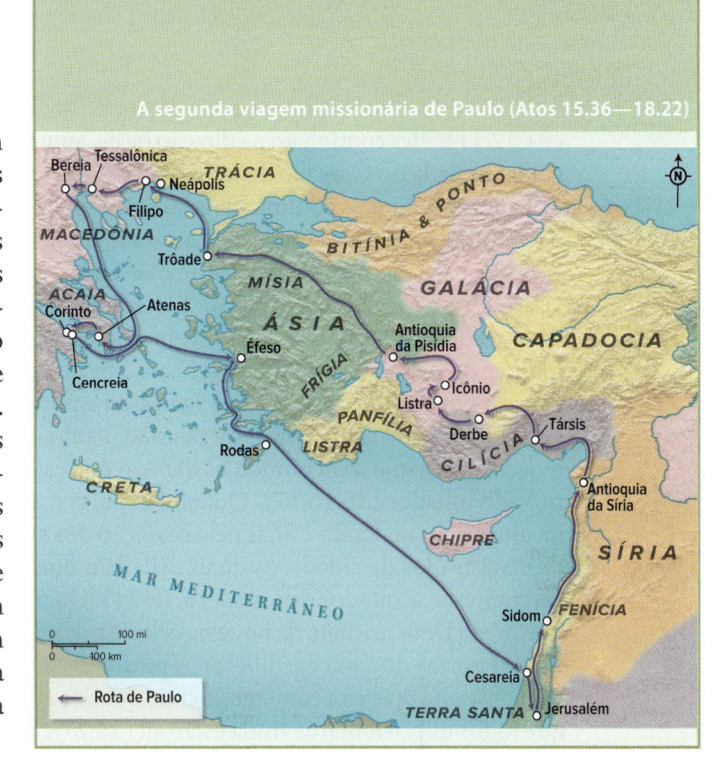

A segunda viagem missionária de Paulo (Atos 15.36—18.22)

A segunda viagem missionária de Paulo (15.36—18.22)

A segunda viagem missionária também tem início em Antioquia (15.36), mas antes houve uma discussão entre Paulo e Barnabé. Barnabé quer levar João Marcos com eles, mas Paulo discorda porque João Marcos, desertara da equipe na primeira viagem (15.37,38). Então Barnabé leva Marcos, e eles navegam até Chipre, enquanto Paulo leva Silas, e vão para a Síria e a Cilícia (15.38-41). Barnabé acredita em Marcos quando outros o veem como uma causa perdida. É interessante observar que antes disso Barnabé acreditou em Paulo quando o apresentou aos apóstolos em Jerusalém logo após a sua conversão (At 9.26-28). Mais tarde, Paulo se reconciliou com Marcos e reafirmou sua competência no ministério (Cl 4.10; Fm 24; 2Tm 4.11).

Paulo e Silas vão até Derbe e depois para Listra, onde Paulo foi apedrejado e tido como morto (14.19,20). Depois de retornar a um lugar de grande sofrimento, Paulo descobre um discípulo chamado Timóteo, um jovem que seria o mais amado cooperador de Paulo (16.1-5). Timóteo era considerado pela lei judaica um israelita, e Paulo providencia que ele seja circuncidado antes de tê-lo como integrante da equipe missionária. Essa decisão foi claramente motivada pelo desejo de Paulo (e do próprio Timóteo) de evitar ofensas desnecessárias aos judeus a quem iriam ministrar). Paulo deixa bem claro em seus textos que não se importa com a circuncisão — ela não acrescenta nada à obra de Cristo na salvação (Rm 2.25-29; 1Co 7.19; Gl 5.6; 6.15;

✛ No Concílio de Jerusalém, vemos os primeiros cristãos debatendo sobre como viver a mesma fé em diferentes situações culturais.

cf. Cl 2.11). Eles continuam na direção oeste, anunciando a decisão encorajadora tomada no Concílio de Jerusalém e fortalecendo as igrejas.

Paulo e os demais continuam através do sul da Galácia e da Frígia, mas o Espírito de Jesus os impede de ir ao norte até a Ásia ou a Bitínia (16.6,7). Eles vão a Trôade, cidade costeira no mar Egeu onde Paulo tem sua famosa visão sobre a Macedônia (16.8,9). Ele de imediato vai pregar o evangelho na Macedônia (16.10). Chegando em Filipos, eles falam com Lídia, uma mulher de negócios e temente a Deus, em um sábado junto ao rio que passava por fora da cidade. Ela e sua casa respondem ao evangelho e são batizados (16.11-15). Em outra ocasião, Paulo é importunado por uma moça escrava que o incomoda bastante e que está possuída por um espírito adivinhador (16.16,17). Quando expulsa o espírito, os proprietários da moça acusam Paulo e Silas pela cessação dos seus lucros e os levam até os magistrados da cidade, os quais ordenam que eles sejam desnudados, severamente açoitados e presos (16.18-24). Quando Paulo e Silas cantam louvores a Deus no meio da noite na cela de prisão, um poderoso terremoto abre as portas do cárcere e liberta os presos de suas correntes (16.25,26). O guarda está prestes a cometer suicídio quando Paulo o detém, explicando que todos os prisioneiros ainda estão ali (16.27,28). Por causa da resposta de Paulo e Silas e de seu testemunho de Cristo, o guarda e sua casa vêm à fé em Cristo (16.29-34). No dia seguinte, quando os magistrados os

Paulo foi levado à presença do procônsul Gálio na *bema* (tribunal) em Corinto (At 18.12-17).

libertam, Paulo exige uma escolta pública para sair da cidade, pois eles são cidadãos romanos punidos sem julgamento (16.35-39). Depois de sua soltura e antes de deixar a cidade, eles se encontram com os crentes na casa de Lídia, talvez incluindo Lucas, supostamente natural de Filipos (16.40).

A equipe missionária segue até Tessalônica, onde pregam Cristo na sinagoga, veem muitos convertidos (em especial entre os gregos tementes a Deus) e enfrentam oposição da parte dos judeus por alegarem que Jesus (não César) é o Senhor (17.1-9). Eles logo partem para a cidade vizinha de Bereia, onde recebem resposta melhor (17.10-12). Em pouco tempo, judeus vindos de Tessalônica se dirigem a Bereia para fazer oposição aos missionários cristãos. Por isso Paulo se dirige ao sul, até Atenas, enquanto Silas e Timóteo permanecem em Bereia (17.13-15).

A chegada de Paulo em Atenas lhe traz intenso desgaste emocional por conta da idolatria da cidade (17.16). Ele fala a respeito de Cristo com o povo na sinagoga e na praça do mercado ou ágora (17.17). Em uma ocasião, um grupo de filósofos leva Paulo (o "tagarela", como eles o chamam) ao Areópago (colina de Marte) para falar em uma reunião do concílio do Areópago (17.18-21). Em seu discurso ao grupo, Paulo primeiro estabelece um ponto de contato com sua audiência (o altar ao deus desconhecido em 17.22,23) antes de apresentar o Deus Criador como o único digno de verdadeira adoração (17.24,25). A seguir, ele revela como se pode sair da ignorância da idolatria e ter um relacionamento com o Deus verdadeiro por meio de Jesus ressuscitado (17.26-31). A resposta ao discurso de Paulo é uma mistura de aceitação e rejeição (17.32-34).

Paulo vai a Corinto, onde se encontra com um casal judeu cristão, Áquila e Priscila, expulso de Roma com os demais judeus por ordem do imperador Cláudio por volta do ano 49 da era cristã (18.1,2). Ele passa boa parte do tempo argumentando na sinagoga e testificando que Jesus é o Messias até que a oposição o leva a direcionar seu foco mais aos gentios (18.3-6). Não obstante, Deus continua a trabalhar, pois Crispo, o líder da sinagoga, e toda a sua casa, e muitos outros coríntios, se tornam crentes (18.7,8). Paulo é encorajado por uma visão do Senhor a perseverar em seu ministério, de modo que continua a ensinar a Palavra de Deus por um ano e meio em Corinto (18.9-11). Paulo nunca está livre da oposição, pois os judeus mais uma vez o atacam, acusando-o de levar o povo a adorar a Deus de modo contrário à Lei (18.12,13). O procônsul Gálio rapidamente reconhece que se trata de uma questão da lei judaica, não da romana, e os expulsa do tribunal, resultando no ataque furioso contra Sóstenes, o líder da sinagoga (18.14-17). Seguindo esse princípio importante da parte de um procônsul romano, o ministério de Paulo em Corinto segue sem impedimentos por algum tempo (18.18). Ele por fim viaja de volta a Antioquia, a igreja que o enviara, parando no caminho para deixar Áquila e Priscila em Éfeso (18.18-22).

✚ O padrão missionário de Paulo é, sempre que possível, primeiro falar a respeito de Jesus na sinagoga local.

Cidadania romana
Lynn H. Cohick

Os cidadãos romanos usufruíam vários direitos e privilégios específicos. Um deles era o *conubium*, o direito de ter um casamento romano lícito, que daria aos descendentes a condição de cidadãos romanos e o direito à herança dos pais. Os cidadãos romanos podiam adquirir e vender propriedades, o *jus comercii*, e ainda ter acesso aos tribunais. Apesar de homens e mulheres desfrutarem desses privilégios, os homens contavam com direitos adicionais: votar, alistar-se nas legiões e ocupar cargos públicos.

Esses direitos básicos de cidadania não mudaram com o passar do tempo; o que se alteraram foram os critérios para a inclusão no registro de cidadão. Inicialmente, a cidade de Roma concedia todos os privilégios de cidadania a todos os patrícios: homens ricos, proprietários de terras nascidos livres. Homens nascidos livres e pertencentes à classe inferior dos plebeus, e mulheres nas duas categorias, também desfrutavam dos direitos de *conubium* e *commercium*.

Na maior parte da história da República de Roma, apenas cidadãos romanos podiam servir nas legiões. À medida que a influência romana se estendeu por toda a Itália e as tribos latinas foram galardoadas com esse direito (de modo geral concedido ao grupo), cresceu a necessidade de tropas. Como consequência, primeiro os italianos e depois os homens livres das cidades livres das províncias foram admitidos às legiões, após receberem a cidadania romana. Júlio César iniciou um programa abrangente do oferecimento do *status* de cidadania romana a certas regiões no limite das crescentes fronteiras da influência de Roma. Augusto e os imperadores subsequentes continuaram com a tendência em maior ou menor grau. Os alistados nas forças auxiliares obtinham a cidadania depois de completarem a obrigação de vinte e cinco anos de serviço. Sob o imperador Cláudio, a oferta foi ampliada e concedida à esposa e aos filhos do soldado, bem como aos demais descendentes.

Escravos, homens ou mulheres, comprados por um cidadão romano, muitas vezes obtinham a cidadania depois da manumissão (alforria). Uma vez libertos, os novos cidadãos poderiam ter casamentos lícitos e seus filhos seriam reconhecidos como cidadãos. Se ou o pai ou a mãe de um deles tivesse a cidadania de Roma, mas o outro não, então o casamento não seria considerado lícito de acordo com a lei civil romana, e o filho ou filha teria o mesmo *status* da mãe (romana ou não romana, escrava ou livre). A prática geral era regulamentada pela *Lex Minicia* (c. 90 a.C.) e impedia que um estrangeiro (*peregrinus*) casado com uma romana tivesse filhos com cidadania romana. No caso, os filhos teriam o *status* do pai, mesmo o casamento não sendo considerado lícito pela lei civil.

Havia em Roma o registro dos nomes dos cidadãos, atualizado a cada cinco anos em coordenação com o censo. Os nomes dos escravos libertos eram registrados nos arquivos locais e cópias eram enviadas a Roma. De igual modo, o bebê de um cidadão deveria ser registrado até 30 dias após o nascimento, e uma cópia do registro era dada à família. O documento oficial era guardado nos arquivos públicos da cidade e talvez também em Roma.

A última possibilidade para a obtenção da cidadania romana ocorria por meio de compra. Essa era a situação de Cláudio Lísias, o tribuno que supervisionou a prisão de Paulo, conforme o relato de Atos 22.26-29; 23.26. O tribuno declarou ter pago grande quantia pela cidadania, e tudo faz crer que recebeu seu nome na época do imperador Cláudio.

Nas primeiras décadas do século I da era cristã, o cidadão romano consistia na minoria com acesso a recursos e privilégios. Por volta do ano 212 da era cristã, a distinção desapareceu, pois o imperador Caracala concedeu a cidadania romana a todos os habitantes do império.

A terceira viagem missionária de Paulo (18.23—21.16)

A terceira viagem missionária de Paulo concentrou-se em Éfeso, a principal cidade comercial da Ásia e guardiã da deusa Ártemis. Lucas observa que Paulo viajou mais uma vez pela Galácia e Frígia, fortalecendo os discípulos antes de chegar a Éfeso (18.23; 19.1; a viagem de Antioquia a Éfeso era de cerca de 800 quilômetros). Em 18.24-28, há uma informação a respeito do ministério de Áquila e Priscila, que permaneceram em Éfeso quando Paulo retornou a Antioquia (18.19). Merece destaque o que fizeram para "explicar com mais exatidão o caminho de Deus" a Apolo, um mestre competente que depois se mudou para Corinto e lá conduziu um ministério bem-sucedido (1Co 1.12; 3.4-6,22; 4.6).

Atos 19 apresenta um breve relance do ministério de quase três anos de Paulo em Éfeso. Quando lá chega, ele se encontra com 12 discípulos de João Batista que não sabiam a respeito do Pentecoste. Ainda que cressem em Deus, não tinham o Espírito Santo e, portanto, não eram cristãos. Depois de Paulo lhes falar a respeito de Jesus, eles são batizados e recebem o Espírito (19.1-7).

Paulo pregou Cristo por três meses na sinagoga, antes de ser rejeitado e se mudar para a escola de Tirano (19.8,9). Lá ele ensinou por mais dois anos, de modo que "todos os judeus e os gregos que viviam na província da Ásia ouviram a palavra do Senhor" (19.10). Mais uma vez, Deus confirmou a mensagem por meio de ações miraculosas (19.11,12).

Éfeso era conhecida como um centro da prática de magia e religiões falsas, variando de mágicos judeus até o culto a Ártemis. Em 19.13-16, lê-se a respeito dos sete filhos de Ceva, sacerdote judeu, que tentavam

✠ A equipe formada pelo casal Priscila e Áquila explicou a fé a Apolo (At 18.24-26). Muitos estudiosos acreditam que Apolo pode ter sido o autor da epístola aos Hebreus.

Navegação no mundo antigo
Brian M. Rapske

Depois do caos que se seguiu à guerra civil, Augusto subiu ao poder e concentrou seus esforços no estabelecimento do Império Romano livre do medo de invasões e de piratas, interligado por estradas e vias marítimas abertas para facilitar o transporte e a comunicação e servido por um sistema monetário confiável. O efeito dessas medidas foi o aumento significativo no comércio e nas viagens. As mudanças se revelaram um auxílio muito grande na disseminação geográfica do evangelho, à medida que os crentes obedientes e os apóstolos se envolveram na missão (At 1.8). O interesse particular deste artigo está nas viagens marítimas.

Os navios que cruzavam o Mediterrâneo variavam consideravelmente em tamanho e configuração, dependendo de sua função. Galeras mercantes eram pequenas e movidas a remo. Conquanto não dependessem do vento, eram lentas, atuavam mais em comércio local e permaneciam próximas à linha da costa. A embarcação típica de cabotagem tinha apenas um mastro. Com ventos a favor, as embarcações com rapidez alcançavam seu destino e ampliaram consideravelmente o comércio. Os navios em que o apóstolo Paulo e seus companheiros embarcaram de Filipos a Pátara (At 20.6—21.11) e de Cesareia a Mira (At 27.1-5) eram de cabotagem. As oportunidades apostólicas na proclamação do evangelho e paradas para encorajamento congregacional de modo geral coincidiam com o tempo necessário para carregar e descarregar as mercadorias dos navios nos vários portos ao longo do trecho percorrido. Havia também navios grandes com muitos mastros, como o Ísis, o famoso navio egípcio de transporte de grãos, que tinha três mastros, uma quilha de 43 metros e uma capacidade de transporte de 1.228 toneladas, que cruzavam o Mediterrâneo em alto-mar, sozinhos ou em frotas. Paulo também viajou em navios grandes (At 27.6; 28.11).

Uma grande variedade de cargas era transportada pelos navios: gêneros alimentícios como vinho e azeite, material de construção, metais, vários tipos de itens exóticos e a mais vital mercadoria, a mais necessária para a saúde e a riqueza do império, em especial a de Roma: os grãos. O fornecimento egípcio de grãos a Roma era estratégico. A província do Egito e sua produção de grãos era controlada de perto pelo imperador, e havia ricos incentivos oficiais para mercadores e cooperativas de investimento para garantir o fornecimento regular a Roma, mesmo que para isso fosse necessário viajar na estação mais perigosa.

A navegação no Mediterrâneo estava geralmente sujeita aos padrões climáticos. Fontes antigas indicam que a estação mais segura ia do início de maio até meados de setembro. Os períodos do princípio de março até o fim de abril e de meados de setembro ao princípio de novembro eram mais arriscados. O tempo mais perigoso era do princípio de novembro ao princípio de março. O clima mais pesado impedia a visão do Sol, da Lua e das estrelas, pelos quais os marinheiros navegavam e transformavam em desconhecidas linhas costeiras conhecidas. Tempestades violentas no Mediterrâneo afundaram muitos navios. O relato de Lucas do naufrágio do navio alexandrino em que Paulo viajava (At 27) — não o primeiro, mas o quarto naufrágio de Paulo (2Co 11.25) — traz vários detalhes das condições meteorológicas da estação perigosa, da nomeação do navio e das tentativas da tripulação e dos passageiros de preservar o navio e a carga. O relato também dá testemunho da fé de Paulo e da fidelidade de Deus (At 27.21-44).

---

expulsar demônios usando o nome de Jesus como parte de suas fórmulas mágicas. O espírito maligno não reconheceu qualquer ligação deles com Jesus, espancou-os e arrancou suas roupas, de modo que tiveram de fugir desnudos. Esse episódio fez que o nome de Jesus fosse tido em alta conta, e o resultado foi que os cristãos decidiram fazer a ruptura completa com o passado pagão e queimaram seus livros de magia (19.17-20). O grande valor dos pergaminhos (o equivalente ao salário de 50 mil dias de salário, ou 137 anos) mostra quão profundo era o problema entre esses crentes.

Paulo agora faz planos de ir à Macedônia e Acaia antes de voltar a Jerusalém (19.21,22). Em 19.23-41, Lucas registra um episódio de oposição violenta ao ministério de Paulo. Tudo indica que a pregação de Paulo contra a idolatria levou muitos a renunciar à fidelidade a Ártemis, o que resultou no declínio das vendas de estátuas de prata da deusa. Um ourives chamado Demétrio incitou os artesãos de Éfeso, e toda a cidade se tumultuou por conta dessa questão. A multidão prendeu dois dos companheiros de viagem de Paulo, e todos se dirigiram para o teatro de 25 mil lugares da cidade onde gritaram por duas horas "Grande é a Ártemis dos efésios". O escrivão da cidade dispersou a multidão, mas a experiência indicou para Paulo que era hora de sair dali (20.1).

Paulo agora viaja pela Macedônia (Filipos, Tessalônica, Bereia) até a Acaia (Corinto), onde fica três meses (20.1-3). Ele escreveu Romanos provavelmente no inverno passado em Corinto. Em vez de navegar para a Síria e Jerusalém, Paulo viaja por terra de volta à Macedônia e Trôade (20.3-6).

Na noite que antecedeu sua partida de Trôade, Paulo pregou até tarde da noite (20.7). Um jovem chamado Êutico (que significa "de sorte") estava assentado na janela, dormiu, caiu do terceiro andar e morreu (20.7-9). Paulo rapidamente desce as escadas, e Deus o usa para trazer o jovem de volta à vida (20.10-12). O grupo volta para o andar superior, onde compartilham uma refeição (provavelmente a ceia do Senhor), e ouve Paulo até o dia clarear, quando ele deverá sair da cidade.

Estátua da deusa Ártemis.

✚ Se você viajar até Éfeso hoje, poderá ver o grande teatro onde o povo se reuniu (At 19.28-31).

O grupo viajou pela costa da Ásia, navegando por Éfeso para conseguir alcançar Jerusalém na época do Pentecoste (20.13-16). Eles pararam nas proximidades de Mileto para que Paulo pudesse passar algum tempo com os presbíteros da igreja de Éfeso (20.17). O discurso de despedida de Paulo aos líderes da igreja em Atos 20.18-38 é dos relatos mais tocantes das Escrituras.

Paulo começa falando mais uma vez de sua fidelidade à causa de Cristo a despeito da oposição da parte dos judeus (20.18-21). Mas agora ele se sente impelido a voltar a Jerusalém, ainda que espere enfrentar dificuldades lá (20.22,23). Ele confessa: "Todavia, não me importo, nem considero a minha vida de valor algum para mim mesmo, se tão somente puder terminar a corrida e completar o ministério que o Senhor Jesus me confiou, de testemunhar do evangelho da graça de Deus" (20.24). Paulo os entristeceu muito ao anunciar que eles provavelmente nunca mais o veriam (20.25,38). Ele lhes proclamou toda a vontade de Deus, e sua consciência está tranquila (20.26,27). Então ele os exorta a que tomem conta do rebanho de Deus, sobre o qual o Espírito os constituiu bispos (20.28). Lobos ferozes penetrarão na liderança da igreja e deturparão a verdade, mas eles devem se manter em guarda e seguir o exemplo de diligência e fidelidade de Paulo (20.29-31). Ele então os consagra a Deus e à sua graça (20.32). Ele tem um exemplo de integridade, disciplina e generosidade na vida e no ministério (20.33-35). Eles se ajoelham e oram uns pelos outros antes de se abraçarem e se despedirem com muita emoção (20.36-38).

Paulo e seus companheiros de viagem navegam para Tiro e dali para Cesareia antes de chegar em Jerusalém em tempo para o Pentecoste na primavera do ano 57. Ao longo do caminho, vários crentes advertem a Paulo que ele sofrerá em Jerusalém (21.4,10-12). Paulo responde: "Por que vocês estão chorando e partindo o meu coração? Estou pronto não apenas para ser amarrado, mas também para morrer em Jerusalém pelo nome do Senhor Jesus" (21.13).

Paulo testemunha em Jerusalém (21.17—23.35)

Paulo recebe uma acolhida calorosa dos crentes de Jerusalém (21.17). Ele se encontra com Tiago e com os demais presbíteros para relatar tudo o que Deus fizera entre os gentios (21.18,19). Os presbíteros manifestam a preocupação de que muitos judeus cristãos estão entendendo de forma equivocada o ministério de Paulo; por isso o aconselham a fazer o voto do nazireado com outros quatro homens, com o que ele concorda (21.20-26; Nm 6.2-21). Mas, no processo, alguns judeus da Ásia (provavelmente de Éfeso, cf. v. 29) cercam Paulo na área do templo e o acusam de ensinar contra o templo e a Lei (21.27-29). Na confusão resultante, Paulo é levado do pátio dos gentios e está prestes a ser espancado até a morte quando os soldados romanos interferem (21.30-32). Eles prendem e acorrentam Paulo e o levam à fortaleza para protegê-lo da multidão furiosa (21.33-36).

✚ Na despedida dos presbíteros de Éfeso, Paulo prediz que falsos mestres surgirão na liderança da igreja (At 20.29,30). É exatamente o problema tratado por Paulo em 1Timóteo (p. ex., 1Tm 1.3-7).

Quando os soldados o levam à fortaleza, Paulo solicita a permissão do comandante para falar aos perseguidores (21.37-40). Ele fala à multidão em aramaico, a língua materna dos judeus que viviam na região (21.40—22.2). Assim consegue a atenção deles. Paulo pela segunda vez conta a história de sua conversão, incluindo sua vida anterior no judaísmo, o encontro com Cristo na estrada de Damasco e a restauração física por meio de Ananias (22.3-16). A multidão o ouve com atenção até que lhes diz da visão no templo em que Deus o enviou em missão aos gentios (22.17-21). A multidão imediatamente pede a morte de Paulo (22.22). Quando o comandante romano ordena que Paulo seja açoitado, Paulo o lembra de que é cidadão romano por direito de nascimento e que não havia culpa formalizada — o que deixa o comandante alarmado (22.24-29).

No dia seguinte, Paulo apresenta sua defesa perante o Sinédrio (22.30). Quando ele começa alegando inocência, o sumo sacerdote ordena que ele seja esbofeteado (23.1,2). Paulo responde com um julgamento profético do sumo sacerdote por sua hipocrisia: "Deus te ferirá, parede branqueada!" (23.3). Quando soube que havia insultado o sumo sacerdote, Paulo muda o tom, talvez com uma ponta de ironia (23.4,5). Anteriormente fariseu, declara no julgamento sua esperança na ressurreição dos mortos, doutrina aceita pelos fariseus, mas rejeitada pelos saduceus (23.6). A declaração divide o grupo, provocando uma discussão violenta, e põe fim ao julgamento (23.7-10). Na noite seguinte, o Senhor aparece a Paulo para encorajá-lo e lhe garantir que ele deve testemunhar a respeito dele também em Roma (23.11).

Enquanto isto, 40 judeus juram não comer nem beber nada até que consigam assassinar Paulo (23.12-14). Eles conseguem a ajuda dos principais sacerdotes e dos anciãos em um plano de emboscada, mas o sobrinho de Paulo toma conhecimento do plano e o adverte (23.15,16). Paulo repassa a informação ao comandante romano, que elabora um plano para protegê-lo (23.17-22).

Escoltado por 470 soldados, Paulo é transferido de Jerusalém a Cesareia, onde é mantido sob custódia no palácio de Herodes até que Félix, o governador romano da Judeia, possa ouvir seu caso (23.23-35).

Estrada romana para Assôs, onde a equipe missionária embarcou com Paulo (At 20.13,14).

✠ Paulo dá o testemunho de sua conversão em Atos 9; 22; e 26.

O testemunho de Paulo em Cesareia (24.1—26.32)

Quando os judeus que acusaram Paulo chegaram a Cesareia, Félix ouviu o caso (24.1-4). O advogado judeu Tértulo acusou Paulo de perturbar a ordem e promover tumultos entre os judeus no mundo inteiro (24.5). Ele afirma: Paulo é o "principal cabeça da seita dos nazarenos", e foi capturado tentando profanar o templo (24.5-9). Paulo faz a própria defesa, primeiro alegando que eles não podem provar nenhuma das acusações (24.10-13). Em segundo lugar, ele argumenta que o cristianismo é o cumprimento verdadeiro do judaísmo, pois aceita Jesus como o Messias de Deus (24.14-16). Ele explica que recentemente havia retornado a Jerusalém para levar uma oferta aos pobres (oferta levantada nas igrejas dos gentios). Ele não fez nada para causar conflitos (exceto talvez proclamar a crença na ressurreição dos mortos), mas fora acusado de modo injusto pelos judeus da Ásia (24.17-21). Félix, já inteirado do cristianismo, adia a decisão e mantém Paulo preso, ainda que com relativa liberdade (24.22,23).

Poucos dias depois, Paulo se encontra em particular com Félix e sua esposa, Drusila, que era judia e uma das três filhas de Herodes Agripa I (24.24; v. At 12.19-23). Paulo fala a respeito da fé em Cristo, incluindo a justiça e o julgamento futuro, quando, repentinamente, Félix se cansa e encerra a reunião (24.25,26). Paulo permanece preso em Cesareia pelos próximos dois anos (24.27).

Quando Festo substitui Félix como procurador romano, o julgamento de Paulo mais uma vez se torna uma questão candente. Os líderes judeus solicitam que Paulo seja transferido de volta para Jerusalém, com o plano de emboscá-lo e matá-lo no caminho (25.1-3). Festo diz aos judeus que venham a Cesareia e lá ele ouvirá as acusações contra Paulo (25.4,5). Tão logo chegam a Cesareia, Festo os ouve apresentar acusações sérias contra Paulo, mas eles não as podem provar (25.6,7). Paulo alega não ter feito nada contra a lei judaica, o templo ou César (25.8). Quando Festo considera a possibilidade de transferir o julgamento para Jerusalém, Paulo apela para César (25.9-12). Todo cidadão romano tinha o direito de ter seu caso ouvido perante o imperador em Roma. Para não se arriscar a ser emboscado ou julgado injustamente em Jerusalém, Paulo opta por ser julgado perante o imperador Nero (por volta do ano 59).

Quando o rei Agripa II e sua irmã Berenice chegam a Cesareia, Festo lhes fala a respeito do prisioneiro estranho chamado Paulo, e eles manifestam interesse em ouvi-lo (25.13-22).

No dia seguinte, Festo fala sobre a situação a Agripa e Berenice antes de permitir que Paulo fale (25.23-27). Em resumo, Festo não está seguro sobre o que dizer ao imperador a respeito das acusações contra Paulo. Pela terceira vez em Atos, Paulo conta a história de sua vida prévia no judaísmo, o zelo em perseguir os cristãos, a conversão na estrada de Damasco e o comprometimento

✚ Como a narrativa de Atos é limitada por exiguidade de espaço, com frequência nos esquecemos dos atrasos na vida real. Por exemplo, Paulo ficou dois anos preso em Cesareia (At 24—26).

com Cristo (26.1--18). Então Paulo apela para Agripa, dizendo-lhe como fora obediente à visão celestial em pregar Jesus e sua ressurreição e como as pessoas precisam responder com arrependimento (26.19--23). Festo o interrompe para dizer que a grande erudição de Paulo o está deixando louco (26.24), mas Paulo responde que tudo o que disse é verdadeiro e razoável (26.25). Paulo apresenta um testemunho fiel a Agripa, na tentativa de convencê-lo a se tornar cristão (26.26-29). Depois de ouvir, Agripa conclui que Paulo não fez nada merecedor de morte ou prisão e que ele poderia ter sido solto se não tivesse apelado a César (26.30-32). Mas Deus determinara que Paulo iria testemunhar em Roma, por isso a viagem a Roma tem início.

Viagem e testemunho de Paulo em Roma (27.1—28.31)

Paulo e os demais prisioneiros são embarcados em um navio em direção a Roma (27.1). Lucas e Aristarco também acompanham Paulo na viagem, como indicam as referências a "nós" nessa seção de Atos. Eles navegam pela costa, partindo de Cesareia, e vão por terra até Sidom, onde alguns amigos de Paulo suprem suas necessidades (27.2,3). Eles navegam na direção oeste, atracando em Mirra, na Lícia, onde embarcam em um navio alexandrino com uma carga para a Itália (27.4-6). Eles navegam ainda mais na direção oeste e depois sudoeste, até a ilha de Creta e ao lugar chamado Bons Portos (27.7,8). Já havia passado o "Jejum" ou o Dia da Expiação dos judeus, no início de outubro do ano 59 — uma época perigosa para navegar em mar aberto (27.9). Paulo adverte o centurião romano Júlio, que guardava os prisioneiros, a respeito do perigo, mas ele não lhe dá atenção (27.10,11). Eles navegam, esperando alcançar Fenice, um porto mais adequado em Creta para um navio passar o inverno (27.12).

Depois de deixar Bons Portos, eles navegam lentamente ao longo da costa de Creta, até que um vento muito forte chamado "Nordeste" os impele a alto-mar (27.13-15). Quando passam por uma pequena ilha, a cerca de 37 quilômetros ao sul de Creta, eles recolhem o barco salva-vidas, reforçam o navio com cordas, baixam a âncora e jogam fora a carga (27.16-19).

✚ Paulo vai a Roma para ter seu caso ouvido pelo imperador romano Nero, o mesmo imperador que muitos creem ter condenado Pedro e Paulo à morte.

O navio ficou à deriva na tempestade violenta por muitos dias (27.20). Quando toda esperança parecia perdida, Paulo tem outra visão do Senhor, assegurando-lhe que ele será julgado por César e que Deus poupará a vida de todos no navio (27.21-26).

    Depois de catorze dias e noites no mar tempestuoso, os marinheiros percebem que estão se aproximando rapidamente de terra, por isso abaixam outras âncoras (27.27-29). Alguns tentam fugir usando o barco salva-vidas, mas Paulo os adverte de permanecer a bordo se quiserem sobreviver (27.30-32).

    Antes da aurora, Paulo insiste com todos a comerem (27.33,34). Ele toma um pão, dá graças a Deus e começa a comer diante de todos (27.35). Esse ato encoraja as outras 275 pessoas a bordo a comerem (27.36-38). Quando amanhece, eles decidem levar o navio até uma baía com uma praia arenosa, mas o navio bate em um banco de areia e começa a se quebrar (27.39-41). Os soldados querem matar os prisioneiros para impedir que fujam, mas o centurião romano deseja poupar a vida de Paulo, por isso proíbe a matança (27.42,43). Ele ordena que todos nadem até a praia, e eles chegam seguros a terra, como Paulo lhes havia assegurado que aconteceria (27.43,44).

    Eles chegaram à ilha de Malta. Como Malta é uma ilha minúscula, com apenas 27 quilômetros de comprimento e 14 quilômetros de largura, ficou evidente a proteção soberana de Deus sobre a vida de Paulo, pois seria muito fácil que o navio não alcançasse a ilha. Naquela manhã fria e chuvosa de novembro, os ilhéus demonstraram bondade incomum fazendo uma grande fogueira para manter todos aquecidos (28.1,2). Quando Paulo vai jogar um galho de lenha no fogo, uma cobra venenosa o morde. A princípio, os ilhéus pensam

Baía de São Paulo em Malta.

tratar-se de um assassino que por fim se encontrou com a justiça, mas, quando eles veem que nada acontece, dizem ser Paulo um deus (28.3-6).

Públio, o governador da ilha, recebe o pequeno grupo de cristãos em sua casa por três dias (28.7). Enquanto estão lá, Paulo ora pelo pai de Públio que estava doente e lhe impõe as mãos, e este é curado (28.8). Como resultado, os demais doentes da ilha vão visitar Paulo e são curados (28.9). Os malteses honram os visitantes de muitas maneiras durante a permanência deles de três meses e suprem suas necessidades quando estão prontos para navegar (28.10,11).

Deixando Malta, eles navegam na direção norte até Siracusa, a principal cidade da Sicília, e depois para Régio, depois para Potéoli e por fim para a Itália propriamente (28.11-13). Lá encontram alguns cristãos com quem passam uma semana, antes de irem a Roma (28.14). Os crentes de Roma ouvem as boas-novas da chegada de Paulo, e muitos viajam até a praça de Ápio e às Três Vendas, na Via Ápia — cerca de 80 quilômetros — para apresentar uma acolhida encorajadora (28.15). Quando Paulo chega a Roma, recebe autorização para viver por conta própria com um soldado para vigiá-lo (28.16).

Poucos dias depois de chegar a Roma, Paulo se encontra com os líderes judeus para explicar suas ações e sua mensagem (28.17-20). Eles alegam nunca ter ouvido nada proveniente da Judeia a respeito dele, mas querem ouvir suas opiniões, pois pessoas em toda parte estão falando contra a seita dos cristãos (28.21,22). Eles combinam uma ocasião quando Paulo poderá explicar com base nas Escrituras seu entendimento do Reino de Deus e de Jesus como Messias (28.23). Alguns se convenceram, mas outros se recusaram a crer, cumprindo a profecia de Isaías 6.9,10 (28.24-27). Paulo então declara que Deus ofereceu a salvação aos gentios que ouvirão (28.28).

Paulo passa dois anos desconcertantes aguardando ser julgado por Nero, que se torna cada vez mais emocionalmente instável. Paulo aluga uma casa modesta e, mesmo permanentemente acorrentado a um soldado romano, recebe amigos e cooperadores (28.30). O último versículo de Atos nos lembra de que o foco está na mensagem, não nos mensageiros. Como outras testemunhas desse livro admirável, Paulo sofreu muito por causa de Cristo. Mesmo agora, ele permanece uma testemunha fiel, ainda que preso. Mas a Palavra de Deus não está presa. A mensagem seguiu em triunfo de Jerusalém a Roma. No texto grego, "sem impedimento algum" é de fato a última expressão do livro. Paulo podia estar no cárcere, mas o evangelho de Jesus Cristo avança "sem impedimento algum" (28.31)!

Como aplicar Atos à nossa vida hoje

Aplicar Atos começa com saber como interpretar o livro. Evidentemente, não queremos reproduzir todos os padrões da igreja primitiva que encontramos

✚ Quando Paulo chega a Roma, ele encontra uma igreja dinâmica. A igreja de Roma foi iniciada muito provavelmente por missionários cristãos anônimos ou por judeus cristãos que estiveram em Jerusalém no Pentecoste e depois voltaram para a capital do império.

no livro (p. ex., lançar sortes ou exercer juízo, como no caso de Ananias e Safira). Mas queremos abraçar tudo em Atos que deve ser normativo para os cristãos hoje. A melhor maneira de determinar a normatividade é encontrar temas que se repetem no livro.

Para começar, Atos nos desafia a seguir o Espírito Santo. O Espírito é a principal personagem de todo o livro, fortalecendo, guiando, orientando, unificando e comissionando o povo de Deus. O papel da soberania divina está intimamente ligado ao papel do Espírito. Ao longo de Atos, Deus está no controle, mesmo quando tudo indica o contrário. Deus atua primariamente por intermédio da igreja para o cumprimento de sua vontade. Ele é glorificado enquanto as pessoas o adoram, cuidam umas das outras, crescem espiritualmente e tomam parte na missão mundial. Outro tema importante em Atos é a oração. Encontramos o povo de Deus orando por proteção, orientação, por necessidades que precisam ser atendidas, por cura, pelos missionários e por outras questões. Em quase todos os capítulos de Atos, há crentes orando. Lucas também deixa claro que seguir Jesus Cristo significa ser testemunha fiel. Em Atos, os crentes não partilham histórias pessoais, mas testemunham o que Deus fez na História mediante a morte e ressurreição de Jesus. Deus invadiu o mundo na pessoa de Jesus, de modo que temos oportunidade de proclamar as boas-novas. Atos nos lembra do preço pago pelos primeiros cristãos para compartilhar seu testemunho. Eles sofreram prisão, açoites e rejeição; enfrentaram multidões furiosas, tempestades violentas, perseguição e até a morte. O sofrimento é um componente essencial da missão aos gentios. As provações devem ser enfrentadas, pois todas as pessoas precisam das boas-novas, incluindo os gentios.

Como resultado da consideração dos temas repetidos em Atos, aprendemos a seguir o Espírito, confiar na soberania divina, ter comunhão com o povo de Deus, orar, testemunhar a respeito do que Deus fez em Cristo e suportar o sofrimento para levar a mensagem a todas as pessoas.

Nossos versículos favoritos em Atos

Então os que estavam reunidos lhe perguntaram: "Senhor, é neste tempo que vais restaurar o reino a Israel?" Ele lhes respondeu: "Não compete a vocês saber os tempos ou as datas que o Pai estabeleceu pela sua própria autoridade. Mas receberão poder quando o Espírito Santo descer sobre vocês, e serão minhas testemunhas em Jerusalém, em toda a Judeia e Samaria, e até os confins da terra". (At 1.6-8)

O Coliseu em Roma.

- Mateus
- Marcos
- Lucas
- João
- Atos

Romanos

- 1Coríntios
- 2Coríntios
- Gálatas
- Efésios
- Filipenses
- Colossenses
- 1Tessalonicenses
- 2Tessalonicenses
- 1Timóteo
- 2Timóteo
- Tito
- Filemom
- Hebreus
- Tiago
- 1Pedro
- 2Pedro
- 1João
- 2João
- 3João
- Judas
- Apocalipse

Romanos

As boas-novas da justiça de Deus

A carta de Paulo aos Romanos é provavelmente a mais clara e mais poderosa declaração do evangelho em todo o NT. Em vez de afirmar o potencial ou a bondade humana inata à parte de Deus, o evangelho começa com más notícias: os seres humanos são completa e incorrigivelmente pecaminosos e culpados. Mas Deus veio ao nosso socorro em Jesus Cristo. Ele fez o que nunca seríamos capazes de fazer por nós mesmos, oferecendo-nos perdão e inclusão na comunidade da aliança e prometendo que nunca vai nos condenar ou deixar de nos amar. Os quatro Evangelhos contam a história da vida, ministério, morte e ressurreição de Jesus, mas Romanos explica o significado teológico e prático dessa história. Romanos mudou a vida de crentes famosos no decorrer da História (p. ex., Agostinho, Martinho Lutero, John Wesley, Karl Barth) e de muitos outros não famosos. Com certeza, ler, estudar e meditar em Romanos mudará nossa vida!

Quem escreveu Romanos?

Paulo alega ter escrito Romanos (1.1), e há um acordo quase universal entre os especialistas no NT de que ele tenha sido de fato o autor. O secretário de Paulo para a redação da epístola foi Tércio (16.22).

Quem eram os destinatários de Paulo?

Romanos é endereçado a "todos os que em Roma são amados de Deus e chamados para serem santos" (1.7); contudo, Paulo não plantou essa igreja e sequer ainda a tinha visitado (1.8-15; 15.22-29). Quando Paulo escreveu, a igreja já existia (1.8).

Muito provavelmente a igreja de Roma se originou dos convertidos no dia de Pentecoste que para lá levaram o evangelho (At 2.10) ou de missionários cristãos anônimos. Seja como for, muitos dos primeiros cristãos em Roma eram judeus. Desde o início, os judeus cristãos lideravam a igreja de Roma. Mas no ano 49 o imperador Cláudio expulsou os judeus de Roma, e muitos cristãos de origem judaica tiveram de deixar a cidade (p. ex., At 18.1-3).

Quando eles saíram da cidade, os cristãos gentios tiveram de assumir as responsabilidades da liderança da igreja. No ano da morte do imperador Cláudio (54), os judeus cristãos receberam autorização para voltar para a cidade, e a situação não era idêntica. A igreja de Roma agora contava com a maioria de membros e líderes de origem gentílica.

A igreja de Roma era muito provavelmente organizada em igrejas domésticas menores (observe as saudações em Rm 16). As igrejas domésticas eram provavelmente divididas de acordo com critérios sociais (judeus e gentios). Esses dois grupos tinham maneiras diferentes — mas igualmente legítimas — de expressar a fé em Jesus Cristo. Portanto, Paulo escreve em Romanos a uma igreja composta pela maioria gentia e minoria judaica. Um dos principais propósitos da carta é encorajar a unidade da igreja local.

Cremos que Paulo escreveu Romanos por volta do ano 57, quando estava na Galácia, perto do fim da terceira viagem missionária (v. At 20.2,3). Gaio é identificado como seu anfitrião coríntio em Romanos 16.23, e a saudação da parte de Erasto, o "administrador da cidade" (Rm 16.23), coincide com a declaração de 2Timóteo 4.20 sobre Erasto viver em Corinto. Além disso, Febe, da igreja de Cencreia, cidade portuária próxima a Corinto, provavelmente foi a portadora da carta (Rm 16.1,2).

✛ A igreja primitiva se reunia em casas para aprender, adorar, partilhar refeições (incluindo a ceia do Senhor) e para o atendimento mútuo de necessidades pessoais.

Quais são os temas centrais de Romanos?

O propósito de Paulo ao escrever essa epístola diz respeito 1) à situação da igreja em Roma e 2) às suas circunstâncias e planos para o ministério. Parece que ele teve não uma, mas várias razões para escrever Romanos.

Uma das razões para Paulo escrever a carta é unificar as diferentes igrejas domésticas. Observe-se que o tema da "paz" percorre toda a carta (Rm 1.7; 2.10; 3.17; 5.1; 8.6; 14.17,19; 15.13,33; 16.20). A tentativa de Paulo de curar a divisão é mais evidente na discussão sobre "fortes" e "fracos" em Romanos 14.1—15.13. Os judeus cristãos "fracos" provavelmente condenaram os gentios cristãos que não observavam certas leis dietéticas nem guardavam alguns dias santos. Eles criam piamente na importância dos rituais religiosos na vida cristã. Já os cristãos gentios "fortes" provavelmente desprezavam os cristãos judeus por não levarem devidamente a sério sua liberdade em Cristo. Paulo repreende aos dois grupos por colocarem as próprias convicções acima do evangelho. Paulo entende os dois mundos com perfeição por ser judeu (cf. 9.1-5) comissionado para trabalhar como "apóstolo dos gentios" (1.5; 11.13; 15.16). Ele tem esperança de que essa proclamação clara e abrangente do evangelho de Jesus Cristo faça ambos os grupos corrigirem o foco e os oriente para o que é mais importante e, como resultado, a igreja de Roma seja unificada.

As circunstâncias pessoais de Paulo também o levaram a escrever a carta. Ele planeja levar uma oferta financeira da parte das igrejas dos gentios para

✚ Paulo também discute as questões relacionadas aos "fortes" e aos "fracos" em 1Coríntios 8.1—11.1.

A cidade de Roma
Lynn H. Cohick

Conhecida como a Cidade Eterna, Roma cativava a imaginação e aterrorizava os corações de muitos desde seu apogeu no século V a.C. até sua queda no século V d.C. As origens de Roma remontam aos mitos e lendas. Os latinos que estabeleceram Roma traçam sua ascendência até Enéas, filho da deusa Vênus e o defensor de Troia, cujas aventuras são narradas por Virgílio em *Eneida* (séc. I a.C.). Entre os descendentes de Enéas, estavam dois meninos gêmeos, Remo e Rômulo, a quem se atribui a fundação de Roma no ano 753 a.C. Lendas afirmam que quando crianças os gêmeos foram abandonados à morte próximo às margens do rio Tibre, mas foram amamentados por uma loba, Lupa Capitolina, que passou a representar a própria Roma (Lívio, *História de Roma* 1.4). Júlio César e seu filho adotivo Otaviano (posteriormente nominado imperador Augusto) traçam sua ascendência até Enéas e Vênus.

Roma fica no lado ocidental da península itálica, posicionada na fronteira norte da região do Lácio. Os etruscos eram os seus vizinhos ao norte, e Campania ficava ao sul do Lácio. A região desfrutava de abundantes chuvas e solo fértil para comportar um grande centro populacional. Os primeiros colonizadores viviam nas montanhas, que se erguiam às margens leste do rio Tibre. Os sete montes de Roma (Aventino, Capitolino, Célio, Esquilino, Palatino, Quirinal, Viminal) se tornaram marca de identificação da cidade, de modo que quando, em Apocalipse, João faz referência a "sete colinas" (17.9), seu auditório entendeu que ele estava aludindo à "grande cidade" (17.18). Próximo ao monte Capitolino, uma ilha no rio Tibre quebra a forte correnteza do rio formando naquele local um fiorde natural. As correntezas do Tibre facilitavam o comércio, uma vez que o rio era navegável com barcas e pequenos barcos a uma distância considerável até o interior. Cerca de 25 quilômetros de Roma, o rio Tibre desaguava no mar Mediterrâneo à altura do porto de Óstia.

Nos séculos VII e VI a.C., foi drenada uma área pantanosa entre os montes Capitolino, Palatino e Esquilino, o Fórum romano foi construído no campo formado onde existia o pântano, e os templos às divindades Vulcano e Vesta (o deus e deusa do fogo, da forja e da família) foram erigidos. No monte Capitolino foi construído um enorme templo para Júpiter. Quando o sétimo e último rei de Roma foi derrotado em cerca de 510 a.C., Roma estabeleceu uma República, e em torno de 500 a.C. o templo de Saturnio foi construído no Fórum; serviu de tesouro de Roma e repositório dos decretos do Senado. O que se tornaria o Circo Máximo, nessa fase inicial, era uma imunda pista de corrida localizada no vale entre os montes Palatino e Aventino. A lenda situa o Rapto das Sabinas nesse lugar. Até o período de Augusto (que governou entre 27 a.C. e 14 d.C.), 150 mil espectadores assistiam e corridas de carruagens das arquibancadas que se estendiam por três quartos do traçado oval.

Em 390 a.C., os gauleses atacaram e incendiaram Roma até as cinzas. Destemidos pela derrota, os romanos decidiram reconstruir a cidade rapidamente sem planejamento centralizado, o que explica por que ela não segue o típico padrão quadriculado (Lívio, *História de Roma* 5.55). Eles restauraram e expandiram os muros da cidade, abrangendo aproximadamente 2,8 quilômetros quadrados. Construíram também aquedutos, inicialmente subterrâneos; depois, sob o imperador Cláudio (41-54 d.C.), construíram um aqueduto suspenso de 70 quilômetros de extensão para levar água até a cidade. Em 312 a.C., foram lançadas as fundações para a famosa estrada, a Via Ápia. Quando completada, cinquenta anos depois, a estrada tinha a extensão de aproximadamente 560 quilômetros e era uma das mais antigas

os cristãos pobres de Jerusalém (15.25-27). Depois disso planeja visitar Roma a caminho da Espanha (15.22-29). Ele quer encorajar e fortalecer a igreja de Roma (1.8-15), mas também conta com o apoio financeiro deles

✚ Ao seguir o mandamento de Jesus de levar o evangelho até "os confins da terra", Paulo planejou uma missão para a Espanha (Rm 15.22-29).

e mais famosas estradas. Ela seguia ao sul para Cápua e depois se estendia a sudeste até o mar Adriático. Ao longo dessa estrada foram descobertos muitos túmulos de ricos romanos, incluindo o suntuoso túmulo do século I d.C. de Cecília Metela.

Com o controle da maior parte da península itálica, Roma voltou sua atenção à poderosa cidade de Cartago, no norte da África. Em 241 a.C., Roma conquistou Cartago na primeira Guerra Púnica; vinte anos depois, contudo, Aníbal, o general de Cartago, atravessou os Alpes e chegou próximo a Roma. Enquanto se preparava para atacar a cidade, Aníbal foi chamado de volta para Cartago, que foi sitiada por Cipião Africano (que a derrotou em 202 a.C.). Riquezas abundaram em Roma. Ao fim do século III a.C., Roma era a maior cidade da Itália, rivalizando com as cidades contemporâneas de Alexandria, no Egito, e Antioquia da Síria. Políticos ricos, e posteriormente os imperadores, construíram suas residências principalmente no monte Palatino, e o Fórum se tornou lugar de importantes construções públicas (*basilicae*). Pelo centro passava a Via Sacra, a rota dos desfiles de vitoriosos generais e, mais tarde, imperadores.

No século I a.C., Roma foi dominada por guerras civis. No final dos anos 50 a.C., Júlio César estendeu o Fórum romano a nordeste, o qual Augusto e imperadores posteriores expandiram ainda mais. O assassinato de César mergulhou a cidade em outra sangrenta guerra civil, fazendo que a maioria dos romanos desejasse a paz. A conquista subsequente do poder por seu filho adotivo, Otaviano, sinalizou o fim da Roma republicana e o início da Roma imperial. O novo imperador (Augusto governou de 28 a.C. a 14 d.C.) registrou as suas realizações no *Res Gestae*, em que declara ter construído e remodelado 82 templos em Roma, usando com frequência mármore em vez de tijolos na construção. Por exemplo, o Panteão foi construído para homenagear todos os deuses; destruído por um incêndio, foi reconstruído por Adriano no início do século II d.C. Para homenagear as vitórias de Augusto na Espanha, o Senado ordenou a construção de *Ara Pacis*, um altar monumental à paz, concluído no ano 9 a.C. O altar era cercado por uma grade de mármore decorada com relevos que retratavam cenas da família imperial e da mitologia de Rômulo e Remo, assim como da odisseia de Enéas.

No ano 64 d.C., um grande incêndio, que durou seis dias e sete noites, consumiu cerca de 70% da cidade. De acordo com o historiador Tácito (*Anais* 15.38), o incêndio começou no Circo e rapidamente se espalhou pelas superlotadas estruturas de madeira, causando devastação e destruição. O povo pôs a culpa em Nero, o qual transferiu as acusações aos cristãos e matou brutalmente muitos deles. O suicídio de Nero em 68 d.C. lançou a cidade em confusão, mas dentro de um ano o grande general Vespasiano se tornou imperador (governou entre 69 e 79 d.C.). Seu filho Tito reprimiu a revolta dos judeus na província romana da Palestina e saqueou Jerusalém (incluindo o templo) no ano 70 d.C. Em 81 d.C., depois de sua morte, o Senado ordenou a construção de um arco para celebrar essa vitória. O monumento inclui um relevo de soldados romanos carregando os tesouros pilhados do templo de Jerusalém. O Coliseu, talvez a mais famosa construção de Roma atualmente, foi encomendado por Vespasiano para hospedar os jogos gladiatórios. O anfiteatro de 50 mil assentos foi construído em grande parte por escravos judeus, utilizando despojos tomados depois da Guerra Judaica. O Coliseu, concluído por Tito em 80 d.C., foi construído sobre o lago particular artificial criado por Nero. As paredes externas foram cobertas com mármore, e os diversos nichos foram enfeitados com estátuas.

Fora dos muros da cidade são encontradas catacumbas, sepulturas subterrâneas usadas por judeus que moravam em Roma no início do século I a.C. Inscrições indicam que havia pelo menos 13 sinagogas dentro de Roma. No século II d.C., os cristãos também usaram catacumbas para sepultamento, embora essas não se sobrepusessem às dos judeus.

para a viagem missionária para o oeste longínquo (o verbo "ajudar" em 15.24 de modo geral se refere a ajuda financeira). O coração de Romanos pode ser resumido da seguinte maneira:

O evangelho → unidade na igreja → missão da igreja

Com esse relato poderoso e abrangente das boas-novas (evangelho) da justiça procedente de Deus (Rm 1.17), Paulo tenta persuadir os cristãos judeus e gentios de Roma a se unirem. A igreja unida em torno do evangelho de Jesus Cristo é uma igreja em missão. O esboço de Romanos reflete este propósito:

- Introdução (1.1-17)
- Nosso problema: somos todos pecadores e culpados (1.18—3.20)
- A solução de Deus: justiça (3.21—5.21)
- O resultado: nossa participação com Cristo (6.1—8.39)
- Uma preocupação importante: Deus tem sido fiel no cumprimento de suas promessas (9.1—11.36)
- Implicações práticas: relacionamentos justos (12.1—15.13)
- Conclusão (15.14—16.27)

Quais são os aspectos interessantes e singulares de Romanos?

- Paulo não plantou a igreja de Roma nem a visitara até o momento da escrita da carta (1.8-15; 15.22-29).
- Paulo cumprimenta cerca de 30 pessoas na conclusão da carta, uma lista de saudações incomumente longa.
- Romanos é a maior das cartas de Paulo e a de maior profundidade teológica.
- A carta tem tratamentos amplos de temas bíblicos muito importantes: a pecaminosidade humana, a justificação pela fé, a vida no Espírito, o relacionamento de Deus com Israel e as obrigações éticas dos cristãos.
- Romanos enfatiza o evangelho ou "boas notícias" de Deus, no início (1.1,2,9,15-17), no meio (2.16; 10.15,16; 11.28) e no fim (15.16,19,20; 16.25).

O imperador Cláudio (41-54 d.C.) expulsou os judeus de Roma (At 18.1,2).

- A doutrina da justificação pela fé, que deu início à Reforma Protestante, é claramente apresentada na carta.

Qual é a mensagem de Romanos?

Introdução (1.1-17)

Paulo começa pela identificação do remetente e dos destinatários da carta, seguida por uma saudação (1.1-7). Depois de agradecer aos cristãos romanos e explicar seus planos ministeriais (1.8-15), ele conclui com a afirmação de 1.16,17.

Remetente, destinatários e saudação (1.1-7)

Paulo começa de modo típico identificando-se (1.1-6), nomeando os destinatários e fazendo uma saudação (1.7). Incomum é o espaço dedicado à apresentação de si mesmo, do seu evangelho e do seu ministério apostólico, talvez porque não tenha visitado a igreja de Roma e por causa da situação da igreja. Não há nada como o evangelho de Jesus Cristo crucificado e ressuscitado para unificar a igreja dividida. Ele saúda a todos os cristãos de Roma, judeus e gentios, com a graça e a paz de Deus (1.7).

Ação de graças, oração e planos ministeriais (1.8-15)

Paulo dá graças a Deus por todos os crentes de Roma pelo que ouviu a respeito de sua fé. Ele ora com regularidade por eles e está muito desejoso de que Deus lhe providencie a oportunidade de visitá-los (1.8-10). Ele deseja "compartilhar [...] algum dom espiritual" com esses crentes (1.11,12). O "dom espiritual" mencionado na passagem provavelmente diz mais respeito ao propósito geral da carta que a outro dom particular. Quando os cristãos romanos entenderem de modo pleno o grandioso plano de unir judeus e gentios em Cristo, sua fé se tornará forte e mutuamente edificante. A fé unida também contribuirá para o avanço das novas de Jesus entre os gentios, a missão para a qual Paulo foi chamado (1.13-15).

A tese da carta (1.16,17)

Paulo está desejoso de pregar o evangelho em Roma por não se envergonhar do evangelho: o "poder de Deus para a salvação de todo aquele que crê" (1.16). Ele não se envergonha por saber que essa mensagem pode mudar totalmente a vida de uma pessoa. Em 1.17, Paulo especifica que o evangelho

✚ Na declaração de Romanos 1.16,17, é possível que Paulo tenha feito alusão ao "poder" transformador do Espírito, que explicará com detalhes no capítulo 8.

revela a justiça de Deus. A expressão importante "justiça de Deus" (*dikaiosyne theou*) provavelmente inclui uma ou mais das seguintes ideias:

- O caráter de Deus — Deus é reto e justo
- A atividade de Deus — A fidelidade divina em cumprir as promessas da aliança, incluindo a justiça no mundo
- O dom de Deus — o dom divino às pessoas de um relacionamento justo com ele e o acesso direto à sua presença, o que inclui o perdão dos pecados

A fé é o que nos permite vivenciar a justiça de Deus (1.17; Hc 2.4).

Nosso problema: somos todos pecadores e culpados (1.18—3.20)

Depois de apresentar as boas-novas de Deus para salvar as pessoas, Paulo nos surpreende ao mudar de assunto e falar da ira de Deus contra todo o pecado e toda a maldade. As boas notícias na verdade têm início com "más notícias" — Deus odeia de forma absoluta o mal. Para que as pessoas reconheçam a necessidade do Salvador, precisam admitir o problema com o pecado — o foco de Paulo em 1.18—3.20.

Os injustos são culpados (1.18-32)

Ainda que Deus sem dúvida condene o mal no juízo final, Paulo declara que a ira de Deus já está agora sendo revelada contra o pecado (1.18-20). Uma vez que as pessoas suprimem a verdade a respeito de Deus apresentada pela revelação geral, elas fazem escolhas pecaminosas e sofrem as consequências: Deus as entregou a paixões degradantes (1.24,26,27), para adorarem ídolos criados em lugar do Criador (1.25) e a pensamentos depravados que as levam a todos os tipos de comportamentos pecaminosos (1.28-31). Os injustos (gentios no contexto original) não apenas praticam a impiedade, como também encorajam outros a praticá-la (1.32), merecendo incorrer na ira divina.

Os que se julgam justos são culpados (2.1-16)

Paulo começa a se dirigir aos crentes judeus nessa seção, ainda que os gentios moralistas não

✣ Em Romanos 1.17, Paulo cita Habacuque 2.4 para mostrar que a fé é um elemento essencial da justiça verdadeira (v. tb. Gl 3.11; Hb 10.38).

pudessem ser completamente excluídos. À semelhança dos pagãos, os moralistas são "indesculpáveis" diante de Deus. O julgamento que eles fazem dos "injustos" é hipócrita, pois eles mesmos cometeram muitos pecados (p. ex., inveja, mentira, maledicência). Isso revela a tendência humana de criticar os outros e desculpar o próprio pecado. Mas Deus não é parcial ao julgar o pecado (2.2,3). Em razão da sua bondade, deveríamos nos arrepender e não demonstrar soberba (2.4,5). Cada pessoa, judeu ou não (2.10), será julgada por Deus de acordo com o que tiver feito (2.6,11). A vida eterna está reservada aos que buscam Deus e persistem em fazer o bem, e haverá condenação ("ira" e "indignação") aos egoístas, que rejeitam a verdade e praticam o mal. Os judeus não devem confiar na Lei para o cancelamento de seus pecados, pois justos são apenas os que obedecem à Lei. Os judeus pecam "sob a Lei", enquanto os gentios pecam sem a Lei, mas no fim o resultado é o mesmo — todos são culpados diante de Deus (2.12-16).

Os judeus que se consideram justos são particularmente culpados (2.17—3.8)

Paulo agora se dirige de forma explícita aos judeus (2.17). Ainda que eles tenham tido a vantagem de receber a revelação especial de Deus (3.2), o simples fato de possuir a Lei (revelação de Deus — 2.17-24) e a circuncisão (o sinal da aliança com Deus — 2.25-29) não os livrará do julgamento. Em contraste, o "verdadeiro judeu" é alguém transformado interiormente pelo Espírito (2.28,29). Deus não é injusto quando julga seu próprio povo por conta dos pecados dele (ou seja, Deus não quebra as promessas feitas na aliança). De fato, a despeito da infidelidade deles e de seu fracasso em levar a luz divina aos gentios, a fidelidade de Deus alcança até mesmo os infiéis (3.4-6), acentuando sua fidedignidade e lhe dando maior glória. A despeito da capacidade de Deus para transformar uma situação desesperadora em algo bom, as pessoas não estão isentas do julgamento (3.5,7) e com certeza não têm licença para fazer o que quiserem (3.8), pois a reputação de Deus ficou arruinada pelo comportamento pecaminoso do povo com quem entrou em aliança (2.24). Agora, para ser fiel às suas promessas, Deus precisa de um povo que faça o que Israel falhou em fazer, povo que será fiel e que levará sua palavra aos gentios. No final de Romanos 3, vemos que Deus encontrou esse povo. Louvado seja Deus!

Arco de Constantino em Roma.

✚ O NT ensina com clareza a salvação pela graça e o juízo de acordo com as obras (v. Mt 12.36,37; 16.27; Rm 2.6-10; 2Co 5.10; Tg 2.14-26; Ap 20.11-15; 22.12).

Justificação pela fé
Mark A. Seifrid

A confissão de que uma pessoa é justificada diante de Deus "somente pela fé" se tornou um elemento central da Reforma e continua a distinguir o cristianismo protestante do catolicismo romano. De acordo com a fé católica, a justificação é um movimento do coração pela graça, do pecado para Deus, movimento em que fé, esperança e amor são infundidos por Deus, cresce em boas obras e, na melhor das possibilidades, acarretará em vida eterna no juízo final.

O ensino de Paulo quanto a isso — que aparece com destaque em Gálatas e em Romanos, mas também em outras das suas epístolas — pode ser encontrado em síntese na declaração: "o homem é justificado pela fé, independente da obediência à Lei" (Rm 3.28). O pano de fundo para a declaração de Paulo está na disputa entre Deus e o homem, que na idolatria e na descrença rejeita o Criador bom e o declara mentiroso, e ao assim fazer se torna mentiroso (Rm 1.18-32; 3.1-8). A Lei boa, santa e graciosa de Deus foi dada a Israel para realçar o pecado e assim manifestar a verdade de que todos estamos debaixo do poder do pecado (Rm 5.20; 7.1-25; 2Co 3.4-11; Gl 3.19-22). A Lei dessa maneira nos aponta Cristo (Rm 3.19-21).

Contudo, os oponentes cristãos de origem judaica de Paulo e muitos outros cristãos imaginavam que a Lei lhes fora concedida para ressaltar a graça de Deus e assim torná-los melhores (Rm 2.17-29; Gl 1.6-9; 5.1-12). A declaração de Paulo de que a justificação ocorre "pela fé, independente das obras da Lei" é um ataque a essa opinião. "Fé" para Paulo não é uma qualidade abstrata, mas a realidade existente apenas quando há a proclamação do Cristo encarnado, crucificado e ressurreto em quem se cumprem todas as promessas incondicionais de Deus. Portanto, quando Paulo diz que somos "justificados pela fé", ele afirma a justificação por Cristo, por intermédio de quem Deus cria a fé no coração humano caído (Rm 3.21-26; Gl 3.23-29; Fp 3.2-11).

A justificação é o ato do juízo salvador de Deus — a justiça extraordinária que vai além da culpa e da recompensa — que teve lugar na cruz e na ressurreição

Conclusão: Todos são pecadores e culpados perante Deus (3.9-20)

Paulo desenvolve uma conclusão baseado em tudo que dissera em 1.18—3.8. Todos os povos, tanto judeus como gentios, estão "debaixo do pecado", retratados aqui como um poder sinistro que captura e aprisiona as pessoas (3.9). Para embasar essa conclusão, em 3.10-18, Paulo alista citações do Antigo Testamento. Todas essas citações apontam para uma verdade importante (3.19) — perante Deus, o justo Juiz, ninguém pode dizer nada em defesa própria ("toda boca se cale"). Não há mais desculpas, nada a ser dito. Todos estão sem palavras enquanto esperamos Deus anunciar o veredito de "Culpados!". Em 3.20 aprendemos que nem mesmo os judeus podem ser "declarado[s] justo[s] [...] baseando-se na obediência à Lei" (p.ex., "prática da Lei" —Gl 2.16; cf. Rm 3.28; Gl 3.2,5,10). Ao tentar obedecer à boa lei de Deus, eles entendem que são pecadores que não estão à altura dos padrões de Deus. O mundo todo é pecador e culpado diante de Deus — gentios imorais, gentios e judeus moralizadores, e judeus autojustificados. Todos são culpados!

✢ Em Romanos 3.9-20, Paulo cita extensivamente textos do Antigo Testamento e Salmos para demonstrar que os seres humanos são pecadores e culpados diante de Deus.

de Jesus e que é anunciado na pregação do evangelho (Rm 1.16,17; 3.21-26; Gl 2.15-21). Como ato de Deus, é simultaneamente declaração e ato, palavra e obra em que o ser humano caído é perdoado e recriado (Rm 6.1-11; 1Co 6.11; 2Co 5.17-21; Gl 2.19-21). Nossa justiça se encontra "localizada" no Senhor crucificado e ressurreto, a quem estamos ligados pela fé (Rm 10.4; 1Co 1.30; Fp 3.6-11). Dessa maneira, o ser humano caído e idólatra é restaurado à fé no Criador, à justa relação com Deus em que fomos feitos para viver (Gn 3.1-13; 15.6). Deus considera a fé como justiça, como fez com Abraão, por intermédio de quem prometeu abençoar todas as nações (Rm 4.1-9; Gl 3.6-9). A obra justificadora de Deus no evangelho é o cumprimento da promessa divina de revelar sua justiça salvadora a todas as nações mediante a ação de "governar e julgar", em que o Criador do mundo conquista os poderes do caos e do mal e estabelece a justiça, como fez no ato original da Criação (Sl 89.5-18; 98.1-9; Is 51.9-11; 59.9-11). A "justiça de Deus" dessa maneira é distinta da "fidelidade de Deus" no sentido de que pressupõe o contexto de conflito a respeito da justiça.

Da mesma forma, a justificação e a santificação são dimensões diferentes do ato salvador de Deus em Cristo, não acontecimentos distintos que podem ser colocados em ordem lógica (1Co 1.30; 6.11). A justificação difere da "santificação" no sentido em que a primeira é portadora de uma distinção verbal (e, portanto, forense), levando os seres humanos a confessar a maravilha da justiça divina diante do pecado e da rebelião. Quando a nova criação invade o atual mundo caído (2Co 5.17-21), a obra justificadora de Deus se aproxima do anúncio do Reino de Deus por Jesus, que é citado nos Evangelhos (Mt 5.6,20; 6.33; cf. Rm 14.17). Como na obra divina da justificação já compartilhamos da era por vir pela fé em Jesus Cristo, Deus nos fará passar em Cristo pelo juízo final e nos levará à salvação (Rm 5.9,10,15-21). As obras pelas quais permaneceremos firmes no juízo final são exatamente o fruto do Espírito e a era por vir que já atuam em nós (Gl 5.1-6,22-26; 6.14-16). Considerando que a obra justificadora de Deus em Cristo nada mais é que o juízo final trazido ao presente, fica claro que Paulo e Tiago se complementam (Rm 3.21-31; 4.1-25; Tg 2.18-26). Ser justificado é ter Jesus Cristo como Senhor e viver confiante de que ele derrotou nosso pecado e nossa morte para que possamos viver para sempre com ele em seu Reino.

A solução de Deus: justiça (3.21—5.21)

Depois de ler a respeito do pecado por quase três capítulos, estamos prontos para receber as boas notícias. Começando com o "mas agora" de 3.21, Paulo dá início à descrição da solução divina para o problema do pecado humano. A justiça de Deus nos foi graciosamente disponibilizada mediante a fé em Jesus Cristo e em sua morte expiatória na cruz.

A justiça de Deus (3.21-31)

O tema evangélico da justiça de Deus (1.16,17) reaparece em 3.21:

1.17—"Porque no evangelho é revelada a justiça de Deus."
3.21—"Mas agora se manifestou uma justiça que provém de Deus, independente da Lei."

Esse parágrafo está repleto de realidades teológicas importantes, como a retidão, a fé, o pecado, a justificação, a graça, a redenção, a obra expiatória de Cristo e a justiça de Deus. É verdade que ninguém será justificado pelas obras da Lei (3.20), mas este não é o fim da história. A justiça divina nos foi manifestada de forma independente da Lei, e até mesmo a Lei e os Profetas testificam a respeito dela (3.21). Vemos agora uma nova fase no plano de salvação provida por Deus (cf. Gl 4.45). A justiça divina acontece na vida dos que reconhecem a própria pecaminosidade e creem em Jesus, o único que foi fiel até a morte (3.22-24,26). Deus demonstrou seu caráter reto e santo ao apresentar Jesus como o sacrifício expiatório, desviando por conseguinte a ira de Deus contra o pecado e removendo nossa culpa (3.25,26; cf. 1Jo 4.10). Agora Deus pode receber pecadores culpados sem violar seu caráter justo (Mc 10.45; Ef 1.7; Cl 1.14; Tt 2.14; 1Pe 1.18,19). O dom gracioso de Deus advém da fé, não das obras da Lei, e não permite que haja espaço para a arrogância (3.27,28; Ef 2.8,9). Não podemos acrescentar nada ao sacrifício expiatório perfeito de Cristo. Há apenas um Deus, que justifica judeus e gentios de uma única maneira — pela fé em Cristo (3.29,30). Mas ninguém deve pensar que a fé destrói a Lei ou conduz à impiedade. Pelo contrário, a fé confirma a Lei (3.31), pois, como será visto adiante, os que andam pelo Espírito, na verdade cumprem a Lei (8.4; 13.8,10; Gl 5—6).

Abraão: Ilustração do Antigo Testamento (4.1-25)

Para demonstrar que o evangelho não é uma invenção recente, Paulo apresenta Abraão, o fiel patriarca de todos os judeus, e Davi, o maior rei de Israel. Ainda que jamais mereçamos a justiça de Deus como quem recebe salário, podemos receber a justificação como presente. Paulo também cita

✚ Antes de Deus dar a Lei a Moisés, ele já havia justificado Abraão com base em sua fé nas promessas divinas.

Davi como exemplo de alguém considerado justo diante de Deus à parte de suas obras (4.6-8). Em 4.9-12, Paulo anuncia que a bênção da justiça está disponível a todos, judeus e gentios (4.9). Deus considerou Abraão justo com base na fé exercida antes de ser circuncidado (4.10). Como consequência, Abraão, que foi justificado pela fé, não pela Lei, é o pai de todo o que crê — seja ou não circuncidado, judeu ou gentio (4.11-15). Como a promessa vem pela fé, não pela Lei, judeus e gentios podem se unir como um único povo de Deus (4.16,17). Em essência, a fé de Abraão consistiu em crer que Deus guardaria suas promessas (4.18-22). Assim como Deus considerou a fé de Abraão como justiça, ele também considera nossa fé como justiça (4.23,24). Do mesmo modo que Abraão confiou no poder de Deus que "dá vida aos mortos" (4.17), também cremos que Deus [ressuscitou] dos mortos a Jesus, nosso Senhor" (4.24; cf. Rm 8.11; 10.9). Jesus "foi entregue à morte por nossos pecados" e "ressuscitou para nossa justificação" (4.25).

As bênçãos da justificação (5.1-11)

A seguir, Paulo fala a respeito das bênçãos de sermos declarados justos por Deus — "Tendo sido, pois, justificados pela fé" (5.1). A primeira bênção é "paz com Deus, por nosso Senhor Jesus Cristo" (5.1). A justificação significa que Deus nos perdoa e nos aceita na comunidade da aliança. A segunda bênção é o acesso "a esta graça na qual agora estamos firmes" (5.2). Como o filho adotivo que vai viver com os novos pais, agora entramos em um estado de graça e nele permanecemos para sempre. A terceira bênção é o privilégio de nos "[gloriarmos] na esperança da glória de Deus" (5.2). Por enquanto, vemos relances da glória divina, mas um dia a experimentaremos em toda a plenitude. A quarta bênção é a capacidade de nos alegrarmos com nossos sofrimentos, pois sabemos que Deus usa as provações para fortalecer a esperança (5.3,4). Nossa esperança é mais que um simples desejo porque está baseada no amor de Deus derramado na vida de todos nós pelo Espírito (5.5-8). A quinta bênção é que seremos salvos da ira de Deus — sua oposição santa ao pecado e ao mal e seu ódio contra eles (5.9,10). Se Deus já nos perdoou e nos levou à sua família, ele com certeza nos poupará da ira futura. A sexta bênção diz respeito ao orgulho. Conquanto nunca devamos nos orgulhar das realizações religiosas (2.23; 3.27; 4.2), podemos nos orgulhar do que Deus fez por nós em Cristo (5.11).

Adão ou Cristo, morte ou vida? (5.12-21)

Na segunda parte de Romanos 5, Paulo compara Adão e Cristo, dois tipos ou representantes da humanidade. A desobediência do primeiro Adão resultou em pecado, morte e condenação para todos (5.12,16-19). A obediência de

---

✚ Desde o início, quando estabeleceu a aliança com Abraão, Deus planejou que sua comunidade da aliança incluísse pessoas de todas as etnias e nacionalidades (Gn 12.3; 17.5; Rm 4.16,17).

Cristo, o "segundo Adão", resultou em abundância de graça, o dom da justificação e vida para todos que se voltarem para ele em fé (5.15-19). Enquanto o pecado do primeiro trouxe a maldição, a fidelidade do segundo reverte a maldição e reconcilia as pessoas com Deus. De Adão a Moisés, não havia a Lei; por conseguinte, não podia haver "transgressão" ou quebra da Lei. Mesmo assim, o pecado estava presente no mundo, e, como resultado, a morte continuou a reinar nesse tempo (5.13,14). Antes de resolver o problema do pecado, a Lei com grande clareza revela o que Deus espera, e isso torna a transgressão de fato maior (Rm 3.20; 4.15; 5.13; 7.7,8,13). Mas "onde aumentou o pecado transbordou a graça" (5.20). Enquanto o pecado reina na morte, a graça reina com mais autoridade e poder "mediante Jesus Cristo, nosso Senhor" (5.21).

O resultado: nossa participação com Cristo (6.1—8.39)

Em Romanos 1—5, aprendemos que os seres humanos têm o problema do pecado e que Deus providenciou a solução mediante Jesus Cristo. Em Romanos 6—8, vemos como nossa participação com Cristo reformula o modo pelo qual vivemos. Houve época em que estávamos escravizados ao pecado, mas agora somos servos de Deus. Não estamos mais sob a Lei, e sim livres para andar no novo caminho do Espírito. Recebemos uma vida nova, uma nova família e um futuro glorioso. Nada pode nos separar do amor de Deus.

Mortos para o pecado, mas vivos para Deus (6.1-14)

Alguns poderiam concluir com base em 5.20 que os crentes devem pecar mais para que Deus manifeste ainda mais graça (6.1). Paulo diz: "De maneira nenhuma!"

Estátua de Paulo na Basílica de São Paulo fora dos muros em Roma.

✚ A graça de Deus não nos dá permissão para pecar mais (Rm 6.1). Antes, a graça divina nos leva ao novo relacionamento com Cristo, e devemos nos oferecer a ele em obediência (Rm 6.11-14). A graça muda tudo!

Lei e graça nas cartas de Paulo
Mark A. Seifrid

Apesar de a Lei ser um dom bom e santo de Deus para Israel (Rm 7.12), seu propósito fundamental é ressaltar o pecado e a transgressão (Gl 3.19-22). Por intermédio da Lei, nós, seres humanos caídos, conhecemos a trágica e fracassada experiência do pecado (Rm 7.7-13). Por conseguinte, nos reconhecemos pecadores responsáveis pelos próprios atos e, dessa maneira, inteira e inescapavelmente sob o poder do pecado (Rm 3.9-20; 7.14-25). Logo, a Lei produz a ira de Deus (Rm 4.15). O ministério e o propósito da Lei é trazer nossa morte (2Co 3.6-11). A Lei atua assim por vir a nós, seres humanos caídos, como sanção e exigência às quais a vida e a morte estão ligadas: "O homem que fizer estas coisas viverá por meio delas" (v. Rm 10.5; cf. tb. Gl 3.12). Por essa razão, Paulo fala da Lei como um "código escrito" (Rm 2.25-29; 7.6; 2Co 3.6). Ainda que sejamos capazes de nos conformar com muitas — ou talvez todas — as suas exigências externas (Fp 3.6), ninguém pode remover a cobiça do interior do coração. Ninguém teme, ama ou confia em Deus acima de todas as coisas. Ninguém ama o próximo como a si mesmo. Logo, a Lei produz nossa condenação particular e concreta (Rm 7.7-13). A Lei estava "enfraquecida pela carne", isto é, por causa de nossa escravidão ao pecado (Rm 8.3).

Na maravilha da graça divina, a justiça salvadora de Deus foi revelada no evangelho "independente da Lei" (Rm 3.21-26). Deus falou e agiu de forma decisiva a nosso favor apenas em Jesus Cristo (Rm 5.1-3,15-21; 7.25; Gl 1.6; 2.21; 5.4). Em Cristo e sua ressurreição, a oferta justa de vida encontrou cumprimento final e decisivo (Rm 8.3,4). Na mão de Deus, a Lei opera de maneira estranha e retroativa para fazer avançar o propósito final da parte de Deus: ele dá vida apenas àqueles a quem colocou sob a morte, justifica apenas os condenados pela Lei, e torna santos apenas aqueles a quem a Lei declara pecadores (Rm 3.9-31; 4.1-25; 5.11—8.39; 2Co 3.4-18). Dessa maneira, a Lei serve ao propósito salvador maior de Deus. A Lei foi outorgada muito depois de Deus ter feito a Abraão a promessa incondicional da bênção (Gl 3.15-18). A Lei alcança seu alvo em Jesus Cristo, em quem a era por vir já se encontra no presente (Rm 10.4). Apesar de ser um dom bom, mas limitado, de Deus a Israel, a Lei antecipa o dom divino maior em si mesmo para nós em seu Filho crucificado e ressurreto (Rm 10.5-13). Paulo utiliza a linguagem de Jeremias 31.31-34 e caracteriza a Lei e suas exigências como a "antiga aliança" (2Co 3.14). Ela foi vencida e superada pela nova aliança cumprida em Jesus Cristo, em quem são encontrados o Espírito e a graça de Deus (Rm 7.6; 1Co 11.25; 2Co 3.6).

(6.2). Não devemos continuar a pecar, pois na conversão fomos "batizados em Cristo Jesus" (6.3) e, portanto, agora misteriosamente participamos de sua morte e ressurreição (6.3-5,8-10). O "velho homem" (a totalidade do nosso ser antes da conversão) foi crucificado com Cristo, e, por conseguinte, morremos para o pecado (6.2,6,7). Conquanto ainda sejamos tentados e algumas vezes pequemos, não devemos permitir que o pecado nos controle porque ele já não mais tem poder sobre nós. Agora estamos não apenas "mortos para o pecado", mas também "vivos para Deus em Cristo Jesus" (6.11), pois morremos com Cristo, e um dia também ressuscitaremos para a nova vida (6.8). A certeza da ressurreição futura muda a vida já, agora. Em vez de entregarmos o corpo ao pecado como instrumento da impiedade, devemos dar a nós mesmos (o corpo e tudo mais) a Deus como instrumentos de justiça (6.12,13). Ainda que a Lei ironicamente pareça fazer aumentar o pecado (5.20), a vida na graça na verdade proíbe o pecado.

Antes, servos do pecado, agora, servos de Deus (6.15-23)

Paulo antecipa-se e responde a outra objeção: "Vamos pecar porque não estamos debaixo da Lei, mas debaixo da graça?" (6.15). Mais uma vez ele responde: "De maneira nenhuma!". Paulo nos faz lembrar do princípio da escravidão: quando nos oferecemos a um senhor em particular, tornamo-nos escravos dele (6.16). Escolhemos nosso senhor, mas nosso senhor determina o resultado, seja o pecado, que leva à morte, seja a obediência a Deus, que leva à justiça e vida (6.16,21,22). Graças a Deus fizemos a escolha certa ao responder ao núcleo do ensino doutrinário e ético cristão dado por Jesus e entregue pelos apóstolos (6.17,18; 1Co 15.3; 2Tm 1.13; 1Ts 4.1). Na conversão, nós mudamos de senhor. Éramos escravos do pecado e destinados à morte, mas nos libertamos do pecado e nos tornamos servos de Deus, o que nos conduz à santidade e à vida eterna (6.20-22). O salário do pecado é a morte, mas Deus oferece o dom da vida (6.23). O que Deus fez por nós em Cristo torna a obediência possível, mas não a faz automática (6.19). Devemos nos entregar ao novo senhor (Deus) com a mesma paixão e fervor com que nos entregávamos ao antigo senhor (o pecado).

Liberdade da Lei (7.1-25)

Romanos 7 descreve a liberdade cristã em relação à Lei mosaica. Em 7.1-6, Paulo usa a ilustração do casamento para mostrar que a Lei tem autoridade sobre a pessoa até sua morte, momento em que a Lei perde a autoridade. Os cristãos "morreram para a Lei" e agora pertencem a Cristo (7.4). Houve época em que éramos controlados por paixões pecaminosas expostas pela Lei, fomos libertados da Lei "para que sirvamos conforme o novo modo do Espírito" (7.6). Em 7.7-13, Paulo descreve sua vida anterior no judaísmo para demonstrar que a Lei em si mesma é santa, justa e boa (7.7,12) e que o verdadeiro culpado é o pecado, que tira vantagem da Lei para produzir resultados desastrosos (7.7-9). Ainda que a Lei tivesse a intenção de trazer a vida, o destaque que deu ao pecado na verdade leva à morte (7.10,11). Em 7.14-25, Paulo explica que o pecado executa sua obra porque os seres humanos estão escravizados por ele (7.14). Os intérpretes estão divididos quanto ao "eu" na seção, se é uma referência a Paulo antes ou depois de se tornar cristão. Mais uma vez, o problema não é a boa Lei de Deus, mas o pecado. Não obstante, a Lei não tem poder para lidar com o pecado.

✤ Não há menção ao Espírito Santo em Romanos 7.14-25, mas Paulo menciona o Espírito quase 20 vezes em Romanos 8.

Ainda que Paulo tenha prazer na Lei de Deus, ele não pode obedecer a ela. Paulo conclui em 7.24,25: "Miserável homem que eu sou! Quem me libertará do corpo sujeito a esta morte? Graças a Deus por Jesus Cristo, nosso Senhor!" (v. tb. Rm 8.3,4).

Nova vida pelo Espírito (8.1-13)

Em 8.1-13, Paulo explica "o novo modo do Espírito" mencionado em 7.6. Para começar, os que estão em Cristo nunca serão condenados (ou seja, nunca experimentarão a ira de Deus) porque o Espírito os libertou do pecado e da morte (8.1,2). O que a Lei não foi capaz de fazer por causa do pecado, Deus realizou por intermédio de Jesus, que se entregou por causa dos nossos pecados (8.3). Os que vivem no Espírito (os cristãos) cumprem as justas exigências da Lei de Deus (8.4; cf. 13.8-10; Gl 5.14). Em 8.5-8, Paulo contrasta a "carne" (ou "natureza pecaminosa") com o Espírito. Quando convertidos, deixamos de viver "segundo a carne" para viver "de acordo com o Espírito" (cf. Cl 1.13). Todos estão sob um poder ou outro, sob um domínio ou outro — a carne ou o Espírito —, e o poder ao qual pertencemos influencia profundamente toda a maneira pela qual pensamos. A mentalidade carnal é hostil a Deus, não pode agradá-lo, e conduz à morte, enquanto a mentalidade cheia do Espírito conduz à vida e à paz. Os pertencentes a Deus têm o Espírito e, por conseguinte,

Paulo lembra aos seus leitores que eles não são mais escravos, mas filhos de Deus.

✚ Na conversão, os crentes são transportados do domínio "das trevas" para o domínio do Espírito (Cl 1.13).

não são dominados pela carne (8.9-11). Os sem o Espírito não pertencem a Cristo (8.9). Ainda que morramos fisicamente por causa do pecado, a presença do Espírito Santo nos assegura de que um dia ressuscitaremos dos mortos como Jesus ressuscitou (8.10,11). Em 8.12,13, Paulo nos lembra como viver à luz de tudo o que Deus já fez por nós. Nossa obrigação não é para com a carne, mas para com o Espírito. Se ao ouvir e obedecer ao Espírito nós fizermos "morrer os atos do corpo" (o uso do corpo para servir ao próprio ego, não a Deus e ao próximo), viveremos (8.13).

O Chi-Rho, símbolo cristão desde o tempo de Constantino. O símbolo combina as duas primeiras letras da palavra grega "Cristo".

Adoção e herança pelo Espírito (8.14-17)

Não apenas o Espírito nos dá nova vida (8.1-13), mas o Pai também nos adotou em sua família (8.14-17). Os filhos de Deus são os "guiados pelo Espírito" (i.e., aqueles que têm a direção geral da vida moldada pelo Espírito). O Espírito não nos conduz de novo à escravidão ao medo, mas nos permite chamar Deus de "Pai" — a mesma palavra que Jesus usou na oração no Getsêmani (8.15; Mc 14.36). Porque Deus nos deu seu Espírito, podemos nos achegar a ele com liberdade, não com medo; com confiança, não com covardia; e em plena segurança de que lhe pertencemos (8.16). Como os filhos adotivos têm os mesmos direitos legais dos filhos legítimos, também podemos esperar receber uma herança, desde que também nos disponhamos a sofrer (8.17).

Segurança da glória futura (8.18-30)

Os atuais sofrimentos dos crentes não se comparam à glória futura (8.18; 2Co 4.17). A própria criação aguarda ansiosamente que os filhos de Deus sejam revelados em glória (8.19-21). A criação está arruinada. Mas, quando o povo de Deus for definitiva e gloriosamente restaurado, a criação de Deus também será restaurada à plenitude (cf. Ap 21.5). Até lá, a criação geme "como em dores de parto" (8.22). Os cristãos também desejam ser o que devem ser. Experimentamos a presença de Deus agora (p.ex., os "primeiros do Espírito"), mas também aguardamos com paciência a redenção do corpo (8.23; 2Co 1.21,22; 5.1-5; Ef 1.14). Não somos o que já fomos, mas não somos o que um dia seremos. Felizmente aguardamos em esperança, contemplando com confiança o que Deus fará (8.24,25). Enquanto isso, Deus providencia recursos para nos ajudar a aguardar com paciência. O Espírito nos ajuda em nossas fraquezas ao interceder por nós (8.26,27), e temos a promessa de Deus de atuar em nosso favor em todas as coisas (8.28).

✚ No AT, o povo não pronunciava o nome divino. Agora, porque os crentes receberam o Espírito de Deus e foram adotados na família de Deus, eles podem dizer "Aba, Pai" (Rm 8.15).

O relacionamento entre Israel e a Igreja
C. Marvin Pate

Há um relacionamento entre Israel e a Igreja. O NT apresenta esse fato ao usar para "igreja" a palavra *ekklesia*, usada pela *Septuaginta* para traduzir a palavra hebraica *qahal*. A palavra hebraica indica Israel como o povo de Deus. Logo, *ekklesia* e *qahal*, se referem ao povo de Deus em ambos os Testamentos. Israel e a Igreja formam um único povo de Deus.

Contudo, falar do único povo de Deus transcendendo as eras dos dois Testamentos necessariamente faz surgir a questão do relacionamento entre a Igreja e Israel. Os intérpretes modernos preferem não polarizar a questão em termos de ou/ou. Antes, falam a respeito da Igreja e Israel em termos de continuidade e descontinuidade.

Continuidade entre Israel e a Igreja. Há duas ideias que apresentam Israel e a Igreja na Bíblia como um relacionamento de continuidade. Primeira, a Igreja em certo sentido estava presente no AT. Atos 7.38 estabelece a conexão explicitamente quando, em alusão a Deuteronômio 9.10, fala da Igreja (*ekklesia*) no deserto. A mesma ideia talvez deva ser inferida da associação íntima (já observada) que há entre as palavras *ekklesia* e *qahal*, em especial a última qualificada pela expressão "de Deus". Além disso, se a Igreja é vista em algumas passagens do NT como preexistente, encontra-se nela o protótipo da criação de Israel (v. Êx 25.40; At 7.44; Gl 4.26; Hb 12.22; Ap 21.11; cf. Ef 1.3-14).

Segunda, Israel de certa maneira está presente na igreja no NT. Isso é confirmado pelo fato de que os muitos nomes de Israel no AT são aplicados à igreja no NT. Alguns deles são: "Israel" (Gl 6.15,16; Ef 2.12; Hb 8.8-10; Ap 2.14); "povo exclusivo" (1Pe 2.9); "verdadeira circuncisão" (Rm 2.28,29; Fp 3.3; Cl 2.11); "descendência de Abraão" (Rm 4.16; Gl 3.29); "remanescente" (Rm 9.27; 11.5-7); "eleitos" (Rm 11.28; Ef 1.4); "rebanho" (At 20.28; Hb 13.20; 1Pe 5.2) e "sacerdócio" (1Pe 2.9; Ap 1.6; 5.10).

Descontinuidade entre Israel e a Igreja. Mas a igreja não é totalmente idêntica a Israel; descontinuidade também caracteriza o relacionamento. De acordo com o NT, a Igreja é o Israel escatológico (do fim dos tempos) incorporado em Jesus Cristo e, como tal, é um progresso além do Israel histórico (1Co 10.11; 2Co 5.14-21). Entretanto, deve haver cautela nesse ponto. Ainda que a Igreja seja um progresso que ultrapassou Israel, ela não parece substituir Israel de modo permanente (v. Rm 9—11, esp. 11.25-37).

O propósito divino é definido em 8.29,30. Deus decidiu antes do tempo entrar em relacionamento conosco (pré-conhecimento). Os que respondem ao convite mediante o evangelho (o chamado) serão feitos conformes à imagem de Cristo, justificados (perdoados, aceitos na família de Deus, e nunca serão condenados) e glorificados.

Nada pode nos separar do amor de Deus (8.31-39)

Para concluir esse capítulo magnífico, Paulo apresenta uma sequência de perguntas retóricas para desafiar quem quisesse negar as realidades espirituais que Deus mesmo estabeleceu. Não há respostas para essas questões porque nenhum poder ou pessoa ou experiência pode desafiar o que Deus nos fez em Cristo.

Questão 1 — "Que diremos, pois, diante dessas coisas? Se Deus é por nós, quem será contra nós?" (Rm 8.31). A única resposta adequada para 8.18-30 é a alegria e a vida com confiança renovada de que nosso relacionamento com Deus é seguro e nosso futuro está garantido.

Questão 2 — "Se Deus é por nós, quem será contra nós?" (8.31). Os cristãos enfrentam inimigos (o pecado, o Diabo, o mundo), mas nenhum dos oponentes nos derrotará. Podemos perder umas poucas escaramuças ao longo do caminho, mas jamais perderemos a guerra.

Questão 3 — "Aquele que não poupou seu próprio Filho, mas o entregou por todos nós, como não nos dará com ele, e de graça, todas as coisas?" (Rm 8.32). Deus nos deu essa dádiva grandiosa, por isso não hesitará em nos dar dádivas menores (v. tb. Rm 5.8-10).

Questões 4-5 — "Quem fará alguma acusação contra os escolhidos de Deus? É Deus quem os justifica. Quem os condenará? Foi Cristo Jesus que morreu; e mais, que ressuscitou e está à direita de Deus, e também intercede por nós" (Rm 8.33,34). Deus nos escolheu para que sejamos seus filhos e filhas. Ninguém pode nos acusar no tribunal divino. Não haverá condenação vinda do nosso coração, de inimigos humanos ou de acusadores demoníacos. Deus, o justo Juiz, já decidiu por nós. Caso encerrado (cf. Is 50.8,9)!

Questões 6-7 — "Quem nos separará do amor de Cristo? Será tribulação, ou angústia, ou perseguição, ou fome, ou nudez, ou perigo, ou espada?" (Rm 8.35). Nossa posição diante de Deus não é apenas uma questão legal, mas relacional. Não somos apenas os beneficiários do veredicto positivo; somos também os destinatários do amor perfeito. Deus não é apenas nosso Juiz; ele é também nosso Pai, e nada pode nos separar do seu amor. Nada! Paulo nomeia sete possíveis "separadores" em 8.35, muitos dos quais ele próprio enfrentou (2Co 11.23-27; 12.10). Mas a verdade é "em todas estas coisas somos mais que vencedores, por meio daquele que nos amou" (8.37). Paulo conclui alistando outros "separadores" que não podem nos afastar do amor de Deus por nós em Cristo (8.38,39). Não há uma promessa para nós de isenção de tentações ou provações, mas podemos ter plena certeza de que Deus nunca vai deixar de nos amar.

✠ Romanos 8.31-39 talvez seja a maior afirmação da nossa segurança em Cristo de toda a Bíblia.

Uma preocupação importante: Deus tem sido fiel no cumprimento de suas promessas (9.1—11.36)

Em Romanos 9—11, Paulo trata de duas questões importantes: 1) a incredulidade de Israel e 2) como a incredulidade afeta a fidelidade de Deus para com as promessas da sua aliança. A incredulidade de Israel parece pôr em dúvida a capacidade divina de cumprir suas promessas, um aspecto importante da justiça de Deus. Paulo trata desses assuntos ao tornar a contar a história de Israel para mostrar que Deus na verdade tem sido fiel em todo o tempo.

A tristeza de Paulo por causa da incredulidade de Israel (9.1-5)

Paulo confessa sua "grande tristeza e constante angústia em meu coração" (Rm 9.1,2), pelo fato de a maior parte dos judeus não ter aceitado Jesus como o Messias (9.1,2). Paulo diz que de boa vontade aceitaria ser amaldiçoado e cortado de Cristo pelo bem dos seus irmãos judeus (9.3). Israel recebeu muitos privilégios — adoção, glória, as alianças, a Lei, a adoração no templo, as promessas, os patriarcas e o Messias (9.4,5). Mas esses que receberam tantas dádivas não reconhecem Jesus Cristo: "que é Deus acima de todos, bendito para sempre!" (9.5).

A fidelidade de Deus revelada na história de Israel (9.6-29)

Aprendemos em 9.6-13 que Deus não falhou em cumprir as promessas da aliança a Israel: "Pois nem todos os descendentes de Israel são Israel" (Rm 9.6). Nem todos os descendentes físicos de Abraão são de fato filhos de Abraão (9.7). A palavra "Israel" tem dois significados (9.6,8): o Israel físico ("filhos naturais") e o Israel verdadeiro ("filhos da promessa"). Paulo menciona duas situações do AT para comprovar seu argumento: uma, os filhos de Abraão, a outra, os filhos de Isaque (9.9-13). Em 9.14-18, Paulo explica que Deus não é injusto por ter misericórdia e compaixão de seres humanos pecaminosos. Afinal, a salvação não depende do esforço humano, mas da misericórdia divina (9.15,16).

Oleiro fazendo jarro de cerâmica.

✚ Para mostrar que Deus tem sido fiel em cumprir todas as suas promessas, Paulo conta de novo a história de Israel em Romanos 9—11.

Deus tem sido misericordioso para com Israel de modo que a salvação alcance todo o mundo (9.17,18). Após falar dos patriarcas e do Êxodo, Paulo passa a falar dos profetas e do exílio. Seu argumento principal em 9.19-24 é que a paciência de Deus conduz à salvação. Ele diz que as criaturas pecadoras têm tanto direito de questionar o Criador soberano quanto um pedaço de argila tem de questionar o oleiro (9.20,21). Deus demonstrou grande paciência para com o povo pecador, que merecia condenação, para "tornar conhecidas as riquezas de sua glória aos vasos de sua misericórdia" (9.22,23). Para lidar com o pecado e criar uma nova comunidade da aliança, Deus suspendeu o julgamento para que a salvação pudesse vir ao mundo inteiro, alcançando assim judeus e gentios (9.24). Como as Escrituras indicam, a promessa de Deus a Abraão é cumprida na salvação do remanescente gentio (9.25-29). Isso serve ao propósito maior de Deus de trazer a salvação aos gentios (9.25,26). O remanescente abrange o pequeno número dos descendentes de Abraão ("filhos da promessa") que Deus preservou para cumprir sua promessa (9.29).

A justiça de Deus para todo o que crê (9.30—10.21)

Israel não cumpriu a justiça de Deus porque tentou fazê-lo pelas obras da Lei, não pela fé (9.30-32). Enquanto Israel se escandalizou em Jesus, a "pedra de tropeço", os que confiam nele como o Messias "jamais serão envergonhados" ou condenados no juízo final (9.32,33; 10.11; cf. tb. Is 8.14; 28.16; 50.7,8). Israel tropeçou porque seu zelo por Deus não tem como base

Maquete do templo de Jerusalém.

✛ Paulo fala a respeito dos patriarcas, do Êxodo, dos profetas e do Exílio para mostrar como Deus trouxe salvação ao mundo por intermédio do Messias.

o conhecimento e a verdade (10.1-4). Em vez de aceitar a justiça apresentada por Cristo, eles tentaram construir a justiça própria por meio das obras da Lei. Paulo ora para que eles se voltem para Cristo (10.1). Em 10.5-13, Paulo deixa claro que a justiça de Deus vem pela fé. A justiça baseada na Lei vem por "fazer" (10.5; Lv 18.5; Gl 3.12), enquanto a "justiça que vem da fé" olha para Cristo (10.6), sua encarnação (10.6), sua ressurreição (10.7) e seu evangelho (10.8). Todos — judeus ou gentios — que confessarem "Jesus é Senhor" e crerem que Deus o ressuscitou dos mortos experimentarão a justiça salvadora de Deus (10.9,10,12,13; Jl 2.32). Em 10.14-21, Paulo demonstra como Israel rejeitou as boas notícias. Ele primeiro explica (usando uma sequência de perguntas) o que vem antes da salvação: 1) os pregadores são enviados com uma tarefa "oportuna" (algumas vezes traduzida por "maravilhosa") de proclamar as boas notícias, 2) as pessoas ouvem a mensagem e 3) as pessoas creem no que ouvem (10.14,15; Is 52.7). Ele então aplica essa sequência a Israel (10.16-21). Israel claramente ouviu e entendeu as boas-novas de Jesus, mas apenas alguns poucos israelitas aceitaram a mensagem (9.6; 10.16-21; Dt 32.21; Sl 19.4; Is 53.1; 65.1,2).

Deus não rejeitou Israel (11.1-10)

Em Romanos 11, Paulo insiste que a incredulidade de Israel não anula a fidelidade de Deus em cumprir suas promessas da aliança. Deus não rejeitou o próprio povo, pois Paulo e outros judeus creram em Jesus (11.1). Mas o remanescente não pretende conseguir a aprovação de Deus por meio de obras da Lei. Antes, o remanescente foi "escolhido pela graça" (11.2-6). Em 11.7-10, Paulo divide "Israel" em dois grupos: 1) o remanescente crente e 2) os demais que não creem. Os que em Israel permanecem teimosos e se recusam a confiar em Deus são endurecidos, como as Escrituras disseram que aconteceria (Dt 29.4; Sl 69.22,23; Is 29.10).

A salvação de Deus para "todo o Israel" (11.11-32)

Israel não falhou de maneira que não possa mais experimentar recuperação, pois sua rejeição do evangelho significa que a salvação chegou aos gentios (11.11,12). Paulo espera que uma rica colheita entre os gentios fará o povo judeu ficar com inveja e se voltar para Cristo (11.13,14). Quando o fizer, certamente será um dia de alegria e celebração, quase como uma ressurreição (11.15). Como as partes podem santificar o todo (11.16), Paulo espera que mais judeus se voltem para Cristo. Em 11.17-24, Paulo apresenta a analogia da oliveira. Os "ramos naturais" que foram cortados são os judeus. Os "ramos da oliveira brava" que foram "enxertados" representam os gentios. Os ramos naturais foram quebrados por causa da incredulidade para que os ramos selvagens pudessem ser enxertados pela fé.

✛ O "Caminho de Romanos" de evangelização utiliza os seguintes versículos de Romanos para mostrar à pessoa como se tornar seguidora de Cristo: 5.8; 3.23; 6.23; 10.9,10,13).

Contudo, a bênção que chegou aos gentios como resultado da rejeição dos judeus não dá espaço para orgulho ou arrogância da parte dos gentios. Antes, eles devem permanecer na graça e na bondade de Deus. Se os judeus "não continuarem na incredulidade", mas depositarem sua fé em Cristo, Deus colocará outra vez esses ramos naturais de volta na oliveira.

Ainda que o remanescente de Israel tenha seguido a Deus, o restante de Israel que rejeitou Jesus experimenta o "endurecimento" até que a missão aos gentios tenha se cumprido (9.14-24; 11.7,25). O texto bastante discutido de 11.26 afirma:

"E assim todo o Israel será salvo, como está escrito [...]".

Este versículo é tradicionalmente entendido para significar que, um pouco antes ou durante a segunda vinda de Cristo, a última geração dos judeus subitamente se voltará para Cristo. Entretanto, outra interpretação é totalmente possível (p. ex., N. T. Wright). A expressão "e assim" no início do versículo 26 provavelmente deve ser entendida como "desta maneira", indicando como algo é feito, não quando. Paulo redefiniu "Israel" para se referir a

Antigas oliveiras no monte das Oliveiras.

todos que confiam em Jesus, quer judeus quer gentios (v. Rm 2.28,29; 4.16; 9.6-8; Gl 3.28,29; 6.15,16; Fp 3.3,4). Como resultado, 11.26 pode se referir ao que Paulo acabou de dizer em 11.25 a respeito do endurecimento parcial de Israel levar à salvação os gentios. Em outras palavras, o plano divino de estreitar a nação escolhida até o Messias crucificado é o seu modo de salvar todos os povos, judeus e gentios (i.e., "todo o Israel") que depositam fé em Cristo. As citações de Isaías e Jeremias em 11.26,27 se referem a Deus lidando com os pecados do seu povo, não à segunda vinda de Cristo. Os judeus incrédulos, que rejeitam o evangelho de Jesus Cristo, são inimigos da igreja, mas Deus não os riscou por completo (11.28). Deus deu sua palavra a Abraão, e ela não falha (9.6). "Os dons e o chamado de Deus são irrevogáveis" (11.29). No passado, os gentios então desobedientes a Deus receberam misericórdia, pelo fato de os judeus terem crucificado Jesus, o Messias (11.30). No presente, os judeus estão recebendo misericórdia de Deus por meio do evangelho de Jesus Cristo (11.31). Deus demonstrou que todos os povos, judeus e gentios igualmente, são pecadores e culpados, para que assim Deus tenha misericórdia de todos (11.32).

Deus seja louvado! (11.33-36)

Paulo conclui a apresentação da história da salvação em Romanos 9—11 com uma exclamação de louvor. Deus é louvado por sua rica sabedoria e conhecimento, por seus juízos insondáveis e caminhos inescrutáveis (11.33). Ninguém se tornou conselheiro de Deus ou o tem como devedor (11.34,35). Deus é a fonte, o sustentador e o alvo de todas as coisas e é totalmente merecedor de todo o louvor, toda a glória e honra (11.36).

Implicações práticas: relacionamentos justos (12.1—15.13)

Paulo agora apresenta implicações práticas do evangelho da justiça de Deus. Douglas Moo diz com sabedoria: "Toda teologia é prática, e toda prática, sendo cristã de verdade, é teológica. O evangelho de Paulo é profundamente teológico, mas é também bastante prático. As boas-novas de Jesus Cristo têm a intenção de transformar a vida das pessoas".*

Nosso relacionamento com Deus (12.1,2)

À luz de tudo o que Deus fez por nós em Cristo (a "misericórdia de Deus" é detalhada em Rm 1—11), devemos nos oferecer a ele como sacrifício vivo, santo e agradável (12.1). A resposta corporal a Deus é nosso ato de culto "espiritual"

---

* Moo Douglas J., Romans, **NIV Application Commentary** [Romanos, Comentário NVI]. Grand Rapids: Zondervan, 2000, p. 393. O esboço "relacional" de Romanos 12—16 que se segue é adaptado de Stott John, **Romanos**. (Série A Bíblia fala hoje, São Paulo: ABU Editora, 2000.)

✚ Várias cartas de Paulo têm uma seção teológica seguida por uma seção prática (p. ex., Rm 1—11; 12—16; Ef 1—3; 4—6; Gl 1—4; 5—6).

ou "racional" (*logikos* — apropriado ou adequado às circunstâncias). Antes de sermos moldados pelas prioridades e valores do mundo, devemos ser transformados pela renovação da mente. Como resultado, comprovaremos por meio do nosso comportamento a vontade boa, agradável e perfeita de Deus (12.2).

Nosso relacionamento com nós mesmos (12.3-8)

O relacionamento justo com Deus conduz à perspectiva correta a nosso respeito. A qualidade principal é a humildade — não pensar de maneira muito elevada sobre nós mesmos, mas com sobriedade (12.3). "Pensar" no contexto se refere à atitude, disposição ou maneira de vermos a nós mesmos. Devemos nos avaliar "de acordo com a medida da fé" — referência ao padrão da fé cristã partilhado por todos os crentes. Em 12.4-8, Paulo mostra como a humildade é mais bem cultivada em comunidade. Somos um corpo em Cristo, e cada membro pertence ao corpo todo e contribui com ele mediante seus dons. Pensamos com correção a respeito de nós mesmos quando vemos nosso lugar na comunidade.

Nosso relacionamento com o próximo (12.9-21)

Acima de tudo, o relacionamento com o próximo deve ser caracterizado pelo amor sincero, que não tem hipocrisia nem fingimento (12.9). Esse amor detesta o mal e se apega com firmeza ao que é bom (12.9). No restante da seção, Paulo dá instruções ao relacionamento com cristãos (12.10-13,15,16) e com não cristãos (12.14,17-21). Quando se relaciona com outros crentes, Paulo cita circunstâncias ou situações e então a resposta apropriada:

- Quanto ao amor, sejamos devotados uns aos outros.
- Quanto à honra, concedamos prioridade aos outros.
- Quanto ao zelo, não sejamos preguiçosos.
- Sejamos fervorosos no espírito. Sirvamos ao Senhor.
- Sejamos alegres na esperança.
- Nas aflições, tenhamos perseverança.
- Na oração, tenhamos persistência e fidelidade.
- Compartilhemos o que temos com os santos que sofrem necessidades e pratiquemos a hospitalidade.

Ocasiões para regozijo ou lamento oferecem oportunidades para demonstrarmos amor (12.15). O versículo 16 nos lembra da importância de pensarmos corretamente como um elemento do amor (usando a palavra *phroneo*, também usada em 12.3 quando define a humildade):

- "Vivam em harmonia" = pensem a mesma coisa (atitude comum)

- "Não sejam orgulhosos" = não pensem de maneira elevada demais a respeito de vocês mesmos
- "Não sejam arrogantes" = não sejam sábios aos seus próprios olhos

Quanto ao relacionamento com não cristãos, o contexto algumas vezes pode ser de perseguição ou conflito. Paulo apresenta quatro mandamentos negativos equiparados a quatro positivos. Em vez de amaldiçoar, devemos abençoar (12.14). Em lugar de pagar o mal com o mal, devemos fazer o que é correto e, se possível, viver em paz com todos (12.17,18). Não devemos nos vingar, mas deixar a vingança com Deus (12.19; Dt 32.35). Não devemos ser vencidos pelo mal, mas vencer o mal com o bem (12.21). É crucial estabelecer a distinção entre a nossa responsabilidade e a de Deus. Deus pune e retalia; nós não. No contexto, o ato de amontoar brasas vivas sobre a cabeça do inimigo (12.20; Pv 25.21,22) provavelmente se refere ao modo em que as boas ações podem algumas vezes levar o inimigo a sentir vergonha e até se arrepender.

Nosso relacionamento com o Estado (13.1-7)

O Estado foi estabelecido por Deus com dupla responsabilidade: recompensar o bem e punir o mal (13.1-4). Os crentes devem se submeter à autoridade do Estado quando for apropriado (p. ex., o pagamento de impostos mencionado em 13.6,7). Paulo na verdade descreve o papel do Estado como o de um servo (*diakonos*) em 13.4 e, portanto, os crentes chamados a ocupar cargos no governo devem considerar sua tarefa uma vocação divina. Mas a autoridade do Estado é derivada de Deus, e nunca deve ser usada para justificar o mal. Conforme John Stott: "Se o Estado fizer mau uso da autoridade que lhe é conferida por Deus, para ordenar o que Deus proíbe ou proibir o que Deus ordena, nosso dever cristão é claramente desobedecer-lhe a fim de obedecer a Deus".*

Nosso relacionamento com a lei (13.8-10)

A única dívida que devemos ter para com nossos irmãos é a dívida contínua do amor mútuo (13.8). Os mandamentos são resumidos na única regra "ame cada um o seu próximo como a si mesmo" (Lv 19.18). Não podemos guardar a Lei tentando obedecer a ela de forma perfeita, mas, quando o Espírito nos capacita a amarmos uns aos outros, esse amor verdadeiramente cumpre a Lei (13.8-10; Gl 5.13-24).

---

* **Romanos.** São Paulo: ABU Editora, 2000, p. 42.

Moedas romanas, sempre apresentando a efígie de um imperador.

✚ Humildade é pensar de maneira correta sobre si mesmo — nem mais nem menos.

Nosso relacionamento com o dia do Senhor (13.11-14)

Devemos manter o foco em amar uns aos outros porque o tempo da vinda de Cristo está próximo (13.11,12). No NT, a salvação tem dimensões no tempo passado, presente e futuro — fomos salvos, estamos sendo salvos e seremos salvos. Romanos 13.11 capta essa ideia em poucas palavras: "Chegou a hora de vocês despertarem do sono [presente], porque agora a nossa salvação está mais próxima [futuro] do que quando cremos [passado]". Como o dia da vinda de Cristo é sempre próximo ou iminente, devemos nos comportar como filhos da luz, não como filhos das trevas, como quem está prestes a ver o Senhor (13.12-14).

Nosso relacionamento com os fracos (14.1—15.13)

Como foi mencionado na introdução, as igrejas domésticas de Roma provavelmente estavam separadas entre judeus e gentios. A divisão entre "fortes" e "fracos" descrita na passagem apresenta detalhes adicionais a respeito da separação. Muito provavelmente, os "fracos" eram judeus cristãos que se abstinham de certos alimentos e observavam certos dias de guarda em lealdade à Lei mosaica. Eles não criam na necessidade de guardar a Lei para serem salvos, mas preferiram conservar a Lei como parte do crescimento cristão. Seja como for, Paulo escreve para promover a união da igreja, e seu tema principal é a aceitação mútua ("aceitem-se uns aos outros" em 14.1; 15.7). O amor aos irmãos limitará a liberdade. Os crentes fortes não devem colocar "pedra de tropeço ou obstáculo" no caminho dos fracos (14.13). O contexto sugere algo muito mais profundo que práticas ofensivas ao crente legalista. Quando os fortes praticam coisas e não veem problema ao fazê-las e pressionam os fracos a fazer o que estes consideram pecaminosas, então os crentes fortes se tornam responsáveis pelos fracos caírem em pecado ao ofender a própria consciência. Em toda a passagem, Paulo argumenta que Cristo morreu para nos salvar e aceitar e que devemos nos aceitar uns aos outros (14.1-3). Cristo ressuscitou para ser nosso Senhor, e a ele vamos prestar contas (14.6-9). Cristo vem para ser nosso juiz (14.10-12). Paulo pode concluir: Cristo morreu! Cristo ressuscitou! Cristo voltará! Aceitem-se uns aos outros!

Afinal, "o Reino de Deus não é comida nem bebida, mas justiça, paz e alegria no Espírito Santo" (14.17).

Conclusão (15.14—16.27)

Na conclusão, Paulo reflete sobre o próprio ministério, compartilha seus planos de viagem, pede orações, envia saudações e conclui com uma palavra poderosa de louvor a Deus.

O forte e o fraco
Jeannine K. Brown

Paulo discute o relacionamento entre cristãos "fracos" e "fortes" em 1Coríntios 8.1—11.1 e em Romanos 14.1—15.6. Para determinar se Paulo trata da mesma questão nas duas passagens, devemos primeiro ler cada passagem *discretamente*, evitando a tendência de mesclar os dois textos com uma sobreposição em potencial. Devemos também ler cada passagem no respectivo *contexto*, com atenção aos contextos históricos distintos e ao fluxo do argumento de Paulo em cada um deles. Em 1Coríntios 8.1—10.22, Paulo admoesta os que comem carne sacrificadas aos ídolos na área de um templo pagão (ainda que não os chame de "fortes" em nenhum momento; cf. 10.22). Ele argumenta que proceder assim é um ato de idolatria (10.1-22) e motivo de tropeço para os "fracos" (8.1-13). Depois de apresentar seu argumento ampliado contra esse comportamento que Paulo se dirige à "área cinzenta" que é comer carne sacrificada a ídolos vendida nos mercados (10.23—11.1). Paulo está convencido de que os coríntios que comem carne sacrificada a ídolos em um templo estão flertando com a idolatria (10.14-22). Mas é possível comer esse tipo de carne em casa, desde que a consciência dos cristãos mais fracos não seja afetada (10.27-30). Os "fracos" são os crentes (provavelmente gentios) cuja forma pregressa de culto aos ídolos tornou impossível dissociar o ato de comer no templo pagão do ato de adorar um ídolo (8.7,10). As ações dos que se consideram fortes o bastante para comer em templos são perigosas para os crentes mais fracos (8.11), com a compreensão menos robusta do monoteísmo.

Os "fracos" de Romanos 14.1—15.6 são os que se abstêm de carne e de vinho (14.2,21) e consideram "um dia mais sagrado que outro" (14.5) enquanto os fortes (15.1) são os que comem tudo e consideram todos os dias iguais (14.2,5). Paulo não trata aqui de comer a carne sacrificada aos ídolos em templos pagãos, mas de comer carne de modo geral (com possíveis associações à carne vendida em açougues, mas sacrificada aos ídolos). Por isso, o texto de Romanos 14.1—15.6 está mais próximo em contexto e mensagem de 1Coríntios 10.23—11.1 do que da proibição de comportamento idólatra feita por Paulo em 1Coríntios 8.1—10.22.

Na passagem de Romanos, os fracos são provavelmente judeus cristãos e gentios que pensavam de igual maneira e seguiam a guarda da Lei e de censuras semelhantes que os ajudariam a evitar todas as contaminações possíveis com relação à carne e ao vinho oferecidos a ídolos. Como Daniel no AT, os judeus cristãos tinham limitações dietéticas de acordo com as estipulações da Torá para garantir que não comprometeriam a lealdade a Deus. Os fortes — em especial os gentios (cf. 15.7-13; ainda que Paulo se inclua entre os "fortes" em 15.1) — se sentem livres para comer carne em suas refeições comunitárias. O problema é que o comportamento perturba os cristãos fracos, fazendo-os tropeçar (14.14,15). Paulo exorta os fortes a que suportem os fracos (15.1) e evitem comer alimentos que podem ofender e levar esses irmãos a tropeçar (14.19-21).

Então Paulo se refere aos "fracos" em Romanos e em 1Coríntios, mas o grupo assim definido em cada passagem não é o mesmo, e em cada texto a mensagem tem contornos distintos.

Pensando no ministério de Paulo (15.14-21)

Paulo escreveu à igreja de Roma com ousadia para lembrar-lhe das verdades fundamentais do evangelho e para cumprir seu ministério como apóstolo aos gentios (15.15,16). Mesmo assim, ele está confiante de que eles conhecem a fé e a viverão (15.14). Ele pode apenas glorificar a Deus pelo

✚ Romanos 13 (submissão ao Estado como autoridade recebida de Deus) deve ser equilibrado com Apocalipse 13 (obedecer a Deus, não ao Estado, quando ele se torna o agente do mal).

Paulo, autor de epístolas

E. Randolph Richards

Nós, cristãos, amamos ler as correspondências. Interessa-nos o que Paulo escreveu a pessoas, por exemplo, os filipenses. Minha avó chamava isso de "bisbilhotice", mas os acadêmicos geralmente o chamam de "exegese". Ainda que Filipenses não tenha sido escrita para nós, muitos creem que Deus ainda fale por meio dessa antiga carta. Quanto mais sabemos sobre como as cartas foram escritas, mais poderemos entendê-las hoje.

De modo geral, falamos das "cartas de Paulo"; mas as próprias cartas indicam que Paulo sempre tinha coautores. "Paulo [...] e o irmão Sóstenes" escreveram para Corinto (1Co 1.1,2). Ainda que alguns defendam que Paulo apenas incluiu Sóstenes no cabeçalho da carta como cortesia, o estudo das cartas do século I mostra que os antigos epistológrafos (escritores de cartas) não procediam assim. Comentários de cortesia eram reservados para a parte *final* da carta. Por que Timóteo é mencionado como remetente em Filipenses 1.1 e em Colossenses 1.1, ao passo que em Romanos 16.21 é saudado no final? Paulo estaria sendo menos cortês com Timóteo? Não, pois na verdade Timóteo era o coautor de algumas das epístolas, mas de outras não.

Os cristãos geralmente imaginam Paulo escrevendo cartas como nós fazíamos antes da invenção do correio eletrônico (*e-mail*). Por exemplo, eu me assentava diante de uma escrivaninha em um ambiente tranquilo com caneta e papel. Depois de pensar um pouco, compunha a carta enquanto escrevia. Depois eu a assinava e enviava. A epistolografia antiga difere em quase tudo. A falta de escrivaninhas era a menor diferença. Os ocidentais modernos valorizam o aspecto individual. Paulo sempre trabalhava em equipe. Quando perdeu o primeiro parceiro de equipe, não viajou de novo até conseguir outro (At 15.36-41). Nenhuma pessoa do mundo do Mediterrâneo do século I pensaria em fazer algo sozinho. Os acadêmicos chamam essa atitude de "personalidade diádica". Paulo não se trancafiava no escritório para escrever (se o fizesse, o ambiente seria escuro demais). Paulo, na companhia de pessoas confiáveis da equipe, assentava-se em um átrio aberto ou em um terraço de um sobrado, e então falavam sobre a carta que precisavam enviar a Corinto.

Papel e caneta hoje são tão baratos que perderam o valor. Não era assim na Antiguidade. O processo inteiro de escrever a carta aos Romanos provavelmente custou a Paulo (em valores de hoje) cerca de 2 mil dólares, sem contar as despesas de viagem para o portador da carta a Roma (Febe?). Os antigos epistológrafos, mesmo os letrados, empregavam secretários (Rm 16.22). Isso é surpreendente. Poucas décadas atrás, empresários utilizavam secretárias para preparar suas cartas. Por quê? Porque muitas pessoas não sabiam datilografar. No tempo de Paulo, a alfabetização era a capacidade de *ler*, não de escrever. Mas as duas capacidades não são a mesma coisa? Na verdade, não. Escrever é questão de prática. Quando escrevo com a mão esquerda, escrevo devagar e com letras grandes e desajeitadas, não por ser

---

que Cristo realizou por seu intermédio levando os gentios à fé (15.17,18). Fortalecido pelo Espírito e confirmado por sinais e maravilhas, Paulo seguiu a vocação de sua vida, proclamar Cristo aos que nunca ouviram (15.19-21).

Olhando para o futuro em Jerusalém, Roma e Espanha (15.22-29)

Paulo não tinha conseguido visitar Roma por causa de outro trabalho missionário, mas agora ele olha para o futuro e compartilha esses planos (15.22-24). Primeiro, ele viajará de Corinto (sua localização atual, como ele escreve aos romanos) a Jerusalém para entregar a contribuição das igrejas gentias (15.25-27).

analfabeto, mas porque raramente escrevo com a mão esquerda. Poucas pessoas na Antiguidade escreviam. Paulo fez um comentário semelhante: "Vejam com que letras grandes estou lhes escrevendo de próprio punho!" (Gl 6.11).

Escrever devagar não era o maior dos problemas. Escrever uma carta era uma habilidade especial. O secretário precisava saber como cortar e colar o papiro, cortar e afiar as penas (para a escrita), misturar a tinta, perfurar e alinhar as folhas. A carta endereçada à igreja deveria ser lida em público, como Paulo pretendia (Cl 4.16), não poderia ser rascunhada de modo desorganizado na mesma folha. Os antigos tinham um senso de propriedade. Cartas importantes deveriam ser preparadas com esmero em papiro de boa qualidade (Cícero, *Att.* 13.25; 13.21). O primeiro rascunho não estava em condições de ser enviado à igreja. O que as pessoas da igreja de Corinto pensariam de Paulo se ele demonstrasse tão pouco interesse por elas e lhes tivesse enviado uma sobra qualquer? A aparência não era a única razão da inadequação do primeiro rascunho. A composição cuidadosa e bem pensada era essencial. Os escritores antigos reviam seus rascunhos com cuidado, analisando frase por frase. Cícero (*Att.* 7.3) debatia sobre a melhor proposição a usar. As cartas de Paulo não eram escritas sem cuidado. Os antigos esperavam que a carta tivesse a estrutura adequada e frases padronizadas.

Quando Paulo decidiu enviar a carta a Corinto, ele contratou um secretário. Isso deve ter lhe custado mais que o preço habitual. Uma carta típica desse tempo tinha aproximadamente o tamanho de 3 João. As cartas de Paulo eram muito longas. Os adversários de Paulo ridicularizavam as cartas por serem "duras"

(2Co 10.10). De modo geral, o secretário levava uma estante com tabuinhas de cera. Em um cenário típico, enquanto Paulo falava, o secretário arranhava as tabuinhas com rapidez. Paulo pensa e talvez reformula a sentença. Sóstenes dá palpites de vez em quando. Integrantes da equipe passam pela sala algumas vezes, parando para ouvir e oferecendo sugestões. Depois de várias horas, o secretário se ausenta do ambiente para preparar o esboço dessa parte. Alguns dias depois, quando o secretário volta, Paulo ouve o esboço, faz correções e adições. Então adiciona material à carta. O processo continua pelas semanas seguintes até que a carta esteja como Paulo deseja, porque, como remetente principal, ele responde pelas palavras. O secretário leva a Paulo o rascunho final (em papiro de qualidade e escrito à mão de maneira legível). Como autenticação (2Ts 3.17), Paulo acrescenta observações finais de próprio punho, algumas vezes versículos inteiros (Gl 6.11-18), outras vezes uma ou duas linhas (1Co 16.21; Cl 4.18. 2Ts 3.17,18) e, outras circunstâncias, apenas a frase final ("a graça seja com vocês", 2Tm 4.22). A carta era então enrolada. Uma linha era amarrada em volta e argila era pressionada sobre o nó para selá-lo.

É evidente que hoje não podemos saber com exatidão o procedimento usado por Paulo ou quanto tempo foi necessário para escrever cada carta. Mas não devemos imaginar Paulo escrevendo. Não devemos imaginar Paulo trancado em um quarto à noite escrevinhando a carta aos coríntios. O melhor entendimento do processo de redação de cartas na Antiguidade nos ajuda a ver quão verdadeiramente "duras" eram as cartas de Paulo. Ele investiu nelas bastante tempo e energia. Devemos fazer o mesmo em sua leitura.

Em seguida, ele planeja visitar Roma e desfrutar da companhia dos cristãos dali por um tempo antes de seguir para a Espanha (15.23,24,28,29). Ele espera que a igreja em Roma o ajude em sua missão na Espanha (15.24). O evangelho traz unidade, e a unidade promove a missão de levar o evangelho a todos.

Oração pelo ministério futuro (15.30-33)

Paulo está ansioso quanto à sua viagem para Jerusalém e pede aos crentes de Roma que lutem em oração por ele — que Deus o proteja dos descrentes na Judeia e torne sua obra em Jerusalém aceitável aos cristãos daquela cidade.

Ele aguarda o tempo de descanso que experimentará com a igreja em Roma e pede a paz de Deus para eles.

Recomendações e saudações (16.1-16)

Paulo nesse ponto faz a recomendação de Febe, serva (ou diaconisa) da igreja de Cencreia, e talvez a portadora da carta de Paulo a Roma (16.1,2). Ele então envia saudações extensas a muitos cristãos de Roma. A seção de saudações é interessante por várias razões. Primeira, Paulo pode ter se encontrado com alguns desses crentes em lugares como Corinto e Éfeso antes que eles voltassem a Roma (p. ex., Priscila e Áquila em At 18). Segunda, ele envia saudações a, pelo menos, três (talvez fossem pelo menos cinco) igrejas domésticas. Terceira, cerca de um terço das pessoas nomeadas são mulheres, indicando o papel importante das mulheres na igreja primitiva. Quarta, "Andrônico e Júnias" são descritos como "notáveis entre os apóstolos", provavelmente com o significado de que essa equipe formada por um casal realizou trabalho excelente como missionários. Quinta, o estudo atento dos nomes revela que a igreja primitiva era diversificada em termos étnicos e econômicos.

Advertência, ânimo, promessa e oração (16.17-20)

Paulo adverte os cristãos de Roma de que tomem cuidado com e evitem os que "causam divisões" e "põem obstáculos" (pedras de tropeço)

Estrada para o porto de Cencreia.

✚ A mensagem de Paulo aos "fortes" e "fracos" nas igrejas romanas: Cristo morreu! Cristo ressuscitou! Cristo voltará! Aceitem-se uns aos outros!

Os cooperadores de Paulo
David B. Capes

O apóstolo Paulo foi bem-sucedido na missão aos gentios em grande parte por causa da rede de irmãos em Cristo que ele estabeleceu pouco após o chamado para ser apóstolo (Gl 1—2). Dependendo de como o termo é definido, entre 80 e 90 pessoas são descritas como cooperadores de Paulo em Atos e nas cartas do NT que lhe são atribuídas. Alguns parecem se relacionar com Paulo de igual para igual (p. ex., Barnabé, Apolo, Priscila e Áquila), outros parecem ter sido seus subordinados (p. ex., Timóteo, Tito, Tíquico). Alguns trabalharam bem próximo dele (p. ex., Timóteo, Lucas, Silas), outros de maneira independente (p. ex., Apolo, Priscila e Áquila, Barnabé). Alguns executaram seu ministério primariamente no contexto local (p. ex., Filemom, Evódia), outros viajaram com Paulo ou serviram como seus delegados quando ele não podia viajar (Lucas, Timóteo, Tito).

Nas cartas, Paulo se refere aos associados com diferentes expressões, dentre as quais "cooperador" (*synergos*), "apóstolo (*apóstolos*), "irmão" (*adelphos*), "servo" (*diakonos*), "coobreiro" (*syndoulos*), "soldado" (*systratiotes*) e "companheiro de prisão" (*synaichmalotos*). O tipo de serviço que eles proporcionaram a Paulo e às igrejas dependia primariamente dos dons concedidos a cada um deles (p. ex., Rm 12.6-8; 1Co 12.4-11). Os cooperadores auxiliavam Paulo nas viagens, no ministério de pregação e de ensino, recebendo reuniões da igreja, resolvendo problemas nas igrejas, atendendo às suas necessidades enquanto ele estava na prisão e escrevendo cartas. Quando Paulo plantava uma igreja, ele identificava e treinava líderes locais para trabalharem em cooperação com ele. Ele instruía os líderes e as congregações em pessoa quando presente e por carta quando ausente.

Provavelmente devamos estabelecer uma distinção entre "apóstolos de Jesus Cristo" e "apóstolos das igrejas". A expressão "apóstolo de Jesus Cristo" se refere a indivíduos que viram Jesus ressuscitado (1Co 9.1) e foram comissionados diretamente por ele. Apesar de a palavra "apóstolo" ser usada em sentido mais estrito para se referir aos "Doze" (p. ex. At 4.35-37), Paulo a usa em sentido mais amplo para se referir a outros, incluindo a si mesmo, a Apolo e a Barnabé. A expressão "apóstolos das igrejas" amplia o uso por se referir a indivíduos escolhidos e comissionados pelas congregações locais (p. ex., Epafrodito [Fp 2.25], Andrônico e Júnias [Rm 16.7]).

É surpreendente que, à luz do contexto social das mulheres naquela época, Paulo designe algumas mulheres "cooperadoras", "ministras" e "apóstolas". Febe, Evódia, Síntique, Áfia, Priscila (= Prisca) e Júnias exerceram liderança local e atuaram como missionárias itinerantes. Essas mulheres auxiliaram Paulo de inúmeras maneiras. As mais abastadas atuavam como benfeitoras, providenciando hospitalidade ao abrir o lar para a hospedagem e recepção de igrejas locais. Mulheres capacitadas se envolveram no ministério de pregação e ensino.

Alguns dos cooperadores de Paulo contribuíram nas cartas que ele escreveu. Das 13 cartas atribuídas a Paulo, 8 trazem os nomes dos coescritores. Como "apóstolo de Jesus Cristo", o nome e os títulos de Paulo aparecem em primeiro lugar, seguidos dos demais nomes, como Sóstenes, Silvano (= Silas), Timóteo e Tito. A extensão da contribuição não está clara, mas é provável que tivessem algum papel na redação da carta. De igual maneira, muitas cartas de Paulo trazem as marcas de influência secretarial. O papel do secretário variava de uma carta a outra ou de uma seção a outra na mesma carta. Algumas vezes, o autor ditava ao secretário; em outras, ele poderia ter um papel autoral maior. O único secretário citado nas cartas de Paulo é Tércio (Rm 16.22). Sua saudação "no Senhor" demonstra que ele não era um escriba contratado, mas um cooperador na missão. Em uma análise final, as cartas de Paulo não são o produto de uma mente solitária. Corretamente entendidas, elas eram uma empreitada coletiva, um intercâmbio de ideias e tradições entre Paulo, seus secretários e seus corremetentes.

✚ As saudações de Paulo em Romanos 16 indicam que as mulheres desempenhavam papel importante na igreja primitiva.

no caminho por meio de ensinamentos falsos (16.17). Eles servem a si mesmos, não a Cristo, e usam conversa suave e bajulação para enganar o povo (16.18). Ele então dá uma palavra de ânimo aos crentes de Roma e os encoraja a serem "sábios em relação ao que é bom, e sem malícia em relação ao que é mau" (16.19). Paulo promete aos crentes a sempre presente graça do Senhor Jesus e vitória espiritual sobre Satanás (16.20).

Saudações da parte dos companheiros de Paulo (16.21-23)

Paulo envia saudações da parte de alguns dos seus companheiros que estão com ele em Corinto. Seu leal amigo Timóteo é alistado como corremetente em seis outras epístolas de Paulo. Jasom é provavelmente a pessoa que recebeu Paulo em Tessalônica (At 17.5-9). Sosípatro talvez seja Sópatro de Bereia, citado em Atos 20.4. Tércio é o amanuense de Paulo, o "escritor" da carta. É provável que Gaio seja o mesmo mencionado em 1Coríntios 1.14. Erasto, que ocupava um cargo público, também é crente (cf. At 19.21,22; 2Tm 4.20).

Doxologia final (16.25-27)

Paulo conclui sua carta magnífica com uma doxologia. Na declaração de abertura da carta (1.16,17), Paulo descreve o evangelho como poder de Deus para a salvação. Agora, em 16.25, ele uma vez mais estabelece a ligação entre o evangelho e o poder de Deus, dessa vez para "confirmar" os crentes. Deus usa as boas-novas de Jesus Cristo para levar vida e crescimento espiritual aos crentes. As Escrituras atestam que o plano de Deus sempre foi "que todas as nações venham a crer nele e a obedecer-lhe" (16.26), cumprindo dessa maneira a promessa original feita a Abraão (Gn 12.1-3). Deus é justo e cumpre sua palavra! Por fim, quando tudo foi dito e cumprido, a Deus apenas seja a glória por intermédio de nosso Senhor Jesus Cristo (16.27).

Como aplicar Romanos à nossa vida hoje

Por onde começar? Quase a totalidade da vida cristã é abordada nessa carta impressionante. Romanos nos conta a história de Deus e como podemos nos tornar parte dessa grande história. A epístola nos diz como a vida deve ser vivida. Para começar, precisamos admitir nossa pecaminosidade e desistir da esperança de encontrarmos vida em nós mesmos, não em Deus. Hoje enfatizamos a graça e o amor de Deus, mas esses termos se tornaram tão conhecidos que perderam parte da profundidade e riqueza

✚ A totalidade do AT aponta para Cristo como a revelação da justiça de Deus (Rm 16.25,26; cf. Rm 1.2; 3.21).

de significado. Romanos começa com nosso pecado e nossa culpa, mas antes que caiamos em aflição e desesperança, lemos a expressão "mas [...] Deus" em 3.21. Antes que afundemos nas águas escuras do pecado e da vergonha, subimos à superfície e respiramos — "mas Deus". Agora a graça divina tem poder e substância. Agora sabemos verdadeiramente que carecemos da graça de Deus. Agarramo-nos à graça porque sabemos o que significa encarar a ira da condenação divina. Paulo explica essa graça maravilhosa na parte central da carta, a graça que provê não apenas perdão, mas também aceitação. Recebemos não apenas um presente; também participamos de forma misteriosa com a pessoa de Jesus em sua morte e ressurreição. Isso muda como pensamos e vivemos dia a dia, não mais como escravos do pecado, mas como seguidores livres de Cristo. Essa visão se alarga em Romanos 9—11: Paulo explica como Deus cumpre todas as suas promessas da aliança. Na última seção, vemos as implicações práticas da graça na vida. Acima de tudo, a teologia deve ser prática. A carta é concluída com um crescendo eloquente de louvor a Deus, que merece toda a glória.

Nossos versículos favoritos em Romanos

Portanto, agora já não há condenação para os que estão em Cristo Jesus, porque por meio de Cristo Jesus a lei do Espírito de vida me libertou da lei do pecado e da morte. (8.1,2)

Inscrição que honra Erasto (Rm 16.23), diretor de obras públicas em Corinto.

- Mateus
- Marcos
- Lucas
- João
- Atos
- Romanos
- **1Coríntios**
- **2Coríntios**
- Gálatas
- Efésios
- Filipenses
- Colossenses
- 1Tessalonicenses
- 2Tessalonicenses
- 1Timóteo
- 2Timóteo
- Tito
- Filemom
- Hebreus
- Tiago
- 1Pedro
- 2Pedro
- 1João
- 2João
- 3João
- Judas
- Apocalipse

1Coríntios
A lida com questões da igreja

2Coríntios
A defesa do ministério dado por Deus

Nestas duas cartas, vemos o coração de um missionário e pastor para uma congregação que não tem os defeitos ocultados. Em 1Coríntios, Paulo encara grandes problemas em uma comunidade de crentes que ainda se esforçavam para se livrar da cultura pagã. Em 2Coríntios, ele enfrenta a congregação por causa de oponentes rebelados que tentavam criar confusão entre a igreja e seu pai na fé. Essas cartas dizem respeito exclusivo à igreja, em estado natural e sem edição.

Quem escreveu as cartas aos Coríntios?

Paulo é identificado como o autor nas duas epístolas, junto com Sóstenes em 1Coríntios 1.1 e Timóteo em 2Coríntios 1.1. A maioria dos estudiosos contemporâneos conclui que Paulo de fato escreveu as duas cartas, embora alguns considerem 2Coríntios 1—9 e 10—13 cartas separadas, pela mudança abrupta no tom. Bons argumentos podem ser apresentados a favor da unidade de 2Coríntios, em especial porque Paulo provavelmente escreveu as cartas no tempo em que tomou conhecimento das novas informações sobre a igreja.

Quem eram os destinatários de Paulo?

Paulo começou a igreja em Corinto em sua segunda viagem missionária (At 18.1-18). A cidade de Corinto era uma rica mistura de culturas, filosofias, estilos de vida e religiões, e era especialmente conhecida por sua imoralidade sexual (p. ex., "corintianizar" significava "viver de forma imoral"). Nesse cenário pluralista, Paulo plantou a que viria a ser sua mais problemática igreja. Ele escreveu as duas cartas na terceira viagem missionária. Ele escreveu 1Coríntios em Éfeso, por volta do ano 54, e 2Coríntios na Macedônia, aproximadamente no ano 56.

Busto de Marco Antônio Polemom, antigo sofista grego.

Quais são os temas centrais de Coríntios?

A igreja de Corinto foi arruinada por problemas causados por falsas crenças, arrogância e imaturidade. O passado pagão dos membros com certeza não ajudava muito (v. 1Co 6.9-11; 8.7; 12.1-3). A questão principal em ambas as cartas parece ser sobre o significado real de ser "espiritual". Ao que parece, a escolha recaiu sobre a "espiritualidade" que incluía o orgulho intelectual e enfatizava as experiências excitantes (v.p. ex.,1Co 1.5;, 8.1,7,10,11; 12.8; 13.2). Alguns acreditavam ser espiritualmente maduros, e essa atitude triunfante em demasia explica, por exemplo, as divisões em facções rivais (p. ex.,1Co 1.11,12) ou o orgulho ao demonstrar os dons mais espetaculares do Espírito (p. ex., 1Co 4.8; 13.1). A compreensão imatura da verdadeira espiritualidade levou a uma variedade de problemas na igreja. Em 1Coríntios, Paulo lida com essas questões locais da igreja.

1Coríntios
- Saudações e agradecimento (1.1-9)
- Paulo responde aos relatos sobre a igreja (1.10—6.20)

✚ As cartas de Paulo contêm teologia profunda, mas eram principal e primeiramente cartas pastorais, aplicando a teologia às situações de vida real nas igrejas.

Panorama da vida e das cartas de Paulo

30/33	Morte e ressurreição de Jesus	57-59	Prisão em Jerusalém (At 21.26-33) Dois anos preso em Cesareia
32-34	Conversão de Paulo		
46-47	Barnabé e Paulo levam a oferta para auxiliar os que sofriam pela seca em Jerusalém	59	**VIAGEM A ROMA** (At 27.1—28.14)
47-49	**PRIMEIRA VIAGEM MISSIONÁRIA** (At 13—14)	60–62	Dois anos de prisão domiciliar em Roma (At 28.30)
49?	*Gálatas* (Antioquia)	60–62	Epístolas da prisão: *Filemom* *Colossenses* *Efésios* *Filipenses*
49	Concílio de Jerusalém (At 15)		
50-52	**SEGUNDA VIAGEM MISSIONÁRIA** (At 15.36—18.21)		
51-52	*1 e 2 Tessalonicenses* (Corinto)	63	Libertação da prisão; continua sua obra
53-57	**TERCEIRA VIAGEM MISSIONÁRIA** (At 18.22—21.16)	63-67	Epístolas Pastorais: *1 Timóteo* *Tito* *2 Timóteo*
53?	*Gálatas* (Éfeso)		
54	*1 Coríntios* (Éfeso)		
56	*2 Coríntios* (Macedônia)		
57	*Romanos* (Corinto)	64-67	Martírio em Roma

- Paulo responde à carta que lhe fora enviada pelos coríntios (7.1—16.4)
- Questões finais (16.5-24)

Depois de Paulo ter escrito 1Coríntios, seu relacionamento com a igreja deteriorou-se. Ao que parece, os oponentes de Paulo conseguiram convencer parte da igreja a se posicionar contra o apóstolo. Pelo fato de a igreja estar então dividida a respeito da legitimidade do apostolado de Paulo, ele se viu obrigado a defender sua autoridade apostólica, por meio da composição de 2Coríntios. O objetivo de Paulo ao se defender e proteger a mensagem por ele pregada é defender a fé dos coríntios e fortalecê-la.

2Coríntios
- Saudação e agradecimento (1.1-11)
- A conduta e o ministério apostólico de Paulo (1.12—7.1)
- A alegria de Paulo relacionada à reconciliação e à generosidade (7.2—9.15)

A cidade de Corinto

Robbie Fox Castleman

Corinto está uns 80 quilômetros a oeste de Atenas, Grécia, no lado norte do Peloponeso. A cidade se encontra a cerca de 7 quilômetros do istmo entre dois portos e é uma encruzilhada internacional entre o oeste do Mediterrâneo e a Ásia. O local onde se situava a "velha Corinto" encontra-se a pouco mais de 5 quilômetros do centro da cidade moderna, destruída em parte por um terremoto em 1858. Escavações iniciadas após o terremoto descobriram um muro com cerca de 10 quilômetros ao redor da cidade antiga.

Corinto era uma cidade-estado grega antes do século V a.C. e um importante centro comercial antes da conquista romana em 146 a.C. A cidade ficou um século sem ser reconstruída, mas foi por fim repovoada por homens livres inescrupulosos e ambiciosos vindos de Roma, cujo *status* social estava imediatamente acima do de um escravo. No século I a.C., no reinado de Júlio César, a cidade experimentou uma mudança significativa em direção ao desenvolvimento como colônia romana. Escavações revelaram o uso de moedas latinas, datando de 44 a.C., e a prática da religião civil com foco não mais nos deuses gregos, mas no emergente culto ao imperador romano.

Um século mais tarde, quando Paulo viveu 18 meses em Corinto, o grego era a língua oficial, mas as inscrições e os nomes eram predominantemente latinos. Dos 17 cristãos coríntios citados por Paulo no NT, 8 têm nomes romanos. De fato, para cada cidadão livre de Corinto havia dois escravos, e isso indica a nova riqueza criada na nova colônia romana de Corinto.

A aristocracia da "nova" Corinto refletia a ambição e independência dos "novos ricos". A elite da cidade se identificava com Roma, mas a influência grega ainda prevalecia em grande parte da cultura da cidade. Corinto recebia os jogos pan-helênicos, um acontecimento atlético que só perdia em fama para os jogos olímpicos de Atenas.

Contudo, como qualquer cidade atual, havia uma grande disparidade entre ricos e pobres, e a tensão gerada a partir daí se reflete com clareza na preocupação de Paulo referente à unidade da igreja e seu testemunho a toda a cidade. A maior parte dos cristãos coríntios não era rica (1Co 1.26), e muitos eram escravos (1Co 7.20-24), mas o conflito social referente ao *status* parece ter sido um problema na igreja. O espírito independente e competitivo que reconstruíra a cidade estava vivo e ativo na comunidade de fé cristã. Evidencia-se nas cartas de Paulo que os cristãos coríntios competiam por qualquer motivo, até mesmo sobre o melhor dom espiritual!

A igreja de Corinto também refletia conflitos e problemas semelhantes ainda comuns hoje em qualquer cidade portuária grande com uma população social e culturalmente diversificada e um comércio efervescente. Corinto era um caldeirão em que o pluralismo religioso se misturava com a criminalidade, promiscuidade sexual e uma variedade de opções de entretenimento. Cinco anos antes de Paulo fundar a igreja na segunda viagem missionária, um teatro com 14 mil lugares foi reformado.

- A resposta de Paulo aos rebeldes (10.1—13.10)
- Conclusão (13.11-14)

Quais são os aspectos interessantes e singulares de 1 e 2Coríntios?

- Juntas, formam a maior correspondência paulina.
- Paulo usa o adjetivo "espiritual" e o advérbio "espiritualmente" 12 vezes, enquanto em todas as outras epístolas, apenas 9 vezes.

E, mesmo que a prática oficial da religião imperial civil não exigisse a crença em um deus em particular, havia pelo menos 26 santuários e lugares sagrados. Os mais populares eram os santuários dedicados a Asclépio, Atena e Afrodite.

Os estudiosos divergem sobre a extensão da reputação de Corinto como lugar de todo o tipo de práticas e prazeres sexuais. Sabe-se que templo de Afrodite usava muitas escravas como prostitutas. Escritores antigos comentaram a respeito da atmosfera sexualmente promíscua de Corinto, alguns em tom de condenação e outros com certa apreciação, promoção e até mesmo bom humor. A prostituição era vista como parte do comércio da cidade. É evidente que o comportamento sexual dos gentios entraria em conflito com os padrões da pureza monogâmica exigidos pelo judaísmo. O fluxo de judeus provenientes de Roma para Corinto desde antes da fundação da igreja com certeza realçaria as tensões religiosas e sociais da cidade. Essa mesma tensão e esse mesmo conflito na igreja parecem ter sido uma preocupação especial para Paulo.

O apóstolo Paulo permaneceu um ano e meio em Corinto (At 18.11), e lá Áquila e Priscila, um casal cristão de exilados de Roma, se uniram a ele (At 18.2). Corinto foi um lugar desafiador para a plantação de uma igreja, para dizer o mínimo. Não apenas a natureza pagã da cidade tornou o discipulado particularmente difícil; a população judaica da cidade resistiu com força ao estabelecimento da igreja, que eles viam como uma seita aberrante do judaísmo. O temperamento volátil da cidade e dos seus cidadãos se reflete com clareza no relato feito por Lucas da audiência de Paulo perante o tribunal de Corinto (At 18.12-17).

Duas descobertas arqueológicas em escavações na velha Corinto são de interesse especial para os leitores do NT. A primeira, a descoberta da *bema* como o local do tribunal acima mencionado. Situado no mercado, a *bema* era o local onde os oficiais romanos faziam aparições públicas, por exemplo, para realizar julgamentos. A segunda descoberta arqueológica revelou conexões entre as cidades e os cristãos de Corinto e de Roma.

Paulo escreveu a carta aos Romanos quando ainda estava em Corinto, e na conclusão da epístola incluiu uma lista de saudações aos cristãos romanos e de parte dos cristãos coríntios conhecidos dos crentes de Roma (Rm 16.1-24). Erasto, o tesoureiro da cidade (*ARA, NTLH*; 16.23; *NVI*, "administrador"), é um dos cristãos de Corinto incluídos nessa seção da carta de Paulo. Em 15 de abril de 1929, uma pedra foi escavada na esquina nordeste do teatro em Corinto. Estudos concluíram que o pavimento ao redor da pedra foi lançado por volta do ano 50 da era cristã, logo antes da visita de Paulo e da organização da igreja na cidade. A inscrição em latim diz: "Erasto, em retribuição pelo cargo de edil, lançou (o pavimento) às próprias custas". No Império Romano, o edil era alguém ligado a construções, estradas, instalações sanitárias, jogos públicos e atividades semelhantes. A palavra grega que Paulo usa para identificar Erasto como "administrador" da cidade é uma palavra adequada para descrever o edil romano. Além disso, a possibilidade de que o mesmo Erasto da carta de Paulo seja o Erasto mencionado na inscrição de pedra aumenta pelo fato de o nome ser bastante incomum e não ter sido encontrado em nenhum outro registro coríntio, a não ser na mencionada pedra e em Romanos 16.23.

- Em meio à principal discussão dos dons espirituais do NT (1Co 12—14) está o famoso "capítulo do amor" (1Co 13).
- 1Coríntios 15 apresenta mais detalhes sobre a ressurreição dos mortos que qualquer outro texto da Bíblia.
- 1Coríntios tem o maior debate sobre a sexualidade humana de todas as cartas de Paulo (6—7).
- 2Coríntios é uma das mais pessoais cartas de Paulo (a outra de tom fortemente pessoal é 2Timoteo).

✛ Ironicamente, o principal problema com a igreja de Corinto era a imaturidade espiritual, embora essa igreja alegasse ser extremamente madura e espiritual.

- 2Coríntios 8—9 talvez seja o principal texto do NT sobre contribuição financeira.
- O tom de 2Coríntios 1—9 difere bastante de 10—13, o que levou alguns estudiosos a concluir que são duas cartas distintas.
- 2Coríntios nos lembra de que a reconciliação pode ser pessoalmente dolorosa, dependendo da reação das outras pessoas envolvidas no problema, mas sempre é algo que vale a pena ser buscado.

Qual é a mensagem de 1Coríntios?

Paulo recebeu relatórios verbais preocupantes da parte da casa de Cloe (1.11) e uma carta dos coríntios relatando diversas preocupações (7.1; talvez levada pelos homens mencionados em 16.17). Em resposta aos relatórios e à carta, Paulo escreveu 1Coríntios.

Saudações e agradecimento (1.1-9)

Paulo, o apóstolo, e Sóstenes saúdam a igreja de Corinto, e os crentes de lá, com a graça e a paz da parte de Deus, nosso Pai, e do Senhor

Estrada de Lechaion, a principal via da cidade antiga, e que devia contar com uma linha de colunas e lojas.

Jesus (1.1-3). De modo geral, na seção de agradecimento Paulo assinala alguns dos assuntos principais da carta. Aqui ele dá graças a Deus por ter concedido dons espirituais aos coríntios. Eles foram enriquecidos no falar e no conhecimento, de modo que não lhes faltou "nenhum dom espiritual" enquanto aguardavam o retorno de Cristo (1.4-7). Ele lhes assegura mais uma vez que Deus é fiel e os manterá fortes até o fim, de maneira que serão irrepreensíveis no dia do Senhor (1.8,9).

Paulo responde aos relatos sobre a igreja (1.10—6.20)

Algumas pessoas da casa de Cloe, em Corinto, transmitiram notícias a Paulo a respeito de problemas na igreja (é possível que os três homens mencionados em 16.17 fossem desse grupo). Paulo responde a quatro questões em particular: divisões (1—4), incesto (5), ações judiciais (6.1--11) e imoralidade sexual (6.12-20).

Divisões na igreja (1.10—4.21)

PROBLEMA: DIVISÃO SOBRE OS LÍDERES DA IGREJA (1.10-17)

O primeiro problema tratado por Paulo diz respeito às facções rivais na igreja (1.11). Ele os exorta à unidade (1.10). Eles discutiam sobre quem seria o melhor mestre cristão (1.12). Já está demonstrado que exaltar em demasia líderes cristãos sempre é um desastre. Cristo não está dividido, e seu corpo não deve ser dividido (1.13). Os líderes não foram crucificados pelos coríntios, e os crentes não foram batizados em nome de nenhum líder (1.13). Paulo foi chamado a pregar o evangelho, não com refinamento retórico, para que o poder da cruz de Cristo não seja esvaziado (1.17). Ele é grato por ter batizado umas poucas pessoas, pois parece que eles estavam idolatrando os líderes que os batizaram (1.14-16). Na seção que se segue (1.18—4.21), Paulo apresenta uma solução abrangente para o problema da divisão.

SOLUÇÃO: UNIDADE SOB A LIDERANÇA DE CRISTO (1.18—4.21)

Em 1.18—2.5, Paulo começa a resolver o problema das facções rivais ao falar não dos mensageiros, mas da mensagem da cruz. A mensagem de Cristo crucificado é loucura para os que perecem, mas consiste no poder de Deus para os que são salvos (1.18,19; Is 29.14). A sabedoria deste mundo, representada pela elite culta, não pode levar as pessoas a conhecer Deus (1.20,21). Mas Deus revelou sua sabedoria por meio do Messias crucificado, algo que os gregos considerariam absurdo e os judeus, escandalosos (1.22-24). A "loucura" de Deus é superior à sabedoria e força do homem (1.25). A própria experiência dos coríntios testifica a favor da

✚ Paulo considera a falta de unidade e a divisão na igreja um problema tão grande quanto a imoralidade sexual.

verdade da mensagem centrada na cruz (1.26-31). Deus chamou muitos coríntios de classes sociais mais baixas para envergonhar os "sábios", "nobres" e "fortes". Mas Jesus se tornou para eles justiça, santidade, redenção e sabedoria. Como resultado, se alguém quiser se gloriar, que não se glorie nos líderes cristãos; que se glorie apenas no Senhor (1.29,31)! O próprio ministério de Paulo entre os coríntios apresenta o mesmo argumento: ele foi a eles no poder do Espírito com a mensagem simples de Jesus Cristo, e este crucificado, e não com palavras persuasivas ou sabedoria mundana (2.1-5).

Em 2.6-16, Paulo explica mais a respeito do tipo de sabedoria de Deus, a sabedoria que capacitará os coríntios a superar as divisões. A sabedoria de Deus é aprovada pelo tempo e reservada para os que o amam (2.10-12). Os que não têm o Espírito (i.e., os descrentes) não entendem ou não aceitam as coisas de Deus (2.12-14), mas a pessoa em quem o Espírito de Deus vive compreende as coisas de Deus; ela tem "a mente de Cristo" (2.15,16).

Paulo discute a natureza da igreja e do ministério em 3.1-23, enquanto continua a tratar do problema das divisões na congregação. Ainda que tenham o Espírito, Paulo não pode se dirigir a eles como "espirituais"; ele se dirige a eles como mundanos (i.e., como bebês espirituais) por causa da inveja e das divisões (3.1-4). Brigar por causa dos líderes é ignorar a variedade de funções que os líderes podem desempenhar (3.5-9). Um líder planta, outro rega, mas só Deus faz crescer. Os líderes são coobreiros com tarefas múltiplas complementares. "Diferente" não quer dizer "melhor". Paulo descreve com brevidade seu papel como "sábio construtor" especializado em lançar a base sólida, Jesus Cristo (3.10,11). As pessoas precisam ser cuidadosas quanto à qualidade do material que utilizam sobre essa base, pois a qualidade da obra de cada pessoa será testada no juízo final (3.11-13). Os que usam material de qualidade serão recompensados, ao passo que os usuários de material barato verão a obra se queimar, ainda que eles mesmos sejam salvos (3.14,15). A igreja não é um edifício qualquer; é o templo sagrado de Deus habitado pelo Espírito de Deus, e os que tentam destruí-la (por meio de divisões?) serão destruídos ou condenados por Deus (3.16,17). Paulo os fez lembrar em 3.18-23 de que não deve haver mais orgulho a respeito de homens, porque a sabedoria de Deus é infinitamente maior que a sabedoria mundana. Os crentes têm tudo de que precisam em Jesus, de modo que não há necessidade de viver em rivalidades.

Para concluir o apelo à unidade, Paulo explica o papel dos líderes apostólicos e como os coríntios devem tratá-los (4.1-21). Os apóstolos são primeiramente servos de Cristo, aos quais foram confiados os segredos (ou "mistérios") de Deus, isto é, o evangelho (4.1). Como encarregados, sua responsabilidade primária é se mostrarem fiéis (4.2). A opinião humana a

✣ O lugar da habitação de Deus não é mais o templo em Jerusalém, mas o templo da sua igreja, pessoas nas quais habita o Espírito de Deus (1Co 3.16).

respeito da condição deles importa pouco, pois eles estão sujeitos ao julgamento de Deus quando Jesus voltar (4.3-5). Paulo insta com os coríntios para que eles se apeguem a princípios bíblicos (i.e., "Não ultrapassem o que está escrito"), e as Escrituras claramente proíbem se orgulhar de líderes humanos (4.6,7). Paulo usa ironia para contrastar os crentes coríntios (ricos, reis, sábios, fortes, honrados) com os apóstolos, que sofreram injustamente como fracos, desonrados, sem teto, perseguidos como a escória da terra (4.8-13). Os superespirituais entre os coríntios sabiam o que é ser louco por amor a Cristo. O desejo de Paulo não é humilhá-los, mas adverti-los contra a arrogância (4.14). Ele é o fundador da igreja de Corinto, e seu modo de vida em Cristo é digno de imitação (4.15,16). Timóteo pode demonstrar o modo de vida de Paulo até que este chegue, e, quando o fizer, não será com palavras simples, mas no poder do Espírito (4.17-20). A atitude deles determinará a resposta de Paulo, seja em amor com mansidão, seja com uma atitude disciplinar firme (4.21).

O caso de incesto e a falta de disciplina eclesiástica (5.1-13)

PROBLEMA: UM IRMÃO SEXUALMENTE IMORAL E UMA IGREJA ORGULHOSA (5.1,2)

Apesar de o primeiro problema da igreja ser a falta de unidade (1.11), o segundo diz respeito à imoralidade sexual no seio da igreja,

Corinto.

✚ Paulo lembra aos coríntios que o Reino de Deus se baseia em ações poderosas, não em retórica vazia (1Co 4.20).

do tipo que nem mesmo pagãos tolerariam (5.1). Na verdade, havia dois problemas, ambos relacionados à arrogância espiritual: 1) um homem mantinha relações sexuais com sua mãe ou madrasta; 2) a igreja tolerava esse comportamento da pessoa de posição social elevada em vez de lamentar e exercer a disciplina eclesiástica (5.1,2).

SOLUÇÃO: DISCIPLINA ECLESIÁSTICA PARA O BEM DE AMBOS (5.3-13)

Paulo pronuncia uma palavra de julgamento quanto ao ofensor (5.3) e ordena que a igreja dos coríntios exclua o homem, de modo que seu antigo modo de vida seja destruído, mas seu espírito seja salvo (5.4,5; talvez o mesmo homem mencionado em 2Co 2.5-11; 7.8-13). O propósito da disciplina é terapêutico. Paulo explica por que uma ação disciplinar é necessária: um pouco de pecado sério na igreja pode contaminá-la por completo (5.6,7). O sacrifício de Cristo, nosso Cordeiro pascal, nos chama à pureza moral (5.7,8). Em 5.9-13, Paulo corrige um mal-entendido anterior. Na primeira carta, ele os aconselhara a não se associarem a pessoas de comportamento sexual imoral, mas falou a respeito de cristãos ostensivamente pecadores, não de descrentes sem razão para viver de modo diferente de como já vivem. Deus espera que seu povo julgue os que fazem parte da comunidade, e os coríntios devem assumir essa responsabilidade.

Disputas judiciais entre crentes levadas a juízes descrentes (6.1-11)

PROBLEMA: CRENTES QUE PROCURAM JUÍZES DESCRENTES (6.1)

Alguns na congregação estão levando disputas civis a juízes pagãos, não à própria comunidade cristã. Os juízes seculares de modo geral manifestam parcialidade e estão abertos a suborno.

O porto de Cencreia.

✚ Jesus menciona a questão da disciplina eclesiástica em uma das duas vezes nos Evangelhos em que usa a palavra "igreja" (v. Mt 18.15-20).

SOLUÇÃO: RESOLVER OS PROBLEMAS OU SACRIFICAR SEUS DIREITOS (6.2-11)

Paulo censura os coríntios por entregarem as disputas entre cristãos a incrédulos. Eles não sabem que os crentes vão julgar o mundo incrédulo, homens e anjos (6.2,3)? Não há ninguém sábio o bastante na comunidade para resolver uma disputa simples (6.4-6)? O fato de esses processos serem comuns na comunidade aponta para um problema mais profundo: esses crentes estão preocupados em demasia com a exigência dos próprios direitos. Em vez de ameaçar os outros injustamente ou de defraudá-los, seria melhor desistir de alguns direitos e absorver o dano para preservar a unidade e proteger a comunhão (6.7,8). Refletir sobre esses problemas leva Paulo a apresentar uma lista de vícios marcados pelo egoísmo e cobiça (6.9,10). Ninguém com a vida caracterizada por eles herdará o Reino de Deus. Ele lembra os coríntios de que alguns deles praticaram essas coisas, mas foram lavados, santificados e justificados no nome de Jesus e pelo poder do Espírito (6.11). Eles precisam agir como as pessoas que agora são!

Imoralidade sexual em geral (6.12-20)

PROBLEMA: SEXO FORA DO CASAMENTO (6.12,13)

Agora Paulo confronta o problema da imoralidade sexual em geral e da prostituição em particular. A prostituição era um dos principais problemas de Corinto, e muito provavelmente alguns cristãos locais participaram desse estilo de vida (6.9-11). Paulo cita algumas frases (provavelmente vindas dos coríntios) e lhes dá crédito em alguns contextos, mas não lhes dá endosso total. Por exemplo: "tudo me é permitido" não se aplica à área da ética sexual (6.12). O corpo não foi feito apenas para o prazer (como se o sexo fosse só algo físico como alimentar-se — "os alimentos foram feitos para o estômago e o estômago para os alimentos"); antes, o corpo prestará contas ao Senhor e deve ser usado para ele (6.13).

SOLUÇÃO: O CORPO DOS CRENTES É UM TEMPLO (6.14-20)

Deus ressuscitou Jesus e também nos ressuscitará — nos dois casos a ressurreição é corporal (6.14). O corpo do crente é membro do próprio Cristo (6.15) e um com Cristo no Espírito (6.17). Os crentes nunca devem tomar o próprio corpo, membro de Cristo, e uni-lo à prostituta, porque quem se une à prostituta se torna um com ela (6.15,16; Gn 2.24). A solução é: "Fujam da imoralidade sexual", pois esse pecado em particular só faz violar o corpo físico, templo do Espírito Santo e pertencente a Deus (6.18,19). O corpo de cada cristão é um templo do Espírito Santo (6.19). Não pertencemos a nós mesmos. Antes, fomos adquiridos da escravidão do pecado para Deus pelo preço do sangue de Jesus Cristo, e devemos por conseguinte honrar a Deus com o corpo (6.19,20).

✚ O NT muitas vezes desafia os crentes a abrir mão dos seus direitos para amar o próximo e lhe servir (Mt 5.39-42; 1Co 6.7,8; Fp 2.1-8).

Paulo responde à carta que lhe fora enviada pelos coríntios (7.1—16.4)

Paulo agora começa a tratar das questões formuladas pelos coríntios, como casamento (7), alimento sacrificado aos ídolos (8—10), culto público (11—14), a ressurreição dos mortos (15) e a oferta para a igreja de Jerusalém (16.1-4). Havia na igreja pessoas com pouco autocontrole e indulgentes com prazeres mundanos, bem como pessoas que evitavam dons legítimos da parte de Deus. Tanto o hedonismo como o ascetismo fracassam na solução dos problemas da vida.

Sobre o casamento (7.1-40)

AOS QUE ESTÃO OU JÁ FORAM CASADOS (7.1-16)

Outra frase dos coríntios é apresentada em 7.1: "É bom que o homem não toque em mulher". Alguns crentes sugeriram que seria melhor as pessoas casadas não manterem relações sexuais. Mas Paulo recomenda o casamento, e nele os cônjuges devem cumprir as obrigações maritais de sexo um com o outro (7.2,3). O corpo do cônjuge pertence ao parceiro conjugal, e não deve haver privação um do outro para não serem tentados por Satanás, a não ser por um curto período de necessidade de dar atenção à oração (7.4,5). Mesmo essa exceção é uma concessão da parte de Paulo, não um mandamento (7.6). Paulo deseja que todos desfrutem a condição de celibatário, mas ele sabe que Deus não capacitou todos para tanto (7.7). Em 7.8,9, Paulo aconselha aos viúvos ("não casados") que permaneçam sem se casar a não ser que não consigam se controlar, pois nesse caso devem ser casar. É melhor se casar que queimar de paixão. Em 7.10,11, Paulo diz aos casados (com base nos ensinos de Jesus) que o divórcio não é uma opção viável para dois crentes. Aos demais (aparentemente casamentos mistos entre crentes e não crentes), Paulo permite o divórcio quando o cônjuge descrente abandona o crente (7.15,16). Quando possível, o cônjuge crente deve permanecer com o descrente que deseja permanecer no casamento, porque a presença do crente exercerá influência piedosa sobre toda a família (7.12-14).

PRINCÍPIO: CHAMADO E CONTENTAMENTO (7.17-24)

Paulo agora apresenta um princípio geral de vida para ajudá-los a lidar com várias situações: cada pessoa deve continuar "vivendo na condição que o Senhor lhe designou" e "permanecer na condição em que foi chamado por Deus" (7.17,20,24). Em outras palavras, quando as pessoas se tornam cristãs, não devem tentar mudar radicalmente as circunstâncias de sua vida, mas permitir que Deus as trabalhe. Ele ilustra esse princípio em 7.18,19 com a questão da circuncisão e em 7.21-23 com a questão da escravidão.

✚ Paulo parece derivar suas opiniões sobre o casamento dos ensinos de Jesus (v. Mc 10.11,12).

Contextualização da mensagem
Jeannine K. Brown

A primeira tarefa para contextualizar as epístolas aos Coríntios é ouvir a mensagem de Paulo no contexto original. Prestar atenção ao contexto do século I é importante para assuntos estranhos à maioria dos leitores modernos (como alimentar-se de comida sacrificada a ídolos) e para assuntos mais conhecidos (como o casamento; 1Co 7). Nos dois casos, haverá fatores situacionais particulares do contexto original que diferem de facetas contemporâneas de questões semelhantes. Outro ponto importante para trazer as cartas aos Coríntios ao nosso próprio contexto é levantar perguntas de *recontextualização*: como as situações propostas (lá e agora) se alinham? Se são análogas, como a mensagem de Paulo à situação original pode ser "traduzida" para as situações contemporâneas? Se não, em que outras situações a mensagem de Paulo pode nos instruir? Como podemos recontextualizar a mensagem de Paulo para situações contemporâneas análogas (no todo ou em parte)? Um exemplo: a mensagem de Paulo em 1Coríntios 1—4 confronta uma situação de culto à personalidade e de exaltação de poder na igreja dos coríntios. Paulo ouviu falar das divisões baseadas em personalidades e capacidades de oratória dos líderes, como o próprio Paulo e Apolo (1.10-12; 3.4; 4.6,7). Esse quadro apresenta o contexto grego da igreja dos coríntios, em que pessoas ricas davam apoio aos melhores oradores e assim obtinham prestígio com essas relações. Surgiria uma competição na qual a elite alegaria algo do tipo "meu orador é melhor que o seu". Dirigindo-se a essa situação, Paulo nega que sua pregação tenha sido com eloquência; antes, sua mensagem e o conteúdo desta têm como centro a cruz de Cristo (1.17).

Há algum tipo de situação análoga na igreja contemporânea quando tratamos mensageiros humanos do evangelho como heróis em vez de servos de Deus. Estamos tentando obter prestígio ao seguir o pregador ou o tipo de ensino da moda no circuito cristão? Em caso de resposta positiva, a recontextualização da mensagem de Paulo nos confrontará: em vez de nos gloriarmos em nosso líder favorito, devemos passar a nos gloriar no Senhor (1.28-31; 3.21).

Um problema para os coríntios que parece ser menos relevante para os cristãos ocidentais contemporâneos é a questão da carne sacrificada a ídolos (8.1—11.1). Mesmo assim, a leitura cuidadosa da passagem no contexto histórico permite pensar em duas situações análogas. A exortação de conclusão de Paulo (10.23—11.1) permite consumir carne oferecida a um ídolo se foi comprada no açougue (não comida em um templo pagão) caso isso não perturbe a consciência fraca de um cristão. Situações análogas contemporâneas incluiriam assuntos considerados *adiáfora* (ações que não são nem ordenadas nem proibidas pelas Escrituras) que sejam assunto da consciência cristã.

De fato, na maior parte do seu argumento (8.1—10.22) Paulo adverte fortemente os coríntios contra comer carne sacrificada em refeições no *templo* por conta de conexões idolátricas e por causa do efeito devastador nos "fracos" (p. ex., 8.10; 10.14-22). Para recontextualizar essa advertência, precisamos tratar de tentações contemporâneas quanto a alianças que competem com nossa lealdade ao Deus verdadeiro. Em contextos ocidentais, podemos explorar a ênfase no consumismo que sempre está em rota de colisão frontal com a lealdade a Deus em Cristo. Se vivermos como se pudéssemos servir a dois senhores, estaremos na verdade provocando ciúmes em nosso Senhor (10.22).

AOS QUE NUNCA SE CASARAM OU AOS QUE PENSAM EM SE CASAR (7.25-40)

A evidência histórica indica que houve períodos de fome e seca em Corinto naquele tempo, o que levou a uma ansiedade geral a respeito das questões básicas da vida. A ameaça de fome era real, o que provavelmente explica os "problemas atuais" (7.26) e a exiguidade do tempo (7.29-31).

Paulo aconselha as "virgens" (palavra que se refere a quem está na idade apropriada para casamento) a que permaneçam sem se casar por causa da crise (7.26). Essa é a opinião dele, não o mandamento do Senhor, por isso eles não pecarão caso se casem (7.25-28). Em 7.32-35, Paulo urge com eles para que escolham o caminho que leve à devoção única ao Senhor. As pessoas casadas precisam atender às necessidades do cônjuge e filhos, enquanto as não casadas têm menos obrigações familiares e podem dedicar mais tempo para ministrar aos outros. Mas Paulo é rápido em acrescentar que sua recomendação serve para produzir mais liberdade, não para acrescentar um peso de culpa. Em 7.36-38, Paulo diz aos que estão para se casar que a condição do casamento é aceitável ou, se eles escolherem, também é aceitável não se casar. Em 7.39,40, Paulo afirma a permanência do casamento cristão e diz às viúvas cristãs (e presumivelmente os viúvos cristãos) que é bom se casar de novo, desde que seja com uma pessoa que crê. Como alguém que tem o Espírito (como os espirituais de Corinto), Paulo crê que essas pessoas estarão mais felizes na atual situação permanecendo solteiras.

Com respeito ao alimento sacrificado a ídolos (8.1—11.1)

PRINCÍPIO: O AMOR AOS IRMÃOS EM CRISTO LIMITA A LIBERDADE (8.1-13)

A segunda questão tratada por Paulo é a do alimento sacrificado a ídolos. No mundo antigo quase toda carne vendida nos açougues era proveniente de animais sacrificados em rituais pagãos. Os cristãos eram livres para se alimentar desse tipo de carne? Eles poderiam comer carne quando participassem de reuniões sociais, como um casamento em um templo pagão? Ainda que "todos [tenhamos] conhecimento" (outra frase dos coríntios), e o conhecimento produz liberdade, o amor supera o conhecimento (8.1-3). Um ídolo (os "chamados deuses") não é nada, e há um único Deus e um único Senhor, Jesus Cristo (8.4-6). Mas nem todos os crentes sabem disso como deveriam saber, e comer essa carne ofende sua consciência fraca (8.7,8). Por conseguinte, o amor aos irmãos cristãos deve limitar a liberdade para comer, a menos que os que têm conhecimento se tornem pedras de tropeço para os fracos por quem Cristo morreu (8.9). Se os fracos ofendem sua própria consciência (um ato pecaminoso) ao comer a carne, então os que têm conhecimento fizeram seus irmãos pecar, e isso constitui pecado contra Cristo (8.10-12). A conclusão de Paulo é: "Portanto, se aquilo que eu como leva o meu irmão a pecar, nunca mais comerei carne, para não fazer meu irmão tropeçar" (8.13). A liberdade que o conhecimento traz deve ser limitada pelo amor.

O EXEMPLO PESSOAL DE PAULO: ABRINDO MÃO DO DIREITO DE COBRAR (9.1-18)

Paulo agora ilustra com sua própria vida o princípio de que a liberdade deve ser limitada pelo amor. Aparentemente alguns dos coríntios duvidaram

---

✢ A questão de comer carne sacrificada a ídolos aparece em 1Coríntios 8.1—11.1 e em Romanos 14.1—15.6, mesmo que os dois contextos não sejam idênticos.

da legitimidade do apostolado de Paulo porque ele não cobrava uma taxa à semelhança de outros mestres religiosos itinerantes. Mas isso o colocaria em dívida com membros abastados da igreja, algo que ele queria evitar. Em 9.1-12, Paulo descreve seus direitos como apóstolo, incluindo o direito de cobrar pelo ministério. Em 9.12-18, ele explica por que voluntariamente abriu mão desse direito. Ele deseja pregar voluntariamente como uma resposta ao chamado de Deus (9.17) e oferecer o evangelho livre de custos (9.18). Ele não quer fazer nada que atrapalhe o evangelho (9.12). O amor limita a liberdade.

Estátua de bronze que representa um "boxeador das termas" (séc. III ou II a.C.)

O MOTIVO SUBJACENTE: SALVAR O MÁXIMO POSSÍVEL (9.19-27)

Ainda que Paulo não deva obrigação a ninguém, ele escolheu usar a liberdade para servir a uma vasta gama de pessoas (p. ex., judeus, gentios, os "fracos"). Sua motivação é trazê-los a Cristo (9.19-22). Ele se tornou todas as coisas para todas as pessoas a fim de que alguns possam ser salvos (9.22). Mais uma vez, ele limita sua liberdade por causa do evangelho (9.23). A adaptabilidade e a inovação missionárias de Paulo exigem grande disciplina espiritual. Paulo precisa treinar com intensidade (como um corredor ou um lutador) para que, tendo pregado a outros, ele mesmo não seja desqualificado para ganhar o prêmio (9.24-27).

EXEMPLOS DOS PERIGOS DA "LIBERDADE" SEM LIMITES (10.1-22)

Paulo usa o exemplo dos israelitas nas peregrinações pelo deserto para advertir os coríntios quanto aos perigos da liberdade ilimitada. Os israelitas foram libertados, guiados e sustentados por Deus, mas falharam em agradar a Deus (10.1-5). Mesmo sendo um povo abençoado, cometeram idolatria e imoralidade sexual, provocaram o Senhor, reclamaram, e Deus os julgou com severidade (10.7-10). Os coríntios deveriam aprender com o exemplo negativo dos israelitas, e acatar a advertência (10.6,11). Para não imitar os israelitas os coríntios precisavam admitir a vulnerabilidade espiritual (10.12). Mesmo assim Deus, providenciará uma maneira de

✚ Em 1Coríntios 10.1-13, Paulo menciona como Deus abençoou Israel durante a peregrinação pelo deserto e como eles se rebelaram contra Deus como uma maneira de advertir os coríntios da participação deles em festas de ídolos.

sobreviver às tentações para os que confiam nele (10.13). Paulo ordena aos coríntios que "fujam da idolatria" (10.14), isto é, eles não deveriam participar de rituais de culto em templos pagãos. Os cristãos têm a própria refeição sagrada — a ceia do Senhor (10.16,17). Conquanto os ídolos não sejam nada (10.19,20; 8.4), o culto pagão envolve atividades demoníacas, idolatria e imoralidade sexual. Os cristãos nunca devem pensar que são livres para participar dessas experiências de culto pagão (10.18-22).

RESUMO: LIBERDADE LIMITADA PELO AMOR (10.23—11.1)

Paulo resume toda a discussão iniciada em 8.1. Ele repete a expressão "tudo é permitido" e acrescenta "mas nem tudo convém" ou "edifica" (10.23). Liberdade sim, mas não liberdade ilimitada. Os cristãos devem "buscar o bem dos outros", não apenas o próprio bem (10.24). Os crentes são livres para comer carne vendida no açougue sem se preocupar com isso, pois "do Senhor é a terra e tudo o que nela existe" (10.26; Sl 24.1). Eles também são livres para comer carne em casa sem se preocupar com isso, a não ser que uma pessoa "fraca" se escandalize. Nesse caso, eles não devem comer, pelo bem da consciência da pessoa (10.27-30). Paulo resume toda a discussão em 10.31—11.1. O princípio geral é fazer tudo "para a glória de Deus" (10.31). Paulo não deseja fazer ninguém tropeçar, por isso se comporta de modo que o maior número possível de pessoas seja salvo (10.32,33). Os coríntios têm em Paulo um exemplo digno de imitação, pois ele segue o exemplo de Cristo (11.1).

A respeito do comportamento no culto público (11.2—14.40)

A IMPORTÂNCIA DA APARÊNCIA PESSOAL (11.2-16)

Em 1Coríntios 11—14, Paulo responde a perguntas sobre o culto público. A primeira diz respeito à aparência pessoal, especificamente sobre o que as pessoas devem usar na cabeça. Há muitas questões em discussão na passagem. As palavras "homem" e "mulher" podem se referir a "marido" e "esposa". A palavra "cabeça" tem sido tradicionalmente entendida como significando "(ter)

Busto de Corinto mostra exemplo de penteado.

Mulheres na antiga Corinto
Robbie Fox Castleman

As mulheres na antiga Corinto refletiam em grande medida as circunstâncias sociais, culturais, religiosas e familiares das mulheres no mundo greco-romano. Socialmente, com raras exceções, as mulheres em cidades gregas como Corinto não saíam de casa, nem com o marido. As mulheres em cidades com maior influência romana acompanhavam o marido fora de casa com mais frequência, mas muitas mulheres viviam reclusas, cuidando de sua casa e de sua família. A situação social e cultural na Corinto de meados do século I pode ter sido mais complicada em razão do fluxo significativo do grande número de famílias judaicas provenientes de Roma no reinado do imperador Cláudio, que no ano 49 da era cristã expulsou todos os judeus da capital. A atmosfera predominantemente grega de Corinto, bem como sua população de maioria gentílica, seriam desafiadas e eventualmente modificadas pela influência desses novos habitantes, incluindo as recém-fundadas comunidades cristãs.

Entretanto, as mulheres na igreja dos coríntios, quer judias quer gentias, teriam uma vida semelhante à das mulheres de toda a extensão do Império Romano. Os homens no Império Romano, judeus ou gentios, no geral se casavam com mulheres 10 a 15 anos mais novas. A prática comum era arranjar casamentos com base na classe social, necessidades de amigos ou famílias, ou favores políticos e religiosos. Era comum que garotas recém-saídas da puberdade se casassem com homens com cerca de 30 anos de idade. O conselho de Paulo em 1Coríntios 7.36-38 a respeito do casamento como opcional ou ocorrendo mais tarde era incomum na época. Isso teria sido considerado tão contracultural como os conselhos de Paulo referentes aos escravos nas igrejas (p. ex., Filemom).

As mulheres eram as únicas responsáveis pela criação e educação dos filhos nos primeiros quatro ou cinco anos de vida. A partir dessa idade, os pais, tutores e outros mentores sociais se envolviam cada vez na educação dos filhos, em especial no caso dos meninos. Havia mais meninas abandonadas que meninos, resultando em poucas mulheres tidas como aptas para se casar e ter filhos legítimos. As meninas não eram resgatadas apenas pelos cristãos; era comum que donos de hospedarias e tavernas criassem meninas abandonadas para se tornarem prostitutas. A prostituição era legalizada e sujeita a impostos em toda a extensão do império.

De modo geral, esperava-se que todas as mulheres do império, não apenas as judias ou gentias, permanecessem em silêncio em qualquer tipo de situação social, especialmente se estivessem presentes homens com quem não se relacionassem. A mulher deveria se submeter à autoridade do marido e compartilhar suas práticas religiosas. Jesus incluiu as mulheres em seu ministério e em sua missão, permitindo-lhes que aprendessem e fossem discipuladas. Paulo, de maneira notável, reconheceu as mulheres como discípulas e as incluiu na prática de utilizarem seus dons na igreja e de terem a mesma responsabilidade esperada dos homens. Isso desafiou os cristãos, homens e mulheres, a determinar novos padrões de relacionamento na comunhão da igreja, bem como na família e sociedade.

---

autoridade sobre", mas também pode se referir a "fonte" (origem). Cobertura de cabeça pode se referir ao comprimento do cabelo ou a algum tipo de véu. Paulo em primeiro lugar elogia os coríntios pelo apego aos ensinos que ele lhes transmitiu (11.2). O evangelho trouxe uma liberdade nova para as mulheres, mas Paulo diz que a liberdade não deve subverter a ordem da criação ou obscurecer a diferença entre homens e mulheres (11.3).

Dons espirituais
Kenneth A. Berding

Ainda que na Bíblia o Espírito Santo algumas vezes seja descrito como "dom" (p. ex., At 2.38), normalmente quando falamos em "dons espirituais", referimo-nos não ao Espírito Santo, mas às atividades particulares concedidas pelo Espírito Santo para edificar o "corpo de Cristo". Os "dons espirituais" em particular são os alistados pelo apóstolo Paulo nas quatro listas de ministério. São os seguintes: (passagem por passagem e alistados como Paulo fez):

- Romanos 12.6-8 — profetizar, servir, ensinar, dar ânimo, contribuir, exercer liderança, mostrar misericórdia.
- 1Coríntios 12.8-10 — palavra de sabedoria, palavra de conhecimento, fé, dons de curar, operar milagres, profecia, discernimento de espíritos, variedade de línguas, interpretação de línguas.
- 1Coríntios 12.28-30 — apóstolos, profetas, mestres, os que realizam milagres, os que têm dons de curar, os que têm dom de prestar ajuda, os que têm dom de administração, os que falam diversas línguas, os que interpretam (línguas).
- Efésios 4.11 — apóstolos, profetas, evangelistas, pastores-mestres (ou pastores e mestres).
- (V. tb. 1Pe 4.11: "Se alguém fala [...] Se alguém serve...".)

Alguns intérpretes consideram os dons citados nas listas como abrangentes, referindo-se a todos os dons do Espírito, ainda que os intérpretes modernos os vejam como representativos. A pergunta mais importante a respeito das listas é: essas listas são listas do quê? No decorrer do século XX, e ainda no presente século, veem-se os itens alistados na categoria de *capacidades* especiais que se podem *descobrir* e *utilizar* no ministério. Essa opinião continua como majoritária. Mas outros argumentam que é mais acertado ver os itens citados como tarefas *ministeriais* concedidas pelo Espírito.

A questão concernente aos dons espirituais mais debatida atualmente é se as atividades miraculosas citadas nas listas — em especial as citadas em 1Coríntios 12.8-10, ou seja, curas, profecias e línguas — podem e devem ser parte regular da vida comunitária cristã contemporânea. Os "cessacionistas" acreditam que as atividades miraculosas findaram no fim da era apostólica, pois foram dadas por Deus como sinais para confirmar a mensagem dos apóstolos (2Co 12.12; Hb 2.3,4). Os "continuístas" concordam que os milagres serviram para confirmar a mensagem no século I, mas perguntam se não há necessidade de confirmação agora, ainda mais porque em nenhum lugar da Bíblia está escrito que os milagres cessariam. De modo diferente de gerações anteriores, muitos cessacionistas e continuístas recentes concordam que 1Coríntios 13.10 não trata da questão, pois a passagem diz respeito à segunda vinda de Cristo; cf. 13.12.

Os cristãos devem honrar essas distinções por meio da aparência pessoal no culto (11.4-6). As normas culturais eram cabelos curtos para homens e cabelos longos para mulheres. A lei romana prescrevia que a mulher que tivesse cometido adultério e desgraçado o marido deveria ter a cabeça raspada. As linhas de autoridade criadas por Deus deveriam governar a aparência nos cultos públicos para homens/maridos e mulheres/esposas (11.7-10,13-15), ainda que no Senhor haja dependência mútua, não independência (11.11,12). Os que querem argumentar a respeito dos ensinos de Paulo precisam observar a prática entre todas as demais igrejas (11.16).

Em suma, Paulo convoca os coríntios a agirem de maneira culturalmente apropriada para honrar o projeto de Deus para os relacionamentos e promover o evangelho.

CONDUTA ADEQUADA DURANTE A CEIA DO SENHOR (11.17-34)

A celebração da ceia do Senhor em conjunto com uma refeição comunitária era parte do culto na igreja primitiva, mas as reuniões dos coríntios estavam repletas de problemas (11.7). Os membros ricos, com mais tempo livre, podiam se reunir primeiro. Eles comiam a melhor comida e bebiam muito vinho, não deixando nada para os outros crentes. O resultado era que alguns se embebedavam enquanto outros passavam fome, e Paulo com certeza não poderia elogiá-los por desprezarem a igreja de Deus desse modo (11.18-22). Em 11.23-26, Paulo apresenta um resumo da tradição cristã essencial referente à ceia do Senhor. Os coríntios consequentemente precisariam mudar algumas coisas. Quem participasse da ceia do Senhor "indignamente", isto é, sendo indulgente para com as próprias necessidades e ignorando as dos outros irmãos, seria culpado de pecar contra o Senhor (11.27). Trata-se de um desafio à sensibilidade espiritual em relação ao "corpo do Senhor" para dessa maneira evitar o juízo de Deus (11.28-32). Quando se reunissem, os crentes deveriam esperar uns pelos outros antes do início da refeição (11.33). Os membros ricos que estivessem com fome deveriam comer em casa antes do culto para não incorrerem em condenação (11.34).

EXERCENDO OS DONS DO ESPÍRITO (12.1—14.40)

O culto público também diz respeito a como as pessoas usam seus dons — este é o tópico dos capítulos 12—14. Paulo inicia discutindo a natureza da unidade e da diversidade no corpo em 12.1-31. Os coríntios precisavam saber em primeiro lugar que o ministério que verdadeiramente é da parte do Espírito Santo confessará e honrará Jesus Cristo como Senhor (12.1-3). Da parte do único Espírito, Senhor e Deus, procede a diversidade de dons, ministérios e trabalhos ou atividades (12.4-6). Paulo lista alguns dos muitos dons em 12.7-11 (mensagem de sabedoria, fé, cura, línguas etc.), enfatizando que todos vêm da parte do único Espírito, que capacita cada pessoa como lhe apraz. Em 12.12-26, Paulo explica a natureza do corpo de Cristo usando a analogia do corpo humano. O corpo tem muitos membros, criados para servir uns aos outros. Deus em sua soberania coordenou os membros individuais para impedir a divisão e fortalecer o cuidado mútuo. Em 12.27-31, Paulo apresenta outra lista de dons (apóstolos, profetas, mestres, operadores de milagres, administradores) para elaborar o argumento de que os dons são distribuídos entre os integrantes do corpo. Nenhum crente tem todos os dons, e nenhum dom é dado a todos os crentes.

✚ Junto com a noiva de Cristo, o templo do Espírito e a casa/família de Deus, o "corpo de Cristo" é uma das principais imagens da igreja no NT (Rm 12.4,5; 1Co 12.12-27; Ef 3.6;5.23; Cl 1.18-24; 2.19; 3.15).

Para Paulo, a preocupação central nas passagens sobre os dons espirituais é que tudo deve ser feito com o propósito de edificar o "corpo de Cristo" (= a comunidade dos que creem). A metáfora paulina do "corpo de Cristo" é encontrada nos contextos imediatos de todas as quatro listas (Ef 4.4,12,16; Rm 12.4,5; 1Co 12.12-27; cf. Cl 1.18; 2.19). A metáfora enfatiza que, ainda que haja diversidade no "corpo", cada membro é importante e precisa servir aos outros com o propósito de edificar o corpo. De modo notável, Paulo se move na direção do amor todas as vezes que discute essas questões (Ef 4.15,16; Rm 12.9,10; 1Co 13). O fruto do Espírito, do qual a primeira parte é o amor (cf. Gl 5.22,23) deve ser distinguido dos dons do Espírito porque ninguém exerce todos os dons (1Co 12.29,30), mas todos devem exercer o fruto do Espírito, em especial o amor.

Em 13.1-13, Paulo apresenta o amor como "um caminho ainda mais excelente", por isso ele deve ter prioridade sobre os demais dons. Se alguém falar em línguas de anjos ou entender todos os mistérios ou mover montanhas com a fé ou entregar o corpo em benefício dos pobres, mas se não amar, tudo isso é destituído de valor (13.1-3). Em uma das passagens mais amadas de todo o NT, Paulo define o amor bíblico (13.4-7). Ele usa 15 verbos (sete positivos e oito negativos) para destacar que o amor é basicamente uma ação (p. ex., dizer "o amor é paciente" é como dizer "o amor age com paciência"). Todos os dons são temporários (13.8,9), pois, quando Jesus voltar, os dons desaparecerão e restarão apenas a fé, a esperança e o amor, e deles o maior é o amor (13.10-13). A seção lembra aos coríntios (e a todos os fascinados pelos dons espirituais) que o amor bíblico deve ser o foco.

Em 14.1-25, Paulo encoraja os coríntios a seguir o caminho do amor e a desejar com empenho os dons espirituais. O dom de línguas com certeza é legítimo, mas no culto público o dom da profecia deve ser preferido porque fortalece, encoraja e edifica toda a igreja (14.1-5). O problema com as línguas no culto público é que outros presentes não podem entender o que a pessoa diz. O resultado é que o dom de línguas não é capaz de edificar a igreja (14.6-12). A solução é se alguém interpretar o que é dito em línguas. Mesmo assim, Paulo agradece a Deus

Antigo espelho de prata de Pompeia.

✚ É interessante observar que Paulo situa o famoso capítulo do amor (1Co 13) exatamente entre dois capítulos sobre dons espirituais.

pelo dom de línguas, mas sua preferência clara na igreja é pelo discurso inteligível (14.13-19). Ele prefere a profecia (proclamação da palavra de Deus) na igreja porque esta edifica os crentes e oferece aos não crentes a oportunidade de entender as boas-novas de Cristo e responder em fé, evitando assim o juízo de Deus (14.20-25). Se um descrente ouve pessoas falando apenas em línguas, isso lhe será um sinal de julgamento, pois ele não entenderá o evangelho e se perderá em seus pecados.

Em 14.26-40, Paulo explica a importância da ordem no culto público. Cada um tem uma contribuição a fazer, mas tudo deve ser feito para fortalecer a igreja (14.26). Isso requer ordem e autocontrole, não confusão e autopromoção (14.27,28,30,31). Além disso, a profecia deve ser corretamente avaliada (14.29). Deus é o Deus de ordem e de paz, desejoso de que sua comunidade reflita seu caráter (14.32,33). Paulo proíbe as mulheres de participarem da avaliação das profecias, tarefa normalmente designada aos líderes da igreja (14.34-38). O mandamento para que as mulheres permaneçam em silêncio (14.34) não deve ser entendido como uma ordem universal à luz dos outros ensinos de Paulo na mesma carta (11.5,13). Como regra geral, as mulheres tinham poucas oportunidades educacionais no mundo antigo, e Paulo proíbe mulheres/viúvas de avaliarem publicamente as profecias, o que provavelmente incluiria interrogar o profeta e assim interromper o culto de uma maneira não edificante. Ele resume a discussão a respeito do culto público em 14.39,40: desejem profetizar sem proibir que alguém fale em línguas, mas, acima de tudo, que tudo seja feito "com decência e ordem".

A respeito da ressurreição dos mortos (15.1-58)

A BASE: A RESSURREIÇÃO CORPORAL DE JESUS (15.1-11)

Os coríntios foram do paganismo para Cristo, e no paganismo a opinião prevalecente era a da imortalidade da alma, não a ressurreição do corpo. Essa doutrina pagã tinha implicações óbvias sobre como se deve viver: "comamos e bebamos, porque amanhã morreremos" (15.32). Em 1Coríntios 15, Paulo apresenta uma defesa sólida da ressurreição corporal dos cristãos e de suas implicações éticas. Nessa seção, Paulo fala da base da ressurreição dos crentes: a ressurreição corporal do próprio Cristo. A ressurreição de Jesus é estabelecida como o cerne do evangelho (15.1,2,11). A crença cristã antiga está centrada na morte expiatória de Jesus, sua ressurreição corporal e suas aparições após a ressurreição (15.3-8). Como alguém que chega atrasado, Paulo foi dramaticamente transformado de forma radical pela graça de Deus de perseguidor da igreja em apóstolo, gerando como resposta a devoção total a Cristo (15.9-11).

A CERTEZA DA NOSSA RESSURREIÇÃO CORPORAL (15.12-34)

Em 15.12-19, Paulo argumenta que, se não houver a ressurreição futura dos cristãos, então o próprio Cristo não ressuscitou, e as consequências são

A oferta para Jerusalém

E. Randolph Richards

As cartas de Paulo discutem uma "coleta [*logeia*] para o povo de Deus [...] a oferta [*charis*] de vocês para Jerusalém" (1Co 16.1-4; v. tb. 2Co 8—9; Rm 15.25--29). Os destinatários são claramente identificados na explicação de Paulo aos Romanos (15.26): "os pobres que estão entre os santos de Jerusalém". Mas que tipo de coleta foi essa? Desde Karl Holl, alguns poucos estudiosos tentam argumentar que *logeia* era um imposto e que "santos" era um termo técnico (religioso) se referindo a todos os membros da igreja de Jerusalém. Nessa perspectiva, a igreja-mãe impôs um imposto para todas as igrejas filhas. De fato, *logeia* geralmente significava uma taxação especial. Os outros termos usados por Paulo — "oferta" (*charis*, 1Co 16.3; v. 2Co 8.4); "serviço" (*diakonia*, Rm 15.31; 2Co 8.4; 9.1) e "oferta generosa" (*eulogia*, 2Co 9.5) — indicam que se tratava de uma oferta dada por livre e espontânea vontade. Denominá-la *logeia* lhes asseguraria que se tratava de uma oferta dada uma única vez, não uma oferta rotineira.

O que Paulo pretendia realizar ao levantar uma oferta dos cristãos gentios para os cristãos judeus de Jerusalém? De acordo com o testemunho de Paulo, seu ministério aos gentios continha também uma exortação para se lembrar dos pobres (Gl 2.10). Mas essa oferta parece ter sido mais que a obediência ao mandato gálata, pois de acordo com Atos 18.22,23 Paulo pelo menos uma vez retornara a Jerusalém sem qualquer oferta. As ofertas na Antiguidade sempre tinham algumas condições. O antigo sistema de honra exigia que quem recebesse a oferta retribuísse de alguma maneira. Talvez Paulo buscasse fazer que as igrejas gentias recém-plantadas fossem aceitas pela igreja-mãe em Jerusalém como resposta à oferta graciosa que elas fizeram (2Co 9.13; Rm 15.31).

A oferta de Paulo atingiu seu objetivo? Tanto as últimas cartas de Paulo como também o livro de Atos permanecem estranhamente silenciosos quanto a isso. Atos parece saber da oferta (24.17), mas não dá indicação de que tenha sido aceita. Muitos leitores modernos geralmente entendem isso da seguinte maneira: "quem rejeitaria uma oferta?". Mas a igreja de Jerusalém não poderia aceitar a oferta se rejeitasse os doadores, ainda mais porque a oferta fora entregue pelos próprios doadores (1Co 16.3; 2Co 8.23,24). Quando Paulo chega a Jerusalém (At 21), Tiago relembra o mandato de Atos 15, sem a exortação de se lembrar dos pobres (Gl 2.10). Teria Tiago evitado aceitar a oferta, tendo-a transformado em uma oferta para o templo (At 21.24)? Não sabemos o que aconteceu com a oferta para Jerusalém.

Os princípios de Paulo sobre as ofertas (1Co 16.1,2: de forma regular, sistemática, proporcional e livre) permanecem atemporais, tal como a prática cristã da contribuição (Fp 4.15-20), ainda que as experiências de Paulo nos façam lembrar que nem toda oferta é usada do modo que gostaríamos.

---

desastrosas. A pregação apostólica é falsa e sem valor, a fé dos crentes é vã, os que morreram estão perdidos e os que viveram por Cristo são infelizes, pois abriram mão de muita coisa por causa do evangelho. Mas felizmente Cristo ressuscitou dos mortos, assegurando a ressurreição corporal de todos os crentes (15.20-23). Depois que Jesus destruir todos os poderes e derrotar a morte, o último inimigo, ele entregará o Reino a Deus, o Pai (15.24-28). Em 15.29-34, Paulo uma vez mais argumenta contra os que negam a ressurreição dos mortos. Se os mortos não ressuscitam, por que algumas pessoas são batizadas por eles (ou um batismo substitutivo pelos entes queridos falecidos ou o batismo cristão pelos "espiritualmente mortos") e por que os crentes fiéis sofrem perseguição (15.29-32)? Antes, se não houver amanhã, eles devem viver apenas para os prazeres do hoje (15.32). Paulo exorta os coríntios à rejeição desse ensino corrompido, ao retorno à razão e que parem de pecar (15.33,34).

Busto de Herodes Ático, sofista grego do século II da era cristã.

A NATUREZA DO NOSSO CORPO RESSUSCITADO (15.35-38)

Nessa seção, Paulo procura responder às perguntas levantadas em 15.35 a respeito do corpo ressuscitado. Como uma semente cresce e se transforma em uma planta totalmente diferente, mas de alguma maneira ainda relacionada com a semente, os corpos celestiais são diferentes dos corpos terrestres, então o corpo da ressurreição será um corpo natural transformado — imperecível, glorioso, poderoso e espiritual ou "sobrenatural" (15.36-44). Da mesma maneira que os crentes compartilham a semelhança com Adão (vida, natural, origem no pó da terra), eles também compartilharão a semelhança com Cristo, incluindo o corpo ressuscitado (15.44-49). Esta transformação é necessária porque "carne e sangue não podem herdar o Reino de Deus nem o que é perecível pode herdar o imperecível" (15.50). Nem *todos* os crentes morrerão antes que Cristo volte, mas quando ele voltar todos serão transformados (15.51). Quando Cristo voltar, os que creram ressuscitarão dos mortos e seu corpo será transformado em um corpo imperecível e imortal (15.52,53). O que fora predito pelos profetas se cumprirá — a derrota total do último inimigo, a morte (15.54,55; Is 25.8; Os 13.14). O pecado trouxe a morte, e a lei faz as pessoas conscientes dos seus pecados, mas graças a Deus a morte e a ressurreição de Jesus trouxeram a vitória (15.56,57). A realidade da ressurreição tem implicações tremendas para os crentes (15.58). Em lugar de serem arrastados para o pecado (15.32-34), os crentes precisam permanecer firmes na verdade divina e se entregarem

✚ O NT destaca a importância da ressurreição do corpo por ocasião da volta de Cristo, o que constitui algo muito mais grandioso que apenas ir para o céu depois da morte.

plenamente à obra do Senhor, sabendo que o que fazem agora com o corpo terá implicações para a eternidade.

A respeito da coleta para Jerusalém (16.1-4)

Muitos judeus cristãos de Jerusalém eram pobres. Na terceira viagem missionária, Paulo prioriza levantar uma oferta da parte das igrejas dos gentios para a igreja de Jerusalém (Rm 15.26). A oferta deve fortalecer a união entre as igrejas judaicas e gentias, mostrando aos descrentes o poder do evangelho ao quebrar barreiras e produzir reconciliação. Paulo dá instruções claras a respeito do levantamento da oferta (16.1,2). Quando chegar em Corinto, ele dará cartas de apresentação às pessoas escolhidas pelos coríntios para levar a oferta e, se necessário, ele mesmo as acompanhará até Jerusalém (16.3,4).

Questões finais (16.5-24)

Paulo discute seus planos de viagem em 16.5-12: espera chegar a Corinto, onde poderá permanecer por pouco tempo. Ele permanecerá em Éfeso até o Pentecoste, pois surgiu uma grande oportunidade para o ministério e (ironicamente) há muitos que se lhe opõem. Ele lhes diz que não intimidem Timóteo, antes o aceitem como quem faz a obra do Senhor e o que enviem de volta a Paulo em paz. Com respeito a Apolo, Paulo o encorajou a viajar a Corinto, mas ele não se mostrou disposto até o tempo certo. O apóstolo dá instruções adicionais a respeito em 16.13-18. Os coríntios devem ser cautelosos, permanecer firmes na fé, corajosos e fortes e fazer tudo em amor. Paulo apresenta a casa de Estéfanas como exemplo cristão de respeito e expressa gratidão aos coríntios que o visitaram. Em 16.19-24, Paulo conclui a carta. Ele apresenta saudações da parte das igrejas da Ásia e dos crentes que estão com ele, bem como da parte de Áquila e Priscila e da igreja que se reúne na casa deles. Ele encoraja os coríntios a que se cumprimentem uns aos outros de maneira adequada ao povo de Deus. Paulo os saúda escrevendo à mão, para comprovar a autenticidade da carta. Todos os que não amam o Senhor serão amaldiçoados; os que o amam oram para que ele volte em breve. Ele termina com uma bênção da graça da parte de Jesus e o amor da parte do plantador da igreja, isto é, o próprio Paulo.

Qual é a mensagem de 2Coríntios ?

Depois de escrever 1Coríntios, Paulo viu suas relações com aquela igreja se deteriorarem muito, em razão de alguns opositores teimosos. Paulo provavelmente saiu de Éfeso e fez uma rápida visita a Corinto (a visita "triste" de 2Co 2.1), seguida do envio de uma carta (a carta das "lágrimas" de 2Co 2.4; 7.8,9; 12.14; 13.1). Isso quer dizer que 2Coríntios na verdade

✦ Lemos a respeito do que aconteceu a Paulo quando ele voltou para Jerusalém em Atos 21—23. Ainda que ele tenha sido recebido calorosamente pelos crentes, teve muitos problemas quando judeus vindos da Ásia incitaram perseguição contra ele.

O contato de Paulo com a igreja dos coríntios

A reconstituição do relacionamento de Paulo com a igreja em Corinto ajuda a explicar como suas visitas à igreja relacionam-se com suas cartas.

50-51 VISITA 1 Evangeliza Corinto na Segunda Viagem Missionária (At 18.1-18)

Permanece um ano e meio em Corinto, enfrenta oposição dos judeus, mas muitos judeus e gentios se convertem. Paulo deixa Corinto e passa por Éfeso no caminho de volta a Cesareia (At 18.18-22).

54 EPÍSTOLA 1 A epístola "anterior", atualmente perdida (1Co 5.9), talvez uma carta enviada após a primeira visita.

Paulo retorna a Éfeso (At 19.1) e lá permanece três anos (At 20.31). Em Éfeso, recebe a visita de alguém da casa de Cloe (1Co 1.11) que lhe fala sobre divisões na igreja, e também recebe uma carta de Corinto pedindo conselhos e direcionamento (1Co 7.1,25; 8.1; 11.2; 12.1; 15.1; 16.1). Paulo então escreve 1Coríntios como resposta (1Co 16.8,9).

54 EPÍSTOLA 2 **1 CORÍNTIOS** (escrita em Éfeso); Terceira Viagem

Paulo envia Timóteo a Corinto em uma missão especial (1Co 4.17; 16.10). Um adversário poderoso em Corinto ataca Paulo, e Timóteo não consegue lidar com a questão (2Co 2.5-11). Timóteo retorna para apresentar um relatório a Paulo, que resolve ir ele mesmo para resolver a situação.

55 VISITA 2 A visita "triste" (2Co 2.1), de Éfeso a Corinto e de volta a Éfeso.

55 EPÍSTOLA 3 Carta das "lágrimas" (2Co 2.4,9; 7.8,9; 12.14; 13.1).

Paulo provavelmente escreve essa carta em Éfeso depois de uma visita difícil. Tito é o portador da carta. Pouco depois, Paulo vai a Trôade, esperando se encontrar com Tito, que lhe daria um relatório a respeito de Corinto (2Co 2.12,13). Não o tendo encontrado, Paulo vai para a Macedônia. Lá, no ano 56, Paulo encontra Tito, que lhe dá um bom relatório a respeito da igreja (2Co 7.5-8).

56 EPÍSTOLA 4 **2 CORÍNTIOS** (escrita na Macedônia); Terceira Viagem

Essa carta foi levada a Corinto por Tito. Paulo continua a se defender de uma minoria rebelde na igreja (esp. 2Co 10—13), mas há um sentimento de alegria renovada porque a maior parte da igreja se arrependeu.

57 VISITA 3 Paulo se encontra com Tito em Corinto (At 20.2,3), onde passa o inverno, e escreve Romanos. Depois de um período intenso de conflitos seguido de reconciliação, esse com certeza foi um tempo agradável com aquela igreja.

Extremidade esquerda do antigo ancoradouro ao longo do canal de Corinto.

é a quarta epístola de Paulo escrita para essa igreja tão difícil.

Depois de ter sido redigida, parece que alguns coríntios que antigamente questionaram o apostolado de Paulo se arrependeram e passaram a apoiar o apóstolo (2.5,8,9; 5.12; 7.2-16). A minoria da igreja ainda questionava se Paulo era um apóstolo legítimo (talvez seja essa a questão tratada nos caps. 10—13). Além disso, alguns falsos apóstolos chegaram a Corinto, e estes devem ser confrontados (11—15). Em uma carta profundamente pessoal e carregada de emoção, Paulo defende sua autoridade de apóstolo genuíno de Jesus Cristo, como seu estilo de vida e ministério. Ele é forçado a se defender porque o evangelho e a vida espiritual dos coríntios estão em jogo.

Saudação e agradecimento (1.1-11)

À igreja que questiona seu apostolado Paulo, inicia a carta com a declaração de que ele é de fato um "apóstolo de Cristo Jesus pela vontade de Deus" (1.1). À igreja de Deus que está em Corinto e em toda a região da Acaia, ele envia a saudação tradicional de "graça e paz da parte de Deus nosso Pai e do Senhor Jesus Cristo" (1.1,2). Paulo então louva a Deus o "Pai das misericórdias e Deus de toda consolação", conceito mencionado dez vezes em 1.3-7. Como os crentes participam dos sofrimentos de Cristo, eles também experimentam o conforto de Deus em meio aos problemas, o que os capacitará a confortar outros que sofrem (1.4,5). É esse o caso do relacionamento de Paulo com os coríntios. Sofrendo ou sendo confortado, o resultado será bom para os coríntios: consolação, salvação, paciência (1.6). A esperança de Paulo quanto aos crentes é firme porque eles compartilham em seus sofrimentos e conforto, o que aponta para sua fé genuína (1.7). Paulo agora detalha os próprios sofrimentos na Ásia (1.8). Conquanto tenha sofrido ao ponto do desespero, ele aprendeu por meio de tudo isso a não confiar em si mesmo, mas no Deus que ressuscita os mortos (1.9). A esperança de Paulo se baseia no poder que Deus tem para libertá-lo

✝ Paulo inicia a carta mais pessoal e emotiva falando de Deus como "Pai das misericórdias e Deus de toda consolação" (2Co 1.3).

dessas provações, não obstante ele permaneça extremamente agradecido pelas orações do povo de Deus por essa libertação (1.10,11).

A conduta e o ministério apostólico de Paulo (1.12—7.1)

Recordação da trajetória de Paulo com os coríntios (1.12—2.11)

Depois de afirmar a integridade do seu ministério apostólico (1.12-14) e de explicar por que mudara seus planos de viagem (1.15—2.4), Paulo desafia os coríntios a agir com a mesma compaixão e integridade com o "ofensor" (2.5-11).

A INTEGRIDADE DO MINISTÉRIO DE PAULO ENTRE OS CORÍNTIOS (1.12-14)

O orgulho ou a confiança de Paulo está no fato de que Deus lhe permitiu (e a seus cooperadores) conduzir seu ministério com "santidade e sinceridade", não com "a sabedoria do mundo" (1.12). Ele sempre se comunicou com os coríntios de maneira clara e íntegra, e espera que eles alcancem a compreensão plena da situação para que no dia do Senhor todos eles possam se regozijar no que Deus fez por intermédio deles (1.13,14).

A INTEGRIDADE DE PAULO REFLETE A FIDELIDADE DE DEUS (1.15-22)

Alguns em Corinto criticavam a legitimidade do apostolado de Paulo porque ele mudara os planos de viagem. Mas Paulo não mudou seus planos como parte de um esquema elaborado para defraudar os coríntios. Ele é um homem de palavra, e teve boas razões ao mudar os planos. Da mesma forma que Deus é fiel e o evangelho não é contraditório ("sim" e "não" ao mesmo tempo), as ações de Paulo refletem o caráter de Deus. As promessas de Deus são "sim" em Cristo, e ele "pôs o seu Espírito em nossos corações como garantia do que está por vir" (1.22). Como apóstolo e pregador, a integridade de Paulo reflete a fidelidade de Deus.

UMA MUDANÇA RAZOÁVEL DE PLANOS (1.23—2.4)

A segunda visita de Paulo aos coríntios fora uma "visita dolorosa" por causa do conflito com os que rejeitaram sua autoridade apostólica. Nesse intervalo, Paulo resolveu não fazer outra visita semelhante (2.1). Ainda que ele não tenha conseguido fazer a visita como havia prometido, a mudança de planos fora razoável e misericordiosa (1.23,24). Ele receava que, se o conflito tivesse aumentado, seu relacionamento com a igreja teria sido prejudicado de modo permanente (2.2). Em vez disso, ele escreve uma carta "em lágrimas", esperando não os entristecer mais e também expressar a profundidade do amor a eles (2.4). Acima de tudo, Paulo deseja que o relacionamento deles seja restaurado, de modo que todos possam se alegrar (2.3).

✛ Na Bíblia, Deus é chamado algumas vezes de testemunha a favor ou contra o comportamento humano (2Co 1.23; cf. Gn 31.44; 1Sm 12.5,6; 20.42; Is 43.10; Jr 42.5).

Entalhes em pedra no arco de Tito em Roma apresentam cativos de Jerusalém sendo levados em procissão.

OS CORÍNTIOS DEVEM AGIR COM COMPAIXÃO E INTEGRIDADE (2.5-11)

Paulo não menciona a ação específica do ofensor aludida na passagem. Provavelmente a ofensa dizia respeito às acusações contra Paulo, seu apostolado e seu relacionamento com a igreja dos coríntios. Ele era uma pessoa de influência, e no início muitos lhe deram apoio. Depois da carta "em lágrimas" de Paulo, quase todos se arrependeram (2.4; 7.8-13). Eles disciplinaram o ofensor (2.6). Como Paulo fora guiado pelo Espírito para mudar seus planos de viagem, ele agora exorta os coríntios à mudança de atitude em relação ao ofensor. De fato, ele ofendera toda a igreja (2.5), mas sua disciplina fora suficiente (2.6). Agora eles "devem perdoar-lhe e consolá-lo, para que ele não seja dominado por excessiva tristeza" (2.7). Da mesma forma que eles reafirmam seu amor por ele e o perdoam, Paulo também o perdoa (2.8-10). A restauração é essencial para impedir que Satanás use a situação para prejudicar a igreja (2.11).

O ministério apostólico de Paulo (2.12—7.1)

Depois de Paulo ter feito a "visita dolorosa" a Corinto, retornou a Éfeso e escreveu a carta "em lágrimas" que enviou com Tito. O plano era encontrar Tito em Trôade para saber a respeito dos coríntios (2.12,13), mas o encontro propriamente não é mencionado até o final dessa seção (7.5-16). Entre 2.12,13 e 7.5, Paulo fala com detalhes a respeito da natureza do ministério da nova aliança e como Deus fora fiel para sustentá-lo em diferentes circunstâncias.

UMA PORTA ABERTA PARA O MINISTÉRIO, MAS SEM PAZ DE ESPÍRITO (2.12,13)

Quando Paulo chegou em Trôade, o Senhor lhe abriu uma porta para pregar o evangelho, mas ele não achou Tito, por isso estava muito preocupado com o que estava acontecendo em Corinto. Então ele prosseguiu até a Macedônia para se encontrar com Tito. Algumas vezes, novas oportunidades ministeriais não devem ter prioridade sobre preocupações com a reconciliação com outros crentes.

✤ Quando Paulo chegou em Trôade e se lhe foi aberta uma porta para o evangelho, ele não pôde continuar o ministério lá porque precisava saber a respeito da situação em Corinto por meio de Tito.

Procissão triunfal
George H. Guthrie

A procissão triunfal era elaborada pelo Senado romano para celebrar a vitória importante de um general romano — o alvo da celebração. As paradas eram vistas como epítome da glória militar, o zênite das realizações de um general. Escritores greco-romanos antigos registraram cerca de 300 de procissões desse tipo, e representações da celebração aconteciam em peças teatrais, pinturas, moedas, estátuas, taças, arcos, medalhas e colunas. Logo, paradas desse tipo eram parte do tecido cultural desse tempo e seriam facilmente reconhecidas pelos leitores de Paulo.

O general, referido como "triunfante", entrava na cidade em uma carruagem de duas rodas chamada *currus triumphalis*. A carruagem, puxada por quatro cavalos, era decorada com sinos, chicotes, lauréis e dentro dela havia um falo, simbolizando a força e a masculinidade do general. O triunfante usava vestes ricamente ajaezadas, mantos de púrpura ornamentados em alguns momentos do desfile com estrelas de ouro e palmas. O general usava também a *corona triumphalis*, a coroa que simbolizava a vitória, que lhe era dada pelo exército. A coroa podia ter várias formas, sendo a mais prestigiosa feita de folhas de louro. Em outras ocasiões, a coroa era feita de ouro e joias, e nesse caso, sendo muito pesada para ser usada, era colocada na cabeça do triunfante por uma autoridade pública, que sussurrava nos ouvidos do general: "Lembre-se de que é mortal".

A procissão triunfal apresentava a vitória do general às multidões que se amontoavam pelas ruas de Roma. Espólios de guerra como armas, joias e outros tesouros de ouro e prata eram levados na parada. Também eram apresentadas grandes pinturas com cenas de batalha ou cidades conquistadas. Touros brancos eram levados para serem sacrificados no templo de Júpiter. O som das trombetas enchia o ar, bem como o cheiro do incenso queimado, levado em vasilhames em todo o percurso da parada. Prisioneiros acorrentados, geralmente os líderes do exército derrotado, marchavam em frente ao carro do general. Algumas vezes esses prisioneiros eram executados nos calabouços do templo de Júpiter, imediatamente antes do sacrifício dos touros. Também participavam da parada os membros do Senado, os filhos do triunfante e romanos os escravizados em terras estrangeiras antes de serem libertados pelo general. Seu exército marchava no fim, entoando canções cujas letras tinham conteúdo obsceno que ridicularizavam o general, com o objetivo de mantê-lo humilde.

Em 2Coríntios 2.14-16, Paulo usa a imagem da procissão triunfal para apresentar a natureza do ministério cristão autêntico. Na linguagem de Paulo, Cristo é o triunfante, Paulo é o carregador de incenso, que é o evangelho, os perdidos são os conduzidos à morte, e os libertados são os que obtêm a vida.

GRAÇAS A DEUS, QUE NOS CONDUZ EM TRIUNFO EM CRISTO (2.14-17)

Esse parágrafo diz respeito à vitória mediante o sofrimento e o sacrifício. Na ilustração, Paulo não lidera a procissão, mas é liderado. De certa maneira, Paulo foi conquistado por Cristo, para viver com o evangelho (2.14-16). De forma diferente dos falsos apóstolos, Paulo não negocia a palavra de Deus em busca de lucro (2.17).

A CARTA DE RECOMENDAÇÃO DE PAULO PARA O MINISTÉRIO (3.1-3)

O ministério de Paulo foi reconhecido também pela própria comunidade cristã. Como resultado, os ministérios vindos de Deus, centralizados em Cristo e capacitados pelo Espírito são a prova de que o ministério de Paulo é autêntico.

MINISTROS DE UMA ALIANÇA (3.4-6)

Paulo pode executar essa tarefa (2.17) apenas pelo poder que Deus dá (3.4,5). Por intermédio de Cristo, Deus fez Paulo capaz de executar o ministério da nova aliança. Sob a antiga aliança, a Lei foi escrita em tábuas de pedra e se provou incapaz de transformar o coração humano (3.3,36). Mas, com a nova aliança, o Espírito Santo atua no interior do coração humano para produzir vida (3.2,6).

A GLÓRIA DO MINISTÉRIO DA NOVA ALIANÇA (3.7-18)

O ministério da antiga aliança veio com certo grau de glória desvanecente, o que resultou em morte e condenação (3.7,9-11). Em contraste, o ministério da nova aliança do Espírito, com sua glória duradoura que a tudo ultrapassa, traz justiça (3.8-11). Paulo e seus cooperadores, que têm essa esperança procedente da nova aliança, podem ser ousados no ministério (3.12). Eles não são como Moisés, que precisou colocar um véu sobre o rosto para impedir que o povo visse que a glória estava se desvanecendo (3.13). Os que rejeitam a nova aliança ainda têm o coração e a mente cobertos por um véu (3.14,15). Todavia, quando as pessoas se voltam para o Senhor, o véu é removido (3.16). O Senhor é o Espírito, e sua presença produz liberdade (3.17)! Os que têm o rosto descoberto refletem a glória do Senhor e são transformados à sua semelhança pelo poder do Espírito (3.18).

O *bema* (tribunal) em Corinto, onde Paulo discursou para o procônsul Gaio (At 18.12-17).

✝ O alvo da vida cristã é se tornar como Cristo (v. 2Co 3.18; cf. Rm 8.29; 12.1,2; 2Co 4.16; Gl 4.19).

O MINISTÉRIO DADO POR DEUS A PAULO TRAZ CORAGEM E OUSADIA (4.1-18)

Pelo fato de Paulo ter sido incumbido do ministério da nova aliança, ele não "desanimou" (4.1,16). A palavra traduzida por "desanimar" (*NVI*) pode significar "estar desencorajado", mas no contexto provavelmente significa "agir com covardia ou timidez". Não "desanimar" significaria ter coragem, confiança e ousadia no ministério (cf. 3.12). Essa ousadia significa que ele não precisa usar de engano ou distorcer a palavra de Deus (4.2). Mas nem todos aceitam a mensagem de Paulo porque o "deus desta era" (Satanás) cegou-lhes a mente para impedir que vejam a glória do evangelho de Cristo (4.3,4). Como o evangelho diz respeito a Cristo e como Paulo experimentou a glória de Cristo, ele prega Cristo como Senhor e a ele mesmo como servo (4.4,5). Mas o poder vem de Deus, não dos mensageiros, comparados a frágeis vasos de barro (4.7-9). Mensageiros como Paulo estão sempre expostos à morte para que a vida de Jesus possa ser revelada (4.10-12). Sustentados pela fé em meio ao sofrimento, eles continuam a pregar, sabendo que quem ressuscitou Jesus dos mortos os ressuscitará (4.13-15; Sl 116.10). A confiança de Paulo permanece firme (4.16). Ainda que o corpo se desgaste, interiormente ele experimenta uma renovação diária, sabendo que "nossos sofrimentos leves e momentâneos estão produzindo para nós uma glória eterna que pesa mais do que todos eles" (4.16,17). Como resultado, os ministros da nova aliança podem ter a atenção voltada para o que não se vê e é eterno, não para o que é temporário (4.18). Os crentes que resistem às provações por causa de Cristo serão sustentados por uma esperança infalível e segura.

A ESPERANÇA DEFINITIVA DE PAULO (5.1-10)

Pelo foco de Paulo estar no que não se vê e é eterno (4.18), ele anseia pela ressurreição futura (5.1-5). Quando a "temporária habitação terrena" (nosso corpo atual) de Paulo for destruída (a morte), ele sabe que tem reservado "um edifício, uma casa eterna nos céus" — um corpo ressuscitado (5.1). No momento ele geme, desejando ser revestido da habitação celestial, isto é, o corpo da ressurreição (5.2). Quando conseguir o novo corpo, ele não será encontrado nu nem se envergonhará diante de Deus no julgamento (5.3). Mas agora no corpo atual ("nesta casa") ele geme e sofre por desejar ser revestido da habitação celestial, o corpo ressurreto (5.4). Ele deseja que o mortal seja absorvido pela vida (5.4; cf. 1Co 15.50-58). Deus nos criou para termos o corpo da ressurreição, e o Espírito de Deus é o penhor, a garantia de que receberemos o corpo ressuscitado (5.5). Paulo permanece confiante na situação — em casa no corpo atual, mas não ainda com o corpo da ressurreição na presença do Senhor —, pois ele vive pela fé, não pelo que vê (5.6,7). Com certeza ele prefere estar presente com o Senhor no corpo ressuscitado (5.8), mas, seja o que for, seu alvo é agradar ao Senhor (5.9). O desejo de Paulo de agradar ao Senhor está baseado no fato de que todos os

✚ O Espírito Santo é a garantia divina de que ele completará o que começou (2Co 1.21,22; Ef 1.13,14; 4.30).

crentes estarão diante do tribunal (*bema*) de Cristo, que dará a cada pessoa conforme seus atos na vida, seja o bem, seja o mal (5.10).

O MINISTÉRIO DE RECONCILIAÇÃO DE PAULO (5.11—6.2)

Paulo espera comparecer perante o tribunal de Cristo (5.10), por isso está motivado a convencer as pessoas da verdade do evangelho (5.11). Ele explica sua motivação no ministério: não promover a si mesmo, mas capacitar os coríntios leais a responderem aos oponentes de Paulo na igreja (5.12). Ainda que algumas vezes ele use linguagem ininteligível no culto particular ("enlouquecer"), ele fala abertamente aos coríntios (5.13). Paulo é motivado não apenas pelo temor saudável do Senhor, mas também é constrangido pelo amor de Cristo, que morreu e ressuscitou por todos (5.14,15). Como consequência, Paulo agora vê tudo diferente (5.16). Todo o que está "em Cristo" é nova criação (5.17). Tudo isso se tornou possível quando Deus reconciliou o mundo consigo em Cristo e confiou a Paulo, e a outros como ele, o ministério da reconciliação (5.18,19). Como embaixadores ou mensageiros de Deus, eles anunciam ao mundo: "Reconciliem-se com Deus" (5.20). Uma grande mudança aconteceu: o Cristo sem pecado se tornou sacrifício pelo pecado do pecador culpado, de modo que o pecador possa se tornar justiça de Deus (5.21). Como cooperador de Deus, Paulo pede aos coríntios que não recebam a graça divina em vão rejeitando o evangelho ou a ele, que era o pai deles na fé (6.1,2).

Tenda de beduínos.

A RECOMENDAÇÃO DE PAULO COMO MINISTRO (6.3-13)

O evangelho da reconciliação depende em alguma medida da integridade dos que o proclamam. Paulo agora recomenda a si mesmo como verdadeiro ministro de Deus (6.3,4). As dificuldades que ele enfrentou (6.4,5) e a integridade espiritual do seu estilo de vida (6.6,7) validam seu ministério. Ele agiu como verdadeiro servo de Deus em tudo que a vida lhe apresentou, de bom ou de mal (6.8-10). Com suas ações dando apoio às alegações verbais da legitimidade do seu ministério, Paulo agora lembra aos coríntios que ele lhes abriu o coração e não lhes limitou nenhum afeto. Mas muitos deles não lhe responderam como o apóstolo que ele era (6.11,12). Paulo agora lhes fala como pai aos filhos: "Abram também o coração para nós!" (6.13).

IMPLICAÇÕES PARA A SITUAÇÃO DOS CORÍNTIOS (6.14—7.1)

Na conclusão da seção 2.12—7.1 Paulo especifica as implicações do ministério da nova aliança para a atual situação da igreja. Ele inicia com um mandamento claro: "Não se ponham em jugo desigual com descrentes" (6.14). Paulo caracteriza seus oponentes em Corinto como "descrentes" e convoca os crentes verdadeiros a se separarem deles. Em 6.14-16, Paulo faz uma série de perguntas destinadas a dar apoio ao argumento. A resposta a todas as perguntas é que os crentes verdadeiros não têm parceria espiritual com os não crentes! A igreja, como o templo do Deus vivo, pertence a Deus somente. Então, em 6.16-18 Paulo acrescenta uma série de citações do AT para fortalecer o mandamento original. Por fim, em 7.1 Paulo reapresenta o mandamento: "Amados, visto que temos essas promessas, purifiquemo-nos de tudo o que contamina o corpo e o espírito, aperfeiçoando a santidade no temor de Deus". Os crentes genuínos em Corinto devem rejeitar os oponentes e aceitar Paulo porque seu apostolado e ministério representam de modo genuíno o evangelho de Jesus Cristo.

A alegria de Paulo relacionada à reconciliação e à generosidade (7.2—9.15)

A seção anterior (2.12—7.1) contém a defesa que Paulo faz do seu ministério apostólico, enquanto nessa seção apresenta o sentimento dos desafios de um pastor amoroso. Paulo parece falar aos que na igreja se arrependeram e estão prontos para continuar com a vida e com o ministério. Depois de expressar a alegria pela reconciliação deles (7.2-16), Paulo os encoraja a renovar o compromisso com a oferta para a igreja em Jerusalém (8.1—9.15).

A alegria de Paulo com a reconciliação (7.2-16)

Ainda que a reconciliação já tenha acontecido, Paulo reafirma a necessidade de reconciliação plena da parte dos coríntios: "Concedam-nos lugar no coração de vocês" (7.2). Paulo não agiu errado nem levou vantagem em relação a ninguém. De fato, Paulo tem esses crentes em seu coração, e eles são seu orgulho e alegria (7.3,4). Em 7.5, Paulo retoma o argumento apresentado em 2.12,13:

- 2.12,13: "Quando cheguei a Trôade para pregar o evangelho de Cristo e vi que o Senhor me havia aberto uma porta, ainda assim, não tive sossego em meu espírito, porque não encontrei ali meu irmão Tito. Por isso, despedi-me deles e fui para a Macedônia".
- Longa digressão em 2.14—7.4
- 7.5-7: "Pois, quando chegamos à Macedônia, não tivemos nenhum descanso, mas fomos atribulados de toda forma: conflitos externos, temores internos. Deus, porém, que consola os abatidos, consolou-nos com a chegada de Tito, e não apenas com a vinda dele, mas também com a consolação que vocês lhe deram. Ele nos falou da saudade, da tristeza e da preocupação de vocês por mim, de modo que a minha alegria se tornou ainda maior".

Paulo encorajou os crentes em Corinto a ajudar com generosidade aos necessitados.

Por fim, a reconciliação! Tito levou a carta "em lágrimas" (algumas vezes chamada de "carta severa") a Corinto, depois da visita "dolorosa" de Paulo. Agora Paulo toma conhecimento de que a igreja se arrependeu, e ele compreende tudo isso como sendo a boa mão de Deus os confortando (7.8-13). Ainda que no início ele não se sentisse bem por ter de escrever uma carta como essa, agora ele se regozija que a carta os tenha levado ao arrependimento genuíno e à reconciliação. Reconhecer os pecados não é o mesmo que a tristeza piedosa que leva ao arrependimento, e o arrependimento é essencial à reconciliação. Paulo está fora de si de tanta alegria porque Tito ficou profundamente encorajado com tudo o que aconteceu (7.13-15). Agora Paulo pode ter confiança completa nos coríntios (7.16).

Paulo espera que os coríntios doem com generosidade (8.1-15)

Paulo agora volta a atenção para um assunto que lhe é particularmente caro: a oferta para os crentes pobres de Jerusalém (1Co 16.1-4; Rm 15.25-33). Para motivar os coríntios, Paulo menciona o exemplo poderoso dos macedônios, que doaram "além do que podiam", a despeito de estarem "no meio da mais severa tribulação" e da "extrema pobreza deles" (8.1-5). Os macedônios pediram a Paulo que tivessem "o privilégio de participar da assistência aos santos" (8.4). Paulo diz aos coríntios que sigam esse exemplo, obedecendo ao mandamento de ajudar aos que precisam (8.6,8). Ele os desafia a se superarem em doação generosa como se superaram na fé, na palavra, no conhecimento, na dedicação completa e no amor (8.7). Ele também menciona o exemplo de Cristo, que se humilhou e que, em sua encarnação, tornou-se pobre para nosso benefício (8.9; cf. Fp 2.5-11). No ano anterior, os coríntios começaram a doar, e agora eles precisam completar a tarefa (8.10,11). Eles não têm que dar o que não têm para que sua oferta seja aceitável (8.12). Paulo não está interessado em prejudicar os coríntios, mas em promover igualdade entre os crentes, para que os que têm abundância compartilhem com os necessitados (8.13-15; cf. Êx 16.18).

Recomendação da comitiva (8.16-24)

Paulo transforma em prioridade recomendar aos coríntios os três cooperadores responsáveis por levar e administrar a oferta: Tito (8.16,17,23), um irmão "recomendado por todas as igrejas por seu serviço no evangelho" (8.18,19), e o terceiro homem com zelo provado, descrito como tendo "grande confiança" nos coríntios (8.22). Paulo se esforça para "evitar que alguém nos critique quanto ao nosso modo de administrar essa generosa oferta" (8.19,20), que tem por objetivo honrar o Senhor e ajudar as pessoas (8.19,20). Paulo se sente responsável não apenas diante de Deus, mas também diante da igreja (8.21). Ele pede aos coríntios que recebam a comitiva em amor (8.24).

A necessidade de os coríntios estarem preparados (9.1-5)

Paulo reconhece que os coríntios estavam ansiosos para contribuir e dar assistência aos santos (9.1,2; 1Co 16.1-4). Ele envia antes uma delegação para garantir que eles tenham a oferta pronta quando Paulo chegar (9.3). Paulo não quer que eles sejam envergonhados caso ele chegue e os coríntios não estejam preparados; e ele também não quer importuná-los (9.4,5). Um planejamento inadequado geralmente prejudica as pessoas.

Princípios para a doação generosa (9.6-15)

Diferentemente de alguns pastores e missionários, Paulo pensa em categorias teológicas e conduz seu ministério de acordo com princípios teológicos. Ele agora apresenta a base teológica para ofertar ao oferecer vários princípios da contribuição generosa. Há o princípio do eco: o que vai, volta (9.6). Há também o princípio da decisão deliberada: cada um deve dar "conforme determinou em seu coração, não com pesar ou por obrigação, pois Deus ama quem dá com alegria" (9.7). Há ainda o princípio da suficiência: Deus é capaz de fazer sua graça sobejar para os contribuintes de modo que suas necessidades sejam atendidas e eles continuem pródigos em boas obras (9.8-10;

✚ Quando Paulo se encontrou com Tiago, Pedro e João em Jerusalém, eles reconheceram seu ministério aos gentios (Gl 2.9). Eles lhe pediram que "se lembrasse dos pobres", e é exatamente isso que Paulo faz em 2Coríntios 8—9.

Sl 112.9). O princípio do resultado afirma que a dádiva generosa não apenas atende às necessidades das pessoas, mas também resulta em muitas ações de graças e louvores a Deus (9.11-14). Por fim, a dádiva generosa é reflexo do sacrifício definitivo de Jesus o "dom indescritível [de Deus]" (9.15).

A resposta de Paulo aos rebeldes (10.1—13.10)

O tom de 2Coríntios 10—13 é claramente mais duro que dos capítulos 1—9, pois Paulo responde à minoria rebelde que continua a se opor a ele. Em preparação para a terceira visita a Corinto, Paulo defende a si mesmo e ao ministério apostólico e vira a mesa sobre os oponentes com um ataque vigoroso.

A autoridade apostólica de Paulo (10.1-18)

Os oponentes de Paulo o acusam de ser "humilde" em pessoa, mas "audaz" nas cartas (10.1,10). Na realidade, Paulo não luta conforme os padrões humanos (10.3). Em vez disso, ele usa armas com o poder divino de demolir fortalezas espirituais, destruir argumentos levantados contra o conhecimento de Deus e levar os pensamentos cativos a Cristo (10.4,5). Ele virá para "punir todo ato de desobediência" (10.6), mas seria melhor para todos se ele não tivesse que fazer uso dessa força (10.2). Os coríntios deveriam compreender que Paulo agora pertence a Cristo e que ele não tem vergonha de usar a autoridade apostólica para encorajar os crentes em lugar de destruí-los ou amedrontá-los (10.7-9). Mas Paulo tem uma advertência para seus oponentes: ele é capaz de se encontrar com eles face a face e usar ações severas contra eles (10.11). Em 10.12-18, Paulo argumenta que seu orgulho ou a alegação ao ministério apostólico são válidos, enquanto as alegações dos seus oponentes não são. Em outras palavras, a questão-chave diz respeito à base legítima da alegação de autoridade apostólica em relação aos coríntios. Os oponentes de Paulo recomendam a si mesmos, base falsa do apostolado verdadeiro (10.12). Contrastando com a autorrecomendação deles, a recomendação de Paulo vem do Senhor (10.13-18). Paulo se gloria apenas no que Deus fez em sua vida e por meio dela para levar o evangelho ao campo missionário, o que inclui os coríntios. Os que se autorrecomendam não são aprovados pelo Senhor, mas apenas aqueles a quem o Senhor recomenda (10.18).

A vanglória insensata de Paulo (11.1—12.13)

Depois de esclarecer que apenas Deus pode dar o reconhecimento adequado, Paulo se permite um pouco de insensatez para se defender das

Honra e vergonha
David B. Capes

Honra e vergonha são fatores motivacionais primários para manter a ordem e perpetuar os ideais de uma sociedade. A honra é o reconhecimento ou a atribuição de respeito, valor e aprovação da parte dos pares de uma pessoa. A vergonha é a remoção do respeito ou a desaprovação da parte dos pares com base em padrões reconhecidos pela comunidade. Como os seres humanos são comunitários por natureza, buscar a honra e evitar a vergonha moldam o comportamento de maneira poderosa.

A honra na cultura greco-romana do século I baseava-se em vários fatores, como família, riqueza, educação, habilidades, conexões sociais e realizações. Mas esses fatores não eram monolíticos. Uma pessoa podia não ter nascido em família honorável, mas podia ser adotada por uma linhagem familiar de mais prestígio. De igual modo, as pessoas podiam conquistar honra ao fortalecer sua educação, expandir seus círculos sociais ou realizar qualquer ação honorável.

A vergonha poderia ser resultante de várias ações consideradas indesejáveis pela sociedade. Adultério, desrespeito aos anciãos, fugir da batalha ou ser derrotado por um inimigo levavam à vergonha e desgraça. A pessoa envergonhada poderia ser insultada, ostracizada e, em casos extremos, vítima de violência. As ações faziam mais que punir: elas também apresentavam um exemplo do que poderia acontecer se outros violassem os padrões da comunidade. Além disso, era possível que os desonrados mudassem seus caminhos, fossem recebidos outra vez no grupo e reforçassem os valores comunitários.

Nas culturas mediterrâneas, a honra podia ser conquistada ou perdida, por isso as pessoas estavam sempre alertas contra quem quisesse desafiá-los. O "desafio de honra" era a tentativa de conquistar honra a custa dos outros. Havia duas respostas comuns. Primeira, se o desafio fosse percebido como insignificante, este poderia ser ignorado e assim desonrar o desafiador. Segunda, se o desafio fosse percebido como ameaça, a pessoa podia agir para defender a honra (*riposte*), vencer o desafio, e assim manter a honra ou até mesmo aumentá-la. O resultado de qualquer desafio de honra estava nas mãos do grupo. Provavelmente essa é a situação social por trás dos frequentes desafios públicos dos fariseus a Jesus (p. ex., Mc 7.1-16; Lc 13.10-17).

Orgulhar-se da origem familiar, educação e experiências de vida era situação empregável para responder a desafios ou dissuadir oponentes de atacar a honra de alguém. Esperava-se que os líderes lembrassem aos outros suas alegações à honra para manter a ordem e preservar a honra do grupo. O hábito comum de Paulo de se orgulhar (p. ex., 2Co 11—12) é mais bem explicado como resposta aos oponentes teológicos que atacaram suas credenciais e criticaram seu ministério.

Em medida significativa, a questão do gênero desempenhava papel importante em assuntos que envolviam honra e vergonha. Culturalmente, os homens ocupavam funções públicas e cívicas, enquanto as mulheres cuidavam de funções particulares e domésticas. Quando essas fronteiras eram ultrapassadas, criava-se desordem e, como resultado, surgia a vergonha. Alguns dos ensinos de Paulo sobre o relacionamento marido-esposa podem ter sido reflexo das realidades sociais. Por exemplo, Paulo argumenta que as viúvas não devem orar ou profetizar com a cabeça descoberta para não desonrar o marido (1Co 11.2-16). De igual maneira, ele impede as viúvas de falarem publicamente nas igrejas e encoraja as conversas particulares entre marido e esposa (1Co 14.34-36; cf. 1Tm 2.9-15).

calúnias dos oponentes (11.1). Usando a estratégia retórica do orgulho insensato, ele espera mostrar aos oponentes o que eles na verdade são — tolos mestres de ensinamentos falsos fortalecidos por Satanás. Ele apenas não pode permitir que eles levem a igreja em Corinto a se desviar.

Paulo consagrou os coríntios a Cristo e planeja tomar conta desse relacionamento com todo o zelo (11.2). Ele está preocupado com os falsos apóstolos que pregam um Jesus diferente e um evangelho diferente e vêm com um Espírito diferente que enganará a igreja (11.3,4). Mas ainda que esses autodenominados superapóstolos sejam treinados em retórica profissional, eles não têm o conhecimento do Senhor e do evangelho de Paulo (11.5,6).

Em 11.7-11, Paulo defende sua prática de se sustentar como apóstolo para assim poder pregar o evangelho sem ser pesado às igrejas. Ele nunca foi pesado para ninguém em Corinto, e não tem a intenção de mudar essa política (11.8-10). Ele se recusa a cobrar pelo ministério, não porque não ama os coríntios, mas porque quer mostrar aos oponentes o que eles são na verdade — falsos apóstolos que amam o dinheiro (11.11,12). Eles são obreiros enganadores, fingem serem apóstolos de Cristo quando, na verdade, são servos de Satanás, e serão julgados por isso (11.13-15).

Paulo resume seu "orgulho insensato" encontrado em 11.1, pois os coríntios têm a tendência de suportar os insensatos (11.16-19). Eles parecem atraídos por falsos mestres que querem escravizar, explorar, levar vantagem, abusar e insultar todos eles (11.20). Para sua vergonha, Paulo admite ter sido "fraco demais" ao lidar com esse autoritarismo (11.21).

Apesar de muitas sociedades até hoje terem um forte senso de honra e vergonha, as sociedades ocidentais parecem motivadas mais por preocupações materiais. Para o mundo da Bíblia, a honra e a vergonha eram fatores poderosos

Ruínas do templo de Apolo em Corinto.

✚ Paulo demonstrou sabedoria ao usar o dinheiro das igrejas. Por exemplo, ele recebeu dinheiro da igreja dos filipenses (Fp 4.10-19), mas não da igreja dos coríntios (2Co 11.7-10).

O poder de Deus na fraqueza
George H. Guthrie

O autoengrandecimento — a conquista de honra, posição e prestígio por meio das habilidades pessoais — era muito valorizado na cultura greco-romana. Os oponentes de Paulo, provavelmente vindos da tradição sofista, eram elitistas que desprezavam as muitas manifestações da fraqueza de Paulo e do seu ministério. Para os sofistas, a pregação era a oportunidade de mostrar as habilidades pessoais superiores e, talvez, crescer em posição e influência. Por isso a "fraqueza" de Paulo — suas constantes aflições (2Co 4.7-11; 6.4-10; 11.23-33), o fato de não cobrar pelo que fazia e sua fala em público que não impressionava os ouvintes — sugeria que o apóstolo era inadequado para a liderança de acordo com o sistema de valores dos seus opositores.

Mesmo assim, Paulo deixa claro que a fraqueza, se entendida corretamente, permanece pré-requisito vital para o poder do ministério autenticamente cristão. Primeiro, a fraqueza força o ministro a depender do poder de Cristo, não de si mesmo. Por exemplo, em 2Coríntios 1.8, 9 Paulo registra o desespero que ele e seus cooperadores experimentaram quando sofreram uma perseguição severa na Ásia. Sentindo-se completamente derrotados, testados além das forças, até mesmo desesperados, eles aprenderam a esperar em Cristo que ressuscita os mortos.

Em segundo lugar, a fraqueza no ministro manifesta o poder de Deus. Em 2Coríntios 4.7, Paulo usa o imaginário vívido para proclamar que o tesouro do evangelho está em "vasos de barro", vasos simples que podem rachar ou quebrar, para que o poder dos ministros seja visto com clareza como proveniente de Deus, e não originário do próprio ministro. É isso que Paulo quis dizer quando comentou as palavras do Senhor em 12.9: "Minha graça é suficiente a você, pois o meu poder se aperfeiçoa na fraqueza". Em meio à fraqueza de Paulo, incluindo seu espinho na carne, do qual pediu libertação, o poder de Deus foi levado ao ápice. Por isso Paulo se orgulhava de sua fraqueza (11.30; 12.5,9) e podia dizer que se regozijava nela (12.10). Sua fraqueza manifestava o poder de Deus no seu ministério e por meio dele (12.10).

para a formação das sociedades. Na segunda metade do século XX, alguns estudiosos começaram a explorar essas dinâmicas sociais como parte do contexto geral da interpretação bíblica.

Paulo primeiramente se gloria da sua origem judaica e depois se gloria do serviço a Cristo, apoiado por uma lista de dificuldades que soam inacreditáveis (11.21-29). Ele sofreu perseguição: foi preso, açoitado, exposto à morte, espancado com bastões, apedrejado, passou por constantes perigos da parte dos descrentes. Sofreu provações: passou por naufrágios, ficou à deriva em alto-mar, ficou sem comida, água, sem dormir e sem abrigo. Além disso, ele trabalhou arduamente e lidou com a pressão diária da preocupação com todas as igrejas e os problemas delas. Ele se gloria da própria fraqueza, ilustrada pela fuga às ocultas de Damasco (11.30-33). Já no início da vida como crente, a fraqueza de Paulo foi sua força no Senhor.

Ele também se gloria de suas visões e revelações no Senhor (12.1). Fala na terceira pessoa do singular a respeito de uma visão que teve catorze anos antes (por volta do ano 42) quando foi levado ao terceiro céu, ou paraíso. Lá ouviu "coisas indizíveis" que não podia repetir (12.2-4). Ainda que Paulo tenha passado por esses tipos de experiências sobrenaturais particulares, ele não se gloria delas, a fim de não atrair atenção desnecessária para si mesmo (12.5,6). Mas Deus lhe deu um espinho na carne, um mensageiro de Satanás, para impedir que Paulo ficasse soberbo (12.7). Deus é soberano absoluto sobre Satanás e permite que este atue de modo que sirva aos propósitos divinos. Paulo respondeu pedindo a Deus a remoção do espinho que lhe servia de tormento, mas Deus lhe disse: "[Não], minha graça é suficiente a você, pois o meu poder se aperfeiçoa na fraqueza" (12.8,9). Ao tomar conhecimento da resposta de Deus, Paulo decide se gloriar e se alegrar apenas em sua fraqueza — insultos, provações, perseguições e dificuldades — para que o poder de Cristo esteja nele; pois, quando ele é fraco, então é forte no Senhor (12.9,10).

Para Paulo, portanto, a fraqueza não é um fim em si. A chave para essa perspectiva pode ser encontrada na última declaração que ele faz na epístola sobre o poder e a fraqueza, em 2Coríntios 13.4: "Pois, na verdade, [Jesus] foi crucificado em fraqueza, mas vive pelo poder de Deus. Da mesma forma, somos fracos nele, mas, pelo poder de Deus, viveremos com ele para servir vocês". Paulo entendeu seu ministério seguindo o padrão estabelecido pelo ministério do Senhor. No ministério de Deus, a fraqueza e a vulnerabilidade abrem o caminho para a manifestação do poder da ressurreição e da vida.

Os coríntios forçaram Paulo a agir com insensatez vangloriando-se por ter fracassado em se apresentar como apóstolo. Mas ele não é de modo algum inferior aos autoproclamados superapóstolos, embora ele seja "nada" (12.11). Deus realizou por meio de Paulo "sinais, maravilhas e milagres" entre os coríntios com grande perseverança, para que eles testemunhassem sua autoridade apostólica (12.12). Ele nunca explorou os coríntios e não lhes cobrou nada pelo ministério entre eles. Agora ele sarcasticamente lhes pede que o perdoem pelo erro (12.13).

Entalhes de menorás de uma antiga sinagoga de Corinto.

✢ Paulo aprendeu que herança, bens e realizações não são nada comparados ao valor de conhecer Cristo (Fp 3.3-11). Na fraqueza, ele aprendeu a descansar na força e no poder de Deus.

Apelo final de Paulo em preparação para a terceira visita (12.14-21)

Enquanto se prepara para visitá-los pela terceira vez, Paulo assegura aos coríntios de que não lhes será pesado; ele não quer o dinheiro deles (12.14). Irá como o pai responsável por cuidar dos filhos e quer gastar seu dinheiro e a si mesmo em benefício deles (12.14,15). Será que seu amor sacrificial os fará amá-lo menos (12.15)? Sua estratégia de apoiá-lo é de fato uma "astúcia" (12.16). Mas os oponentes entenderam equivocadamente a política financeira de Paulo e o acusaram de ser fraco, ou de ser enganador, ou de ambos. É provável que o tenham acusado de planejar usar o dinheiro da oferta destinada a Jerusalém para ele mesmo, por isso Paulo insiste outra vez em que Tito e os dois irmãos agiram com total integridade (12.17,18). Paulo responde assim não para se defender, mas para fortalecer os coríntios ao protegê-los dos falsos apóstolos (12.19). Mas ele receia que esse encontro não seja muito agradável. Ele antecipa que muitos se recusam a se arrepender e ainda vivam em imoralidade (12.21). Talvez não gostem da maneira que Paulo os confrontará quanto ao pecado deles e do conflito resultante (12.20). A resposta dos coríntios a Paulo revelará que tipo de relacionamento eles têm com o Senhor.

A advertência final de Paulo aos rebeldes (13.1-10)

Quando Paulo chegar, ele utilizará a exigência legal de que toda questão precisa ser confirmada por duas ou três testemunhas (13.1; Dt 19.15; Mt 18.16; 1Tm 5.19). Em outras palavras, tudo será exposto para ser verificado pela comunidade. Ele já os advertira e agora os adverte outra vez de que não poupará os rebeldes (13.2). A prova que Cristo está agindo com poder nele será o exercício do juízo contra os rebeldes (13.3,4). Eles devem examinar o próprio coração para descobrir se de fato creem. Uma indicação de terem passado no teste e percebido que Cristo Jesus está neles será a admissão de que Paulo é um apóstolo verdadeiro (13.4,5). Sua preocupação primária não é a opinião dos coríntios a respeito dele, mas o bem espiritual deles (13.7). Ele ficará contente em ser considerado fraco se com isso os coríntios forem fortalecidos (13.9). Independentemente disso, ele e seus cooperadores estão comprometidos com a verdade do evangelho (13.8). Ele teve o trabalho de escrever essa carta complexa, profundamente pessoal, para que, quando chegar, possa usar sua autoridade apostólica a fim de edificá-los, não para destruí-los (13.10).

Conclusão (13.11-14)

A conclusão é curta e vai direto ao ponto: "Sem mais, irmãos, despeço-me de vocês!" (13.11). Seguem-se quatro mandamentos: "Procurem aperfeiçoar-se, exortem-se mutuamente, tenham um só pensamento, vivam em paz" (13.11). Cada mandamento tem como foco a restauração e a cura dos relacionamentos, seja entre Paulo e os coríntios, seja entre as várias facções existentes na igreja. Paulo lhes assegura que "o Deus de amor e paz" será com eles (13.11). Depois de encorajá-los a se saudarem mutuamente e de lhes enviar saudações de outros crentes (13.12,13), Paulo encerra com uma poderosa bênção trinitária: "A graça do Senhor Jesus Cristo, o amor de Deus e a comunhão do Espírito Santo sejam com todos vocês" (13.14).

Como aplicar 1 e 2Coríntios à nossa vida hoje

Primeira e segunda aos Coríntios se aplicam à nossa situação como quaisquer outros documentos do NT. Apresentam-se a seguir algumas possibilidades de viver o ensino dessas importantes cartas. De 1Coríntios, aprendemos que não se deve dar espaço para o culto à personalidade na igreja local. Cultuar líderes carismáticos leva à divisão e desvia o louvor do Senhor. Aprendemos também que Deus espera que seu povo seja santo, como revelam as questões existentes em Corinto: facções (1—4), incesto (5), processos (6.1-11) e imoralidade sexual (6.12-20). Ao lidar com esses e com outros assuntos, Paulo em geral emprega uma estratégia "sim, mas...", significando que ele admite haver verdade na posição contrária à sua ou na teologia desequilibrada, mas busca equilibrar tudo com a visão plena da situação sob a perspectiva de Deus.

Ruínas do odeão (antigo teatro musical) em Corinto.

Também vemos em 1Coríntios que nossa liberdade como crentes deve ser limitada pelo amor aos outros crentes. Somos membros de uma comunidade e não somos livres para agir de modo que destrua a fé dos membros da família. Ao discutir o culto coletivo, Paulo nos ajuda a ver que o amor deve ter prioridade sobre os dons e que o culto corporativo deve combinar ordem e liberdade. Por fim, devemos nos afastar do conceito popular comum do céu e voltar à doutrina bíblica da ressurreição corporal de todos os crentes por ocasião da volta de Cristo. Nossa esperança como crentes não é a morte, nem o arrebatamento, mas a ressurreição dos mortos!

Em 2Coríntios, somos lembrados de que o ministério algumas vezes não é como esperávamos. As pessoas podem lançar dúvidas quanto às nossas motivações, entender errado nossas ações e fazer que outros crentes se voltem contra nós. Como devemos reagir? Ainda que não sejamos apóstolos, a maneira usada por Paulo para lidar com esses problemas ministeriais nos serve de modelo. Ele repetidamente diz que não quer responder de modo autoritário e que assume a fraqueza e o sofrimento como marcas legítimas do ministério autêntico, mas também está desejoso de se defender quando assuntos importantes estão em jogo (p. ex., o evangelho e o bem-estar espiritual dos crentes). Em momentos como esses, devemos agir com cautela, mas há ocasiões em que o conflito é essencial para relacionamentos saudáveis e duradouros no corpo de Cristo. A reconciliação é o alvo. Mas o foco deve estar na integridade das nossas crenças e ações.

Nossos versículos favoritos de 1 e 2Coríntios

O amor é paciente, o amor é bondoso. Não inveja, não se vangloria, não se orgulha.
Não maltrata, não procura seus interesses, não se ira facilmente, não guarda rancor.
O amor não se alegra com a injustiça, mas se alegra com a verdade. Tudo sofre, tudo crê, tudo espera, tudo suporta. O amor nunca perece; mas as profecias desaparecerão, as línguas cessarão, o conhecimento passará. (1Co 13.4-8)

Mas ele me disse: "Minha graça é suficiente a você, pois o meu poder se aperfeiçoa na fraqueza". Portanto, eu me gloriarei ainda mais alegremente em minhas fraquezas, para que o poder de Cristo repouse em mim.
Por isso, por amor de Cristo, regozijo-me nas fraquezas, nos insultos, nas necessidades, nas perseguições, nas angústias. Pois, quando sou fraco, é que sou forte. (2Co 12.9,10)

- Mateus
- Marcos
- Lucas
- João
- Atos
- Romanos
- 1Coríntios
- 2Coríntios
- **Gálatas**
- Efésios
- Filipenses
- Colossenses
- 1Tessalonicenses
- 2Tessalonicenses
- 1Timóteo
- 2Timóteo
- Tito
- Filemom
- Hebreus
- Tiago
- 1Pedro
- 2Pedro
- 1João
- 2João
- 3João
- Judas
- Apocalipse

Gálatas

Libertados para amar!

Toda a epístola aos Gálatas trata do que torna uma pessoa verdadeira e completamente cristã. Nessa carta, o apóstolo Paulo apresenta uma das explicações mais claras de todo o NT a respeito do evangelho de Jesus Cristo. Por essa razão, Martinho Lutero, um dos grandes líderes da Reforma Protestante, disse de forma apaixonada a respeito dessa epístola: "Eu me comprometi com ela; ela [a epístola] é minha esposa". Quando somos tentados a dar atenção a regras religiosas, e não ao relacionamento vivo com Deus, Gálatas toca fundo na alma e nos lembra de que Jesus nos libertou. Não devemos desperdiçar a liberdade com o egoísmo; antes, fomos libertados para amar!

Quem escreveu Gálatas?

Quase todos os estudiosos concordam que o apóstolo Paulo é o autor de Gálatas (Gl 1.1; 5.2).

Quem eram os destinatários de Paulo?

A carta é endereçada "às igrejas da Galácia" (1.2). Paulo também se refere aos destinatários como "gálatas insensatos" (3.1). Os gálatas eram cristãos gentios (4.8,9), mas está em discussão o local onde viviam. A palavra "Galácia" podia se referir à região ao norte da Ásia Menor onde os gauleses étnicos viviam, mas é provável que se refira à província romana da Galácia, ao sul, que incluía as cidades de Antioquia da Pisídia, Icônio, Listra e Derbe. Paulo visitou essas cidades na primeira viagem missionária (At 13—14) e mais tarde as visitou de novo para fortalecer as igrejas (At 16.6; 18.23).

Quando Paulo escreveu Gálatas? A carta menciona duas visitas de Paulo a Jerusalém: 1.18-20 e 2.1-10. O livro de Atos menciona cinco visitas: 9.26-30; 11.30; 15.1-30; 18.22; 21.15-17. Das muitas tentativas de harmonizar as visitas descritas em Gálatas com as registradas em Atos, as mais populares são as duas apresentadas a seguir:

- Gálatas 2 = Atos 11 (data mais antiga) — Paulo escreveu Gálatas estando em Antioquia da Síria, logo após a primeira viagem missionária (v. At 14.21-28), por volta dos anos 48-49. As duas primeiras visitas de Gálatas combinam com as duas primeiras visitas de Atos, e Gálatas foi escrita antes do Concílio de Jerusalém (At 15).
- Gálatas 2 = Atos 15 (data mais recente) — Paulo escreveu Gálatas na terceira viagem missionária, entre os anos 53 e 58. A segunda visita a Jerusalém mencionada em Gálatas combina com a terceira visita registrada em Atos e situa Gálatas depois do Concílio de Jerusalém.

Nossa preferência é que Paulo tenha escrito aos cristãos que viviam na província romana da Galácia por volta dos anos 48-49. Isto faria de Gálatas a mais antiga das cartas de Paulo.

Quais são os temas centrais de Gálatas?

A situação ou a crise das igrejas da Galácia envolvia três elementos principais: o apóstolo Paulo, os falsos mestres e os cristãos gálatas. A primeira vez que Paulo pregou o evangelho de Cristo crucificado aos gálatas, eles não apenas o aceitaram (4.13-15), mas também creram na mensagem e receberam o Espírito Santo, sinal da bênção de Deus (3.1-5; 4.6,7). Mas logo depois de Paulo ter plantado as igrejas na Galácia, falsos mestres chegaram e começaram a exigir que os novos cristãos gentios observassem a lei judaica para receber a bênção plena de Deus. Os agitadores ensinavam que os gálatas precisavam se submeter à circuncisão (5.2-4; 6.12,13) e a outras exigências religiosas (4.9,10) para alcançarem uma posição cristã plena.

✚ Uma questão importante no cristianismo primitivo era sobre como os cristãos gentios deveriam se relacionar com a Lei. A epístola aos Gálatas ajuda a responder a pergunta.

Viagens de Paulo à Galácia

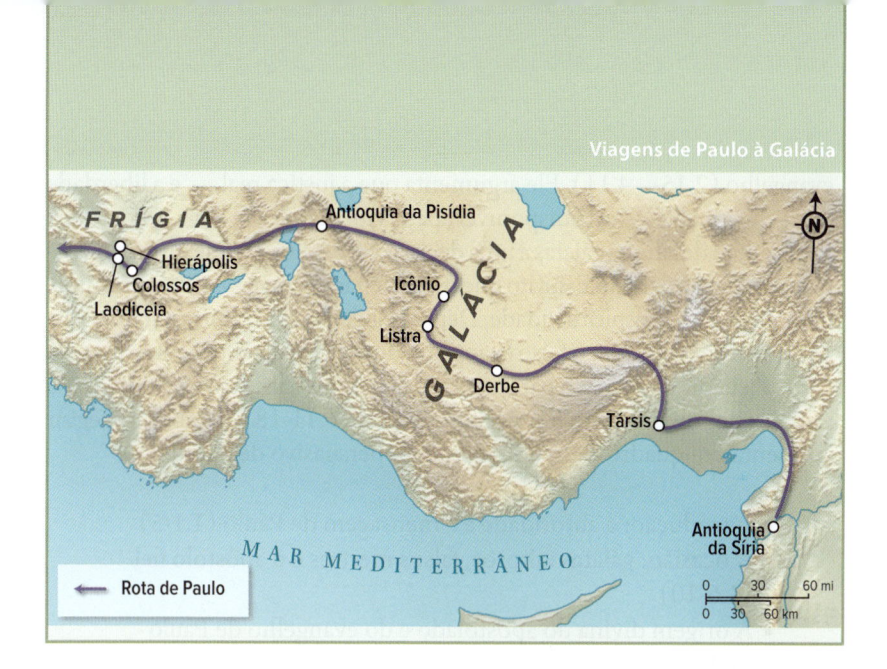

Os falsos mestres provavelmente apelavam para o exemplo de Abraão e também para a autoridade dos apóstolos de Jerusalém. Muitos estudiosos se referem a esse movimento como os "judaizantes".

Não está muito claro quem eram os "agitadores" ou oponentes, mas a carta de Paulo indica algumas de suas atividades. Eles distorcem o evangelho verdadeiro, falsificando-o por motivos egoístas (1.7-9; 4.17; 5.4,8,9; 6.12,13). Perturbam e criam problemas para os cristãos gálatas colocando obstáculos à obediência deles à verdade (1.7; 3.1; 5.7,10,12). Advogam a observância da Lei e da circuncisão para os cristãos, ainda que eles mesmos não a guardem (2.4,12; 4.9,10; 5.2; 6.12,13). Por último, eles estão criando uma distância entre Paulo e os cristãos gálatas (4.16,17; 6.17).

Devemos nos lembrar de que Paulo está dialogando com os cristãos gálatas, não com seus oponentes. A mensagem persuasiva dos falsos mestres deve ter sido muito atraente para os gálatas, que estavam começando a crer que, se adicionassem as obras da Lei à nova fé em Cristo, poderiam ter uma vida mais "espiritual". A dependência infantil de Cristo com a qual eles começaram a vida cristã foi substituída por tentativas de cumprir a Lei (3.3). A mudança de foco provocou divisões nas igrejas deles (5.15) e os afastou de seu pai na fé (4.16).

Dizia-se aos gentios cristãos que, para se tornarem completamente cristãos, deveriam viver como os judeus. Paulo tentou lidar com a crise tratando da questão teológica subjacente — o que torna a pessoa completamente cristã? Paulo considera a mensagem dos falsos mestres um evangelho "diferente" (1.6-9) do que ele originariamente pregou e que os gálatas receberam no início. Ele precisa em primeiro lugar defender seu apostolado e sua autoridade (1.1—2.14) porque a integridade do evangelho está ligada à integridade do pregador. A seguir, Paulo esclarece o que é o verdadeiro evangelho (2.15—4.11). Ele argumenta que a justiça real — e a liberdade que vem com ela — está disponível apenas mediante a fé em Cristo, o Fiel. Paulo então desafia os gálatas a uma decisão (4.12—6.10). Ele insta com eles para que dependam do Espírito que os capacitará a amar — a mais profunda demonstração de espiritualidade. Depois Paulo conclui contrastando o verdadeiro evangelho com o falso evangelho dos seus oponentes. Paulo escreve para persuadir os gálatas a pararem com esse procedimento e decidirem de uma vez por todas a favor do caminho da cruz (6.11-18). O esboço a seguir apresenta um quadro claro do argumento persuasivo de Paulo:

- Introdução: a autoridade e a mensagem de Paulo (1.1-5)
- A ocasião: gálatas faltosos, falsos mestres e o apóstolo fiel (1.6-10)
- A origem divina do apostolado e do evangelho de Paulo (1.11—2.14)
- Justificação pela fé em Cristo, o Fiel (2.15-21)
- Argumentos que dão base à justificação pela fé (3.1—4.11)
- Apelo pessoal: "Eu suplico, irmãos, que se tornem como eu" (4.12-20)
- Apelo das Escrituras: filhos da mulher livre (4.21-31)
- Apelo com base no argumento identidade-atuação: duas opções contrastantes (5.1-12)
- Atuação ordenada e ilustrada: amor fortalecido pelo Espírito (5.13-24)
- Atuação especificada: responsabilidades individuais e coletivas (5.25—6.10)
- Conclusão: transigência ou cruz? (6.11-18)

Quais são os aspectos interessantes e singulares de Gálatas?

- Gálatas talvez seja a carta mais antiga de Paulo.
- A carta nos lembra de que a integridade do evangelho e a integridade dos líderes cristãos estão intimamente ligadas.
- Em Gálatas encontram-se as listas da "obra da carne" e do "fruto do Espírito" (5.19-23).
- Paulo discute a relação entre lei e graça.
- Paulo demonstra como lidar com os falsos mestres e com os perigos teológicos que eles introduzem nas igrejas locais.

✟ A integridade da mensagem do evangelho está normalmente ligada à integridade do mensageiro.

- A importante doutrina da justificação pela fé é explicada em 2.15-21.
- Gálatas enfatiza que o amor fortalecido pelo Espírito cumpre a Lei.

Qual é a mensagem de Gálatas?

Introdução: a autoridade e a mensagem de Paulo (1.1-5)

Paulo enfatiza que é um legítimo apóstolo de Jesus Cristo e que prega o único evangelho verdadeiro. A bênção desse evangelho é "graça e paz", a fonte do evangelho é Deus, o Pai, e o coração do evangelho é a morte de Jesus Cristo "que se entregou a si mesmo por nossos pecados a fim de nos resgatar desta presente era perversa" (1.4).

A ocasião: gálatas faltosos, falsos mestres e o apóstolo fiel (1.6-10)

Paulo omite nessa carta sua ação de graças ou oração costumeiras, e rapidamente parte para o confronto com os gálatas a respeito do perigoso comportamento espiritual deles. O que impressiona Paulo é que os gálatas estão desertando muito depressa do evangelho verdadeiro para um "evangelho

Teatro de Antioquia da Pisídia, uma das cidades da província romana da Galácia.

diferente" (1.6-8). Ele roga uma maldição sobre quem pregar um evangelho falso (1.7-9). Sua determinação de anunciar a verdade com ousadia demonstra que ele está mais preocupado em obedecer a Cristo que em agradar às pessoas (1.10).

A origem divina do apostolado e do evangelho de Paulo (1.11—2.14)

A conversão de Paulo (1.11-17)

Paulo não recebeu seu evangelho por invenção nem por tradição, mas do próprio Cristo (1.11,12). Esse evangelho dado por Deus transformou por completo a vida de Paulo. Ele perseguira os cristãos com zelo, com o mesmo zelo devotado à tradição judaica (1.13,14). Mas pela graça de Deus ele se converteu e foi comissionado apóstolo de Jesus Cristo (1.15,16). Como resultado, ele não conversou a respeito com autoridades humanas nem se consultou com os apóstolos de Jerusalém, mas se retirou para um tempo de preparação e ministério (1.16,17).

Autorrelevo mostrando máscaras usadas por atores em comédias. Paulo acusou Pedro de hipocrisia, de usar uma máscara espiritual. Um "hipócrita" era um ator grego.

A visita de Paulo a Jerusalém (1.18—2.10)

Quando Paulo se encontrou com os outros apóstolos, o encontro foi rápido, mas repleto de louvor a Deus porque o antigo perseguidor agora estava pregando a fé cristã (1.18-24). Sua segunda visita a Jerusalém, cerca de catorze anos depois, provavelmente coincide com a visita mencionada em Atos 11.27-30 (2.1,2). Os apóstolos apoiaram o ministério que Paulo abraçou, de pregação do evangelho aos gentios, e nada acrescentaram ao evangelho dele (2.3-10). Decidiram que Tito, um grego, que à época era seu companheiro de viagem, não precisava ser circuncidado (2.3-5). Eles chegaram ao consenso em torno do evangelho comum com diferentes

✚ Além dos três relatos da conversão de Paulo em Atos (caps. 9, 22 e 26), Paulo se refere à sua própria conversão aqui em Gálatas 1.

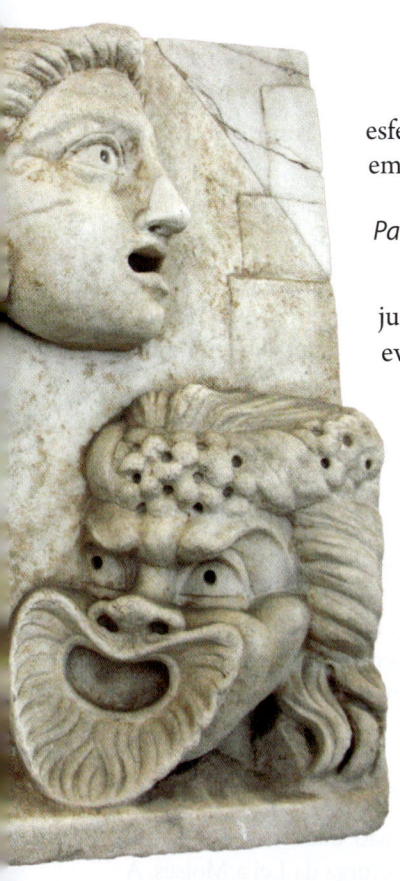

esferas de ministério, mas ambos fortemente unidos em torno da ministração aos pobres (2.7-10).

Paulo responde à hipocrisia de Pedro (2.11-14)

Pedro concordou com o ponto de vista de que judeus e gentios devem estar unidos em torno do evangelho da graça. Quando visitou a igreja de Antioquia, ele teve comunhão de mesa com os cristãos gentios, pelo menos até "chegarem alguns da parte de Tiago" (2.12). Mas, quando estes chegaram, Pedro se distanciou dos gentios por medo. Paulo confrontou Pedro por conta do comportamento hipócrita, que teve uma influência negativa (2.13,14). É necessária coragem para confrontar os irmãos na fé a respeito dos aspectos centrais do evangelho.

Justificação pela fé em Cristo, o Fiel (2.15-21)

Esse parágrafo crucial apresenta o argumento principal da epístola: a relação correta com Deus e ser aceito na família de Deus (justificação) acontece pela fé em Cristo, não por obras da Lei. Ninguém, nem os judeus cristãos, é justificado diante de Deus pela observância da Lei, mas apenas por confiar em Cristo (2.15,16). Em 2.17-20, Paulo trata de algumas objeções à justificação pela fé. Ele se recusa a aceitar a conclusão de que Cristo promove o pecado ao permitir que pessoas comam com gentios "pecadores" porque para os judeus não é pecado comer com gentios (2.17). Se a Lei for novamente estabelecida para governar a vida cristã, então Paulo (e os demais cristãos) é transgressor da Lei (2.18). Pela fé, agora temos um relacionamento direto com Deus por meio de Cristo (2.19,20). Mas, se a justificação for obtida por intermédio da Lei, então Cristo morreu em vão (2.21).

Argumentos que dão base à justificação pela fé (3.1—4.11)

Argumento extraído da experiência pessoal dos gálatas (3.1-5)

Os cristãos gálatas estão sendo enfeitiçados ou escravizados (3.1). Paulo lhes faz várias perguntas destinadas a sacudi-los de sua letargia espiritual:

✚ O tema da justificação pela fé é também tratado em Romanos 3—5.

- Foi pela prática da Lei que vocês receberam o Espírito, ou pela fé no que ouviram? (3.2)
- Será que vocês são tão insensatos que, tendo começado pelo Espírito, querem agora se aperfeiçoar pelo esforço próprio? (3.3)
- Será que foi inútil sofrerem tantas coisas? (3.4; cf. At 14.1-20)
- Aquele que lhes dá o seu Espírito e opera milagres entre vocês, realiza essas coisas pela prática da Lei ou pela fé com a qual receberam a palavra? (3.5)

Argumento extraído das Escrituras: Abraão e Cristo (3.6-14)

Os gálatas devem levar em consideração que Abraão foi justificado pela fé e imitar sua experiência (3.6-9; Gn 12.3; 15.6). Os que depositam sua confiança em obedecer à Lei estão debaixo de maldição (3.10; Dt 27.26). Tentar guardar a Lei e confiar em Cristo são dois modos incompatíveis de conseguir ser aceito por Deus (3.11,12; Lv 18.5; Hc 2.4). A boa notícia é que Cristo se tornou maldição por nós e nos libertou da maldição da Lei (3.13; Dt 21.23). Pela fé em Cristo, nós agora podemos experimentar a bênção prometida a Abraão (3.14).

Argumento extraído do passado: a promessa e a Lei (3.15-25)

Paulo explica que as promessas foram feitas a Abraão "e ao seu descendente" (i.e., Cristo) quatrocentos e trinta anos antes da outorga da Lei a Moisés. A promessa originária da aliança entre Deus e Abraão não foi anulada pela Lei (3.15-18). A lei foi dada para revelar a vontade divina e a pecaminosidade humana, não para conceder vida ou salvação (3.19-22). Ninguém pode obedecer à Lei de maneira perfeita. À medida que as pessoas se tornam mais conscientes do pecado, passam a sentir com desespero maior a necessidade do Salvador. A Lei preparou as pessoas para a vinda de Cristo (3.23,24). "Agora, porém, tendo chegado a fé, já não estamos mais sob o controle do tutor" (i.e., a Lei, 3.25).

Argumento extraído do presente: da escravidão a membros da família de Deus (3.26—4.7)

Os cristãos gálatas devem contemplar o espelho para se dar conta do poder do evangelho. Agora eles desfrutam um novo relacionamento com Deus por intermédio de Cristo (3.26,27) e uma nova relação uns com os outros em Jesus (3.28). Eles também têm um novo relacionamento com Abraão por serem herdeiros da promessa de Deus (3.29). Por fim, em 4.1-7 Paulo explica que agora eles têm um novo *status* espiritual — de escravos a membros da família! Quando Cristo veio, libertou os que estavam sob a Lei e os adotou em sua família. As pessoas adotadas por Deus como filhos recebem o Espírito do seu Filho. Pela fé, agora somos filhos e herdeiros.

✛ Paulo demonstra que a justificação acontece pela fé, não pela obediência à Lei, ao mostrar como a promessa de Deus foi feita a Abraão centenas de anos antes do surgimento da Lei dada a Moisés.

O sinal da circuncisão
Justin K. Hardin

A prática judaica da circuncisão tem origem na história de Abraão em Gênesis 17. Deus instrui Abraão a circuncidar todos os seres do sexo masculino de sua casa como sinal da aliança de Deus com ele. Deus também anuncia que a circuncisão deve ser praticada pelas gerações posteriores — todo menino deverá ser circuncidado ao oitavo dia de vida. A circuncisão se tornou de fato a marca distintiva do que significa ser judeu. Mesmo quando Antíoco IV Epifânio (c. 168 a.C.) decretou a circuncisão como crime passível de pena capital para o povo judeu, eles continuaram a praticá-la (1Macabeus 1.48-63).

Contudo, o sinal da aliança deveria ter sido sempre entendido como complemento à obediência a Deus de coração (cf. Gn 17). À medida que Moisés prepara o povo para ir à terra de Canaã, ele lhes ordena que circuncidem o coração; isto é, eles devem amar a Deus e andar em obediência a ele (Dt 10.16). A repreensão profética de Jeremias trazia à memória essas instruções originais, exclamando que Deus punirá todos os circuncidados na carne, mas não no coração (Jr 9.25,26). De modo semelhante, o apóstolo Paulo argumenta que a circuncisão física sempre exige obediência espiritual (Rm 2.25-29; 1Co 7.19; Gl 5.6; 6.15).

Infelizmente o povo de Deus nem sempre combinou de modo coerente a prática da circuncisão com uma obediência amorosa a ele. Mas, a despeito das inclinações desobedientes, Moisés assegura ao povo que Deus no fim irá restaurá-lo e lhe circuncidará o coração e o coração de seus filhos de modo que o amem de todo o coração (Dt 30.6-10), e lhes dará seu Espírito para que possam guardar suas leis (Jr 31.31-34; Ez 36.24-27).

De acordo com os escritores do NT, a promessa profética — de que Deus circuncidaria o coração do povo — foi cumprida em Jesus, o Messias. Ainda que os judeus crentes em Jesus continuassem a praticar a circuncisão, os gentios não precisavam ser circuncidados porque o Espírito Santo fora derramado sobre judeus e gentios igualmente pela fé no Messias. Por exemplo, em Atos 15 lemos que a igreja de Jerusalém convocou um concílio para debater a questão da circuncisão dos gentios e concluiu que eles não precisavam ser circuncidados para serem salvos. Por isso Paulo explica às igrejas da Galácia que os gentios não precisavam ser circuncidados para serem incluídos no povo de Deus, a não ser que fossem excluídos do Messias (Gl 5.2-6). Em Romanos 4, Paulo também explica que a fé de Abraão lhe foi creditada como justiça antes de sua circuncisão. Desse modo Abraão se tornou o pai de ambos, judeus e gentios pela fé (Rm 4.10-12).

Com base nessa compreensão, não é surpresa que Paulo não mandasse Tito ser circuncidado (Gl 2.1-5), mas ele estava não obstante contente em circuncidar Timóteo, que tinha mãe judia (At 16.1-4). Em Atos 21.17-26, lemos que Paulo teve dificuldades para corrigir um boato de que ele instruíra os judeus a não circuncidarem seus filhos. Ainda que a igreja primitiva entendesse que o povo judeu continuaria a praticar a circuncisão, a igreja reconheceu que ambos, judeus e gentios, foram adotados como filhos de Deus mediante a fé em Jesus, o Messias.

Aplicação: a preocupação de Paulo com os gálatas (4.8-11)

Houve época no passado em que os gálatas estiveram escravizados a deuses falsos, mas agora tinham um relacionamento genuíno com o Deus verdadeiro (4.8). Por que eles estavam se esquecendo da liberdade e voltando à escravidão espiritual (4.9)? Será que eles pensavam estar crescendo na fé ao acrescentarem regras religiosas? Paulo diz que, ao assim fazer, eles estavam de fato retornando ao paganismo (4.10). Ele está profundamente preocupado com eles e teme que sua obra missionária na Galácia possa ter sido em vão (4.11).

Apelo pessoal: "Eu suplico, irmãos, que se tornem como eu" (4.12-20)

Em vez de seguirem os falsos mestres, os cristãos da Galácia deveriam imitar Paulo (4.12). Isto os trará de volta para Cristo. Paulo lhes ministrou com sacrifício, e eles no início o receberam e ao seu evangelho com alegria (4.13,14). Mas infelizmente as coisas mudaram. O amor original deles por Paulo fora substituído por suspeita e afastamento (4.15,16). Os falsos mestres se introduziram, mas as motivações deles eram egoístas (4.17,18). Paulo está profundamente perturbado enquanto procura guiar aqueles crentes vulneráveis até formação espiritual amadurecida (4.19,20). À medida que ajudamos as pessoas a se tornarem mais como Cristo, também podemos esperar que nossa jornada tenha momentos dolorosos.

Apelo das Escrituras: filhos da mulher livre (4.21-31)

Paulo uma vez mais usa as Escrituras para rebater o falso evangelho e persuadir os gálatas. Ele aplica a história de Abraão e suas duas esposas de forma tipológica ou "ilustrativa", Hagar e Sara, para apresentar um argumento espiritual (4.24). As duas mulheres representam duas alianças. Os judeus eram descendentes físicos de Sara, ao passo que os gentios eram descendentes físicos de Hagar. Paulo mostra como realidades espirituais reverteram a história. Hagar, a escrava, simboliza o monte Sinai e Jerusalém (i.e., os que confiam em conquistar a salvação obedecendo à Lei). Em contraste, Sara, a livre, simboliza a promessa, a Jerusalém celestial, e o poder do Espírito (i.e., todos os que respondem ao evangelho, incluindo os gentios). Paulo conclui com uma exortação: "Mande embora a escrava e o seu filho", que significa que os gálatas devem se livrar dos falsos mestres (4.30,31).

Apelo de argumento identidade-atuação: duas opções contrastantes (5.1-12)

Paulo agora contrasta duas identidades espirituais opostas: escravidão e liberdade. Todos os que se empenham por alcançar a maturidade espiritual pela obediência à Lei (p. ex., submetendo-se à circuncisão) cairão na escravidão espiritual (5.2-4). Cristo não lhes será de benefício, pois eles se afastarão da graça que ele oferece. Em contraste, os que confiam em Cristo e expressam sua fé por meio do amor serão fortalecidos pelo Espírito e têm a esperança da

✛ Na teologia de Paulo, nossa identidade em Cristo é estabelecida pela graça divina e sempre serve como o fundamento ou a base de nossa resposta obediente.

salvação (5.4,5). Cristo nos libertou, e devemos permanecer firmes na liberdade (5.1). Os cristãos gálatas tiveram um bom começo, mas tropeçaram (5.7). Os falsos mestres estavam envenenando toda a igreja com sua teologia perigosa, e vão pagar um preço por isso (5.8-10,12). A teologia má prejudica as pessoas. Mas Paulo está confiante de que os gálatas vão mudar de postura (5.10). O ministério do evangelho autêntico inclui a pregação da cruz e disposição para sofrer perseguição por Cristo (5.11).

Atuação ordenada e ilustrada: amor fortalecido pelo Espírito (5.13-24)

Ícone apresentando o antigo ritual da circuncisão.

Paulo agora se dirige de forma direta ao comportamento dos gálatas. Cristo os libertou (5.1,13), mas eles não são livres para serem indulgentes em relação à "natureza pecaminosa" (ou "carne"). Pelo contrário, eles foram libertados para amar (5.13,14)! Por que o amor é tão importante? Pelo fato de o amor cumprir a Lei! Mas, se eles seguirem o caminho da carne, destruirão sua comunidade (5.15). Como os crentes devem amar? O Espírito Santo fortalece o amor, que cumpre a Lei (5.16-18,25). Quando os crentes são guiados pelo Espírito, eles não satisfarão os desejos da carne, pois o Espírito e a carne são opostos um ao outro (5.16-18). Para ilustrar os dois estilos de vida diferentes (vida no Espírito *versus* vida na carne), Paulo apresenta duas listas — as obras da carne em 5.19-21 e o fruto do Espírito em 5.22, 23. Os pertencentes a Cristo assumiram o compromisso de tentar não

✚ Os que vivem pelo Espírito nunca, em nenhuma circunstância, satisfarão os desejos da carne — esta é uma promessa sólida como uma rocha (Gl 5.16).

viver distanciados de Deus — o caminho da "carne" (5.24).

Atuação especificada: responsabilidades individuais e coletivas (5.25—6.10)

Paulo agora apresenta responsabilidades específicas para os cristãos gálatas (e para nós). Os que têm a vida do Espírito devem também andar "pelo Espírito" (5.25,26). Essa expressão militar apresenta soldados marchando em linha reta seguindo um líder. Andar no Espírito diz respeito a: restaurar os que caíram em pecado (6.1); levar as cargas uns dos outros (6.2); avaliar as próprias ações (6.3-5); compartilhar coisas boas com os mestres cristãos (6.6); buscar agradar ao Espírito em lugar de agradarmos a nós mesmos (6.7,8) e perseverar na prática do bem, em especial aos irmãos na fé (6.9,10).

Na caminhada com Cristo, a colheita está diretamente ligada ao que é plantado por nossas decisões (Gl 6.7-9).

Conclusão: transigência ou cruz? (6.11-18)

Nesse ponto, Paulo provavelmente pegou a pena do secretário e adicionou a saudação pessoal (6.11). Ele contrasta os falsos mestres com os verdadeiros. Os falsos mestres evitam a perseguição por causa da cruz de Cristo e tentam usar as pessoas para o bem dos seus propósitos egoístas (6.12,13). Em contraste, os verdadeiros mestres confiam completamente na obra de Cristo e na nova vida que ele dá (6.14,15). Paulo conclui a carta ao pronunciar uma palavra de bênção ao "Israel de Deus" (i.e., o verdadeiro povo de Deus, formado por judeus e gentios), e faz uma advertência final aos falsos mestres, mencionando seus próprios sofrimentos e oferecendo uma bênção final de graça (6.16-18).

Como aplicar Gálatas à nossa vida hoje

Gálatas nos lembra de que há o evangelho verdadeiro que tem como centro a morte expiatória de Jesus Cristo, e que os falsos evangelhos devem ser

✛ Seguir o Espírito resulta em atos práticos e concretos de amor ao próximo, em especial para os irmãos na fé (Gl 6.1-10).

rejeitados. Repetindo: a má teologia prejudica! A salvação é um dom livre, dado graciosamente por Deus, e deve ser aceito pela fé. Cristo nos libertou. Não há nada que possamos fazer para acrescentar algo à obra de Cristo. Tornamo-nos filhos de Deus não por realizarmos obras da lei religiosa, mas pela confiança pessoal em Cristo. Deus então nos dá seu Espírito Santo, que nos capacita a agradar o Senhor. Somos lembrados nessa carta que continuamos a vida cristã da mesma maneira que a iniciamos — pela dependência da graça de Deus para nos transformar. Isso não significa que Jesus nos salvou e depois temos que nos aperfeiçoar pelo esforço moral. Do início ao fim, dependemos do Senhor pela fé. Agora somos livres para seguir o Espírito, que nos transformará e nos capacitará para amarmos o próximo. Se você está preocupado em atingir o padrão santo de Deus, lembre-se de que o amor cumpre a Lei.

O monge alemão e reformador Martinho Lutero foi profundamente influenciado pela mensagem de Gálatas.

Nosso versículo favorito de Gálatas

Irmãos, vocês foram chamados para a liberdade. Mas não usem a liberdade para dar ocasião à vontade da carne; ao contrário, sirvam uns aos outros mediante o amor. (5.13)

- Mateus
- Marcos
- Lucas
- João
- Atos
- Romanos
- 1Coríntios
- 2Coríntios
- Gálatas
- **Efésios**
- Filipenses
- Colossenses
- 1Tessalonicenses
- 2Tessalonicenses
- 1Timóteo
- 2Timóteo
- Tito
- Filemom
- Hebreus
- Tiago
- 1Pedro
- 2Pedro
- 1João
- 2João
- 3João
- Judas
- Apocalipse

Efésios

Nova vida e nova comunidade em Cristo

Efésios declara o plano magnífico de Deus de dar nova vida e criar uma nova comunidade em Cristo. Levantando-se acima da rotina comum da vida eclesiástica, Paulo escreve uma carta majestosa convocando os cristãos a se lembrarem do que Deus fez por eles em Cristo e a andarem de modo digno desse chamado. Efésios permanece uma epístola muito significativa e intensamente prática para a igreja de hoje.

Quem escreveu Efésios?

Paulo afirma ser o autor de Efésios (1.1,2; 3.1) e sua autenticidade como uma das cartas genuinamente paulinas é bem atestada na igreja primitiva. Uma porção considerável de Efésios é apresentada na primeira pessoa do singular (cf. 1.15-18; 3.1-3,7,8,13-17; 4.1,17; 5.21; 6.19-22), incluindo informações relacionadas às suas orações, ministério apostólico, chamado à unidade e santidade, bem como comentários a respeito de Tíquico, o portador da carta. Além disso, parece que Efésios foi citada por muitos pais apostólicos e incluída nas mais antigas listas de livros do NT. Todavia, desde o século XIX, a autoria paulina de Efésios tem sido posta em dúvida pela linguagem e pelo estilo diferentes, os paralelos com Colossenses, as ênfases teológicas incomuns e a falta de familiaridade do autor com o público. Os argumentos contra a autoria paulina devem ser levados a sério, mas a opinião tradicional de que Paulo escreveu Efésios permanece a opção preferida. As declarações explícitas no texto, o apoio unânime da igreja primitiva, o provável uso de um secretário, a ausência de qualquer crise iminente, o movimento da teologia à ética e o propósito geral da carta oferecem boas razões que nos levam a crer com confiança que Paulo escreveu Efésios.

Quem eram os destinatários de Paulo?

Efésios foi escrita quando Paulo estava preso (v. Ef 3.1; 4.1; 6.20), mas ele foi preso mais de uma vez e em mais de um lugar. As três opções principais são Roma, Éfeso e Cesareia. A opinião tradicional é a de que Paulo escreveu essa carta (bem como as demais Cartas da Prisão: Colossenses, Filemom e Filipenses) quando estava em prisão domiciliar em Roma, e é também nossa opinião como a mais convincente. Tíquico foi o portador das epístolas aos Efésios e aos Colossenses (e provavelmente também de Filemom), e essas três epístolas devem ter sido escritas do mesmo lugar (Ef 6.21,22; Cl 4.7-9). Atos registra que Paulo ficou preso em Roma por dois anos (28.30,31), mas com alguma liberdade para receber visitas e ministrar (Ef 6.19,20; Cl 4.3,4; Fp 1.12,13). O uso que Lucas faz de "nós" em Atos 28 indica que ele estava com Paulo em Roma durante sua prisão (v. tb. Fm 24; Cl 4.14). Aristarco, que também viajou com Paulo a Roma (At 27.2), é mencionado em duas Cartas da Prisão (Fm 24; Cl 4.10). Se o lugar de origem é Roma, então Paulo deve ter escrito Efésios na primeira vez em que ficou preso em Roma, entre os anos 60 e 62. Paulo escreveu Efésios muito provavelmente na mesma ocasião em que escreveu Colossenses e Filemom, no início ou em meados desse período de prisão.

Ainda que a carta seja tradicionalmente ligada a Éfeso, a expressão "em Éfeso" em 1.1 não se encontra em alguns dos melhores e mais antigos manuscritos. A carta sugere que Paulo pode ter desejado se dirigir a um público maior (p. ex., 1.15; 3.2; 6.21-24). Talvez essa carta geral tenha sido escrita com

Um selo antigo. Paulo usa esta imagem em Efésios 1.13 para ilustrar a segurança do crente em Cristo.

✛ A igreja primitiva floresceu nas principais cidades do Império Romano, como Éfeso, a principal cidade da província romana da Ásia.

A cidade de Éfeso
Mark W. Wilson

Éfeso, situada no mar Egeu, nas proximidades da foz do rio Caístro, era um porto importante no cristianismo primitivo. Seu nome é provavelmente a forma helenizada da palavra hitita *Apasha*. O mito da fundação da cidade era que Ândroclo fundou uma colônia jônia junto ao monte Pion 1.300 anos antes de Cristo. Depois que o rei lídio Creso capturou a cidade, ela foi transferida para o pé do monte Ayasoluk, perto do templo de Ártemis. Ciro derrotou Creso em 546 a.C., o que fez a cidade passar para o controle persa, situação que se estendeu pelos dois séculos seguintes. Alexandre derrotou os persas, o que fez que mais uma vez a cidade passasse para a hegemonia grega. Quando Lisímaco, sucessor de Alexandre, obteve o controle de Éfeso por volta de 294 a.C., ele transferiu a cidade para um vale entre os montes Coressus e Pion. A cidade foi então governada alternadamente pelos selêucidas e pelos ptolomeus até 188 a.C., quando os Atalidas a conquistaram. Em 133 a.C., Atalus III passou seu reino aos romanos, que então fizeram de Éfeso um importante centro administrativo e mais tarde, a capital provincial. No século I da era cristã, Éfeso era a quarta maior cidade do Império Romano, com a população estimada em 200 mil habitantes. A cidade era um centro judicial, e a palavra grega para tribunais (*agoraioi*) em Atos 19.38 se refere a essa atividade. Ainda que tenha sido construído um templo para a deusa Roma e para o divinizado Júlio César em 29 a.C. para os cidadãos romanos, o templo para o culto imperial só foi construído entre os anos 89 e 90 d.C., no reinado de Domiciano.

Éfeso era um centro de atividades espirituais, e a tensão era alta entre as muitas comunidades religiosas diferentes. A cidade era conhecida como a guardiã do templo (*neokoros*; At 19.35) da deusa Ártemis. Milhares de pessoas faziam peregrinação a Éfeso na primavera para o festival anual chamado Artemísia. O culto a Ártemis permaneceu como oponente do cristianismo até a destruição do templo pelos godos por volta do ano 262 d.C. Há registros que atestam o culto a pelo menos outras 17 divindades na cidade. Éfeso também contava com uma grande comunidade judaica. Paulo falou na sinagoga por três meses quando lá chegou (At 19.8). Atos menciona sete filhos de um sacerdote judeu que praticavam exorcismos na cidade (19.13-16). Quando os judeus efésios tentaram incitar a assembleia reunida no teatro contra Paulo, o representante deles, chamado Alexandre, foi impedido de falar quando a multidão descobriu que ele era judeu (19.34). Isso realça as tensões subjacentes entre os judeus monoteístas e os gregos pagãos da cidade. A cidade era também conhecida como centro de práticas mágicas. Destacadas nesse sentido eram as chamadas *Cartas efésias*: eram fórmulas mágicas das quais se cria possuir poderes apotropaicos para afastar os maus espíritos. Atos 19.19 descreve como vários convertidos cristãos renunciaram ao envolvimento com a feitiçaria queimando esses documentos.

Perto do fim da segunda viagem missionária, Paulo ministrou em Éfeso por mais de dois anos (At 19), o que lhe serviu como base para alcançar toda a província da Ásia. Depois do tumulto provocado por Demétrio e pelos artesãos de prata, Paulo deixou a cidade. Na primeira prisão, Paulo escreveu uma carta tradicionalmente chamada de Efésios, mesmo que a expressão "em Éfeso" de 1.1 não conste dos manuscritos mais antigos. Depois de ter sido solto, Paulo talvez tenha voltado a Éfeso para lidar com problemas na igreja, deixando Timóteo lá (1Tm 1.3). Mais tarde, Paulo enviou Tíquico a Éfeso para assumir o lugar de Timóteo, de modo que este pudesse visitar Paulo em Roma (2Tm 4.12,13). A tradição diz que João se mudou para Éfeso antes da queda de Jerusalém no ano 70 da era cristã. Éfeso é a primeira das sete igrejas às quais João se dirige em Apocalipse (Ap 1.11; 2.1-7). Ainda de acordo com a tradição, foi em Éfeso que João escreveu o Evangelho e as três cartas que portam seu nome.

o propósito de circular entre várias igrejas na Ásia Menor, e cada igreja "preenchia o espaço" na saudação quando era lida em público.

A carta se tornou associada a Éfeso por ser a principal cidade da região. É também possível que essa seja a "carta de Laodiceia" mencionada em Colossenses 4.16, em especial se Tíquico tiver entregado a carta primeiro na cidade portuária de Éfeso com instruções de que ela fosse depois enviada a Laodiceia e depois a Colossos.

Quais são os temas centrais de Efésios?

Paulo não escreveu Efésios para resolver um grande problema ou lidar com alguma questão emergencial em particular. O apóstolo escreveu uma carta genérica, porém majestosa, para igrejas domésticas da cidade e da região para ajudá-las a permanecerem firmes na fé. Ele passou quase três anos ensinando e cuidando de algumas dessas pessoas, e queria ter certeza de que elas continuariam a seguir Jesus. De forma específica, Paulo queria que os crentes tivessem uma compreensão mais profunda de três realidades e que as experimentassem:

1. A nova vida em Cristo.
2. A nova comunidade à qual estamos conectados em Cristo.
3. O novo caminho ao qual a comunidade é chamada por Cristo.

Nessa carta, Paulo focaliza a atenção em Jesus Cristo (nova vida). A expressão "em Cristo" (e expressões paralelas como "no Senhor" ou "nele") é encontrada cerca de 40 vezes em Efésios. Deus unirá e restaurará toda a criação sob um Senhor: Cristo (1.10). Paulo também enfatiza a unidade (nova comunidade) pelo uso de palavras como "unidade", "um", "com/junto com", e conceitos como igreja, corpo, templo e noiva. Quando estamos ligados a Cristo, também estamos ligados à nova comunidade. Essa nova comunidade é sustentada e preservada enquanto vivemos de modo agradável a Cristo (novo caminho). Esse novo estilo de vida é caracterizado pelo amor a Deus e ao próximo. O esboço de Efésios reflete essas três realidades:

- Introdução (1.1,2)
- Louvor pelas bênçãos espirituais em Cristo (1.3-14)
- Louvor pelo entendimento espiritual (1.15-23)
- Nova vida em Cristo (2.1-10)
- Nova comunidade em Cristo (2.11-22)
- O papel único de Paulo no plano de Deus (3.1-13)
- A oração de Paulo pela nova comunidade (3.14-21)
- Novo caminho em Cristo (4.1—6.20)
- Conclusão (6.21-24)

✣ Paulo em Efésios apresenta os grandes propósitos de Deus para toda a humanidade. Tudo tem seu centro em Cristo.

Localização de Éfeso

Quais são os aspectos interessantes e singulares de Efésios?

- Efésios apresenta o propósito grandioso e abrangente de Deus para toda a humanidade por meio de Cristo, demonstrado na vida da igreja.
- Paulo enfatiza nossa identidade e unidade em Cristo com expressões como "em Cristo", "nele" e "em quem", que ocorrem quase 40 vezes.
- Mais que a cruz de Cristo, Efésios ressalta a ressurreição e a exaltação de Cristo (p. ex., 1.20-23; 2.1-10).
- Efésios mais de uma vez reconhece as três pessoas da Trindade (1.4--14,17; 2.18,22; 3.4,5,14-17; 4.4-6; 5.18-20).
- A carta enfatiza a natureza universal da igreja (cf. 1.22; 3.10,14,15,21; 5.23-25,27,29,32, e também imagens como corpo, edificação, templo e nova humanidade).
- Paulo chama a atenção para como grupos hostis (como judeus e gentios no século I) podem ser reconciliados em Cristo (2.11-22).
- Efésios compartilha muitos temas com Colossenses (p. ex., cp. Cl 3.18—4.1 com Ef 5.22—6.9).
- Paulo nos diz como a fé cristã deve ser vivenciada em casa (5.21—6.9).
- Paulo ensina aos crentes como se envolver na batalha espiritual (6.10--20; v. At 19.18,19).

Qual é a mensagem de Efésios?

Introdução (1.1,2)

A carta se inicia do modo padrão: Paulo, um "apóstolo de Cristo Jesus pela vontade de Deus" escreve ao povo de Deus em Éfeso e nas cidades da vizinhança. Os destinatários são identificados como "santos" (outra palavra para designar "cristãos" no NT). Paulo saúda os leitores com "graça e paz" da parte do Senhor.

Louvor pelas bênçãos espirituais em Cristo (1.3-14)

A maioria das cartas de Paulo começa com ação de graças e oração, mas Efésios irrompe em adoração e louvor. Louvamos a Deus por nos escolher em Cristo (1.4-6), por nos redimir e dar sabedoria e entendimento da sua vontade (1.7-12) e por nos selar com o Espírito Santo (1.13,14). Em outras palavras, o Pai tem um plano para resgatar do pecado e de Satanás, o Filho executou esse plano mediante sua vida, morte e ressurreição, e o Espírito Santo agora faz do plano a realidade pessoal para os que respondem à oferta do dom gracioso de Deus. Cada seção termina com uma frase semelhante: "para o louvor da sua gloriosa graça", mostrando que Deus é digno de nosso maior louvor (1.6,12,14).

Louvor pelo entendimento espiritual (1.15-23)

Depois de louvar a Deus por suas bênçãos, Paulo agora pede sabedoria espiritual para a compreensão dessas bênçãos. Ele ora para que o Espírito ajude os crentes a compreender e a viver o que Deus já fez por eles em Cristo. Enquanto o Espírito lhes ilumina o coração, eles vêm a conhecer a esperança do chamado divino, a glória da herança de Deus e a grandeza do seu poder (1.18,19). Deus apresentou seu poder de maneira suprema em Jesus quando o ressuscitou dos mortos, exaltou-o à posição de honra e autoridade, sujeitando todos os poderes a seu Reino, e o fez cabeça de todas as coisas para a igreja (1.20-23).

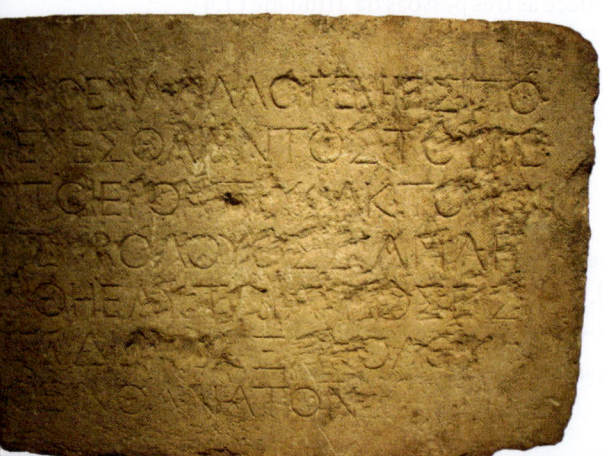

Inscrição de advertência no templo de Jerusalém: "Nenhum intruso é permitido no pátio e no interior dos muros ao redor do templo. Quem invadir, pedirá sua própria morte". Cristo destruiu as paredes de separação (Ef 2.14).

✦ Algumas das orações mais majestosas de toda a Bíblia são encontradas em Efésios 1 e 3.

Nova vida em Cristo (2.1-10)

Paulo agora volta a atenção para a nova vida em Cristo. Em primeiro lugar, ele apresenta uma grande análise do estado espiritual da pessoa sem Cristo (2.1-3). Segundo, ele explica o plano de Deus de resgatar pessoas sem saída e sem esperança. Movido por seu amor e misericórdia, Deus "deu-nos vida com Cristo", "nos ressuscitou com Cristo" e "nos fez assentar nas regiões celestiais em Cristo" (2.4-6). Os que creem, agora compartilham (misteriosamente) da ressurreição, ascensão e exaltação de Cristo. O propósito de Deus ao nos salvar foi mostrar "as riquezas da graça de Deus" manifestadas em Jesus (1.7). Os crentes são troféus da graça divina. A mensagem cristã é sumarizada de maneira bela em 2.8-10: a base da salvação é a graça de Deus, o meio de receber a salvação é a fé, e o resultado da salvação é a prática de boas obras.

Nova comunidade em Cristo (2.11-22)

Deus não apenas deu nova vida em Cristo, mas também criou uma nova comunidade composta por judeus e gentios. Efésios 2.11-22 talvez seja a mais importante passagem eclesiológica de todo o NT. Como gentios, a condição dos efésios fora de Cristo era desesperadora: sem o Messias, sem conexão com o povo de Deus, sem promessa de salvação, sem esperança e sem relacionamento com Deus (2.11,12).

No entanto, agora, os gentios que antes estavam separados de Deus foram trazidos por intermédio de Cristo (2.13). Em Cristo, judeus e gentios agora formam o "novo homem", e a antiga hostilidade foi substituída pela paz. Eles foram não apenas reconciliados com Deus, mas também reconciliados uns com os outros em uma nova comunidade espiritual (2.14-18). Os cristãos gentios são agora membros plenos da família de Deus, parte do templo santo de Deus, edificados sobre o fundamento dos apóstolos e profetas, tendo Jesus como pedra angular (2.19-22).

O papel único de Paulo no plano de Deus (3.1-13)

Paulo ora por esses crentes (3.1), mas interrompe a própria oração para explicar a respeito do plano de Deus (o "mistério") e seu próprio papel nesse plano. Judeus e gentios só seriam unidos em um só corpo depois da vinda de Jesus, o Messias, e da vinda do Espírito Santo no Pentecoste. Esse plano é uma novidade (3.4-6). E Deus escolheu Paulo, que se descreve como "o menor dos menores de todos os santos", para tornar conhecido o maravilhoso mistério de Deus. Apenas a graça e o poder de Deus podem transformar um perseguidor da igreja em um dos seus grandes líderes (3.2-9). Deus usa sua igreja multicultural para anunciar sua multiforme

✚ Em Efésios, Paulo usa quatro grandes imagens para descrever a igreja: corpo de Cristo (3.6; 5.23), noiva de Cristo (5.25,27,31,32), templo do Espírito (2.21,22) e casa/família de Deus (2.19; 3.15).

sabedoria aos poderes e autoridades nas regiões celestiais (3.10,11). Pelo fato de Deus usar Paulo para realizar seu plano maravilhoso, ninguém deve se sentir desencorajado pelos sofrimentos do apóstolo (3.12,13).

A oração de Paulo pela nova comunidade (3.14-21)

Paulo conclui a oração iniciada em 3.1. Ele ora para que Deus fortaleça os crentes pelo Espírito Santo no íntimo de cada um deles de acordo com suas gloriosas riquezas (3.16). Os crentes saberão que a oração foi respondida quando Cristo estiver no coração deles e eles experimentarem mais e mais seu amor indescritível. O propósito da oração é que "sejam cheios de toda a plenitude de Deus" e se tornem como Cristo (3.17-19; cf. 4.13). Ainda que aparentemente Paulo peça demais, a doxologia de 3.20,21 afirma: Deus "é capaz de fazer infinitamente mais do que tudo o que pedimos ou pensamos".

Novo caminho em Cristo (4.1—6.20)

O plano magnífico de Deus de dar vida nova e criar uma nova comunidade em Cristo (Ef 1—3) resulta em um novo caminho para o crente (Ef 4—6). A importante expressão "Por isso" em 4.1* marca uma transição do chamado, das bênçãos e dos privilégios dos crentes (1—3) para a conduta e responsabilidades que estes devem ter (4—6).

Andar em unidade (4.1-16)

Os crentes são instados a viver (ou andar) de modo digno da vocação recebida (4.1), e o andar digno se inicia pela manutenção da unidade do Espírito (4.3). A palavra "um"/"uma" aparece sete vezes em 4.4-6 para ilustrar como o Deus trino exemplifica perfeitamente a unidade diversa. A seguir, Paulo ilustra como a diversidade no corpo de Cristo de fato enriquece a unidade (4.7-13). Seguindo o modelo da descida de Cristo à terra (a encarnação) e sua ressurreição/exaltação, o Espírito Santo foi dado ao povo de Deus, e também seus dons. Todos os membros do corpo de Cristo recebem dons de diferentes maneiras para o benefício do próprio corpo. Deus deu ao corpo uma liderança capacitada com dons, de modo que todos possam crescer em unidade. O alvo da unidade é a plena maturidade em Cristo, que resulta em discernimento, verdade, edificação e amor (4.14-16).

Andar em santidade (4.17-32)

Em lugar de viverem como pessoas que não conhecem Deus, os crentes devem se lembrar de que precisam renunciar ao "velho homem", isto é, o

---

* Cf. a *Nova Tradução na Linguagem de Hoje*, da Sociedade Bíblica do Brasil. Essa expressão não consta da tradução da *Nova Versão Internacional* (N. do T.).

✠ Em Efésios 4—6, a vida cristã é apresentada como uma "caminhada" ou estilo de vida, ecoando a expressão "o Caminho" usada no livro de Atos para descrever a igreja primitiva (At 9.2; 19.9,23; 24.14,22).

Os códigos domésticos
Karen H. Jobes

Há três passagens no NT conhecidas como códigos domésticos: Efésios 5.21—6.9, Colossenses 3.18—4.1 e 1Pedro 2.18—3.7. Cada uma contém instruções apostólicas sobre como os cristãos devem viver na unidade básica da sociedade, a família. Martinho Lutero foi o primeiro a se referir a essas passagens com a expressão "conversas à mesa" (*Haustafel* em alemão) em sua tradução da Bíblia para o alemão. A forma dessas passagens do NT é direta, dirigindo-se a pares de relacionamentos no contexto familiar do século I: escravo-senhor, marido-mulher, filhos-pais, ainda que não necessariamente nesta ordem nem com o tratamento igual para cada um desses pares.

Conquanto as instruções dos códigos domésticos do NT sejam distintivamente cristãs, a forma é amplamente encontrada em textos de filósofos morais gregos — de Platão (427-348/347 a.C.) a Aristóteles (384-322 a.C.), de Plutarco (c. 46-120 d.C.) a Sêneca (c. 4 a.C.-65 d.C.). Ainda que esses escritores tivessem opiniões muito diferentes a respeito de como o cabeça do lar deveria se relacionar com a esposa, os filhos e escravos, todos criam que relacionamentos domésticos ordeiros, nos quais cada membro conhecia e ocupava seu lugar, eram necessários para o bem da sociedade. Nenhuma religião ou filosofia que quisesse entrar no mundo moral da cultura greco-romana poderia deixar de tratar da ordem doméstica, e todos os novos grupos seriam avaliados em grande medida com base nas ideias a respeito desse tópico culturalmente importante. Logo, não é surpresa que quando os apóstolos Pedro e Paulo escrevessem a destinatários da cosmovisão greco-romana, como Éfeso, Colossos e as províncias do norte da Ásia Menor, precisassem apresentar orientações aos cristãos cuja conversão a Cristo fizesse surgir problemas nos relacionamentos domésticos.

A função específica dos códigos domésticos no NT é discutida. Alguns estudiosos argumentam que essas passagens foram incluídas para responder à inquietação social entre mulheres e escravos na igreja. Outros veem os códigos domésticos como apologias que tanto defendem como criticam o *status quo* social para permitir a evangelização efetiva. Outros ainda consideram os códigos a resposta apostólica à crítica sobre o cristianismo nas relações domésticas e, por conseguinte, na sociedade. Sob a perspectiva apologética, os códigos domésticos defendem o estilo de vida cristão como inofensivo à ordem da sociedade maior.

Todos os códigos domésticos do NT têm propósitos ligeiramente diferentes no contexto imediato, mas todos redefinem a natureza dos relacionamentos domésticos ao situá-los no relacionamento com Cristo, não com a filosofia moral greco-romana. Os três códigos sociais do NT sustentam, mas ao mesmo tempo subvertem, o *status* social do século I mediante a redefinição de termos em comparação com as instruções encontradas nos escritores seculares. Baseada no exemplo de Jesus Cristo, a obediência é redefinida para os escravos, a submissão é redefinida para as mulheres e o amor é redefinido para os maridos.

---

antigo modo de vida, e se revestir "do novo homem, criado para ser semelhante a Deus em justiça e em santidade" (4.20-24). Os crentes precisam aprender a viver como o novo povo que na verdade eles são em Cristo. Paulo apresenta cinco exortações bem específicas em 4.25-32 para mostrar o significado de andar em santidade. Cada exortação tem um mandamento negativo, um positivo e uma explicação para o positivo. Verdade, autocontrole, diligência, palavra edificadora, compaixão e perdão são qualidades de caráter do estilo de vida santo.

Relevo apresentando as armas de um soldado.

Andar em amor (5.1-6)

Além de andar em unidade e santidade, os crentes são chamados a andar em amor. No sentido positivo, isso significa imitar o Pai e amar sacrificialmente, como o Filho (5.1,2). No sentido negativo, é a recusa à indulgência para com a sensualidade egoísta (5.3-6). Andar em amor, portanto, inclui o "sim" para Deus e o "não" para o mal. Paulo conclui com uma advertência severa, dizendo que imorais, impuros, gananciosos e idólatras herdarão a ira, não o Reino de Deus.

Andar na luz (5.7-14)

Os crentes que uma vez viveram nas trevas são agora luz no Senhor e devem andar como filhos da luz (5.7,8). As trevas simbolizam o mal, enquanto a luz representa o caráter de Deus e as virtudes como "bondade, justiça e verdade" (5.9). Como os crentes foram transportados das trevas para a luz (Cl 1.13), eles precisam discernir o que agrada ao Senhor e rejeitar as obras infrutíferas das trevas (5.10,11). Em vez de participar das trevas, eles devem expô-las à luz e transformá-las (5.11-14).

Andar com cuidado (5.15—6.9)

Paulo adverte os crentes de que andem com cuidado e, para tanto, faz três contastes: não como insensatos, mas como sábios (5.15); não como insensatos, mas com entendimento (5.17); não embriagados, mas cheios do Espírito (5.18). Ele explica o terceiro contraste. Na conversão, os cristãos são selados com o Espírito (acontecimento único explicado em 1.13,14), mas no decorrer da vida são encorajados a serem cheios do Espírito (experiências repetidas). Três resultados de ser cheio do Espírito são mencionados em 5.19-21: adoração, gratidão e submissão mútua. São características distintivas do povo de Deus. Em 5.22—6.9, Paulo explica como a última característica (submissão mútua) é aplicada ao lar cristão.

Andar na força do Senhor (6.10-20)

Paulo conclui a seção prática da carta com instruções sobre andar na força do Senhor. Cristo já conquistou os poderes do mal, de modo que não há necessidade de viver com medo ou desespero, mas os crentes devem esperar ataques contínuos. Estes devem permanecer firmes, usando a armadura de Deus, constituída de verdade, justiça, evangelho da paz, fé, salvação e

✢ Os cristãos recebem o Espírito Santo na conversão (Ef 1.13,14), mas devem ser cheios do Espírito de forma repetida (Ef 5.15-21).

Palavra de Deus (1Ts 5.8). Precisamos orar para usar a armadura. Paulo iniciou a carta orando por seus leitores (1.15-23). Agora ele lhes pede que orem pela proclamação destemida do mistério do evangelho.

Conclusão (6.21-24)

Paulo encerra com a recomendação de Tíquico, o portador da carta e seu cooperador, e com uma bênção de paz, amor e graça da parte de Deus, o Pai, e do Senhor Jesus Cristo.

Como aplicar Efésios à nossa vida hoje

Essa rica carta de Paulo se aplica particularmente bem ao mundo contemporâneo. Efésios nos lembra de que a graça de Deus é o que nos transforma (2.1-10). Aceitamos o dom transformador de vida pela fé. Muitas religiões e agendas religiosas no mundo se baseiam no esforço e na realização humanos, isto é, o que podemos fazer para Deus. Mas, sem Cristo, estamos desamparados e sem esperança. Precisamos de alguém de fora da nossa situação pecaminosa para nos resgatar, e Jesus Cristo fez exatamente isso. Nós nunca seremos maduros demais ou "espirituais" demais para a graça maravilhosa de Deus. Efésios deixa claro que pessoas que não se relacionam bem umas com as outras, até mesmo inimigos declarados, podem ser reconciliadas umas com as outras quando são reconciliadas com Deus (2.11-22). No corpo de Cristo, há muitos membros. Deus não apenas nos resgata do pecado, mas também nos traz para uma nova comunidade. Por fim, Efésios fala muito a respeito de como devemos viver como crentes na rotina diária da vida. A segunda metade da carta não deixa dúvida sobre como Deus espera que vivamos. Por conta de tudo o que ele nos fez, devemos viver de forma digna do que recebemos. Em Cristo, experimentamos a nova vida, a nova comunidade e o novo caminho.

Nossos versículos favoritos de Efésios

Pois vocês são salvos pela graça, por meio da fé, e isto não vem de vocês, é dom de Deus; não por obras, para que ninguém se glorie. Porque somos criação de Deus realizada em Cristo Jesus para fazermos boas obras, as quais Deus preparou antes para nós as praticarmos (2.8-10).

- Mateus
- Marcos
- Lucas
- João
- Atos
- Romanos
- 1Coríntios
- 2Coríntios
- Gálatas
- Efésios
- **Filipenses**
- Colossenses
- 1Tessalonicenses
- 2Tessalonicenses
- 1Timóteo
- 2Timóteo
- Tito
- Filemom
- Hebreus
- Tiago
- 1Pedro
- 2Pedro
- 1João
- 2João
- 3João
- Judas
- Apocalipse

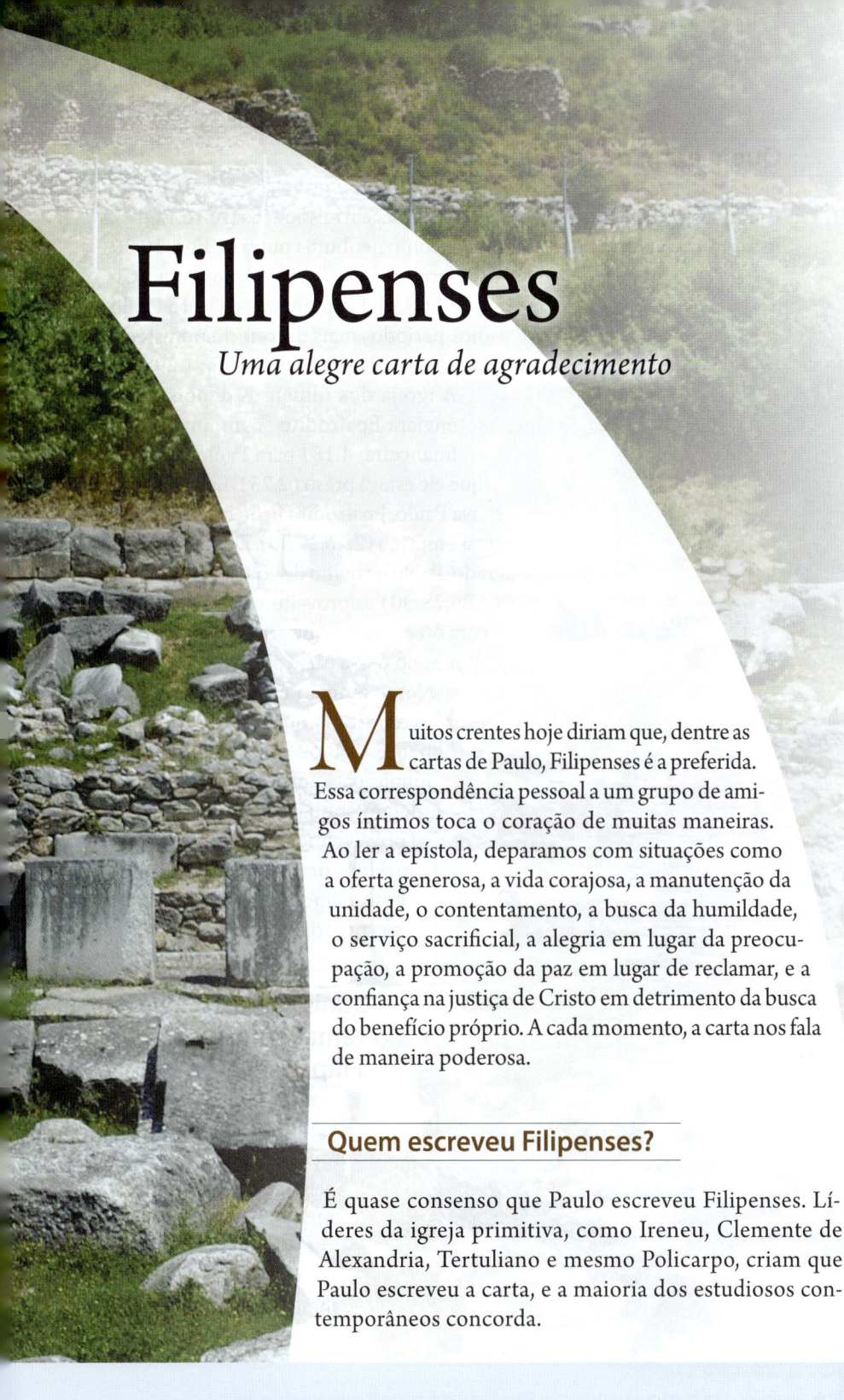

Filipenses

Uma alegre carta de agradecimento

Muitos crentes hoje diriam que, dentre as cartas de Paulo, Filipenses é a preferida. Essa correspondência pessoal a um grupo de amigos íntimos toca o coração de muitas maneiras. Ao ler a epístola, deparamos com situações como a oferta generosa, a vida corajosa, a manutenção da unidade, o contentamento, a busca da humildade, o serviço sacrificial, a alegria em lugar da preocupação, a promoção da paz em lugar de reclamar, e a confiança na justiça de Cristo em detrimento da busca do benefício próprio. A cada momento, a carta nos fala de maneira poderosa.

Quem escreveu Filipenses?

É quase consenso que Paulo escreveu Filipenses. Líderes da igreja primitiva, como Ireneu, Clemente de Alexandria, Tertuliano e mesmo Policarpo, criam que Paulo escreveu a carta, e a maioria dos estudiosos contemporâneos concorda.

Quem eram os destinatários de Paulo?

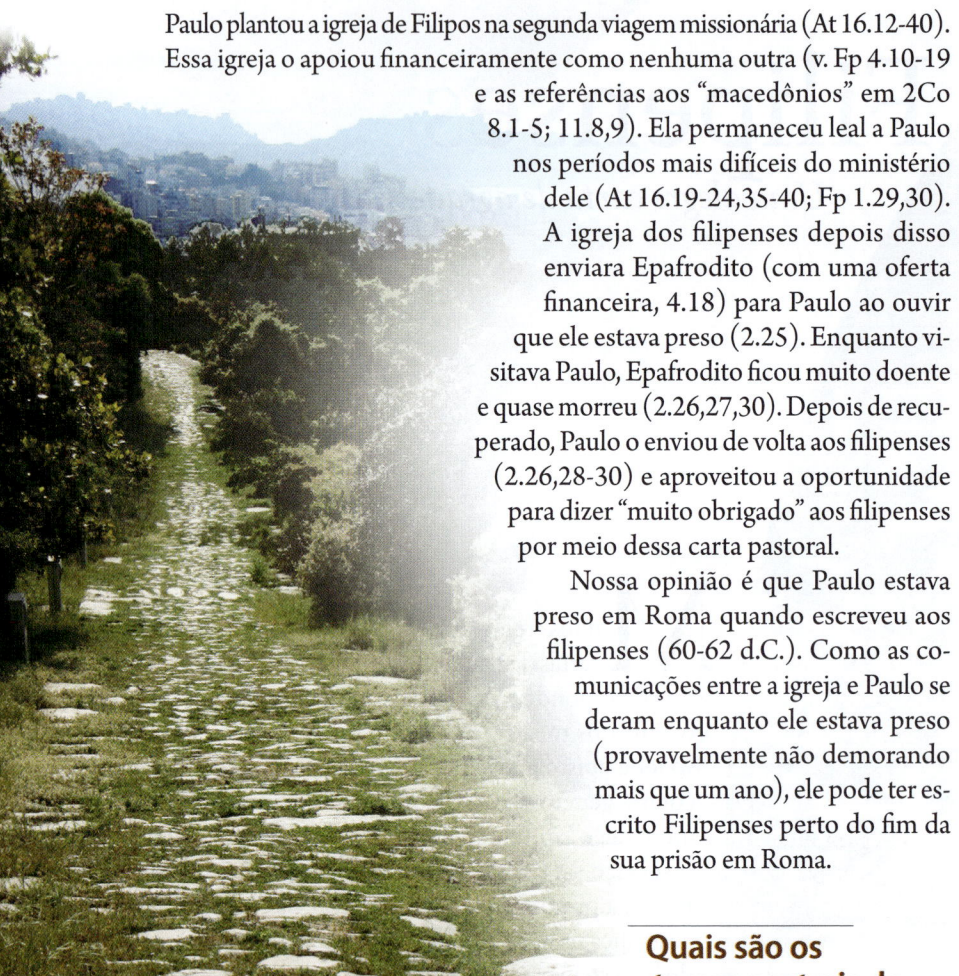

Paulo plantou a igreja de Filipos na segunda viagem missionária (At 16.12-40). Essa igreja o apoiou financeiramente como nenhuma outra (v. Fp 4.10-19 e as referências aos "macedônios" em 2Co 8.1-5; 11.8,9). Ela permaneceu leal a Paulo nos períodos mais difíceis do ministério dele (At 16.19-24,35-40; Fp 1.29,30). A igreja dos filipenses depois disso enviara Epafrodito (com uma oferta financeira, 4.18) para Paulo ao ouvir que ele estava preso (2.25). Enquanto visitava Paulo, Epafrodito ficou muito doente e quase morreu (2.26,27,30). Depois de recuperado, Paulo o enviou de volta aos filipenses (2.26,28-30) e aproveitou a oportunidade para dizer "muito obrigado" aos filipenses por meio dessa carta pastoral.

Nossa opinião é que Paulo estava preso em Roma quando escreveu aos filipenses (60-62 d.C.). Como as comunicações entre a igreja e Paulo se deram enquanto ele estava preso (provavelmente não demorando mais que um ano), ele pode ter escrito Filipenses perto do fim da sua prisão em Roma.

Via Egnatia, que atravessava Filipos.

Quais são os temas centrais de Filipenses?

Paulo deseja realizar vários propósitos por meio dessa alegre carta de agradecimento. Ele quer agradecer à igreja por ser tão generosa no apoio a seu ministério (1.5; 4.10-19). Dá detalhes a respeito das

✚ A primeira vez que Paulo passou por Filipos, ele tinha planos de ir ao norte, até a Bitínia, mas seus planos foram mudados por uma visão da parte de Deus. Nela, um homem da Macedônia lhe pedia que viajasse para o oeste (v. At 16.6-10).

circunstâncias atuais (1.12-26; 4.10-19) e os prepara para a visita que receberão de Timóteo (2.29-24). Exorta a congregação à unidade (2.1-11; 4.2-5) e a avisa a respeito dos falsos mestres (3.1-4,18,19). O esboço de Filipenses a seguir reflete essas várias preocupações pastorais:

- Introdução (1.1,2)
- Ação de graças e oração (1.3-11)
- Circunstâncias e atitude de Paulo (1.12-26)
- Viver de maneira digna do evangelho (1.27-30)
- Apelo à unidade entre os irmãos (2.1-4)
- Imitar a humildade de Cristo (2.5-11)
- Continuar a desenvolver a salvação (2.12-18)
- Dois exemplos de unidade: Timóteo e Epafrodito (2.19-30)
- Advertência contra os falsos mestres (3.1-6)
- A justiça que procede de Deus (3.7-11)
- Caminhando em direção ao alvo (3.12—4.1)
- Exortações finais (4.2-9)
- Conclusão (4.10-23)

Quais são os aspectos interessantes e singulares de Filipenses?

- Filipenses 2.5-11 descreve a humilhação e a exaltação de Jesus Cristo em uma das passagens mais eloquentes e poderosas do NT.
- A primeira convertida de Filipos foi Lídia, uma negociante próspera cuja casa se tornou o primeiro local de reuniões da igreja de Filipos (At 16.14,15,40).
- O tom de Filipenses é caloroso e familiar, como se espera de uma correspondência entre pessoas amigas.
- Paulo descreve o privilégio especial da cidade enquanto colônia romana para enfatizar a importância da nossa cidadania celestial (1.27; 3.20).
- O tema da "alegria" é recorrente na carta ("alegria" em 1.4,25; 2.2,29; 4.1; "eu me alegro" em 1.18; 4.10; "estou alegre" em 2.17,18,28 ["fiquem alegres"]; "alegrem-se" em 3.1; 4.4).
- A carta enfatiza a volta do Senhor (1.6,10; 2.9-11,16; 3.20,21; 4.5).
- Como em várias de suas cartas, Paulo confronta os falsos mestres que exigem a guarda da lei judaica por parte dos gentios (3.1-6).

✚ Paulo não aceitou ajuda financeira da igreja dos coríntios, mas recebeu com alegria ajuda da parte das igrejas da Macedônia (v. 2Co 8.1-7; 11.8,9; Fp 4.10-19).

Qual é a mensagem de Filipenses?

Introdução (1.1,2)

Paulo e Timóteo, "servos de Cristo Jesus", saúdam todos os crentes de Filipos, bem como "os bispos e diáconos" com graça e paz da parte de Deus. Muitos estudiosos creem que esses líderes eclesiásticos são mencionados por sua responsabilidade pela ajuda financeira enviada a Paulo, ou por seu envolvimento em problemas de divisões da igreja.

Ação de graças e oração (1.3-11)

Quando Paulo pensa nos crentes de Filipos, ele agradece ao Senhor (1.3). Ele é grato pela "cooperação" dada ao "evangelho" (1.5) e permanece confiante (como também nós devemos ser) de que Deus continuará a trabalhar na vida deles até a volta de Jesus (1.6). O forte compromisso emocional de Paulo para com os filipenses deriva do apoio gracioso que eles lhe deram, mesmo durante sua prisão (1.7). Eles são verdadeiramente companheiros no ministério do evangelho, e os sentimentos dele pelos filipenses são profundos (1.8). Ele ora com alegria (1.4) para que o amor e o conhecimento deles caminhem juntos e lhes permitam discernir o que mais importa, e que sejam moralmente puros e justos para a glória e o louvor de Deus (1.9-11). Geralmente quando o amor não tem conhecimento (zelo superficial) ou quando o conhecimento não tem amor (arrogância religiosa), há pouco discernimento e pouca justiça. Deus deseja que o amor e o conhecimento andem juntos.

Circunstâncias e atitude de Paulo (1.12-26)

Paulo reafirma aos filipenses que o evangelho não sofreu prejuízo por causa de sua prisão; as circunstâncias difíceis pelas quais passou contribuíram para que o evangelho avançasse (1.12). Agora, todos, mesmo a guarda palaciana, sabiam a respeito da fé professada por Paulo, e os outros crentes foram encorajados a falar com maior coragem (1.13,14). Mas nem tudo é um mar de rosas para Paulo; ele ainda tem inimigos (1.15-17). De modo geral, o sofrimento por Cristo é agridoce. A atitude de Paulo para com a vida, direcionada pelo Espírito de Deus, o capacita a ser bem-sucedido em meio à aflição (1.18-26). Ele pode se alegrar porque Cristo está sendo pregado, mesmo que as motivações de alguns pregadores sejam ímpias (1.18). Por intermédio das orações dos filipenses e da ajuda dada pelo Espírito de Jesus, Paulo sabe que as circunstâncias trabalharão a favor da sua salvação e ele será fiel até o fim (1.19,20). Se Paulo viver e continuar com um ministério frutífero ou se ele morrer e for para a presença de Cristo, seu desejo é agradar ao Senhor (1.21-24). Ele parece confiar em que será libertado da prisão e continuará o ministério entre os filipenses (1.25). A alegria algumas vezes é afetada pelas circunstâncias (1.26).

Viver de maneira digna do evangelho (1.27-30)

Paulo agora diz aos filipenses que eles devem viver "de maneira digna do evangelho de Cristo", utilizando uma palavra que significa viver como cidadão-modelo (1.27; cf. 3.20). Sendo cidadãos de uma colônia romana, eles devem levar ainda mais a sério o chamado elevado de viver como cidadãos do Reino de Deus unidos em torno do evangelho, não temendo os que se lhes opõem (1.27,28). Afinal, é um privilégio não apenas crer em Cristo, mas também sofrer por ele (1.29,30).

Apelo à unidade entre os irmãos (2.1-4)

Agora Paulo encoraja a igreja a tornar a alegria dele completa ao se unir (2.2). A base ou o fundamento dessa unidade vem do que eles já experimentaram em sua relação com Cristo — motivação, exortação, comunhão, afeição e compaixão (2.1). Essa unidade acarreta ter o mesmo modo de pensar ao ter o mesmo amor e ser unido em espírito (2.2) Essa unidade significa evitar egoísmo e conceito de vaidade (2.3) e abraçar o humildade que leva ao serviço sacrificial (2.3,4).

✢ Como em muitos lugares no NT, os crentes são encorajados a considerar o sofrimento por Cristo um privilégio (Fp 1.29,30; cf. Mt 5.10-12; At 5.41; 2Tm 1.8; 1Pe 4.12-16).

Imitar a humildade de Cristo (2.5-11)

A exortação de Paulo à unidade por meio da humildade (2.1-4) é ligada em 2.5 a Jesus como exemplo supremo de humildade (2.6-11). Há mais comentários escritos a respeito de Filipenses 2.6-11 que a respeito de todo o restante da carta. O trecho é provavelmente um hino cristão primitivo, talvez escrito por Paulo (é a nossa preferência) ou um hino usado por Paulo para expressar suas convicções. Seja como for, 2.6-11 é um dos parágrafos mais profundos a respeito de Cristo em todo o NT. Ainda que Jesus seja Deus, ele não considerou a igualdade com Deus algo a que se apegar (2.6). Isto é, Jesus demonstra que Deus é essencialmente autodoação, e não egoísmo. Deve-se observar como Jesus desce uma escada no processo de autodoação: ele se tornou um ser humano, um ser humano que morreu, e um ser humano que teve uma morte vergonhosa e humilhante em uma cruz (2.7,8). De reinar como Senhor do céu a morrer como criminoso amaldiçoado — isso demonstra humildade! Em 2.9-11, vemos que o Pai exaltou o Filho. Deus lhe deu "o nome que está acima de todo nome". Muito provavelmente, esse "nome" ao qual todo joelho se dobrará e toda língua confessará é o afirmado em 2.11: Jesus Cristo é "Senhor" (*kyrios*, a palavra usada pela *Septuaginta* para traduzir o nome pessoal do Deus de Israel, Yahweh). Os filipenses deveriam observar: Deus exalta quem se humilha.

Continuar a desenvolver a salvação (2.12-18)

A seguir, Paulo aplica o exemplo da humildade e da obediência de Cristo à igreja dos filipenses ("assim" em 2.12). Eles sempre obedeceram, e Deus trabalha neles; assim, eles devem continuar a desenvolver sua salvação com temor e tremor (2.12,13; cf. 1.6). A salvação tem relação com a resposta de todo o coração à graça de Deus. À medida que eles evitam "queixas e discussões" (i.e., mantêm a unidade), seu testemunho ao mundo que os observa será muito mais eficiente (2.14-16). Todos os crentes, incluindo Paulo e os filipenses, esperam estar perante o Senhor quando ele voltar, confiantes na fidelidade à vocação, mesmo que ela inclua o sofrimento (2.16,17). Trabalhar com os outros crentes tendo esse alvo produz alegria inabalável (2.17,18).

Dois exemplos de unidade: Timóteo e Epafrodito (2.19-30)

Por que Paulo inseriu nesse momento notícias a respeito desses dois colaboradores? Parece algo deslocado até nos lembrarmos da linha de raciocínio de Paulo. Os filipenses devem viver de forma digna do evangelho (1.27), imitar o exemplo de Paulo (1.12-26) e imitar Cristo (2.5-11). Além de anunciar

✚ Filipenses 2.6-11 é uma das passagens mais importantes na Bíblia a respeito da encarnação de Cristo.

Hinos do cristianismo primitivo
David B. Capes

A primeira geração de seguidores de Cristo se reunia com regularidade em igrejas nos lares para receber instrução, encorajamento e para prestar culto. Parte das reuniões era o cântico de hinos. Há uma referência explícita ao uso de hinos na igreja cristã na admoestação de Paulo ao cântico de salmos (*psalmoi*), hinos (*hymnoi*) e cânticos espirituais (*ode*) com gratidão a Deus (Cl 3.16; cf. Ef 5.19,20). Esses três termos provavelmente se referem à prática de se utilizar o Saltério bíblico com composições distintamente cristãs. O culto a Deus com hinos tem origem imediata nas práticas da sinagoga. Os primeiros crentes utilizavam salmos, especialmente os salmos messiânicos, para expressar perspectivas cristãs quanto às ações recentes de Deus no mundo. De igual maneira, Efésios 1.13,14 é construído de um padrão de um hino judaico conhecido como *berakah* ("bendito seja..."). Conquanto o padrão seja judaico, o autor o utilizou de modo explicitamente cristão. Os crentes gentios também estavam acostumados ao cântico de hinos no *éthos* da religião greco-romana.

Estudiosos já detectaram hinos e fragmentos de hinos nos Evangelhos, em Atos, nas Epístolas e no Apocalipse. Para tanto, utilizaram vários critérios, como perceber frases de introdução (p. ex., "Por isso é que foi dito", Ef 4.8), paralelismo poético, usos especiais de pronomes relativos e particípios, presença de vocabulário incomum e de rimas e quebras no contexto. Ainda que nem todos os estudiosos concordem, a opinião mais comum é que as seguintes passagens representam hinos cristãos primitivos: Romanos 11.33-36; Filipenses 2.6-11; Colossenses 1.15-20; 1Timóteo 3.16; Hebreus 1.3,4; 1Pedro 2.21-24 e Apocalipse 4.8-11; 19.1-4. Eles podem ter sido tradições antigas citadas ou aludidas por um escritor ou composições espontâneas entendidas como inspiradas pelo Espírito. Alguns hinos são tão claros que as gerações posteriores de cristãos deram-lhes nomes (p. ex., o *Magnificat* = Lc 1.46-55; o *Benedictus* — Lc 1.68-79). O NT contém hinos a Cristo e a Deus, o Pai, demonstrando uma forma binária da devoção cristã. Além disso, o conteúdo dos hinos cristãos primitivos tem temas soteriológicos como criação, encarnação e redenção. Para os primeiros crentes em Cristo, o louvor por meio de hinos era essencialmente uma resposta aos atos salvadores de Deus em Cristo.

Ainda que nem todos concordem, muitos estudiosos consideram Filipenses 2.6-11 o hino cristão mais antigo que chegou aos nossos dias. Ele consiste em duas partes. A primeira narra a descida e humilhação do Jesus preexistente para se tornar homem e sofrer a morte sem misericórdia na cruz. A segunda descreve a ascensão e exaltação do Jesus crucificado por Deus, para receber a adoração de todas as criaturas e a confissão "Jesus Cristo é Senhor". Esse hino serve para narrar uma vez mais essa história fundamental e, portanto, tinha objetivo didático. Paulo o utilizou para fazer de Jesus o exemplo principal de humildade e serviço (cf. 1Pe 2.21-24).

Por sua natureza, a linguagem poética ou hínica parece afetar consideravelmente quem a utiliza. Cantados ou acompanhados por instrumentos musicais, os hinos são de memorização mais fácil que outras formas de instrução. Portanto, parece que os primeiros cristãos utilizaram hinos do NT com vários propósitos: 1) instruir; 2) expressar louvor e gratidão a Deus; 3) confessar a fé; 4) formar uma identidade na comunidade; 5) apresentar exemplos para o comportamento adequado.

---

seus planos de viagem, Paulo apresenta Timóteo e Epafrodito como dois outros exemplos de humildade e serviço dignos de imitação. Timóteo tem "interesse sincero pelo bem-estar" dos filipenses, em vez de buscar os próprios interesses (2.19,20). Ele já demonstrou fidelidade na obra do evangelho (2.22). Epafrodito "tem saudade de todos" os crentes filipenses e "quase morreu por amor à causa de Cristo" (2.26,30). Esses exemplos de serviço humilde ao próximo e de obediência a Cristo falam muito aos filipenses.

Advertência contra os falsos mestres (3.1-6)

Em contraste com os exemplos positivos mencionados, Paulo diz aos filipenses: "Cuidado com os 'cães', cuidado com esses que praticam o mal, cuidado com a falsa circuncisão!" (3.2). Alguns falsos mestres procuravam promover sua mensagem, que os cristãos deveriam guardar a lei judaica para pertencerem de fato a Deus. Todavia, os verdadeiramente pertencentes a Deus são os que adoram pelo Espírito de Deus, gloriam-se em Cristo Jesus e não confiam na carne (3.3). Antes de se encontrar com Cristo, Paulo confiava na carne e subiu mais alto na escada da justiça legalista que qualquer um dos falsos mestres (3.4-6).

A justiça que procede de Deus (3.7-11)

Quando Paulo encontrou Cristo, ele compreendeu que a antiga confiança na carne era totalmente sem valor comparada a conhecer Cristo pessoalmente (3.7,8). Seus olhos espirituais foram abertos para ver que o mais importante é ter "a justiça que procede de Deus" mediante a fé em Cristo, não a justiça própria procedente das obras da Lei (3.9). O dom da justiça de Deus levou Paulo a conhecer Cristo de modo profundo, a ponto

Estádio em Aphrodísio, Turquia, construído no século I para competições esportivas. Foi usado mais tarde para combates de gladiadores. Tinha 270 metros de comprimento e capacidade para 30 mil pessoas.

✢ Paulo cria que o rito judaico da circuncisão não tinha valor para os cristãos gentios (Rm 2.25-29; Fp 3.1-6; 1Co 7.19; Gl 5.6; 6.15; Cl 2.11).

de experimentar os sofrimentos de Cristo, na esperança de experimentar também sua ressurreição (3.10,11).

Caminhando em direção ao alvo (3.12—4.1)

Paulo não quer que as pessoas concluam equivocadamente que ele já tenha alcançado a perfeição espiritual. Ele com certeza não conseguiu, mas continua a crescer na semelhança com Cristo (3.12). Sua estratégia de crescimento é esquecer o passado e avançar para o que está adiante dele (3.13). A linha de chegada é a vida da ressurreição na presença de Cristo (3.14). Os filipenses deveriam também adotar essa estratégia e imitar o exemplo de Paulo (3.15-17). Paulo sabia que o legalismo leva as pessoas à comparação das realizações com as dos outros. Os "vencedores" são algumas vezes tentados a adotar a atitude de "superespiritualidade" com dois componentes: 1) pensam que já alcançaram a perfeição, pelo menos em comparação com os outros e 2) hipocrisia, causada pela vida de pecado oculto. Isso ajuda a explicar como os falsos mestres poderiam influenciar os filipenses e talvez revele um pouco mais dos problemas subjacentes à falta de unidade. Os crentes infelizmente terão inimigos. Mas Paulo os faz lembrar de que a cidadania deles está "nos céus" e que devem esperar a volta de Cristo (3.20). Quando isso acontecer, Jesus transformará o corpo humilhado deles para que se torne semelhante ao seu corpo glorioso (cf.3.21; v. tb. 1Co 15.51-58). Por seu caráter verdadeiro, os crentes devem permanecer firmes "no Senhor" (4.1)!

✚ Filipos era uma colônia romana, e os filipenses eram cidadãos romanos, por isso eles devem ter prestado muita atenção quando Paulo os lembrou de sua "cidadania" celestial em Filipenses 3.20 (cf. 1.27, onde ele também usa a mesma ideia).

Autorrelevo de Nike, a deusa da vitória.

Exortações finais (4.2-9)

Nas admoestações finais, Paulo enfatiza em primeiro lugar a unidade. Evódia e Síntique, duas cooperadoras em quem Paulo confia, têm problemas uma com a outra e precisam se reconciliar (4.2,3). Os filipenses devem substituir a ansiedade por regozijo, oração e confiança de que a paz de Deus lhes guardará o coração e a mente (4.4-7). Eles devem focalizar o pensamento em oito virtudes excelentes e imitar o ensino e a conduta de Paulo (4.8,9).

Conclusão (4.10-23)

Paulo conclui a carta agradecendo uma vez mais o apoio dos filipenses (4.10, cf. o uso da palavra "cooperação" em 1.5). Como apóstolo aos gentios, Paulo precisa equilibrar a necessidade de apoio com o desejo de não se tornar dependente de ninguém (p. ex., 1Co 9.1-18; 1Ts 2.9). Como resultado, ele recomenda cautela enquanto expressa gratidão (4.11,17). Pela fidelidade de Deus, Paulo aprendeu a estar contente em toda situação, tanto de abundância como de escassez (4.11-13). Ele é grato pelo apoio constante desses cristãos e não diz nada para obter mais recursos (4.14-17). Antes, ele sabe que Deus se agrada da generosidade deles (4.18). Os filipenses também devem confiar em que Deus cuidará das necessidades deles (4.19). Ele encerra a carta agradecendo a todos os crentes, especialmente "os que estão no palácio de César", e profere uma bênção de graça da parte do Senhor Jesus Cristo (4.21-23).

✛ A exortação à unidade baseada no exemplo da humildade de Cristo em Filipenses 2 pode ter visado resolver um conflito entre duas mulheres citadas em Filipenses 4.2.

Como aplicar Filipenses à nossa vida hoje

Filipenses se aplica a nós de várias maneiras. Vemos a necessidade de apoiar os missionários financeiramente. Essa continua a ser uma maneira importante de participar da obra do evangelho. Paulo fala a respeito do contentamento em circunstâncias difíceis. Ele escreve da prisão, incerto quanto ao que lhe acontecerá. Seus inimigos tentam enganar as igrejas (o evangelho da graça adverte sobre os perigos do legalismo). Aprendemos de Paulo a permanecermos fiéis em todas as situações e a nos alegrarmos por Deus fazer o bem surgir de cada situação. Uma aplicação central da carta é a importância de manter a unidade na comunhão dos crentes. A unidade é cultivada à medida que as pessoas adotam a atitude de humildade e servem umas às outras. Evidentemente o exemplo supremo é Jesus (2.6-11). Por fim, a carta nos lembra de que ainda não chegamos ao alvo na vida cristã. Nosso passado não deve nos escravizar. Antes, devemos obedecer no presente, sabendo que Deus trabalha em nós e que temos um futuro maravilhoso à nossa espera.

Nossos versículos favoritos de Filipenses

Nada façam por ambição egoísta ou por vaidade, mas humildemente considerem os outros superiores a vocês mesmos. Cada um cuide, não somente dos seus interesses, mas também dos interesses dos outros. Seja a atitude de vocês a mesma de Cristo Jesus. (2.3-5)

- Mateus
- Marcos
- Lucas
- João
- Atos
- Romanos
- 1Coríntios
- 2Coríntios
- Gálatas
- Efésios
- Filipenses

Colossenses

- 1Tessalonicenses
- 2Tessalonicenses
- 1Timóteo
- 2Timóteo
- Tito
- Filemom
- Hebreus
- Tiago
- 1Pedro
- 2Pedro
- 1João
- 2João
- 3João
- Judas
- Apocalipse

Colossenses

A supremacia e a suficiência de Cristo

Nossos conceitos a respeito de Cristo e da fé cristã afetarão nosso estilo de vida. Em outras palavras, a teologia afeta a prática de modo profundo. Os crentes em Colossos foram confrontados com um novo ensino que prometia uma experiência mais profunda com Deus, uma liberdade nova e misteriosa, a proteção de poderes malignos e uma forma mais intensa de formação espiritual. Mas o novo ensino diminuía Jesus Cristo e produzia arrogância espiritual e divisão na igreja. A resposta de Paulo é simples: Jesus Cristo é a revelação suprema de Deus e ele é suficiente para a experiência mais profunda da vida com Deus.

Quem escreveu Colossenses?

Colossenses compartilha muitas das questões de autoria com Efésios (v. "Quem escreveu Efésios?" para mais detalhes). A despeito das dúvidas de muitos estudiosos, a maioria dos evangélicos continua a afirmar o apóstolo Paulo como autor de ambas as cartas.

Quem eram os destinatários de Paulo?

Muito provavelmente Colossenses e Efésios foram escritas por Paulo quando estava preso em Roma no início da década de 60 do século I da era cristã (v. a seção "Quem eram os destinatários de Paulo?" em Efésios). Colossos era uma cidade pequena localizada a uns 160 quilômetros a leste de Éfeso, perto de Laodiceia e de Hierápolis. Epafras provavelmente foi o plantador da igreja em Colossos (1.7; 4.12,13) e mais tarde visitou Paulo em Roma com um relatório a respeito da igreja (Fm 23). Ainda que Epafras tenha muitas coisas positivas a reportar (Cl 1.8; 2.5), ele também tem preocupações sérias a respeito de um falso ensinamento que ameaça a igreja. Em nenhum momento, Paulo define essa "heresia" ou "filosofia", mas sua resposta na carta nos leva a concluir que se tratava de algo que dava ênfase a "argumentos que só parecem convincentes" (2.4,8), visões secretas e um conhecimento especial (2.18,23), experiências místicas (2.8,18), regras e regulamentos estritos, e até mesmo práticas ascéticas (2.16,17,21-23). Paulo rotula esses ensinamentos falsos como "filosofias vãs e enganosas, que se fundamentam nas tradições humanas e nos princípios elementares deste mundo, e não em Cristo" (2.8).

Os falsos mestres de Colossos provavelmente mesclavam crenças judaicas, ideias pagãs, religião popular, mágica, astrologia e elementos do cristianismo para veicular a ideia de que Jesus era um entre muitos deuses que precisavam ser apaziguados. Paulo escreveu Colossenses para deter esse falso ensinamento.

Quais são os temas centrais de Colossenses?

A já mencionada "filosofia" perigosa dava a Cristo "um lugar", mas não "o lugar". Em Colossenses, Paulo enfatiza que Cristo está acima dos demais poderes espirituais e é suficiente para os cristãos da cidade. O falso conhecimento de Cristo precisa ser confrontado com o verdadeiro conhecimento. As muitas qualidades de Cristo descritas em 1.15-22; 2.3, 8-10,15,17 e 3.1 estabelecem o contraste com aspectos particulares da falsa filosofia. O esboço a seguir mostra como Paulo refuta o ensinamento errôneo:

- Introdução (1.1,2)
- Ação de graças e oração (1.3-14)
- A supremacia de Cristo (1.15-23)
- A missão de Paulo e a preocupação com os colossenses (1.24,25)
- Solução para o ensinamento falso: plenitude em Cristo (2.6-23)
- A nova vida do cristão em Cristo (3.1-17)
- A casa do cristão (3.18—4.1)
- Outras instruções (4.2-6)
- Conclusão (4.7-18)

✛ Há muitos paralelos entre Efésios e Colossenses, sugerindo que foram as duas cartas escritas próximas uma da outra ou no mesmo período.

Stoicheia ("princípios elementares") no Novo Testamento

William W. Klein

As versões da Bíblia em português traduzem a palavra *stoicheia*, citada sete vezes no NT (Gl 4.3,9; Cl 2.8,20; Hb 5.12; 2Pe 3.10,12) de diferentes maneiras. A palavra tem três sentidos básicos: 1) *substâncias* naturais; 2) *poderes* sobrenaturais ou 3) *princípios* básicos. Nenhum deles se encaixa em todos os usos do NT, mas devemos procurar no contexto de cada versículo (e epístola) o significado que melhor capta a intenção do autor.

Paulo usa essa palavra quatro vezes, e em três ocorrências ele qualifica *stoicheia* com a expressão "do mundo". Estariam os gálatas (Gl 4.3,9) antigamente escravizados aos poderes ou princípios do mundo (o sentido que as substâncias naturais não podem preencher)? Paulo inclui a obediência à Torá (4.5,10) e as práticas religiosas pregressas dos leitores (4.3,4,8,9) no âmbito dessa escravidão anterior, portanto é improvável que *stoicheia* se refira a seres espirituais (o mundo demoníaco). Logo, qualquer princípio ou ensinamento religioso — o caminho preparatório da Lei ou qualquer religião humana que impede as pessoas de abraçarem Cristo somente — é fraco e sem poder (4.9) e precisa ser abandonado.

Estariam os cristãos colossenses (Cl 2.8,20) em perigo de se tornarem presos de poderes perigosos (seres espirituais) ou de aberrações? Paulo exalta o papel de Cristo em Colossenses, sugerindo que a filosofia ou tradição (2.8) que elevou "princípios elementares" (espíritos ou ensinos) acima de Cristo esteja no centro da heresia colossense. Seriam *stoicheia* divindades rivais (seres celestiais)? A refutação de Paulo inclui a lembrança de que Jesus "tendo despojado os poderes e as autoridades [...] [e] triunfou sobre eles na cruz" (2.15). Talvez a menção de Paulo à "adoração de anjos" (2.18) — sejam anjos propriamente como objetos de culto ou algum culto celestial que os anjos celebram — sugira que *stoicheia* sejam seres espirituais. Quaisquer *stoicheia* ("princípios" ou tradições) que promova esse culto — mesmo que alegue produzir uma forma de espiritualidade mediante suas práticas ascéticas (2.16,18,20-22) — é incapaz de garantir a transformação interna (2.23) e assegurar a salvação (2.11--15) encontrada só em Jesus. Além disso, em Jesus habita a plenitude da divindade (1.19; 2.9). Por que se contentar com (supostos) deuses ou ensinamentos que apoiem essa opinião?

A situação em Hebreus (5.12) é séria. O progresso dos leitores na fé cristã estava atrofiado; eles deveriam ter progredido no caminho à maturidade. O autor lamenta que eles precisem de *stoicheia*, nesse caso um ensinamento básico, as verdades simples ou os princípios cristãos elementares baseados nas palavras ditas por Deus.

Por último, 2Pedro fala do cataclismo que dissolverá os *stoicheia* no dia do Senhor (3.10,12). Isso indica "substâncias naturais". *Stoicheia* nesse caso são os elementos básicos do mundo, isto é, os elementos naturais que constituem o mundo. Alguns estudiosos sugerem que *stoicheia* sejam corpos (astros) celestes, ainda que isso torne redundante as referências a "céus" e "estrelas" — pois os céus incluem as estrelas.

Quais são os aspectos interessantes e singulares de Colossenses?

- Paulo escreve a uma igreja nunca visitada (Cl 2.1).
- O tema principal de Colossenses é a supremacia de Cristo. Por isso Colossenses fala mais a respeito da pessoa de Jesus Cristo que a maioria das cartas de Paulo.

- A carta tem muito em comum com Efésios (p. ex., cp. Cl 3.18—4.1 com Ef 5.22—6.9).
- Paulo inclui uma seção a respeito de como os cristãos devem viver no ambiente doméstico (3.18—4.1).
- Ainda que Colossenses se aplique de maneira geral a todos os cristãos, muito da carta tem como foco um ensinamento falso específico com muitos paralelos contemporâneos.

Qual é a mensagem de Colossenses?

Introdução (1.1,2)

O apóstolo Paulo e seu cooperador Timóteo escrevem aos colossenses, "santos e fiéis irmãos" seguidores de Cristo (1.2). De maneira sutil, Paulo inicia encorajando os colossenses a ser o que eles são. Ele os saúda com graça (a amorosa provisão de vida da parte de Deus por meio de Cristo) e paz (o bem-estar e a completitude provenientes do relacionamento com Cristo).

Ação de graças e oração (1.3-14)

Paulo agora inclui uma ação de graças (1.3-8) e uma oração (1.9-14) em que apresenta alguns dos temas principais da carta. Ele agradece a Deus pela fé dos colossenses e o amor que procede da esperança celestial que eles receberam quando da resposta à "palavra da verdade, o evangelho" (1.3-5). Paulo assegura que a ligação deles com o evangelho transformador — eles o ouviram, compreenderam (de Epafras) e aceitaram, como é demonstrado pelo "amor que [eles] têm no Espírito" (1.6-8). Na sequência, Paulo ora para que Deus os encha do "pleno conhecimento da vontade de Deus, com toda a sabedoria e entendimento espiritual" (1.9). Ele ora assim para que eles possam viver de forma digna e agradável a Deus (1.10). A vida digna é definida em 1.10-14: produzir o fruto das boas obras, crescer no conhecimento de Deus, ser fortalecido com poder espiritual e alegremente dar graças por tudo que Deus tem feito por eles. Ele os resgatou do domínio das trevas e os trouxe ao Reino de Jesus, os redimiu, perdoou e lhes deu uma herança (1.12-14). Quando paramos para pensar no que Deus tem feito por nós, a única resposta apropriada é gratidão alegre.

A supremacia de Cristo (1.15-23)

Esse é o parágrafo central de toda a carta. Em 1.15-17, Cristo é louvado como Senhor de toda a criação. Jesus revela perfeitamente o Deus invisível

✤ Muitos dos ensinamentos falsos enfrentados pelos primeiros cristãos consistiam em uma mescla de muitas crenças. Mas a igreja primitiva insistiu na unicidade de Jesus Cristo como único Senhor.

Localização de Colossos

e reina supremo sobre toda a criação, incluindo tronos, dominações, principados, potestades (1.15,16). Ele existia antes da criação, que subsiste por meio dele (1.17). Jesus Cristo também é louvado como Senhor da igreja (1.18-20). Toda a plenitude de Deus está em Jesus. Por sua morte e ressurreição, ele tornou a reconciliação possível e tem a supremacia em tudo. Agora Paulo lembra aos colossenses como o senhorio de Jesus sobre a criação e a igreja se aplica a eles (1.21-23). Uma vez alienados de Deus, eles foram reconciliados com Deus por intermédio de Cristo (1.21,22). Permanecem diante de Deus "santos, inculpáveis e livres" (1.22). Eles agora devem perseverar, firmados em toda a esperança dada pelo evangelho (1.23). O ensinamento falso produz dúvida e incerteza, enquanto o evangelho traz esperança e segurança.

A missão de Paulo e a preocupação com os colossenses (1.24,25)

Como servo do evangelho (1.23), a missão de Paulo é levar a Palavra de Deus aos gentios, incluindo os colossenses. O sofrimento acompanha o cumprimento do seu chamado de anunciar o "mistério" de Deus às nações (1.24-27). O coração dessas boas-novas é: "Cristo em vocês, a esperança da glória" (1.27). Ele se esforça e luta com a energia que Deus providencia para proclamar Cristo e ensinar a todos como crescer em Cristo (1.28,29). Paulo luta também para ver os crentes de Colossos e Laodiceia que nunca se encontraram com ele (2.1). Ele quer encorajá-los e uni-los na compreensão mais profunda da fé em Cristo para que ninguém os engane com "argumentos que só parecem convincentes" (2.2-4). Não obstante, ele se regozija em saber da firmeza da fé que eles têm em Cristo (2.5).

Solução para o ensinamento falso: plenitude em Cristo (2.6-23)

Os colossenses são instados a continuar no caminho de Cristo (2.6,7). Eles não devem permitir que ninguém os escravize "a filosofias vãs e enganosas, que se fundamentam nas tradições humanas e nos princípios elementares deste mundo, e não em Cristo" (2.8). Os poderes malignos geralmente usam o legalismo para escravizar as pessoas. Em 2.9-15, Paulo detalha o que Cristo fez e como os colossenses se relacionam com ele. Em Cristo, "habita corporalmente toda a plenitude da divindade, e, por estarem nele, que é o Cabeça de todo poder e autoridade, vocês receberam a plenitude" (2.9,10). Em Cristo, eles se desfizeram da natureza pecaminosa ("carne"), foram sepultados com Jesus e com ele ressuscitaram pela fé (2.11,12). Deus lhes deu vida, perdoou seus pecados e pregou na cruz o escrito da dívida que lhes era contrário (2.13,14). Ele também desarmou os poderes e as autoridades, triunfando sobre eles na cruz (2.15). Na sequência, Paulo aplica o que acabou de dizer a respeito da plenitude em Cristo ao problema existente em Colossos (2.16-23). Os colossenses deveriam resistir aos falsos mestres e às suas ideias legalistas e pseudoespirituais. A filosofia falsa nada mais é que uma sombra religiosa, enquanto Cristo é a realidade (2.17). Essas ideias são mandamentos humanos temporários que não procedem de Deus e não têm poder para produzir a transformação espiritual genuína. Os falsos mestres estão desligados de Cristo, o Cabeça do Corpo (2.18,19).

Busto do antigo filósofo grego Epicuro.

✚ Efésios mantém o foco na igreja como corpo de Cristo, e Colossenses foca-se em Cristo como cabeça da igreja.

A nova vida do cristão em Cristo (3.1-17)

Depois de condenar o ensinamento falso, Paulo lembra os colossenses da nova vida em Cristo. Colossenses 3.1-4 é a base teológica para as instruções práticas que se seguem. Pela participação com Cristo em sua morte e ressurreição, e pelo fato de o passado, o presente e o futuro deles terem sido determinados por Cristo, eles devem manter o foco nestas realidades celestiais (3.1-4). Paulo os insta a "fazer morrer" e "abandonar" pensamentos e ações más. Em 3.12-17, ele os exorta ao revestimento das virtudes de Cristo — compaixão, humildade, paciência, perdão, gratidão, adoração e amor. Tudo na vida (palavras e ações) deve ser feito de modo que honre a Cristo.

A casa do cristão (3.18—4.1)

Como em Efésios 5.22—6.9, essa seção trata dos relacionamentos domésticos na perspectiva cristã. Paulo identifica três grupos relacionais: mulheres e maridos, filhos e pais, escravos e senhores (no mundo antigo, os escravos eram parte do lar). A repetição de "o Senhor" na passagem enfatiza a importância de viver a fé nos relacionamentos familiares e no trabalho. Em comparação com outros códigos domésticos antigos, as instruções inspiradas de Paulo dão dignidade e responsabilidade a todas as partes. O conselho ampliado de Paulo aos escravos cristãos se aplica de modo geral aos trabalhadores cristãos hoje (3.22-25).

Outras instruções (4.2-6)

Paulo encoraja os colossenses a se dedicarem à oração e serem agradecidos (4.2), e que orem especificamente para que ele continue a proclamar o mistério de Cristo com clareza (4.3,4). Ele os aconselha a serem sábios no relacionamento com os não cristãos, em especial no aproveitamento das oportunidades para saberem o que falar (4.5,6).

Conclusão (4.7-18)

Paulo explica como planeja entrar em contato com os cristãos de Colossos: em grande parte, o contato se dará por intermédio de Tíquico e Onésimo (4.7-9). Ele envia saudações de outros crentes (4.10-17). Há uma nota especial a respeito de Epafras, o pai desses crentes na fé, que "está sempre batalhando por vocês em oração, para que, como pessoas maduras e plenamente convictas, continuem firmes em toda a vontade

✚ Paulo discute o lar cristão em Colossenses 3.18—4.1 e em Efésios 5.21—6.9, e em 1Pedro 3.1-7 Pedro tem como foco a situação da mulher cristã casada com um não cristão.

de Deus" (4.12). Depois que a carta fosse lida na igreja em Colossos, ele lhes pede o envio à igreja de Laodiceia (4.16). Paulo os cumprimenta de próprio punho e pede que orem por ele antes de encerrar a carta com uma saudação de paz (4.18).

Como aplicar Colossenses à nossa vida hoje

Colossenses se aplica extremamente bem aos crentes e igrejas ameaçadas por ensinamentos falsos, algo muito comum hoje. Alguns cristãos são muito influenciados por religiões populares ou ideias pagãs (como mágica ou astrologia). Se o horóscopo predisser acontecimentos maus, eles vivem com medo. Estão mais preocupados com o destino, biscoitos da sorte e superstições que com as palavras de Cristo. Talvez um número maior ainda de crentes seja escravo de regras religiosas, mandamentos humanos sem poder para encorajar a espiritualidade verdadeira. O legalismo permanece uma praga na igreja. Vivemos em uma época sincrética: várias ideias se mesclam para fornecer material aos falsos mestres e seus atos enganadores. Colossenses declara verdadeira e corajosamente que Cristo é supremo sobre todos os supostos deuses e poderes, e é suficiente para todo crente! Em Cristo, toda a plenitude de Deus habita corporalmente, e mesmo na cultura pós-moderna os cristãos têm a plenitude espiritual em Cristo. Não há necessidade de procurar suplementos espirituais.

Nossos versículos favoritos de Colossenses

Pois em Cristo habita corporalmente toda a plenitude da divindade, e, por estarem nele, que é o Cabeça de todo poder e autoridade, vocês receberam a plenitude. (2.9,10)

Teatro em Hierápolis, cidade na Ásia Menor situada nas proximidades de Colossos (Cl 4.13).

- Mateus
- Marcos
- Lucas
- João
- Atos
- Romanos
- 1Coríntios
- 2Coríntios
- Gálatas
- Efésios
- Filipenses
- Colossenses
- **1Tessalonicenses**
- **2Tessalonicenses**
- 1Timóteo
- 2Timóteo
- Tito
- Filemom
- Hebreus
- Tiago
- 1Pedro
- 2Pedro
- 1João
- 2João
- 3João
- Judas
- Apocalipse

1 e 2 Tessalonicenses

Vivendo à luz da vinda de Cristo

Nessas duas cartas, ouvimos os batimentos do coração de um pastor comprometido com a igreja local. Os novos crentes lutavam contra pressões externas e questões internas. Paulo enfatiza repetidamente a esperança em Cristo, que será manifestada na segunda vinda. Ele convida os cristãos a entenderem a natureza da nossa esperança e a viver com coerência à luz desta esperança.

Quem escreveu Tessalonicenses?

Ambas as cartas têm "Paulo, Silvano e Timóteo", mas seu conteúdo e o uso do "eu" (1Ts 2.18; 3.5; 5.27; 2Ts 2.5; 3.17) indicam Paulo provavelmente como o autor principal. A tradição da igreja primitiva reconheceu a autoria paulina das duas cartas, com o que quase toda a erudição contemporânea concorda, pelo menos quanto a 1Tessalonicenses. Alguns estudiosos não acreditam que Paulo tenha escrito 2Tessalonicenses. Embora as duas cartas sejam muito semelhantes, o tom é menos pessoal, e os tópicos se tornaram significativamente especificados. Mas as circunstâncias falam a favor de 2Tessalonicenses como uma carta de retorno. Nossa opinião é que as duas cartas são de autoria paulina.

Quem eram os destinatários de Paulo?

Atos 17.1-10 narra a história de Paulo e Silas fundando a igreja de Tessalônica. Eles ficaram lá por pouco tempo por causa da oposição violenta da parte dos judeus (At 17.5-10). A igreja jovem e frágil enfrentava fortes pressões externas sem seus fundadores (p. ex., 1Ts 1.6; 2.2,14; 3.3-5,7; 2Ts 1.4-7; 3.2). Paulo se preocupa com o bem-estar espiritual deles. Depois de deixar Tessalônica, a equipe missionária viaja para Bereia, Atenas, e por fim para Corinto (At 17.10,15; 18.1). Paulo tentou por três vezes retornar a Tessalônica, contudo sem sucesso (1Ts 2.18), por isso enviou Timóteo em seu lugar (3.1-5). Timóteo chegou a Corinto com boas notícias: os crentes de Tessalônica estavam firmes na fé, mas precisavam de encorajamento e instruções adicionais. Paulo escreve essas duas cartas em Corinto, no início da década de 50 do século I da era cristã, com o propósito de encorajar e ensinar.

Quais são os temas centrais de Tessalonicenses?

Ambas as cartas são devotadas ao encorajamento e à instrução sobre a vida à luz da volta (ou parúsia) do Senhor Jesus. Paulo menciona a vinda de Cristo no fim de cada capítulo da primeira carta (1.10; 2.19; 3.13; 4.13-18; 5.23) e quase metade da segunda carta trata do mesmo assunto. O esboço das duas epístolas a seguir reflete essa preocupação central:

1Tessalonicenses
- Introdução (1.1)
- Ação de graças (1.2-10)
- O ministério fiel de Paulo entre os tessalonicenses (2.1-16)
- A preocupação contínua de Paulo pelos tessalonicenses (2.17—3.13)

Estátua de Zeus, o rei dos antigos deuses gregos.

✛ Muito do que Paulo escreve a respeito da segunda vinda de Jesus vem do próprio ensino do Senhor a respeito desse assunto (v. Mt 24—25; Mc 13).

- Instruções sobre como agradar ao Senhor (4.1-12)
- Questões a respeito da vinda de Cristo (4.13—5.11)
- Instruções finais a respeito da vida da igreja (5.12-22)
- Conclusão (5.23-28)

2 Tessalonicenses
- Introdução (1.1,2)
- Ação de graças e oração (1.3-12)
- Instruções a respeito dos acontecimentos que antecederão a vinda de Cristo (2.1-12)
- Reafirmação e oração em favor dos crentes (2.13—3.5)
- Advertências contra um comportamento inconveniente (3.6-15)
- Conclusão (3.16-18)

Quais são os aspectos interessantes e singulares de Tessalonicenses?

- Elas podem ser as mais antigas cartas de Paulo no NT (51 d.C.), dependendo da datação de Gálatas.
- As cartas são endereçadas a novos crentes que enfrentavam dificuldades. A questão principal é: A fé que eles professam sobreviverá?
- Paulo menciona várias questões candentes relacionadas à segunda vinda de Jesus ("arrebatamento" em 1Ts 4.17) e o "homem do pecado" (2Ts 2.3).
- Muitos dos primeiros convertidos em Tessalônica eram gregos tementes a Deus, incluindo algumas mulheres importantes (At 17.4).

Qual é a mensagem de 1 Tessalonicenses?

Introdução (1.1)

A carta tem início com Paulo, Silas e Timóteo saudando a "igreja dos tessalonicenses, em Deus nosso Pai e no Senhor Jesus Cristo" com graça e paz.

Ação de graças (1.2-10)

Paulo começa com ação de graças pelo trabalho e perseverança dos crentes, motivados por sua fé, amor e esperança (1.2,3). Ele então os encoraja lembrando-os de como o evangelho chegou até eles no poder do Espírito e convicção profunda (1.4,5). Eles acolheram a mensagem com alegria, a despeito de sofrimento severo (1.6). Sua fé se tornou conhecida de todos, e eles se tornaram até mesmo modelos para outros crentes (1.7,8). Sua conversão foi evidenciada pelo fato de terem se voltado dos ídolos para servir ao Deus vivo e verdadeiro, cujo Filho eles esperavam dos céus (1.9,10). Eles transferiram a lealdade anterior aos ídolos ao Deus que os amou e escolheu (1.4).

O ministério fiel de Paulo entre os tessalonicenses (2.1-16)

Paulo sabiamente deixara Tessalônica quando a oposição se intensificou, por isso ele foi acusado de ser charlatão e vendilhão do evangelho em proveito próprio. Paulo nega ter ido a eles com motivação impura ou equivocada e insiste que não tentou enganá-los (2.3). Ele então defende a verdade do evangelho e a validade do seu apostolado com vários argumentos. Primeiro, está disposto a sofrer pelo evangelho (2.1,2). Segundo, ele não está preocupado em agradar às pessoas como disfarce para a cobiça (2.4-6). Terceiro, ele mantém a integridade financeira, trabalhando constantemente para não ser um fardo (2.6-9); quarto, ele se relaciona com os tessalonicenses em santidade e amor (2.10-12). Por fim, a recepção dos tessalonicenses à mensagem como a verdadeira palavra de Deus e sua disposição para sofrer perseguição pelo evangelho (2.13-16) defendem a mensagem e o ministério de Paulo.

A preocupação contínua de Paulo pelos tessalonicenses (2.17—3.13)

Paulo tentara voltar a Tessalônica mais de uma vez, mas suas tentativas foram impedidas por Satanás (2.18). Paulo considerava esses crentes sua esperança, alegria e coroa e a respeito deles disse: "Pois quem é a nossa esperança, alegria ou coroa em que nos gloriamos perante o Senhor Jesus na sua vinda? Não são vocês? De fato, vocês são a nossa glória e a nossa alegria" (2.19,20). Ele enviou Timóteo a Tessalônica em seu lugar para fortalecê-los e encorajá-los em suas lutas e para saber como a fé professada estava se manifestando (3.1-5). O relatório positivo de Timóteo (3.6-8) levou Paulo a orar por eles mais uma vez (3.9-13). Ele pede a Deus pelo reencontro com eles (3.11) e ora para que o amor deles cresça, e também por força espiritual para que eles permaneçam fiéis até a volta de Cristo (3.12,13).

Instruções sobre como agradar ao Senhor (4.1-12)

Paulo insta os crentes a agradarem ao Senhor (4.1,2). No restante da seção, ele ressalta três áreas específicas. Primeiro, é a vontade de Deus que eles evitem a imoralidade sexual e aprendam a controlar o próprio corpo de modo santo e honrado (4.3-8). Segundo, em vez de luxúria, os crentes devem ter como prioridade o amor mútuo (4.9,10). Terceiro, ele os desafia a terem uma vida útil e a não serem dependentes de ninguém, e conquistando assim o respeito dos que não pertencem à comunidade de fé (4.11,12).

✣ Primeira aos Coríntios 15 e 1Tessalonicenses 4.13—5.11 apresentam claramente o corpo da ressurreição dos crentes por ocasião da volta de Cristo como uma doutrina cristã importante.

Questões a respeito da vinda de Cristo (4.13—5.11)

A igreja dos tessalonicenses tinha perguntas a respeito dos que morrem antes da vinda de Cristo, por isso Paulo os orienta a respeito do assunto. Primeiro, os cristãos não devem lamentar a morte dos irmãos na fé como os descrentes fazem. Os cristãos de fato lamentam, mas o fazem com esperança (4.13). A esperança dos cristãos está baseada na ressurreição de Jesus, que prometeu ressuscitar todos que "dormiram" (morreram) nele (4.14). Por ocasião da vinda de Cristo, que será pública e visível (ordem dada em voz alta, voz do arcanjo e a trombeta de Deus), os mortos em Cristo ressuscitarão primeiro (eles não estão em desvantagem em relação aos demais). Depois os que estiverem vivos serão reunidos para se encontrar com o Senhor nos ares. E todo o povo de Deus estará com o Senhor para sempre (4.16,17). Essas palavras de instrução têm o propósito de encorajar os cristãos (4.18). Ninguém pode predizer a data da volta de Cristo, e para alguns ela será tão inesperada como a invasão de um ladrão durante a noite (5.1-3). Mas os crentes, filhos da luz, devem estar atentos e sóbrios para não serem surpreendidos (5.4-8). Deus não destinou seus filhos à ira (condenação), mas à salvação e vida para sempre com ele (5.9-11).

Instruções finais a respeito da vida da igreja (5.12-22)

Paulo conclui o corpo da carta com uma miscelânea de mandamentos que encorajam a saúde da comunidade, incluindo respeito aos líderes, trabalho ativo, a manutenção da paz, paciência, bondade em vez de vingança, alegria, oração, gratidão, sensibilidade ao Espírito, a prática do bem e o repúdio a todo tipo de maldade.

Conclusão (5.23-28)

Paulo conclui a carta com uma oração para que os crentes sejam completamente santificados e mantidos inculpáveis até a vinda de Cristo. A fidelidade de Deus tornará isso possível

A última trombeta teria feito que os primeiros leitores de 1Tessalonicenses se lembrassem do chofar, instrumento onoro feito de chifre.

(5.23,24). Ele pede oração, encoraja-os a se saudarem mutuamente como uma família e recomenda a eles que a carta seja lida para todos na igreja (5.25-27). Por fim, ele pronuncia a bênção da "graça de nosso Senhor Jesus Cristo" (5.28).

Qual é a mensagem de 2Tessalonicenses?

Tudo indica que a pressão externa cresceu no intervalo entre as cartas (1.3--10), e alguns dos ensinos de Paulo foram mal entendidos, em especial os a respeito da vinda de Cristo. Alguém estava confundindo os tessalonicenses ao ensinar que o "dia do Senhor" já tinha acontecido (2.1,2). Esse pensamento deve ter sido muito atraente para pessoas que queriam se livrar da perseguição, e pode explicar por que algumas delas estavam perturbando a vida da comunidade (3.6-15). Paulo escreve 2Tessalonicenses para corrigir o ensinamento falso a respeito da vinda do Senhor e para encorajar os cristãos a perseverarem na vida santa.

Introdução (1.1,2)

A abertura é a mesma da primeira carta, com exceção da referência adicional a Deus, o Pai, e o Senhor Jesus Cristo.

Ação de graças e oração (1.3-12)

Paulo agradece a Deus pela fé e pelo amor crescentes dos crentes em meio às perseguições e provas (1.3,4). A vida de fé e amor deles é uma afirmação da sua identidade de cidadãos do Reino de Deus, pelo qual estão sofrendo (1.5). Deus é justo, e julgará os que lhes causam problemas e trará alívio aos que sofrem quando Jesus voltar com chamas flamejantes e seus santos anjos (1.6,7). Jesus punirá os que não conhecem Deus e não obedecem ao seu evangelho com o castigo da destruição eterna e a exclusão da presença gloriosa de Deus (1.8-10). Paulo ora para que Deus possa considerá-los dignos da sua vocação e fortalecê-los a viver com fidelidade (1.11). Ele ora assim para que o nome de nosso Senhor Jesus seja glorificado (1.12).

Instruções a respeito dos acontecimentos que antecederão a vinda de Cristo (2.1-12)

Nessa seção central da carta, Paulo tenta corrigir a compreensão equivocada da igreja a respeito da volta de Cristo. Ele primeiramente diz para a igreja não ficar abalada nem alarmada pelo ensino (falsamente divulgado como se fosse dele) de que o dia do Senhor já tinha acontecido (2.1,2).

✦ Entre as cartas, alguém confundiu esses crentes ensinando que o "dia do Senhor" já tinha acontecido. Como a vinda do Senhor deve trazer libertação do sofrimento, Paulo precisa esclarecer seu ensinamento a respeito desse assunto.

Aquele que o está retendo?
Todd Still

Segunda Pedro 3.16 afirma existirem algumas coisas nas cartas de Paulo que são difíceis de entender. Segunda aos Tessalonicenses 2.1-12 dá apoio a essa declaração. Na verdade, uma série de complexas questões interpretativas enfrentam os que estudam essa passagem. O que provocou a confusão escatológica na congregação tessalônica? Qual foi a origem desse engano? Que apostasia ou rebelião o apóstolo apresenta como acontecendo antes do "dia do Senhor"? Paulo tomou a figura sinistra a que ele se refere como o "homem do pecado" / "filho da perdição" com base em alguma personagem histórica como Antíoco Epifânio, Pompeu ou Calígula? Paulo tinha um templo literal em mente em que o iníquo tomaria o lugar e brincaria de Deus? Por essas e outras, esse texto é um amontoado de declarações complexas.

Nenhuma peça do quebra-cabeça de 2 Tessalonicenses 2.1-12 deixa os intérpretes paulinos mais perplexos que a identidade da "força de contenção" / "limitador" dos versículos 6 e 7. Tendo sido devidamente instruídos sobre "o dia", os tessalonicenses sabiam "o que detém (ou segura)" (*to katechon*) o "homem do pecado" (2.6). Correlativamente, eles foram totalmente informados a respeito "do que modera (ou segura)" (*ho katechon*) a revelação do iníquo. Se eles "sabiam", nós estamos "às escuras". Pelo menos não estamos sozinhos na confusão. Ao comentar sobre 2 Tessalonicenses 2.6, Agostinho de Hipona (354-430) comentou: "Nós não contamos com o mesmo desejo deles [i.e., dos tessalonicenses] de conhecimento, e somos incapazes, mesmo à custa de dores, de entender a referência feita pelo apóstolo".

Além disso, Agostinho afirma que o versículo 6 "se torna ainda mais obscuro pelo que [Paulo] adiciona [no v. 7]." Depois de citar 2.7, Agostinho admite: "Confesso com franqueza que não sei o que ele quis dizer" (*Cidade de Deus* 20.19). Como Agostinho corretamente observa, a dificuldade de interpretar 2.6,7 é agravada porque, enquanto "o que o detém (ou segura)" (*to katechon*) no versículo 6 é neutro, "o que modera (ou retém)" (*ho katechon*) no versículo 7 é masculino.

Se Agostinho ficou impressionado com as "conjecturas audaciosas" dos seus contemporâneos referentes à identidade da "força que o restringe" não é difícil imaginar quão perplexo ele ficaria com a proliferação de propostas que se seguiram. Os exegetas há muito sugeriram que em 2 Tessalonicenses 2.6,7 Paulo tinha em mente o Império Romano (*to katechon* [neutro]) e a figura do imperador (*ho katechon* [masculino]). Uma variante dessa interpretação é que "o princípio de ordem" é "o que está detendo", e "aquele que o está retendo", e "quem o retém" sejam a personificação da mesma pessoa. Outras opiniões a respeito de *to katechon/ho katechon* sugerem a condição judaica, Satanás, uma força e uma pessoa hostis a Deus, Deus e seu poder, o Espírito Santo, uma figura angélica e o evangelho anunciado pelo apóstolo Paulo. Além de eliminar as opiniões que pensam em "o que o está detendo"/ aquele que agora o detém" (por que o mal procuraria restringir ou prender o mal?), talvez seja mais prudente deixar essa atordoante questão interpretativa em aberto, como sugere o título deste artigo.

Paulo ensina que Cristo não voltará antes de alguns acontecimentos: a "apostasia" deve ocorrer e o "homem do pecado" deve ser revelado, e essas coisas ainda não aconteceram (2.3). A "apostasia" (*apostasia* em grego) refere-se ao afastamento de Deus. O homem do pecado se exaltará e alegará ser Deus. Essa descrição corresponde de forma genérica a outros relatos do NT a um inimigo de Deus no fim dos tempos ("anticristo" em 1Jo

---

✚ Nas duas cartas, as escatologia (relacionada às últimas coisas) e a ética (relacionada ao estilo de vida atual) estão intimamente ligadas.

2.18 e "a besta que saía do mar", Ap 13.1). O fortalecimento concedido por Satanás a esse messias rival, bem como o uso de sinais e maravilhas enganadoras, também se encaixam na descrição (2.9). Paulo instruíra os tessalonicenses a respeito desses assuntos (2.5), e, por isso eles conheciam "o que o está detendo" (2.6) e "aquele que agora o detém" (2.7). Mas a identidade dessa influência/pessoa que restringe permanece um mistério para nós. O ponto claro é que, quando isso for removido, o iníquo será revelado apenas para ser derrotado e destruído pelo Senhor Jesus em sua vinda (2.3,8; Ap 19.11-21).

Os não crentes serão enganados pelo homem da impiedade (NVI, "homem do pecado") e condenados por Deus porque rejeitaram a verdade de Deus e tiveram prazer na injustiça em lugar de verdadeiramente se entregarem a Deus (2.3,9-12).

Reafirmação e oração em favor dos crentes (2.13—3.5)

Depois de falar da condenação que sobrevirá aos incrédulos (2.8-12), Paulo assegura aos crentes que Deus os escolheu e chamou para experimentarem a salvação por meio da obra do Espírito e da crença na verdade (2.13,14). Ele os encoraja a permanecerem firmes e se apegarem aos ensinamentos recebidos anteriormente de Paulo e de seus colaboradores (2.15). Ele ora para que Deus, cujo amor e graça eles experimentaram, os encoraje e lhes fortaleça o coração (2.16,17). Paulo pede a esses crentes para intercederem para que a mensagem do Senhor seja propagada e que Deus livre os missionários de pessoas perversas (3.1,2). Paulo declara a fidelidade e proteção de Deus contra o Maligno, com sua confiança de que os tessalonicenses continuarão obedecendo aos ensinamentos apostólicos (3.3,4). Finalmente, ele ora mais uma vez para que o Senhor guie o coração deles ao amor de Deus e à perseverança de Cristo (3.5).

Advertências contra um comportamento inconveniente (3.6-15)

Paulo assume o tom de autoridade quando confronta um problema persistente na igreja (i.e., o anúncio de mandamentos "em nome do nosso Senhor Jesus Cristo" em 3.6,12). Primeiro ele ordena que a igreja se afaste das pessoas "ociosas" (talvez seja melhor entender como "inconvenientes" ou quem se ocupa com um tipo de trabalho errado) e rebeldes (3.6). Ele a relembra de seu exemplo e ensino (3.7-10). Ele trabalhou arduamente para beneficiar a comunidade, e não lhe foi pesado. O privilégio e a responsabilidade devem estar juntos. Mas em Tessalônica havia algumas pessoas egoístas e promotoras de divisões que prejudicaram a comunidade (3.11). Paulo então recomenda que essas pessoas "trabalhem tranquilamente e

✢ Tanto Jesus no discurso do monte das Oliveiras quanto Paulo em 2Tessalonicenses lembram os crentes de que a obediência responsável no presente é a melhor maneira de se preparar para o futuro.

O trabalho e os cristãos tessalonicenses
Todd Still

Ainda que Paulo tenha indicado o caráter de seu ministério inicial em Tessalônica a favor do evangelho (v., p. ex., 1Ts 1.5,9; 2.13; 3.6; 4.1; cf. 2Ts 1.3; 2.13), ele não sugere que a fundação e a formação da comunidade tenham sido fáceis. Pelo contrário, enquanto reflete sobre sua primeira visita à cidade, ele indica que esse processo passou por muitas dificuldades. Não apenas ele e seus companheiros missionários experimentaram oposição de descrentes (v. 1Ts 1.6; 2.2,14,15; 3.3,4), mas também se envolveram em trabalho árduo durante sua permanência em Tessalônica. Em 1Tessalonicenses 2.9, Paulo afirma: "Irmãos, certamente vocês se lembram do nosso trabalho esgotante e da nossa fadiga; trabalhamos noite e dia para não sermos pesados a ninguém, enquanto pregávamos o evangelho de Deus a vocês" (cf. 2Ts 3.7,8). A despeito de ter o direito de viver do evangelho (v. 1Ts 2.6; 2Ts 3.10; 1Co 9.12), o *modus operandi* missionário de Paulo era levantar o próprio sustento como fabricante de tendas (v. At 18.3) para que pudesse pregar o evangelho sem cobrar por isso (v. 1Co 9.18; 2Co 11.7).

Além de servir de exemplo de trabalho para os tessalonicenses (1Ts 2.10; 2Ts 3.9), o apóstolo também deu à igreja deles instruções concernentes ao trabalho pessoalmente e por escrito. Em 1Tessalonicenses 4.11, Paulo admoesta a igreja a "trabalhar com as próprias mãos, como nós [previamente] os instruímos" (cf. 2Ts 3.10). Quando está encerrando a carta, ele também exorta a igreja a "advirtam os ociosos" (1Ts 5.14). Em 2Tessalonicenses 3.6-13, há uma ligação explícita entre os desordeiros e insubordinados e o trabalho. Parece que alguns membros da igreja de Tessalônica viviam de modo insubordinado exatamente por não quererem trabalhar. O fato de eles explorarem pessoas da comunidade estabelece um vívido contraste com o exemplo dos plantadores dessa igreja e ameaçava a estabilidade da comunidade incipiente.

De modo independente da raiz dessa crise congregacional (a aversão ao trabalho em geral, a escatologia equivocada em particular, ou ambas?), Paulo deseja "cortar o mal pela raiz". Ele intenciona fazê-lo ordenando aos membros da igreja que "se afastem de todo irmão que vive ociosamente" (2Ts 3.6), por lembrar a igreja da sua própria conduta e ensino (2Ts 3.7-10) e ao apelar diretamente aos insubordinados que trabalhem tranquilamente e comam o próprio pão (2Ts 3.12). No caso de os insubordinados não responderem de modo positivo às instruções dadas, eles devem ser afastados para que fiquem envergonhados (e, por conseguinte, restaurados) — 2Tessalonicenses 3.14,15. Apesar disso, os crentes tessalonicenses nunca devem "se cansar de fazer o bem" (2Ts 3.13), para que o trabalho de Paulo e seus cooperadores não se torne inútil (1Ts 3.5).

---

comam o seu próprio pão" (3.12), enquanto o restante da igreja não deve se cansar de fazer o que é certo (3.13). Paulo fala a respeito das consequências desagradáveis que estão preparadas para os que rejeitam essas questões (3.14,15). Algumas vezes, o amor precisa ser severo.

Conclusão (3.16-18)

Paulo conclui com uma bênção de paz (3.16) e graça (3.18), junto com uma saudação de próprio punho, para autenticar a carta (3.17).

Como aplicar Tessalonicenses à nossa vida hoje

Além de outras coisas, talvez encontremos nessas duas epístolas sabedoria e equilíbrio a respeito da segunda vinda de Cristo. Alguns cristãos são obcecados por temas escatológicos, enquanto outros parecem se esquecer de que Jesus prometeu voltar. Paulo nos lembra de que Jesus vai voltar. Os que morrerem antes desse acontecimento não estarão em desvantagem. Eles serão os primeiros a ressuscitar corporalmente. Nós lamentamos, mas não sem esperança. Quando Jesus voltar, ele reunirá seus filhos e nós estaremos com o Senhor para sempre. Essa esperança deve nos confortar e fortalecer o coração. Somos também lembrados de que nossa prioridade deve ser viver fielmente agora enquanto esperamos a volta de Cristo. Paulo apresenta muitas instruções pastorais a respeito da vida de santidade, perseverança, confiança, responsabilidade pessoal e esperança. Os novos

Ruínas do mercado em Tessalônica.

crentes pressionados por causa da fé professada encontrarão abundância de sabedoria e encorajamento nessas cartas. Além disso, elas apresentam algumas das mais profundas orações de intercessão no NT.

Nossos versículos favoritos de Tessalonicenses

Pois, dada a ordem, com a voz do arcanjo e o ressoar da trombeta de Deus, o próprio Senhor descerá dos céus, e os mortos em Cristo ressuscitarão primeiro. Depois nós, os que estivermos vivos, seremos arrebatados com eles nas nuvens, para o encontro com o Senhor nos ares. E assim estaremos com o Senhor para sempre. Consolem-se uns aos outros com essas palavras. (1Ts 4.16-18)

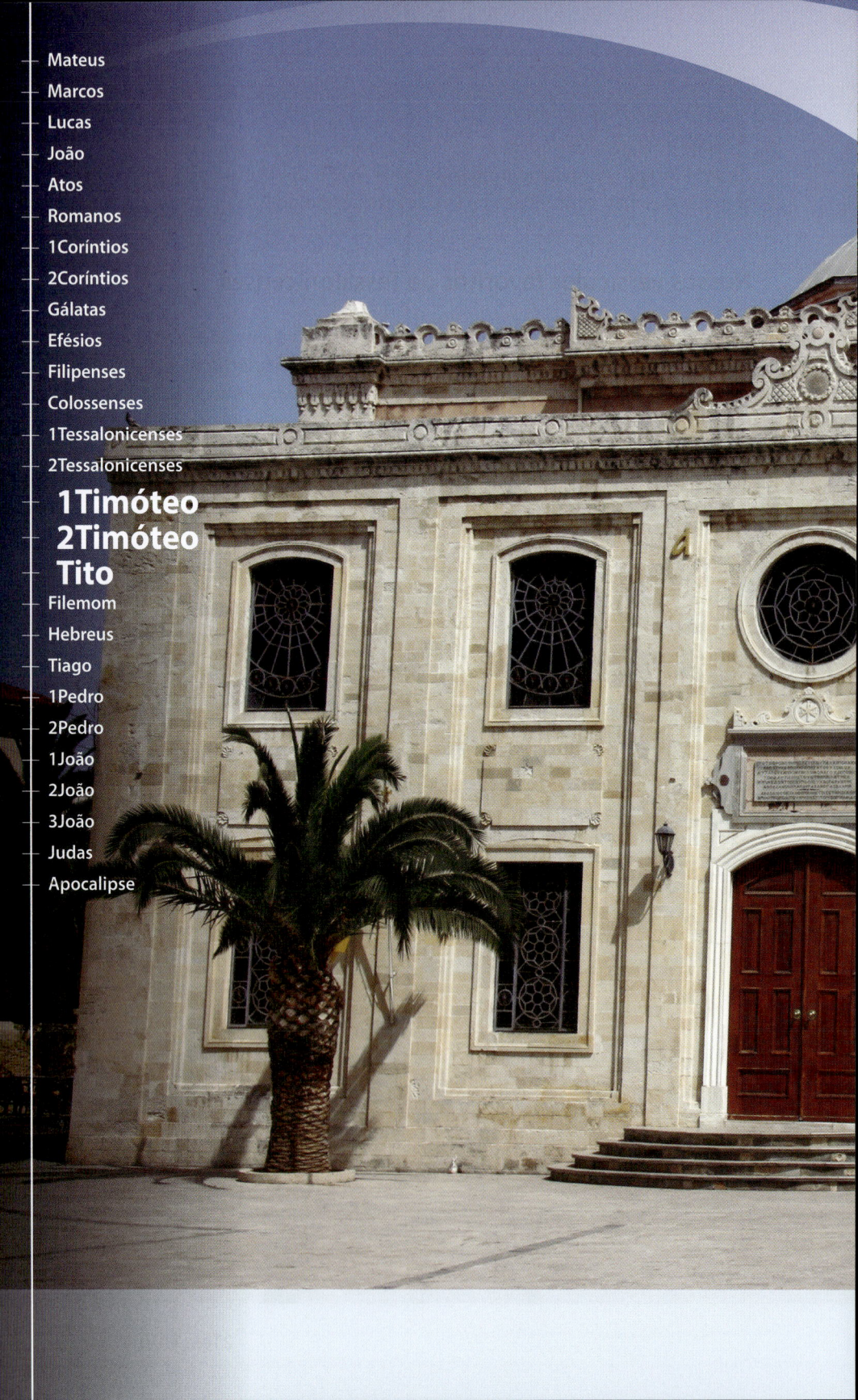

- Mateus
- Marcos
- Lucas
- João
- Atos
- Romanos
- 1Coríntios
- 2Coríntios
- Gálatas
- Efésios
- Filipenses
- Colossenses
- 1Tessalonicenses
- 2Tessalonicenses
- **1Timóteo**
- **2Timóteo**
- **Tito**
- Filemom
- Hebreus
- Tiago
- 1Pedro
- 2Pedro
- 1João
- 2João
- 3João
- Judas
- Apocalipse

1Timóteo
Ensine a verdade

Tito
Dedique-se à prática do bem

2Timóteo
Uma palavra final a um amigo fiel

Primeira a Timóteo, 2Timóteo e Tito são conhecidas como Epístolas Pastorais, por terem sido dirigidas a dois pastores. Timóteo acompanhou Paulo na segunda e na terceira viagens missionárias e é apresentado como corremetente em cinco das epístolas paulinas. Trabalhava como pastor na igreja em Éfeso no tempo em que as cartas foram escritas. Tito, um cristão gentio e um dos mais próximos colaboradores de Paulo no ministério, trabalhava como pastor na ilha de Creta. A esses amados e fiéis companheiros de ministério, Paulo escreve essas três epístolas importantes para a vida na igreja local. Estudaremos as cartas na sequência em que foram escritas por Paulo.

Quem escreveu as Epístolas Pastorais?

As três Epístolas Pastorais alegam terem Paulo como autor, mas essa identificação tem sido questionada por muitos estudiosos contemporâneos. O questionamento se baseia em diferenças de estilo literário e ênfases doutrinárias que tornam as Pastorais diferentes das outras epístolas paulinas, e também pelo fato de não haver como enquadrar as Pastorais no livro de Atos. Assim, muitos concluem que as Pastorais foram escritas anos depois por um discípulo de Paulo. Não obstante, há argumentos sólidos a favor da autoria paulina das Pastorais. Como as cartas foram escritas provavelmente depois da narrativa de Atos, não há necessidade de harmonizar as cronologias. Além disso, diferenças relativas a tema, propósitos e circunstâncias (são cartas dirigidas a pastores individuais, não a igrejas) explicam muitas diferenças. Por fim, considerando as semelhanças entre as Pastorais e Lucas-Atos, é totalmente possível que Lucas tenha trabalhado como secretário pessoal de Paulo, e contado com liberdade para compor as cartas (v. a declaração de Paulo em 2Tm 4.11: "Só Lucas está comigo").

Quem eram os destinatários de Paulo?

No fim do livro de Atos, Paulo está em prisão domiciliar em Roma aguardando ser julgado por César (At 28.30,31). Não é dito o que aconteceu com Paulo depois disso, mas a tradição da igreja primitiva diz que Paulo foi libertado da prisão, continuou o ministério por um tempo, foi preso mais uma vez em Roma e posteriormente martirizado (v. Eusébio, *História eclesiástica.* 2.22.2,5). A reconstrução do cenário histórico a seguir é uma forma de dar sentido à evidência escriturística:

- Primeira prisão em Roma, entre os anos 60 e 62
- Libertação da primeira prisão em Roma (acontecimento não registrado em Atos)
- Viagem "aos limites do Ocidente" (talvez a Espanha; Rm 15.24,28)

Busto de Nero, imperador romano quando Paulo escreveu as Epístolas Pastorais.

✚ Timóteo e Tito estavam entre os muitos cooperadores de Paulo que desempenharam papéis importantes na missão aos gentios.

- Ida a Creta, onde deixou Tito (Tt 1.5)
- Ida a Mileto (2Tm 4.20)
- Ida a Éfeso, onde deixou Timóteo (1Tm 1.3)
- Ida a Macedônia (1Tm 1.3; Fp 2.24) e a Nicópolis (Tt 3.12)
- Preso a caminho de Éfeso (possivelmente em Trôade (2Tm 4.13)
- Preso em Roma pela segunda vez e martirizado na perseguição empreendida por Nero por volta de 67-68 (2Tm 1.16,17; 2.9; 4.6-8,13,20,21).

Em algum momento entre os anos 63 e 67, Paulo escreveu as cartas a Timóteo (que estava em Éfeso) e a Tito (que estava em Creta), instruindo-os a respeito do ministério na igreja local e encorajando-os a perseverar. Depois de ter sido preso pela segunda vez, escreveu a Timóteo a última carta, a despedida do amigo fiel.

Quais são os temas centrais das Epístolas Pastorais?

Paulo advertira aos presbíteros da igreja de Éfeso que falsos mestres sairiam do seio da própria congregação para distorcer a verdade e desviar as pessoas (At 20.30). Conforme 1Timóteo 1.3-7, aconteceu exatamente assim. O problema em Éfeso era o ensinamento falso (1Tm 1.3,7; 6.3-5), e os presbíteros eram responsáveis pelo ensino (1Tm 3.1-7; 5.17-25). Em outras palavras, a igreja de Éfeso estava sendo ameaçada por alguns dos próprios líderes. Paulo escreve 1Timóteo para impedir o ensinamento falso e ensinar a igreja a como se conduzir.

1Timóteo
- Introdução (1.1,2)
- A responsabilidade de Timóteo: ensinar a verdade (1.3-20)
- Instruções a respeito do culto e da liderança (2.1—3.16)
- A busca da santidade e não aceitação de ensinamentos falsos (4.1-16)
- Instruções para grupos na igreja (5.1—6.2)
- Advertências finais (6.3-21)

Paulo deixara Tito em Creta para indicar líderes para as várias igrejas nos lares (Tt 1.5). O povo de Creta tinha a fama de desonesto, glutão e preguiçoso (1.12); então, não é surpresa que o foco de Paulo na carta a Tito esteja em como o povo de Deus deve viver em meio à sociedade pagã. Os cristãos devem se dedicar a fazer o bem, e esse é o tema principal da carta (Tt 1.8,16; 2.7,14; 3.1-8,14).

✚ As Epístolas Pastorais apresentam elementos que nos permitem ver como a igreja primitiva organizava seu ministério.

Falsos mestres
Ray Van Neste

Falsos mestres são encontrados em toda parte na narrativa bíblica (v. 2Tm 3.8). As ênfases podem variar, mas, em essência, os falsos mestres ensinam coisas diferentes da verdade ("depósito") que nos foi confiada por Cristo por intermédio dos apóstolos (v. 1Tm 1.3; 2Tm 1.14). A expressão traduzida por "ensinar doutrinas falsas" em 1Timóteo 1.3 significa literalmente "ensinar algo estranho ou diferente". No NT, alguns dos falsos mestres são muito rigorosos, exigindo o que Deus não exige (p. ex., Gl 6.12; 1Tm 4.1-5), enquanto outros são muito lenientes, não se submetendo às exigências de Deus (Tt 1.10,11; 2Tm 3.1-9). Nas Epístolas Pastorais (bem como no restante do NT), o ensino incorreto está ligado ao comportamento incorreto (2Tm 3.1-9; 1Tm 1.3-7; 6.3-10). O ensinamento falso não é apenas uma questão intelectual ou acadêmica; também é uma questão moral. De igual modo, o erro moral está ligado a problemas doutrinários. O verdadeiro evangelho apostólico produz piedade aos que se apegam a ele (Tt 2.11,12).

Os falsos mestres devem ser repreendidos e silenciados (1Tm 1.3; Tt 1.11-13). Paulo não trata o problema do ensino falso com suavidade. O erro pode arruinar "famílias inteiras" (Tt 1.11), "perverter a fé" de alguns (2Tm 2.18), espalhar-se como a gangrena (2Tm 2.17, *NTLH*; *NVI*, "alastrar-se como câncer") e levar pessoas a pensar que estão em uma posição justa diante de Deus quando na verdade não estão (Tt 1.16). O erro doutrinário ameaça a alma e, por conseguinte, deve ser tratado com firmeza e transparência. Há esperança de que os falsos mestres e seus seguidores se arrependeram (2Tm 2.24-26), pois assim serão recebidos pela igreja. Mas os que persistirem em ensinar doutrinas falsas serão excomungados (Tt 3.10,11).

Tito
- Introdução (1.1-4)
- Instruções para diferentes grupos no seio da igreja (1.5—2.15)
- Dedicar-se à prática do bem (3.1-11)
- Conclusão (3.12-15)

A primeira prisão de Paulo em Roma foi domiciliar, mas as condições de sua segunda prisão eram muito mais severas — ele ficou em um lugar frio, úmido e difícil de achar (2Tm 1.17; 4.13), foi abandonado por alguns (2Tm 1.15; 4.10), sofreu a oposição de outros (2Tm 2.17,18; 4.14) e tinha a consciência de que morreria em breve (2Tm 4.6-8,18). Segunda a Timóteo é a despedida mais intensamente pessoal de Paulo de seu companheiro de longa data, uma espécie de testamento deixado a um herdeiro. Paulo exorta Timóteo a permanecer fiel, a proclamar a vitória do evangelho de Jesus Cristo, e pede que ele venha visitá-lo.

2Timóteo
- Introdução (1.1,2)
- Encorajamento a permanecer fiel (1.3-18)
- Fortalecer-se na graça de Deus e suportar as dificuldades (2.1-13)

✙ No passado, Paulo mandou prender cristãos (At 8.3; 9.4,5; 22.4,19; 26.10). Ironicamente, quando se tornou cristão, ele foi preso várias vezes (2Co 6.5; 11.23; At 16.23-40; Fp 1.13,14; 2Tm 1.16; 2.9; Fm 10,13).

- Obreiro que maneja corretamente a Palavra (2.14-26)
- Persevervar em tempos difíceis (3.1-17)
- As últimas palavras de Paulo a Timóteo (4.1-18)
- Conclusão (4.19-22)

O que faz das Epístolas Pastorais interessantes e únicas?

- Paulo muda o padrão normal de redação a igrejas e escreve as cartas a dois cooperadores que lideram igrejas: Timóteo e Tito.
- Ele apresenta qualificações e instruções para os líderes das igrejas (presbíteros e diáconos) em 1Timóteo 3.1-13; 5.17-25 e Tito 1.6-9.
- 1Timóteo 2.11-15 é uma passagem importante (e bastante debatida) a respeito do papel das mulheres na igreja.
- 1Timóteo 6 contém conselhos sábios a respeito do uso do dinheiro por parte dos cristãos.
- 2Timóteo é provavelmente a última carta de Paulo, escrita pouco antes de seu martírio (v. 2Tm 4.16-18).
- A carta de Paulo a Tito repetidamente enfatiza as boas obras como expressão normal da fé cristã genuína (Tt 2.7,14; 3.1,8,14),
- 2Timóteo 3.16,17 é uma afirmação extremamente importante a respeito da inspiração das Escrituras.

Qual é a mensagem de 1Timóteo?

Introdução (1.1,2)

Paulo escreve como apóstolo de Jesus Cristo a Timóteo, seu "verdadeiro filho na fé" (1.2). À saudação habitual de graça e paz, Paulo acrescenta "misericórdia" da parte de Deus o Pai e de Cristo Jesus nosso Senhor (1.2).

Moeda romana com a efígie de Nero.

A responsabilidade de Timóteo: ensinar a verdade (1.3-20)

Paulo primeiramente encarrega Timóteo de ordenar a certos homens na igreja que parem de ensinar doutrinas falsas, que encorajam controvérsias e até mesmo apostasia, não a obra de Deus (1.3-7). Os autointitulados doutores da Lei não compreendem a abordagem correta da

✚ Paulo predisse que a igreja em Éfeso enfrentaria lutas com falsos mestres entre os líderes (At 20.28-31).

Lei, explicada por Paulo em 1.8-11. Paulo em 1.12-14 apresenta um agradecimento pela graça abundante de Deus que o transformou de perseguidor da igreja em apóstolo. Em 1.15-17, lemos a primeira das "afirmações dignas de aceitação" das Pastorais (1Tm 1.15; 3.1; 4.9; 2Tm 2.11; Tt 3.8). O núcleo da afirmação é que Cristo veio ao mundo para salvar pecadores, e essa demonstração de paciência ilimitada resultará em honra e glória a Deus.

Finalizando a seção, Paulo uma vez mais encoraja Timóteo a permanecer firme na fé (1.18-20).

Instruções a respeito do culto e da liderança (2.1—3.16)

A oração deve ser uma prioridade no culto, para que os crentes possam viver em paz e piedade, e assim as pessoas tenham o conhecimento salvador da verdade revelada em Jesus Cristo, nosso mediador e redentor (2.1-7). Em 2.8-15, Paulo orienta os homens (ou maridos) a orar sem brigas e discussões, e as mulheres (ou esposas) a se trajarem de modo adequado, para aprender com espírito respeitoso e que não ensinem nem exerçam autoridade sobre o homem (muito provavelmente, essa passagem se refere a uma única função, a saber, o presbiterato). Paulo baseia esses mandamentos na ordem da Criação. Em 3.1-13, onde se encontra a segunda afirmação digna de aceitação, Paulo apresenta as qualificações e responsabilidades dos líderes da igreja, primeiro os presbíteros (3.1-7) e depois os diáconos (3.8-13). Os supervisores devem ter vida piedosa, ser fiéis e responsáveis nos relacionamentos, ter boa reputação junto aos não crentes e aptidão para ensinar. Os critérios para os diáconos são semelhantes, com exceção das responsabilidades para ensinar. Paulo lembra a Timóteo (e a toda a igreja) que escreveu essas instruções como um substituto de sua presença pessoal e conclui com uma confissão de fé em Jesus Cristo (3.14-16).

A busca da santidade e não aceitação de ensinamentos falsos (4.1-16)

De acordo com 4.1-5, o ensino falso em Éfeso enfatizava fortes elementos de ascetismo (a proibição de dádivas de Deus como o casamento e certos alimentos). Esses ensinos procediam de mentirosos hipócritas e tinham origem demoníaca. Os dons de Deus devem ser recebidos com ação de graças. O papel de Timóteo como bom ministro de Cristo Jesus é denunciar a falsidade, evitá-la e buscar a piedade (4.6-8). A terceira afirmação digna de confiança ressalta o Deus vivo como Salvador de todos os crentes (4.9,10). Paulo encoraja Timóteo a ser diligente, exemplo de piedade e a ensinar os outros a fazer o mesmo (4.11-16).

Líderes eclesiásticos
Ray Van Neste

As Epístolas Pastorais apresentam a discussão mais detalhada do NT a respeito do ofício dos líderes eclesiásticos. Três palavras principais são usadas para esses líderes: presbíteros, bispos (ou supervisores) e diáconos. "Presbítero" é das três a mais comum (At 11.30; 14.23; 15.2,4,6,22,23; 16.4; 20.17; 21.18; 1Tm 4.14; 5.17,19; Tt 1.5; 1Pe 5.1-5). "Bispo" aparece em 1Timóteo 3.1-7 (v. tb. Fp 1.1). Na lista de qualificações de Tito 1.5-9, as palavras "presbítero" e "bispo" ocorrem juntas (como em At 20.28). Considerando o uso de "presbítero" e "bispo" na mesma passagem (e o uso da forma verbal "supervisionar", que a *NVI* traduz por "pastorear", como uma das tarefas dos "presbíteros" em 1Pe 5.1-5), os estudiosos geralmente concordam que as palavras se referem ao mesmo ofício. Mesmo os que não concordam agrupam-nos em distinção dos "diáconos". Então há dois ofícios principais de liderança eclesiástica: bispos/presbíteros e diáconos.

Qualificações. Os textos primários a respeito das qualificações dos líderes eclesiásticos são 1Timóteo 3 e Tito 1.5-9. Bispos/diáconos são considerados em 1Timóteo 3.1-7 e em Tito 1.5-9. Os diáconos são considerados em 1Timóteo 3.8-13 (v. tb. At 6). As qualificações focam-se mais no caráter cristão que em habilidades ou tarefas. Os líderes eclesiásticos devem ter a vida moldada pelo evangelho. Devem incorporar a mensagem na vida pessoal e familiar.

Tarefas. Os bispos devem ser aptos para ensinar a sã doutrina e a refutar os falsos mestres (1Tm 3.2; Tt 1.9). Primeira a Timóteo 5.17 diz que honra especial deve ser dada "[à]queles cujo trabalho é a pregação e o ensino". As repetidas exortações encontradas nas Epístolas Pastorais quanto ao ensino fiel e saudável demonstram a importância do ensino para os líderes eclesiásticos (p. ex., 1Tm 1.18; 4.6,11; 6.2,3; 2Tm 2.14; 4.1,2; Tt 2.1; 3.8). Há também um grau importante de autoridade no ensino (p. ex., Tt 2.15), ainda que a autoridade seja exercida de modo amável.

Dos diáconos, não se requer capacidade para ensinar. Essa é a principal distinção dos ofícios. Não há nas Epístolas Pastorais menção explícita à tarefa dos diáconos. Parece que eles deveriam ser assistentes dos presbíteros. Se Atos 6 se refere aos primeiros diáconos (o que parece provável), os diáconos auxiliavam os presbíteros atendendo às necessidades específicas na congregação e, desse modo, preservavam a unidade da igreja.

Além de ensinar, os superintendentes devem dirigir a igreja e supervisionar os membros. Ensinar, dirigir e viver uma vida santificada são os modos com que os presbíteros guardam e pastoreiam as almas de seu rebanho (At 20; 1Tm r.16; Hb 13.17).

Instruções para grupos na igreja (5.1—6.2)

O falso ensino cedo ou tarde prejudicará os relacionamentos internos da igreja, por isso Paulo apresenta instruções corretivas para diferentes grupos. Em primeiro lugar, ele pede que haja respeito para com pessoas de todas as faixas etárias, incluindo jovens e velhos (5.1,2), antes de tratar da situação das viúvas (5.3-16).

Viúvas com família que as apoia devem ser cuidadas pela família (5.4), enquanto as viúvas piedosas com mais de 60 anos e sem família devem ser cuidadas pela igreja (5.3,5-9). Quem não cuida das viúvas da própria família,

✚ As palavras "presbítero(s)", "bispo(s)" e "pastor(es)" parecem ser usadas de modo intercambiável no NT (v. At 20.17,28; 1Tm 3.1-7; 5.17-19; Tt 1.5-9; 1Pe 5.1-4).

é pior que um descrente (5.8,16). Ele aconselha as viúvas jovens a se casarem novamente e darem prioridade às responsabilidades familiares como modo de viver a fé (5.11-15). Em 5.17-25, Paulo encoraja que os presbíteros que cuidam dos assuntos da igreja sejam sustentados financeiramente, em especial os que pregam e ensinam (Dt 25.4; Lc 10.7). Qualquer acusação contra um presbítero só pode ser levantada se houver testemunhas, mas os presbíteros que pecam devem ser repreendidos perante todos como advertência. Paulo recomenda a Timóteo que não manifeste favoritismo e que não ordene ninguém ao ofício de presbítero depressa demais, ainda que nem sempre seja fácil saber sobre o caráter de alguém. Timóteo deveria manter-se puro, mas isso não o impede de beber um pouco de vinho por conta da saúde, não apenas água. Em 6.1,2, Paulo lembra aos escravos que respeitem seus senhores, para que o nome de Deus seja honrado, não caluniado. Os escravos que têm senhores cristãos não devem desrespeitá-los por causa disso. Pelo contrário, deverão servi-los com diligência ainda maior.

Advertências finais (6.3-21)

Timóteo deve continuar a ensinar a verdade, e os que ensinam algo contrário ou discordante do ensino de Jesus são orgulhosos, ignorantes e criadores de caso, que usam a fé em proveito pessoal (6.3-5). A piedade com contentamento é espiritualmente proveitosa, mas os que querem enriquecer caem em tentação muitas vezes resultante em ruína e destruição (6.6-9). Como "o amor ao dinheiro é raiz de todos os males", os que têm esse amor sofrerão falência espiritual (6.10). Paulo adverte Timóteo de, como homem de Deus, afastar-se de tais tentações e buscar "a justiça, a piedade, a fé, o amor, a perseverança e a mansidão" (6.11). Ele deve combater o bom combate da fé e permanecer fiel à sua confissão até a volta de Cristo, que Deus, digno de toda a honra e de todo o louvor, manifestará no devido tempo (6.12-16). Paulo também ordena aos crentes ricos que não sejam arrogantes nem depositem a esperança nas riquezas, mas em Deus, e que sejam ricos em boas obras e generosos em compartilhar (6.17,18). Assim, acumularão um tesouro para eles mesmos para a era futura (6.19). Mais uma vez, Paulo recomenda a Timóteo que permaneça fiel e que evite os falsos ensinos que desviam as pessoas da fé verdadeira (6.20). Ele encerra a carta com uma oração para que a graça de Deus seja com todos eles (6.21).

Qual é a mensagem de Tito?

Introdução (1.1-4)

Paulo escreve como "servo de Deus e apóstolo de Jesus Cristo" (1.1) a Tito, seu "verdadeiro filho" na "fé comum" com sua saudação costumeira de "graça e paz da parte de Deus Pai e de Cristo Jesus, nosso Salvador" (1.4). Mas Paulo amplia o propósito do seu apostolado com ricas referências à fé, ao conhecimento, à piedade, vida eterna, fidelidade de Deus e a seu chamado (1.1-3).

Instruções para diferentes grupos no seio da igreja (1.5—2.15)

Localização de Creta

Tito foi deixado em Creta para indicar presbíteros ou supervisores para as várias igrejas nos lares (1.5,7). Em 1.6-9, Paulo detalha os critérios para essa posição de liderança, falando sobre piedade pessoal, vida familiar exemplar, ausência de vícios éticos e sobejamento de virtudes cristãs, especialmente o apego firme à fé, e que ele encoraje os crentes e refute os falsos mestres. Paulo trata da questão do ensinamento falso em 1.10-16. Esse ensino tem um elemento distintamente judaico (1.10,14), reflete a sociedade cretense (1.12) e acrescenta um elemento ascético (1.15). Paulo afirma que os falsos mestres são gananciosos, rebeldes, enganadores, corruptos, desobedientes e incapazes de fazer o bem. Ele ordena a Tito que repreenda os falsos mestres e mantenha as igrejas livres da influência danosa deles. Na sequência, Paulo apresenta instruções especiais para Tito sobre como ensinar os mais velhos (2.1-3) e os mais jovens (2.4-8). Ele encoraja os crentes mais velhos a que vivam de forma digna de imitação pelos mais jovens e ensinem a verdade fielmente, de modo que os não crentes não tenham motivo para criticar a igreja (2.5,8). Tito deve ser exemplo para todos (2.7,8). A seguir, Paulo instrui os escravos a que respeitem seus senhores e demonstrem confiabilidade para que o evangelho seja atraente para esses senhores (2.9,10). Paulo apresenta uma conclusão teológica à seção de instruções comportamentais (2.11-15). "A graça de Deus se manifestou salvadora a todos os homens" (2.11). Essa graça nos ensina a dizer "não" à impiedade e "sim" à vida sensata, justa e piedosa (2.12) enquanto aguardamos a "bendita esperança": o retorno "de nosso grande Deus e Salvador, Jesus Cristo" (2.13). Jesus (claramente afirmado nesse texto como Deus) se entregou para nos redimir dos nossos pecados e nos purificar como povo desejoso de fazer o que é bom (2.14). Mais uma vez, Tito é encarregado de ensinar essas verdades e de não permitir que ninguém o despreze (2.15).

✚ Conquanto Paulo desencoraje os cristãos de praticarem as "obras da Lei" (Rm 3.21—4.25; Gl 3.1—4.7; 5.1-12), ele os encoraja à prática de "boas obras" provenientes da fé (p.ex., Tt 2.7,14; 3.1,8,14).

Dedicar-se à prática do bem (3.1-11)

Como parte da dedicação a fazer o bem, os cristãos em Creta precisam se submeter às autoridades civis e apresentar uma atitude humilde, pacífica e amável para com as autoridades civis (3.1,2). Assim, será estabelecido um forte contraste com seu antigo modo de vida, marcado por atitudes de maldade, inveja e ódio (3.3). Paulo apresenta outra palavra "digna de aceitação" em 3.4-7. Quando a bondade e o amor de Deus foram manifestados em Cristo, ele salvou as pessoas não com base nas boas obras, mas por sua misericórdia mediante o poder renovador do Espírito Santo. Como resultado da justificação pela graça, os crentes se tornam herdeiros da vida eterna. Quem foi salvo dessa maneira, se dedicará a fazer o bem (4.8). Como ele declarou em 1.10-16, mais uma vez Paulo adverte Tito dos falsos mestres e o orienta a respeito do processo de disciplina eclesiástica em 3.9-11.

Conclusão (3.12-15)

Paulo conclui com saudações pessoais da parte dos demais cooperadores e instrui Tito a respeito de seus planos de viagem (3.12,13). Ele acrescenta uma exortação final a respeito da prática do bem, dessa vez ensinando que os crentes devem viver de forma produtiva a fim de se sustentarem (3.14). A carta é concluída com saudações adicionais e uma bênção de graça para todos (3.15).

Qual é a mensagem de 2Timóteo?

Introdução (1.1,2)

Na última carta, Paulo escreve como apóstolo de Cristo Jesus pela vontade de Deus e acrescenta: "segundo a promessa da vida que está em Cristo Jesus" (1.1). Próximo da morte, Paulo se apega à esperança da vida eterna. Ele saúda Timóteo, seu "amado filho", com "graça, misericórdia e paz" da parte do Pai e do Filho (1.2).

Ancoradouro chamado Bons Portos na ilha de Creta.

Encorajamento a permanecer fiel (1.3-18)

O emocionado agradecimento de Paulo iniciado em 1.3 inclui lembranças, saudações e desafios a Timóteo. Enquanto ora, ele recorda seu relacionamento próximo e a fé sincera de Timóteo, que lhe fora transmitida pela avó e mãe (1.4,5). Recomenda a Timóteo que trabalhe com ousadia, amor e diligência, de acordo com os dons recebidos de Deus (1.6,7). Em lugar de se envergonhar do Senhor ou de Paulo, Timóteo deve se unir ao sofrimento pelo evangelho à medida que Deus o fortalece (1.8), pois Deus salva os crentes e os chama à santidade não com base nas ações deles, mas de acordo com seu propósito e por sua graça (1.9). Essa graça foi revelada em Jesus Cristo, que destruiu a morte e trouxe a vida por meio do evangelho, do qual Paulo é ministro (1.9-11). Ainda que Paulo encare a morte iminente, ele não recua envergonhado, mas confia na fidelidade de Jesus para completar o que foi iniciado (1.12; Fp 1.6). Timóteo deve imitar Paulo ao se apegar à "sã doutrina" com fé e amor e guardar o "bom depósito" (i.e., o evangelho) com a ajuda do Espírito (1.13,14). Paulo apresenta exemplos negativos que Timóteo deve evitar (1.15) e positivos que deve imitar (1.16-18). Em tempos de sofrimento, amigos fiéis são dádivas divinas!

Prisão Mamertina em Roma, onde provavelmente Paulo ficou preso quando escreveu 2Timóteo.

Fortalecer-se na graça de Deus e suportar as dificuldades (2.1-13)

Paulo diz a Timóteo para se fortalecer "na graça que há em Cristo Jesus" e transmitir a fé verdadeira a pessoas confiáveis e capazes de ensinar a outros (2.1,2). Para cumprir essas responsabilidades, Timóteo precisará suportar dificuldades, manter o foco e trabalhar arduamente (como soldado, atleta e lavrador), sabendo que haverá a recompensa eterna (2.3-7). Mais uma vez, Paulo lembra a Timóteo o evangelho do Cristo crucificado e ressurreto, que não pode ser aprisionado, mesmo que seus mensageiros sejam acorrentados (2.8,9). Vale a pena enfrentar as dificuldades quando resultam na salvação de outras pessoas (2.10). Outra palavra "digna de confiança" é citada em 3.11-13 e reafirma verdades básicas a respeito do nosso relacionamento com Cristo.

✚ Como pai fiel pronunciando as últimas palavras ao filho leal, 2Timóteo nos oferece um vislumbre do amor e afeto profundos de Paulo a Timóteo, seu filho na fé.

Obreiro que maneja corretamente a Palavra (2.14-26)

Timóteo deve lembrar os crentes a respeito da fé verdadeira e adverti-los de discussões inúteis e perigosas que negam o evangelho e destroem as pessoas em sentido espiritual (2.14,16-18,23). Timóteo deve ter a atenção voltada para se apresentar a Deus como "obreiro que não tem do que se envergonhar e que maneja corretamente a palavra da verdade" (2.15). A interpretação e a aplicação responsáveis das Escrituras permanecem no cerne do ministério pastoral. Deus conhece seus filhos e os protegerá, mas os que creem têm a responsabilidade de rejeitar o falso ensinamento (2.19). Paulo desafia os atraídos por falsos ensinamentos a que se limpem e voltem para seu Senhor, que pode purificá-los e usá-los em toda boa obra (2.20,21). Timóteo, por sua vez, deve se afastar do falso ensinamento e buscar a justiça, a fé, o amor e a paz com todos os que, de coração puro, invocam o Senhor (2.22). Em vez de ser brigão, o servo (ministro) do Senhor deve ser amável e instruir com gentileza os opositores, na esperança de que Deus lhes conceda arrependimento e libertação da armadilha do Diabo (2.23-26).

Perseverar em tempos difíceis (3.1-17)

Timóteo deve estar consciente de que "nos últimos dias sobrevirão tempos terríveis", isto é, o tempo entre a primeira e a segunda vindas de Cristo (3.1). Paulo usa quase 20 características negativas para descrever como as pessoas se tornarão e adverte Timóteo de não se envolver com gente assim (3.2-5). Paulo desmascara as táticas enganosas dos falsos mestres, destacando seu uso da religião para enganar mulheres vulneráveis (3.6,7). Esses homens, como os opositores de Moisés, têm a mente depravada e rejeitam a verdade (3.8), mas Deus os rejeitou e logo lhes mostrará sua tolice espiritual (3.9). Em contraste, Timóteo encontra a referência no estilo de vida e nos ensinamentos e sofrimentos de Paulo (3.10,11). Como resultado, Timóteo deve buscar a piedade e esperar a perseguição (3.12), enquanto os impostores continuarão no caminho ímpio (3.13). Paulo exorta Timóteo a perseverar na fé, conhecendo os modelos que lhe ensinaram e as Escrituras que lhe foram ensinadas (3.14,15). Afinal, as Escrituras são "inspiradas por Deus", e sua inspiração as torna úteis para equipar os crentes a viver de forma piedosa e a cumprir os ministérios que Deus lhes deu (3.15,16).

As últimas palavras de Paulo a Timóteo (4.1-18)

As palavras finais de Paulo a Timóteo são carregadas de emoção. Em primeiro lugar, ele encarrega Timóteo de "pregar a Palavra" na presença de Deus, estando sempre pronto a "repreender, corrigir e exortar" com

✚ Segunda a Timóteo 3.16,17 apresenta uma declaração inequívoca e poderosa a respeito da inspiração das Escrituras.

paciência e de modo cuidadoso (4.1,2). Tempo virá, avisa Paulo, em que as pessoas não suportarão a sã doutrina e se farão cercar de mestres que lhes dirão apenas o que desejam ouvir (4.3,4). Timóteo deve manter a compostura em todas as situações, suportar as dificuldades, anunciar o evangelho e cumprir seu ministério (4.5). Infelizmente, a "partida" (morte) de Paulo está próxima (4.6). De fato, ele combateu o combate, terminou a corrida e guardou a fé, e o Senhor lhe dará a recompensa (bem como a todos os que anseiam pela volta de Jesus) no dia final (4.7,8). Paulo pede a Timóteo que vá vê-lo com rapidez, pois alguns o abandonaram, outros estão envolvidos em algumas tarefas, por isso só Lucas permaneceu a seu lado (4.9-11). Quando vier, Timóteo deve trazer Marcos (que antes abandonara a equipe missionária, mas com o passar do tempo se tornara útil), a capa de Paulo para aquecê-lo no inverno, seus pergaminhos e sua "Bíblia" (4.11-13). Na viagem, Timóteo deve tomar cuidado com Alexandre, o ferreiro, opositor ferrenho da fé (4.14,15). Todos abandonaram Paulo na primeira defesa, mas mesmo assim ele ora: "que isso não lhes seja cobrado" (4.16). Mas o Senhor esteve com ele e o fortaleceu para proclamar as boas-novas no coração do império gentio, a própria Roma (4.17). Não se sabe se Paulo teve oportunidade de proclamar Jesus ao imperador Nero. Paulo sabe que o Senhor o resgatará de todo ataque maligno e o levará a salvo para seu Reino celestial (i.e., o protegerá espiritualmente da morte até a ressurreição) — a Deus seja a glória (4.18).

O ponto de partida dos jogos Píticos em Delfos, Grécia.

✚ Enquanto aguarda o resultado do julgamento, Paulo espera ver Timóteo pela última vez (antes que as viagens marítimas sejam interrompidas por causa do inverno).

Conclusão (4.19-22)

Nas saudações finais, Paulo diz a Timóteo: "Procure vir antes do inverno" (4.19-21). Se Timóteo não conseguir um navio que vá a Roma antes da interrupção das viagens marítimas por causa do inverno, ele não verá seu amado mentor antes da morte.

Com esse pedido veemente, Paulo revela o amor profundo ao amigo fiel. Depois de orar, pedindo que Timóteo tenha certeza da presença de Deus, ele conclui a carta, a última que escreveu, com a expressão característica de sua vida (talvez mais que qualquer outra): "a graça seja com vocês" (4.22).

Como aplicar as Epístolas Pastorais à nossa vida hoje

As Epístolas Pastorais continuam a falar de maneira magnífica a respeito da vida e do ministério da igreja local. O tema da piedade percorre as Pastorais. Na cultura em que líderes eclesiásticos não raro são flagrados em pecados escandalosos, o apelo de Paulo para que o líder seja exemplo de piedade continua relevante. Paulo também destaca (em especial em Tito) a importância da prática do bem. Somos salvos pela graça, não por boas obras, mas os crentes verdadeiros se dedicarão à prática de boas obras como demonstração da genuinidade de sua fé. Paulo também fala a respeito das diversas qualificações e responsabilidades dos líderes eclesiásticos (1Tm 3.1-13; Tt 1.5-9). Hoje devemos prestar atenção aos itens das listas em vez de sermos seletivos a respeito da aplicação de alguns deles. Servir como líder espiritual ainda é uma vocação com muita responsabilidade. Além de constituírem exemplos de piedade, os líderes têm a responsabilidade de ensinar as Escrituras de maneira fiel e precisa. Como os falsos ensinos continuam a ameaçar a igreja ao fazer as pessoas se desviarem de Cristo, a tarefa do líder é pastorear o rebanho com amor, afastá-lo do erro e conduzi-lo de volta à verdade. Além disso, o povo de Deus não deve ficar surpreso ao enfrentar oposição, pois "todos os que desejam viver piedosamente em Cristo Jesus serão perseguidos" (2Tm 3.12). Além da disposição de sofrer, devemos nos preparar para a corrida de longa distância. A vida cristã é mais parecida com uma vida de resistência e perseverança que com uma corrida de curta duração. Que Deus nos ajude e nos mantenha fiéis enquanto nos apegamos à esperança definitiva de desfrutar de sua presença para sempre.

Nossos versículos favoritos das Epístolas Pastorais

Ordene aos que são ricos no presente mundo que não sejam arrogantes, nem ponham sua esperança na incerteza da riqueza, mas em Deus, que de tudo nos

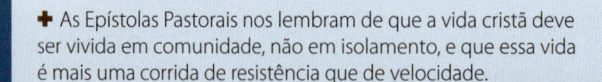

provê ricamente, para a nossa satisfação. Ordene-lhes que pratiquem o bem, sejam ricos em boas obras, generosos e prontos a repartir. Desta forma eles acumularão um tesouro para si mesmos, um firme fundamento para a era que há de vir, e assim alcançarão a verdadeira vida. (1Tm 6.17-19)

Toda a Escritura é inspirada por Deus e útil para o ensino, para a repreensão, para a correção e para a instrução na justiça. (2Tm 3.16)

Porque a graça de Deus se manifestou salvadora a todos os homens. Ela nos ensina a renunciar à impiedade e às paixões mundanas e a viver de maneira sensata, justa e piedosa nesta era presente, enquanto aguardamos a bendita esperança: a gloriosa manifestação de nosso grande Deus e Salvador, Jesus Cristo. Ele se entregou por nós a fim de nos remir de toda a maldade e purificar para si mesmo um povo particularmente seu, dedicado à prática de boas obras. (Tt 2.11-14)

Rolo de pergaminho. Em 2Timóteo 4.13, Paulo instrui Timóteo a lhe trazer seus "livros, especialmente os pergaminhos".

- Mateus
- Marcos
- Lucas
- João
- Atos
- Romanos
- 1Coríntios
- 2Coríntios
- Gálatas
- Efésios
- Filipenses
- Colossenses
- 1Tessalonicenses
- 2Tessalonicenses
- 1Timóteo
- 2Timóteo
- Tito
- **Filemom**
- Hebreus
- Tiago
- 1Pedro
- 2Pedro
- 1João
- 2João
- 3João
- Judas
- Apocalipse

Filemom

Igualdade em Cristo

O que um apóstolo cristão de origem judaica, um gentio rico proprietário de escravos e um escravo fugitivo têm em comum? Nada, a menos que estejam unidos como irmãos em Cristo. Essa breve carta conta a história de como nosso relacionamento com Cristo muda todos os outros relacionamentos.

Quem escreveu Filemom?

Paulo escreveu a carta muito provavelmente quando estava preso em Roma no final da década de 60 do século I, por volta da mesma época em que compôs Efésios e Colossenses.

Quem eram os destinatários de Paulo?

Além de Paulo, há duas outras personagens principais no drama. Filemom é o proprietário de escravos que se tornou cristão em Colossos por meio do ministério de Paulo (19). Onésimo é o escravo fugitivo que pode ter roubado seu senhor (18), entrado em contato com Paulo em Roma e posteriormente também se tornado cristão (10).

Quais são os temas centrais de Filemom?

Paulo escreve para persuadir Filemom a: 1) receber Onésimo da mesma forma que receberia o próprio Paulo (17), sem castigá-lo ou sentenciá-lo à morte (o tratamento comum prescrito pela lei romana aos escravos fugitivos); 2) receber Onésimo como um "irmão amado" (16) e, talvez, 3) libertar Onésimo para servir na causa de Cristo (21). A expressão "ainda mais" no versículo 21 talvez indique que Paulo desejava a libertação de Filemom e o seu envio de volta para ajudá-lo no cumprimento da missão. Essa carta de um só capítulo pode ser esboçada da seguinte maneira:

- Introdução (1-3)
- Ação de graças e oração (4-7)
- O pedido de Paulo por Onésimo (8-21)
- O pedido pessoal de Paulo (22)
- Conclusão (23-25)

Quais são os aspectos interessantes e singulares de Filemom?

- Paulo faz nessa carta o uso extensivo de retórica (a arte da persuasão).
- Em lugar de defender de modo direto o fim da instituição da escravidão, Paulo prega o evangelho da liberdade e igualdade em Cristo — que mais tarde viria a erradicar a escravidão.
- A importante expressão "em Cristo" (6,8,20,23) é usada para ilustrar o tema principal.

Qual é a mensagem de Filemom?

Introdução (1-3)

Essa é a única vez em que Paulo se identifica como "prisioneiro de Cristo Jesus" (1,9), talvez para diminuir o próprio *status* e se identificar com Onésimo aos olhos de Filemom. Paulo e Timóteo enviam saudações da parte do Pai e do Filho a Filemom, "amado cooperador" e "companheiro de lutas", a Áfia e a Arquipo (talvez a esposa e o filho de Filemom) e a toda a igreja. A lista de testemunhas adiciona um aspecto de responsabilidade ao pedido que Paulo fará a seguir.

Ação de graças e oração (4-7)

Paulo agradece a Deus pela fé de Filemom em Jesus e o amor dele aos outros crentes (4,5). Em seguida, ora por Filemom, não para que se torne

✢ A beleza e o poder do evangelho de Jesus Cristo estão na capacidade de vencer todas as barreiras sociais para unir as pessoas em uma comunidade.

Escravidão no Novo Testamento
Jeff Cate

A palavra "escravo" (*doulos* em grego) é usada 126 no NT, e encontrada em 21 dos 27 livros. A frequência não surpreende, considerando que quase todas as culturas do mundo mediterrâneo do século I praticavam a escravidão.

Ainda que a escravidão fosse bastante difundida, as condições variavam de um lugar para outro. A economia greco-romana se baseava na escravidão, pois grande parte da população desses povos era constituída por escravos. Cálculos indicam que cerca 20% da população de Roma era formada por escravos, e em outras cidades grandes esse número poderia chegar a um terço. Na Terra Santa, entretanto, a escravidão não era tão comum, e a comunidade de Qumran, nas proximidades do mar Morto, foi um dos poucos grupos antigos a proibir essa prática.

É necessário diferenciar a escravidão no mundo do século I da escravidão no Novo Mundo nos séculos XVIII e XIX. Mais importante ainda, a escravidão no mundo greco-romano não se baseava em questões étnicas. Os escravos não podiam ser identificados pela nacionalidade, pois a escravidão não se limitava a grupos étnicos. Em seu lugar, o sistema escravagista greco-romano era alimentado por prisioneiros de guerra, litigantes considerados culpados em julgamentos, crianças nascidas livres abandonadas ou vendidas ou, de modo mais frequente, filhos de escravos.

As perspectivas com respeito à escravidão eram muito variadas. Escritores gregos mencionavam os escravos como "ferramentas vivas". Mas, com base na Torá, os escravos judeus contavam com garantias de direitos importantes, como o descanso sabático semanal, a proibição de alguns abusos e a circuncisão, que lhes permitiam participar da comunidade religiosa.

Dada à sua condição no mundo greco-romano, os escravos não contavam com direitos concernentes ao trabalho ou locomoção, mas podiam ter bens pessoais e manter as próprias crenças. Ao contrário dos escravos do Novo Mundo, os escravos do século I tinham liberdade para se reunir, e a escravidão não era considerada uma situação permanente. O escravo idoso era exceção no mundo greco-romano, pois a maioria dos escravos obtinha a liberdade por volta dos 30 ou 40 anos.

Os escritores do NT com frequência mencionam a escravidão, algumas vezes literalmente, mas muitas vezes em sentido metafórico. Os escravos são exortados a trabalhar com obediência e alegria, e os senhores são instruídos a serem justos e bondosos (Ef 6.5-9; Cl 3.22—4.1; 1Pe 2.18-20). Em um espírito igualitário, Paulo vê o povo de Deus formado nem por "escravos" nem por "livres" (1Co 7.21-24; Gl 3.28; Fp 16). Metaforicamente, Paulo sempre se referiu a si mesmo como *doulos* ("escravo") de Cristo Jesus, uma analogia apropriada, pois Jesus é o *kyrios* ("senhor", "mestre" ou "dono"; v. Cl 4.1; Ef 6.9). Além disso, o conceito de Paulo sobre a redenção parece se basear, em grande medida, na manumissão (= alforria) de escravos.

um grande evangelista, mas que possa crescer na "comunhão" (*koinonia*) de sua fé e compreender "todo o bem que temos em Cristo" (6). Em outras palavras, ele ora para que Filemom tenha uma compreensão melhor do que a verdadeira comunhão significa de fato, incluindo o relacionamento dele com Onésimo. Paulo uma vez mais menciona como o amor de Filemom trouxe grande alegria e encorajamento ao reanimar o coração dos santos. Há um poderoso jogo de palavras com o uso da palavra "coração" nos versículos 7, 12 e 20. Filemom reanimou o coração de outros crentes (7). Paulo devolve

Onésimo a Filemom como se esse fosse o seu coração (12). E Paulo quer que Filemom reanime seu coração ao aceitar Onésimo sem qualquer castigo (20). O atual caráter de Filemom se tornou a base para suas decisões futuras.

O pedido de Paulo por Onésimo (8-21)

No corpo da epístola, encontramos o pedido de Paulo a favor de Onésimo. Ainda que Paulo pudesse usar sua posição de autoridade apostólica, ele prefere usar a autoridade pessoal e faz um apelo com base no amor (8,9). Sendo "velho" e "prisioneiro", ele apela a favor de seu "filho Onésimo" (9,10). Aparentemente, Onésimo se tornou cristão quando do encontro com Paulo na prisão (10). Paulo faz outro jogo de palavras mostrando como Onésimo (cujo nome significa "inútil") agora se tornou "útil" (11). Filemom reanimou o coração de outras pessoas; agora Paulo lhe envia "seu próprio coração" (Onésimo) de volta (12). Ao mencionar a ajuda de Filemom (13) e ao igualar Filemom e Onésimo, afirmando sua irmandade (16), Paulo coloca o proprietário do escravo e o escravo no mesmo nível. Paulo encoraja Filemom a responder de maneira piedosa por meio de um ato espontâneo, não como favor forçado (14). Então dá a Filemom a perspectiva eterna — a perda de Filemom é o ganho do Reino de Deus (15,16).

O relacionamento entre Filemom e Onésimo deve ser igual ao de Filemom com Paulo (17). Paulo promete ressarcir a dívida de Onésimo para com Filemom, mas menciona que Filemom lhe devia a própria vida (18,19). Paulo espera ter algum benefício de Filemom no Senhor, usando a palavra "benefício" (*oninamai*), que tem sonoridade semelhante à do nome de Onésimo, e pede a Filemom que reanime seu "coração" em Cristo (20;

✚ Ainda que não tivesse pedido diretamente o fim da escravidão no Império Romano, Paulo viveu e ensinou o evangelho que solapa e destrói a escravidão humana.

cf. v. 7,12). Por fim Paulo dá uma ordem sutil, mas poderosa, que usa a expectativa futura para motivar a ação no presente (21).

O pedido pessoal de Paulo (22)

Em preparação à sua visita, Paulo pede a Filemom que lhe prepare um aposento. A visita acrescentaria peso ao pedido de Paulo.

Conclusão (23-25)

Paulo envia saudações da parte de Epafras, seu companheiro de prisão, bem como de Marcos, Aristarco, Demas e Lucas (23,24). Ele encerra a carta com uma bênção de graça da parte do Senhor Jesus Cristo (25).

Como aplicar Filemom à nossa vida hoje

Acima de tudo, a carta nos lembra de que estar em Cristo muda a forma de tratarmos as outras pessoas, em especial os de condição social, racial ou econômica diferente (Gl 3.28). Como irmãos e irmãs em Cristo, devemos responder de modo distinto uns aos outros (perdoando, aceitando, intercedendo, restituindo). Filemom nos lembra de que o novo relacionamento com Deus deve resultar em novos relacionamentos com o povo de Deus.

Nossos versículos favoritos de Filemom

Talvez ele tenha sido separado de você por algum tempo, para que você o tivesse de volta para sempre, não mais como escravo, mas muito além de escravo, como irmão amado. Para mim ele é um irmão muito amado, e ainda mais para você, tanto como pessoa quanto como cristão.
(15,16)

O molde de um cadáver de um escravo (como indicado pelas algemas nos tornozelos) recuperado das ruínas de Pompeia.

cf. v. 7, 12). Por fim, Paulo dá uma ordem sutil, mas poderosa, que usa a expectativa futura para motivar a ação no presente (21).

O pedido pessoal de Paulo (22)

Em preparação à sua visita, Paulo pede a Filemom que lhe prepare um aposento. A visita acrescentaria peso ao pedido de Paulo.

Conclusão (23-25)

Paulo envia saudações da parte de Epafras, seu companheiro de prisão, bem como de Marcos, Aristarco, Demas e Lucas (23, 24; cf. Cl 4.10-14). Ele encerra a carta com uma bênção da graça da parte do Senhor Jesus Cristo (25).

Como aplicar Filemom à nossa vida hoje

Acima de tudo, a carta nos lembra de que estar em Cristo muda a forma de tratarmos as outras pessoas, em especial os de condição social, racial ou econômica diferente (cf. Gl 3.28). Como irmãos e irmãs em Cristo, devemos esforçar-nos de modo diferente uns dos outros (p. ex., Lucas), mudando (até ocultando, resultando). Pois se nos amarmos uns aos outros verdadeiramente, com Mestre, nós veremos um tom na religião amorosa com o povo de Deus.

Nossos versículos favoritos de Filemom

Talvez ele tenha sido apartado de você por algum tempo, para que você o tivesse de volta para sempre, não mais como escravo, mas muito além de escravo, como irmão amado. Para mim ele é tão, e muito mais ainda para você, tanto como ser humano como irmão no Senhor.
(15, 16)

As Cartas Gerais

As "Cartas Gerais" (também conhecidas como "católicas" ou cartas universais) são Hebreus, Tiago, 1 e 2Pedro, 1, 2 e 3João e Judas. Em contraste com as cartas de Paulo, endereçadas a grupos específicos como os colossenses ou os coríntios, as Cartas Gerais têm o título extraído dos autores, não dos destinatários. No entanto, Hebreus tem o título derivado da audiência, não do autor, por isso alguns estudiosos não a incluem entre as Cartas Gerais.

As Cartas Gerais		
Carta	Data aproximada	Autor
Tiago	Fim dos anos 40 do século I	Tiago, meio-irmão de Jesus e líder da igreja de Jerusalém
Judas	Início dos anos 60 do século I	Judas, meio-irmão de Jesus
1Pedro	Início-meados dos anos 60 do século I	Apóstolo Pedro
2Pedro	Meados dos anos 60 do século I	Apóstolo Pedro
Hebreus	Meados dos anos 60 do século I	Desconhecido, talvez Apolo
1-3João	Entre 70 e 90 do século I	Apóstolo João

✚ Como uma subcategoria, 1–3João é comumente referido como as cartas joaninas.

- Mateus
- Marcos
- Lucas
- João
- Atos
- Romanos
- 1Coríntios
- 2Coríntios
- Gálatas
- Efésios
- Filipenses
- Colossenses
- 1Tessalonicenses
- 2Tessalonicenses
- 1Timóteo
- 2Timóteo
- Tito
- Filemom

Hebreus

- Tiago
- 1Pedro
- 2Pedro
- 1João
- 2João
- 3João
- Judas
- Apocalipse

Hebreus

Deus nos falou por meio de Jesus, seu Filho

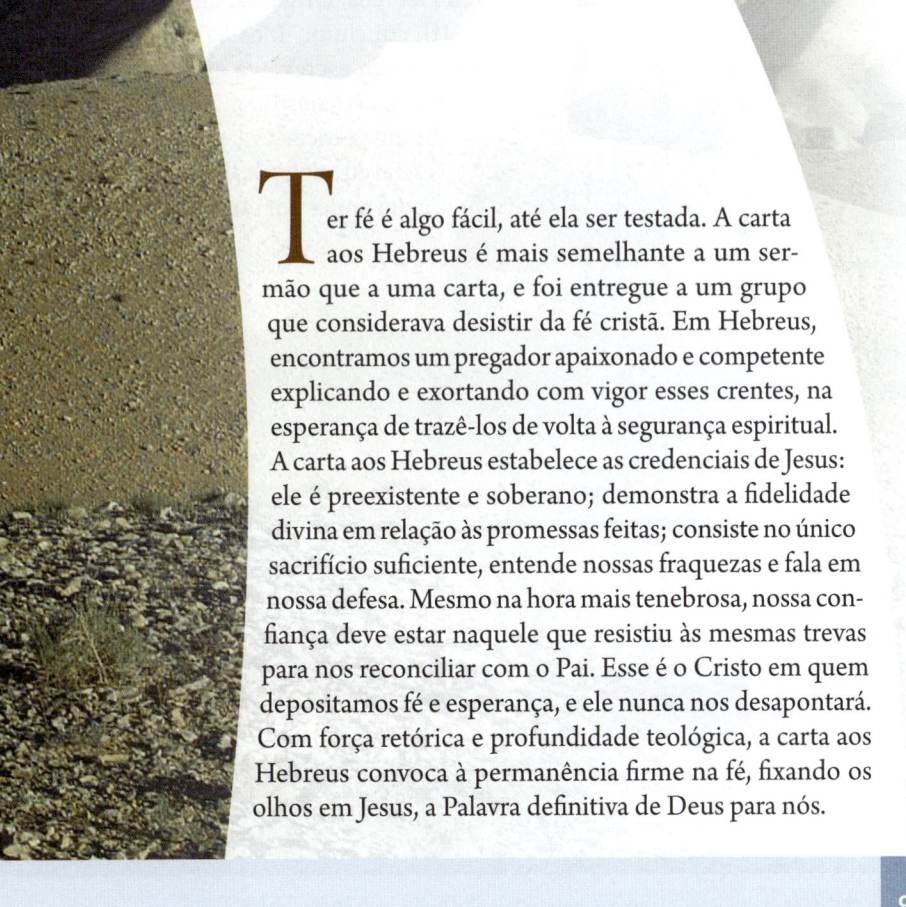

Ter fé é algo fácil, até ela ser testada. A carta aos Hebreus é mais semelhante a um sermão que a uma carta, e foi entregue a um grupo que considerava desistir da fé cristã. Em Hebreus, encontramos um pregador apaixonado e competente explicando e exortando com vigor esses crentes, na esperança de trazê-los de volta à segurança espiritual. A carta aos Hebreus estabelece as credenciais de Jesus: ele é preexistente e soberano; demonstra a fidelidade divina em relação às promessas feitas; consiste no único sacrifício suficiente, entende nossas fraquezas e fala em nossa defesa. Mesmo na hora mais tenebrosa, nossa confiança deve estar naquele que resistiu às mesmas trevas para nos reconciliar com o Pai. Esse é o Cristo em quem depositamos fé e esperança, e ele nunca nos desapontará. Com força retórica e profundidade teológica, a carta aos Hebreus convoca à permanência firme na fé, fixando os olhos em Jesus, a Palavra definitiva de Deus para nós.

Quem escreveu Hebreus?

Vários nomes já foram sugeridos como o do autor de Hebreus: Paulo, Barnabé, Lucas, Apolo, Silvano e Filipe, para citar apenas alguns. Considerando que Paulo se identifica em suas cartas, o autor de Hebreus não o faz (ou seja, escreve anonimamente). Parece que ele não foi apóstolo nem testemunha ocular da vida de Jesus (Hb 2.3). O grego de estilo polido, os argumentos retóricos persuasivos utilizados e o amplo conhecimento do AT levam a concluir que o autor era alguém muito culto. Era também um pregador poderoso e um seguidor comprometido de Jesus Cristo. Essa descrição se encaixa em Apolo, mais que em qualquer outra pessoa sugerida como autor de Hebreus, mas mesmo nesse caso é preciso ter cautela. De acordo com Atos 18.24-28, Apolo era um judeu de Alexandria que se tornou cristão, "homem culto e tinha grande conhecimento das Escrituras". Ele também tinha habilidade para se envolver em debates públicos "com grande fervor" e provar "pelas Escrituras que Jesus é o Cristo". Depois de discutir sobre quem escreveu Hebreus, Orígenes, um líder cristão do século III, concluiu: "Mas na verdade só Deus sabe quem escreveu a epístola" (Eusébio, *História eclesiástica* 6.25.14). A despeito de nossa incerteza a respeito de quem escreveu a epístola, Deus continua a falar com poder por intermédio dessa carta.

Interior do Coliseu em Roma com vista do que estava no subterrâneo do piso do estádio.

✚ Hebreus nos lembra que a inspiração das Escrituras não anula sua força e complexidade persuasiva. Deus usou a personalidade, as experiências e as habilidades dos escritores bíblicos para nos dar sua Palavra.

Quem eram os destinatários?

A audiência é provavelmente uma igreja em um lar ou um grupo de igrejas nos lares compostas por crentes ligados ao judaísmo (i.e., provavelmente judeus, mas talvez gentios convertidos ao judaísmo). Eles provavelmente viviam nas proximidades de Roma e haviam sido cristãos por um tempo (5.11—6.3; 13.24). Enfrentaram perseguição por conta da fé, mas ainda não haviam sofrido o martírio (10.32-34; 12.4). Além das referências ao sofrimento, temos uma indicação de sua situação histórica em 10.25: "Não deixemos de reunir-nos como igreja, segundo o costume de alguns, mas procuremos encorajar-nos uns aos outros, ainda mais quando vocês veem que se aproxima o Dia". Aparentemente, uma ou mais igrejas nos lares começaram a se afastar do corpo principal de crentes na cidade e consideravam a possibilidade de retornar ao judaísmo para evitar a perseguição (na condição de religião antiga, o judaísmo recebia um grau de proteção). Isso desencorajou os crentes que não estavam crescendo em sentido espiritual e que corriam o risco de se desviarem da verdadeira fé. Parece razoável a data em meados da década de 60 do século I, no início da perseguição de Nero, e a localização nas proximidades de Roma.

Quais são os temas centrais de Hebreus?

A carta é em sentido mais específico uma "palavra de exortação" ou um sermão (13.22; At 13.15). Foi escrita para desafiar um grupo de crentes frágeis a perseverar no compromisso com Cristo e não se desviarem para a incredulidade. O autor de Hebreus, ou "o pregador", mantém o foco em um tema central: Jesus é a palavra final da parte de Deus! Ele constantemente aponta para Jesus como a suprema revelação divina, "superior" à revelação anterior. Consequentemente, os ouvintes não podem ignorar ou desprezar Jesus se quiserem se relacionar com Deus de maneira adequada. Para persuadir os ouvintes a agir da forma correta, o pregador combina palavras de advertência (2.1-4; 3.7-19; 4.12,13; 6.4-8; 10.26-31; 12.25-29) com palavras de segurança (6.9-12,19,20; 7.25; 10.14,32-39). Por essa razão, a epístola aos Hebreus apresenta a tensão entre o perigo de não perseverar na fé e as promessas de Deus para os perseverantes.

Hebreus pode ser esboçado da seguinte maneira:

- Jesus, a Palavra final de Deus (1.1-4)
- Jesus, o autor da salvação, é superior aos anjos (1.5—2.18)
- A fidelidade de Jesus nos convoca à fidelidade (3.1—4.13)

✚ É surpreendente que Hebreus pode ter sido escrito originariamente para uma igreja no lar ou para um pequeno grupo de igrejas nos lares, o que significa poucas dúzias, e não centenas de pessoas. Com o passar do tempo, no entanto, este sermão poderoso tem falado a milhões de pessoas.

- A superioridade do sacerdócio e do ministério de Jesus (4.14—10.25)
- Chamado à perseverança na jornada da fé (10.26—12.29)
- Exortações práticas (13.1-19)
- Conclusão (13.20-25)

Quais são os aspectos interessantes e singulares de Hebreus?

- Não temos certeza sobre quem de fato escreveu a carta.
- O texto alude ao público-alvo originário com uma compreensão avançada do AT.
- A carta tece detalhes a respeito das práticas cultuais judaicas, incluindo o papel do sumo sacerdote e a função do tabernáculo.
- Conquanto Hebreus afirme a substituição da antiga aliança pela nova aliança, o autor aponta para muitos crentes do AT como exemplos de fidelidade a serem imitados pelos cristãos (v. Hb 11).
- A carta apresenta o temor (advertência) e a graça (conforto) de Deus como realidades espirituais importantes. Não se deve negligenciar nenhuma das duas.
- O corpo da carta avança e retrocede entre o ensino a respeito de Cristo (exposição) e os mandamentos para viver esse ensino (exortação).
- Encontramos em Hebreus a ênfase clara e forte na plena humanidade e na plena divindade de Jesus.

Qual é a mensagem de Hebreus?

Jesus, a Palavra final de Deus (1.1-4)

Ainda que no passado Deus tenha falado muitas vezes e de muitas maneiras, nos últimos tempos ele nos deu a palavra definitiva mediante seu Filho, Jesus Cristo (1.1,2). Jesus, por meio de quem o mundo foi criado, é o "resplendor da glória de Deus" e a "expressão exata do seu ser" (1.2,3). O Universo inteiro é sustentado pela palavra de Jesus (1.3). Depois de ter realizado a purificação pelos nossos pecados por meio da cruz, ele foi exaltado à mão direita de Deus (1.3,4).

Jesus, o autor da salvação, é superior aos anjos (1.5—2.18)

Como Criador e mantenedor do Universo, Cristo está acima dos anjos, mas ele se tornou menor que os anjos para prover a salvação mediante sua morte expiatória.

Anjos e demônios
William W. Klein

Anjos e demônios constituem uma ordem de seres espirituais celestiais criados por Deus para servi-lo. A palavra grega *aggelos* e o correspondente hebraico *mal'ak* significam "mensageiro", ainda que a tarefa deles seja bem mais ampla. Eles representam Deus e o mundo celestial para a criação. Como seres espirituais, eles podem trafegar entre os reinos celestial e terrestre e até mesmo aparecer algumas vezes em forma humana (Gn 19.1,2; Jz 13.15-21; At 12.7-11). A Bíblia divide os anjos em dois grupos: "anjos bons" e "anjos maus". Criados com livre-arbítrio, os anjos decidiram se serviriam a Deus fielmente ou se iriam se rebelar.

Os anjos fiéis, chamados de "santos anjos" ou "anjos de Deus" (ou "do Senhor") também têm títulos, como "seres celestiais", "santos" ou "hostes". A Bíblia dá nome apenas a dois deles, o arcanjo Miguel (Dn 10.13,21; Jd 9; Ap 12.7,8) e Gabriel (Dn 8.16; 9.21; Lc 1.19,26). No AT, a função principal dos anjos é serem mensageiros de Deus (Gn 16.7-12; 1Rs 19.5-8), e algumas vezes são identificados com o próprio Senhor (Jz 6.11-18). Eles estão presentes em momentos importantes da vida de Jesus: nascimento (Mt 1.20; Lc 1.26,27), tentação (Mc 1.13), ressurreição (Mt 28.2,5) e sua volta como juiz do mundo (Mt 24.31; 25.31; Mc 8.38). Os anjos colaboraram com a expansão da igreja de várias maneiras (At 5.19; 8.26; 10.22; 12.7; 27.23). O escritor de Hebreus capta a essência do ministério deles junto ao povo de Deus: "Os anjos não são, todos eles, espíritos ministradores enviados para servir aqueles que hão de herdar a salvação?" (Hb 1.14).

Em Apocalipse, os anjos desempenham um papel importante. Lideram o culto ao redor do trono de Deus (5.11; 7.11), transmitem mensagens da parte de Deus (1.1; 14.6) e levam o julgamento sobre a terra e seus habitantes (8.8; 14.15; 15.1).

Um grande número de anjos se rebelou contra Deus, e seu líder, Satanás (também chamado Diabo, a antiga serpente, Belzebu), instigou Adão e Eva a pecar. Satanás e seus anjos — também designados demônios ou espíritos impuros — provocam o mal, desgraças, destruição e tentam atrapalhar os planos de Deus. O destino deles é o lago de fogo (Mt 25.41; Ap 19.20; 20.10). A *Septuaginta* (a tradução do AT para o grego) usa a palavra "demônio" para se referir às divindades pagãs (Dt 32.17; Sl 106.37; cf. 1Co 10.20,21; Ap 9.20) ou ídolos sem valor (Sl 96.5), subentendendo que Satanás energiza todos os falsos deuses. No NT, a maior parte das referências à atividade demoníaca ocorre nos Evangelhos, em ligação com o ministério de Jesus. Os escritores do NT consideravam os demônios agentes pessoais que podiam habitar em alguém (Lc 4.33; At 16.16) — e que poderiam ser expulsos. Várias curas realizadas por Jesus envolveram exorcismos (Mt 9.23; Mc 1.23-28; 6.13; Lc 8.2) e ele transmitiu sua autoridade aos discípulos (Mt 10.8; At 5.16; 16.18). Paulo advertiu as igrejas das forças do mundo espiritual caído — governantes, autoridades, poderes, domínios, dominadores, soberanias e tronos (Rm 8.38; Ef 1.21; 6.12; Cl 1.16). Apenas em Cristo os cristãos obtêm vitória sobre as forças demoníacas.

O Filho único é superior aos anjos (1.5-14)

Hebreus argumenta a favor da superioridade de Jesus em relação aos anjos com uma sequência de sete citações do AT. Tanto Salmos 2.7 como 2Samuel 7.14 asseguram que Jesus, o Filho, tem um relacionamento único com o Pai (1.5). O segundo par (Dt 32.43; Sl 104.4) descreve como os anjos servem ao Filho em seu ministério (1.6,7). Salmos 45.6,7 e 102.25-27 refletem a respeito do reinado eterno de Jesus (1.8-12). Na conclusão, o pregador cita Salmos

110.1 para apontar para a condição exaltada de Jesus como o Messias ou Ungido (1.13; cf. Mc 12.35-37). O Filho é superior aos anjos, que desempenham papel importante, mas subserviente no Reino de Deus (1.14).

Advertência n.º 1 — o perigo de negligenciar a salvação provida pelo Filho (2.1-4)

À luz da superioridade de Cristo em relação aos anjos, o pregador chama a atenção dos ouvintes a que estejam atentos à mensagem cristã para que não se desviem dela (2.1). Se aqueles que rejeitaram a mensagem antiga transmitida por anjos foram punidos, então os que rejeitam a salvação proveniente de Deus, realizada por Jesus e confirmada pelo Espírito Santo, não podem escapar do julgamento (2.2-4).

A humilhação do Filho (2.5-9)

Jesus, o Filho superior, foi feito por um tempo menor que os anjos na encarnação. O pregador cita Salmos 8.4-6 para mostrar que Jesus se tornou um ser humano para cumprir a salvação por intermédio de sua morte, antes de ser coroado com glória e honra na exaltação. A descida humilde de Jesus até nosso mundo possibilitou a nossa salvação e capacitou o Filho a se identificar com a humanidade (cf. Fp 2.5-11).

Jesus, o autor da salvação, foi aperfeiçoado por meio do sofrimento (2.10-18)

Mediante seu sofrimento, Jesus se identifica com a humanidade, aqueles de quem ele não se envergonha de chamar irmãos e irmãs (2.10-13). O Filho divino compartilhou de nossa carne e sangue (encarnação) para morrer por nossos pecados. Por meio da sua morte, ele destruiu o poder da morte, a maior arma do Diabo, e libertou os seres humanos escravizados pelo medo da morte (2.14-16). Por essa razão, Jesus foi feito como um de nós em tudo para se tornar "sumo sacerdote misericordioso" e "para fazer propiciação pelos pecados do povo" (2.17). Pelo fato de Jesus ter experimentado a plena humanidade e "sofre[r] quando tentado", ele sabe ajudar quem passa pela tentação (2.18).

A fidelidade de Jesus nos convoca à fidelidade (3.1—4.13)

Jesus, o Filho fiel, é superior a Moisés, e todos os crentes no Filho entrarão no descanso prometido por Deus.

Um servo fiel em contraste com um Filho fiel (3.1-6)

Moisés, um servo da casa, foi fiel a Deus, mas Cristo, o Filho fiel, é o criador da casa (referência provável ao povo de Deus). Portanto, os

✢ O autor de Hebreus repetidamente mostra como a revelação de Deus em Jesus é superior às formas anteriores de revelação (p. ex., anjos, Moisés, o sacerdócio dos membros da tribo de Levi, o sistema sacrificial).

cristãos devem dar maior honra e obediência a Jesus (3.1,6).

Advertência contra a infidelidade (3.17-19)

O pregador cita Salmos 95.7-11 e usa a passagem para desafiar os ouvintes à fidelidade. O povo guiado por Moisés para fora do Egito mostrou-se infiel em relação ao Senhor. Muitos dentre o povo apresentaram um coração duro e rebelde e não tiveram permissão de entrar no descanso prometido por Deus (3.7-11,15-19). O pregador repreende corações pecaminosos e descrentes que se desviam de Deus (3.12) e insta os ouvintes ao encorajamento mútuo e diário a fim de perseverarem na fé e evitarem o engano do pecado (3.13,14).

Descanso prometido para os fiéis (4.1-10)

Ainda que o povo liderado por Moisés não tenha entrado no descanso de Deus por causa da incredulidade, há um descanso para o novo povo de Deus. Os que creram em Jesus já entraram nesse descanso, e os ouvintes precisam se certificar de que estão entre os fiéis (4.1-3). Em 4.3-11, o pregador desenvolve o conceito de descanso. O próprio Deus descansou no sétimo dia da Criação (4.3,4; Gn 2.2). Davi também sugere no salmo 95 que os seguidores de Moisés não entraram no descanso de Deus e que o tempo para entrar nesse descanso é "hoje" (4.5-9). Portanto, o "descanso de Deus" se refere a algo além de entrar na terra prometida; é uma realidade espiritual de independência do próprio trabalho e de repouso na obra de Deus a nosso favor (4.9,10).

Exortação para entrar no descanso de Deus (4.11-13)

Os que ouviram o evangelho e responderam com fé entraram no descanso de Deus (4.3). Mas o pregador está preocupado: "que nenhum de vocês pense que [a promessa] falhou" (4.1), e os exorta a que se esforcem para "entrar neste descanso" apegando-se à sua confissão de fé (4.11). Nessa seção, pelo menos três vezes os ouvintes deparam com a expressão "Hoje, se vocês ouvirem a sua voz" (Sl 95.7), e agora o pregador apresenta uma advertência severa a respeito da palavra ou voz de Deus que é viva, ativa, penetrante e julgadora (4.12). Nada jaz escondido do Deus "a quem havemos de prestar contas" (4.13).

A superioridade do sacerdócio e do ministério de Jesus (4.14—10.25)

Em contraste com os sacerdotes da tribo de Levi, pecaminosos e limitados, Jesus, o sumo sacerdote segundo a ordem de Melquisedeque, tem

Uma espada de dois gumes.

✚ Além de palavras de conforto e encorajamento, Hebreus está repleto de palavras de advertência e desafio.

um ministério permanente e eterno de libertar as pessoas do pecado. Seu sacerdócio e ministério são superiores ao sacerdócio e ministério da antiga aliança. Portanto, precisamos nos aproximar de Jesus e perseverar na fé.

Aproximando-nos de Jesus, nosso sumo sacerdote (4.14-16)

Essa passagem é o resumo do sermão todo. Porque Jesus, nosso sumo sacerdote, foi exaltado, devemos nos apegar com firmeza à nossa fé nele (4.14). Além disso, por ter se tornado ser humano, ele sente empatia por nós, por nossas fraquezas, e, tentado como todos somos, permaneceu sem pecado (4.15). Em outras palavras, Jesus entende a condição humana, mas foi elevado acima dela para reinar no trono de graça. Assim, podemos nos aproximar dele com confiança "a fim de recebermos misericórdia e encontrarmos graça que nos ajude no momento da necessidade" (4.16).

As qualificações de Cristo para o sumo sacerdócio (5.1-10)

Os sumo sacerdotes, como Arão, foram apontados por Deus para representar o povo diante dele e oferecer sacrifícios pelos pecados (5.1,4). Mas, como os próprios sumo sacerdotes estavam sujeitos a fraquezas, eles podiam tratar do povo com compaixão, mas precisavam oferecer sacrifícios pelos próprios pecados (5.2,3). Em 5.5,6,10, aprendemos que Jesus foi apontado pelo Pai como sumo sacerdote permanente — não segundo a ordem de Arão, mas segundo a ordem de Melquisedeque (Sl 2.7; 110.4; v. Hb 7.1-28 para mais detalhes a respeito de Melquisedeque). Sua indicação envolveu a encarnação, durante a qual ele sofreu muito (p. ex., sua agonia no Getsêmani e a morte na cruz) e veio a entender o significado da obediência (5.7,8). Com sua ressurreição dos mortos e exaltação (este é o significado do termo "aperfeiçoado" aplicado a Jesus pelo autor), ele se tornou a fonte da salvação eterna para todos os que o seguem (5.9).

O problema da imaturidade espiritual (5.11—6.3)

Como acontece com frequência em Hebreus, o pregador se desvia da explicação sobre o plano da salvação em Cristo para exortar os ouvintes. Dessa vez, ele os repreende pela lentidão em aprender, estando, ao que parece, presos aos princípios elementares da fé cristã (5.11,12). São bebês espirituais, carentes de leite e incapazes de receber alimento sólido (5.12-14). Em 6.1-3, o pregador os desafia a irem além do básico (p. ex., arrependimento, fé, batismo, imposição de mãos, ressurreição dos mortos, julgamento eterno) — todos esses elementos que o cristianismo partilha com o judaísmo — e a edificarem convicções distintamente cristãs sobre essa base.

Passagens de advertência em Hebreus
George H. Guthrie

Em toda a extensão de Hebreus, ocorrem dois tipos bem distintos de literatura: exposição e exortação. Elas se alternam, tecendo um conjunto de conceitos e ferramentas de retórica usados para convocar os leitores à perseverança ao seguirem Cristo. O material expositivo tem como foco a pessoa e a obra de Cristo, ao passo que o material exortativo utiliza diferentes maneiras para motivar os leitores da epístola a responderem de modo positivo à Palavra de Deus. Entre os diversos recursos utilizados pelo autor para exortar seus leitores (promessas e advertências, exemplos positivos e negativos etc.), as advertências desempenham o papel central, confrontando os leitores com uma linguagem notavelmente severa, exortando-os ao desvio do caminho conducente ao juízo divino.

Há cinco passagens principais de advertência em Hebreus: 2.1-4; 4.12,13; 6.4-8; 10.26-31; 12.25-29. Todas elas trabalham com os ensinamentos teológicos contidos na epístola, e todas se preocupam com a Palavra de Deus e o juízo divino na vida dos que não respondem à Palavra. Três das advertências (2.1-4; 10.26-31; 12.25-29) foram elaboradas com base em argumentos "do menor para o maior" (do tipo denominado a *fortiori*), que funciona da seguinte maneira: caso algo seja verdade na situação menor, com certeza será verdade na situação maior e terá mais implicações. Por exemplo, em 2.1-4 a situação "menor" é a recepção da Palavra de Deus por intermédio de anjos na antiga aliança, e a situação "maior" é ouvir a palavra do evangelho. Eis o raciocínio do autor: se na antiga aliança os que rejeitaram a Palavra de Deus entregue por meio de anjos foram punidos, quão maior será a punição dos que rejeitam a palavra do evangelho pronunciada pelo Filho de Deus, muito superior aos anjos?

Ainda que geralmente leiamos Hebreus 4.12,13 de forma positiva, como uma reflexão melodiosa a respeito do poder da Palavra divina, essa advertência ecoa o tratamento do salmo 95 citado em Hebreus 3.7-11. Quem não ouve a voz divina, experimenta a Palavra de Deus como mensagem de juízo.

Ao longo da história da Igreja, Hebreus 6.4-8 tem ocasionado o gasto de rios de tinta na discussão do tema teológico da apostasia. Nessa perícope, o autor usa a linguagem da "peregrinação pelo deserto" (6.4-6), a linguagem da crucificação (6.6) e um conceito proveniente da agricultura (6.7,8) para descrever os que viraram as costas para Cristo e a igreja no tempo da composição da epístola. Severidade semelhante ocorre em 10.26-31, mais uma vez utilizando o argumento do menor para o maior. O autor descreve os que rejeitam Cristo como tendo-o pisado e tratado seu sangue como desprovido de valor sacrificial e como tendo insultado o Espírito da graça. Por fim, em 12.25-29 mais uma vez adverte que Deus, falando dos céus, não deve ser rejeitado, pois, como profetizado em Ageu 2.6, virá o dia em que Deus vai abalar os céus e a terra. Em outras palavras, o dia da prestação de contas vai chegar.

Com essas cinco passagens de advertência, o autor de Hebreus faz muito mais que instruir; ele tenta motivar, desafiar a audiência a perseverar ao seguir Jesus.

Advertência contra a queda e o encorajamento para perseverar (6.4-12)

Essa é uma das passagens mais controversas da epístola aos Hebreus, e deve ser lida em seu contexto. Em 6.4-8, o pregador apresenta uma advertência forte com o objetivo de provocar medo no coração dos ouvintes. Os aparentemente crentes genuínos (iluminados, provaram o dom celestial, tornaram-se participantes do Espírito Santo, experimentaram a palavra e o poder de

Uma âncora de pedra.

Deus) e que depois renunciaram a Cristo de forma teimosa e definitiva ("caíram" ou apostataram) não podem ser trazidos de volta porque rejeitaram Cristo, o único provedor da salvação. Alguns dizem que o texto se refere à perda do galardão, mas em 6.9 seu oposto é "salvação". Outros alegam que o texto se refere à perda da salvação, e talvez seja, mas aqui é uma perda definitiva, sem possibilidade de arrependimento. Alguns preferem ver uma advertência hipotética, mas a urgência da passagem argumenta a favor de algo maior que isso. Talvez seja melhor optar por uma perspectiva divino-humana na questão. Sabemos que o coração é imperfeito e precisamos demonstrar de maneira pública nossa fé com perseverança sob pressão. Deus conhece perfeitamente nosso coração e promete guardá-lo e protegê-lo por toda a eternidade (Jo 6.39,40; 10.27-29; Rm 11.29; Fp 1.6; 1Pe 1.5; 1Jo 2.1). Os crentes verdadeiros irão perseverar, e a perseverança evidencia a fé cristã genuína. As advertências desempenham o papel importante de sacudir os crentes de sua apatia e presunção e de colocá-los de volta no caminho. Mas precisamos também de encorajamento e de segurança, e o pregador os dá em 6.9-12. Ele está confiante de que 6.4-8 não se aplica a seus ouvintes (6.9). Deus sabe quanto a vida deles de amor tem demonstrado sua fé (6.10). O pregador os encoraja a permanecerem diligentes — a não serem preguiçosos, mas a imitar os que resistiram até o fim para dar garantia à sua esperança (6.11,12). Os crentes precisam de advertência e segurança, de confronto e conforto para perseverar com fidelidade.

A promessa de Deus é a base da nossa esperança (6.13-20)

O pregador agora retrocede para uma explicação mais ampla de Cristo como sumo sacerdote para sempre segundo a ordem de Melquisedeque (6.20; 7.1-28). Nessa transição, ele lembra os ouvintes de que Deus fez sua promessa a Abraão e a seus herdeiros condicionada a seu próprio caráter e natureza imutáveis (6.13-18). Como resultado, essa esperança serve como âncora para a alma, que pode descansar firme e segura na fidelidade de Deus revelada na obra de Jesus, nosso sumo sacerdote para sempre (6.18-20).

✛ O caráter imutável de Deus e sua Palavra fiel tornam nossa esperança sólida e segura.

A ordem superior do sacerdócio de Melquisedeque (7.1-10)

Agora o pregador retoma o tópico do sacerdócio de Melquisedeque introduzido em 5.1-10. Tudo o que se sabe a respeito dessa figura misteriosa se encontra em Gênesis 14.17-20.

O ponto principal do pregador é a superioridade do sacerdócio de Melquisedeque ao sacerdócio dos membros da tribo de Levi, representado por Arão. Sabemos disso porque Gênesis 14 nos conta que Melquisedeque recebeu a décima parte do que Abraão ganhara em batalha e depois abençoou Abraão (6.4-10). O "menor" (Abraão) foi abençoado pelo "maior" (Melquisedeque). Além disso, o sacerdócio de Melquisedeque é superior por sua eternidade (6.1-3). Então a linha sacerdotal de Cristo (fundada por Melquisedeque) é superior ao sacerdócio dos levitas (fundado por Arão).

A superioridade do sacerdócio de Jesus (7.11-28)

O pregador observa as imperfeições do sacerdócio dos membros da tribo de Levi e como a esperança mais bem enraizada no sacerdócio eterno de Jesus substitui as regulamentações anteriores fracas e sem valor (7.11--19). Jesus, que se tornou um sacerdote com um juramento da parte de Deus, garante uma aliança melhor (7.20-22; Sl 110.4). Mais, o sacerdócio de Jesus é permanente porque ele vive para sempre e pode salvar de forma completa porque vive para interceder para sempre por eles (7.23-25). Esse é o tipo de sumo sacerdote que precisamos: santo, sem pecado e exaltado, que não precisa expiar os próprios pecados (7.26,27). Considerando que os demais sumo sacerdotes são, em última instância, incapazes de livrar as pessoas do pecado, a obediência, a morte expiatória e a ressurreição/exaltação gloriosa de Jesus até a presença de Deus (7.28) fizeram-no perfeito para sempre para o ofício de sumo sacerdote.

O ministério superior de Jesus, nosso sumo sacerdote celestial (8.1-6)

Jesus foi exaltado ao trono de Deus e agora é nosso sumo sacerdote no tabernáculo verdadeiro, na própria presença de Deus (8.1,2). Os sumo sacerdotes terrenos trabalharam no tabernáculo edificado por Moisés, mas Jesus tem o ministério superior da aliança superior, atuando como nosso sumo sacerdote celestial.

A superioridade da nova aliança (8.7-13)

Se a primeira aliança fosse suficiente, não haveria necessidade de uma aliança "nova". Mas, como foi atestado por Jeremias 31.31-34 (8.7-12), Deus estabeleceu uma nova aliança com seu povo, tornando absoleta a primeira aliança (8.7,13).

O sumo sacerdote judaico

George H. Guthrie

Hebreus faz muito uso do imaginário do "sumo sacerdote" (2.17; 3.1; 4.14,15; 5.1,5,10; 6.20; 7.26—8.1; 8.3; 9.7,11,25; 13.11) e é o único livro do NT que chama Jesus de "sumo sacerdote".

No AT, o sumo sacerdote é chamado de "sacerdote" (Êx 31.10), "sumo sacerdote" (Lv 22.10; 2Cr 26.20), "sacerdote ungido" (Lv 4.3). Arão foi o primeiro sumo sacerdote, e seus descendentes seriam seus sucessores (Êx 29.29,30). O sumo sacerdote deveria ser especialmente santo, como o comprovavam sua consagração para a função e as roupas especiais, que incluíam um turbante com a inscrição "Consagrado ao Senhor" (Êx 28.36), uma túnica azul ricamente bordada e um éfode com seu peitoral adornado com joias (Êx 29.1-37; Lv 6.19-22; 8.5-35). As 12 pedras do peitoral representavam as 12 tribos, simbolizando o sumo sacerdote como representante do povo de Deus.

Hebreus utiliza a imagem do sumo sacerdote de diferentes maneiras. O autor resume o papel do sumo sacerdote em 5.1-4 e, dessa maneira, lança as bases para suas reflexões sobre Jesus como sumo sacerdote. Em primeiro lugar, o sumo sacerdote, tirado "dentre os homens", mantinha uma solidariedade especial com o povo (5.1). Êxodo 28.1 diz que Arão foi levado a Moisés "dentre os israelitas", e o autor de Hebreus pode ter retido a passagem na mente. Então Jesus também é um sumo sacerdote misericordioso que sente simpatia pelo povo (Hb 2.17; 4.15).

Segundo, ainda que o sumo sacerdote tivesse responsabilidades comuns com os demais sacerdotes (Hb 5.1), apenas ele podia oferecer o sacrifício no Dia da Expiação (Êx 29.1-46; Lv 16.1-25) e somente ele podia entrar no Santo dos Santos para oferecer o sacrifício. O sacrifício do Dia da Expiação envolvia dois bodes e um carneiro. Um dos bodes era apresentado como oferta pelo pecado: o outro era o "bode expiatório" que o sumo sacerdote enviava ao deserto, tendo posto as mãos sobre sua cabeça e confessado os pecados do povo (Lv 16.15,20-22). Esse pano de fundo indica a maneira principal com que Hebreus se apropria do imaginário do sumo sacerdote. O sacrifício de Cristo é superior de três maneiras: seu sangue foi derramado, não o sangue de animais; Jesus entrou no lugar santo celestial, não no tabernáculo terrestre; e o sacrifício de Jesus, não o sacrifício realizado todos os anos, foi realizado uma única vez, de uma vez por todas (Hb 9.1—10.18).

Terceiro, no Dia da Expiação o sumo sacerdote também tinha de oferecer um sacrifício por si mesmo e por sua casa antes de oferecer o sacrifício a favor do povo (5.3; Lv 16.11). Esse sacrifício tratava da fraqueza do próprio sumo sacerdote (5.2). Em contraste, Cristo não precisa de sacrifícios assim, pois ele jamais pecou (Hb 4.15; 7.26-28).

O quarto princípio geral do sumo sacerdócio em Hebreus 5.1-4 diz respeito a como alguém se torna sumo sacerdote. Os sumo sacerdotes não eram voluntários antes, eram indicados por Deus (5.1,4; Êx 28.1; Lv 8.1; Nm 16.5). Logo, a base para a posição de sumo sacerdote descansa na autoridade divina. Isso é verdade com relação a Jesus (5.4-6), mas a indicação de Jesus foi baseada não em hereditariedade (ele não era da tribo de Levi), mas no juramento de Deus, encontrado em Salmos 110.4: "Tu és sacerdote para sempre, segundo a ordem de Melquisedeque". Além disso, dada à sua vida indestrutível, Jesus atua como sumo sacerdote para sempre (Hb 7.11-25).

O culto na antiga aliança (9.1-10)

Para contrastar o sacrifício de Cristo com o culto na antiga aliança, o velho sistema precisa ser devidamente explicado. Em 9.1-5, o pregador apresenta brevemente a preparação do santuário terrestre para o culto.

✚ O sacrifício de Jesus, a base da nova aliança, é superior aos sacrifícios da antiga aliança por causa da aspersão do seu próprio sangue, pois entrou no templo celestial e dura para sempre.

Então em 9.6-10 ele explica como os sacerdotes deveriam conduzir os rituais. Eles deveriam oferecer com regularidade sacrifícios pelos pecados, mas o sumo sacerdote apenas uma vez por ano entraria no Lugar Santíssimo com o sangue do sacrifício pelos próprios pecados e pelos pecados do povo (9.6,7). Mas esses dons e sacrifícios não foram capazes de "dar ao adorador uma consciência perfeitamente limpa", pois eram apenas regulamentações externas até que chegasse o tempo da nova ordem (9.8-10).

A superioridade da oferta de Jesus pelo pecado (9.11-28)

Agora o pregador mostra como o sacrifício do Filho é superior aos sacrifícios oferecidos pelos sacerdotes na antiga aliança. Cristo se manifestou primeiro para morrer na cruz por nossos pecados (9.12), depois no céu para interceder por nós na presença de Deus (9.24), e aparecerá mais uma vez para levar a salvação aos que anseiam por seu retorno (9.28). O sacrifício de Jesus pelos pecados — realizado de uma vez por todas — é de muitas maneiras superior aos sacrifícios da antiga aliança. Primeiro, Jesus utilizou o próprio sangue, não o sangue de animais para o sacrifício (9.11-22). O salário do pecado é a nossa morte, e o preço do perdão exigiu a vida dele. A segunda razão da superioridade do sacrifício de Jesus é que seu sacrifício o levou para além do tabernáculo terrestre até a própria presença de Deus, o Santo dos Santos celestial (9.23,24). Terceiro, o sacrifício de Jesus é superior por durar para sempre (9.25-28). Considerando que o sumo sacerdote precisava entrar no Santo dos Santos todos os anos para realizar a expiação, Cristo se sacrificou uma única vez para remover os pecados.

O sacrifício perfeito de Cristo (10.1—18)

A Lei e o sistema de sacrifícios que ela providencia para se relacionar com Deus são limitados e ineficazes para lidar com o pecado (10.1,2). É impossível que o sangue de animais retire os pecados e purifique o

Modelo do tabernáculo descrito no AT.

coração humano (10.3,4). O pregador então cita Salmos 40.6-8 para explicar que Cristo veio obedecer ao Pai e oferecer a si mesmo como o sacrifício definitivo pelo pecado (10.5-10). Como consequência, o sacrifício perfeito de Cristo substituiu o antigo sistema de sacrifícios. Considerando que os sacerdotes ofereciam sacrifícios que nunca removeriam os pecados todos os dias, o sacrifício de Cristo realizado uma única vez "aperfeiçoou para sempre os que estão sendo santificados" (10.4,11,14). Agora Jesus se assentou à mão direita de Deus, esperando que seus inimigos sejam postos como o estrado dos seus pés (10.12,13). Citando Jeremias 31.33,34, o pregador lembra os ouvintes de que Deus predissera uma nova aliança, quando as leis seriam inscritas no coração (10.15-17). Agora que Cristo, o perfeito sumo sacerdote, ofereceu o sacrifício perfeito que traz perdão pleno e completo, não há mais necessidade para sacrifícios adicionais pelo pecado (10.18). Deus seja louvado!

Temos um sumo sacerdote (10.19—25)

Desde 4.14-16, o pregador tem explicado o sacerdócio e o ministério perfeito de Jesus. Agora em 10.19-25 ele unifica os temas e prepara a audiência para as exortações fortes que se seguirão. A presente seção sumariza as realizações de Cristo em 10.19-21: ele é o sacrifício, o sumo sacerdote e o que abriu o caminho para nos aproximarmos de Deus. Como resultado, podemos 1) nos aproximar de Deus com fé confiante e coração puro (10.22); 2) apegarmo-nos "com firmeza à esperança que professamos" por causa da fidelidade de Deus (10.23); 3) "[considerarmo-nos] uns aos outros para nos incentivarmos ao amor e às boas obras (10.24) e 4) não deixarmos de nos reunir, mas encorajarmos uns aos outros (10.25).

Chamado à perseverança na jornada da fé (10.26—12.29)

Seguindo a explicação magistral da pessoa e da obra de Cristo, o pregador desafia os ouvintes a perseverarem ao apresentar advertências, oferecer exemplos para serem imitados, providenciar analogias úteis e incitar a resposta de obediência e adoração.

Advertência contra a rejeição deliberada do evangelho (10.26-39)

O pregador admoesta os leitores com severidade que, se eles deliberada e repetidamente rejeitarem o evangelho de Jesus Cristo, não haverá sacrifício pelos seus pecados (10.26). Sem lugar para onde ir, nada restará, a não ser a expectativa terrível do juízo de Deus (10.27). Se os que rejeitaram a antiga aliança foram julgados, quão mais severo será o julgamento que Deus infligirá aos que pisoteiam seu Filho, desprezam seu sacrifício na cruz

✜ Nossa obediência e perseverança são sempre respostas à obra de Cristo já consumada.

e insultam o Espírito da graça (10.28,29). Para a rebelião intencional, será "terrível coisa cair nas mãos do Deus vivo" (10.30,31). Como havia feito com as advertências severas em 6.4-8, o pregador agora relembra os ouvintes da fidelidade passada (10.32-34) antes de encorajá-los a permanecer no caminho. Agora eles precisam perseverar, sabendo que no fim Deus lhes recompensará a fidelidade. O pregador assegura que crê que eles estão entre os "que creem e são salvos" (10.39).

Imitar a fé dos fiéis (11.1-40)

Depois de admoestar e encorajar os ouvintes, o pregador apresenta uma lista grande de exemplos para que sigam na jornada da fé. "Fé", palavra repetida nessa mensagem, é a confiança firme (*NVI*: "certeza") a respeito do que esperamos e a certeza do que não vemos (11.1). A fé se apropria das promessas de Deus, mesmo quando estão fora do nosso campo de visão e distantes no futuro. Ao longo da famosa "galeria da fé" desse capítulo, o autor segue um padrão semelhante: a expressão "pela fé", o nome do exemplo, como eles demonstraram fé e o resultado positivo. Ele nomeia pessoas desde a criação do mundo até o tempo de Josué, com atenção especial a Abraão, Sara e Moisés, como exemplos dignos (11.2-31). Há uma pausa breve em 11.13-16 para ressaltar que os fiéis nem sempre recebem em vida o que lhes é prometido. Os fiéis são "estrangeiros e peregrinos na terra" (11.13). Eles não pertencem a este mundo. Estão na jornada até o país celestial, onde são registrados como cidadãos com plenos direitos. O pregador adiciona aí o segundo grupo de exemplos, movendo-se do período dos juízes até o século I da era cristã (11.32-38). O foco na segunda seção está nos acontecimentos extraordinários e nas provações experimentadas pelas pessoas de fé. "O mundo não era digno deles", observa o autor (11.38). Os versículos 39 e 40 fazem

Pontos de partida e arena para velocistas em Delfos, Grécia..

✚ Os leitores originais foram encorajados a olhar para a grande multidão de testemunhas mencionadas em Hebreus 11 como exemplos de pessoas que confiaram em Deus em meio à perseguição.

conexão entre os crentes antigos com a situação atual, a ser exposta no capítulo seguinte.

Chamado a perseverar (12.1-17)

Por causa de todos os exemplos de fé mencionados no capítulo anterior ("nuvem de testemunhas" (significado é que olhamos para eles como testemunhas da fidelidade de Deus, não que eles nos vigiam ou nos espionam do céu), os crentes devem se livrar de todo o peso desnecessário e realizar a corrida de resistência que está adiante deles (12.1). A vida cristã é mais uma maratona que uma prova de velocidade. Devemos manter o olhar fixo em Jesus, o pioneiro e o aperfeiçoador da nossa fé, como exemplo definitivo de perseverança (12.2). Ele suportou a vergonha da cruz pela firme confiança na alegria da ressurreição e exaltação futuras. Enquanto seus ouvintes consideravam o exemplo de Jesus, eles eram lembrados de que ainda não tinham perseverado até o ponto do martírio (12.3,4). Em 12.5-11, a metáfora do corredor de provas de resistência dá lugar à analogia do pai que disciplina um filho. Comentando Provérbios 3.11,12, o pregador lembra os crentes de que o Senhor disciplina seus filhos porque os ama. Eles devem suportar as provações em submissão à disciplina da parte do Senhor, sabendo que tudo que é doloroso e desagradável por um tempo no fim irá produzir uma colheita de justiça e paz. Em 12.14-17, os crentes são orientados a viver em paz na comunidade, ser santos, confiar na graça de Deus (em contraste com o exemplo de Esaú), abrir mão da amargura e evitar a imoralidade sexual. Alguns desses problemas podem ter sido causados pela resposta da comunidade cristã às pessoas que haviam abandonado a fé e a própria comunidade.

Resposta adequada de obediência e adoração (12.18-29)

O monte Sinai representa a antiga aliança com o fogo, a escuridão, a melancolia e o medo do juízo divino (12.18-21). Em contraste, está o monte Sião, que representa a nova aliança com o culto angelical, a comunidade dos fiéis (na terra e no céu), o Deus da justiça e Jesus, o mediador da nova aliança por seu sangue derramado (12.22-24). Logo, os crentes devem ouvir a voz de Deus e obedecer a ela (12.25). Considerando que quem rejeitou as advertências do monte Sinai não foi poupado do juízo, os que rejeitam as advertências de Deus com certeza também não irão escapar do juízo (12.25-27). Deus irá abalar todo o cosmo, e sobreviverão apenas os que pertencem a seu Reino inabalável (12.27,28). Nossa resposta ao Deus santo e que a tudo consome deve ser de gratidão, reverência e temor (12.28,29).

Exortações práticas (13.1-19)

O pregador conclui o sermão com um ensinamento prático a respeito de como os crentes devem viver. Primeiro, ele os exorta ao amor recíproco, ao exercício da hospitalidade, a ministrar aos presos e maltratados, a honrar o casamento, a evitar a imoralidade sexual e o amor ao dinheiro e ao contentamento com a provisão do Senhor (13.1-6). Segundo, ele os exorta a obedecer, respeitar e imitar seus líderes, em especial o imutável Senhor Jesus, a quem servem (13.7,8,17). Terceiro, ele os desafia a rejeitar os falsos ensinamentos, que tentam substituir o sacrifício de Cristo, e a oferecer os sacrifícios cristãos, que são de gratidão, louvor, serviço e generosidade (13.9-16). Por último, pede que orem por ele (13.18,19).

Estátua de atleta com faixa de vitória ao redor de sua cabeça.

Conclusão (13.20-25)

A "palavra de exortação" ou sermão (13.22) é concluída com uma oração para que o Deus da paz, que levantou Jesus dos mortos, capacite os crentes a fazerem sua vontade e trabalhe na vida deles (13.20,21). O pregador inclui algumas observações e saudações pessoais (13.23,24) antes de encerrar com uma palavra de graça (13.25).

Como aplicar Hebreus à nossa vida hoje

A alegação de Jesus de ser o Salvador do mundo e de ser divino e humano sempre provocará oposição. Por definição, os cristãos são os seguidores de Jesus Cristo. Isso significa que os cristãos enfrentarão

✚ Hebreus nos lembra de que a vida cristã é como uma corrida de longa distância com muitos obstáculos ao longo do caminho. Como o próprio Jesus disse: "nenhum escravo é maior do que o seu senhor. Se me perseguiram, também perseguirão vocês" (Jo 15.20).

perseguição e podem ser tentados a procurar uma forma mais segura de religião para evitar problemas. Hebreus nos adverte de não nos desviarmos do caminho. Os que dão as costas para Jesus não têm esperança de salvação. Esse sermão admoesta e encoraja. Para os presunçosos que não passaram por provações e se desviam para a opção mais fácil, as advertências de Hebreus deveriam abalá-los e acordá-los da letargia espiritual. Para os crentes conscientes que se esforçam para completar a corrida de grande distância, o encorajamento e conforto lhes dariam esperança renovada. O livro todo lembra os crentes de que estes devem ouvir e acolher a Palavra de Deus. Será que estamos abrindo as Escrituras de maneira que ouçamos o Senhor? É muito difícil o amadurecimento na fé para os crentes se eles não tiverem o hábito constante de ouvir a Palavra de Deus. Além disso, Hebreus nos lembra de que a obediência anterior não garante a obediência presente e futura. Ainda que tenhamos obtido vitórias no passado, nossa corrida é uma maratona, não uma prova de velocidade, e somos chamados a perseverar. Perseveramos ao manter o olhar fixo em Jesus, ao imitar exemplos piedosos, ao ouvir a Palavra de Deus, ao estar ligados ao corpo de Cristo e ao permitirmos que o Espírito de Deus nos lidere na longa jornada. Mas tenhamos coragem, pois estamos em uma caminhada rumo à cidade celestial, cujo arquiteto e edificador é Deus (11.10,16; 13.14).

Nossos versículos favoritos de Hebreus

Portanto, também nós, uma vez que estamos rodeados por tão grande nuvem de testemunhas, livremo-nos de tudo o que nos atrapalha e do pecado que nos envolve e corramos com perseverança a corrida que nos é proposta, tendo os olhos fitos em Jesus, autor e consumador da nossa fé. Ele, pela alegria que lhe fora proposta, suportou a cruz, desprezando a vergonha, e assentou-se à direita do trono de Deus. Pensem bem naquele que suportou tal oposição dos pecadores contra si mesmo, para que vocês não se cansem nem desanimem. (12.1-3)

Nesta maquete da Jerusalém do século I, vê-se a localização tradicional do Gólgota (é o lado de fora do segundo muro da cidade).

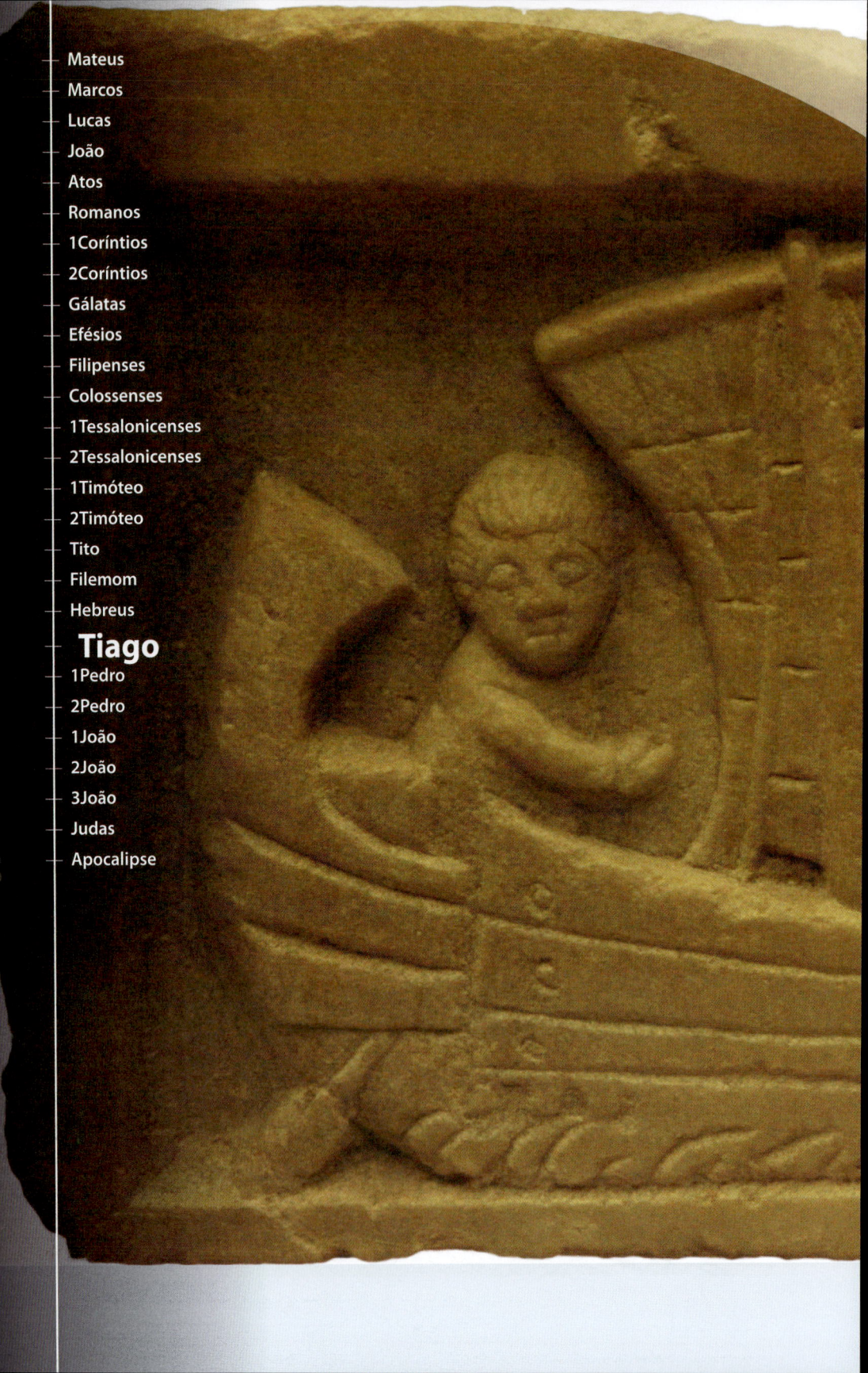

- Mateus
- Marcos
- Lucas
- João
- Atos
- Romanos
- 1Coríntios
- 2Coríntios
- Gálatas
- Efésios
- Filipenses
- Colossenses
- 1Tessalonicenses
- 2Tessalonicenses
- 1Timóteo
- 2Timóteo
- Tito
- Filemom
- Hebreus
- **Tiago**
- 1Pedro
- 2Pedro
- 1João
- 2João
- 3João
- Judas
- Apocalipse

Tiago
A fé verdadeira trabalha

Muitas vidas têm sido profundamente transformadas pelo encontro com a doutrina bíblica da justificação pela fé, explicada de modo geral em uma das cartas de Paulo. Essa verdade é crucial para a fé cristã, mas Tiago chama a atenção para outra dimensão importante da fé: as boas obras que fluem da fé genuína. A fé salvadora resultará na vida transformada de maneiras tangíveis que envolvem questões do tipo como gastamos o dinheiro, o que dizemos a respeito de outras pessoas e como enfrentamos as provações.

Quem escreveu Tiago?

O autor se identifica como "Tiago, servo de Deus e do Senhor Jesus Cristo" (1.1). Há quatro homens chamados Tiago no NT. Tiago, o apóstolo: irmão de João e filho de Zebedeu (Mc 1.19; 5.37; 9.2; 10.35), executado por Herodes Agripa I por volta do ano 44 (At 12.2). A data do seu martírio argumenta contra a identificação como o autor. Há também Tiago, filho de Alfeu e um dos Doze (Mc 3.18), e Tiago, pai de Judas (Lc 6.16; At 1.13), ambos considerados obscuros demais para terem escrito a carta.

A tradição antiga da Igreja sugere fortemente que a carta foi escrita por Tiago, meio-irmão de Jesus e líder da igreja de Jerusalém (Mt 13.55; Mc 6.3; At 1.14; 12.17; 15.13-21; 21.18; 1Co 9.5; 15.7; Gl 1.19; 2.9). Ele passou a crer depois da ressurreição de Jesus e recebeu uma visita do Senhor ressuscitado (1Co 15.7). O historiador Josefo nos diz que Tiago foi apedrejado até morte pela adesão a Cristo no ano 62 (Josefo, *Antiguidades* 20.9.1).

Quem eram os destinatários de Tiago?

A carta é endereçada "às doze tribos dispersas entre as nações". A expressão muito provavelmente se refere a judeus cristãos que viviam fora do território de Israel, mas ainda em um contexto agrícola (5.1-7). Alguns (ou a maioria) desses cristãos devem ter vindo da igreja de Jerusalém, dispersa depois da perseguição ligada à morte de Estêvão (At 8.1; 11.19).

A carta deve ter sido escrita antes da morte de Tiago no ano 62, e muitos estudiosos creem que ela tenha sido escrita no final da década de 40 do século I, antes do Concílio de Jerusalém no ano 49, e antes que as cartas de Paulo tivessem ampla distribuição. Se essa opinião for correta, Tiago é a mais antiga carta do NT.

Quais são os temas centrais de Tiago?

Tiago oferece conselhos práticos para viver a fé cristã no cotidiano. Ele se preocupa muito com três temas principais: provações e tentações, sabedoria (em especial no que se refere à nossa fala) e riqueza e pobreza.*

- Saudações (1.1)
- Três temas-chave (1.2-11)
- Três temas repetidos (1.12-27)
- Três temas explicados (2.1—5.18)
- Conclusão (5.19,20)

---

* O esboço aqui apresentado foi adaptado do comentário de Tiago feito por Peter Davids e modificado por Craig Blomberg em *From Pentecost to Patmos: An Introduction to Acts through Revelation* (Nashville: B&H, 2006), p. 392.

✚ Tiago é provavelmente a carta mais antiga do NT e se baseia muito nos ensinos de Jesus, em especial os contidos no Sermão do Monte.

Quais são os aspectos interessantes e singulares de Tiago?

- Há muitos paralelos entre Tiago e os ensinos de Jesus, em especial o Sermão do Monte (Mt 5—7).
- Tiago foi provavelmente escrito pelo meio-irmão de Jesus, que passou a crer depois da ressurreição de Jesus.
- Ainda que Tiago e Paulo pareçam contradizer um ao outro na questão da fé e das obras (v. Tg 2.4 e Gl 2.15,16), um estudo mais profundo mostra como eles tratam de questões diferentes (v. adiante a explicação a respeito).
- Tiago tem apreciação por mandamentos. Em seus 108 versículos, há mais de 50 mandamentos.

Qual é a mensagem de Tiago?

Saudações (1.1)

Tiago se identifica não como apóstolo, mas como "servo" (ou escravo) de Deus e do Senhor Jesus Cristo. Ele envia saudações "às doze tribos dispersas entre as nações".

Três temas-chave (1.2-11)

Enfrentando provações (1.2-4)

Tiago insta os ouvintes a considerar "motivo de grande alegria" o fato de enfrentarem provações, talvez principalmente dificuldades econômicas e sociais (1.2). Eles podem responder com alegria ou contentamento profundo (não uma felicidade emocional) por saberem que Deus usa as provações para produzir perseverança e, com o tempo, fazê-los maduros e íntegros (1.3,4).

Espelhos antigos.

✚ Ainda que Paulo tenha enfrentado oposição constante dos judeus na missão aos gentios, havia muitos judeus cristãos fiéis ao Senhor Jesus.

PARALELOS ENTRE TIAGO E O SERMÃO DO MONTE DE JESUS	
Tiago	Mateus
1.2	5.11,12
1.4	5.48
1.5	7.7
1.17	7.11
1.20	5.22
1.22	7.24
1.23	7.26
2.5	5.3,5
2.10	5.19
2.11	5.21,22
2.13	5.7
2.15	6.24
3.12	7.16
3.18	5.9
4.2	7.7
4.3	7.7,8
4.4	6.24
4.11,12	7.1
4.13,14	6.34
5.2	6.19,20
5.9	5.22; 7.1
5.10	5.11,12
5.12	5.34-37

Sabedoria (1.5-8)

Se precisamos de sabedoria (talvez para lidar com provações diversas), devemos pedir a Deus, confiando em seu caráter bondoso e generoso, e ele a concederá a nós (1.5). Mas, se duvidamos, somos comparados "à onda do mar, levada e agitada pelo vento" (1.6). Uma pessoa assim, com a "mente dividida" (lit., "alma dúplice") não deve esperar receber alguma coisa da parte do Senhor (1.7,8). A chave para a sabedoria piedosa é o temor saudável do Senhor e a confiança nele (cf. Pv 9.10).

Riqueza e pobreza (1.9-11)

Os crentes que se encontram em circunstâncias difíceis, humildes ou humilhantes podem sempre depositar a confiança em sua elevada posição junto ao Senhor (1.9). Os crentes abastados devem se lembrar da natureza instável de sua riqueza e depositar a confiança no relacionamento com Deus (1.10,11).

Três temas repetidos (1.12-27)

Tentações e provações (1.12-18)

A palavra grega para "provação" (*peirasmos*) também pode significar "tentação". Os perseverantes no enfrentamento de provações serão abençoados por Deus com a prometida "coroa da vida", isto é, a vida eterna (1.12). Ainda que Deus permita as tentações, ele não pode ser tentado pelo mal e não tenta ninguém (1.13). Quando pressionados por provações, alguns perseveram na fé, enquanto outros se voltam para soluções pecaminosas para tentar lidar com a situação. Mas remédios pecaminosos nunca farão as coisas melhorarem; eles só pioram a situação, porque o desejo leva ao pecado, que por sua vez resulta em morte espiritual (1.14,15). Em última instância, as pessoas são responsáveis pela resposta à provação. De qualquer maneira, não se pode culpar Deus, que sempre concede dádivas boas e perfeitas a seus filhos (1.16-18).

Sabedoria na fala (1.19-26)

A sabedoria leva os crentes a serem "prontos para ouvir, tardios para falar e tardios para irar-se" (1.19). A ira humana não produz o tipo de vida desejada por Deus (1.20). A vida justa surge quando as pessoas aceitam o evangelho salvador ("a palavra implantada em vocês") e retiram de sua vida a impureza

✢ Mais e mais Tiago enfatiza a fala como um verdadeiro indicador da condição do coração de uma pessoa (1.19-26; 2.12; 3.1-12; 4.11,12,13-17; 5.9,12,16).

moral e a maldade (1.21). Ser "pronto para ouvir" diz respeito à audição física; também está ligado com a obediência à "lei perfeita que traz a liberdade", isto é, o evangelho (1.22-25). Ser "tardio para falar" tem que ver com "ter um cabresto na língua" e demonstrar a validade da religião (1.26).

Estátua de uma mulher romana.

O uso adequado dos bens materiais (1.27)

Além de nos guardarmos moralmente puros, devemos usar os bens materiais para cuidar dos necessitados (p. ex., órfãos e viúvas). A Bíblia conecta duas realidades importantes que de modo geral são separadas: prestar atenção à formação espiritual e cuidar das necessidades básicas das pessoas.

Três temas explicados (2.1—5.18)

Riqueza e pobreza (2.1-26)

Tiago condena o favoritismo que alguns crentes demonstram em relação aos ricos enquanto discriminam os pobres (2.1-4). Ele condena o favoritismo porque muitas pessoas ricas em fé e que amam o Senhor advêm de classes inferiores (2.5). Esses crentes não devem ser desprezados ou enganados pelos ricos — os mesmos que os arrastam aos tribunais (2.6,7). Além disso, a Lei condena o favoritismo, e os praticantes disso na verdade são infratores da Lei (2.8-11). Os crentes devem falar e agir como quem será julgado pela "lei da liberdade" (i.e., o AT, filtrado pelo ensino de Jesus e dos apóstolos). Os misericordiosos para com os pobres receberão misericórdia no juízo, pois "a misericórdia triunfa sobre o juízo" (2.12,13). Como se pode demonstrar misericórdia para com os pobres? Ao ofertar com generosidade para o suprimento das necessidades deles, como Tiago explica em 2.14-26. Ele condena a "fé" sem obras — por exemplo, o tipo de fé que não ajuda a suprir as necessidades básicas dos necessitados (2.14-17). Esses "crentes" alegam ter fé, mas se recusam a ajudar o irmão carente de comida e de roupas. Tiago conclui que

✚ Ainda que a fé cristã tenha removido os obstáculos sociais (como a riqueza) à comunhão, os crentes continuam a lutar contra a demonstração de favoritismo aos ricos e de negligência em relação aos pobres (p. ex., Tg 1.9-11; 2.1-26; 4.1-3; 5.1-6).

Fé e obras em Tiago 2.24 e Gálatas 2.16, 25

A observação superficial dessas duas passagens pode levar à conclusão de que uma contradiz a outra:

> Tiago 2.24 — "Vejam que uma pessoa é justificada por obras, e não apenas pela fé."
>
> Gálatas 2.15,16 — "Nós, judeus de nascimento e não gentios pecadores, sabemos que ninguém é justificado pela prática da Lei, mas mediante a fé em Jesus Cristo. Assim, nós também cremos em Cristo Jesus para sermos justificados pela fé em Cristo, e não pela prática da Lei, porque pela prática da lei ninguém será justificado."

Começamos a resolver a contradição aparente quando entendemos a situação endereçada pelos dois autores. Tiago e Paulo estão lutando com problemas diferentes. Tiago lida com o conceito da fé como "apenas conhecimento teórico", negligenciadora das obras. Como resultado, ele precisa enfatizar a importância da prática de boas obras. Mas Paulo combate o ensino da necessidade das obras da Lei para alguém ser um membro verdadeiro do povo de Deus. Paulo precisa enfatizar a verdade de que as pessoas são justificadas pela graça por meio da fé em Jesus Cristo.

Além disso, é preciso observar como Tiago e Paulo definem a fé. Tiago ataca a "fé" morta (Tg 2.17,26), demoníaca (2.19) e inútil (2.20). Seu ponto principal é definir a fé verdadeira como algo mais que um simples assentimento intelectual; a fé verdadeira trabalha! Paulo com certeza não ensina que a "fé" consista apenas na confissão verbal (cf. Rm 1.5; Ef 2.8-10). Observe que Paulo e Tiago usam a mesma pessoa — Abraão — para ilustrar o que querem dizer com fé verdadeira (Gl 3.6-29; Tg 2.21-24).

Devemos também olhar com atenção para as duas passagens em tela. Em Gálatas 2, Paulo se refere às "obras" precedentes à conversão. Ninguém pode conquistar a salvação — um dom da graça. Em contraste, Tiago se refere a obras seguintes à conversão. O salvo de verdade agirá em conformidade com a salvação. Isso soa como a ênfase de Paulo na carta a Tito.

As duas passagens não são realmente contraditórias; a contradição é aparente. Paulo e Tiago são soldados no mesmo exército, ombro a ombro combatendo o inimigo comum, mas procedente de direções diferentes. O único evangelho verdadeiro é outorgado pela graça de Deus e resulta em nossas boas obras. Se alterarmos a graça ou as obras, alteraremos o único evangelho verdadeiro.

essa "fé" é morta (2.17). Alguns poderão objetar: "É possível existir fé sem obras?". Tiago diz de modo enfático: "Não" (2.18). A "fé sem obras" é também demoníaca (2.19) e inútil (2.20). Abraão e Raabe demonstraram sua fé (e sua posição justa diante de Deus) por meio de suas obras (2.21-25). Como o corpo humano sem o espírito está morto, a fé sem ações é morta (2.26).

Sabedoria demonstrada em ações (3.1—4.17)

Essa seção central da carta trata da sabedoria, especificamente de como a sabedoria é demonstrada por meio da fala (ou "língua"). Tiago afirma que ninguém deve arrogar a si ser mestre, pois essa função tem relação direta com a fala e implica grande responsabilidade, da qual será necessário dar conta (3.1,2).

✦ Paulo e Tiago utilizam Abraão como exemplo de alguém que viveu pela fé genuína nas promessas de Deus.

Em 3.3-6, Tiago apresenta três ilustrações do poder da língua: freios que controlam cavalos, leme que controla navios e fagulha que incendeia um grande bosque. O que falamos tem grande potencial para produzir o bem ou fazer o mal. De modo diferente do reino animal, a língua é indomável (3.7,8) e, diferente da natureza, a língua com frequência é incoerente, pois louva a Deus em um momento e amaldiçoa pessoas criadas à imagem e semelhança dele no momento seguinte (3.9-12). A sabedoria é demonstrada por meio de ações (3.13).

A sabedoria mundana, retratada em 3.14-16, é contrastada com a sabedoria celestial descrita em 3.17,18. A sabedoria mundana, eivada de inveja e egoísmo, conduz a lutas e disputas internas na igreja (4.1,2). Uma amizade desse tipo com o mundo é ódio a Deus, porque o Espírito de Deus deseja se relacionar de maneira forte e saudável com seus filhos (4.4,5). O povo de Deus precisa se comunicar com ele em oração, pedindo que atenda as suas necessidades — fazendo-o, no entanto, com motivações corretas (4.2,3). Mais que qualquer coisa, a oração verdadeira envolve o abandono sincero do pecado e a submissão humilde e franca a Deus, que promete se aproximar de nós e nos dar graça (4.6-10). Quando nos humilhamos diante de Deus, o único verdadeiro Legislador e Juiz, veremos o mal de falar mal uns dos outros, isto é, que estamos julgando em lugar de amor ao próximo (4.11,12). Um exemplo final de sabedoria diz respeito à elaboração de planos. A sabedoria mundana se vangloria dos planos futuros que não admitem a vontade divina, ao passo que a sabedoria piedosa faz planos cogitando que o Senhor pode mudá-los a qualquer momento (4.13-17).

Provações e tentações (5.1-18)

Os ricos que provocaram dificuldades na vida de pessoas pobres, trabalhadoras e inocentes serão julgados com severidade por Deus (5.1-6). Os crentes que enfrentam momentos assim não devem se voltar uns contra os outros em ira (com certeza uma reação tentadora). Eles devem permanecer firmes e esperar com paciência pelo retorno do Senhor (5.7-9). Há muitos exemplos encorajadores de paciência diante do sofrimento, como Jó e os profetas (5.10,11). O Senhor é fiel, e eles podem contar com ele para responder com compaixão e misericórdia (5.11). De qualquer maneira, não devem tentar escapar de julgamentos fazendo juramentos (5.12). Em 5.13-18, Tiago instrui os que enfrentam provações relacionadas a enfermidades físicas a orar (observe a frequência com que a palavra "oração" e o verbo "orar" são repetidos). A oração deve ser uma questão comunitária (chamar os presbíteros, confessar os pecados uns aos outros) e algumas vezes ela está ligada não apenas à cura física, mas também ao arrependimento e perdão (5.15,16). Tiago lembra seus leitores de que a oração do justo é "poderosa e eficaz" (5.16) e deve ser a primeira atitude dos cristãos quando provados.

✢ Em vez de preparar as pessoas para não evitarem a perseguição e o sofrimento, os primeiros líderes cristãos preparavam os crentes para suportar com fidelidade o sofrimento(Tg 1.2-8,12; 5.7-11).

Conclusão (5.19,20)

Na carta que trata de provações e tentações, sabedoria mundana em oposição à sabedoria piedosa, pobreza e riqueza, não se duvida de que os membros da congregação tivessem se afastado da verdade e precisassem de ajuda. Tiago elogia os que executam o trabalho doloroso de restaurar um irmão ao estado de saúde espiritual. Como Provérbios 10.12 diz, "o amor cobre todos os pecados" (5.20; 1Pe 4.8).

Como aplicar Tiago à nossa vida hoje

A vida nem sempre é justa. Muitas provações mencionadas por Tiago foram ocasionadas por pessoas ricas e poderosas que oprimiam os pobres e vulneráveis. Enquanto condena o favoritismo e conclama à justiça, Tiago também nos encoraja ao enfrentamento das provações com a atitude correta — a confiança repleta de paz na capacidade de Deus usar as provações para nos tornar mais semelhantes a Jesus. Ele nos diz para não procurarmos alívio em auxílios pecaminosos, conducentes à morte espiritual. Tiago nos exorta à rejeição da sabedoria mundana e ao exercício da sabedoria piedosa, em especial em nossa maneira de falar.

Cabresto antigo decorado.

Nossa fala dispõe de um potencial tremendo para o bem ou para o mal, para destruir ou para edificar. Ser "pronto para ouvir" e "tardio para falar" nos dá tempo para considerarmos o propósito das nossas palavras. Tiago nos faz recordar que a fé bíblica envolve mais que assentir com algumas doutrinas; a fé genuína também se expressa por meio de obras e ações. Em outras palavras, a fé verdadeira trabalha! Um dos principais meios de operação da nossa fé é o uso dos bens materiais para atender às necessidades práticas dos carentes. Como se pode ousar alegar possuir a fé bíblica e salvadora caso haja recusa de ajuda aos companheiros de fé em necessidade? A fé viva é a que atende à nossa própria formação espiritual e ajuda os necessitados de maneira prática, e tudo isso em nome de Jesus.

Nossos versículos favoritos de Tiago

Meus irmãos, considerem motivo de grande alegria o fato de passarem por diversas provações, pois vocês sabem que a prova da sua fé produz perseverança. E a perseverança deve ter ação completa, a fim de que vocês sejam maduros e íntegros, sem que falte a vocês coisa alguma. (1.2-4)

- Mateus
- Marcos
- Lucas
- João
- Atos
- Romanos
- 1Coríntios
- 2Coríntios
- Gálatas
- Efésios
- Filipenses
- Colossenses
- 1Tessalonicenses
- 2Tessalonicenses
- 1Timóteo
- 2Timóteo
- Tito
- Filemom
- Hebreus
- Tiago
- **1Pedro**
- **2Pedro**
- 1João
- 2João
- 3João
- **Judas**
- Apocalipse

1Pedro
Permanecer firme diante do sofrimento

2Pedro
Crescer no conhecimento de Cristo

Judas
Lutar pela fé

A igreja primitiva lutou contra ameaças externas (perseguição) e internas (ensinamentos falsos). A primeira epístola de Pedro foi escrita para ajudar os cristãos a responder às ameaças externas, ao passo que 2Pedro e Judas tratam das ameaças internas.

Quem escreveu 1 e 2Pedro e Judas?

Tanto 1Pedro quanto 2Pedro alegam terem sido escritas por Pedro, apóstolo de Jesus Cristo (1Pe 1.1; 2Pe 1.1). Na primeira epístola, ele escreveu com a ajuda de "Silas" (ou Silvano) de Roma (5.12,13). Ele também escreve como um companheiro de presbiterato que testemunhou os sofrimentos de Cristo (5.1). Além disso, a tradição cristã antiga unanimemente aceitava Simão Pedro como autor de 1Pedro. Por causa de diferenças estilísticas da primeira carta, a autoria de 2Pedro desde a Antiguidade tem sido motivo de

Localização de cinco províncias do norte da Galácia

debate. O autor alega ter estado no monte da transfiguração com Jesus (2Pe 1.16-18), ter escrito uma carta anterior (3.1), refere-se a Paulo como "nosso amado irmão" (3.15) e tem a expectativa de morrer logo (1.14). Alguns estudiosos sugeriram que a ajuda de um secretário diferente explica as diferenças de língua e de estilo, enquanto outros acreditam que a carta tenha sido finalizada após a morte de Pedro por amigos fiéis como uma espécie de último testamento do apóstolo.

Com respeito a Judas, o autor se descreve como "servo de Jesus Cristo e irmão de Tiago". A tradição cristã o identifica com Judas, o meio-irmão de Jesus (Mt 13.55; Mc 6.3). Seu irmão Tiago escreveu a carta do NT que leva seu nome.

Quem eram os destinatários?

Pedro afirma escrever de "Babilônia", provavelmente uma referência velada a Roma (1Pe 5.13; cf. Ap 14.8; 16.19; 17.4-6,9,18). Ele escreve a crentes dispersos por cinco províncias romanas da Ásia Menor (1Pe 1.1) que sofrem perseguição por sua fé (2.11,12,19-21; 3.14,17; 4.1,12-16; 5.9,10). A tradição da Igreja afirma que Pedro foi martirizado quando Nero começou a perseguir os cristãos no ano 64. Consequentemente, é provável que 1Pedro tenha sido escrita entre aos anos 63 e 64.

Sendo a carta mencionada em 2Pedro 3.1 de fato 1Pedro, então se pode aceitar que ambas as cartas tenham sido dirigidas à mesma audiência. Os problemas tratados em 2Pedro se relacionam mais com falsos ensinamentos que com perseguição. A principal heresia tratada na epístola é a negação da volta de Cristo, que leva à rejeição da verdade das Escrituras, vida imoral e negação do juízo futuro. A segunda epístola de Pedro foi escrita pouco antes da morte de Pedro (1.14,15), entre os anos 64 e 68.

A segunda epístola de Pedro e Judas têm muito em comum, e uma pode ter utilizado material tomado de empréstimo da outra. A maioria dos estudiosos aceita a composição de Judas antes de 2Pedro (mas próxima dela). Judas também escreve para refutar ensinamentos falsos, e existem menções sobre o tema em toda a carta: versículos 4, 7, 8, 10-12, 16 e 19.

✛ A igreja primitiva não só enfrentou ameaças externas (perseguição, o tema de 1Pedro), mas também internas (falsos ensinamentos, o tema de 2Pedro e Judas).

Quais são temas os centrais de 1 e 2Pedro e Judas?

Quando a ameaça é de perseguição, como em 1Pedro, a solução é permanecer firme na graça de Deus (5.12). A graça divina permitirá aos crentes continuar a viver de forma santa mesmo em meio ao sofrimento.

1Pedro
- Saudação (1.1,2)
- Louvor a Deus pela providência da salvação (1.3-12)
- Chamado para a vida santa (1.13—2.3)
- A comunidade pertencente a Deus (2.4-10)
- Vivendo piedosamente na presença dos que não são membros da comunidade de fé (2.11—3.12)
- Sofrer com injustiça por causa do nome do Senhor (3.13—4.19)
- Exortações finais (5.1-11)
- Conclusão (5.12-14)

Em 2Pedro e Judas, a ameaça vem da comunidade de fé (por meio do falso ensino), não de fora (mediante a perseguição). Conclamam-se os crentes em 2Pedro a "cres[cer][...], na graça e no conhecimento de nosso Senhor e Salvador Jesus Cristo" (2Pe 3.18), e Judas incentiva os crentes à batalha pela fé "uma vez por todas confiada aos santos" (v. 3).

2Pedro
- Saudação (1.1,2)
- Crescendo em nosso conhecimento de Deus (1.3-11)
- Apelo pessoal (1.12-15)
- Lembrança do retorno do Senhor (1.16—3.10)
- Observações finais (3.11-18)

Judas
- Saudação (1,2)
- Ocasião e propósito da carta (3,4)
- Resistência aos falsos mestres (5-19)
- Batalhar pela fé (20-23)
- Doxologia (24,25)

Quais são os aspectos interessantes e singulares de 1 e 2Pedro e Judas?

- 1Pedro fala bastante a respeito de como os cristãos devem entender e encarar o sofrimento por causa de Cristo. Há forte ênfase na natureza

eterna da esperança que eles têm — em contraste com as experiências temporárias — para encorajá-los a perseverar e convencê-los de que vale a pena passar por tudo isso (1.2,4,6,7,17,18,20,23-25).
- A motivação da vida piedosa agora implica o impacto que ela terá nos não membros da comunidade de fé. Esse é um tema importante em 1Pedro.
- O texto de 1Pedro 2 contém uma metáfora fascinante para a igreja: pedras vivas usadas na construção de uma casa ou templo espiritual para Deus.
- Há também em 1Pedro diversas confissões cristocêntricas poderosas (1.19-21; 2.21-25; 3.18-22).
- A volta de Cristo e o motivo de sua demora são dois temas tratados em 2Pedro.
- Judas é uma das duas cartas do NT que se acredita tenham sido escritas por meio-irmãos de Jesus (a outra é Tiago).

Qual é a mensagem de 1Pedro?

Saudação (1.1,2)

O apóstolo Pedro envia saudações aos crentes (eles pertencem a Deus, mas são forasteiros no mundo), dispersos pela Ásia Menor (1.1). Pedro cumprimenta com "graça e paz" os que se relacionam com o Pai que os escolheu, com o Espírito que os santifica e com o Filho que morreu por eles (1.2). Como em Êxodo 24, quando a aspersão do sangue de animais fez parte da ratificação da aliança mosaica, agora a nova aliança é estabelecida pelo sangue (ou morte sacrificial) de Jesus Cristo.

Louvor a Deus pela providência da salvação (1.3-12)

Pedro agora louva a Deus por providenciar a salvação mediante a morte e ressurreição de Jesus Cristo (1.3). A esperança viva e a herança imperecível estão protegidas pelo poder de Deus e a nossa fé, e um dia serão reveladas (1.4,5). Os crentes têm grande alegria na salvação, ainda que por enquanto

Moedas de bronze que apresentam Nero celebrando suas realizações militares e cívicas.

"[sejam] entristecidos por todo tipo de provação", que servem para refinar a fé (1.6,7). Quando o Senhor se manifestar, a fé dos crentes alcançará o propósito definitivo: a salvação da alma (1.8,9). Pedro lembra aos ouvintes que os antigos profetas predisseram a salvação vindoura, e que seus leitores a experimentaram pela graça quando aceitaram o evangelho (1.10-12).

Chamado para a vida santa (1.13—2.3)

Para vivenciar a salvação maravilhosa em meio ao sofrimento, os crentes precisam preparar a mente para a ação, exercitar o autocontrole, fixar a esperança nas promessas de Deus, resistir à conformidade com o mundo e viver de maneira santa, pois Deus é santo (1.13-16; Lv 19.2). A convocação à santidade é feita porque Deus julgará nossas obras de modo imparcial, e porque fomos redimidos com o sangue precioso de Cristo (1.17-21). Como em outras cartas do NT (p. ex., 1Jo), a obediência a Deus e o amor ao próximo estão intimamente ligados (1.22). Mais uma vez, nossa motivação vem da natureza eterna da verdade divina (1.23-25). Para amar o próximo com profundidade, é necessário abrir mão dos pecados destruidores da comunidade, como malícia, engano, inveja e calúnia (2.1), e substituir os vícios pelo crescimento espiritual saudável e fortalecedor da comunidade (2.2,3).

A comunidade pertencente a Deus (2.4-10)

Quando os crentes entram no relacionamento com Jesus ("a Pedra viva"), eles se tornam "pedras vivas" usadas na edificação da "casa espiritual" (2.4,5). O templo de Deus agora é seu povo, construído em Jesus, a "pedra de esquina" (ou pedra angular) — a pedra rejeitada pelos construtores humanos, mas preciosa para Deus (2.6,7). Enquanto os desobedientes ao evangelho tropeçam em Jesus, os receptores dele se tornam "geração eleita, sacerdócio real, nação santa, povo exclusivo de Deus" (2.8,9). Agora a igreja multicultural, composta por judeus e gentios, tornou-se o povo de Deus, descrição que antes era aplicada apenas a Israel (2.9,10).

Vivendo piedosamente na presença dos que não são membros da comunidade de fé (2.1—3.12)

Como "estrangeiros e peregrinos no mundo", Pedro insta os crentes a não cederem aos desejos pecaminosos, mas que vivam com piedade entre os pagãos para minimizar reações negativas e encorajar respostas positivas ao Senhor (2.11,12). Os não membros da comunidade de fé lhes observarão a vida piedosa quando os cristãos apresentarem uma atitude e um comportamento submissos.

✚ Muitos temas do AT aparecem em 1Pedro 2, quando o apóstolo descreve a igreja como templo espiritual de pedras vivas (2.4,5) e "geração eleita, sacerdócio real, nação santa" (2.9).

Cidadãos e autoridades (2.13-17)

Ainda que a lealdade última dos cristãos seja para com o Senhor (v., p. ex., a resposta de Pedro em At 4—5), os crentes devem se submeter às autoridades políticas encarregadas de punir o mal e recompensar o bem (2.13,14). Os crentes "temem a Deus e honram o rei" com a vida de boas obras, e assim farão bom uso da liberdade, atraindo os não cristãos ao Senhor e agradando a Deus (2.15-17).

Escravos e senhores (2.18-25)

Pedro exorta os escravos à submissão aos senhores terrenos mesmo quando são tratados de forma severa e injusta (2.18,19). Deus não é honrado quando os escravos sofrem pela prática do erro, mas quando suportam o sofrimento como vítimas inocentes, seguindo o exemplo de Jesus (2.20,21). Pedro insere aqui uma confissão cristocêntrica, que realça o papel de Jesus como o justo sofredor (2.21-25; Is 53.9).

Maridos e mulheres (3.1-7)

Em contraste com as regras de Paulo para a casa cristã (Ef 5.22-33; Cl 3.18,19), Pedro concentra a atenção na situação em que há a mulher crente e o marido incrédulo. Ele encoraja as mulheres a considerarem como sua vida exemplar e seu comportamento respeitoso podem desempenhar um papel evangelístico no casamento (3.1,2). Se elas seguirem o exemplo de outras mulheres piedosas como Sara, e priorizarem a beleza interior, não os ornamentos exteriores, sem dúvida agradarão ao Senhor (3.3-6). Quanto aos maridos crentes, Pedro os aconselha a terem consideração e compreensão para com a mulher, de modo que o relacionamento deles mesmos com Deus não seja prejudicado (3.7).

✛ Os códigos domésticos de 1 Pedro 3 diferem dos encontrados em Efésios 5 e em Colossenses 3 no sentido de que Pedro tem em mente o casamento misto — isto é, o casamento em que um dos cônjuges crê e o outro não.

Vivam em harmonia uns com os outros (3.8-12)

Outra maneira de manter o testemunho positivo para os não membros da comunidade de fé é viver em harmonia com os outros crentes (3.8). Em lugar de procurar vingança, os crentes devem responder com bênçãos (3.9). Tanto no discurso quanto na prática, devemos evitar o mal e buscar oportunidades de fazer o bem (3.10,11) e promover a paz. Deus abençoa esse tipo de resposta positiva, mas se coloca contra os promotores do mal (3.12).

Sofrer com injustiça por causa do nome do Senhor (3.13—4.19)

Pedro agora encoraja os leitores a abraçar o sofrimento em nome do Senhor, preparando-se para responder de maneira adequada, seguindo o exemplo de Jesus, vivendo na expectativa do retorno de Cristo, e considerando um privilégio sofrer por Cristo.

Estar preparados para dar uma resposta (3.13-17)

Pedro não pensa na probabilidade de os crentes sofrerem perseguição enquanto continuam a fazer o bem (3.13). Não obstante, isso pode acontecer, e os crentes não devem se espantar quando isso acontecer (3.14). Antes, eles devem estar preparados para explicar a esperança cristã de maneira gentil e respeitosa, sempre se certificando de que suas ações dão base às suas palavras (3.15-17).

O exemplo do sofrimento de Jesus (3.18-22)

Na terceira confissão cristológica, Pedro ressalta como o exemplo do sofrimento de Jesus resulta em algo bom: salvação. Ele posteriormente aplicará essa verdade em 4.1-6. O parágrafo observa a morte substitutiva de Cristo, sua ressurreição e sua exaltação à mão direita de Deus acima de todo poder e autoridade. Aprendemos também que Cristo "pregou aos espíritos em prisão", o que provavelmente significa que ele proclamou sua vitória aos espíritos demoníacos (não que tenha oferecido salvação aos mortos) entre a morte e ressurreição, ou talvez

Mulher romana com cabelos trançados (provavelmente Julia Domina, esposa do imperador Severo).

✚ À semelhança de outros escritores bíblicos, Pedro prepara a audiência para responder ao sofrimento de maneira apropriada.

na ascensão. Como Deus venceu os poderes ímpios e salvou os justos no tempo de Noé (2Pe 2.4,5; Jd 6), ele também resgatará os purificados por meio da morte e ressurreição de Cristo (simbolizada pela água do batismo).

Nosso sofrimento também pode levar ao bem (4.1-6)

Como os sofrimentos de Cristo levaram à salvação, de igual maneira os sofrimentos dos crentes também conduzem ao bem. Aquele que "sofreu em seu corpo rompeu com o pecado" (4.1). O sofrimento nos purifica a vida e afasta os desejos humanos malignos e os direciona à vontade de Deus (4.2). Pedro lembra seus leitores do passado pecaminoso deles (4.3). Naturalmente, seus amigos pagãos irão ridicularizá-los por desistirem da vida de prazeres para seguir a Deus, mas essas mesmas pessoas terão de enfrentar o juízo divino (4.4,5). Graças a Deus, o evangelho foi pregado ao povo (ainda que agora as pessoas estejam mortas) de modo que eles possam experimentar a vida eterna proveniente de Deus, ainda que o mundo os considere tolos (4.6).

Viver na luz da volta de Cristo (4.7-11)

Dada a proximidade do retorno de Cristo, os crentes devem viver para Deus com um sentido de urgência. Isso inclui oração, amar ao próximo de verdade, oferecer hospitalidade sem reclamação e usar os dons espirituais com fidelidade, tudo para a glória de Deus.

O privilégio de sofrer por Cristo (4.12-19)

Os crentes não devem se surpreender quando o mundo os rejeitar (4.12). Em vez disso, os crentes devem se regozijar pelo fato de poderem participar dos sofrimentos de Cristo (4.13). Na verdade, é uma bênção sofrer insultos e ser ridicularizado por causa do nome de Jesus, porque isso nos lembra de que o Espírito de Deus de fato repousa sobre nós (4.14). Não há glória em sofrer caso pratiquemos o mal (4.15), mas devemos considerar como um grande privilégio sofrer como cristãos (4.16). Nossas decisões são importantes em razão do juízo vindouro. Se Deus vai iniciar o julgamento pelo próprio povo, os que não se relacionam com Deus não têm esperança (4.17,18; cf. Pv 11.31). Mesmo em tempo de provação, os crentes devem manter a atenção na confiança em Deus e na prática do bem (4.19).

Exortações finais (5.1-11)

Quando as igrejas enfrentam tempos de sofrimento, elas precisam de líderes sábios e eficientes para guiá-las. Pedro agora se dirige aos presbíteros ou supervisores (5.1,2). Eles deveriam executar suas responsabilidades

Perseguições na igreja primitiva
Douglas S. Huffman

Marcada pelo ódio e hostilidade por causa do relacionamento com Jesus (Mt 10.22; Mc 13.13; Lc 21.17; Jo 15.18-25; Ap 1.9; 12.17), a igreja primitiva sofreu perseguição verbal (p. ex. Mt 5.10,11), social (p. ex. Jo 9.22) e econômica (p.ex. Hb 10.32-34). Com frequência, no NT, a perseguição envolvia algum tipo de ameaça física, como oposição à fé (p. ex. At 16.19-24). O ponto culminante da perseguição era a morte.

Fonte da perseguição. Apesar de os perseguidores poderem ter influência política (p. ex., At 12.1-3), social (p. ex., At 17.5) e/ou econômica (p. ex., Hb 10.23-34), a perseguição no NT se originava, em caráter primordial, de questões religiosas, não raro por parte de pessoas que partilhavam a mesma fé. Por exemplo, os judeus perseguiram Jesus da mesma maneira que trataram os próprios profetas (At 7.51-53). Com autoridade religiosa, Paulo perseguiu os cristãos como se eles fossem inimigos de Deus (At 9.1,2; 22.3-8; 26.1-15; cf. Jo 16.2). Depois de se achegar à fé, a mensagem de Paulo a respeito de Jesus ser o Messias de Deus com frequência sofreu oposição e perseguição da parte dos judeus (p. ex. At 9.23-25; 20.3,19; 21.27-36; 23.12-22). Os cristãos, portanto, sofreram perseguição da parte de judeus (p. ex. At 5.17-42; 6.8—8.1), algumas vezes com a cumplicidade dos gentios (p. ex., At 13.45-52; 14.1-7,19,20; 17.1-15; 18.5-17; 28.16-20). O NT também descreve a perseguição aos cristãos suscitada por instigação dos gentios (At 16.19-24; 19.23-41). Antes do ano 250, vários imperadores romanos se tornaram conhecidos por terem apoiado (conquanto não necessariamente tenham dado início) a perseguição aos cristãos: Nero, Domiciano, Trajano, Adriano e Marco Aurélio. Por último, a perseguição aos cristãos algumas vezes pode vir da parte de outros seguidores de Jesus (p. ex., Fp 1.15-17).

Importância da perseguição. O NT indica que a perseguição tem grande importância para os crentes. Os cristãos perseguidos partilham dos sofrimentos de Jesus (Hb 9.24—10.23). A perseguição tem um propósito identificador, mostrando a conexão entre Cristo e seu povo (Mc 10.28-31; At 5.40,41; 1Ts 2.14; 2Ts 1.3-12; 2Tm 1.8-12; Hb 11.24-27; 1Pe 5.9), e ainda aponta para a importância de seguir o exemplo do Messias (1Pe 2.19-25). Por isso Jesus considera a perseguição aos crentes como perseguição a ele mesmo (At 9.4,5; 22.7,8; 26.14,15). A perseguição favorece a evangelização. O que "resta das aflições de Cristo" se tornará "completo" com o sofrimento dos crentes (Cl 1.24). Jesus sofreu para realizar a salvação; os crentes sofrem para disseminar a mensagem (Mt 10.16-20; Mc 13.9-11; Lc 21.12-15; 2Tm 2.1-10; p. ex., At 8.1-4; 11.19-21). A perseguição fortalece a fé, demonstrando o poder de Deus e mantendo-o como o foco da esperança (2Co 1.8-11; 4.7-15; 6.1-10; 12.7-10). A perseguição dispersa os falsos crentes (Mt 13.18-23; Mc 4.13-20; Lc 8.11-15) e ajuda a tornar a tentação menos perigosa para os crentes verdadeiros (1Pe 4.1-5).

---

1) não como obrigação, mas de boa vontade, 2) não por cobiça mas com um coração que quer servir e 3) não de maneira autoritária, mas liderando por meio do exemplo (5.2,3). Os jovens (os rebeldes mais prováveis?) devem se submeter aos líderes e agir com humildade, pois "Deus se opõe aos orgulhosos, mas concede graça aos humildes" (5.5; Pv 3.34; Tg 4.6). Parte do processo de humilhação é lançar todas as ansiedades ou preocupações sobre o Senhor em vez de tentar viver com as próprias forças (5.6,7). Além disso, os crentes devem ter autocontrole e permanecer em estado de alerta

quanto às táticas do Diabo (5.8). A estratégia adequada de guerra contra Satanás envolve resistência e perseverança, encorajar os outros crentes que enfrentam o mesmo (5.9). Depois de termos sofrido por um pouco, o Deus de toda a graça e poder, que nos chamou, irá nos restaurar (5.10).

Conclusão (5.12-14)

Pedro escreveu com a ajuda de Silas (ou Silvano) para produzir encorajamento e para dar testemunho da graça divina (5.12). Na conclusão da epístola, os leitores são convocados a se manterem firmes na graça de Deus (5.12) — o tema da carta. Depois de saudações aos que se encontram em Roma, incluindo Marcos, além de um mandamento para que os crentes saúdem uns aos outros, Pedro pronuncia uma declaração de paz a todos que estão em Cristo (5.13,14).

Qual é a mensagem de 2Pedro?

Saudação (1.1,2)

Aos que receberam a fé preciosa por meio da justiça de Jesus Cristo, Salvador e Deus, Pedro envia sua saudação de graça e paz. Em conformidade com o propósito geral da epístola, ele adiciona que graça e paz virão em abundância "pelo pleno conhecimento de Deus e de Jesus, o nosso Senhor" (1.2).

Crescendo em nosso conhecimento de Deus (1.3-11)

Pedro assegura aos leitores que eles têm todo o necessário à vida e à piedade mediante o conhecimento de Deus (1.3). Por causa do chamado e das promessas divinas, os crentes podem crescer mais como Cristo e fugir da corrupção promovida pela cobiça no mundo (1.4). Tornar-se "participante da natureza divina" é definido no contexto como sinônimo de piedade ou crescimento espiritual e não uma afirmação de que os humanos algum dia se tornarão deuses. Em 1.5-8, Pedro menciona qualidades piedosas em que os crentes devem crescer para se tornarem eficientes e produtivos no seu conhecimento do Senhor. Os crentes que não crescem são incapazes de ver e de se lembrar de tudo que Deus fez por eles (1.9). Como em 1João, o crescimento espiritual do crente traz garantia do chamado, da eleição e do lugar futuro no Reino eterno de Deus (1.10).

✦ A lista de virtudes de Pedro (em 2Pe 1.5-8) é muito parecida com a lista do fruto do Espírito citada por Paulo em Gálatas 5.22,23.

Apelo pessoal (1.12-15)

Pedro de maneira sutil demonstra ter consciência da proximidade de sua morte (1.14,15). Ele também sente uma grande responsabilidade para lembrar os leitores das verdades básicas da fé, algo que eles já sabem, mas precisam viver de maneira coerente (1.12,13,15).

Lembrança do retorno do Senhor (1.16—3.10)

A certeza da volta de Jesus (1.16-21)

Os falsos mestres parecem negar a volta de Jesus (3.3,4). Pedro recorda aos leitores que ele pessoalmente testemunhou a transfiguração de Jesus, um acontecimento que previa o retorno final de Jesus em glória (1.16-18). Do mesmo modo que a transfiguração não foi uma história habilmente inventada, mas um acontecimento histórico, a volta de Cristo será também um acontecimento histórico. O Espírito Santo inspirou os profetas, e muito do que eles predisseram foi cumprido na vinda de Jesus, o Messias (1.19-21). Portanto, os crentes devem esperar pelo cumprimento do restante das profecias, como a da volta de Cristo, pois todas elas serão cumpridas (1.19-21).

A negação da volta de Jesus provoca juízo (2.1-22)

Nessa extensa seção, Pedro descreve as ações dos falsos mestres e o destino deles. Esses falsos profetas introduziram na igreja heresias perniciosas, como a negação da soberania do Senhor e seu retorno (2.1). Pelo fato de não haver lugar para a vida justa nas histórias por eles inventadas, vivem

Santuário edificado acima do que a tradição afirma ser o local do túmulo do apóstolo Pedro em Roma.

✝ Em concordância com 2Timóteo 3.16,17, Pedro afirma a total confiabilidade e inspiração da Palavra de Deus (v. 2Pe 1.20,21).

de maneira vergonhosa, difamando o caminho da verdade (2.2) e tentando explorar os crentes no processo (2.3). Mas a destruição deles é certa (2.1,3). Se Deus não poupou os anjos quando eles se rebelaram (2.4), não poupou os ímpios nos tempos antigos (2.5) e condenou Sodoma e Gomorra (2.6), então ele saberá punir os injustos (2.9,10). Se Deus protegeu Noé e sua família (2.5) e resgatou Ló de Sodoma e Gomorra (2.6-8), então ele sabe resgatar os piedosos (2.9). Em 2.10-22 Pedro descreve os falsos profetas com muitos detalhes. Em sua arrogância, eles falam mal e blasfemam contra assuntos espirituais que não entendem (2.10-12). Festejam em prazeres mundanos como adultério, sedução e cobiça (2.13-16). São escravos da depravação moral e de desejos cobiçosos — que não obstante prometem liberdade espiritual (2.17-19). Talvez tenham sido crentes genuínos que renunciaram a Cristo e à salvação ou então nunca foram crentes de verdade (2.20,21). Os dois provérbios citados em 2.22 dão apoio à compreensão de que eles nunca foram crentes. Seja como for, o apóstolo deixa claro que esses falsos profetas estão destinados ao juízo (2.12,13,17,20).

Por que Deus demora (3.1-10)

Nas duas cartas, Pedro encorajou os leitores a ter uma "mente sincera" ao lembrá-los das palavras dos profetas do AT e das palavras de Jesus ditas pelos apóstolos (3.1,2). Como nada mudou por muito tempo, os falsos profetas começaram a zombar: "O que houve com a promessa da sua vinda?" (3.3,4). Mas eles se esquecem do poder de Deus demonstrado por meio da criação do mundo e do Dilúvio (3.5,6). Como Deus criou o mundo por sua palavra, por essa "mesma palavra os céus e a terra que agora existem estão reservados para o fogo, guardados para o dia do juízo e para a destruição dos ímpios" (3.7). O Senhor não é incapaz de cumprir suas promessas nem está atrasado no cumprimento delas. Ele é paciente, e não quer que ninguém pereça; antes, deseja que todos se arrependam (3.9). Deus vê o tempo de forma diferente de nós (3.8). Mas, quando o dia do Senhor chegar, virá de maneira súbita e surpreendente, como o ladrão que ataca à noite (3.10). Os atuais céu e terra serão destruídos pelo fogo, abrindo caminho para a criação de novos céus e nova terra (3.10,12,13; Is 65.17; Hb 12.26,27; Ap 21.1).

Observações finais (3.11-18)

O dia do Senhor está chegando. Nele, o Universo atual será destruído em preparação para os novos céus e a nova terra (3.11-13). Os crentes devem esperar o dia do Senhor e podem até mesmo apressá-lo (3.12). A paciência do Senhor significa salvação para um número maior de pessoas, como o apóstolo Paulo escreveu a respeito em suas cartas (3.15,16). Enquanto isso, o povo de Deus não deve se deixar levar por erros teológicos (3.17), mas

✛ O "dia do Senhor" do AT é associado à segunda vinda de Cristo em 2Pedro, um acontecimento que trará juízo para os rebeldes e salvação aos fiéis.

viver de maneira santa e piedosa (3.11) de modo que seja encontrado "em paz, imaculado e inculpável" (3.14). Em suma, os crentes devem crescer "na graça e no conhecimento de nosso Senhor e Salvador Jesus Cristo" (3.18).

Qual é a mensagem de Judas?

Saudação (1,2)

Judas, um servo (e provavelmente meio-irmão) de Jesus e irmão de Tiago, escreve aos chamados, que são amados por Deus e guardados por Jesus (v. 1). Ele oferece a seguinte saudação/oração: "misericórdia, paz e amor sejam multiplicados a vocês" (v. 2).

Ocasião e propósito da carta (3,4)

Parece que Judas queria concentrar a atenção na salvação provida por Deus; no entanto, ele se sentiu impelido a lidar com a situação relacionada aos falsos ensinos. Ele encoraja os leitores a batalharem "pela fé de uma vez por todas confiada aos santos" (v. 3). Homens ímpios infiltraram-se em segredo na igreja, e não apenas negam o Senhor, mas transformam a graça divina em licença para a vida ímpia (v. 4).

Resistência aos falsos mestres (5-19)

Judas denuncia os falsos mestres na seção central da carta. Como o Senhor libertou seu povo no Êxodo, mas depois destruiu os incrédulos (v. 5), e como aprisionou os anjos rebeldes para o dia do juízo (v. 6), ele punirá os

Sodoma.

comprometidos com a imoralidade (v. 7). Os falsos mestres não são apenas pervertidos; são também blasfemos. Eles rejeitam as autoridades e falam mal de seres espirituais como se detivessem todo o poder (v. 8-10). Judas cita uma obra judaica (*Assunção de Moisés*) no versículo 9 para enfatizar o argumento de que todo juízo, até mesmo o de Satanás, pertence ao Senhor. Usando exemplos negativos extraídos do AT (Caim, Balaão, Corá), Judas critica a liderança egoísta dos falsos mestres. Eles são como "pastores que só cuidam de si mesmos" (v. 11,12). O comportamento deles é incomum, como fenômenos incomuns do mundo natural (v. 12,13). Judas cita o texto de 1Enoque, uma obra apocalíptica judaica, como uma profecia contra os falsos mestres: "Vejam, o Senhor vem com milhares de milhares de seus santos, para julgar a todos e convencer todos os ímpios a respeito de todos os atos de impiedade que eles cometeram impiamente e acerca de todas as palavras insolentes que os pecadores ímpios falaram contra ele" (v. 14,15). Além disso, os falsos mestres são reclamantes, ficam o tempo todo procurando defeitos nos outros, orgulhosos e egoístas (v.16). Os apóstolos do Senhor predisseram que falsos mestres como eles apareceriam nos últimos dias, homens mundanos que não têm o Espírito (incrédulos), e que se infiltram nas igrejas para criar o caos (v. 17-19; cf. At 20.29-31; 1Tm 4.1-3; 2Tm 3.1-9).

Batalhar pela fé (20-23)

Depois de desferir um ataque inflamado contra os falsos mestres, Judas se dirige aos crentes fiéis e lhes ensina a batalhar pela fé. Eles devem crescer no conhecimento da verdade da Escritura, orar no Espírito, viver no amor de Deus, permanecer esperançosos quanto ao retorno de Cristo e servir aos outros por meio de ministérios de restauração e evangelização.

Doxologia (24,25)

Judas encerra a carta com uma palavra poética e poderosa de louvor ao Deus capaz de proteger seus filhos e levá-los à sua presença gloriosa com grande alegria e sem mácula (v. 24). O Deus único, nosso Salvador, por meio de Jesus Cristo, nosso Senhor, merece toda "glória, majestade, poder e autoridade", da eternidade passada até o presente e por toda a eternidade futura (v. 25).

Como aplicar 1 e 2Pedro e Judas à nossa vida hoje

Para aos cristãos ocidentais, a perseguição assume várias formas: algumas possibilidades são a ridicularização, a maledicência, o ostracismo e a discriminação econômica. O texto de 1Pedro apresenta uma perspectiva muito importante de encorajamento para os que sofrem injustamente. Somos lembrados de nossa identidade como membros do povo de Deus, da natureza estável e sólida da nossa esperança em Cristo e da necessidade de viver de maneira santa. Devemos pensar na melhor maneira de responder à perseguição, sabendo que até Jesus sofreu e que o sofrimento pode produzir o bem. Para enfrentar o sofrimento injusto de maneira piedosa, precisamos de uma lembrança vívida da graça divina — exatamente o que encontramos em 1Pedro. Além da perseguição, os crentes algumas vezes enfrentam um tipo diferente de ameaça: ensinamentos falsos. O texto de 2Pedro nos lembra de que o conhecimento é importante na vida cristã. Por exemplo, não se passa muito tempo sem que algum grupo estabeleça uma data para a volta de Cristo. Os conhecedores das Escrituras não se deixarão enganar por ensinamentos assim porque Jesus deixou claro que estabelecer datas não é assunto da nossa competência. A segunda epístola de Pedro explica de maneira específica o atraso da segunda vinda de Cristo: trazer um número maior de pessoas à fé. Judas apresenta o argumento de que há ocasiões em que os falsos mestres precisam ser confrontados, pois isso significa batalhar pela fé cristã histórica. Nem todo conflito é ruim, e pode ser necessário quando há pessoas se afastando do evangelho verdadeiro. Paulo fez exatamente o mesmo em 2Coríntios.

Nossos versículos favoritos de 1 e 2Pedro e Judas

O Deus de toda a graça, que os chamou para a sua glória eterna em Cristo Jesus, depois de terem sofrido por pouco tempo, os restaurará, os confirmará, os fortalecerá e os porá sobre firmes alicerces. (1Pe 5.10)

Não se esqueçam disto, amados: para o Senhor um dia é como mil anos, e mil anos como um dia. O Senhor não demora em cumprir a sua promessa, como julgam alguns. Ao contrário, ele é paciente com vocês, não querendo que ninguém pereça, mas que todos cheguem ao arrependimento. (2Pe 3.8,9)

Àquele que é poderoso para impedi-los de cair e para apresentá-los diante da sua glória sem mácula e com grande alegria, ao único Deus, nosso Salvador, sejam glória, majestade, poder e autoridade, mediante Jesus Cristo, nosso Senhor, antes de todos os tempos, agora e para todo o sempre! Amém. (Jd 24,25)

Sinai.

✚ Pedro e Judas encorajam os cristãos a crescer na graça e no conhecimento — elementos essenciais para os crentes que querem se tornar maduros na fé.

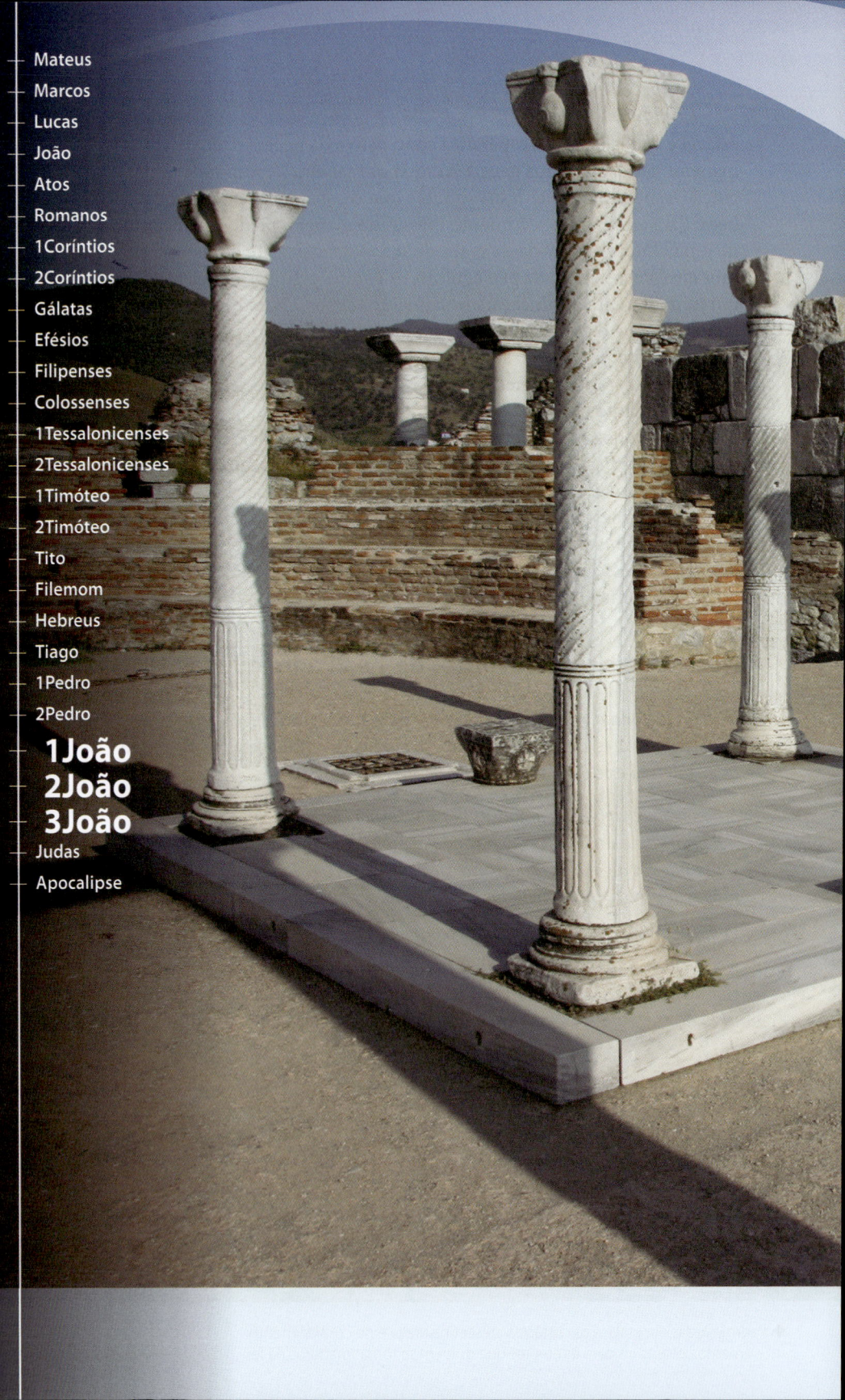

- Mateus
- Marcos
- Lucas
- João
- Atos
- Romanos
- 1Coríntios
- 2Coríntios
- Gálatas
- Efésios
- Filipenses
- Colossenses
- 1Tessalonicenses
- 2Tessalonicenses
- 1Timóteo
- 2Timóteo
- Tito
- Filemom
- Hebreus
- Tiago
- 1Pedro
- 2Pedro
- **1João**
- **2João**
- **3João**
- Judas
- Apocalipse

1João
A verdadeira fé e o verdadeiro conhecimento cristãos

2João
Andar em amor e na verdade

3João
Imitar o que é bom

Em uma época na qual o ensino tradicional a respeito de Jesus Cristo e da fé cristã foi desafiado, João apresentou o prumo para as igrejas que enfrentavam conflitos. Em 1João, ele apresenta três marcas do cristianismo verdadeiro: o conceito correto de Jesus, a necessidade de obedecer a Deus e a importância do amor ao próximo. Essas marcas são aplicadas a situações específicas em 2 e 3João. Pelo fato de o nosso contexto ser bastante semelhante àquele, descobriremos nas cartas de João muita sabedoria e encorajamento que nos auxiliarão a alinhar a vida com a fé cristã histórica.

Quem escreveu as cartas de João?

Ainda que o autor não se identifique, a opinião tradicional é que João — o apóstolo, o discípulo que Jesus amava e autor do quarto Evangelho — também escreveu essas três cartas. Além disso, as semelhanças de conteúdo e estilo entre o evangelho de João e essas cartas sugerem o mesmo autor. Em 2João e 3João, o autor é descrito como "o presbítero"; no entanto, essa designação provavelmente se aplica ao apóstolo João, que também serviu como presbítero na igreja local. A tradição antiga (Ireneu, Policarpo, Polícrates) indica que João se mudou para Éfeso no final do século I e plantou igrejas na região.

Quem eram os destinatários de João?

João escreveu para cristãos na região de Éfeso perto do fim do século I (entre as décadas de 70 e 90). As igrejas estavam sendo ameaçadas por um ensinamento falso que combinava elementos de diversas heresias. O ensinamento falso sugeria que o conhecimento, não a graça, é o caminho para Deus e que o corpo humano é mau (uma forma primitiva de gnosticismo). A ênfase no "conhecimento especial" produziu arrogância e falta de amor. Suas ideias a respeito do corpo levaram alguns a uma negação do corpo (ascetismo) e outros à indulgência quanto aos desejos do corpo (licenciosidade). Além disso, outras pessoas negavam a plena humanidade e divindade de Jesus. Ele não poderia ter assumido um corpo humano real, diziam, porque a matéria é má. Jesus apenas parecia humano (docetismo) ou o "Cristo divino" se uniu ao "Jesus humano" no batismo e o abandonou antes da morte (cerintismo). Para complicar a situação, os que aceitaram esses falsos ensinamentos estavam se afastando da comunhão (1Jo 2.19), alegando o alcance do estado de perfeição em que não mais cometiam pecados (1Jo 1.8,10; 3.9,10).

Qual é a mensagem das cartas de João?

João escreve para encorajar os fiéis ao lembrá-los das crenças do cristianismo verdadeiro e de como eles devem se comportar. Há duas declarações de propósito em 1João: 1) advertir os crentes a respeito dos ensinamentos falsos (2.26) e 2) ajudá-los a saber se têm a vida eterna (5.13). Como se demonstra no quadro a seguir, João repetidamente enfatiza as marcas dos crentes verdadeiros e como eles devem reagir aos falsos ensinamentos.*

Tema	Obediência a Deus	Amor ao próximo	Cristologia correta
Ensinamento falso	Licenciosidade	Arrogância	O corpo é mau
	1.5—2.6	2.7-17	2.18-27
	2.28—3.10	3.11-24	4.1-6
	5.16-21	4.7-21	5.1-15

* Esta tabela é uma adaptação de John Stott em *Epístolas de João: introdução e comentário* (São Paulo: Vida Nova, 1982) e *From Pentecost to Patmos: An Introduction to Acts through Revelation* ["Do Pentecoste a Patmos: introdução de Atos a Apocalipse"] Nashville: B&H, 2006).

✚ Tanto 1João quanto o evangelho de João começam destacando o fato de Jesus se tornar um ser humano genuíno (encarnação).

O esboço de 1João também apresenta os três temas: obediência, amor e cristologia correta.

1João
- Prólogo (1.1-4)
- Obediência a Deus nº 1 (1.5—2.6)
- Amor ao próximo nº 1 (2.7-17)
- Cristologia correta nº 1 (2.18-27)
- Obediência a Deus nº 2 (2.28—3.10)
- Amor ao próximo nº 2 (3.11-24)
- Cristologia correta nº 2 (4.1-6)
- Amor ao próximo nº 3 (4.7-21)
- Cristologia correta nº 3 (5.1-15)
- Obediência a Deus nº 3 (5.16-21)

A segunda epístola de João é endereçada "à senhora eleita e aos seus filhos" (v. 1), que podia ser uma mulher cristã e sua família ou a descrição em linguagem figurada de uma igreja local. Os versículos 8, 10 e 12 apresentam uma forma plural ("vocês"), mas não há menção ao nome da família nem no versículo 1 nem no 13; além disso, a "senhora" é amada por todos os que conhecem a verdade (v. 1) — tudo isso leva a crer que João escreva para uma igreja. Ele avisa a respeito dos falsos mestres, encoraja os crentes ao amor recíproco e os instrui a ter discernimento quanto a receber e ajudar os mestres itinerantes.

Antiga fonte batismal bizantina na Igreja de São João nas proximidades de Éfeso.

2João
- Introdução (1-3)
- Amor (5,6)
- Verdade (4,7-11)
- Conclusão (12,13)

O contexto de 3João parece o de uma disputa entre membros da igreja. Um líder autoritário em uma das igrejas rejeitou mestres itinerantes enviados por João, que escreveu para corrigir o problema ao instar os crentes a não imitarem o que é mau, e sim o que for bom.

3João
- Introdução (1)
- Elogio a Gaio (2-8)
- Repreensão de Diótrefes (9-11)
- Elogio a Demétrio (12)
- Conclusão (13,14)

O que faz das epístolas de João interessantes e únicas?

- Dos 12 apóstolos de Jesus, João foi o que provavelmente viveu mais. Ireneu, líder da igreja primitiva, diz que João viveu pelo menos até o ano 98 (*Contra heresias*. 2.22.5; cf. Jo 21.18-23).
- Há muitos paralelos e muitas conexões entre o evangelho de João e 1João (p. ex., vida eterna, luz, crer, Jesus — o Filho de Deus, o Espírito Santo, verdade, perseverança, o novo mandamento do amor).
- A palavra "anticristo" é usada apenas quatro vezes na Bíblia, e todas as referências estão nas cartas de João (1Jo 2.18,22; 4.3; *NVI*: "enganadores", 2Jo 7).
- 2 e 3João são parecidas com cartas tradicionais, e 1João se parece mais com um sermão ou um tratado dirigido a diversas congregações.
- 2João é o menor livro do NT.
- Como os cristãos viajavam, eles dependiam da hospitalidade de outros crentes para receber hospedagem e alimentação. A terceira epístola de João fala diretamente da prática importante da hospitalidade cristã.

Qual é a mensagem de 1João?

Prólogo (1.1-4)

À semelhança do prólogo do evangelho de João, esse prólogo destaca a existência de Jesus com o Pai antes da Criação e o fato de ele entrar no mundo como um ser humano real que podia ser visto, ouvido e tocado. Jesus, a "Palavra da vida" e "a vida eterna", veio para levar as pessoas à comunhão com Deus e com os que o amam. Escrever a respeito desses assuntos produz grande alegria em João e em sua audiência.

Obediência a Deus nº 1 (1.5—2.6)

Eis a mensagem de João: "Deus é luz" e os que têm comunhão com ele andam na luz — em obediência à sua palavra (1.5; 2.3-6). Ironicamente, os falsos mestres alegam não ter pecado (1.8,10). Pelo fato de as pessoas que se

✚ Como Tiago e as demais epístolas do NT, 1João deixa claro que nosso amor ao Senhor e nosso amor aos outros crentes estão intimamente ligados.

Deus como luz e amor
Joel Williams

O texto de 1João contém duas afirmações diretas a respeito do caráter divino: "Deus é luz" (1.5) e "Deus é amor" (4.8). O importante para a interpretação de 1João a respeito desses aspectos do caráter de Deus é sua correspondência aos temas principais da carta a respeito do que se espera de quem conhece Deus: obediência e amor. A primeira parte de 1João enfatiza que os verdadeiros filhos de Deus obedecem aos mandamentos, ao passo que a segunda parte destaca que os verdadeiros filhos de Deus amam quem pertence à família de Deus.

Deus é luz sem o menor traço de trevas. Ele resplende em perfeita santidade. Portanto, quem o conhece anda na luz, e o resultado é a purificação contínua de seus pecados por meio do sangue de Jesus (1.6,7). Andar na luz diz respeito a aprender os caminhos de Deus e seguir por eles. Quem alega conhecê-lo, mas se recusa a lhe obedecer, mente e anda em trevas (2.4; cf. 2.9-11). Quem faz da desobediência a Deus o padrão de vida e continua a pecar, na verdade nunca nasceu de Deus (3.7-10). Já quem conhece Deus e o ama, faz da obediência aos mandamentos dele o padrão da própria vida (2.3); vê a luz e anda nela.

Deus também é amor. O relacionamento pautado pelo amor e a doação sacrificial pertencem à natureza divina. Deus revelou seu amor ao enviar o Filho para morrer por nós de modo que possamos ter vida por meio dele (4.9,10; cf. 3.16). Ele verteu seu amor sobre nós ao nos tornar filhos (3.1). Como Deus é amor, quem o conhece e experimenta seu amor, naturalmente viverá esse amor (4.7-11). Amamos porque ele nos amou primeiro (4.19). Nosso amor aos outros na família divina evidencia que em verdade já passamos da morte para a vida (3.14). É impossível conhecer Deus, amá-lo e ainda assim odiar os filhos de Deus, e quem afirmar seu amor a Deus e odiar o irmão mente (4.20,21). Se ele não ama o irmão a quem vê, como pode amar o Deus invisível? No contexto de 1João, amar tem ligação com dar a vida pelos irmãos e ajudar com compaixão os necessitados (3.16,17). Dessa maneira, nosso amor se baseia no amor recebido de Jesus, que deu a vida por nós quando carecíamos. Portanto, mediante a obediência fiel e o amor sacrificial, nossa vida refletirá o Deus que é luz e amor.

---

esforçam para obedecer a Deus caem em pecado, a obediência também diz respeito à confissão de pecados, confiança no sacrifício de Jesus e na fidelidade dele para nos limpar e purificar (1.7,9; 2.1,2). Quem afirma conhecer Deus, mas caminha nas trevas, mente, e a verdade de Deus não está nele (1.6; 2.4).

Amor ao próximo nº 1 (2.7-17)

Obedecer a Deus tem ligação com o grande mandamento do amar, um mandamento antigo e novo (2.7-9; Lv 19.18; Dt 6.4,5; Mc 12.29-31). Quem alega estar na luz, mas odeia os crentes, ainda está em trevas (2.9,11). Só quem ama os irmãos vive na verdade e na luz de Deus (2.10). João escreve a todos os membros da comunidade de crentes genuínos, encorajando-os à recordação do perdão divino, do conhecimento atual de Deus e da vitória sobre o Maligno (2.12-14). Nessa seção incomum, João se dirige duas vezes a três grupos e

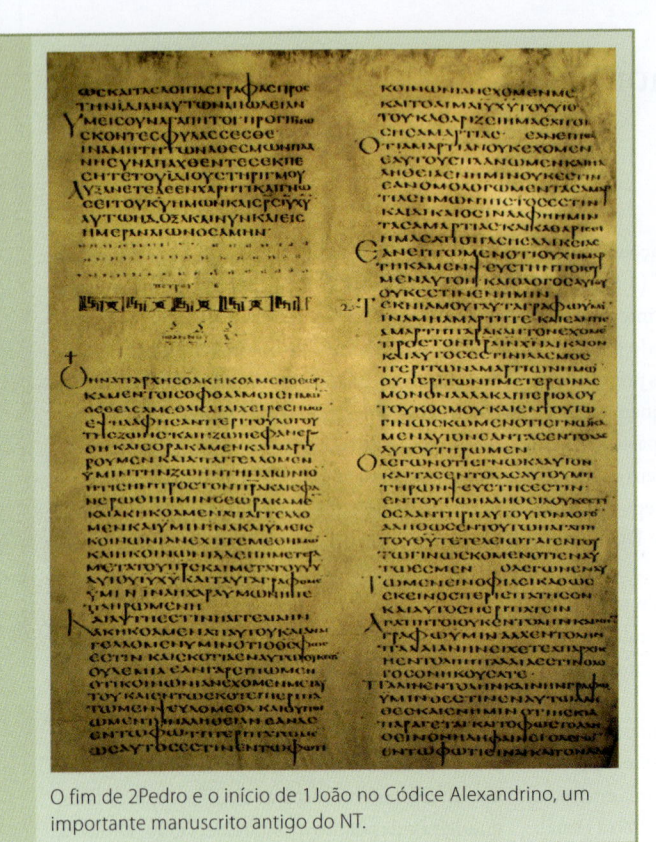

O fim de 2Pedro e o início de 1João no Códice Alexandrino, um importante manuscrito antigo do NT.

repete algo do que disse a primeira vez. Como "filhinhos" vem primeiro (não "pais"), é provável que se trate de uma referência a toda a comunidade cristã. Então João se dirige a dois grupos — os cristãos mais maduros ("pais") e os cristãos com menos idade ("jovens") — com instruções mais específicas. O mandamento do amor não abrange amar o mundo e seus prazeres temporários: a cobiça da carne, a cobiça dos olhos e a ostentação dos bens (2.15,16). O mundo e seus desejos passam, mas quem faz a vontade de Deus permanece para sempre (2.17).

Cristologia correta nº 1 (2.18-27)

João escreve para avisar os crentes a respeito dos falsos mestres (2.26), a quem chama de "anticristos" (2.18). Ao se afastarem da comunidade cristã, demonstraram que de fato não pertenciam a ela (2.19). Eles promoveram a falsidade ao negar que Jesus é o Cristo (2.22). João deixa claro que quem nega o Filho também nega o Pai, mas quem confessa o Filho tem o Pai (2.23). Os crentes devem permanecer fiéis ao único evangelho verdadeiro, pois é ele que conserva sua relação com Deus e lhes dá garantia da vida eterna (2.24,25). Além da verdade das Escrituras, eles têm a "unção" (i.e., o Espírito Santo) de Jesus que os guiará a toda a verdade (2.20,21,27). Eles não precisam seguir os líderes "superespirituais" que alegam ter todas as respostas; devem confiar nas Escrituras e no Espírito Santo.

Obediência a Deus nº 2 (2.28—3.10)

João ordena aos companheiros de fé que permaneçam "nele" (= obediência a Jesus) para permanecerem confiantes e não se envergonharem quando Cristo voltar (2.28). De acordo com João, os justos aceitaram o amor do Pai

✚ João encoraja os cristãos a reconhecer que pecam e a confessar seus pecados, esperando perdão e purificação por causa do caráter de Deus (1Jo 1.9).

e respondem fazendo o que é justo. Ainda que rejeitados pelo mundo, eles foram aceitos na família de Deus (2.29—3.1). Os filhos de Deus continuam a se purificar em razão da esperança de serem semelhantes a Cristo quando ele se manifestar (3.2,3). João então explica como detectar os falsos crentes: eles "permanecem no pecado" (3.6) e "estão no pecado" (3.9). Ou seja: os não crentes são caracterizados pelo estilo de vida pecaminoso. Os leitores de João não devem ser enganados, pois a obediência reflete a verdadeira identidade pessoal (3.7-10). Os nascidos de Deus refletirão o caráter dele em obediência e amor, enquanto os pertencentes ao Diabo continuarão com seu estilo de vida rebelde e pecaminoso.

Amor ao próximo nº 2 (3.11-24)

Desde o princípio (em contraste com o ensinamento falso), a mensagem cristã enfatizou a importância do amor (3.11). O exemplo negativo de Caim demonstra os efeitos mortais do ódio (3.12-15), enquanto o sacrifício de Cristo oferece o supremo exemplo de amor (3.16). Os crentes devem esperar rejeição por parte do mundo (3.13), mas isso não os deve impedir de seguir o exemplo de Cristo e dar a vida pelos irmãos (3.16). Mais especificamente, o amor deve ir além de mero palavreado para ações específicas, como partilhar bens materiais (3.16-18). Quando somos tentados a duvidar da crença em Jesus, esses atos específicos de amor aos irmãos tranquilizará o coração e nos dará confiança no relacionamento com Deus, em especial no que diz respeito à vida de oração (3.19-22). O mais importante é a crença em Jesus Cristo, o Filho de Deus, e o amor uns aos outros (3.23). A obediência e a presença do Espírito Santo trabalharão em conjunto para oferecer a segurança do relacionamento genuíno com Cristo (3.24).

Cristologia correta nº 2 (4.1-6)

Nem todo profeta popular no mundo é na verdade capacitado pelo Espírito Santo (4.1,5). Profetas alinhados com o Espírito reconhecerão que Jesus Cristo é plenamente divino e humano (i.e., "confess[am] que Jesus Cristo veio em carne"). Os que fracassam no teste não são de Deus, mas do anticristo (4.2,3). Os crentes devem examinar os espíritos para ver se procedem de Deus (4.1,6). No processo, não precisamos temer os falsos profetas populares porque "aquele [o Espírito Santo] que está em vocês é maior do que aquele que está no mundo" (4.4).

Amor ao próximo nº 3 (4.7-21)

Pela terceira vez, João enfatiza o amor como marca do cristão verdadeiro. O amor vem de Deus e quem ama demonstra a veracidade do

✝ Crer em Jesus e amar o próximo (1Jo 3.23) são atos que relembram as palavras de Jesus a respeito do grande mandamento (Mt 22.37-40; cf. Lv 19.18; Dt 6.5).

relacionamento com Deus (4.7,8). O próprio Deus definiu o amor ao enviar seu único Filho ao mundo como sacrifício expiatório pelos nossos pecados (4.9,10). Como já experimentamos esse amor magnífico de Deus, devemos também amar uns aos outros (4.11,12). Recebemos a garantia da nossa salvação pela presença do Espírito (4.13) e pela nossa confissão de que o Pai enviou Jesus, o Filho de Deus, para ser o Salvador do mundo (4.14-16). Mas a garantia também procede de amarmos uns aos outros (4.16). A presença do amor em nossa vida nos dá confiança quanto ao dia do juízo ao retirar qualquer medo de que Deus possa nos condenar (4.17,18). Deus é amor, e seu amor capacita os crentes a que amem uns aos outros (4.16,19). Tudo isso é resumido da seguinte maneira: quem afirma amar Deus, mas odeia os outros crentes, é mentiroso (4.20). Quem diz amar Deus deve da mesma forma amar os outros crentes (4.21).

Cristologia correta nº 3 (5.1-15)

Junto com a cristologia correta, os outros dois temas principais são mencionados na passagem (obedecer a Deus e amar o próximo). "Todo aquele que crê que Jesus é o Cristo é nascido de Deus" (5.1). Com certeza, há uma conexão entre crer em Jesus, obedecer a Deus e amar os crentes (5.2,3). Todo o que nasceu de Deus vence o mundo, por crer que Jesus é o Filho de Deus (5.4,5). Jesus Cristo veio "por [meio] de água e sangue", provavelmente uma referência ao seu batismo e à cruz (5.6). O Espírito testifica a verdade a respeito de Jesus, pois estava com Jesus em todo o seu ministério (contra o ensinamento falso; 5.6-8). Devemos aceitar o que Deus diz a respeito do Filho — que a vida eterna está no Filho e quem tem o Filho tem a vida (5.9-12). Nesse momento, João declara o propósito que o levou a escrever: ajudar os cristãos a saber que têm a vida eterna (5.13). Os falsos profetas têm várias maneiras de desestabilizar a igreja, e João lhes dá uma palavra forte de garantia. Além disso, os crentes podem confiar que Deus responderá às suas orações, de acordo com sua vontade (5.14,15).

Obediência a Deus nº 3 (5.16-21)

Obedecer a Deus diz respeito a lidar com o pecado. Devemos orar pelos irmãos que cometem pecado não conducente à morte (talvez ações pecaminosas cometidas com consciência pelos cristãos), e Deus lhes dará vida (5.16). João não discute (mas também não proíbe) orar pelas pessoas cujo pecado conduz à morte (5.16). Talvez João tenha em mente o estado de rejeição deliberada e intencional de Cristo, como a blasfêmia contra o Espírito mencionada por Jesus (Lc 12.10). Toda injustiça é pecado, mas há pecado que não leva à morte (5.17). João conclui a carta com três declarações "sabemos" (5.18-20) e a advertência final (5.21). Sabemos que os crentes verdadeiros não mantêm o estilo de vida pecaminoso, e são guardados espiritualmente dos ataques do Maligno (5.18). Sabemos que os crentes pertencem a Deus enquanto o mundo inteiro jaz no poder do Maligno (5.19). E sabemos que Jesus veio para que todos conhecessem o único Deus verdadeiro e experimentassem a vida eterna (5.20). Por fim, João diz aos crentes que se mantenham distantes dos ídolos: qualquer substituto de Deus (5.21).

Qual é a mensagem de 2João?

Enquanto 1João deve ter sido lida em todas as igrejas nos lares, 2João deve ter sido endereçada a uma congregação em particular. As três marcas do crente verdadeiro são enfatizadas em 2João.

Essa réplica de uma casa do século I nos lembra de quanto João gosta de comparar a comunidade cristã a uma família.

✚ João relaciona a vida eterna ao conhecimento de Jesus (1Jo 1.2; 2.24,25; 5.11-13,20; cf. Jo 3.15,16,36; 5.24; 6.40; 10.27,28; 11.25; 17.2,3).

Introdução (1-3)

João, agora identificado como "o presbítero", escreve "à senhora eleita e aos seus filhos", provavelmente uma igreja em um lar em Éfeso (v. 1). Junto com a saudação de "graça, misericórdia e paz da parte de Deus Pai e de Jesus Cristo, seu Filho", João apresenta duas importantes realidades espirituais que compõem o tema do livro: amor e verdade (v. 2,3).

Amor (5,6)

Ele lembra os leitores do mandamento de amar aprendido desde o princípio (v. 5). De modo mais específico, há uma ligação entre o amor recíproco e a obediência ao Senhor (v. 6).

Verdade (4,7-11)

O amor e a verdade não são inimigos, mas amigos. João se alegra ao ver seus filhos espirituais caminhando na verdade (v. 4). Os falsos mestres (os enganadores e os anticristos) não reconhecem que Jesus Cristo veio em carne (v. 7). Os que os seguem sofrerão grande prejuízo espiritual (v. 8). Os crentes devem perseverar no ensino de Cristo; caso contrário, demonstrarão que não pertencem a Deus (v. 9). João orienta a congregação a não receber os falsos mestres ou dar-lhes apoio para a obra ímpia (v. 10,11).

Conclusão (12,13)

João conclui a carta com muito ainda a dizer, mas prefere fazê-lo em pessoa, esperando que a alegria, a dele e a dos crentes, será completa (v. 12). Os membros da igreja irmã enviam saudações (v. 13).

Qual é a mensagem de 3João?

O contexto de 3João parece ser o de um conflito entre membros da igreja. Um líder autoritário em uma das igrejas rejeitou mestres itinerantes enviados por João. Este escreve para tentar corrigir o problema. João diz que os crentes não devem imitar o que é mau, mas o que é bom (v. 11).

Introdução (1)

João saúda seu bom amigo Gaio, a quem ama de verdade.

✢ A palavra "anticristo" é usada apenas quatro vezes na Bíblia (1Jo 2.18,22; 4.3; 2Jo 7).

Hospitalidade
Joel Williams

A terceira epístola de João elogia um homem chamado Gaio por demonstrar hospitalidade aos missionários itinerantes, mesmo quando ainda não os conhecia. A epístola também encoraja Gaio a continuar respondendo da mesma maneira quando outras oportunidades surgirem (v. 5-8). A hospitalidade deve ter incluído alimentação e lugar de pousada para os viajantes, além do reconhecimento público de pessoas dignas de honra e apoio. João considerou apropriado que Gaio os encaminhasse "em sua viagem de modo agradável a Deus" (v. 6). Em outras palavras, João orientou Gaio a fornecer alimentação e apoio financeiro suficientes para que chegassem ao próximo ponto de parada da jornada. Paulo usou a mesma expressão na carta a Tito, pedindo que Zenas e Apolo fossem enviados e pudessem receber todo o necessário (Tt 3.13; cf. Rm 15.24; 1Co 16.6,11; 2Co 1.16). Esse apoio seria oferecido em diferentes níveis, e João pediu que fosse uma ajuda mais que generosa, pois seria concedida aos que trabalhavam para Deus.

Quem eram os beneficiados pela hospitalidade de Gaio? Aparentemente, eram missionários que deixaram suas casas por causa do nome de Jesus para levar a mensagem da verdade aos descrentes. Eles não tinham a intenção de receber nenhuma ajuda financeira dos que esperavam alcançar com a mensagem de Cristo (v. 7). Por isso eles dependiam inteiramente do apoio de outros cristãos. Crentes como Gaio, que lhes demonstravam hospitalidade, uniam-se ao ministério deles e, ao fazê-lo, tornaram-se colaboradores na causa da verdade (v. 8).

A terceira epístola de João também critica um homem chamado Diótrefes por não receber os obreiros cristãos itinerantes. A recusa em demonstrar hospitalidade cresceu do desejo de ter toda a atenção da igreja voltada para ele (v. 9,10). A segunda epístola de João toca em outro problema relacionado à hospitalidade, ainda que em direção diferente. Nessa carta, João julgou necessário avisar a congregação que ela não recebesse falsos mestres em seus lares e a não lhes desse apoio (2Jo 10,11). Recebê-los ajudaria apenas a disseminar a obra destrutiva dos falsos mestres que insistiam que Jesus Cristo não era plenamente humano. Pouco depois do tempo do NT, um antigo documento cristão mostra que os líderes da igreja também julgaram necessário orientar as igrejas para o não recebimento e apoio de charlatães que queriam tirar vantagens dos crentes (*Didaquê* 11-12). A hospitalidade exige o equilíbrio entre generosidade e sabedoria.

Elogio a Gaio (2-8)

João inicia com uma oração para que a saúde física de Gaio seja semelhante à sua saúde espiritual (v. 2). A alegria de João é multiplicada quando ouve a respeito da obediência dos irmãos e a expressa gratidão pela fidelidade de Gaio à verdade (v. 3,4). Ele elogia Gaio de modo específico pelo ministério de hospitalidade para com os mestres itinerantes (v. 5). Esses mestres saíram (em viagem) "por causa do Nome [de Jesus]", e dependiam da hospitalidade dos cristãos. Eles reportaram o amor e o apoio oferecidos por Gaio (v. 6-8).

Repreensão de Diótrefes (9-11)

João repreende um criador de problemas chamado Diótrefes, que rejeita a liderança de João, recusa-se a hospedar os mestres itinerantes e expulsa da igreja os que querem demonstrar hospitalidade cristã (v. 9,10). João orienta a congregação no versículo 11 a não imitar o mal (i.e., a ambição egoísta de Diótrefes), mas o bem (i.e., o ministério de Gaio). Os que fazem o bem são de Deus enquanto os que fazem o mal não experimentaram a Deus (v. 11).

Elogio a Demétrio (12)

João oferece outro exemplo de piedade em Demétrio, de quem todos falam bem (v. 12).

Conclusão (13,14)

Mais uma vez João tem muito a dizer, mas prefere fazê-lo pessoalmente (v. 13,14). Ele saúda os crentes e lhes formula um voto de paz (v. 14).

Como aplicar as epístolas de João à nossa vida hoje

As três marcas do crente verdadeiro são nossos pontos de aplicação de 1João. O conceito bíblico de Jesus afirma sua divindade e humanidade plenas. Qualquer ensino que se desvie disso ao negar a divindade ou a humanidade (ou a negação prática decorrente da ênfase exagerada em uma ou outra) não é de Deus. Em nosso contexto pluralista contemporâneo precisamos cuidar da cristologia. O que acreditamos a respeito de Jesus, em última instância, determina como nos relacionamos com Deus e com seu povo. João também deixa claro que a obediência a Deus é da maior importância para o crente. Estamos bastante acostumados com a racionalização do pecado, mas João orienta a respeito do engano do perfeccionismo (mudando a definição de "pecado" eles alegam que não pecam). João afirma que quem alega passar extensos períodos sem pecar é mentiroso. Em vez de

Ruínas da antiga Éfeso, a principal cidade de residência da maioria dos leitores de João.

✚ João desafia os crentes a discernir que mestres e que ministérios merecem apoio e a serem generosos na ajuda a eles.

desculpar o pecado ou redefini-lo, devemos confessá-lo com honestidade ao Senhor. Quando o fazemos descobrimos que ele é fiel e justo (desejoso e capaz) de nos perdoar e purificar (1Jo 1.9). Por fim, João realça a importância do amor. Não podemos alegar amar Deus e ao mesmo tempo odiar os irmãos; isso nos faz mentirosos. Amor e verdade são amigos, não inimigos. Como João disse no evangelho: "a graça e a verdade vieram por intermédio de Jesus Cristo" (Jo 1.17). Na defesa da verdade não devemos nunca perder o amor e, nos esforços a favor do amor, não devemos nunca negligenciar a verdade. Quando os falsos mestres sugerem que estamos perdendo algo, devemos tranquilizar o coração diante de Deus por meio da visão correta sobre Jesus e a submissão à Palavra de Deus, incluindo-se o amor que demonstramos aos outros crentes.

Vistas em conjunto, 2 e 3João oferecem uma abordagem equilibrada de apoio aos ministérios cristãos. 2João nos ensina a ter discernimento e bom julgamento. Devemos verificar a mensagem pregada antes de investir no ministério. 3João nos ensina a não permitir que o amor esfrie porque alguns ministérios são enganosos e enganadores. Precisamos de discernimento para separar o verdadeiro do falso, e o coração amoroso para apoiar de maneira prática os envolvidos em ministérios cristãos genuínos.

Nossos versículos favoritos das cartas de João

Se confessarmos os nossos pecados, ele é fiel e justo para perdoar os nossos pecados e nos purificar de toda injustiça. (1Jo 1.9)

Nós amamos porque ele nos amou primeiro. (1Jo 4.19)

Todo aquele que não permanece no ensino de Cristo, mas vai além dele, não tem Deus; quem permanece no ensino tem o Pai e também o Filho. (2Jo 1.9)

Não tenho alegria maior do que ouvir que meus filhos estão andando na verdade. (3Jo 1.4)

Literatura apocalíptica

O livro de Apocalipse recebeu o título das palavras de abertura: "revelação (*apokalypsis*) de Jesus Cristo" (Ap 1.1). A palavra *apokalypsis* se refere a um descobrimento ou revelação. Jesus é o centro da revelação, como o assunto principal da discussão em todo o livro ou como o responsável pela revelação dos planos de Deus para o mundo, ou talvez, ambas as possibilidades. De modo independente disso, a intenção do livro é permitir que os crentes conheçam mais a respeito do controle soberano de Deus sobre a história humana.

O Apocalipse é o principal exemplo do NT do tipo de literatura conhecido como "apocalíptica". Encontramos outros exemplos desse tipo de literatura no AT (Daniel; Zacarias; Is 24—27; 56—66; Ez 38—39) e no NT (Mt 24—25; Mc 13). A literatura apocalíptica foi muito popular no período intertestamentário (1 e 2Enoque, Jubileus, 2 e 3Baruque, 4Esdras).

Na literatura apocalíptica, ocorre a revelação divina por intermédio de um ser celestial para uma figura bem conhecida — nela Deus promete se posicionar na história humana para derrotar o mal e estabelecer seu reino. No geral, esse tipo de literatura contém visões estranhas e imagens bizarras. Brent Sandy observa 12 temas importantes na literatura apocalíptica do NT:*

---

* D. Brent SANDY, **Plowshares and Pruning Hooks:** *Rethinking the Language of Biblical Prophecy and Apocalyptic* (Downers Grove: IVP Academic, 2002), p. 169-189.

✣ Provavelmente o paralelo mais próximo que temos na atualidade à literatura apocalíptica seja a literatura fantástica, como as *Crônicas de Nárnia* de Clive S. Lewis.

Doze temas da literatura apocalíptica do Novo Testamento

Apresentação surpreendente do Senhor transcendente	Horrores experimentados pelo mundo animal
Desordem sem precedentes no mundo	Preservação dos eleitos de Deus (o remanescente)
O fim próximo da História	Vinda da nova sociedade para os justos
O terrível juízo divino contra o mal	Recompensas para os justos
Horrores nos céus	Forças satânicas atacam o povo de Deus
Horrores na terra	Os crentes são libertados do mal

A literatura apocalíptica como a encontrada no livro de Apocalipse pressupõe uma crise de fé — por que as forças do mal têm sucesso se Deus de fato está no controle? O Apocalipse apresenta uma lembrança vívida e dramática de que Deus é soberano e derrotará o mal, vindicará seu povo e estabelecerá o Reino eterno. Jesus é Senhor e Deus e ainda está em seu trono! O livro cria um mundo simbólico para os leitores, e suas perspectivas são realinhadas com a realidade em sentido espiritual, ainda que isso não seja temporariamente percebido. Os leitores são então capacitados a ver a realidade da perspectiva celestial. Contemplam o futuro final e a vitória definitiva de Deus sobre as forças das trevas. Como uma visão transformadora, a mensagem principal de Apocalipse é "não importa o que aconteça: Deus vence, por isso permaneçam fiéis a Jesus!".

- Mateus
- Marcos
- Lucas
- João
- Atos
- Romanos
- 1Coríntios
- 2Coríntios
- Gálatas
- Efésios
- Filipenses
- Colossenses
- 1Tessalonicenses
- 2Tessalonicenses
- 1Timóteo
- 2Timóteo
- Tito
- Filemom
- Hebreus
- Tiago
- 1Pedro
- 2Pedro
- 1João
- 2João
- 3João
- Judas
- **Apocalipse**

Apocalipse

A visão transformadora

Com linguagem poderosa e imaginário vívido, Apocalipse apresenta o capítulo final da história da salvação em que Deus derrota o mal, reverte a maldição do pecado, restaura a criação e vive para sempre entre seu povo. O último livro da Bíblia é conhecido pela primeira sentença: "Revelação de Jesus Cristo" (1.1). Apesar de os detalhes, de modo geral, serem difíceis de entender, a ideia principal de Apocalipse é clara — Deus está no controle e realizará seus propósitos com sucesso. No fim, Deus vence! Apocalipse convida os ouvintes da mensagem a aceitarem a perspectiva celestial para que possam perseverar com fidelidade no mundo caído até a volta de Jesus.

Quem escreveu Apocalipse?

O autor se identifica como João, servo de Jesus Cristo (1.1,4). Ele também participa com eles "no sofrimento, no Reino e na perseverança" e foi banido para a ilha de Patmos por proclamar a mensagem a respeito de Jesus (1.9). Além disso, João é o recebedor da visão celestial, um companheiro dos crentes no serviço e um verdadeiro profeta de Deus (22.8). O autor não se identifica de maneira explícita com João, o apóstolo, e há quem pense que seja outro João. Mas muitos, se bem que nem todos, dos pais da Igreja identificaram o autor como o apóstolo João (Justino Mártir, Ireneu, Tertuliano, Clemente de Alexandria). A tradição da Igreja diz que um grupo de cristãos se mudou da Judeia para a Ásia por volta do ano 66 quando os judeus iniciaram a revolta contra Roma. Parece que João, o apóstolo, estava entre o grupo que se estabeleceu em Éfeso. No todo, a conclusão de que João, o apóstolo, escreveu o livro de Apocalipse ainda é a que faz mais sentido.

Quem eram os destinatários de João?

João escreve de modo principal para os cristãos das sete igrejas da Ásia Menor mencionadas em Apocalipse 2— 3. Elas estão começando a sofrer pela fé com a possibilidade real de as provações ficarem muito piores. João foi exilado por seu testemunho a respeito de Jesus (1.9). Antipas, um cristão em Pérgamo, foi morto por causa da fé (2.13). Na mensagem enviada à igreja de Esmirna, Jesus indica que eles não devem temer o que estão para sofrer (2.10). O livro também apresenta várias outras referências a cristãos sendo executados (6.10; 16.6; 17.6; 18.24; 19.2).

Há duas possibilidades principais para a data de redação de Apocalipse: 1) pouco tempo depois da morte de Nero (68-69) ou 2) perto do fim do reinado de Domiciano (95). Conquanto haja evidência sólida para as duas possibilidades, é preferível a data no reinado de Domiciano, quando a perseguição ameaçou se espalhar por todo o Império Romano. O culto imperial (i.e., o culto ao imperador de Roma) era uma força poderosa com que lidar, porque unia elementos religiosos, políticos, sociais. Domiciano queria que as pessoas se dirigissem a ele como *dominus et deus noster* ("Nosso Senhor e Deus"). Mas a confissão cristã mais antiga e básica era "Jesus é Senhor". Quando os cristãos se recusaram a confessar "César é Senhor", foram considerados desleais ao Estado e ficaram sujeitos à perseguição.

Contudo, nem todos os cristãos da região permaneceram firmes na fé. Quando confrontados com a possibilidade de sofrimento, alguns foram tentados a transigir. As mensagens às sete igrejas estão repletas de advertências aos que transigem com o sistema mundano. Éfeso abandonou o primeiro amor (2.4). Alguns em Pérgamo e Tiatira seguiram falsos mestres (2.14,15,20). Sardes tinha a reputação de ser uma igreja viva, mas estava morta (3.1). A morna Laodiceia estava a ponto de ser vomitada

Moeda com a imagem do imperador Domiciano.

✚ João escreve para confortar os que permanecem firmes na fé e adverte os que estão se comprometendo com o mundo.

pelo Senhor (3.16). Apocalipse contém uma mensagem aguda para quem permanece forte e para quem transige, e essa mensagem central serve como fio unificador do propósito geral do livro.

Quais são os temas centrais de Apocalipse?

Cerco e destruição de Jerusalém pelos romanos sob as ordens de Tito no ano 70, por David Roberts.

Apocalipse se dirige a uma situação em que poderes políticos pagãos formaram uma parceria com a religião falsa. Quem afirma seguir Jesus enfrenta grande pressão para se conformar com a parceria ímpia à custa da lealdade a Cristo. O propósito geral de Apocalipse é confortar os que enfrentam perseguição e advertir os que se comprometem com o sistema mundano.

Em tempos de oposição, os justos sofrem e parece que os ímpios prosperam. Isso levanta uma questão: "Quem é Senhor?". Apocalipse diz que Jesus é Senhor, a despeito da aparência da situação, e que ele logo voltará para estabelecer seu Reino eterno. Os que enfrentam perseguição encontram esperança na perspectiva renovada, e quem está se comprometendo com o sistema mundano é exortado ao arrependimento. O alvo de Apocalipse é transformar os leitores e capacitá-los a seguir Jesus com fidelidade.

Para levar adiante esse propósito, Apocalipse usa imagens e símbolos estranhos. A linguagem figurada cria um mundo simbólico em que os crentes ingressam à medida que ouvem o livro ser lido em voz alta. Aí têm uma perspectiva celestial dos acontecimentos atuais. Eles veem a realidade de modo diferente. Mesmo que pareça que César é o Senhor, eles veem em Apocalipse que Deus está no controle da história e que Jesus verdadeiramente é o Senhor! São capazes de ver que no fim Deus vencerá. Como resultado disso, são bastante encorajados a perseverar na fidelidade a Jesus. O esboço a seguir mostra como essa visão transformadora se revela:

- Introdução (1.1-20)
- Mensagens às sete igrejas (2.1—3.22)
- Visão da sala do trono celestial (4.1—5.14)
- A abertura dos sete selos (6.1—8.1)
- O toque das sete trombetas (8.2—11.19)
- O povo de Deus contra os poderes do mal (12.1—14.20)

✚ Eis a mensagem central de Apocalipse: Jesus é Senhor!

- O derramamento das sete taças (15.1—16.21)
- O julgamento e queda de Babilônia (17.1—19.5)
- A vitória definitiva de Deus (19.6—22.5)
- Conclusão (22.6-21)

Quais são os aspectos interessantes e singulares de Apocalipse?

- Apocalipse apresenta três tipos (gêneros) literários: epístola, profecia e apocalíptica. Por essa razão, é um desafio para seus intérpretes.
- É o único escrito, fora dos Evangelhos e de Atos, em que Jesus fala de forma direta, e o único lugar em que se pronuncia desde os céus.
- O livro tem muito em comum com Ezequiel, Daniel e Zacarias, livros do AT que contêm elementos apocalípticos semelhantes.
- Juntos, Gênesis e Apocalipse são delimitadores de toda a Bíblia, e muitos dos elementos do início de Gênesis combinam com elementos do fim de Apocalipse (v. adiante a tabela comparativa entre Gênesis e Apocalipse).
- Devemos levar Apocalipse a sério, mas nem sempre em sentido literal, pois o livro utiliza uma linguagem pictórica para veicular verdades históricas.
- Apocalipse dá significado especial para alguns números.
- Há mais alusões ao AT em Apocalipse que em qualquer outro livro do NT.

Qual é a mensagem de Apocalipse?

Introdução (1.1-20)

Apocalipse 1 apresenta um prólogo (1.1-8) e também a visão de João e seu chamado para escrever o que viu (1.9-20). A visão de João tem foco no Cristo ressuscitado e glorificado e em sua presença contínua entre as sete igrejas.

Esta inscrição em Pérgamo usa títulos divinos para se referir ao imperador romano.

Números em Apocalipse
Mark W. Wilson

Os números representam um papel importante na estrutura literária de Apocalipse. Se os números devem ser interpretados literal ou simbolicamente, é um problema hermenêutico muito debatido. Algumas vezes o significado dos números é interpretado pelo próprio texto. Por exemplo, em 1.20 as sete estrelas e os sete candelabros são identificados como sete anjos e sete igrejas. Entretanto, muitos números não são interpretados. A numerologia de Apocalipse depende da antiga cosmologia judaica encontrada no AT. Os algarismos 4, 7, 12 e seus múltiplos têm importância especial.

O 4 significa a completitude cósmica, e é o número das criaturas viventes ao redor do trono. Quatro anjos seguram os quatro ventos nos quatro cantos da terra impedindo-os que firam a terra antes do tempo, antes que os santos sejam selados.

O 7 é o número mais usado e simboliza perfeição e completitude. O Espírito Santo é repetidamente chamado de "sete espíritos". O sete também é usado como um artifício que estrutura o livro. Apocalipse é endereçado às sete igrejas da Ásia (1.11; 2.1—3.22). Os três ciclos de julgamento apresentam sete selos (6.1—8.1), sete trombetas (8.2—11.19) e sete taças com sete pragas (15.1—16.21). A grande prostituta se assenta em um monstro com sete cabeças. O significado do número é polivalente: as sete cabeças são interpretadas como as sete colinas de Roma e também como sete reis que governaram o Império Romano no século I (17.3,9). A identidade dos sete imperadores é muito debatida pelos estudiosos.

Provavelmente, o número mais conhecido de Apocalipse é 666. João exortou os leitores a fazerem o cálculo do número da besta — um homem — usando isopsefismo ou gematria (13.18). Nas línguas grega e hebraica, as letras também eram usadas como números. A soma das letras de um nome poderia ser convertida em um número (v. o artigo sobre o Código da Bíblia). Ao longo da história da igreja, tem havido muita especulação a respeito da identidade desse indivíduo e muitos tipos de anticristo foram associados ao número 666. Muitos estudiosos acreditam que o 666 seja referência à gematria hebraica do imperador Nero, NERON KAISAR. Nero ordenou a primeira grande perseguição aos cristãos depois do incêndio de Roma, no ano 64, e durante seu reinado Pedro e Paulo foram martirizados.

O número 12 representa completitude e também unidade na diversidade. Doze duas vezes equivale ao número de anciãos ao redor do trono celestial (4.4). Há 12 portas na cidade celestial inscritas com os nomes das 12 tribos de Israel. Há também 12 fundações sobre as quais estão os nomes dos 12 apóstolos (21.12,14). "A cidade era quadrangular, de comprimento e largura iguais. Ele mediu a cidade com a vara; tinha dois mil e duzentos quilômetros de comprimento; a largura e a altura eram iguais ao comprimento. Ele mediu o muro, e deu sessenta e cinco metros de espessura, segundo a medida humana que o anjo estava usando" (21.16,17). Doze vezes doze vezes mil é o número dos servos de Deus de todas as tribos de Israel, os 144 mil (7.4; 14.1,3).

O prólogo (1.1-8)

O livro recebe o título da sentença de abertura: "Revelação (*apokalypsis*) de Jesus Cristo" (1.1). A frase pode indicar uma revelação a *respeito* de Jesus Cristo (a personagem principal) ou uma revelação da parte de Jesus Cristo (aquele que deu a visão a João), ou, talvez as duas possibilidades. A cadeia da revelação é mostrada no livro da seguinte maneira:

Deus → Jesus Cristo → seu anjo → João → crentes (1.1-3)

✚ Em vez de fornecer um modelo sobre eventos futuros, Apocalipse proclama como o povo de Deus deve viver em sua situação atual.

As sete igrejas mencionadas em Apocalipse 2—3

O livro também afirma consistir em uma profecia e conta com uma bênção para quem o lê, lhe dá ouvidos e obedece (1.3; 22.7,8). É uma carta às sete igrejas da Ásia Menor (1.4). A saudação de graça e paz é da parte do Pai ("o que é, que era e que há de vir", Espírito (os "sete espíritos que estão diante do seu trono") e do Filho (1.4,5). Por sua morte, ressurreição e ascensão, Jesus fez de nós "reino e sacerdotes" para servir a Deus (1.6,7). Jesus logo voltará, e todas as nações da terra o verão (1.7). O "Senhor Deus", o "Alfa e o Ômega, o que é, o que era e o que há de vir, o Todo-poderoso" está firmemente no controle da história humana.

Visão e comissão de João (1.9-20)

Antes que Jesus fale às sete igrejas, ele se revela em uma visão a João, que está no exílio em Patmos por ser testemunha fiel dele (1.9). No dia do Senhor (domingo), enquanto João está "no Espírito", ele recebe uma visão de Jesus e um comissionamento profético. Recebe a ordem para escrever o que vê em um livro e enviá-lo às sete igrejas (1.10,11). Suas visões versam sobre o Cristo glorificado — o "semelhante a um filho de homem" entre os candelabros ou igrejas (1.12-16,20). Jesus nessa passagem é associado ao "Ancião de Dias", uma figura divina originária de Daniel 7 e 10. João cai de temor, mas Jesus o reanima ao lhe assegurar que é divino e soberano (1.17,18,20). João é orientado a escrever as visões que recebe dele (1.19).

Mensagens às sete igrejas (2.1—3.22)

O texto de Apocalipse 2—3 contém mensagens às sete igrejas da Ásia Menor: Éfeso, Esmirna, Pérgamo, Tiatira, Sardes, Filadélfia e Laodiceia. As mensagens vêm de Jesus glorificado que caminha entre as igrejas (1.12,13,20). O mapa das sete igrejas mostra que elas são endereçadas na ordem usada por um mensageiro para levá-las, começando por Éfeso e seguindo em sentido horário.

✚ Apocalipse 1—3 introduz as principais personagens do livro: Deus, Jesus, João e as igrejas.

Mensagens às sete igrejas (Ap 2.1—3.22)

Igrejas	Ordem para escrever ao anjo da igreja	Descrição de Jesus	Elogio das boas obras	Acusação relacionada ao pecado	Exortação e advertência e/ou encorajamento	Apelo a escutar	Promessa aos vencedores
Éfeso	2.1	2.1	2.2,3,6	2.4	2.5	2.7	2.7
Esmirna	2.8	2.8	2.9,10			2.11	2.11
Pérgamo	2.12	2.12	2.13	2.14,15	2.16	2.17	2.17
Tiatira	2.18	2.18	2.19	2.20-23	2.24-25	2.29	2.26-28
Sardes	3.1	3.1	3.1,4	3.1	3.2-3	3.6	3.5
Filadélfia	3.7	3.7	3.8-11			3.13	3.12
Laodiceia	3.14	3.14		3.15-17	3.18-20	3.22	3.21

As sete mensagens seguem um padrão literário semelhante: ordem para escrever dada por um anjo; descrição de Jesus; elogio das boas obras da igreja; acusação contra a igreja; exortação seguida de advertência e/ou palavra de encorajamento; admoestação para ouvir o que o Espírito diz e promessa aos vencedores.

Essas mensagens refletem os perigos gêmeos enfrentados pela igreja — perseguição e transigência. Todas as igrejas, com exceção de Esmirna e Filadélfia, parecem ter problemas sérios. Enquanto poucas igrejas se mostram fiéis e enfrentam perseguição como consequência da fidelidade, muitas correm perigo de perder sua influência e identidade em razão da transigência. Cada igreja é desafiada a "vencer" — um tema importante em Apocalipse. Jesus dá a cada igreja uma escolha difícil, mas clara: ouvir sua voz e perseverar em obediência ou mergulhar na cultura circundante e enfrentar o juízo divino.

Cada carta termina com uma admoestação profética para "ouvir o que o Espírito diz às igrejas".

Visão da sala do trono celestial (4.1—5.14)

Em Apocalipse 4—5 a cena muda para a sala do trono celestial, onde Deus reina com poder e majestade. Todo o céu adora o Criador e o Leão-Cordeiro (Jesus), o único capaz de abrir o livro por causa de sua morte sacrificial.

Deus, o Criador, está em seu trono (4.1-11)

Em sua visão, João é convidado a subir ao céu para receber outras revelações (4.1). Ele está mais uma vez "em Espírito" (v. 1.10; 4.2; 17.3; 21.10) e vê Deus em toda a sua glória assentado no trono (4.2,3). Em Apocalipse, o trono é o símbolo principal da majestade, da soberania e do poder absolutos

✚ Além de representar as igrejas de todos os tempos (o número sete), as sete igrejas têm desafios particulares. Todas elas lutam para viver com fidelidade no mundo em que César alega ser senhor.

de Deus (4.5,6). "Relâmpagos, vozes e trovões" são reminiscências da teofania no monte Sinai e recorrentes no livro como sinais da presença divina. Os 24 anciãos que circundam o trono parecem ser uma ordem elevada de anjos ligada de modo especial às orações dos santos e ao culto (observe como eles se prostram em adoração em 4.10; 5.8,14; 11.16; 19.4). Os quatro seres viventes, uma ordem ainda mais elevada, também circundam o trono de Deus (4.6-8; cf. Ez 1; Is 6). Os seres celestiais continuamente adoram a Deus como o Criador santo, poderoso e soberano (4.8-11).

Cristo, o Cordeiro, é digno de abrir o livro (5.1-14)

Deus tem na sua mão direita um rolo, provavelmente símbolo do plano de julgar o mal e redimir seu povo. O livro está escrito em ambos os lados e lacrado com sete selos, provável indicação da plenitude do plano divino (5.1). Nenhuma criatura foi encontrada digna de romper os selos e abrir o livro, e João chora desesperado (5.3,4). Um anjo anuncia que Jesus, Leão e Cordeiro, que agora está no centro do trono e possui os sete espíritos, é digno de abrir o livro (5.5,6). Quando Jesus toma o rolo do Pai, toda a criação explode em adoração a ele, o Redentor (5.7-14). O plano de Deus será revelado!

A abertura dos sete selos (6.1—8.1)

O desvelar da vitória definitiva de Deus se inicia formalmente na passagem com a primeira das três visões de julgamento, cada qual com sete elementos: selos (6.1—8.1), trombetas (8.2—11.19) e taças (15.1—16.21). Antes da abertura do último selo há um interlúdio que consiste em duas visões (7.1-17). O sétimo selo consiste em silêncio no céu (8.1).

Documento (bula) fechado com selo.

✛ Apocalipse 4—5 apresenta uma das cenas de adoração mais gloriosas e poderosas de toda a Bíblia. Deus é adorado como Criador e Jesus, como Redentor.

Os primeiros seis selos (6.1-17)

Os primeiros quatro selos de julgamento (popularmente conhecidos como "os quatro cavaleiros Apocalipse") incluem conquistas militares, violentos derramamentos de sangue, fome e morte (6.1-8; v. Zc 1.7-11). Esses juízos aconteceram ao longo da História como resultado da pecaminosidade humana (cf. as "dores de parto" mencionadas por Jesus em Mc 13.5-8; Mt 24.6-8). O quinto selo apresenta mártires sob o altar celestial (6.9). Eles clamam por vindicação: "Até quando, ó Soberano, santo e verdadeiro, esperarás para julgar os habitantes da terra e vingar o nosso sangue?" (6.10). A expressão "habitantes da terra" em Apocalipse é um sinônimo para "descrentes" (3.10; 8.13; 11.10; 13.8,12,14; 17.2,8). O povo de Deus tem sofrido injustamente e clama por justiça. Deus assegura aos mártires que ouviu suas orações, mas eles ainda devem esperar pela resposta (6.11). Mais perseguição deverá ocorrer. Com a abertura do sexto selo, a oração dos mártires é atendida com a vinda do dia do Senhor. Todo o cosmo é abalado pelo julgamento de Deus, e os ímpios não têm lugar para se esconder (6.12-16). A ira de Deus e do Cordeiro chegou. A única questão remanescente é: "quem poderá suportar?", que significa "quem poderá sobreviver ou resistir à ira de Deus?" (6.17; cf. Jl 2.10,11). O interlúdio de Apocalipse 7.1-17 responde à pergunta: sobreviverão somente os "servos de Deus", protegidos de sua ira. Com a abertura do sétimo selo, há uma pausa dramática que antecipa a próxima série de julgamentos (8.1).

Interlúdio: os 144 mil e a grande multidão (7.1—8.1)

OS 144 MIL SELADOS (7.1-8)

As duas visões de Apocalipse 7 significam proteção e vitória do povo de Deus no tempo do juízo. Na primeira visão, 144 mil homens de todas as tribos de Israel têm o selo de Deus aplicado na testa (7.3,4; 14.1-5). Os 144 mil podem representar um número literal de judeus, um grupo de mártires judeus cristãos ou todo o povo de Deus como o verdadeiro Israel.

Considerando que o selo é dado a todos os crentes verdadeiros (3.12; 7.3-5; 14.1; 22.4) e considerando também que o uso dos números em Apocalipse tem a tendência de ser simbólico, as duas últimas opções são as mais prováveis. Em todo caso, esse grupo representa os justos, selados ou protegidos da ira divina vindoura, em contraste com os ímpios, que têm a marca da besta e experimentam o juízo divino.

✚ A Bíblia faz distinção clara entre perseguição/tribulação, que os crentes devem suportar, e a ira de Deus, que os crentes jamais sofrerão.

Selos 6.1—8.1	Trombetas 8.2—11.19	Interlúdio — 12.1—14.20	Taças 15.1—16.21
1 Cavalo branco — conquista militar.	Granizo e fogo misturados com sangue queimam a terça parte da terra.		Úlceras nos que têm a marca da besta.
2 Cavalo vermelho — derramamento violento de sangue.	Montanhas de fogo fazem que a terça parte do mar se torne em sangue e destrói a terça parte das criaturas marítimas e dos navios.		O mar se transforma em sangue, e tudo que há nele morre.
3 Cavalo preto — fome.	Uma estrela (chamada Absinto) transforma a terça parte da água potável em água amarga, matando muitas pessoas.		Os rios e as fontes de água se transformam em sangue.
4 Cavalo amarelo — a Morte e o Hades matam a quarta parte da terra.	A terça parte do Sol, da Luz e das estrelas escureceu.		O Sol queima as pessoas, e elas blasfemam contra Deus.
5 Os mártires clamam a Deus por vindicação, e lhes é dito que precisam esperar.	As estrelas caídas abrem o Abismo, permitindo que gafanhotos-escorpiões firam durante cinco meses os que não têm o selo de Deus		O trono da besta é amaldiçoado com trevas. Mais uma vez em agonia, as pessoas blasfemam contra Deus.
6 Todo o cosmo é abalado, e os ímpios tentam se esconder da ira de Deus e do Cordeiro.	Libertação de quatro anjos amarrados no Eufrates que lideram um exército de leões-serpentes que matam a terça parte das pessoas da terra.		O rio Eufrates seca quando forças demoníacas reúnem os reis da terra para guerrear no Armagedom.
Interlúdio — 7.1-17	Interlúdio — 10.1—11.14		Não há interlúdio
7 Silêncio e as sete trombetas	O reino de Cristo inicia-se com os anciãos dando graças a Deus por seu julgamento, por recompensar seus servos e justificar seu povo.		Uma voz do templo diz "está feito", e seguem-se uma tempestade e um terremoto, e a destruição da Babilônia por Deus. As ilhas e as montanhas desaparecem, e enormes pedras de granizo caem nas pessoas, que respondem blasfemando contra Deus.
Tempestade-terremoto em 8.3-5	Tempestade-terremoto em 11.19		Tempestade-terremoto em 16.18

✚ Muito provavelmente, o Espírito Santo é o selo de Deus nos crentes, pois essa imagem é a ele aplicada em outras partes do NT (2Co 1.22; Ef 1.13; 4.30; cf. Ez 9).

A GRANDE MULTIDÃO NO CÉU (7.9—8.1)

Nesse ponto, nós nos movemos no tempo para o estado eterno em que os crentes vitoriosos (a "grande multidão") prorrompem em louvores a Deus e ao Cordeiro (7.9,10). As criaturas celestiais se unem a eles com um louvor sétuplo (7.11,12). Um dos anciãos identifica a grande multidão como os que vieram da "grande tribulação" e se purificaram e experimentaram a presença de Deus ("seu tabernáculo"), sua provisão e seu conforto, junto com o cuidado pastoral do Cordeiro (7.15-17). Quando o sétimo selo é quebrado e o livro é aberto, o céu silencia por um pouco, na expectativa da próxima fase do plano de Deus (8.1).

O toque das sete trombetas (8.2—11.19)

O julgamento das trombetas, baseado nas pragas do Egito, revela o juízo divino sobre o mundo ímpio. Mais uma vez, entre o sexto e o sétimo julgamentos há um interlúdio com duas visões que instruem e encorajam o povo de Deus (10.1—11.1-14).

As primeiras seis trombetas de julgamento (8.2—9.21)

Em preparação para as sete trombetas, um anjo oferece incenso e as orações dos santos no altar diante do trono (8.2-4; cf. 6.9-11). Enquanto Deus ouve as orações dos crentes que pedem justiça, cai fogo do altar na terra e os sete anjos se preparam para tocar as trombetas (8.5,6). À semelhança dos selos, as trombetas têm a estrutura 4 + 2 + 1. As primeiras quatro trombetas afetam primariamente o universo físico (8.7-12), as outras duas são direcionadas contra a humanidade ímpia (8.13—9.21) e a última revela o dia da volta de Cristo (11.14-19). As três últimas trombetas são anunciadas como "ais" (8.13). Ao soar a quinta trombeta (o primeiro ai), gafanhotos demoníacos recebem permissão para atormentar os que não têm o selo de Deus (9.1-11). Ao soar da sexta trombeta (segundo ai), quatro anjos de destruição lideram um grande exército demoníaco para atacar a humanidade ímpia (9.12-19). O resultado triste é que os incrédulos sobreviventes não se arrependem de sua idolatria e imoralidade (9.20,21). Por meio desses juízos, Deus usa o poder autodestrutivo do mal para derramar sua ira (os demônios atormentam os incrédulos). O povo de Deus é protegido e jamais experimentará a ira de Deus.

Interlúdio: o livrinho e as duas testemunhas (10.1—11.13)

O LIVRINHO (10.1-11)

O livrinho carregado por um anjo poderoso é provavelmente o mesmo do capítulo 5, ainda que o foco aqui possa estar no papel do povo de Deus no

✣ Os interlúdios em Apocalipse geralmente apresentam o povo de Deus com vislumbres do futuro final sob o governo de Deus e oferecem perspectivas da situação atual (cf. Ap 7.1—8.1; 10.1—11.13; 12.1—14.20).

plano redentor (10.1,2). Enquanto os anjos poderosos falam como trovões, João recebe a ordem de não escrever (10.3,4). "Até quando, ó Soberano, santo e verdadeiro[...]?" (6.10). O anjo anuncia que "não haverá mais demora" (10.6). Com a sétima trombeta, "vai cumprir-se o mistério de Deus" (10.7), referência ao dia do Senhor. João recebe a ordem de tomar o livro e comê-lo (10.8-11). Quando internaliza a mensagem, o livro é ao mesmo tempo doce na boca (símbolo da execução do plano de Deus) e amargo no estômago (simbolizando que o plano divino inclui o sofrimento e a perseguição dos crentes).

AS DUAS TESTEMUNHAS (11.1-13)

Na visão anterior, diz-se que a igreja deve sofrer (o aspecto "amargo") enquanto Deus conduz seu plano (doce). A visão de 11.1-13 diz basicamente o mesmo, com adição de detalhes a respeito do papel a ser desempenhado no plano pelo povo de Deus. A referência ao templo (11.1) indica o povo de Deus, composto por judeus e gentios. João recebe ordem para medir o santuário interior, mas não deveria medir o pátio exterior (11.2). O povo de Deus será protegido de danos espirituais (átrio interior), mas não está isento de sofrer perseguição (pátio exterior). O tema da vitória por meio do sacrifício é repetido em todo o Apocalipse. As duas testemunhas (duas oliveiras e dois candelabros; v. Ap 1.20) simbolizam a igreja que testemunha (11.3,4). Foi solicitado às duas testemunhas a apresentação de um testemunho válido (Dt 17.6; 19.15; Zc 4), e elas contrastam com as duas bestas de Apocalipse 13. Deus usa a igreja-testemunha para se engajar em uma batalha espiritual, para realizar milagres e chamar o povo de Deus a julgar um mundo ímpio (11.5,6). Elas são temporariamente derrotadas, e até mortas pelos poderes do mal (11.7-10). Mas no fim Deus as ressuscitará e as trará à sua presença, para o horror dos seus inimigos (11.11-13).

A sétima trombeta (11.14-19)

A perspectiva agora muda da terra para o céu enquanto o coro celestial anuncia a vitória de Deus (11.14,15). Os anciãos se prostram em adoração ao Senhor Deus todo-poderoso pelo exercício do seu grande poder (11.16,17). Ainda que as nações (os descrentes) estejam furiosos contra Deus e seu povo, ele é justo e por isso condenará o mal e recompensará seus servos (11.18). O templo celestial de Deus é aberto, e sua presença é revelada (11.19).

O povo de Deus contra os poderes do mal (12.1—14.20)

O texto de Apocalipse 12—14 funciona como um interlúdio entre as trombetas e as taças do juízo. Ele explica por que o povo de Deus enfrenta hostilidades no mundo, identifica a tríade ímpia (o dragão e as duas bestas) e lembra os crentes das bênçãos reservadas por Deus para os justos e o juízo que ele executará contra o mal.

A mulher e o dragão (12.1-17)

O capítulo tem início com uma mulher prestes a dar à luz um menino (12.1—23.5). O menino representa Jesus, e a mulher muito provavelmente representa a comunidade fiel que dá à luz o Messias e a igreja. Um imenso dragão vermelho (Satanás) espera para devorar a criança (12.3,4). Assim que o menino nasce, é levado por Deus (referência à ressurreição e ascensão de Jesus), e a mulher foge para um lugar de refúgio espiritual por "mil, duzentos e sessenta dias", o tempo da perseguição entre a ascensão de Jesus e sua volta (12.5,6; cf. 11.2; 12.14; 13.5). A cena agora muda para o céu, onde o arcanjo Miguel e seus anjos lutam contra o dragão e os anjos dele. Depois da derrota, o dragão e seus anjos são lançados à terra (12.7-9). O hino de vitória em 12.10-12 louva a Deus pela derrota de Satanás, explica como os crentes vencem o Diabo e avisa a respeito da fúria de Satanás. Como um inimigo derrotado que teve que se retirar do céu, o dragão persegue a mulher em busca de vingança e faz guerra contra o restante de sua descendência — "os que obedecem aos mandamentos de Deus e se mantêm fiéis ao testemunho de Jesus" (12.13-17). Esse capítulo central nos lembra de que Deus derrotou Satanás por meio da morte e da ressurreição de Jesus, e que a vitória é certa; mesmo assim, o povo de Deus continuará a sofrer perseguição.

Ruínas do Templo Flaviano dos Sebastoi (os imperadores da família Flaviana) em Éfeso.

✝ Apocalipse 12 é o centro do livro e explica por que o povo de Deus enfrenta problemas neste mundo — estamos envolvidos em uma verdadeira batalha espiritual.

O culto imperial
Mark W. Wilson

O culto imperial, ou culto ao governante, era uma instituição política e religiosa em que o imperador romano era adorado como um ser divino. Era algo bem difundido em todo o Império Romano nos primeiros três séculos da era cristã, estando o centro dessa prática na região a leste do Mediterrâneo, em particular na Ásia Menor. Oferecer honras divinas aos governantes não era algo próprio dos romanos, mas algo desenvolvido por influência grega.

Um antecedente desse culto era a adoração de Alexandre, o Grande, declarado deus em Siwa no ano 331 a.C. Pela mesma forma, os governantes helenísticos que o sucederam foram tratados com honras divinas. A estátua de Antíoco IV erigida no templo de Jerusalém foi uma das provocações conducentes à Revolta dos Macabeus em 167 a.C. Júlio César foi deificado pelo senado romano após o assassinato em 42 a.C. Os romanos passaram a conceder honras divinas aos governantes depois da morte desses, ao passo que os gregos adoravam imperadores vivos como se fossem deuses.

No ano 29 a.C., Augusto, filho adotivo de César, autorizou as assembleias provinciais gregas (*koina*) a construir os primeiros templos do culto imperial em Pérgamo e Nicomédia, as capitais provinciais. Esses templos, dedicados a Augusto e à deusa Roma, a padroeira da cidade de Roma, serviriam aos gregos na Ásia e na Bitínia. Para os residentes em Roma, Augusto concedeu a Éfeso e Niceia o direito de dedicarem um recinto sagrado ao "Divus Julius" ("Júlio divino") e a "Dea Roma" (deusa Roma). No ano 26 d.C., Tibério escolheu Esmirna como guardiã do templo (*neokoros*), no caso específico o segundo templo do culto imperial da Ásia. Esmirna era aliada de Roma de longa data, tendo estabelecido o primeiro templo a Dea Roma no Oriente no ano 195 a.C. (Policarpo, bispo de Esmirna, foi martirizado no ano 156 por se recusar a oferecer incenso ao imperador.)

Gaio Calígula (12-41 d.C.) foi o primeiro imperador a exigir adoração dos súditos enquanto vivia. O santuário do culto imperial erigido a ele em Mileto foi fechado pelo senado romano depois de seu assassinato no ano 41. Éfeso recebeu o primeiro neocorato (autorização concedida pelo senado romano para construir um templo para adoração

---

A besta que vem do mar e a besta que vem da terra (13.1-18)

O capítulo 13 apresenta os dois agentes de Satanás em guerra contra o povo de Deus — a besta que sai do mar (13.1-10) e a besta que sai da terra (13.11-18). O dragão e as duas bestas constituem uma tríade satânica e ímpia, desejosa de seduzir e destruir o povo de Deus. A primeira besta, comumente identificada com o anticristo, representa o poder político e militar pagão aliado a Satanás (13.1-3). Os leitores do século I teriam identificado a besta com o Império Romano, personificado no imperador. A cura do ferimento mortal (13.3) pode se referir à lenda do Nero *redivivus* ("Nero reviveu"), que dizia que Nero ressuscitara e estava no Oriente preparando um exército para invadir Roma e reconquistar o império. A primeira besta recebe poder de Satanás, fala palavras arrogantes e blasfemas contra Deus, persegue o povo e obriga as nações a adorá-lo (13.4-7). Todos os não

✦ Ainda que a palavra "anticristo" não seja usada em Apocalipse, muitos intérpretes identificam a besta proveniente do mar com o anticristo, e a besta procedente da terra com o falso profeta. Junto com Satanás, eles constituem a tríade ímpia.

do imperador em 89 ou 90), quando Domiciano construiu o Templo dos Sebastoi. A recusa dos cristãos em prestar culto ao imperador parece subjazer às tensões com o Estado apresentadas em Apocalipse 13. Essa provavelmente foi uma das causas do exílio de João em Patmos (Ap 1.9).

O principal oficial da assembleia provincial (*koinon*) era o sumo sacerdote do culto imperial. Esse oficial, escolhido uma vez por ano, de acordo com muitos intérpretes, era a segunda besta emergente da terra (em Ap 13.11-17). A identificação de Pérgamo com o trono de Satanás (Ap 2.13) provavelmente se refere à cidade como centro da atividade de culto imperial. A mulher assentada sobre sete colinas em Apocalipse 17.9 é a personificação de Dea Roma.

O culto imperial também ocorria em outras cidades do século I mencionadas na Bíblia. Há moedas que atestam a presença de um templo em Antioquia, no rio Orontes. No ano 25 d.C., uma assembleia da Galácia autorizou a construção de templos ao culto imperial na capital Ancira e em Antioquia da Pisídia. Nos muros do templo em estilo grego de Ancira, está uma inscrição em grego e em latim da *Res Gestae*, um texto de propaganda biográfica que detalha os feitos de Augusto. Fragmentos dessa mesma inscrição foram encontrados na porta de entrada do templo em estilo romano de Antioquia da Pisídia. O culto imperial também era praticado na Grécia e Macedônia, em especial nas colônias romanas como Corinto e Filipos. Josefo relata que Augusto construiu três templos para o culto imperial na Judeia: em Cesareia Marítima, Sebaste (Samaria) e outro em Cesareia de Felipe.

Estátuas do imperador, que João chama de a imagem da besta (Ap 13.14,15), foram erigidas nesses templos. Procissões, sacrifícios e competições também eram realizados em honra ao imperador. Os estudiosos questionam se o culto imperial atendia a algumas necessidades religiosas do povo ou se era apenas uma instituição política. Esse culto aparentemente se valia de conteúdo religioso genuíno, pois os adoradores expressavam devoção ao líder. Pensava-se no imperador como um deus encarnado que traria ordem e estabilidade à vida diária, considerada em geral regida pelo destino caprichoso. Não causa surpresa que os primeiros cristãos tenham entrado em rota de colisão com o culto imperial. Os imperadores recebiam títulos como *divus* (divino), salvador, senhor, criador e filho de deus — os mesmos atributos empregados pelos cristãos a Jesus Cristo. Os cristãos deveriam se submeter ao imperador (Rm 13.1; 1Pe 2.13) sem jamais orar ou realizar sacrifícios a ele.

pertencentes a Deus adorarão essa besta (13.8), e o povo de Deus deve se preparar para perseverar com fidelidade, mesmo que isso signifique a morte (13.9,10). A besta procedente da terra, comumente chamada falso profeta, representa uma religião falsa que apoia a primeira besta (13.11,12). No século I, esse papel era desempenhado pelo sacerdócio imperial que justificava o culto ao imperador. A besta originária da terra realiza sinais milagrosos destinados a enganar as pessoas, promove o culto à imagem da primeira besta e obriga todas as pessoas a ter a marca da besta (13.13-17). O número da primeira besta é 666 (13.18). Das muitas sugestões para a solução desse enigma, a melhor opinião indica que o número representa um imperador romano (Nero ou Domiciano). Satanás usa o poder político e militar pagão apoiado pela falsa religião para fazer oposição a Deus e perseguir o povo dele.

✢ Alguns manuscritos gregos contêm o número 616, não 666 (omitindo a letra final), mas ambos formam o mesmo nome: Nero César.

O Cordeiro e os 144 mil (14.1-5)

Apocalipse 14 dá aos leitores outro vislumbre das bênçãos futuras reservadas por Deus para o seu povo (os 144 mil). Os crentes são descritos como puros e sem culpa pelo selamento divino. A despeito das dificuldades momentâneas enfrentadas, um dia eles estarão com o Cordeiro na Jerusalém celestial e cantarão um novo cântico de redenção.

Os três anjos (14.6-13)

Os três anjos proclamam o evangelho eterno e a oportunidade final de arrependimento (14.6,7), a queda da grande Babilônia (14.8) e o juízo destinado aos seguidores da besta (14.9-11). O povo de Deus é chamado a perseverar, e anuncia-se a segunda das sete bênçãos do livro (14.12,13; cf. 1.3; 16.15; 19.9; 20.6; 22.7,14). Os que permanecem fiéis até o fim (os que "morrem no Senhor") experimentarão descanso eterno do esforço de perseverar.

A colheita da terra (14.14-20)

O julgamento de Deus agora é apresentado em duas visões que usam o tema da colheita (cf. Jl 3.13). A colheita de grãos (14.14-16) e a de uvas (14.17-20) representam o juízo divino sobre os ímpios, ou então poderiam representar o recolhimento dos justos (grãos) e a condenação dos ímpios (uvas), como na parábola de Jesus sobre o joio e o trigo (Mt 13.24-30; cf. Jo 4.35-38).

O derramamento das sete taças (15.1—16.21)

As sete taças de ouro seguem as trombetas e os selos como a última série de sete julgamentos. À medida que as taças da ira de Deus são derramadas sobre o mundo impenitente, as pragas são intensas: manifestações devastadoras da ira divina contra o pecado e o mal. Em resposta, os incrédulos não apenas se recusam a se arrepender, mas chegam a amaldiçoar Deus.

Preparação para os julgamentos das taças — sete anjos com pragas (15.1-8)

Sete anjos recebem as sete últimas pragas (15.1). O templo celestial é aberto, e os sete anjos são preparados e recebem a missão de derramar as sete taças de ouro cheias da ira de Deus (15.5-8). Em 15.2-4, ouve-se o cântico dos que venceram a besta. Eles entoam o cântico de Moisés (uma ligação com o contexto do Êxodo) e o cântico do Cordeiro enquanto louvam o Senhor Deus todo-poderoso por suas obras grandes e maravilhosas.

✚ As taças de julgamento são mais intensas que os selos e as trombetas, sugerindo que Deus traz o juízo final sobre o mal.

As taças de julgamento (16.1-21)

As taças, como as trombetas, são inspiradas nas pragas do Êxodo para representar o derramamento da ira de Deus sobre os incrédulos. Em contraste com os selos e as trombetas, não há interlúdio entre a sexta e as sétima taças de julgamento. Os selos e as trombetas são julgamentos parciais, afetando respectivamente um quarto e um terço da terra, mas o julgamento das taças é universal. São os julgamentos finais da ira de Deus. As taças contêm três elementos adicionais: 1) um cântico de louvor pela justiça de Deus (16.5-7), 2) a tríade maligna reunindo as nações para a guerra (16.13,14; 19.11-21) e 3) uma advertência de Jesus sobre seu retorno de maneira inesperada (16.15). Como resultado do julgamento das taças, os incrédulos continuarão em rebelião e até amaldiçoarão Deus (16.9,11,21).

Com a sétima taça de julgamento, a História chega ao fim (16.17). O julgamento definitivo de Deus sobre o mal descrito na sétima taça é desenvolvido de modo mais pleno nos capítulos 17—19.

O julgamento e a queda de Babilônia (17.1—19.5)

Nessa seção, vemos um contraste entre duas cidades: a Babilônia terrestre, a grande mãe das prostitutas, destinada à destruição, e a Jerusalém celeste, a noiva de Cristo em que Deus viverá para sempre entre seu povo. No fim, o povo de Deus celebra enquanto ele realiza a justiça ao condenar Babilônia.

O "monte Megido" em Israel se tornou símbolo da batalha final entre Deus e as forças do mal (Armagedom em Ap 16.12-16).

✚ A Babilônia destruiu Jerusalém em 587-586 a.C. e se tornou epítome dos inimigos de Israel. Em Apocalipse, "Babilônia" representa a antiga Roma (cf. 1Pe 5.13) e todos os centros futuros de poder opostos a Deus e a seu Reino.

Moeda de um denário que apresenta o imperador Domiciano de um lado e seu filho pequeno no outro.

A mulher sobre a besta (17.1-18)

João é levado "no Espírito" para ver a "grande prostituta" montada em uma "besta vermelha" (17.1-3). A prostituta simboliza "Babilônia, a Grande" ou a Roma do século I e todos os centros de poder que se sucederam e se opõem a Deus (17.5,15,18). A besta apareceu pela primeira vez no capítulo 13. A prostituta vive no luxo, envolve-se em imoralidade gritante e persegue os seguidores de Jesus (17.4-6). O anjo explica a visão em 17.7-14. A besta subirá do abismo e enganará os "habitantes da terra" (os incrédulos) por meio de uma ressurreição falsificada (17.8: "era, agora não é, e entretanto virá"). Os "sete reis" provavelmente representam os governantes políticos que se unem à besta para lutar contra o Cordeiro (17.12,13). Mas o Cordeiro os vencerá porque é "o Senhor dos senhores e o Rei dos reis", e seus seguidores fiéis estarão com ele (17.14). O poder autodestrutivo do mal é demonstrado pela besta e pelos dez chifres que destroem a prostituta (17.16), tudo sob o controle soberano de Deus (17.17).

A queda de Babilônia (18.1-24)

A destruição de Babilônia, mencionada em 17.16, é explicada com detalhes no capítulo 18. A queda de Babilônia é anunciada e se deve principalmente ao adultério espiritual e econômico (18.1-3). O povo de Deus recebe a ordem de "sair dela" para não participarem de seus pecados nem do castigo que a espera (18.4,5). Ela experimentará uma porção dupla de juízo da parte do Senhor Deus (18.6-8). Os que lucraram com ela se lamentarão (18.9-19), enquanto os justos se rejubilarão porque Deus trará justiça (18.20). Deus destrói Babilônia pelo pecado de materialismo excessivo, por enganar as nações e por assassinar os santos (18.21-24).

Aleluia (19.1-5)

Os lamentos pela Babilônia morta no capítulo 18 dão lugar à grande celebração que inclui a multidão celestial (19.1-3), os 24 anciãos, os quatro seres viventes (19.4) e todos os servos de Deus (19.5). Eles cantam hinos poderosos de louvor a Deus por seus julgamentos verdadeiros e justos, por condenar a prostituta e vingar o sangue dos seus servos (19.2).

A vitória definitiva de Deus (19.6—22.5)

Essa seção é um ponto alto e descreve a vitória definitiva de Deus sobre o mal e a recompensa final para seu povo.

✢ Babilônia é culpada de três grandes pecados: 1) viver em riqueza, luxo e ganância; 2) enganar as nações; 3) assassinar os santos.

Milenarismo

Três grandes correntes interpretativas estão relacionadas à questão do Milênio. O *pré-milenarismo* ("pré" = antes de) é o ponto de vista que entende a volta de Cristo antes do estabelecimento do reino terrestre de mil anos com seus santos. O período milenar pode ser, ou não, literal, mas será um reino terrestre pleno e completo. Muitos pré-milenaristas entendem que o Milênio seja o cumprimento de várias profecias do AT que apresentam o filho de Davi governando um reino de justiça e paz na terra. Os pré-milenaristas em geral consideram Apocalipse 19—21 a sequência de acontecimentos que ocorrerão no fim dessa era. Cristo voltará (Ap 19), Satanás será preso e os santos ressuscitarão para reinar com ele por mil anos (Ap 20.1-6). Então Satanás será libertado para a rebelião final antes da derrota definitiva (Ap 20.7-10). Aí acontecem a última ressurreição e o juízo final (Ap 20.11-15), seguidos do novo céu e da nova terra (Ap 21).

O *pós-milenarismo* ("pós" = depois de) afirma que Cristo voltará depois do Milênio. Os pós-milenaristas alegam que o evangelho de Cristo triunfará e produzirá a era milenar (p. ex., fim das guerras, prevalecimento da justiça e paz, conversão da maior parte da humanidade). Essa opinião é baseada na noção de progresso, pois é o progresso do evangelho, não a volta de Cristo, que trará o reinado espiritual de Cristo conhecido como Milênio. A volta de Cristo, a ressurreição geral, o julgamento e o reino eterno acontecerão após esse período.

O *amilenarismo* ("a" = negação) afirma que não haverá um reino milenar terrestre e visível de Cristo. Essa corrente enfatiza a natureza simbólica do Apocalipse e interpreta Apocalipse 20.4-6 como significando ou 1) o reino celestial de Cristo com os cristãos que já morreram e agora estão com o Senhor ou 2) o reinado espiritual de Cristo na presente era no coração dos crentes na terra. Satanás já foi amarrado pelo evangelho de Cristo. No fim da História e como parte da transição para o estado eterno, Cristo voltará, e acontecerão a ressurreição geral e o último julgamento.

A volta do Cristo guerreiro (19.6-21)

João ouve o som de uma grande multidão oferecendo louvor porque o Senhor Deus todo-poderoso reina, pela chegada do tempo do casamento do Cordeiro, pela preparação da noiva e pelos seus atos de justiça divina (19.6-8). Diz-se a João que deve registrar uma bênção para os convidados à festa do casamento do Cordeiro (19.9), João tenta adorar o anjo, mas é rapidamente corrigido: a adoração é dirigida apenas a Deus (19.10)! Em contraste com a "entrada triunfal" em Jerusalém sobre um humilde jumento, Jesus agora vem do céu em um cavalo branco. Ele chega com poder, grande glória e uma espada afiada para ferir as nações e executar a justiça divina. Seu nome é "REIS DOS REIS E SENHOR DOS SENHORES" (19.14-16). Aves de rapina se reúnem para a grande festa de Deus, que consistirá nos inimigos dele, o que estabelece um contraste com a festa do casamento do Cordeiro (19.17,18). O cenário está preparado para a batalha final entre Deus e o mal, mas nenhuma batalha é mencionada. O Cristo guerreiro

Modos de interpretar Apocalipse

Há cinco teorias principais sobre como Apocalipse deve ser interpretado: preterista, historicista, futurista, idealista e eclética. A teoria *preterista* considera Apocalipse descrevendo apenas o tempo da vida de João, sem qualquer ligação com um período futuro. João comunica aos leitores do século I sobre como Deus planeja libertá-los da impiedade do Império Romano. A teoria *historicista* argumenta que Apocalipse apresenta um panorama dos principais movimentos da história da Igreja desde o século I até a volta de Cristo. A teoria *futurista* alega que a maior parte de Apocalipse (geralmente os caps. 4—22) tratam do tempo futuro imediatamente anterior ao fim da História. A teoria *idealista* defende que Apocalipse é uma apresentação simbólica do constante conflito entre o bem e o mal. Apocalipse oferece verdades espirituais atemporais para encorajar os cristãos de todas as épocas. A teoria eclética combina os pontos fortes das demais teorias (p. ex., os destinatários da mensagem original, uma mensagem espiritual atemporal e alguns acontecimentos futuros) enquanto evita seus pontos fracos.

apenas aparece e a vitória é obtida (19.19,20). Ele captura a besta e o falso profeta e os lança no "lago de fogo que arde com enxofre" enquanto os exércitos deles são mortos por sua espada (19.20,21).

Satanás é amarrado, o reino milenar e a destruição de Satanás (20.1-10)

Essa é provavelmente a seção mais conhecida e controversa de todo o livro. Satanás é preso, acorrentado e trancado no abismo por mil anos para impedi-lo de enganar as nações (20.1-3). Na volta de Cristo, e no início do milênio, os crentes leais a Jesus até a morte, que não seguiram a besta, "ressuscitaram e reinaram com Cristo durante mil anos". A segunda morte não tem poder sobre os participantes da primeira ressurreição (20.5,6). Os crentes reinam agora com Cristo por mil anos (símbolo de um período indefinido e completo). Depois do Milênio, Satanás é liberto da prisão e mais uma vez engana as nações, que a ele se unem e justificam o juízo que estão prestes a receber (20.8). Ainda que o propósito deles seja destruir o povo de Deus, fogo cai do céu e os devora (20.9). Por último, Satanás se une à besta e ao falso profeta no lago que arde com enxofre onde a tríade ímpia é atormentada para sempre (20.10).

O grande trono branco do juízo (20.11-15)

Deus, assentado no grande trono branco, julga os mortos de acordo com o que fizeram (20.11-13). Todo aquele cujo nome não for encontrado no livro da vida é lançado ao lago de fogo (20.15). A Morte e o Hades também

✚ Os debates milenaristas se baseiam nas várias interpretações de Apocalipse 20.1-6.

são lançados no lago de fogo, e assim o pecado e mal são por fim destruídos (20.14). Tendo julgado o mal, Deus agora dá inicio ao estado eterno de glória.

Novo céu e nova terra (21.1—22.5)

João descreve com brevidade a visão do estado eterno em 21.1-8 e de forma mais detalhada em 21.9—22.5. Ele vê os "novos céus e nova terra" sem o mar (símbolo do mal) e a chegada da Cidade Santa, a nova Jerusalém, preparada como uma linda noiva (21.1,2). A cidade e a noiva simbolizam o povo de Deus em cujo meio ele viverá por toda a eternidade. Isso cumpre a promessa divina de viver com seu povo e retirar dele a dor e o sofrimento (21.3,4). Deus está fazendo novas todas as coisas, completando sua obra; ele permanece no controle e providencia a água da vida (21.5,6). Os vencedores herdarão Deus e suas bênçãos eternas, mas aos ímpios está designado o lago de fogo, a segunda morte (21.7,8).

O anjo dá a João uma visão mais detalhada da noiva-cidade em 21.9-27. O plano de Deus foi viver entre seu povo multicultural com toda a sua glória (21.9-14). A cidade tem a forma de um cubo, refletindo as dimensões do lugar santo da presença de Deus no templo (21.15-17). Mas essa cidade — linda além das palavras — não tem templo, "pois o Senhor Deus todo-poderoso e o Cordeiro são o seu templo" (21.18-22). A glória de Deus substitui o Sol e a Lua como fontes de luz (21.23). Mesmo as nações (gentios) podem entrar nesse "templo", basta seus nomes estarem registrados no livro da vida (21.24-27).

Nesse momento, a imagem muda para um jardim, o Éden restaurado, cumprindo o plano divino de levar os seres humanos a ter comunhão com a comunidade divina de Pai, Filho e Espírito (22.1-5). O rio da vida flui do trono, e o povo pode comer da árvore da vida que cura as nações (22.1,2). A maldição do pecado foi removida, e a humanidade redimida leva consigo o nome de Deus, vê sua face e reina para sempre em sua presença gloriosa (22.3-5).

Conclusão (22.6-21)

Apocalipse se aproxima do fim com a declaração do anjo: "Deus é a fonte de sua mensagem" (22.6). Jesus vem logo, e os que guardam as palavras dessa profecia serão abençoados (22.7). Mais uma vez, a profecia mantém o foco na proclamação, não na predição. João, que recebeu a visão celestial, é tentado a adorar o anjo, mas este lhe diz que adore só a Deus (22.8,9). Ele também é orientado a não selar a profecia porque o tempo está próximo (22.10). Os ímpios e os justos devem continuar em seus respectivos

✜ A Bíblia mais de uma vez menciona os "novos céus e nova terra" como o lar final dos justos (v. Is 65.17; 66.22; Hb 12.26,27; 2Pe 3.10-13; Ap 21.1,4,5).

caminhos (22.11). Jesus logo virá e trará sua recompensa com ele, seja a vida eterna, seja a condenação (22.12). Jesus é identificado com títulos divinos: "o Alfa e o Ômega, o Primeiro e o Último, o Princípio e o Fim" (22.13,16). Os recebidos na cidade celestial serão abençoados, enquanto os ímpios serão lançados fora (22.14,15). Há pedidos para que Cristo volte (22.17). Uma forte advertência é dada a qualquer um que acrescentar ou retirar palavras dessa profecia (22.18,19).

Jesus assegura a seu povo que sua volta é iminente, e João responde com uma oração-declaração que os cristãos de todos os tempos devem tornar suas: "Vem, Senhor Jesus" (22.20). Uma bênção de graça fecha o livro (22.21).

Como aplicar Apocalipse à nossa vida hoje

Ainda que Apocalipse seja para muitos um livro fechado e confuso, ele contém uma mensagem poderosa que pode encorajar e fortalecer a igreja de hoje. A chave está em focalizar o quadro maior, não os detalhes. Em primeiro lugar, as mensagens às sete igrejas nos capítulos 2—3 nos lembram do que Jesus pensa da igreja. Vemos a importância da verdade, da santidade e do amor. Ouvimos mais vez o que Jesus espera da igreja.

Segundo, Apocalipse nos lembra de que Deus é soberano e Jesus é Senhor. Não importa como as coisas sejam em nosso país ou no mundo; Deus ainda está em seu trono! O povo de Deus não deve perder a esperança. Jesus voltará em breve para acertar todas as coisas. No fim, Deus vence!

Terceiro, o livro deixa claro que o povo de Deus deve esperar o enfrentamento e a oposição neste mundo. A ideia de que os cristãos estão isentos de passar por tribulação não é bíblica nem tem base histórica (Jo 16.33). Exatamente agora há cristãos ao redor do mundo sendo perseguidos. Os crentes devem estar preparados para sofrer pela fé. Nossa esperança repousa na capacidade divina de nos ressuscitar, não em nos proteger da morte física. Deus sempre irá nos proteger em sentido espiritual e jamais experimentaremos sua ira, mas devemos estar preparados para sofrer. Sempre surge a aliança entre a religião falsa com o poder político e militar pagão, com resultados nada bons para o povo de Deus.

Quarto, somos confrontados com a escolha de nos comprometermos com o sistema mundano ou vencê-lo pela lealdade a Jesus. As promessas em Apocalipse são dirigidas aos vencedores. Os crentes vencem pela dependência do evangelho de Cristo crucificado até mesmo a ponto da própria morte (Ap 12.11).

✚ A criação completou seu círculo, do jardim do Éden perfeito em Gênesis 1—2 à cidade-jardim da nova Jerusalém no novo céu e nova terra de Apocalipse 2—22.

GÊNESIS—APOCALIPSE

Gênesis 1—11	Apocalipse 19—22	
O povo pecaminoso é disperso	O povo de Deus é unido para entoar louvores	19.6,7
"Casamento" de Adão e Eva	Casamento do último Adão e sua noiva, a Igreja	19.7; 21.2,9
Deus abandonado pelo povo pecador	O povo de Deus (nova Jerusalém, noiva de Cristo) é preparado para Deus; casamento do Cordeiro	19.7,8; 21.2,9-21
Satanás introduz o pecado no mundo	Satanás e o pecado são julgados	19.11-21; 20.7-10
A serpente engana a humanidade	A antiga serpente é presa "para impedi-lo de enganar as nações"	20.2,3
Deus dá aos homens domínio sobre a terra	O povo de Deus reinará com ele para sempre	20.4,6; 22.5
O povo se rebela contra o Deus verdadeiro, resultando em morte física e espiritual	O povo de Deus se expõe à morte para adorar o Deus verdadeiro e assim experimenta a vida	20.4-6
O povo pecaminoso é expulso da vida	O povo de Deus tem o nome escrito no livro da vida	20.4-6,15; 21.6,27
A morte entra no mundo	A morte é morta	20.14; 21.4
Deus cria os primeiros céu e terra que mais tarde seriam amaldiçoados pelo pecado	Deus cria novos céus e terra nos quais o pecado não se encontra	21.1
A água simboliza o caos desordenado	Não há mar (símbolo do mal)	21.1
O pecado produz dores e lágrimas	Deus conforta seu povo e remove as lágrimas e as dores	21.4
A humanidade pecadora é amaldiçoada com a peregrinação (exílio)	O povo de Deus recebe um lar permanente	21.3
A vida comunitária é deturpada	Experimenta-se a vida comunitária genuína	21.3,7
O povo pecador é banido da presença de Deus	Deus vive em meio ao povo	21.3,7,22; 22.4
Os seres criados envelhecem e morrem	Todas as coisas são renovadas	21.5
A água é usada para destruir a humanidade ímpia	Deus mata a sede com água da fonte da vida	21.6; 22.1
"No princípio Deus."	"Eu sou o Alfa e o Ômega, o Princípio e o Fim"	21.6
A humanidade pecadora sofre exílio na terra	Deus dá herança aos seus filhos	21.7
O pecado entra no mundo	O pecado é banido da cidade de Deus	21.8,27; 22.15
A humanidade pecadora é separada da presença do Deus santo	O povo de Deus experimenta a santidade divina (a cidade em forma de cubo = Santo dos Santos)	21.15-21
Deus cria a luz e a separa das trevas	Não há mais noite nem luz natural; Deus mesmo é a fonte de luz	21.23; 22.5
As línguas da humanidade pecadora são confundidas	O povo de Deus é um povo multicultural	21.24,26; 22.2
Os pecadores são expulsos do jardim	O novo céu e nova terra têm um jardim	22.2
Os pecadores são proibidos de comer da árvore da vida	O povo de Deus pode comer livremente da árvore da vida	22.2,14
O pecado resulta em doença espiritual	Deus cura as nações	22.2
Os pecadores são amaldiçoados	A maldição é removida da humanidade redimida e ela se torna uma bênção	22.3
Os pecadores se recusam a servir/obedecer a Deus	O povo de Deus o serve	22.3
Os pecadores têm vergonha da presença de Deus	O povo de Deus "verá sua face"	22.4

Quinto, Apocalipse nos lembra de que nossos sofrimentos presentes não se compararão com o futuro glorioso que Deus tem preparado. Os planos de Deus em Gênesis 1 e 2 estão sendo cumpridos em Apocalipse 19—22. Será realizado o desejo divino de viver entre seu povo e com íntima comunhão com ele. Muito do que cantamos e dizemos a respeito do céu não está de acordo com o que Apocalipse ensina de verdade. Será um "novo céu e nova terra", uma perfeita cidade-jardim, sem qualquer mal, onde viveremos para sempre na presença de Deus com o povo que ama o Senhor. Para sempre! Nós também oramos: "Vem, Senhor Jesus!".

Nosso versículo favorito de Apocalipse

Eles o venceram pelo sangue do Cordeiro
e pela palavra do testemunho que deram;
diante da morte, não amaram a própria vida.
(12.11)

Como a Bíblia surgiu

PARTE 2

PARTE 2

Como a Bíblia surgiu

A inspiração da Bíblia

Mark L. Strauss

Introdução

No nível mais fundamental, a doutrina da inspiração significa que a Bíblia não é apenas uma coleção de reflexões humanas a respeito de Deus ou meditações sobre temas religiosos. Antes, a Bíblia é uma comunicação divina — a mensagem de Deus aos seres humanos. "Inspirada" não significa só inspiração no sentido em que muitas obras de literatura ou obras de arte são inspiradas. Significa que o próprio Deus falou e se revelou a seu povo.

A base escriturística da inspiração

As Escrituras atestam a própria inspiração de forma direta e indireta. A Lei do AT deve ser obedecida porque seus imperativos vieram do próprio Deus. Moisés recebe a palavra do Senhor no monte Sinai e a entrega ao povo. Os Dez Mandamentos têm início com a afirmação: "E Deus falou todas estas palavras" (Êx 20.1). Considere as seguintes declarações do grande acróstico que é o salmo 119, uma celebração dos preceitos, mandamentos e estatutos que Deus concedeu a seu povo:

v. 4 — "Tu mesmo ordenaste os teus preceitos para que sejam fielmente obedecidos".

v. 13 — "Com os lábios repito todas as leis que promulgaste".

Frasco egípcio do tempo de Moisés (1150-1295 a.C.) no formato de um escriba.

v. 86 — "Todos os teus mandamentos merecem confiança".

v. 88 — "[...] obedecerei aos estatutos que decretaste".

v. 89 — "A tua palavra, Senhor, para sempre está firmada nos céus".

v. 138 — "Ordenaste os teus testemunhos com justiça; dignos são de inteira confiança!".

v. 152 — "Há muito aprendi dos teus testemunhos que tu os estabeleceste para sempre".

A palavra de Deus é fiel e verdadeira, pois vem da boca daquele que é "Fiel e Verdadeiro" (Ap 19.11).

As Escrituras são afirmadas como autorrevelação divina também nos profetas, servos humanos de Deus por intermédio de quem ele falou. A fórmula "a palavra do Senhor veio a...". aparece em toda a extensão dos escritos proféticos (Jr 1.2; Os 1.1; Jn 1.1; Mq 1.1; Sf 1.1; Ag 1.1; Zc 1.1; cf. Lc 3.2). O primeiro capítulo de Isaías ilustra bem uma multiplicidade de expressões: "o Senhor falou (1.2); "ouçam a palavra do Senhor!" (1.10); "pergunta o Senhor" (1.11); "Pois o Senhor é quem fala!" (1.20); "Por isso o Soberano, o Senhor dos Exércitos, o Poderoso de Israel, anuncia" (1.24). Os profetas confirmam que a inspiração é a convergência do humano com o divino.

Jebel Musa, a localização possível do monte Sinai, onde Moisés recebeu os Dez Mandamentos.

As profecias de Jeremias são a um só tempo "As palavras de Jeremias, filho de Hilquias" e "A palavra do Senhor" (Jr 1.1,2). Essa convergência é especialmente clara nas citações do AT no NT. Os escritores do NT se referem às Escrituras como palavras do profeta humano ("isto é o que foi predito pelo profeta Joel", At 2.16, citação de Jl 2.28-32) ou como uma mensagem recebida diretamente pelo Espírito Santo ("Assim, como diz o Espírito Santo", Hb 3.7, citação de Sl 95.7; v. tb. Hb 10.15-17, citação de Jr 31.33,34). A oração da igreja em Atos 4 apresenta a descrição mais ampla: "Tu falaste pelo Espírito Santo por boca do teu servo, nosso pai Davi" (At 4.25, citação de Sl 2.1,2). Deus falou por meio do Espírito mediante agentes humanos.

A inspiração das Escrituras, afirmadas implicitamente nessas passagens, acha expressão explícita em 2Timóteo 3.16,17:

> Toda a Escritura é inspirada por Deus e útil para o ensino, para a repreensão, para a correção e para a instrução na justiça, para que o homem de Deus seja apto e plenamente preparado para toda boa obra.

A palavra grega traduzida por "inspirada por Deus" é *theopneustos*, vocábulo possivelmente criado pelo próprio Paulo para expressar a natureza da inspiração. A versão *Almeida Corrigida Fiel* traduz por "divinamente inspirada", seguindo a *Vulgata* (*divinitus inspirata*). Infelizmente a palavra "inspirada" pode sugerir que Deus "soprou dentro" das Escrituras sua autoridade, enquanto *theopneustos* mais provavelmente significa que Deus "expirou" as Escrituras. Inspiração não significa validação divina de uma obra humana, mas a autorrevelação do propósito e da vontade de Deus. Segunda a Timóteo 3.16 afirma que o propósito da inspiração é capacitar o povo de Deus a viver uma relação correta com o Senhor ("correção e instrução na justiça") e com o próximo ("plenamente preparado para toda boa obra"). A Bíblia não é um ícone para ser adorado ou um oráculo para ser consultado. Antes, é o relato vivo das ações divinas na história humana e o guia prático para a vida como povo de Deus.

Segunda Pedro 1.21 apresenta uma perspectiva adicional quanto ao processo de inspiração: "pois jamais a profecia teve origem na vontade humana, mas homens falaram da parte de Deus, impelidos pelo Espírito Santo". Ainda que a passagem mais uma vez confirme a origem divino-humana das Escrituras, ela expressamente menciona os profetas, que muitas vezes receberam oráculos e visões diretos de Deus, por isso pode não ser uma expressão definitiva da maneira e dos meios da inspiração. Por exemplo, o que significa que os profetas foram "impelidos" pelo Espírito Santo? Apesar de esse modo específico de inspiração permanecer um mistério, alguns esclarecimentos precisam ser feitos.

Esclarecimentos a respeito da inspiração

Como textos escritos por seres humanos comuns no contexto da experiência humana comum podem ao mesmo tempo ser a eterna e imutável Palavra de Deus? Os pontos a seguir tentam esclarecer a natureza da inspiração.

Inspiração não é ditado

Com exceção de alguns casos isolados, inspiração não significa ditado. Deus não sussurrou nos ouvidos dos escritores bíblicos; antes, trabalhou por meio de *circunstâncias, pensamentos, intenções e personalidade de cada um deles* para comunicar sua mensagem divina. As exceções estariam nos casos em que o autor foi instruído a escrever exatamente o que ouvia (como em alguns textos proféticos) ou quando o próprio Deus escreveu o texto (como no Decálogo, escrito em tábuas de pedra "pelo dedo de Deus", Êx 31.18). Uma evidência de que inspiração não é o mesmo que ditado está nas diferenças entre os autores bíblicos quanto ao estilo literário, o que inclui a escolha de palavras e gênero, a estrutura das frases e o nível de dicção. Um exemplo é o Evangelho de Marcos, escrito em estilo semita simples, com grande quantidade de parataxes (sentenças paralelas ligadas pela conjunção aditiva "e"), enquanto o Evangelho de Lucas tem um estilo literário helenístico mais refinado.

A inspiração diz respeito às elocuções localizadas no contexto

A diversidade da autoria ultrapassa as questões de estilo literário. Os autores escreveram nos respectivos contextos históricos e culturais, e seus textos refletem as fronteiras e os limites de cada um desses contextos. Portanto, a inspiração da Escritura diz respeito à sua ocasião, gênero e propósito originais. Um exemplo: a mensagem anunciada por Isaías a respeito de um julgamento que viria a Israel pelas mãos dos assírios é uma mensagem inspirada e detentora de autoridade da parte de Deus aos *israelitas do século VIII antes de Cristo*. Sua mensagem deve ser entendida na perspectiva de linguagem, cultura, contexto e convenções literárias da época. Além disso, era uma mensagem direcionada para a audiência na situação particular por eles vivida. A aplicação da mensagem para outras épocas e lugares deve ser determinada com cuidado, usando-se princípios saudáveis de hermenêutica. Da mesma maneira, as cartas de Paulo aos coríntios foram escritas a um grupo específico de cristãos do século I que viviam na cidade greco-romana de Corinto, por isso as cartas tinham a intenção de lidar com os problemas e as preocupações específicos desses indivíduos. As instruções e exortações de Paulo devem ser entendidas, em primeiro lugar, no contexto social, cultural e eclesiástico da época, para só então serem aplicadas a outros contextos eclesiásticos. A inspiração não nega a necessidade do trabalho árduo de interpretação (exegese) ou aplicação (contextualização).

A localização contextual também se relaciona com muitos gêneros e modos de expressão da Bíblia. Um poema, por exemplo, é inspirado como poema, e assim sua verdade e autoridade devem ser entendidas nos parâmetros de sua forma literária. A inspiração leva em consideração o uso de linguagem figurada ("e todas as árvores do campo baterão palmas", Is 55.12), metáfora ou símile ("O Senhor é a minha rocha", 2Sm 22.2), linguagem fenomenológica ("ao nascer do sol", Gn 32.31), ironia ("Nazaré? Pode vir alguma coisa boa de lá?", Jo 1.46), sarcasmo ("Vocês, por serem tão sábios, suportam de boa vontade os insensatos!", 2Co 11.19), estimativas ("Aproximadamente oito dias depois de dizer essas coisas", Lc 9.28, cf. Mc 9.2: "seis dias depois"), e várias outras formas literárias "não literais". A narrativa deve ser entendida como uma história, de modo que nem todas as declarações feitas são necessariamente verdadeiras. Quando o sumo sacerdote diz a respeito de Jesus: "blasfemou" (Mt 26.65), isso é uma declaração de uma personagem não confiável. Os dragões e bestas da literatura apocalíptica podem ser imagens míticas e simbólicas que comunicam verdades espirituais.

A inspiração não nega o uso de fontes orais e escritas

O terceiro esclarecimento diz respeito ao modo da composição das Escrituras inspiradas. Os autores de Reis e Crônicas, por exemplo, extraíram materiais de uma variedade de fontes, canônicas e não canônicas (1Rs 11.41; 14.19,29; 1Cr 29.29; 2Cr 9.29; 12.15; 20.34; 24.27; 26.22). Lucas se refere a fontes orais e escritas anteriores à sua obra das quais extraiu materiais (Lc 1.1-4). Muitos estudiosos partem do pressuposto de que Mateus e Lucas utilizaram Marcos como uma fonte primária ("prioridade marcana"). A epístola de Judas cita ou faz alusão a várias obras do Período Intertestamentário, incluindo *1Enoque* (Jd 14) e a *Ascensão de Moisés* (Jd 9). Paulo citou algumas

A mensagem de julgamento entregue por Isaías foi dada aos israelitas do século VIII a.C. Acima, a representação de uma família israelita de Láquis sendo levada ao exílio depois da derrota infligida pelos assírios.

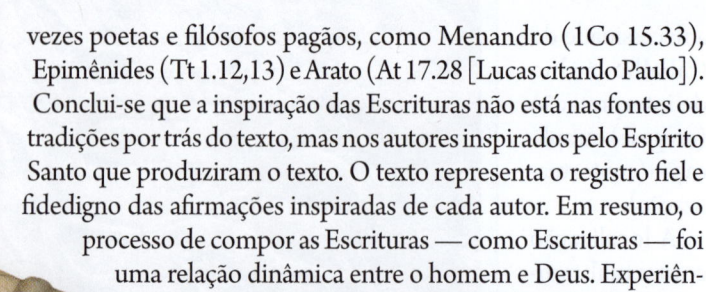

vezes poetas e filósofos pagãos, como Menandro (1Co 15.33), Epimênides (Tt 1.12,13) e Arato (At 17.28 [Lucas citando Paulo]). Conclui-se que a inspiração das Escrituras não está nas fontes ou tradições por trás do texto, mas nos autores inspirados pelo Espírito Santo que produziram o texto. O texto representa o registro fiel e fidedigno das afirmações inspiradas de cada autor. Em resumo, o processo de compor as Escrituras — como Escrituras — foi uma relação dinâmica entre o homem e Deus. Experiências, lembranças, pesquisas, seleção, edição e composição de cada autor foram guiadas pelo Espírito Santo de modo que o resultado fosse a Palavra de Deus.

Inspiração verbal e plenária

Dois termos que com frequência são usados para descrever a inspiração são "verbal" e "plenária". Plenária significa "repleta" e indica que toda a Escritura é inspirada e detentora de autoridade (2Tm 3.16). Verbal significa que as palavras em si, não apenas as ideias, foram inspiradas por Deus. O Artigo VI da *Declaração de Chicago sobre a Inerrância Bíblica* (v. discussão adiante) afirma "que a totalidade das Escrituras e todas as suas partes, chegando às próprias palavras, foram dadas por inspiração divina". Conquanto a inspiração verbal e plenária seja uma doutrina importante, é necessário que os termos sejam esclarecidos com cautela. Por exemplo, inspiração plenária significa que *toda* a Escritura é inspirada, detentora de autoridade e útil, sem negar a realidade do progresso da revelação ou dos textos e motivos controladores. As afirmações do AT quanto à eficácia dos sacrifícios de animais devem ser entendidas como incompletas e declarações preparatórias qualificadas pelo sacrifício único de Cristo na cruz (Hb 10.4,14). O Deus que se comunicou de modo parcial e incompleto por meio dos profetas agora se revelou "nestes últimos dias" por intermédio de seu Filho (Hb 1.1,2). Há também textos controladores ou paradigmáticos. Jesus subordinou toda a Lei a dois mandamentos: amar a Deus e amar ao próximo (Mt 22.35-40).

A doutrina da inspiração "verbal" também precisa ser esclarecida. Apesar de as *palavras* (hebraicas e gregas) da Escritura serem de fato inspiradas, as palavras são símbolos indicadores de conteúdo conceitual. O *significado* das palavras — a mensagem que elas veiculam — é, em última instância, inspirado por Deus. As palavras não veiculam significado se estiverem isoladas, mas em relacionamento dinâmico com outras palavras, frases, cláusulas e em contextos históricos, sociais e culturais. O objetivo final das Escrituras não é colocar palavras em uma página, mas comunicar uma mensagem de

Menandro (342-291 a.C.), poeta e teatrólogo ateniense, citado por Paulo em 1Coríntios 15.3.

uma pessoa a outra. A teoria da inspiração que não dá prioridade à comunicação em relação à forma verbal falhará, pois representa mal a natureza e o propósito da linguagem. Isso tem implicações importantes para a tarefa de traduzir a Bíblia. Uma tradução da Bíblia para o português permanecerá Palavra de Deus ainda que mude todas as palavras (do hebraico/grego para o português) *caso reproduza de forma precisa o significado do texto*. "Palavra de Deus", em última instância, significa o conteúdo conceitual que o autor teve a intenção de comunicar por meio de palavras em hebraico, grego e aramaico.

Inspiração e canonicidade

A doutrina da inspiração está intimamente relacionada à questão do cânon. A palavra "cânon" se refere aos livros que compõem as Escrituras detentoras de autoridade da igreja (v. os artigos abaixo sobre o cânon do AT e do NT). O teste definitivo de canonicidade não é a confirmação de um concílio eclesiástico, ou a composição por um profeta ou apóstolo, ou sua confiabilidade histórica ou se sua doutrina está de acordo com o restante das Escrituras (ainda que todas essas possibilidades sejam *confirmações* importantes de canonicidade). O teste definitivo de canonicidade é a inspiração do livro pelo Espírito Santo: "Toda a Escritura é inspirada por Deus" (2Tm 3.16). Como Bruce Metzger observou de maneira perspicaz, o cânon não é uma coleção de livros detentora de autoridade, mas uma coleção de livros detentores de autoridade. Não é a autoridade do concílio eclesiástico que faz deles parte das Escrituras. É a inspiração e a autoridade dos próprios livros. O Espírito Santo é o teste final da verdade. Esta é a afirmação do

Hagia Sophia, construída no século IV da era cristã, era uma importante igreja de Bizâncio (atual Istambul, Turquia).

apóstolo João quando diz aos leitores: "Mas vocês têm uma unção que procede do Santo e todos vocês têm conhecimento" (1Jo 2.20; cf. 2.27). Com a habitação, condução e força do Espírito Santo, o povo de Deus reconhece os livros inspirados pelo Espírito. Alguns poderiam argumentar que se trata de um teste subjetivo, mas não é o caso, pois o Espírito não é um sentimento ou uma intuição, mas uma Pessoa real que confirma de forma objetiva a verdade para o povo de Deus: "Mas, quando o Espírito da verdade vier, ele os guiará a toda a verdade" (Jo 16.13).

Essa compreensão da inspiração significa também que a interpretação bíblica deveria ser uma atividade comunitária. Da mesma maneira que o Espírito habita no crente individual (1Co 6.19), ele o faz com a igreja como corpo (1Co 3.16) e, de maneira conjunta, a comunidade repleta do Espírito e guiada por ele apresenta parâmetros para a interpretação de cada indivíduo. Isso é verdade no presente — em congregações locais e igrejas ao redor do mundo — e em sentido histórico — por meio de concílios, credos e a sabedoria coletiva da Igreja com o passar dos tempos.

Inspiração e inerrância

A *inerrância* das Escrituras se relaciona intimamente à doutrina da inspiração. O debate a respeito da inerrância surgiu em especial no contexto das preocupações a respeito da doutrina da inspiração, pois ela estaria sendo minada por alegações de autoridade parcial ou limitada. Por exemplo: algumas pessoas argumentaram que as Escrituras têm autoridade quando versam sobre questões éticas ou teológicas, mas não sobre temas de ciência ou história. A palavra *"infalibilidade"* é usada algumas vezes nesse sentido, limitando o escopo da inspiração a questões de fé e prática. Outros argumentaram que a Bíblia *contém* a Palavra de Deus, mas ela em si mesma não é a Palavra de Deus. Outros ainda alegam que as Escrituras não são a própria comunicação divina, mas um registro humano das ações divinas na história da salvação. Erros históricos ou de outra natureza não são de grande importância, pois o Deus a respeito de quem a Bíblia testifica é verdadeiro, nem tanto o testemunho a respeito dele.

Em contraste com esses conceitos de inspiração parcial, a doutrina da inerrância alega que as Escrituras são totalmente verdadeiras em tudo que afirmam. A declaração mais definitiva de inerrância é "A *Declaração de Chicago sobre a Inerrância da Bíblia*", promulgada em 1978 pelo International Council on Biblical Inerrancy [Conselho Internacional sobre Inerrância Bíblica], assinada por 300 estudiosos evangélicos. O Artigo III da *Declaração de Chicago* afirma: "a Palavra escrita é, em sua totalidade, revelação dada por Deus" e nega "que a Bíblia seja um mero testemunho a respeito da revelação, ou que somente se torne revelação mediante encontro, ou que dependa das reações dos homens para ter validade".

A inerrância deve ser avaliada como um pressuposto filosófico, não como um fato empiricamente verificável. Por exemplo, é impossível "provar" a confiabilidade de cada um dos acontecimentos históricos das Escrituras. Simplesmente não há dados históricos suficientes. Mas podemos raciocinar que, se Deus é perfeito, a revelação que ele faz de si mesmo também deve ser perfeita. O conceito de inerrância é um dado filosófico baseado na natureza divina. Alguns criticam o termo alegando que se trata de uma inovação e que a ideia não é encontrada nas Escrituras. Outros o rejeitam por ser um termo negativo, dizendo o que a Bíblia *não* é em vez de dizer o que ela *é*. Essas duas críticas podem ser modificadas ao se usar uma definição mais positiva: inerrância significa que a Bíblia é *verdadeira* em tudo que afirma. Como foi observado anteriormente, as declarações a respeito da verdade da Palavra de Deus são sobejantes nas Escrituras e, no decorrer da história da Igreja, o povo de Deus sempre afirmou a veracidade da revelação que Deus fez de si mesmo. Jesus falou repetidas vezes a respeito da autoridade das Escrituras e declarou de forma enfática que ela não poderia ser quebrada (Jo 10.35; cf. Mt 4.4,7,10; 5.17-19 etc.).

Do mesmo modo que ocorre com a inspiração, a doutrina da inerrância precisa ser explicada. Alguns esclarecimentos já foram mencionados, como o uso de linguagem não literal e fenomenológica, estimativas, generalizações e formas literárias diversas. A parábola não contém erros caso narre acontecimentos fictícios, pois essa é sua natureza. A genealogia não comete erros caso pule gerações por motivos literários ou estruturais (cf. Mt 1.1- -16; Lc 3.23-38), pois essa era uma prática comum nas genealogias antigas. As Escrituras devem ser lidas e interpretadas no respectivo contexto histórico e literário. A seguir, serão apresentados dois esclarecimentos importantes sobre a doutrina da inerrância.

O papiro Bodmer, com data calculada entre 175 e 225 d.C., contém os evangelhos de Lucas e João.

A inerrância está limitada aos autógrafos originais

Antes da invenção da imprensa, todos os documentos eram copiados à mão ("manuscrito" é o nome que se dá à cópia de um texto bíblico feita à mão), processo que

A inspiração da Bíblia

inevitavelmente resultou em erros. Dos milhares de manuscritos bíblicos sobreviventes, não há dois exatamente iguais. A inerrância, portanto, diz respeito apenas ao "autógrafo" (o texto original escrito pelo autor), mas não há nenhum autógrafo que tenha chegado aos nossos dias. Mas isso não deve perturbar os estudiosos das Escrituras. Ainda que seja verdade o fato de não termos cópias exatas das Escrituras, com base na sobejante quantidade de antigos manuscritos hebraicos e gregos confiáveis, com a disciplina muito bem desenvolvida chamada *crítica textual*, podemos reproduzir o texto original com um índice muito alto de acuidade. Encontra-se no Artigo X da mesma *Declaração*:

> Afirmamos que, estritamente falando, a inspiração diz respeito somente ao texto autográfico das Escrituras, o qual, pela providência de Deus, pode-se determinar com grande exatidão com base nos de manuscritos disponíveis.

A Bíblia, sem exceção, é o documento mais bem preservado do mundo antigo, em termos de número e idade dos manuscritos. Além disso, a despeito de algumas incertezas quanto a leituras individuais, nenhum ponto da doutrina cristã está em xeque por conta de disputas textuais sobre um ou outro texto. Isso decorre do fato de as grandes doutrinas da fé serem confirmadas não por uma passagem, mas por todo o testemunho das Escrituras.

A inerrância e as limitações da linguagem humana

Outro esclarecimento necessário para a doutrina da inerrância é que todas as línguas contêm certa medida de ambiguidade e imprecisão. Ainda que o Espírito Santo, que inspirou as Escrituras, seja perfeito, o veículo de transmissão (a linguagem humana) está sujeito a ambiguidades e imprecisões. Logo, nossa compreensão da revelação divina será sempre parcial e incompleta (1Co 13.12). Ainda que isso seja certamente verdade, o senso comum e a experiência humana nos ensinam que podemos conhecer *de verdade* mesmo que não a possamos conhecer *com perfeição*. Se não fosse assim, não haveria sucesso em nenhuma comunicação humana. Um exemplo: os leitores deste parágrafo não podem conhecer com absoluta precisão a intenção do autor na nuança de cada palavra (o autor provavelmente não lhe dirá isto!). Mesmo assim, o leitor pode discernir o bastante para dizer "eu entendo". Ainda que o elemento humano (línguas e leitores) inevitavelmente resulte na compreensão menos que perfeita, o poder criativo da linguagem humana junto com a iluminação do Espírito Santo significa que a mensagem é transmitida de modo verdadeiro, ainda que não perfeito.

Inspiração e autoridade

Uma implicação natural da inspiração das Escrituras é sua autoridade. Se a Bíblia é a Palavra de Deus, então ela possui autoridade sobre o povo de Deus em questões de fé e prática. A autoridade bíblica abrange experiência, razão e tradição. Autoridade sobre a experiência significa que sentimentos ou intuições pessoais não podem ultrapassar o ensino claro da Bíblia. É claro que todas as interpretações são afetadas pela experiência de vida e história pessoal do intérprete, e é impossível se aproximar do texto bíblico completamente livre de preconceitos. Mas o objetivo deve ser sempre ouvir a voz de Deus nas Escrituras, não impor os sentimentos e a agenda do leitor ao texto bíblico.

Autoridade sobre a razão não significa dizer que a verdade bíblica é irracional ou ilógica. Antes, significa considerar o sobrenatural um fato, na expectativa de que Deus pode agir, e de fato age, para ultrapassar o entendimento do mundo natural. Significa também que contradições aparentes e problemas históricos não negam a verdade bíblica. Antes, adotamos a atitude de "esperar e ver", a fim de que a veracidade das Escrituras seja vindicada. Significa também que desenvolvemos uma atitude de humildade e mente aberta, reconhecendo que os padrões ocidentais de verdade empírica nem sempre podem corresponder à natureza da cultura originária da revelação bíblica.

Por fim, autoridade sobre a tradição significa que os concílios e credos históricos da Igreja representam a verdade à medida que refletem o ensino da Bíblia. A Bíblia julga a teologia histórica e sistemática. Cada geração da Igreja precisa, portanto, retornar às Escrituras para examinar, confirmar e até mesmo corrigir suas crenças e práticas.

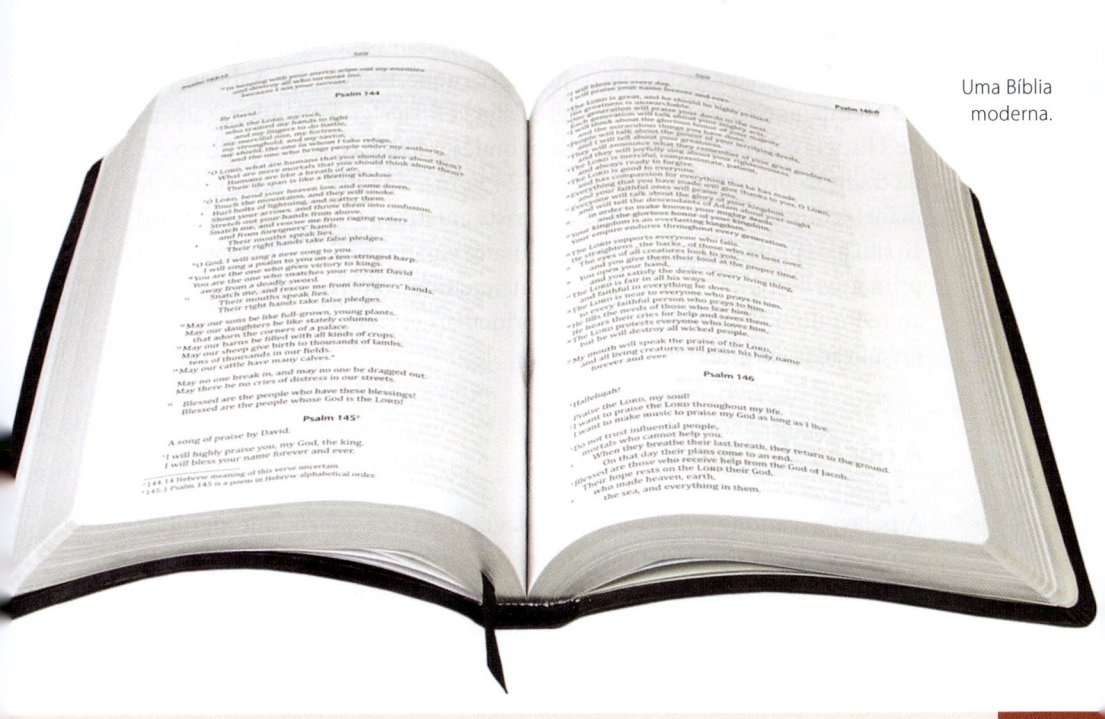

Uma Bíblia moderna.

A produção e formação do cânon do Antigo Testamento

Stephen Dempster

Introdução

O cânon do AT consiste em 39 livros no protestantismo, 46 no catolicismo romano (com a adição de Tobias, Judite, Baruque, Eclesiástico, Sabedoria, 1 e 2 Macabeus e acréscimos a Daniel e Ester) e 48 na Igreja ortodoxa (adição de 1Esdras e 3Macabeus). A Bíblia hebraica, idêntica em conteúdo ao AT da tradição protestante, consiste em 24 livros, divididos e ordenados de maneira diferente. O AT na tradição cristã enfatiza a escatologia (o futuro) ao situar os profetas no fim; a Bíblia hebraica enfatiza a ética ao ter seus cinco primeiros livros (a Lei de Moisés) funcionando como o centro estrutural ao redor do qual as outras divisões principais (Profetas e Escritos) estão organizadas em círculos concêntricos.

A noção de cânon

A palavra "cânon" é derivada da palavra hebraica *qaneh*, que significa "junco" e, por extensão, "vara de medir". Essa palavra foi incorporada à língua grega como "cânon" (*kanon*), com uma vasta gama semântica, significando padrões em relação a obras literárias, regras gramaticais e até mesmo alguns seres humanos. A palavra foi cunhada na igreja primitiva para indicar a lista completa e detentora de autoridade de livros inspirados por Deus, o padrão da verdade (Atanásio, 39. *Carta festiva*). Ainda que uma lista como essa fosse considerada fechada, está claro que a criação do cânon não aconteceu de um momento para o outro. Uma longa e complexa história teve lugar antes de ocorrer o fechamento do cânon. O historiador Josefo (95 d.C.) descreveu uma lista fechada de livros inspirados, detentora de autoridade para os judeus durante séculos (*Contra Ápion 8*).

Muitas vezes, os estudiosos fazem distinção entre dois tipos de cânon: o material e o formal. O "material" se refere a uma coleção de livros *fidedignos* que se encontra em processo de formação — o cânon em desenvolvimento. Algumas vezes, esse cânon é chamado Cânon 1 ou protocânon. O "formal" significa uma *coleção fidedigna* de livros, ou Cânon 2 — o cânon fechado.

Os escribas eram muito respeitados no Egito. Os faraós costumavam encomendar esculturas pessoais em que eram representados como escribas. A estátua representada acima é do faraó Horemheb (c. 1300 a.C.).

Escrita, textos e literatura

A Bíblia não se tornou um livro no sentido moderno da palavra senão nos primeiros séculos da era cristã quando o códice (livro moderno) foi inventado. Antes disso utilizavam-se coleções de rolos. Os manuscritos gregos das fontes cristãs dos séculos IV e V foram os primeiros "livros" a conter todos os textos do AT (dois dos manuscritos mais completos são os códices Vaticano e Sinaítico). No judaísmo, a primeira Bíblia de que se tem notícia com os textos sagrados é datada do século XI da era cristã (Códice de Leningrado).

A Bíblia existiu em primeiro lugar como proclamação oral, e só foi registrada por escrito e, assim tornada permanente, por causa de sua importância. A palavra hebraica usada para indicar a atividade da proclamação oral é a palavra para "chamar, anunciar". A tradição judaica posterior se refere à Bíblia nem tanto como escrita, mas como o texto que foi anunciado. A literatura bíblica era preeminentemente lida em voz alta, de modo especial nas reuniões públicas.

Não obstante, a Bíblia consiste em *textos*. No mundo antigo, ler e escrever eram prerrogativas dos escribas, que formavam um grupo de elite. Os sistemas de escrita eram complexos, e exigiam a memorização de centenas de sinais. Como consequência, apenas um pequeno número de escribas treinados para exercer essa função era alfabetizado, e trabalhava em funções administrativas como a manutenção de registros e contabilidade, bem como em tarefas políticas e culturais — produção de propaganda real, documentos legais e textos culturalmente importantes. Tudo isso mudou com o surgimento do alfabeto na virada do segundo milênio a.C. Dada a grande redução dos símbolos de escrita para algumas dezenas de signos, a alfabetização se democratizou — pelo menos em teoria. Os alfabetos semíticos surgiram na terra da Bíblia na segunda metade do segundo milênio a.C. (em lugares como Ugarite e Izbet Sartah). Recentemente, descobriu-se um em Tel Zayit, do século X a.C. A Bíblia teve início em meio a uma revolução epistemológica e social, bem como religiosa — o Deus do Universo iniciou o processo de se fazer conhecido por meio de textos! Os deuses de todas as outras nações se revelaram por intermédio de imagens, mas Israel encontrou seu Deus no texto. Isso forneceu a motivação teológica para a alfabetização (Dt 6.9).

No Israel antigo, a alfabetização provavelmente se expandiu para fora dos limitados círculos dos escribas. Por exemplo, no livro de Juízes um jovem podia escrever uma lista de "autoridades" de sua cidade quando foi capturado (Jz 8.14); Isaías dividiu o povo em um grupo alfabetizado e outro não (Is 29.11); um soldado comum considerou imponderável que seu oficial superior o julgasse analfabeto (*Cartas de Láquis* nº 3); um trabalhador comum podia comemorar o término de um projeto de construção com um texto (Inscrição de Siloé). Acrescente-se que o final do livro de Eclesiastes (12.12) presume a existência de muitos alfabetizados em sua audiência.

Estátua de um escriba real no Egito antigo (por volta de 2500-2300 a.C.). Os escribas eram funcionários importantes no Egito antigo.

Além disso, deve-se mencionar que no batente da casa de cada israelita deveriam estar escritas algumas palavras (Dt 6.9).

O Antigo Testamento como um todo: diferentes arranjos e cânones

A formação do AT ocorreu durante um longo período. O escritor mais antigo a ser citado em suas páginas é Moisés (Êx 17.14) e o último é Esdras (8.1), um escriba que segue o padrão do grande Moisés. Entre essas duas figuras mosaicas, há uma mistura de textos cobrindo séculos que se tornaram parte do AT: coleções legais, poesias, narrativas, profecias, apocalipses, provérbios, lamentações, hinos, enigmas, protestos, maldições, crônicas, listas, cartas e canções de amor. Essa diversidade está ordenada na Bíblia hebraica em uma linha histórica que se inicia com a Criação (Gênesis) e termina com o retorno de Israel do Exílio (Esdras-Neemias, Crônicas). A ordem é diferente das versões bíblicas em português usadas atualmente nas igrejas. Essas traduções são baseadas na *Septuaginta*, utilizada pela igreja primitiva; nela, os Profetas aparecem no fim. O ordenamento da Bíblia hebraica é designado pela palavra *Tanak*, acrônimo que se refere às três principais divisões: *Torá* (Lei, Instrução), *Nevi'im* (Profetas) e *Ketuvim* (Escritos). A primeira divisão — *Torá* — é idêntica à das Bíblias em português. A segunda divisão — *Nevi'im* — consiste em 8 livros, posteriormente dividida em dois grupos de quatro cada, os Profetas Anteriores (Josué, Juízes, Samuel e Reis) e os Profetas Posteriores (Jeremias, Ezequiel, Isaías, os Doze [profetas menores]). A terceira e última divisão — *Ketuvim* — consiste em 11 livros, mas sua sequência não é fixa. Provavelmente, a sequência mais antiga tenha sido: Rute, Salmos, Jó, Provérbios, Eclesiastes, Cântico dos Cânticos, Lamentações, Daniel, Ester, Esdras-Neemias, Crônicas.

Na igreja primitiva, havia listas de livros e manuscritos que continham textos adicionais. À medida que a igreja se afastou do centro geográfico do judaísmo, houve alguma confusão quanto ao cânon, e alguns livros que se tornaram populares foram incluídos em várias listas cristãs e coleções de manuscritos. Para eliminar essa confusão, Melito, bispo de Sardes, viajou até a Terra Santa por volta do ano 170 da era cristã para determinar a ordem e o número original dos livros da "Antiga Aliança". Orígenes (230 d.C.) também indica que ele estava ciente dos livros que foram acrescentados. Mais tarde, pessoas como Atanásio e, de modo especial, Jerônimo reconheceram as diferenças entre o cânon da "verdade" hebraica e os outros livros. Entretanto, a força da tradição era tão forte que apenas na época da Reforma houve a tentativa planejada no movimento cristão protestante incipiente para retornar ao cânon hebraico. Isso provavelmente ocorreu por influência da Renascença, que enfatizou a importância de eliminar o "acúmulo" formado pela tradição para voltar às fontes originais. Por motivos óbvios, esse caminho não foi seguido pelas igrejas católica e ortodoxa. Elas mantiveram alguns dos livros adicionais, designados de modo geral "deuterocanônicos", para indicar a distinção dos livros "protocanônicos" mais antigos.

O início do cânon do Antigo Testamento

Se houve um acontecimento que pode ser considerado originador do estímulo e do núcleo do processo canônico, ele, sem dúvida, foi a aliança no Sinai. O conteúdo da aliança foi em grande parte a outorga dos Dez Mandamentos (ou Dez Palavras, em hebraico) que refletem a vontade do Criador para Israel que deveria se engajar em uma missão divina no mundo (Êx 19.5,6; 20.1-17). Nesse acontecimento público, Deus falou de maneira direta a Israel no trovão do Sinai. Essa proclamação verbal foi transformada em permanente por meio das tábuas de pedra escritas por Deus.

O ponto culminante da aliança no Sinai ressalta a importância da palavra escrita. A experiência de ser confrontado com a presença não mediada de Deus traumatizou os israelitas, levando-os a pedir a Moisés para se tornar o mediador (Êx 20.18-20). Moisés escreveu as palavras de Deus em um "livro da aliança" — a aplicação das Dez Palavras à vida diária do povo (Êx 21—23). Esse "livro", provavelmente escrito em papiro, tornou-se parte de um ritual sacrificial de sangue por meio do qual os israelitas afirmaram a obediência a Deus (Êx 24.1-8). Eles foram consagrados e purificados para realizar uma missão sacerdotal no mundo. O ritual da palavra e do sangue levou à comunhão: Moisés, Arão e 70 anciãos subiram ao Sinai e experimentaram um encontro único com Deus (Êx 24.9-11). A base dessa comunhão era a graça de Deus e o desejo do povo de obedecer às palavras escritas no livro.

Uma consequência da aliança no Sinai era a presença de Deus com o povo, estabelecida em uma tenda (o tabernáculo), no centro do acampamento israelita (Êx 25—31). No coração do tabernáculo, a presença invisível de Deus pairava acima da arca da aliança — um estrado para o trono divino. As Dez Palavras escritas em duas tábuas de pedra foram colocadas na arca, com o livro da aliança colocado ao lado. Por isso, o conceito do cânon está intrinsecamente ligado à ideia da aliança.* O conteúdo único e o contexto especial demarcam esses textos e garantem sua posição privilegiada de autoridade entre o povo com quem Deus escolheu habitar.

* Meredith G. KLINE, **The Structure of Biblical Authority** (Grand Rapids: Eerdmans, 1972), p. 90.

A expansão do cânon

Com o tempo, aconteceu a expansão gradual do cânon. Moisés foi apresentado como o autor de outros textos adicionados ao cânon nuclear: um memorial (Êx 17.14), o diário da jornada (Nm 33) e um poema (Dt 31.22). Depois de sua morte, houve a promessa da instituição profética que continuaria a proclamação oral da vontade divina (Dt 18.15-22). A autoridade dos membros dessa instituição foi garantida pela adesão ao cânon nuclear, não às qualidades carismáticas impactantes (Dt 13.1-6). Isso abriu caminho para a integração dos futuros textos proféticos ao cânon nuclear de Moisés. No fim do Pentateuco, Moisés escreve uma cópia "desta Torá", um esboço do livro de Deuteronômio, e o colocou ao lado da arca. Essa lei deveria ser lida em público todo ano sabático (Dt 31.9-13,24-26).

Duas outras leis de Deuteronômio enfatizavam a importância do novo texto. A primeira, cada governante de Israel deveria fazer uma nova cópia de Deuteronômio da existente com os levitas. A cópia régia deveria orientar a administração do rei, que deveria ser alfabetizado (Dt 17.14-21). A segunda, esse tipo de pensamento orientado pela Torá deveria estar no umbral da casa de todo israelita, que deveria escrever as palavras da Torá, além dos umbrais, nas portas de sua casa. Isso sugere o ideal da alfabetização funcional para muitos membros da sociedade israelita, não apenas para a realeza e a corte (Dt 6.4-9).

Durante a Conquista, Josué atuou como bom líder israelita por registrar parte da Torá escrita por Moisés em um altar erigido no monte Ebal havia pouco tempo (Js 8.30-35). Lá ela era lida na presença de todo o Israel, e incluía bênçãos e maldições (cf. Dt 27). Esse altar era o "umbral e a porta" da nova casa nacional de Israel. Depois da Conquista, Josué renovou a aliança com Israel em Siquém, depois do que escreveu as palavras da aliança no "Livro da Lei [Torá] de Deus" (Js 24.26), que foi colocado perto de uma pedra no santuário. Mais tarde, imediatamente antes do surgimento

Monte Ebal, onde Josué erigiu um altar e copiou a "lei de Moisés" (Js 8.30-35).

da monarquia, Samuel escreveu as responsabilidades do rei em um livro, depositando-o no santuário (1Sm 10.25). Outros textos que tratavam da história da nação seriam gradualmente acrescentados a essa coleção.

Fontes de revelação

Além da Torá, outras fontes de revelação contribuíram para o crescimento do cânon. A profecia e a sabedoria também tiveram papel no processo (Jr 18.18; Ez 7.26; cf. 1Sm 28.6). Na tradição bíblica, a *Torá* — associada a Moisés — era interpretada ao povo pelos sacerdotes. Seu *locus* era o espaço sagrado do santuário. A *palavra* estava ligada aos profetas, e esta se encontrava em harmonia com a *Torá*, que era seu fundamento. Seu *locus* estava no profeta e nos discípulos deste, que a preservaram e a transmitiram (Is 8.16-20; Jr 36). Já a *sabedoria* era uma palavra humana vinda "de baixo" — uma revelação imanente, a capacidade de discernir, por intermédio da razão, a vontade divina na natureza e na experiência humana. Esse tipo de revelação foi associado à figura do sábio, que contava com poderes de observação e percepção, tendo em Salomão o sábio por excelência. É provável que o *locus* da produção desses textos tenha sido a corte real, e os escribas seriam responsáveis pela preservação e transmissão dos textos (Pv 25.1).

A corte ou o santuário podem também ter sido o *locus* de composições musicais, que ecoavam mensagens humanas dirigidas a Deus sob a forma de orações, protestos e louvores: os *salmos*. Davi e vários músicos estavam relacionados com essas canções, e os textos posteriores demonstram que o material escrito proveu a base para o culto (p. ex., 2Cr 29.30). A autoridade dessas canções passou a ser associada à figura dos mais respeitados reis de Israel, Davi e Salomão, instrumentos escolhidos por Deus para liderar o povo.

O Exílio e o cânon

O Exílio teve impacto profundo sobre a nação, pois questionou sua existência. Mesmo com a destruição do templo, a literatura que ele abrigava foi salva, e a literatura proveniente das fontes proféticas e sapienciais, incluindo os salmos, teria sido reunida. Na ausência do espaço sagrado, os textos sagrados se tornaram o aspecto mais importante. Um esforço sistemático foi feito na narrativa histórica para tentar entender o Exílio, e o resultado foi uma obra de quatro volumes que utilizou muitas fontes antigas e que narrou a história de Israel desde a Conquista até o Exílio. Unida à Torá, essa nova linha histórica se estendia desde a Criação até o Exílio. A extensão da história (Josué—2Reis, excluindo Rute) representava o cumprimento das predições do último livro da Torá, o Deuteronômio — bênçãos para a obediência e maldições para a desobediência — na vida da nação. Tem início com uma celebração da Páscoa na terra (Js 5) e termina com a celebração da Páscoa durante as reformas de Josias (2Rs 25.27-31).

A linguagem de fórmulas, característica dessa história, também aparece nos títulos das maiores obras proféticas, e há repetições cruciais que ligam os Profetas Anteriores aos Profetas Posteriores (2Rs 25 = Jr 52; 2Rs 18—20 = Is 36—39). Essas obras se complementavam na medida exata da confirmação da história que levou o povo ao exílio por meio das palavras proféticas que não foram levadas a sério, mas haviam predito a ruína da nação. Todavia, toda essa literatura não foi reunida e editada apenas para explicar o desastre; ela também oferecia esperança. Nos Profetas Anteriores, há uma aliança com Davi, segundo a qual ele teria uma dinastia que duraria para sempre (2Sm 7); a libertação de Joaquim da prisão demonstra que a promessa não foi desfeita. Nos Profetas Posteriores, há também muitos anúncios da salvação futura, ligados à esperança da ressurreição da casa de Davi. O fato de os Doze Profetas conterem profetas pós-exílicos (Ageu, Zacarias, Malaquias) indica que o último pergaminho profético foi completado após o Exílio.

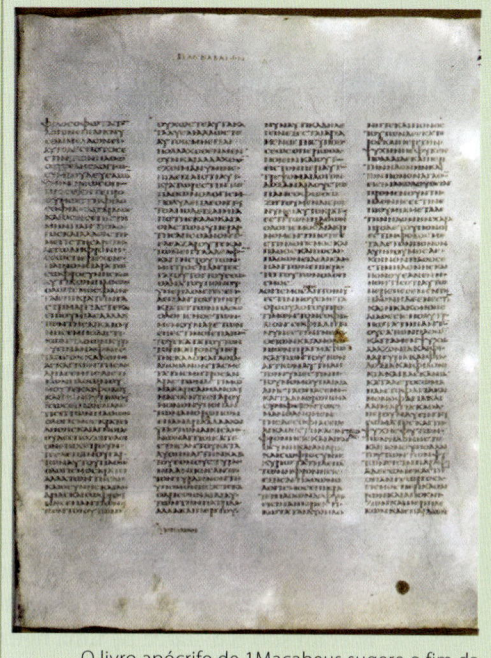

O livro apócrifo de 1Macabeus sugere o fim da profecia (do Códice Sinaítico).

Pós-exílio, síntese canônica e fechamento: do Cânon 1 ao Cânon 2

Depois do regresso dos exilados na Babilônia para Judá, ocorreu outra reforma inspirada pela Palavra escrita. As reformas instituídas por Esdras e Neemias culminaram com a leitura impressionante da Torá diante de uma grande assembleia (Ne 8). Na praça pública da cidade, foi construído um grande pódio de madeira em que Esdras, o segundo Moisés, posicionou-se para ler o livro. Tendo aberto o rolo, a audiência se pôs em pé enquanto ele lia a Torá em hebraico, e os sacerdotes ajudavam o povo a entender o texto, parafraseando-o em aramaico. O povo aprendeu sobre vários assuntos e festas, e estava desejoso de obedecer. A oração de Neemias no capítulo seguinte reconta a história de Israel na sequência do Pentateuco (Gênesis—Deuteronômio) e além. A importância da Palavra escrita é simbolizada não apenas pelo fato de essa pregação ter acontecido de um lugar elevado, e sim pela importância em reger a vida do povo. Nesse tempo, com certeza havia um arquivo no templo para guardar os escritos sagrados.

A tradição judaica indica que algum tempo durante o período final do AT a revelação canônica chegou ao fim. A profecia estava acabando (Zc 1.5; 7.7,12). Na história apócrifa judaica denominada Macabeus, escrita no século II a.C., há uma preocupação com a cessação da profecia (1Macabeus 4.46; 9.27; 14.41). O historiador judeu Josefo, no final do século I da era cristã, afirma de forma categórica que a Bíblia judaica estava completa desde o Período Persa em razão do "fracasso na sucessão dos profetas" (*Contra Ápion* 8). A tradição judaica posterior confirma essa opinião. Além disso, todos os livros que tentaram apresentar a si mesmos como "canônicos" o fizeram sob o disfarce de uma figura bíblica antiga para "preservar o corte canônico" (p. ex., *Enoque, José e Asenate, Baruque*).

Considerando que a revelação havia cessado no final do período bíblico, provavelmente foi tomada a decisão de sintetizar todos os textos tidos como detentores de autoridade em uma unidade integrada, transformando assim a coleção de *livros fidedignos na coleção fidedigna*. Os vários tipos de revelação foram organizados em três seções distintas: Torá, Profetas e Sabedoria. A última categoria se tornou mais genérica. Se essa divisão tríplice não está em evidência em Ben Siraque como "Torá, Sabedoria e Profecia" (39.1), já está na época do seu neto ("Torá, Profetas e o restante dos Livros"). No século II da era cristã essa terceira divisão ficou conhecida como "os Escritos".

Provavelmente no último período do AT sob a liderança de Esdras (que pode ser chamado o segundo Moisés), toda a literatura foi editada e sintetizada. Grande parte da Torá e dos Profetas (Anteriores e Posteriores) foi substancialmente moldada, bem como outros documentos não pertencentes a essas categorias. Provavelmente houve a redação final, que garantiu ao material o selo canônico definitivo, a mensagem escatológica distinta, bem como a importância do estudo e da meditação que levam à sabedoria. O foco estava em se tornar alfabetizado em sentido espiritual enquanto se esperava pela ação de Deus no futuro.

Costuras canônicas significativas reúnem as divisões principais. No fim da Torá, há o reconhecimento de que Moisés era um profeta sem igual (Dt 34.10), o que de forma implícita é um pedido de sabedoria ao estudar a revelação dele enquanto se espera o profeta que se compare a ele (Dt 18.15-18). Josué, o novo líder, é o estereótipo do homem sábio, capacitado pelo Espírito de sabedoria (Dt 34.9). No final dos Profetas, há uma coordenação em que

Moisés representa a Torá e Elias, os Profetas. A exortação é para que se lembre da Torá e espere por Elias, que será o precursor do profeta mosaico definitivo, cuja vinda inaugurará a nova era (Ml 4.4-6).

No início da Torá, a Palavra de Deus cria a luz que estabelece o ritmo do dia e da noite (Gn 1.3-5); no início dos Profetas, há uma exortação a Josué para meditar na Torá dia e noite e dessa maneira fazer prosperar seu caminho (Js 1.8), e no início dos Escritos há uma exortação idêntica a cada israelita (Sl 1.2,3). As grandes palavras da vida que iluminam o mundo agora podem iluminar a vida de qualquer pessoa que nelas medite dia e de noite.

A unificação editorial das unidades principais tem várias implicações. A consciência de que uma grande era de revelação chegou ao fim inspira os crentes a meditar nas Escrituras dia e noite enquanto esperam a próxima grande revelação. Portanto, não é coincidência que muitos dos últimos livros do *Tanak* sejam de sabedoria e enfatizem a importância do sábio e do estudante. O livro de Crônicas pode ter sido escrito como uma maneira de fechar toda a sequência, pois se trata com clareza de um livro de reflexão, que constantemente reforça em suas narrativas a importância da obediência à Palavra divina para prosperar (2Cr 20.20; 31.21; 32.30). O foco na narrativa de Davi indica o principal *locus* da esperança bíblica — a aliança davídica.

Há evidências externas de algumas indicações do processo canônico dessa natureza. Em 2Macabeus, há uma referência a Neemias reunir livros para formar uma biblioteca, que poderia representar os livros da segunda e da terceira divisões do cânon (2Macabeus 2.13,14). Um texto posterior, que data do final do século I da era cristã, indica que Esdras produziu 94 livros, 24 dos quais deveriam ser usados em público e 70 em particular, pelas pessoas iluminadas (2Esdras 14.44,47). A primeira coleção se refere aos livros canônicos e identifica Esdras tendo um papel importante em sua produção. Comentários semelhantes foram feitos em fontes judaicas posteriores.

Óstraco nº 3 de Láquis, em que o autor exclama indignado: "Ninguém teve de chamar um escriba para mim".

A era do Novo Testamento e além

A referência comum para designar as Escrituras no NT é a fórmula dupla "a Lei e os Profetas" (Mt 7.12; Jo 1.45; Rm 3.21). Mas em dois textos Jesus se refere ao vasto conjunto da revelação, seja como promessa, seja como julgamento, subentendendo a divisão tripartite. Em Lucas 24, Jesus declara que sua morte e ressurreição cumpriram todas as predições da totalidade das Escrituras, que ele não chama de "Moisés e os Profetas", mas de "a Lei

Martinho Lutero, um dos principais líderes da Reforma Protestante. O cristianismo protestante retornou às fontes judaicas para determinar o cânon do AT, mas ordenou os livros de maneira diferente.

de Moisés, os Profetas e os Salmos" (Lc 24.27,44). "Salmos" pode ser uma referência abreviada aos "Escritos", a terceira parte do cânon, que continha o livro de Salmos. Além disso, em Lucas 11.49-51 Jesus prediz a completitude do juízo que sobrevirá à presente geração por rejeitá-lo. Ele acusa os líderes religiosos de pertencerem a uma corrente de assassinos que matou profetas desde Abel até Zacarias, o sacerdote, cujos martírios clamavam por retribuição (Gn 4.10; 2Cr 24.22). Não é coincidência que essas personagens sejam encontradas no primeiro e no último livro do *Tanak*. Portanto, Jesus ataca os líderes religiosos por sua piedade escriturística — piedade que matou os profetas, do primeiro ao último livro da Bíblia, e todos os que se encontram entre o primeiro e o último. Essa *completitude em juízo é particularmente eficiente se há uma completitude no todo do conjunto canônico das Escrituras.*

Pouco depois desse período, o historiador judeu Josefo escreveu em tom apologético à audiência greco-romana, indicação de que a história judaica é superior à dos seus competidores contemporâneos por conta da confiabilidade e inspiração do seu registro histórico, que consistia em 22 livros ordenados de forma tripartite, e que já estava fechado havia um longo tempo em razão de a uma falha na sucessão dos profetas (*Contra Ápion* 8). Se as alegações de Josefo forem levadas a sério — e não há razão para que não tenham sido —, isso significa que o cânon do AT estava bem estabelecido e fora aceito por várias correntes do judaísmo. Ainda que o arranjo do cânon feito por Josefo seja único, ele respeita a estrutura tríplice do cânon. Sua preocupação com a história o orientou a passar os livros históricos da terceira para a segunda sessão depois dos cinco livros da Torá e deixou os livros sapienciais e poéticos sozinhos na terceira divisão.

Outra enumeração do fim do século I indica a ordem de 24 livros (2Esdras 14.45). A tradição posterior (Orígenes, 230 d.C.) sugeriu que os 22 e 24 livros eram ordens alternativas, e que o número menor resultava de livros sendo reunidos um a outro (Rute a Juízes e Lamentações a Jeremias). A primeira lista explicitamente cristã alegando influência judaica alista 21 livros e ocorre no final do século II d.C. Esse é o cânon de Melito, no qual não consta Ester, livro controverso tanto no judaísmo como também no cristianismo. Não obstante, há uma continuidade notável com as listas de Josefo e de 4Esdras. Outra fonte, que data do final do Período Mixnaico

(1-200 d.C.), também apresenta o cânon tripartite, que vai de Gênesis a Crônicas (*Baba Batra* 14b).

Conclusão: texto e hermenêutica

Depois que o cristianismo se separou do judaísmo por causa dos acontecimentos que envolveram a destruição do templo e a entrada de gentios na igreja, a Bíblia grega (a *Septuaginta*) foi rapidamente adotada pela igreja. De fato, Paulo a utilizou amplamente na igreja em desenvolvimento do século I, o que é indicado com clareza pelas citações do AT que ele fez. Enquanto se ampliava a distância entre judaísmo e cristianismo, era inevitável que houvesse confusão no seio do cristianismo a respeito do limite e dos contornos exatos das Escrituras judaicas (o AT). A distância geográfica entre a igreja e o centro do judaísmo aumentava, e os "cânones" cristãos refletiam essa diferença. O cristianismo protestante, que emergiu da Reforma, retornou às fontes judaicas do AT, mas com sistemas de arranjo e numeração baseados em antecedentes cristãos.

No interior do judaísmo, há uma estabilidade e continuidade notáveis, não apenas na numeração dos livros, mas também com relação aos textos. Isso sugere que o arquétipo produzido nos círculos do templo teria sido preservado depois da destruição do templo para prover a base da transmissão do texto nos mil anos seguintes. O cuidado escrupuloso que esse processo demonstra é suficiente para provar a autoridade prática dos livros. O fato de que pouco antes do século I da era cristã traduções gregas de textos hebraicos estavam sendo revisadas de acordo com esse arquétipo particular sugere a autoridade canônica.

A estrutura da Bíblia hebraica enfatiza a importância da internalização da Palavra divina, na meditação sobre ela enquanto se espera a chegada do descendente de Davi. O AT cristão dá mais destaque a esse aspecto escatológico ao encerrar o cânon com os Profetas. Conquanto ambos os textos estejam em busca da conclusão, o NT tem início com a alegria do anúncio de que essa busca encontra cumprimento em Jesus Cristo, o maior Filho de Davi. Ele é a encarnação definitiva da Palavra divina (Jo 1.14), a exegese definitiva e o propósito do cânon (Jo 1.18,45), o fim decisivo da Lei e dos Profetas (Mt 17.1-8).

Redação, reprodução e transmissão do texto do Novo Testamento

Daniel B. Wallace

Os 27 livros originais do NT desapareceram muito provavelmente poucas décadas depois de sua composição. Precisamos confiar nas cópias escritas à mão, chamadas manuscritos (doravante, MSS) para determinar a redação do texto original (ou autográfico). Por serem cópias feitas à mão, não há dois MSS exatamente iguais. Mesmo os dois MSS mais próximos apresentam várias diferenças em cada capítulo. Com cerca de 250 capítulos no NT, pode-se perceber com facilidade que serão muitas as variações de redação entre os MSS.

A disciplina conhecida como crítica textual se ocupa desses MSS. Trata-se do estudo das cópias de qualquer documento escrito cujo autógrafo (original) é desconhecido ou inexistente como meio principal para determinar a redação exata do original. A crítica textual é necessária para quase toda a literatura antiga. O NT não constitui exceção. A crítica textual do NT (CTNT) é necessária por dois motivos: por causa do desaparecimento dos originais e da discordância entre os MSS sobreviventes.

Meu objetivo neste capítulo é 1) discutir a história da transmissão do texto do NT; 2) apresentar os problemas da CTNT; 3) examinar a prática da CTNT.

História da transmissão do texto do Novo Testamento

Quando um apóstolo escrevia uma carta para uma congregação, era natural que aquela igreja quisesse compartilhar a carta com outras congregações. (Na verdade, isso chegou a ser solicitado certa vez [Cl 4.16].) Todas essas cópias tinham de ser feitas à mão, o que gerava diferenças entre elas inevitavelmente. Na maioria das vezes, as mudanças introduzidas pelos copistas não eram intencionais — letras ou palavras confusas, palavras ou até mesmo linhas inteiras duplicadas ou saltadas, e outras iguais.

À medida que a igreja primitiva crescia, aumentava também a demanda por cópias de documentos do NT. Quando os Evangelhos sinópticos se tornaram conhecidos em várias partes do Império Romano, os escribas começaram a perceber as diferenças entre as cópias. A tendência dos escribas era harmonizar os Evangelhos "corrigindo" a redação de uma passagem paralela na outra. Os copistas também tinham a tendência de suavizar os textos no sentido gramatical e estilístico, adicionar palavras e frases que ajudariam na compreensão do texto e substituir formas comuns por formas incomuns. Os escribas faziam alterações desse tipo com muito mais frequência, pois pensavam que o exemplar que usavam estava corrompido, mas, ao procederem assim, não raro de forma inadvertida, mudavam a redação original do texto.

Quando a igreja começou a se expandir para regiões em que o grego não era a língua dominante, ficou evidente a necessidade de traduzir o NT. Nos séculos II e III, o NT estava traduzido para o latim, o siríaco e o copta para povos na Itália, norte da África, Síria e Egito. Nos séculos seguintes, o NT foi traduzido para o armênio, o gótico, o georgiano, o árabe e várias outras línguas.

Cópia de uma tradução siríaca do NT do século VI da era cristã.

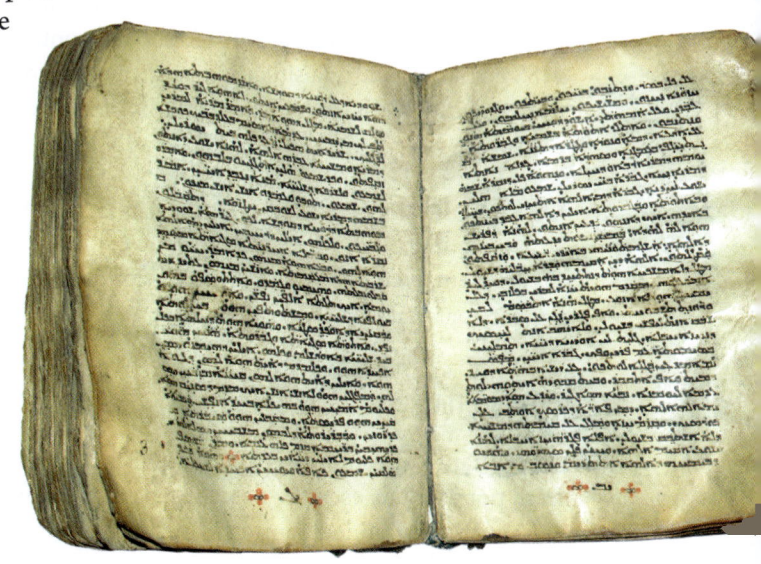

Não obstante, o grego continuou por séculos o principal veículo do NT em muitas regiões do Mediterrâneo. As igrejas maiores em cidades

grandes começaram a exercer influência na forma do texto, de modo que surgiram "textos locais". Dois tipos de texto foram detectados: o alexandrino e o chamado ocidental. O texto alexandrino foi produzido, como o nome sugere, em Alexandria (Egito) e ao redor dessa cidade. A cidade de Alexandria tinha uma história de produção cuidadosa de MSS muito antes do advento do cristianismo. Os escribas cristãos, influenciados por essa tradição, geraram o que é considerado hoje o texto mais confiável do NT. O texto ocidental, ainda que não tenha se originado no Ocidente, era utilizado na Gália, na Itália e no norte da África. Mesmo sendo menos acurado (forma de harmonizações, expansões e alterações teológicas), o texto ocidental, no entanto, gozava de ampla influência, embora a maioria dos MSS ocidentais existentes em nossos dias estejam em latim. É provável que o impulso missionário, não práticas de cópia cuidadosa, tenha sido responsável por muitas alterações feitas pelo texto ocidental na redação original.

Por volta do século IV, surgiu uma nova forma de texto, o bizantino. Baseado em grande parte nos textos alexandrino e ocidental, e mais tarde bastante influenciado pela liturgia da igreja, o texto bizantino se tornou a forma dominante no Oriente, em especial depois de Constantino mudar a capital, de Roma, para Constantinopla. Esse texto é considerado inferior por causa da data de composição posterior e dependência dos textos mais antigos. Enquanto o latim era usado na Europa Ocidental, o grego estava limitado ao Oriente. Por volta do século IX, o bizantino se tornou o texto predominante em grego, e houve uma diminuição da influência do alexandrino por conta da conquista muçulmana do Egito e da utilização de mais MSS em latim no Ocidente. Dado ao fato de o idioma grego estar restrito em sentido geográfico, o texto bizantino não apenas se tornou dominante entre os MSS gregos, como também foi produzido sob um controle mais rigoroso que os MSS em latim. À luz da situação histórica concernente à produção desses textos, a maioria dos estudiosos prefere os MSS alexandrinos aos bizantinos.

Os problemas da crítica textual do Novo Testamento

Os problemas da CTNT podem ser discutidos em duas categorias amplas, a saber, materiais e métodos.

Os materiais

Enquanto os estudiosos que pesquisam outras literaturas antigas sofrem por causa da escassez de dados, os que trabalham com MSS do NT sofrem com a grande quantidade de fontes. As testemunhas do texto do

NT estão agrupadas em três categorias: MSS gregos, traduções (ou versões) antigas e citações do NT nos textos dos pais da Igreja. Como acontece com grandes obras de arte, muitos textos são propriedade de instituições, e alguns são propriedades de indivíduos. Como consequência, vários deles estão abrigados em bibliotecas ao redor do mundo.

Manuscritos gregos

Os MSS gregos são os principais documentos para determinar a redação do NT. Eles estão divididos em quatro categorias: papiros, maiúsculos (unciais), minúsculos e lecionários.

O primeiro grupo, o dos papiros, é identificado pelo material utilizado no MS. O segundo e terceiro grupos, maiúsculos (unciais) e minúsculos, referem-se ao estilo de escrita (letras maiúsculas ou cursivas) dos MSS. O último grupo, o dos lecionários, se refere aos MSS que não são textos contínuos dos Evangelhos ou das Epístolas, mas são porções do texto designadas para leituras litúrgicas em dias especiais. Em termos gerais, os papiros estão entre os mais antigos dos quatro grupos de MSS, e com certeza eram os mais raros (dada a fragilidade do material de escrita), seguidos pelos maiúsculos, minúsculos e lecionários.

Em julho de 2009, as estatísticas dos MSS gregos do NT apontavam para a seguinte distribuição:

Papiros	Maiúsculos	Minúsculos	Lecionários	Total
124	318	2.895	2.436	5.773

A maior parte desses MSS data dos séculos II ao XVI. Alguns dos papiros mais importantes são P45 (séc. III), P46 (c. 200 d.C.) e P75 (séc. III). Esses MSS antigos e importantes incluem grandes porções dos evangelhos e das cartas de Paulo.

Mosteiro de Santa Catarina, onde Constantine Von Tischendorf descobriu o Códice Sinaítico em meados do século XIX.

Por volta do século IV, foram produzidos os grandes MSS unciais, incluindo o NT completo mais antigo, o Códice Sinaítico. O Códice Vaticano, também do século IV, estava quase completo. O Códice Sinaítico (também conhecido como A ou 01) e o Vaticano (também conhecido como B ou 03) pertencem ao formato alexandrino. O ancestral comum devia ser muito antigo, pois eles estão relativamente próximos um do outro e mesmo assim há numerosas diferenças significativas. Isso sugere a existência de vários ancestrais intermediários entre o arquétipo comum e os dois unciais. De fato, quando eles concordam, a leitura comum geralmente é do início do século II.

Alguns dos MSS posteriores foram copiados de uma fonte muito mais antiga. Por exemplo, o MS 1739, um minúsculo do século X, foi copiado diretamente de um MS antigo do século IV. Mesmo alguns dos MSS mais antigos apresentam evidências convincentes de serem cópias de fontes ainda mais antigas. O texto do já citado Códice Vaticano é muito provavelmente o do P75 (B e P75 são muito mais próximos um do outro que qualquer um deles é próximo de A). Talvez o papiro seja pelo menos um século mais velho que o Vaticano. Em muitos trechos, a redação do Vaticano é certamente mais antiga que P75. Isso significa que P75 não é o ancestral de B, mas que ambos dependem de um ancestral comum ainda mais antigo, provavelmente um do século II.

Traduções (ou versões) antigas

O segundo tipo mais importante de testemunhos do texto do NT é conhecido como versões (ou traduções antigas). O valor de uma versão depende da data, da técnica, do cuidado da tradução e da qualidade do texto do qual ela foi traduzida. As versões são importantes por outra razão: com exceção de casos raros e isolados, uma vez que a versão esteja pronta, elas não mais interagiram com os MSS gregos. Por isso, quando uma versão particular tem uma leitura em uma das cópias, a leitura de modo geral refletia a versão do original. As três versões mais importantes são a latina, a copta e a siríaca. Outras versões importantes são a gótica e a armênia, seguidas da georgiana e da etíope.

Há duas vezes mais MSS latinos do NT que gregos (cerca de 10 mil comparados com cerca de 5.700), com datas variando do século III ao XVI. Representam basicamente o texto ocidental.

Os MSS coptas vêm do Egito, com raízes que remontam ao início do século III. Talvez ainda existam milhares de MSS coptas, mas apenas poucas centenas foram catalogadas. Representam o texto alexandrino.

O NT foi traduzido para o siríaco no início do século III. A forma mais antiga é representativa do texto ocidental. As cópias sobreviventes dos MSS siríacos do NT são centenas, talvez milhares.

Além do latim, copta e siríaco, outras versões antigas devem ser observadas. A versão em gótico foi traduzida originariamente no século IV, bem como a versão em etíope. A versão armênia é provavelmente do século V. Essas três versões formam cerca de 2 mil manuscritos que chegaram aos nossos dias.

Ao todo, as versões antigas do NT ainda existentes talvez sejam entre 15 e 20 mil. É difícil dizer com exatidão porque nem todos os MSS foram catalogados.

Citações dos pais da Igreja

Comentários, homilias e outros textos dos antigos líderes eclesiásticos — conhecidos como pais da Igreja — existem em número tão grande que, se todos os testemunhos gregos e todas as versões fossem destruídos, o texto do NT poderia ser quase todo reconstruído com base nos dados encontrados nos escritos patrísticos.

Há cerca de 1 milhão de citações do NT feitas pelos pais da Igreja. Os pais escreveram já no final do século I, e o fizeram até o século XIII, e são valiosos por determinarem a redação do NT de maneira extraordinária.

Contudo, há problemas nas citações dos pais. Primeiro, os textos dos pais são encontrados apenas em cópias, não são originais. Segundo, alguns dos pais se tornaram famosos por citarem a mesma passagem de maneiras diferentes.

Há, no entanto, maneiras de determinarem muitas ocasiões, com grande grau de certeza, a forma do texto do NT citado por um pai. Quando avaliadas com cuidado, as citações patrísticas do NT são bastante valiosas porque a data e o local de atuação dos pais podem ser determinados, por isso é possível preencher muitas lacunas em nosso conhecimento da transmissão do texto.

Resumo: um embaraço de riquezas

A riqueza do material disponível para a determinação da redação do NT original é impressionante: cerca de 5.700 MSS do NT grego, 20 mil versões de MSS e mais de 1 milhão de citações de escritores patrísticos. Em comparação com a média dos autores gregos, há cerca de mil vezes mais cópias do NT.

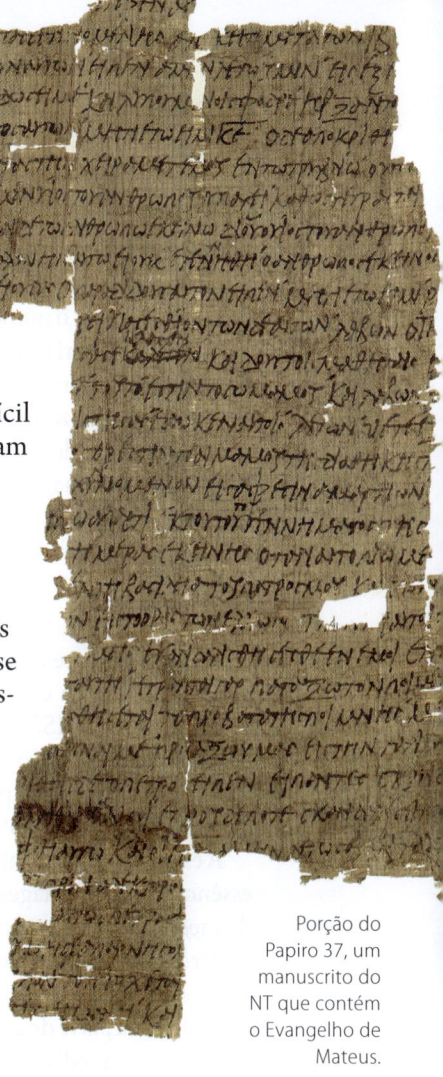

Porção do Papiro 37, um manuscrito do NT que contém o Evangelho de Mateus.

Esses milhares de MSS, versões e citações patrísticas produziram centenas de milhares de variantes textuais (as melhores estimativas estão em torno de 400 mil). Essas duas considerações — o número de MSS e o número de variantes — levam à nossa próxima consideração: como os estudiosos utilizam todo esse material? Que métodos devem ser usados para determinar com exatidão a redação dos autógrafos?

Codex Vaticanus (Códice Vaticano), um dos manuscritos gregos mais antigos e melhores.

Os métodos

Há basicamente duas bases de dados amplas para a crítica textual: a evidência externa e a evidência interna. A evidência externa diz respeito aos materiais — os MSS, as versões e os textos dos pais. A evidência interna lida com a redação do texto nessas várias testemunhas e as causas de suas mudanças. Em outras palavras, a evidência externa considera a variedade de *testemunhas*, enquanto a evidência interna olha para as diversas *variantes*.

A escola predominante de CTNT é chamada ecletismo fundamentado. Em essência, essa abordagem preconiza tratar as evidências internas e externas da mesma maneira, não dando precedência a nenhum aspecto, nenhuma preferência exclusiva a nenhum tipo de texto ou grupo de MSS. Ela considera as evidências interna e externa subjetivas em vários graus e vê uma luta habilidosa da parte de ambas as considerações como a maneira mais acertada de recuperar a redação do texto original.

Prática da crítica textual do Novo Testamento

Quando as evidências, interna e externa, apontam para a mesma direção, há grande confiança de que a redação dos autógrafos tenha sido determinada. De modo geral, a evidência interna parece conflitar com a evidência externa, exigindo, portanto, mais sondagens para a determinação da redação dos autógrafos.

Exame da evidência interna

A evidência interna é o exame da redação das variantes para determinar a leitura que deu origem à(s) outra(s) e é, portanto, provavelmente a original. A orientação básica da crítica interna é: *escolha a leitura que melhor explique* o surgimento da(s) outra(s). Ainda que julgar a evidência interna possa parecer um exercício subjetivo, os estudiosos utilizam métodos apropriados e adequados para a análise do material: a probabilidade transcricional e a probabilidade intrínseca.

Probabilidade transcricional

A probabilidade transcricional diz respeito ao que o escriba provavelmente faria. Há dois tipos de mudanças no texto que os escribas faziam — intencional e não intencional. Geralmente os escribas tinham a intenção de alterar o texto — por motivos gramaticais, teológicas ou explicativas, tal como já se observou. Mas em razão de problemas de visão, audição, fadiga ou de avaliação, os escribas também mudavam o texto não intencionalmente com frequência. Um erro comum dos escribas era escrever apenas uma vez o que deveria ser escrito duas vezes (haplografia). Isso acontecia em especial quando os olhos do escriba pulavam a segunda palavra que terminava da mesma maneira que a palavra anterior; ocorria também quando duas linhas terminavam do mesmo modo. Outro erro era quando o escriba escrevia duas vezes o que deveria ter sido escrito apenas uma (ditografia).

Probabilidade intrínseca

A evidência intrínseca examina o que o autor bíblico provavelmente teria escrito. Duas questões principais estão envolvidas: conteúdo e estilo. Qual é a variante que melhor se encaixa no contexto? Considerações do fluxo do argumento geralmente revelam que uma leitura é melhor que outra(s). Que variante se encaixa melhor no estilo do autor? Aqui a questão se preocupa com como um autor normalmente se expressa, quais são seus motivos e sua linguagem geral. Um exemplo: umas das razões pelas quais a maioria dos estudiosos não considera Marcos 16.9-20 um texto autêntico é que o vocabulário e a gramática são muito diferentes do restante do Evangelho de Marcos. Quando essa observação é somada à forte possibilidade de que escribas poderiam resistir à ideia de deixar o Evangelho terminar no versículo 8, e ao fato de que os MSS melhores e mais antigos não contêm esses 12 versículos, a evidência é esmagadoramente favorável à consideração de Marcos 16.9-20 como adição posterior.

Uma vez examinada a evidência interna, pode-se ter no geral uma percepção de qual leitura provavelmente deu origem à(s) outra(s). À medida que as probabilidades intrínseca e transcricional se confirmam, pode-se ter relativa confiança de que a leitura muito provavelmente é autêntica.

Exame da evidência externa

Três critérios externos são usados para julgar a variante que mais provavelmente contenha a redação do original: data e caráter, solidariedade genealógica e distribuição geográfica.

Data e caráter

A variante preferida é a encontrada nos MSS mais antigos. Isso porque há menos tempo decorrido entre esses manuscritos e o texto original, por isso menos tempo para o surgimento de cópias intermediárias. Os MSS que se mostraram mais confiáveis recebem preferência (mas essa preferência não é absoluta). O escriba meticuloso, que tenha trabalhado em um MS do século V, pode produzir um texto mais confiável que o escriba do século III que estivesse mais interessado em fazer seu trabalho de maneira apressada. Por isso a datação do MS é um fator importante, bem como o caráter geral.

Solidariedade genealógica

Quando quase todos os MSS de certo tipo de texto concordam em uma leitura, o ancestral local desse tipo de texto provavelmente continha a leitura; a leitura é dessa forma considerada genealogicamente sólida.

O que exatamente é um tipo de texto? Um tipo de texto é um grupo grande de MSS que compartilham um padrão de leitura. Há três grandes tipos de texto: o alexandrino, o ocidental e o bizantino (v. a discussão prévia quanto às origens e localizações desses três tipos na divisão "História da transmissão do texto do Novo Testamento"). Quando os melhores MSS alexandrinos têm a mesma leitura, há grande probabilidade de que o texto alexandrino local tenha originado a leitura. Por isso, mediante a solidariedade genealógica, é possível formular uma hipótese sobre a data de uma leitura no interior de um tipo de texto anterior ao local de origem. Considerando que os textos alexandrino e ocidental têm raízes que remontam ao início do século II, quando eles têm solidariedade genealógica, suas leituras provavelmente são do século II.

Códice Sinaítico, o manuscrito completo do NT mais antigo que chegou aos nossos dias.

Distribuição geográfica

É mais provável que seja original a variante encontrada em localizações espalhadas geograficamente nos primeiros séculos da era cristã que a encontrada em apenas uma localidade. Isso se deve ao fato de que uma conspiração de testemunhas é muito menos provável quando as testemunhas estão distribuídas em Roma, Alexandria e Cesareia que quando estão localizadas apenas em Jerusalém ou Antioquia. Por esse método, os estudiosos "empurram" a data de uma leitura para antes do tempo das testemunhas que o atestam.

Em suma, as três maneiras de pesquisar os dados externos e decidir qual leitura é provavelmente mais antiga que outra(s) são data e caráter, solidariedade genealógica e distribuição geográfica. As leituras precisam ser comparadas entre si com o objetivo de determinar a leitura mais antiga e a origem das demais. Mas a evidência externa não dá conta de tudo. Em pontos de maior discordância entre os MSS, onde há uma distribuição geográfica mínima ou onde uma das leituras é previsível (p. ex., o tipo de redação que um escriba provavelmente criaria), a evidência interna pode ser mais importante.

Conclusões

Uma vez que as evidências externa e interna foram comparadas, é possível chegar à conclusão a respeito da originalidade da leitura. A variante textual que possuir alegação maior quanto à autenticidade será encontrada nas testemunhas mais antigas, melhores e mais bem distribuídas no sentido geográfico; ela se adequará ao contexto e estilo do autor; e será a origem óbvia da(s) leitura(s) concorrente(s). Para a grande maioria dos problemas textuais, isso é algo "acéfalo". E até mesmo os relativamente poucos problemas de solução difícil podem ser resolvidos pela comparação das evidências externa e interna.

Contudo, há muitas ocasiões em que a evidência externa parece indicar um caminho e a interna, outro. Como os estudiosos decidem em casos assim? Se uma variante particular for encontrada apenas em um MS não grego ou apenas em alguns MSS tardios, mesmo que suas credenciais internas sejam excelentes, essa variante quase sempre será rejeitada. Quando há muitos milhares de manuscritos, acidentes imprevisíveis e motivos desconhecidos podem ser a causa de uma leitura variante ali ou acolá que internamente pode ter boas credenciais. Há casos raros, porém, em que a evidência externa está solidamente a favor de uma leitura, mas que também MSS importantes dão base para uma leitura alternativa, e a evidência interna se encontra completamente a favor da segunda leitura. Em casos assim, a segunda leitura é com maior probabilidade a original.

Ainda que todas essas questões sejam complexas, o resultado é que 99% dos textos autográficos estão bem estabelecidos. Quanto ao restante, ainda que a interpretação de centenas de passagens esteja em discussão, nenhuma doutrina cardeal da fé cristã depende de textos de caráter textual duvidoso.

O cânon do Novo Testamento

M. James Sawyer

Introdução

Cânon (*kanon* em grego) originariamente designava uma "vara" usada para medir. Dessa imagem surgiu a ideia de fazer medições. Por extensão, a palavra veio a ser usada para se referir à "regra" ou ao "padrão" e foi aplicada a qualquer conjunto de livros ou regras normativos de uma disciplina particular. Quando aplicado ao NT, o termo "cânon" refere-se aos livros normativos para a fé e a prática da Igreja.

Subjacente à ideia do *cânon*, está a questão da autoridade. Os estudiosos admitem dois aspectos diferentes quanto ao conceito de cânon do NT: 1) cânon material e 2) cânon formal. Da perspectiva do cânon material, cada livro do NT é inspirado por Deus e foi considerado fidedigno tão logo sua redação terminou. Nesse sentido, o NT é "uma coleção de livros fidedignos". Mas o reconhecimento do NT conhecido hoje foi um processo que demorou séculos. A lista completa dos 27 livros só foi aceita com firmeza a partir do século V da era cristã, época do reconhecimento do *cânon formal* do NT. Ou seja, a Igreja reconheceu esses, e apenas esses livros, recebidos por inspiração divina, pois apenas eles são parte do cânon formal. Nesse sentido, o cânon é uma "coleção fidedigna de livros".

O cânon na era apostólica

Cristo como cânon

Para a igreja primitiva, Jesus era a autoridade inquestionável. Ele reconheceu e validou o AT e seu *status* permanente como Escritura. Encontramos nos Evangelhos que, apesar de Jesus se parecer com qualquer rabino, ele ensinava de uma maneira que o diferenciava dos demais. O ensino dos rabinos do século I estava repleto de referências às autoridades tradicionais. Em contraste, Jesus ensinou "como alguém que tem autoridade" (Mc 1.22; Mt 5.21,22). Os crentes reconheceram essa autoridade como de alguém que é "Senhor e Cristo" (At 2.36), por isso levaram suas palavras a sério.

Paulo demonstra que os ditos do Senhor já eram reconhecidos como um guia fidedigno de comportamento — em resumo, como um "cânon" cristão primitivo. Uma "palavra do Senhor" era suficiente para resolver questões como casamento e divórcio (1Co 7.10,11). De igual modo, a controvérsia referente à conduta dos coríntios na ceia do Senhor foi resolvida com base na palavra do Senhor a respeito dessa instituição (1Co 11.23-26).

Esses "ditos do Senhor" tinham um *status* normativo na comunidade cristã primitiva antes da composição dos Evangelhos canônicos. Por exemplo, a narrativa da ceia do Senhor em 1Coríntios 11 corresponde a Marcos 14.22-25, texto que foi registrado por escrito mais tarde. Assim também, o ensino concernente ao casamento em 1Coríntios 7.10 corresponde a Marcos 10.9, e a declaração de apoio aos missionários (1Co 9.14) corresponde a Mateus 10.10 e a Lucas 10.7. Temos um exemplo claro de um dito que não foi escrito, não se encontra nos Evangelhos canônicos, mas é citado por Paulo como fidedigno: "Há maior felicidade em dar do que em receber" (At 20.35).

Evidentemente, o *status* "canônico" das palavras do Senhor produziu a motivação para reunir essas afirmações e exigiu que o processo de colecioná-las fosse conduzido com uma regulação cuidadosa. Se não fosse esse o caso, alguém poderia tentar introduzir alguma doutrina ou prática duvidosa apelando para uma "Palavra do Senhor" desconhecida. Já no tempo de Lucas, "muitos" levaram a cabo a tarefa de escrever relatos referentes ao Senhor (Lc 1.1). Aparentemente, houve questões concernentes à autenticidade de parte desse material em circulação na época. Isso fez surgir a questão da base sobre a qual a igreja reconheceria o material em circulação como autêntico. Nesse contexto, deve-se entender o prefácio de Lucas em seu Evangelho. Nele Lucas diz a Teófilo que lhe escreveu para que ele estivesse seguro das coisas que lhe foram ensinadas (Lc 1.1-4).

O cânon e os apóstolos

Efésios 2.20 declara que a igreja foi edificada "sobre o fundamento dos apóstolos e dos profetas, tendo Jesus Cristo como pedra angular". Isso acrescenta outro nível de autoridade à igreja primitiva — a autoridade dos apóstolos.

Os Evangelhos e as epístolas de Paulo deixam claro que os apóstolos tiveram um lugar único no estabelecimento da igreja. Eles foram escolhidos pessoalmente por Cristo e o acompanharam desde o início do ministério, passando pela crucificação e ressurreição, até a ascensão. Além disso, Jesus lhes prometeu que o Espírito Santo viria e traria à mente deles tudo o que ele havia dito, e os guiaria a toda a verdade. A base do testemunho deles seria o fato de terem sido companheiros constantes do Salvador desde o princípio. A posição especial dos apóstolos como autoridade ou padrão por meio de quem todo o ensino posterior foi avaliado se tornou um fator crítico no processo de estabelecimento formal do cânon das Escrituras.

A ideia popular de que a hierarquia da Igreja ou algum concílio impôs o cânon à Igreja não bate com as evidências. É crucial observar que o próprio NT dá indicações do surgimento de uma autoridade canônica apostólica. Pedro reconhece de forma implícita a autoridade "canônica" dos textos de Paulo, ao declarar: "Tenham em mente que a paciência de nosso Senhor significa salvação, como também o nosso amado irmão Paulo escreveu a vocês, com a sabedoria que Deus lhe deu. Ele escreve da mesma forma em todas as suas cartas, falando nelas destes assuntos. Suas cartas contêm algumas coisas difíceis de entender, as quais os ignorantes e instáveis torcem, como também o fazem com as demais Escrituras, para a própria destruição deles" (2Pe 3.15,16).

O cânon na igreja pós-apostólica

Tradição e autoridade

Os pais apostólicos (os líderes da igreja que se seguiram imediatamente aos apóstolos) reconheceram o caráter único da autoridade outorgada aos apóstolos por Cristo e que, em sentido pleno, os apóstolos não tiveram sucessores. Logo, os pais apostólicos reconheceram a ruptura definitiva na autoridade. Os líderes da geração posterior aos apóstolos, como Inácio, bispo de Antioquia (c. 50-107 d.C.), reconheceram que os apóstolos pertenceram a um estágio distinto entre o Senhor e a igreja dos seus dias.

Papias, bispo de Hierápolis (c. 70-160 d.C.), descreveu o problema apresentado pelas primeiras gerações da liderança da igreja, ao determinar quais tradições (orais) do Senhor eram autênticas e quais eram espúrias. Sua resposta tinha como base a autoridade apostólica: se um dito ou interpretação pudessem claramente ser traçados até um apóstolo, poderiam ser aceitos como genuínos e fidedignos.

O conceito de tradição fidedigna cristã pode ser identificado no próprio NT. Paulo fala de uma cadeia de recepção e transmissão de um conjunto de ensinamentos (p. ex., 2Tm 1.2; 1Co 11.23). Portanto, não é surpreendente ver no período primitivo que as obras escritas e a tradição oral existiam lado a lado como um tipo de modo tido como portador de autoridade.

No período imediatamente seguinte ao pós-apostólico, encontra-se grande ênfase na tradição apostólica junto com os textos apostólicos cuja coleção ainda não se iniciara em nenhum tipo de cânon formal do NT. Depois que os apóstolos morreram, a corrente viva da tradição se enfraqueceu. Os documentos escritos se tornaram progressivamente mais importantes para a vida diária da igreja.

A coleção dos livros

A mais antiga lista canônica de que se tem notícia foi composta pelo herege radicalmente antijudeu Marcião

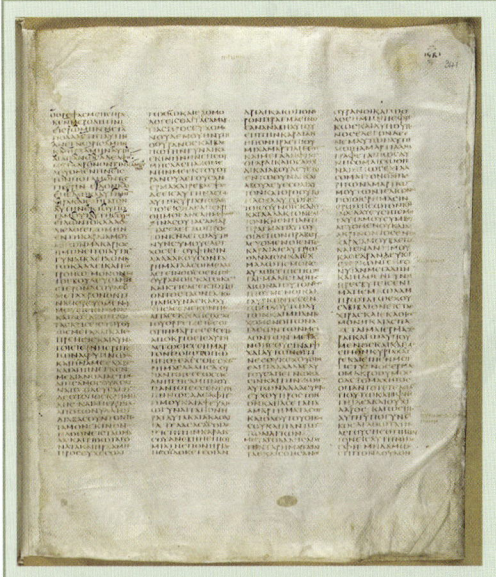

O Pastor, de Hermas, foi considerado um livro edificante, mas não detentor de autoridade (canônico). Foto da primeira página desta obra no Códice Vaticano.

(100-165 a.C.), que aceitava apenas uma versão truncada do evangelho de Lucas (ele retirou a narrativa da infância) e dez das epístolas de Paulo (das quais eliminou todas as referências judaicas). É preciso fazer duas observações a respeito da vida de Marcião. A primeira é: ainda que os ensinos de Marcião tenham sido em grande medida congruentes com as perspectivas gnósticas, seu cânon incluía apenas parte das obras recebidas pela igreja e nenhuma obra "gnóstica" como os *evangelhos de Tomé* ou de *Maria*, ou os *Atos de Pedro* e outros semelhantes. Muito provavelmente, esses livros ainda não tinham sido escritos, mas, se existissem, não eram aceitos por conta da origem obviamente recente. Por isso a lista de Marcião, ainda que incompleta, testifica a favor dos livros incluídos. A segunda é que o cânon de Marcião funcionou como um estímulo para que a igreja publicasse uma lista menos excêntrica e mais completa dos livros reconhecidos. Naquela época, havia coleções dos evangelhos e das epístolas paulinas que estavam em circulação, mas nenhuma lista formal havia sido publicada. O *Cânon Marcionita* levou a igreja a agir.

Na segunda metade do século II, foi publicado o *Cânon de muratoriano*. Essa lista incluía os quatro Evangelhos, Atos, as 13 cartas de Paulo, Judas, Apocalipse, 1João e, ou 2João e 3João, ou as duas. Portanto, antes do final do século II, pelo menos 21 livros do NT foram listados como fidedignos. O autor da lista observa também vários outros livros que estavam em circulação. Ele comenta que esses outros livros se enquadram em três categorias: 1) livros em disputa — aceitos por algumas igrejas, mas rejeitados por outras; 2) livros edificantes, mas não tidos como detentores de

Busto do imperador romano Diocleciano, que lançou uma perseguição violenta contra a igreja no ano 303, tendo como principal alvo os livros sagrados. Muitos cristãos morreram protegendo os livros da Bíblia.

autoridade; 3) livros rejeitados como heréticos. O autor lista pelo menos um livro herético (*Apocalipse de Pedro*) e um tido como edificante, mas não detentor de autoridade (*O Pastor*, de Hermas), observando que a origem dele era recente. Ele também lista vários outros livros heréticos e recentes e por esse motivo não deveriam ser lidos nas igrejas.

Por volta do fim do século II, já havia um alto grau de consenso concernente à maior parte do NT. O núcleo de 21 ou 22 livros permaneceu estável, ainda que um grupo de livros periféricos desse cânon permanecesse aberto por séculos. O alto grau de unanimidade com respeito à maior parte do NT foi obtido de maneira independente entre as muitas congregações dispersas, não apenas no mundo do mediterrâneo, mas também em uma área que se estendia da Britânia (atual Inglaterra) à Mesopotâmia (atual Iraque).

O desenvolvimento do cânon alcançou o *"status quo"*. Ainda que em alguns lugares certos livros alcançassem *status* canônico temporário, essas aberrações foram poucas e passageiras. Por volta do ano 320, Eusébio apresenta uma lista que é praticamente idêntica à do *Cânon Muratoriano* do século II.

Perseguição e canonicidade

Nos primeiros três séculos de existência, a igreja sofreu repetidas perseguições. No século III, a estratégia imperial contra o cristianismo mudou: em vez de simplesmente coagir indivíduos a renegar a fé, agora, para destruir o movimento, os inquisidores elegeram os livros apostólicos como alvo de destruição. Isso fez surgir uma urgência para determinar o que era inspirado e fidedigno. Os bispos (de modo geral os guardiães das Escrituras na igreja primitiva) precisavam confiar no fato de que os livros pelos quais estavam prontos a morrer eram de fato a Escritura.

Critérios de canonicidade

Origem e doutrina apostólica (ortodoxia)

Os documentos lidos nos cultos da igreja primitiva deveriam ser doutrinariamente puros. Essa preocupação com a doutrina verdadeira pode ser vista no próprio NT. A primeira epístola de João identifica como "anticristo" os que negam a humanidade de Cristo. Paulo orienta os presbíteros de Éfeso em Atos 20 quanto aos perigos dos falsos mestres, como fazem Judas e 2Pedro.

Preocupação semelhante é encontrada na igreja primitiva. Serapião, bispo de Antioquia (c. 200), rejeitou o *Evangelho de Pedro* porque seu ensino era antiapostólico, dizendo: "Pois nós, irmãos, recebemos Pedro e os demais apóstolos como Cristo; mas rejeitamos os textos falsamente atribuídos a eles, sabendo que esses textos não nos foram entregues".

A ênfase na necessidade de autoria apostólica (seja de forma direta, seja mediante a associação do autor com um apóstolo) foi declarada por Papias (c. 130), que ligou o Evangelho de Marcos à autoridade de Pedro. Da mesma maneira, reconheceu-se que Lucas-Atos, mesmo não tendo sido escrito por um integrante do círculo apostólico, preservou e propagou doutrinas apostólicas e mantinha conexão apostólica direta com Paulo.

A questão da necessidade da origem apostólica para um livro ser considerado canônico é demonstrada pelas décadas de debate a respeito da epístola aos Hebreus. No Oriente de língua grega, essa epístola foi, em geral, considerada paulina e aceita como canônica, mas no Ocidente de língua latina ela não foi considerada paulina e pelo menos no início não foi considerada canônica. Enquanto a aceitação de Hebreus no cânon foi um processo muito mais lento que o das epístolas paulinas, por fim reconheceu-se que a obra mantinha o padrão paulino de pensamento e que contava com o "anel da verdade" da doutrina apostólica.

Vemos aqui a imagem de uma igreja plenamente engajada na verificação da autenticidade de suas raízes. Não havia credulidade simples para aceitar de qualquer maneira documentos que alegavam pertencer aos apóstolos. A igreja avaliou essas alegações com base na evidência histórica externa e consistência interna com a tradição apostólica recebida, bem como com as obras recebidas que não foram alvo de discussão, consideradas como detentoras de autoridade divina.

Catolicidade e canonicidade

A catolicidade diz respeito à aceitação de um livro pela maioria das igrejas. No princípio do século V, Vicente de Lérins produziu o *Cânon vicentino* como forma de determinar o que era genuinamente cristão — oposto aos escritos sectários, idiossincráticos ou heréticos. O cânon de Vicente não se refere à coleção fidedigna das Escrituras, mas ao que "sempre, em toda parte e por todos os cristãos tem sido crido (a respeito da autorrevelação de Deus)". O *Cânon vicentino* reflete o compromisso subjacente na igreja primitiva a respeito da catolicidade.

No século II, alguns apelaram a tradições secretas (p. ex., *O evangelho secreto de Tomé*) para sustentar algumas práticas e ensinamentos.

Essas obras gnósticas não tinham interesse na historicidade da fé nem na morte e ressurreição de Jesus. Antes, seu foco estava nos ditos públicos e nos ensinos secretos que supostamente Jesus não teria transmitido à massa do povo nem mesmo aos apóstolos. O apelo à catolicidade desafiou os novos "Evangelhos" surgidos nos séculos II e III. Os líderes da igreja argumentaram que esses documentos foram reprovados nos testes de catolicidade e apostolicidade e, por isso, não eram fidedignos.

O culto público e a canonicidade

A igreja primitiva, desde seu surgimento, manteve a prática da leitura pública das Escrituras (no início, o AT) como parte do culto, costume herdado das sinagogas. Paulo também deu instruções para que suas epístolas fossem lidas em público nas assembleias cristãs. O Evangelho de Marcos nos dá a sugestão (Mc 13.14, possivelmente endereçado ao público leitor) de que Marcos esperava o mesmo dos seus textos. Cerca de um século mais tarde, Justino Mártir descreveu o culto cristão incluindo a leitura "das memórias dos apóstolos ou os textos dos profetas". Portanto, os quatro Evangelhos vieram a ser considerados Escrituras (no mesmo nível do AT) com certeza já no início do século II.

Nesse contexto, a leitura pública de um documento significava o endosso implícito de sua autoridade e canonicidade. É significativo que pouco menos de cinquenta anos depois de Paulo ter escrito suas epístolas aos cristãos de Corinto, Clemente de Roma exortou seus leitores coríntios a "considerar[em] a epístola do bem-aventurado Paulo, o apóstolo". Isso indica que Clemente e seus leitores reconheciam em Paulo um autor fidedigno.

O consenso do século IV e dos séculos posteriores

A primeira lista completa do cânon como o temos, com 27 livros, vem de Atanásio, no ano 367. Ele apresentou sua explicação racional para essa lista no parágrafo de abertura, em que deplorava os inventores de livros que traziam nomes dos santos como autores e, ao assim fazer, permitiam que os "ignorantes e simples [...] se desviassem por maus pensamentos a respeito da fé verdadeira". Agostinho, de acordo com a lista canônica de Atanásio, apresentou seus critérios de canonicidade observando que ele preferia "os [livros] reconhecidos por todas as igrejas católicas aos que algumas igrejas não reconheciam". Nem Atanásio nem Agostinho apelaram a qualquer concílio, apenas ao consenso. Nas décadas seguintes, muitos pais latinos escreveram a respeito de sua compreensão sobre os limites do cânon do NT. Todos concordaram com o Concílio de Cartago (em que os Evangelhos e o restante do NT foram por fim canonizados), com Agostinho e Atanásio. Esse consenso efetivamente fechou o cânon no Ocidente.

De modo contrário ao que se presume, nenhum concílio da igreja primitiva produziu uma definição oficial do cânon do NT ou ao menos tratou dessa questão. A igreja primitiva nunca tomou uma decisão consciente e unificadora quanto à extensão do cânon. Prova disso pode ser vista nos cânones das várias igrejas do império.

O Ocidente tinha uma compreensão relativamente estável do cânon já em meados do século IV. Já nas igrejas do Oriente, o cânon variava, algumas vezes muito. A igreja da Síria, no início do século V, utilizava apenas o *Diatessaron* (em lugar dos quatro Evangelhos), Atos e as epístolas paulinas. Durante o século V, a tradução siríaca conhecida como *Peshitta* foi produzida e se tornou a versão padrão nessa língua. O *Diatessaron* foi substituído pelos quatro Evangelhos, 3Coríntios foi removida e incluíram-se Tiago, 1Pedro e 1João. O Apocalipse e as demais epístolas católicas (= gerais) foram excluídos, perfazendo o cânon de 22 livros. Os livros remanescentes só foram incluídos no cânon siríaco no final do século VI. Enquanto a igreja siríaca reconheceu o cânon curto por dois séculos, além da igreja ocidental e da igreja de língua grega, a igreja etíope reconheceu os 27 livros do NT e mais *O Pastor*, de Hermas, *1 e 2Clemente* e oito livros das *Constituições apostólicas*.

Mesmo no Ocidente, o cânon não foi fechado de maneira tão rígida a ponto de eliminar todas as discussões e questionamentos. Um exemplo é o texto apócrifo *Epístola aos laodicenses*. No século X, Alfric, arcebispo da Cantuária, enumera essa obra entre as epístolas paulinas canônicas. A partir do século VI, *Laodicenses* ocorre com frequência em manuscritos latinos, incluindo muitos dos preparados para uso eclesiástico.

Teatro em Hierápolis, onde Papias foi bispo no início do século II da era cristã.

A epístola era tão comum no período medieval que foi incluída em várias traduções em línguas comuns, incluindo a *Bíblia da Boêmia* (de 1488). *Laodicenses* aparece também na *Versão albigense* de Lyon, e, conquanto não tenha sido traduzida por Wycliffe, foi adicionada a diversos manuscritos de sua tradução do NT.

Nos primórdios da Reforma, Martinho Lutero questionou a canonicidade de Tiago. Dúvidas específicas sobre o cânon foram expressas mesmo por figuras importantes na hierarquia católica. O cardeal Caetano (Cajetan), oponente de Lutero, manifestou dúvidas referentes à canonicidade de Hebreus, Tiago, 2 e 3João e Judas. Erasmo, de igual maneira, manifestou dúvidas a respeito de Apocalipse e da apostolicidade de Tiago, Hebreus e 2Pedro. Com o progresso da Reforma Protestante, a disposição de Lutero de retirar alguns livros do cânon (os apócrifos do AT) levou a hierarquia católica-romana a formalizar o consenso quanto à extensão do cânon do NT em um pronunciamento conciliar. De igual maneira, no final do período da Reforma, as principais tradições protestantes também incluíram uma lista de livros canônicos em suas declarações confessionais. Ainda que líderes protestantes e católicos tivessem apresentado questionamentos sobre vários livros, por fim ambos formalizaram a mesma lista quanto ao NT. Ambas as tradições, portanto, concordam oficialmente quanto ao NT, e na prática nenhuma delas jamais questionou os quatro Evangelhos ou as epístolas de Paulo.

Depois disso, nunca mais houve uma tentativa séria de adicionar um livro ao cânon ou de excluí-lo dele. Em uma análise final, deve-se admitir que a Igreja não criou o cânon, apenas o descobriu. Os livros reconhecidos obtiveram o *status* canônico porque nenhum indivíduo, ou organização, poderia impedi-los de obter o reconhecimento. Em outras palavras, esses livros possuíam e possuem a qualidade autoautenticadora pela virtude do testemunho do Espírito Santo quanto à sua origem divina, de modo que individualmente e, como um todo, eles se impuseram à Igreja como autoridade definitiva.

Os manuscritos do mar Morto

C. Marvin Pate

Introdução

Na primavera de 1947, três jovens pastores beduínos estavam na região conhecida como Qumran, no lado noroeste do mar Morto, cuidando dos rebanhos. Um dos jovens se divertia jogando pedras na abertura de uma caverna nos penhascos a oeste do platô de Qumran. Uma das pedras caiu na caverna e fez um barulho de algo que se quebrou. O beduíno não entrou na caverna nesse dia; dois dias depois, um deles se aventurou a entrar, e descobriu dez jarros de argila. Um dos jarros continha três manuscritos antigos. Os demais estavam vazios, mas mais tarde quatro outros manuscritos foram encontrados na caverna. A descoberta inicial deu ocasião a que se fizesse uma varredura na área, revelando mais cavernas e manuscritos. A descoberta dos documentos antigos, convenientemente chamados manuscritos do mar Morto, é considerada por muitos a descoberta arqueológica mais importante do século XX, e aconteceu de modo providencial. Este capítulo apresenta três pontos concernentes aos manuscritos do mar Morto (doravante, MMM): a literatura que veiculam, a comunidade que os produziu e a teologia subjacente a eles.

A literatura dos MMM

A publicação dos MMM se estendeu de 1947 a 1991, tendo produzido uma tempestade de controvérsias nesse período. A tempestade acadêmica teve origem na quantidade inadequada de fragmentos que deveriam ser reunidos e traduzidos, a apropriação dos manuscritos por estudiosos e ainda, durante boa parte do tempo, uma participação de não judeus no projeto. É preciso ter em mente que os MMM são compostos por cerca de 900 manuscritos separados em 25 mil peças. Alguns manuscritos estão quase completamente intactos (como o Grande Rolo de Isaías), mas muitos deles se deterioram em fragmentos pequenos, muitos do tamanho de um selo de correio. Por isso, a tarefa de reuni-los e organizá-los era imensa. Mas em 1991 os MMM foram por fim publicados. A data dos manuscritos varia de 160 a.C. até 68 d.C. Há quatro tipos de literatura nos MMM: livros do AT, literatura apócrifa e pseudepigráfica, comentários dos Profetas e textos a respeito da comunidade que os produziu.

Um dos jarros de cerâmica que guardou os manuscritos do mar Morto.

Livros do Antigo Testamento

Cerca de 200 manuscritos do AT foram encontrados nas 11 cavernas onde estavam os MMM, representando todos os livros do AT com exceção de Ester. O Pentateuco é a divisão mais representada nos MMM. Há razão para isso, visto que a comunidade que os produziu era extremamente devotada à Lei mosaica. Os Profetas (em especial Isaías) aparecem em segundo lugar, sem dúvida pelo fato de a comunidade ter aplicado as profecias de Isaías a si mesma, bem como apelar para elas como base de sua expectativa messiânica. Com exceção de Salmos e Daniel, os MMM não dão muita ênfase aos Escritos. Os Salmos eram utilizados no culto praticado pela comunidade, que cria que as predições de Daniel nela encontravam cumprimento. Além desses exemplos, a presença dos Escritos é mínima.

Literatura apócrifa e pseudepigráfica

Literatura apócrifa ou pseudocanônica se refere às obras judaicas escritas depois da composição de todo o Antigo Testamento (400 a.C.). Ainda que tivessem encontrado lugar na *Septuaginta* (a tradução para o grego do AT hebraico), esses livros nunca foram considerados inspirados pelo judaísmo oficial. Não obstante, os judeus tinham esses livros em alta consideração, por conta de seu valor histórico e ético. De fato, algumas tradições cristãs (catolicismo romano e ortodoxia oriental) os incluem em seu cânon. Quatro fragmentos apócrifos foram encontrados nas cavernas em que estavam os MMM: Tobias, Sabedoria de Jesus ben (= filho de) Siraque (também conhecido como Eclesiástico), o salmo 151 e a epístola de Jeremias.

Além da literatura apócrifa, também foram descobertas obras pseudepigráficas entre os MMM. Os pseudepígrafos são obras judaicas compostas nos últimos séculos antes de Jesus e nos dois primeiros depois dele, e não são considerados canônicos pelos judeus nem pelos cristãos. Não obstante, são valiosos no sentido histórico, ético e teológico, pois fornecem um ponto de observação do pensamento do judaísmo primitivo. Três dessas obras eram especialmente queridas pela comunidade que produziu os MMM: *1Enoque, Jubileus* e o *Testamento dos doze patriarcas*.

Comentários sobre os Profetas

Uma das descobertas fascinantes surgidas dos MMM diz respeito à interpretação distinta dos profetas bíblicos que a comunidade de Qumran praticava. Denominada *pesher* (termo derivado de uma palavra aramaica que significa "interpretação"), esse método hermenêutico contemporizou os oráculos proféticos do AT ao lhes aplicar os acontecimentos do dia relativos ao povo de Qumran. Duas pressuposições orientavam essa abordagem: 1) eles criam que os profetas bíblicos, em última instância, não se referiam aos dias em que eles viveram, mas aos últimos dias da História, e 2) os leitores de Qumran também criam viver no fim dos tempos; por isso, a maioria das profecias bíblicas lhes dizia respeito. Eles também criam que Deus dava aos membros de Qumran a percepção espiritual para compreenderem o significado dos textos. O método propriamente se desdobra da seguinte maneira: o versículo bíblico é citado; uma fórmula frasal ocorre, "sua interpretação se relaciona a" (*pesher*) e a aplicação do dia do expositor de Qumran é apresentada.

Comentários a respeito da comunidade

O quarto tipo principal de literatura dos MMM se relaciona com os escritos da própria comunidade de Qumran, que podem ser classificados em quatro gêneros (estilos literários): legal, escatológico, litúrgico e sapiencial (sabedoria).

1. O tipo de literatura legal dos MMM é composto basicamente de quatro documentos fundamentais que enfatizam a importância definitiva da Lei mosaica para a comunidade de Qumran: o *Documento de Damasco*, a *Regra da comunidade*, o *Rolo do templo* e *Algumas obras da Torá*.

2. A literatura escatológica (referente ao fim dos tempos) dos MMM reflete a autocompreensão apocalíptica da comunidade. Ou seja, o grupo sectário de Qumran via a si mesmo como o verdadeiro Israel, o remanescente fiel com quem Deus estava estabelecendo a nova aliança nos últimos dias (v., por ex., 1QS 1.1; CD 4.2). Como o fiel de Deus, o povo dos MMM entendeu que seus sofrimentos eram os mesmos juízos severos que o judaísmo esperava testar Israel antes do advento do Messias (CD 1.5-11; 20.13-15; 1QH 3.7-10). O exílio da comunidade no deserto de Qumran sob a liderança do "Mestre da Justiça" foi entendido como a preparação final para a chegada da era messiânica.

Provavelmente a observância escrupulosa da Lei mosaica por parte do grupo sectário de Qumran era motivada pela crença da vinda do Messias caso Israel guardasse a Torá (cf. CD 4.1-17 com a seguinte literatura rabínica [c. 200-500 d.C.]: *Pirke 'Avot* ("Palavras dos Pais") 2.8; *b. Sanh.* 97b; *Sifre Deut.* 34). Mas por isso mesmo o período de provações ao qual o grupo sectário estava exposto fora predeterminado por Deus (CD 1.5-11; 1QM [Rolo da Guerra, Caverna 1]). Os MMM abrigam a esperança em dois Messias, o Messias de Arão e o Messias de Israel (CD 20.1; 1QS 9.11-12). Nesse tempo, os filhos da luz (os membros da comunidade de Qumran) irão guerrear contra os filhos das trevas (as demais pessoas) e irão prevalecer, fazendo surgir dessa maneira o Reino de Deus (1QM) e a nova Jerusalém (4QFlor 1.11-12); textos sobre a nova Jerusalém [5Q554-555]). Em antecipação a esse dia, o grupo sectário de Qumran praticava uma refeição messiânica (1QS 2.11-22), esforçavam-se para vencer a inclinação para o mal interior submetendo-se à Lei e às boas inclinações (a luta entre estas duas inclinações era esperada para dar lugar à guerra santa escatológica e cósmica; 1QS 3-4) e se reuniam para adorar a Deus com os anjos, o que era uma experiência proléptica da era messiânica vindoura.

3. Além dos salmos bíblicos, outros MMM eram utilizados no contexto litúrgico, particularmente os Hinos de ação de graças (1QH = *Hodayot*) e a Liturgia angélica (4QShirShabb; 4Q400-405; 11Q17). Os Hinos de ação de graças eram um conjunto de 25 salmos cujo título é extraído do verbo que introduz os poemas: *'odekah* ("Graças a ti [Senhor]"). Uma análise da forma desses hinos sugere que eles se enquadram em duas categorias. O primeiro grupo é escrito na primeira pessoa do singular, muito possivelmente pelo "Mestre da Justiça". Esses hinos de lamento recontam as lutas do autor contra seus inimigos e sua petição a Deus para vindicar seu servo. O segundo grupo de *Hodayot* parece articular as experiências da comunidade, que combinam com as dos seus fundadores.

A forma de lamento dos *Hodayot* sugere que eles serviam a um propósito litúrgico. Isso parece ser confirmado pelo fato de que também expressam a noção de que a congregação está unida aos céus em um ambiente cúltico para se unir aos anjos em adoração.

O último tema mencionado é central para a Liturgia angélica ou Cânticos do sacrifício sabático (4QShir-Shabb), uma coleção de poemas destinados à leitura no sábado. Esses salmos instruem como e quando louvar a Deus, tendo por base o calendário solar. Uma das características marcantes é a correspondência dos cultos celeste e terrestre. Esses textos também tomam por empréstimo a linguagem de Ezequiel 1 e sua apresentação do trono glorioso de Deus. Ao assim fazer, a Liturgia angélica serve como testemunha importante da difusão do misticismo no judaísmo primitivo.

O Grande Rolo de Isaías, um texto particularmente bem preservado de Isaías, datado do ano 100 a.C.

4. Que a sabedoria é de importância vital nos MMM fica evidente pelo fato de que eles preservaram os livros canônicos, fragmentos da obra sapiencial popular Eclesiástico, de Jesus ben Siraque (c. 180 a.C.), e cerca de outros 14 textos sapienciais (p. ex., 4Q1184-185; 4Q413-419; 4Q521; 4Q525). A sabedoria em Qumran era essencialmente a reinterpretação essênia da Lei mosaica (v. adiante).

A comunidade que produziu os MMM

Ainda há um debate sobre quem produziu os MMM (essênios, zelotes, saduceus, uma força militar judaica etc.). A opinião majoritária permanece a hipótese essênia. Esse entendimento também presume a conexão entre os MMM e a comunidade revelada pelas escavações arqueológicas em Qumran. Quatro dados parecem confirmar os essênios em Qumran como produtores dos MMM. Primeiro, em sentido sociológico, os MMM foram escritos por um grupo sectário e marginalizado, que combina com a descrição dos essênios feita por Plínio, o Velho (*História natural*, 77 d.C.). Segundo, a evidência arqueológica estabelece uma conexão entre os MMM e Khirbet Qumran, um lugar que combina com a descrição geográfica dos essênios feita pelo já citado Plínio, o Velho (*História natural* 5.73). De fato, Plínio os localiza a oeste do mar Morto, com En-Gedi ao sul, uma descrição que se encaixa perfeitamente com Khirbet Qumran. Ainda mais porque a área descrita por Plínio não apresenta nenhuma evidência arqueológica de ter sido habitada por qualquer outro grupo, a não ser o de Qumran. Terceiro, a evidência paleográfica indica que várias cópias dos manuscritos, bem como vários estilos de escrita à mão, caracterizam os MMM. Isso sugere fortemente que Qumran era a biblioteca ou o quartel-general de um movimento maior, que se alinha bem com a descrição feita por Josefo de vários grupos existentes entre os essênios (*Guerra judaica* 2.8.4 [124]; *Antiguidades* 18.1.5 [22]). Por fim, historicamente, o período da existência de Qumran, que vai de meados do século II a.C. até 68 d.C., está de acordo com o quadro mencionado por Josefo referente aos essênios (*Antiguidades* 13.5.9 [171]; *Vida* 1.2). Além disso, é significativo que o período em que não havia nenhum grupo habitando na região de Qumran, 31-4 a.C., é o período do reinado de Herodes, o Grande. Josefo declara de forma específica que os essênios eram muito respeitados por esse governante (*Antiguidades* 17.13.3), o que implica um relacionamento entre os dois fatos (a falta de ocupação de Qumran e a aprovação de Herodes quanto aos essênios). É uma conjectura razoável que os essênios, por desfrutarem de um relacionamento positivo com Herodes, não sentissem a necessidade de viver no deserto nesse período em particular.

A teologia subjacente aos MMM

Muito provavelmente, a teologia dos MMM consiste no tema mais conhecido da história de Israel no AT: pecado-exílio-restauração. Israel desobedeceu à Lei de Moisés; Deus enviou Israel ao exílio como punição; Israel será restaurado à sua terra se retornar à Lei de Moisés. Os MMM apresentam a adesão a essa linha histórica, exceto pela reinterpretação da Lei de Moisés de acordo com as linhas de sua perspectiva sectária estrita. Isso está claro com base em um dos documentos fundamentais e mais antigos dos MMM: *Algumas obras da Torá* (4QMT). 4QMT é um pequeno texto que consiste em três partes: 1) o calendário, linhas 1-20; 2) a seção de leis que se estende das linhas 21-92; 3) o epílogo, das linhas 92b-118.

O padrão pecado-exílio-restauração é evidente no epílogo: 1) Israel pecou repetidamente contra o Senhor, desde o tempo de Jeroboão até o tempo de Zedequias (linhas 104-105). 2) Consequentemente, Deus lançou as maldições de Deuteronômio sobre a nação (o exílio — linhas 97, 101, 130-136). 3) O verdadeiro Israel, no entanto, que é a comunidade essênia, arrependeu-se do seu pecado (linhas 101-102) ao se separar do restante do povo (linhas 92-94). Isso lhes assegurou as bênçãos de Deuteronômio (restauração — linhas 100, 103-104, 106-108).

Além disso, as leis que deveriam ser seguidas para experimentar as bênçãos deuteronômicas são a *halakah* da comunidade, explicadas pelas linhas 1-92a. Elas consistem na reinterpretação severa das regras de pureza e da guarda do sábado. É o comprometimento sectário com essas regras que ocasionou sua separação da sociedade (linhas 92 b-94). A comunidade de Qumran é, portanto, justificada por Deus (linha 117).

Não é possível tratar aqui dos demais MMM. Mas os dados podem ser resumidos nas seguintes categorias: 1) a sabedoria é apresentada como a reinterpretação sectária da Lei mosaica; 2) a realização das bênçãos deuteronômicas e escatológicas na comunidade de Qumran; 3) a atualização das maldições deuteronômicas na vida dos judeus de fora da comunidade e nos gentios.

Está claro que os MMM trabalham sob o pressuposto de que a Torá (definida de modo menos estrito) devesse ser guardada para a manutenção da aliança, o relacionamento que exclui os gentios e os judeus não pertencentes a Qumran.

Conclusão

Os MMM têm impactado os estudos bíblicos de duas grandes maneiras. Primeira, os MMM ajudam a identificar e confirmar o texto da Bíblia hebraica. Segunda, ainda que não haja nenhuma ligação direta entre os MMM e o NT, a história de Israel, reinterpretada do ponto de vista escatológico pelos MMM, faz lembrar o NT. A diferença evidente é que o NT apresenta Jesus como o verdadeiro Messias, que trouxe um fim à Lei de Moisés, e, por conseguinte, a salvação é apenas pela fé em Cristo.

Ruínas de uma das construções em Qumran, a comunidade que provavelmente produziu os manuscritos do mar Morto. Alguns estudiosos creem que os rolos foram copiados exatamente nesta sala, mas é difícil ter certeza absoluta.

A *Septuaginta*

Karen H. Jobes

Introdução: o que é a *Septuaginta*?

A palavra *Septuaginta* se refere às antigas versões gregas do AT produzidas para comunidades judaicas de língua grega que mais tarde foram adotadas pela igreja cristã. A palavra chegou à língua portuguesa por meio do termo latino *septuaginta*, que significa "setenta", uma referência ao número de homens, de acordo com a tradição preservada por Fílon, que foram os primeiros a traduzir as Escrituras hebraicas para o grego. Consequentemente, a abreviação comum para a *Septuaginta* é o número romano LXX (70). Essa designação é encontrada em primeiro lugar na expressão "dos setenta", incluída em notas de escribas nos mais antigos manuscritos cristãos do AT em grego.

Como e quando a *Septuaginta* foi produzida?

Acredita-se que o início da antiga versão grega da Bíblia hebraica tenha sido em Alexandria, Egito, durante o domínio do rei helenístico Ptolomeu Filadelfo (285-247 a.C.), quando parece ter sido elaborada uma tradução dos primeiros cinco livros da Bíblia hebraica, o Pentateuco. Por volta do ano 150 d.C., foi escrito um documento conhecido como *Carta de Arísteas*, que descreve a origem e a produção dessa primeira tradução como uma defesa de sua autoridade e acuidade. Arísteas explica que o rei Ptolomeu estava reunindo uma cópia de cada livro conhecido no seu tempo, e encomendou uma tradução das Escrituras hebraicas para sua biblioteca em Alexandria. Ainda que a veracidade histórica da *Carta de Arísteas* seja questionável, a versão sobrevivente do Pentateuco exige um vocabulário coerente com a origem na Alexandria do século III a.C. O motivo da tradução com certeza se relacionava com as necessidades das comunidades judaicas da Diáspora que falavam grego (i.e., os judeus dispersos na região da Ásia Menor e no mundo do mar Mediterrâneo).

Arísteas alega que seis anciãos de cada uma das 12 tribos de Israel foram escolhidos, em Jerusalém, para produzir a tradução, e foram enviados a Alexandria pelo sumo sacerdote Eleazar junto com os rolos das Escrituras em hebraico que estavam no templo. Essa tradição sobre os 72 tradutores conflita com a alegação posterior de Fílon: 70 tradutores haviam trabalhado de modo independente uns dos outros durante setenta dias, e produziram traduções idênticas do Pentateuco. Em ambos os casos, o número de tradutores sem dúvida é simbólico. A tradição mais antiga, que menciona 72 tradutores, indica que a tradução foi produzida por representantes de todo o Israel e, portanto, deveria ser lida por todo o Israel como uma tradução autorizada das Escrituras. A versão mais recente do relato, sobre os 70 tradutores, é provavelmente uma alusão ao número de anciãos que auxiliou Moisés na ministração da Lei (Êx 24), expressando a opinião de que os tradutores subsequentes da Lei também auxiliaram Moisés na ministração. A tradição preservada por Fílon (dos 70 anciãos que trabalharam independentemente uns dos outros e mesmo assim produziram traduções idênticas) equivale à sua alegação a respeito da inspiração divina da *Septuaginta* e constitui, portanto, uma defesa da autoridade da antiga tradução grega, que seria no mínimo igual ou mesmo superior à autoridade das Escrituras hebraicas ou das outras versões em grego.

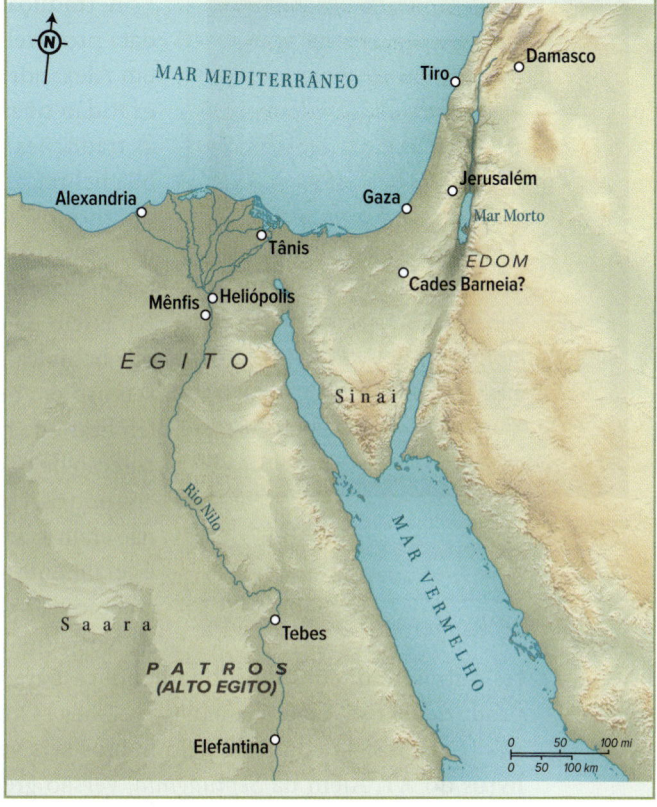

A *Septuaginta* 1045

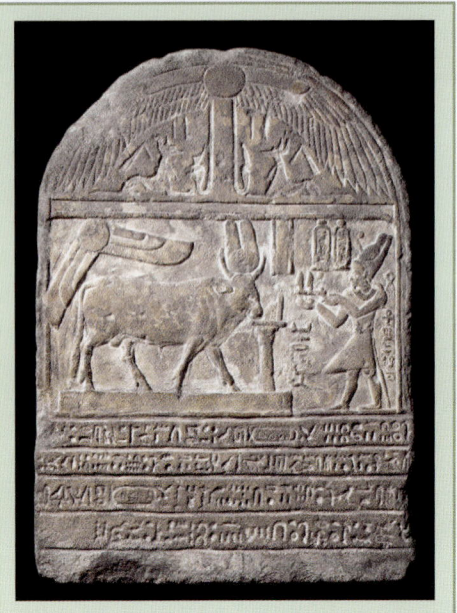

Estela representando Ptolomeu II Filadelfo do Egito. Arísteas alegou que a tradução grega do AT foi realizada no reinado desse monarca.

A tradução grega do Pentateuco data provavelmente do século III a.C. em Alexandria, mas não se sabe com exatidão quando e onde foram feitas as traduções dos demais livros da Bíblia hebraica. Não obstante, está claro durante os séculos que se seguiram que os demais livros da Bíblia hebraica foram também traduzidos para o grego. No início da época do NT, toda a Bíblia hebraica já havia sido traduzida, e seu uso era bem difundido. É preciso lembrar que a Bíblia hebraica era uma coleção de rolos (livros amarrados uns aos outros, chamados de *códices*, ainda não eram usados). A palavra *Septuaginta* é geralmente usada em referência a essa coleção de rolos.

Nos dois ou três séculos seguintes outras traduções da Bíblia hebraica para o grego também foram produzidas. Estas são chamadas "versões". O estudioso cristão Orígenes (c. 185-254) conhecia pelo menos seis versões gregas de muitos livros do AT. Além da *Septuaginta*, versão grega antiga, Orígenes conhecia as três principais versões adicionais por nome — as de Áquila, Símaco e Teodocião. Além do livro de Salmos e alguns outros do AT, ele conhecia também as versões chamadas *Quinta*, *Sexta* e *Septima*. A versão de Áquila seguia fielmente o texto hebraico, por isso tornou-se o texto padrão em meados do século II. Por isso a tendência das comunidades judaicas era adotá-lo, e não a antiga *Septuaginta*, que continuou a ser usada e preservada pelos cristãos. O próprio Orígenes produziu uma versão revisada da *Septuaginta* para a igreja cristã, mais próxima do texto hebraico usado no seu tempo. Mais tarde, Luciano de Antioquia (m. em 312) produziu outra versão. Uma questão de debate acadêmico é se essas versões foram produzidas como revisão de um texto já existente, ou se eram novas traduções do hebraico.

A edição moderna da *Septuaginta* (Rahlfs-Hanhart, 2006) une a versão grega de cada livro canônico do AT e alguns dos livros comumente conhecidos como apócrifos ou deuterocanônicos, pois a *Septuaginta* contém o cânon mais amplo que o do protestantismo histórico. Os códices cristãos antigos incluíam alguns livros apócrifos com os livros canônicos, mas os apócrifos — como conjunto — não eram aceitos como Escritura canônica pelo judaísmo do segundo templo nem pela igreja cristã.

A *Septuaginta* e a igreja primitiva

Ainda que originariamente produzida no seio do judaísmo, a *Septuaginta* e outras versões gregas são parte importante da herança da igreja cristã porque os escritores do NT citaram com muita frequência uma das versões gregas do AT. Por conseguinte, a *Septuaginta* e outras versões gregas produzidas antes de Cristo formam o pano de fundo literário e teológico para a compreensão do NT. Ainda que o texto hebraico do AT seja o texto canônico para as igrejas protestantes, a exegese do NT metodologicamente saudável precisa examinar a versão grega do AT usada no NT. À medida que a igreja cristã se expandiu para além dos limites geográficos de Israel, a vasta maioria de cristãos podia ler o AT apenas na tradução grega que, junto com o NT em grego, foi a Bíblia da igreja por mais de mil anos. Com exceção de uns poucos indivíduos, como Orígenes e Jerônimo, a igreja logo perdeu a capacidade de ler as Escrituras hebraicas até a época da Reforma Protestante no século XVI, quando o estudo do hebraico foi revivido na igreja. Quando o Império Romano se dividiu no final do século IV, a igreja oriental continuou a ler as versões gregas das Escrituras, e o AT em grego permanece como o texto canônico nas igrejas ortodoxas orientais até hoje.

Traduções da Bíblia e as versões bíblicas em inglês e português

A Bíblia foi escrita em hebraico e em grego (e algumas pequenas partes em aramaico). Então, como foi traduzida para o português? Os cristãos acreditam que toda a Bíblia é Palavra de Deus, mas que Deus trabalhou por meio de vários autores humanos, incluindo a personalidade, as circunstâncias, os contextos culturais e os estilos literários de cada um deles, de modo que o que eles escreveram foi a Palavra de Deus inspirada. Paulo lembra Timóteo a respeito da inspiração divina da Bíblia: "Toda a Escritura é inspirada por Deus e útil para o ensino, para a repreensão, para a correção e para a instrução na justiça" (2Tm 3.16). Até esse ponto, o processo se deu da seguinte maneira:

Autor divino → Autor humano → Texto original das Escrituras (hebraico, aramaico, grego)

Depois disso, as pessoas quiseram fazer cópias dos documentos originais (autógrafos), e foram feitas cópias das cópias e cópias das cópias e assim sucessivamente. Ainda que os autógrafos não mais existam (como não existe mais nenhum outro documento antigo), possuímos numerosas cópias dos livros da Bíblia. Por exemplo, há hoje quase 6 mil manuscritos gregos (cópias escritas à mão) de todas as partes do NT.

Antes da invenção da imprensa (no séc. XV), todas as cópias eram feitas à mão, e os escribas algumas vezes cometiam erros (p. ex., grafavam errado uma palavra ou escreviam a mesma letra duas vezes seguidas ou omitiam uma linha de um texto). Como resultado, as cópias que temos não são exatamente iguais, ainda que sejam notavelmente semelhantes, e nenhuma doutrina importante da Bíblia foi posta em dúvida por causa dos manuscritos.

Bíblia de Wycliffe, a primeira Bíblia completa em inglês.

A crítica (ou análise) textual é a disciplina acadêmica que compara as várias cópias de um texto bíblico para determinar a provável forma do texto original. Os esforços dos melhores analistas textuais é apresentado nas edições críticas modernas do texto bíblico. O texto crítico padrão do AT é a *Biblia hebraica Stuttgartensia* (BHS). Quanto ao NT, o texto crítico padrão é o *Greek New Testament* (GNT) das Sociedades Bíblicas Unidas ou o *Novum Testamentum Graece*, edição de Nestlé-Aland. Essas edições críticas formam a base para quase todas as traduções modernas da Bíblia em português. Um tradutor, ou um comitê de tradução, usará essas edições críticas para traduzir a Bíblia do hebraico, aramaico ou grego para o português a fim de beneficiar os leitores de nossa língua.

Cópias do texto original → Edição crítica do texto → Tradutores → Traduções em português → Leitores

Nesse ponto do processo, o tradutor (ou geralmente uma equipe ou comitê de tradução) traduzirá a Bíblia das línguas originais (hebraico, aramaico ou grego) para a língua receptora (no nosso caso, o português moderno). Aqui o leitor entra na equação: quando lê a Bíblia em português e começa a interpretá-la.

É um processo longo. Deus falou por intermédio de autores humanos que escreveram o texto original. Os originais foram copiados e recopiados. Os críticos textuais estudam os diversos manuscritos disponíveis e produzem uma edição crítica moderna dos textos do AT e do NT. Os tradutores fazem a transição do antigo texto bíblico para o português, para nosso benefício.

Ainda que o processo de tradução da Bíblia pareça simples, na verdade trata-se de algo bastante complexo. Duas línguas nunca são exatamente parecidas. Logo, não existe a correspondência palavra por palavra entre a língua antiga e as palavras em português. Uma leitura bastante literal de João 3.16 seria algo assim: "Tanto amou Deus o mundo que o filho o único gerado ele deu, para que quem crê nele não seja destruído, mas possa ter vida permanente". Esta seria, acaso, a melhor tradução de João 3.16? Poderíamos ler a Bíblia inteira "traduzida" desse modo?

Como as línguas diferem de muitas maneiras, fazer uma tradução é uma tarefa complicada. A tradução mais literal não é necessariamente a mais acurada. Traduzir é mais que simplesmente trocar uma palavra de uma língua por outra palavra em outra língua. Traduzir a Bíblia para o português exige reproduzir o significado do texto bíblico (em hebraico, aramaico ou grego) o máximo possível em português. Há escolhas difíceis envolvidas no processo, e isso explica por que as traduções da Bíblia em português algumas vezes são tão diferentes entre si. Os tradutores lutam quanto a como conseguir o melhor significado do texto antigo e transportá-lo para o português.

Perspectivas sobre a tradução da Bíblia

Há duas perspectivas principais sobre o processo de tradução: a abordagem *formal* ("palavra por palavra") e a *funcional* ("pensamento por pensamento"). De fato, nenhuma tradução é completamente formal ou funcional. Todas as traduções têm um pouco das duas abordagens, apenas algumas são mais formais, outras mais funcionais. As traduções mais formais — como *Almeida Revista e Atualizada* (ARA), *Almeida Revista e Corrigida* (ARC), *Almeida Século 21* (A21) e *Bíblia de Jerusalém* (BJ) — tentam preservar a estrutura e as palavras do texto antigo o máximo possível, mas correm o risco de sacrificar o sentido por causa da forma. As traduções mais funcionais — como *Nova Versão Internacional* (NVI), *Nova Tradução na Linguagem de Hoje* (NTLH), *A Bíblia Viva* (BV), *Edição Pastoral* (EP), *A Mensagem* — mantêm o foco no significado do texto original na linguagem de hoje, mas correm o risco de distorcer o significado do texto ao se afastarem demais da forma da linguagem bíblica. A tabela abaixo apresenta a posição em que muitas traduções contemporâneas se localizam no quesito das perspectivas de tradução:

Mais formais (palavra por palavra)					Mais funcionais (pensamento por pensamento)			
ARC	ARA	A21	BJ	NVI	NTLH	BV		A Mensagem

A Bíblia Viva é na verdade mais uma paráfrase que uma tradução. Em vez de traduzir das línguas bíblicas originais, uma paráfrase explica uma tradução já existente em português com palavras e estilo mais facilmente compreensíveis em português. Paráfrases como *A Bíblia Viva* e *A Mensagem* devem ser vistas mais como comentários que como traduções da Bíblia propriamente. Mas, como será mostrado a seguir, há muitas traduções boas da Bíblia, tantas que se pode escolher a preferida.

Traduções da Bíblia em inglês anteriores a 1611

John Wycliffe foi o primeiro a traduzir toda a Bíblia para o inglês na década de 1380. Ele verteu o NT do latim para o inglês e foi perseguido pelo empenho em traduzir a Bíblia para a língua do povo simples. John Purvey produziu uma revisão da Bíblia de Wycliffe em 1388, e essa versão foi a mais usada até os dias de William Tyndale. Com a invenção da imprensa, em meados da década de 1400, a tradução da Bíblia para o inglês avançou de forma rápida.

William Tyndale foi o primeiro a traduzir o NT para o inglês com base no texto grego, não no texto latino, em 1526. Dez anos depois, ele foi executado e seu corpo cremado por causa do comprometimento corajoso para com a tradução da Bíblia. Em 1535, Miles Coverdale traduziu toda a Bíblia para o inglês (*Coverdale Bible* [Bíblia de Coverdale]). *A Matthew Bible* [Bíblia de Mateus] foi traduzida dois anos mais tarde (1537) por John Rogers, um companheiro de Tyndale. Rogers também foi martirizado pela obra como tradutor. Coverdale revisou a *Matthew Bible* em 1539, e essa revisão ficou conhecida como *The Great Bible* [A Bíblia Grande], por causa do tamanho incomum de suas páginas. Ela alcançou grande popularidade e foi a primeira tradução da Bíblia para o inglês a receber autorização para ser lida na Igreja da Inglaterra.

Em Genebra, Suíça, William Whittingham, um erudito de Oxford, e outros mais produziram em 1560 uma revisão dessa versão, que passou a ser

O NT da Bíblia de Tyndale de 1534 foi amplamente distribuído por causa da invenção da imprensa.

conhecida por *Geneva Bible* [Bíblia de Genebra], com comentários de rodapé feitos sob a perspectiva calvinista. Essa Bíblia se tornou muito popular entre os puritanos, mas não recebeu autorização para ser lida nas igrejas inglesas. A *Bishop's Bible* [Bíblia do Bispo], uma revisão de *The Great Bible*, foi feita em 1568 justamente com o objetivo de ser lida nas igrejas inglesas. A Igreja católica romana produziu em 1592 a versão *Douai-Rheims* com comentários de rodapé para dar apoio às suas doutrinas.

A *Authorized Version* [Versão Autorizada] de 1611

Em 1604, o rei James (Tiago) I autorizou uma nova tradução da Bíblia para ser usada nas igrejas da Inglaterra. Os principais estudiosos das universidades inglesas produziram a *Authorized Version* [Versão Autorizada] de 1611, conhecida comumente como *King James Version* (*KJV*) [Versão do Rei Tiago]. Essa versão incluía os Apócrifos, um grupo de livros judaicos reconhecidos como canônicos pelos católicos, mas não pelos protestantes.

O propósito dos tradutores da *KJV* foi produzir uma versão em inglês com base nas línguas originais que as pessoas comuns pudessem entender e que também pudesse ser lida nos cultos públicos. A despeito das críticas recebidas quando foi lançada, a *KJV* se tornou uma das traduções da Bíblia em inglês mais amplamente difundidas. Desde seu lançamento em 1611, já foi revisada diversas vezes. A versão utilizada atualmente é uma revisão da edição de 1769, que difere significativamente da edição de 1611. Essa edição, por exemplo, excluiu os Apócrifos.

Apesar da popularidade da *KJV*, os tradutores continuam a traduzir a Bíblia em inglês por duas razões: a primeira é que os tradutores da KJV utilizaram apenas cerca de meia dúzia de manuscritos do NT, e todos eles tardios. Muitos outros manuscritos mais antigos foram descobertos desde o século XVII, e é mais provável que reflitam melhor o texto original. Os especialistas em NT hoje utilizam cerca de 6 mil manuscritos do NT, alguns deles do século II. Algumas vezes, as diferenças entre

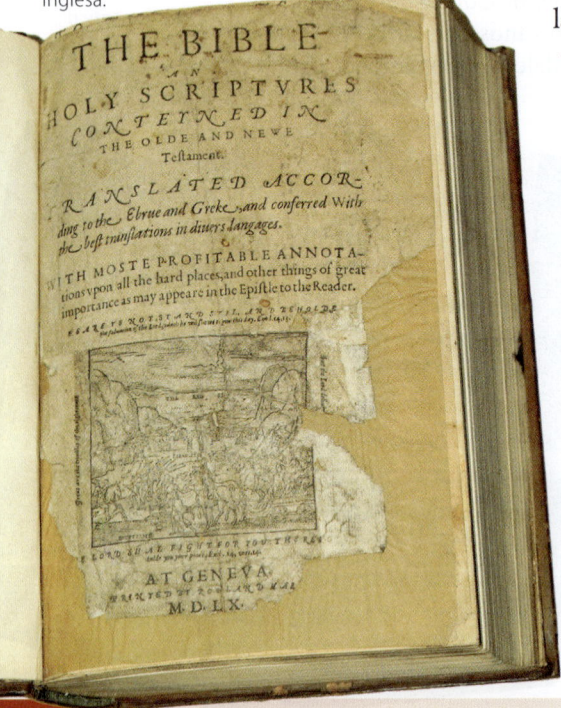

Edição da *Geneva Bible* [Bíblia de Genebra] de 1583, versão bíblica que se tornou muito popular entre os leitores de língua inglesa.

a *KJV* e as versões contemporâneas se devem às diferenças no texto grego adotado (p. ex., At 8.37; 1Jo 5.7,8; Ap 22.19). Em segundo lugar, a *KJV* usa um inglês arcaico com palavras e expressões não mais utilizadas, por isso não entendidas pelo leitor contemporâneo. (Alguns exemplos encontram-se em Êx 19.18; 1Sm 5.12; Sl 5.6; Lc 17.9; At 7.44,45; 2Co 8.1; Tg 2.3; 5.11.) A *KJV* foi uma boa tradução para sua época, mas foi eclipsada por numerosas traduções contemporâneas.

Traduções inglesas a partir de 1611

A *English Revised Version* (*ERV*; 1881-1885) [Versão Revisada Inglesa foi a primeira revisão ampla da *KJV*, e a primeira edição em inglês a empregar a ferramenta da crítica textual. Estudiosos dos EUA produziram a própria versão em 1901: a *American Standard Version* (*ASV*) [Versão Padrão Americana]. Em meados do século XX (1946-1952), surgiu a *Revised Standard Version* (*RSV*) [Versão Padrão Revisada], tendo por base a KJV e o objetivo de apresentar o melhor da erudição da época quanto à língua; essa versão era destinada para leitura pública e devoção particular. A *New American Standard Bible* (1971) [Nova Bíblia Padrão Americana] pretende ser uma revisão da *ASV*, mas é melhor avaliá-la como uma nova tradução. A *New King James Version* (1979-1982) é uma tentativa de atualizar a linguagem da *KJV* trabalhando com o mesmo texto grego utilizado por aquela versão. A *New Revised Standard Version* [Nova Versão Padrão Revisada], uma revisão abrangente da RSV, foi terminada em 1989 com o propósito de ser o mais literal possível e tão livre quanto necessário (para comunicar o sentido do texto de maneira acurada).

Nos últimos anos, surgiram outras versões da Bíblia em inglês sem nenhuma relação com a *KJV*. A *New American Bible* (1941-1970) [Nova Bíblia Americana] e a *Jerusalem Bible* [Bíblia de Jerusalém] são as principais versões católicas da Bíblia em inglês. A *New Jerusalem Bible* [Nova Bíblia de Jerusalém], uma revisão da Bíblia de Jerusalém, foi lançada em 1985. A *New English Bible* [Nova Bíblia Inglesa] e sua revisão, *Revised English Bible* [Bíblia Inglesa Revisada] são traduções para o inglês britânico contemporâneo. A Sociedade Bíblica Americana completou a *Good News Bible* [Bíblia Boas-Novas] em 1976 (essa versão também é chamada de *Today's English Version* [Versão no Inglês de Hoje] com propósito de expressar o sentido do texto original em inglês coloquial).

A *New International Version* (*NIV*, 1973-1978, 1984) [Nova Versão Internacional] é a tentativa de traduzir usando um padrão inglês internacional, sendo um meio-termo entre a tradução palavra por palavra e a tradução pensamento por pensamento. A *Today's New International Version* (*TNIV*; 2001) [Nova Versão Internacional de Hoje] é uma revisão da *NIV* usando o melhor da erudição bíblica contemporânea e acompanha as mudanças da língua inglesa, em especial no que tange a questões de gênero. A *NIV* foi cuidadosamente revisada em 2010. Como resultado, a *NIV* de 1984 e a *TNIV* com o tempo não serão mais publicadas. A questão da linguagem inclusiva quanto a gênero foi levantada por ocasião da *TNIV*. Os tradutores da Bíblia serão continuamente desafiados quanto à melhor maneira de traduzir a Bíblia para o inglês contemporâneo à luz de mudanças experimentadas pela linguagem, especialmente quanto à questão de gênero.

A *New Century Version* (1987) [Versão Novo Século] e a *Contemporary English Version* (1991-1995) [Versão em Inglês Contemporâneo] são traduções recentes que seguem o padrão de tradução pensamento por pensamento. A *New Living Translation* (1967-1971) [Nova Tradução Viva] é uma versão recente que traduz pensamento por pensamento, tendo por base a paráfrase popular *Living Bible* [Bíblia Viva]. A *New International Reader's Version* (1996) [Nova Versão Internacional do Leitor] foi feita para capacitar leitores iniciantes a entender a Palavra de Deus. *The Message* [A Mensagem] de Eugene Peterson (1993-2002), é uma tentativa de verter a mensagem da Bíblia na linguagem da geração atual. A *New English Translation* (1998-2005) [Nova Tradução Inglesa], conhecida como *NET Bible* [Bíblia NET], oferece uma versão eletrônica de uma tradução moderna para distribuição na internet (com cerca de 60 mil notas explicativas feitas pelos tradutores). A *English Standard Version* [Versão Padrão Inglesa] de 2001 é uma tradução palavra por palavra que usa a *RSV* como ponto de partida. A *Holman Christian Standard Bible* (1999-2004) [Bíblia Cristã Padrão Holman] também utiliza uma abordagem de tradução palavra por palavra, com exceção dos casos nos quais por amor à clareza e inteligibilidade da leitura seja necessária a tradução idiomática.

Traduções da Bíblia em português*

A primeira edição da Bíblia toda em língua portuguesa foi publicada em 1753. Trata-se da tradução feita por João Ferreira de Almeida, português, convertido ao protestantismo reformado no século XVII quando estava na Indonésia, que na época era colônia da Holanda. João Ferreira de Almeida traduziu do hebraico e do grego. Só o Novo Testamento havia sido publicado em 1693 na ilha de Java.

Em 1790, foi publicada a *versão do Padre Antonio Pereira de Figueiredo*, que trabalhou dezessete anos nessa versão, feita com base na Vulgata latina.

Em 1898, foi publicada uma revisão da tradução de João Ferreira de Almeida. Essa versão ficou conhecida como *Almeida Revista e Corrigida*, primeira edição. As versões de Almeida publicadas pela Sociedade Bíblica do Brasil são literais, e a *Almeida Revista e Corrigida* [ARC] usa o português arcaico.

Em 1917, foi publicada a *Tradução Brasileira* [TB], que teve em sua equipe editorial intelectuais como Rui Barbosa. Trabalho que demorou quinze anos para ser completado, foi uma tradução com base nos originais hebraico e grego. Em 2010, a Sociedade Bíblica do Brasil relançou a *Tradução Brasileira* com grafia atualizada.

A primeira edição lusitana da Bíblia foi publicada em 1932, a versão de Matos Soares.

A Sociedade Bíblica do Brasil publicou em 1956 a primeira edição da *Versão Atualizada* da versão de João Ferreira de Almeida.

No ano seguinte, foi publicada mais uma versão católica, a *Ave Maria*, pela editora do mesmo nome. Dois anos depois, foi publicada a *Versão dos Monges*

---

* As informações sobre a Bíblia em português não constam da edição original deste dicionário. Foram acrescentadas à edição brasileira por Carlos Caldas, que traduziu parte da obra. As informações foram quase em sua maioria extraídas do site da Sociedade Bíblica do Brasil: <http://www.sbb.org.br/interna.asp?areaID=50> [acesso em: 4 jul. 2012].

Beneditinos. Trata-se de uma tradução da tradução, visto que a tradução dos monges beneditinos propriamente foi feita dos originais para o francês, na Bélgica, e esta versão por sua vez foi traduzida para o português.

A segunda tradução da Bíblia feita em Portugal foi a dos Padres Capuchinhos, em 1968.

A Sociedade Bíblica do Brasil publicou a segunda edição da *Almeida Revista e Corrigida* [ARC] em 1969.

A primeira edição da *Bíblia de Jerusalém* [BJ] foi publicada em 1981. Seu nome se deve ao fato de ter sido feita por estudiosos ligados à École Biblique de Jérusalem [Escola Bíblica de Jerusalém]. Tradução que tende a ser literal, utiliza um português clássico, mas não arcaico. É uma Bíblia de estudo, com notas de rodapé técnicas, que talvez não sejam entendidas pelos leitores que não conheçam princípios de hermenêutica ou exegese bíblica.

Em 1988, foi publicada a *Bíblia na Linguagem de Hoje* [BLH] pela Sociedade Bíblica do Brasil. Quando de sua publicação, foi alvo de críticas de puristas que não admitiam ver a Bíblia vertida para um português simplificado, sem as formalidades de versões como *ARC*.

A Paulus publicou em 1990 a *Edição Pastoral* [EP]. O português utilizado é simples. Mas essa versão foi (e ainda é) muito criticada por seguir em suas notas de rodapé uma orientação teológica libertacionista.

Em 2000, foi publicada a *Nova Tradução na Linguagem de Hoje* [NTLH]. A *Nova Versão Internacional* da Bíblia foi publicada em 2001, pela Editora Vida e Sociedade Bíblica Internacional. Um trabalho árduo com base nos originais, realizado por uma equipe de exegetas de diferentes tradições denominacionais.

Nesse mesmo ano, foi publicada a *Tradução da CNBB* [CNBB] — Conferência Nacional dos Bispos do Brasil. Tradução feita com base nos originais por uma equipe de exegetas liderada por Johan Konings, biblista belga flamengo radicado no Brasil. A *Bíblia do Peregrino* foi publicada no Brasil pela Editora Paulus. Tradução da tradução, pois o biblista católico Luís Alonso Schökel traduziu os originais hebraico e grego para o espanhol, é uma edição de estudos: suas notas de rodapé comentam o texto bíblico em perspectiva de análise literária (não em perspectiva de exegese histórico-crítica ou exegese histórico-gramatical).

Em 2007, a Editora Vida publicou o *Novo Testamento Judaico* [NTJ] e, em 2010, a *Bíblia Judaica Completa* [BJC], tradução da tradução inglesa feita por David H. Stern para leitores judeus messiânicos, isto é, que creem que Jesus é o Messias prometido.

A Editora Vida publicou em 2011 *A Mensagem*, também uma tradução da tradução de Eugene Peterson. Com amplo conhecimento das línguas originais, trabalhou com base nessas línguas para o inglês contemporâneo. Trata-se de uma paráfrase, isto é, uma tradução com base no princípio que os especialistas em tradução chamam de "equivalência dinâmica", preocupada mais em traduzir o sentido dos textos bíblicos para o leitor contemporâneo que fazer uma tradução literal palavra por palavra.

Traduções para o mundo

Bryan Harmelink

Introdução

Desde o início dos tempos, Deus se comunica com os seres humanos por meio da linguagem. O caráter multilinguístico da sociedade e a necessidade de tradução são evidenciados nas páginas das Escrituras, escritas em hebraico, aramaico e grego. Os Evangelhos são um exemplo eloquente de tradução, pois expressam em grego o que originariamente foi dito em aramaico. Isso tem feito que alguns acadêmicos, como Lamin Sanneh, refiram-se ao cristianismo como uma "religião de tradução", que põe Deus no centro da cultura humana. A tradução das Escrituras segue o acontecimento paradigmático do Pentecoste — quando o Espírito de Deus tornou possível para os que estavam presentes em Jerusalém ouvir as maravilhas de Deus em suas línguas.

Breve história

A tradução das Escrituras é uma das mais antigas atividades do povo de Deus. A *Septuaginta*, a tradução das Escrituras hebraicas para o grego, e outras versões antigas em línguas como siríaco, copta e latim são evidências antigas dessa atividade essencial que acompanha a expansão da igreja.

A era missionária

Por volta do ano 1500 da era cristã, as Escrituras haviam sido traduzidas para cerca de 20 línguas, mas nos três séculos seguintes esse número havia subido para 80. Vários fatores históricos contribuíram para o aumento da atividade de tradução: o clima intelectual produzido pela Renascença, as mudanças iniciadas pela Reforma e a crescente exploração ao redor do mundo. Esses fatores históricos também estabeleceram o cenário para a era da tradução missionária, caracterizada pelo tradutor transcultural que trabalha no contexto mais amplo de outra atividade missionária.

A era das agências de tradução

A organização da British and Foreign Bible Society [Sociedade Bíblica Britânica e Estrangeira] em 1804 pode ser considerada o início da nova era de tradução da Bíblia, por meio de agências focadas especificamente no propósito de traduzir e a distribuir as Escrituras. Essa era testemunhou o aumento ainda maior no número de traduções ao redor do mundo.

Na década de 1920, William Cameron Townsend trabalhava como colportor de Bíblias na Guatemala. Ele se encontrou com falantes da língua cakchiquel que não sabiam ler o espanhol. O desejo deles era que Deus lhes falasse em sua língua — o impulso necessário para Townsend aprender cakchiquel e iniciar a tradução do NT para essa língua. Ele logo se deu conta da necessidade de traduzir a Bíblia para muitas outras línguas, e por isso, em 1934, organizou o primeiro Camp Wycliffe [Acampamento Wycliffe] para ensinar conceitos provenientes do então nascente campo da linguística para treinar tradutores da Bíblia. Essa foi a base da organização do Summer Institute of Linguistics (SIL) [Instituto Linguístico de Verão], organização que traria a linguística e outras disciplinas acadêmicas para a análise de diversas línguas indígenas em diferentes regiões do mundo. Foi nesse ambiente intelectual que Eugene Nida, que trabalhava com a American Bible Society [Sociedade Bíblica Americana], desenvolveu o modelo de tradução

William Cameron Townsend (segundo no lado esquerdo) na Guatemala em 1917.

conhecido por "equivalência dinâmica". Essa teoria apresentou ferramentas conceituais importantes para muitos tradutores trabalhando em tradução da Bíblia em diferentes contextos linguísticos e culturais ao redor do mundo.

> ## Datas da incorporação das agências de tradução da Bíblia
>
> | | |
> |---|---|
> | Missão Novas Tribos | 1942 |
> | Lutheran Bible Translators | 1964 |
> | Institute for Bible Translation | 1973 |
> | Pioneer Bible Translators | 1976 |
> | Evangel Bible Translators | 1976 |
> | Word for the World | 1981 |

Desde meados do século XX, várias agências foram criadas com o objetivo específico de traduzir a Bíblia. O trabalho dessas agências, das Sociedades Bíblicas e do SIL tem contribuído para o aumento do número de traduções bíblicas. Apenas como um exercício de comparação, na década posterior a 1810 houve o trabalho de tradução da Bíblia em 26 línguas e o total de 107 línguas com pelo menos uma porção das Escrituras traduzida. Passados cem anos, 102 línguas foram adicionadas à lista — em uma década, foram adicionadas quase o que fora adicionado no século anterior. A tendência continua: em 1910, havia 722 línguas com pelo menos uma porção das Escrituras traduzida e, em 2010, esse total ultrapassava 2.500.

Todo esse trabalho tem como ponto comum o desejo de comunicar a Palavra de Deus a outras línguas de maneira eficiente e adequada. Nida estava convencido de que a maneira de melhorar a qualidade das traduções era trabalhar diretamente com os tradutores no campo e fornecer-lhes ferramentas que os auxiliassem nas questões de tradução. Ele foi muito útil nos primeiros estágios de treinamento de consultores de tradução, que se tornariam integrantes de equipes de tradução, fornecendo-lhes cursos de especialização e treinamento específico. Os consultores de tradução trabalham como assessores e treinam os tradutores, além de conferir e verificar a tradução antes da publicação. Treinamento e consultoria são as contribuições mais importantes das agências de tradução no século XXI.

Centésima tradução do NT realizada por tradutores do Wycliffe Institute (1979). Em 2010, o número total de línguas com porções das Escrituras traduzidas ultrapassava 2.500.

Desenvolvimentos posteriores da linguística e teoria de comunicação, desde as últimas décadas do século passado, continuaram a impactar a teoria e a prática da tradução, provocando uma reavaliação do modelo de equivalência dinâmica à medida que os tradutores continuam a trabalhar para comunicar a Palavra de Deus de maneira eficiente em diversos contextos linguísticos e culturais. Uma das mudanças mais importantes foi o aumento da consciência quanto à necessidade de fornecer material para os leitores que lhes sejam úteis na compreensão das Escrituras.

Outra tendência intelectual desde o último quarto do século passado é o reconhecimento dos Estudos de Tradução como disciplina acadêmica. Isso tem feito que diversos campos de estudo, como a ética, os estudos culturais e a crítica pós-colonial sejam incorporados à filosofia e à prática da tradução. Esses campos do conhecimento fornecem aos tradutores da Bíblia conceitos importantes para avaliar o impacto cultural de uma tradução na sociedade local, considerando as principais preocupações éticas em contextos multiculturais complexos, e desenvolvendo uma consciência crítica quanto ao papel do tradutor e da agência de tradução.

A era da tradução global

As últimas décadas do século XX e o início do XXI testemunharam (e testemunham) o crescimento sem precedentes da igreja ao redor do Planeta. Esse crescimento provoca mudanças na tradução da Bíblia, pois tem aumentado o número de não ocidentais no processo de tradução. Em muitos lugares, esse crescimento resulta do trabalho anterior de tradução.

Ainda há o envolvimento considerável de agências missionárias em tradução ao redor do mundo, mas a ênfase tem sido no treinamento e na participação de pessoas das comunidades locais. Trata-se de um novo momento importante na história da tradução da Bíblia, refletido, por exemplo, na declaração de Samuel Escobar em *The New Global Mission* [A nova missão global]: a missão no século XXI é responsabilidade da igreja global. Em *Whose Religion is Christianity?* [O cristianismo é a religião de quem?], Lamin Sanneh declara que, na igreja global, o cristão mediano não é mais um ocidental branco, mas alguém de uma cidade na Nigéria ou de uma favela no Brasil. As mesmas mudanças estão sendo vistas no movimento de tradução global. O tradutor típico não é mais o missionário ocidental, mas alguém da comunidade linguística para a qual a tradução está sendo feita. O desejo secular da igreja de ouvir e entender a Palavra de Deus continua forte e firme na igreja global.

A extensão da tarefa ainda por fazer

De acordo com estatísticas de 2008, em todo o mundo são faladas 6.909 línguas por 6 bilhões e meio de pessoas. Desse total, 2.393 línguas são faladas por 200 milhões de pessoas que não possuem nenhuma tradução das Escrituras. Mas há um número sem precedentes de programas de alfabetização e tradução em progresso, em 1.998 línguas, representando mais de 1 bilhão de pessoas. Essas estatísticas deixam claro que a tarefa a ser realizada ainda tem proporções globais e está muito além da capacidade de qualquer agência de tradução. O desenvolvimento significativo da provisão de traduções das Escrituras para as comunidades linguísticas remanescentes só será possível por meio da participação ativa da igreja global. Estudiosos como Andrew Walls, Lamin Sanneh e Philip Jenkins escreveram vários livros sobre a história e o papel da tradução das Escrituras no movimento cristão global, mas ainda há muitos capítulos que precisam ser escritos.

Tecnologia

Avanços na tecnologia de informação têm impactado de forma direta o movimento de tradução da Bíblia ao fornecer recursos eletrônicos e ferramentas de administração de dados desenvolvidos especificamente para tradutores. Recursos em meios digitais possibilitam aos tradutores acesso a bibliotecas especializadas em material exegético e ajuda para tradução, mesmo para os que estão nos lugares mais remotos, de uma maneira que antigamente não era possível.

A simplificação do processo de tradução — do rascunho à publicação — é uma das ajudas importantes advindas das ferramentas de *software*. Os mesmos arquivos digitais podem rapidamente ir de uma sessão de edição até a impressão em poucos cliques. Muitas ferramentas para publicação de uma nova tradução das Escrituras são feitas em *software*, o que tem contribuído para simplificar essa fase do processo de tradução.

Novas estratégias de tradução

Muitos processos de tradução da Bíblia são tradicionalmente conduzidos para uma comunidade linguística em particular. Mas há situações em que se aplicam a abordagens diferentes, como uma abordagem "de grupo". Uma dessas abordagens envolve o uso de ferramentas eletrônicas especializadas que recebem os dados dos linguistas e dos tradutores para processar uma tradução-base e produzir um ou mais esboços de tradução em outras línguas. Outro tipo de

Uma equipe de tradução na República de Camarões inicia o dia de atividades com um momento devocional.

abordagem "de grupo" se dá quando equipes de tradução são provenientes de diferentes comunidades linguísticas, mas compartilham uma língua de comunicação comum, que permite que trabalhem juntos e se beneficiem do conhecimento especializado do consultor de tradução. O computador não substitui de modo algum o tradutor, mas pode ser uma ferramenta importante para algumas tarefas de processamento do texto que de outra forma seriam entediantes.

Envolvimento com as Escrituras

O alvo da tradução da Bíblia jamais foi a tradução como um fim em si mesma. Antes, o alvo é apresentar as Escrituras em um nível de linguagem que as pessoas consigam entender e assim, efetivamente, envolver-se com as Escrituras. Há décadas, existe a consciência da necessidade de envolvimento com as Escrituras, mas pouco tempo atrás esse envolvimento se tornou o alvo primário das agências de tradução. Parece que, para alguns, a suficiência das Escrituras significou a compreensão de que bastava ter a Bíblia em uma língua inteligível, mas o envolvimento efetivo com uma nova tradução não irá necessária ou obrigatoriamente acontecer após a Bíblia ser traduzida para a nova língua. Fatores sociolinguísticos e missiológicos complexos afetam o uso de uma tradução, em especial nos contextos linguísticos diversificados em que muitas traduções da Bíblia estão sendo realizadas. Esses fatores são levados em consideração nos atuais projetos de tradução, desde os estágios de planejamento inicial, em relação ao desenvolvimento de estratégias que redundem no envolvimento efetivo com as Escrituras.

Novas estratégias de distribuição

As novas tecnologias de informação têm impactado não apenas os processos de tradução, mas também a distribuição das Escrituras traduzidas, também por meios eletrônicos. A mídia digital abriu novas fronteiras para a disponibilização das Escrituras de uma maneira jamais imaginada. O uso desses recursos não é homogêneo no mundo todo, mas o acesso à mídia digital não exige mais computadores caros com conexão de internet. Muitos aparelhos móveis, menos caros, estão se tornando disponíveis, criando assim novos caminhos para a distribuição das Escrituras e o envolvimento com elas.

Estudo mais aprofundado da Bíblia

PARTE 3

Como ler, interpretar e aplicar a Bíblia

A Bíblia é o livro mais influente da história humana. Os crentes se aproximam da Bíblia de diferentes maneiras, dependendo de suas circunstâncias e necessidades individuais. Conquanto existam muitas maneiras úteis de ouvir a Palavra de Deus que não estarão alistadas a seguir (p. ex., memorização das Escrituras), três maneiras permanecem básicas e essenciais para todos os que creem. É preciso ler (apelo ao coração), interpretar (desafio à mente) e aplicar a Bíblia (transformação da vida). Esses três aspectos são importantes para amar a Deus com todo o ser ao lhe ouvir a Palavra com fidelidade.

Ler a Bíblia

Algumas vezes precisamos assentar com tempo e ler seções maiores da Bíblia. Precisamos sobrevoar o território da Bíblia, mas também caminhar por ele. Ao lermos as Escrituras dessa maneira, não procuramos analisar palavras individuais ou escrutinar a estrutura das sentenças. Não quer dizer que desligamos nossa mente, mas que lemos mais com o coração. Usamos o *"zoom"* para ter uma ideia do quadro geral, para perceber os desdobramentos da história maior, para observar os planos abrangentes de Deus para sua criação. Para tanto, precisamos mais de sabedoria que de informações. Precisamos sintetizar mais que analisar. Esse tipo de leitura abrangente merece um lugar importante na vida da igreja.

Ler a Bíblia inteira em um ano ou dois pode prover esse tipo de perspectiva. A seguir, o esquema de um plano de leitura da Bíblia em dois anos:

Mês	Ano 1	Ano 2
Janeiro	Gênesis	1Crônicas, 1Tessalonicenses, Tito
Fevereiro	Êxodo, Marcos	2Crônicas, Filemom, Hebreus
Março	Levítico, Mateus	Esdras, Neemias, Ester, Salmos 73—89
Abril	Salmos 1—41	Jó, Tiago
Maio	Números, Lucas 1—9	Provérbios, Eclesiastes, Cântico dos Cânticos
Junho	Deuteronômio, Lucas 10—24	Isaías
Julho	Josué, João	1Pedro, Judas, Salmos 90—106
Agosto	Juízes, Rute, Atos	Jeremias, Lamentações
Setembro	1Samuel, Romanos	Ezequiel
Outubro	2Samuel, Salmos 42—72	Oseias a Malaquias (menos Zacarias)
Novembro	1Reis, 1 e 2Coríntios	Salmos 107—150
Dezembro	2Reis, Gálatas, Colossenses	Daniel, Zacarias, Apocalipse

Para esse tipo de leitura, uma tradução na base da equivalência dinâmica como a *Nova Versão Internacional* (*NVI*) de modo geral funciona melhor. Muitas pessoas também se beneficiam ao registrar seus pensamentos e percepções enquanto observam a revelação do quadro mais amplo (p. ex., como Deus repetidamente lida com seu povo ou as qualidades de uma pessoa piedosa na narrativa, ou como promessas são cumpridas). Estudar os detalhes da Bíblia é importante (como será visto adiante), mas também é importante ler seções maiores do texto. Precisamos das duas leituras!

Interpretar a Bíblia

Além da leitura de toda a Bíblia para vermos o quadro maior, também nos beneficiamos ao estudar seções menores. Quando estudamos detalhes como palavras, frases e parágrafos, de pronto estaremos interpretando. É impossível ler, entender e aplicar a Bíblia sem interpretá-la. A interpretação não é opção. A única questão é se interpretamos a Bíblia de modo correto e responsável.

A interpretação responsável da Bíblia começa com a pergunta: "O que o texto significou em sua época?". Não podemos saber o que texto significa para nós se não soubermos o que significou para os leitores originais. Para responder a essa pergunta de forma adequada, precisamos considerar duas questões: *contexto* (histórico-cultural e literário) e *conteúdo*.

Contexto

Para saber o que um texto bíblico significou para a audiência originária, precisamos conhecer seu contexto. Devem ser considerados dois tipos de contexto: o literário e o histórico-cultural. O *contexto literário* inclui a forma literária da passagem estudada (p. ex., narrativa, lei, profecia, Evangelho, epístola, literatura apocalíptica) e o contexto circundante (p. ex., o que vem antes e depois da passagem). Por exemplo, se você está estudando Hebreus 12.1-3, é preciso saber, em primeiro lugar, identificar a forma da passagem como parte de uma epístola do NT e se aproximar da passagem usando regras de interpretação designadas para as epístolas do NT. Então você deve considerar o contexto circundante. Hebreus 11 alista a "nuvem de testemunhas" ou heróis da fé, citados em 12.1. Enquanto os contemplamos, somos encorajados a resistir na fé do modo que eles o fizeram. Hebreus 12.4-13 descreve as dificuldades decorrentes da disciplina divina. Perseveramos na disciplina amorosa de Deus quando sabemos que essas circunstâncias difíceis são para o nosso bem, para que possamos partilhar de sua santidade (12.10). O contexto literário nos ajuda a saber que 12.1-3 provavelmente tem relação com a perseverança fiel em circunstâncias difíceis.

O segundo tipo de contexto é o *histórico-cultural* ou pano de fundo. Aqui nos afastamos do texto para entender a passagem. Queremos saber a respeito do autor do livro, de como era o relacionamento do autor com o público-alvo e a razão que o levou a escrever. Queremos saber mais a respeito dos primeiros receptores do texto e a situação que viviam quando o texto foi composto. Também nos beneficiamos ao saber mais a respeito de quaisquer questões específicas relacionadas ao pano de fundo aludidas na passagem que possam nos ajudar a entender seu significado.

No caso de Hebreus, não sabemos quem foi seu autor, mas sabemos algo a respeito da razão que o levou a escrever. Os leitores originários provavelmente eram os membros de uma igreja no lar em, ou perto de, Roma que considerava abandonar o cristianismo e retornar ao judaísmo para evitar perseguições (10.25). A carta aos Hebreus foi escrita para avisar esses crentes a respeito dos perigos de se desviarem da fé verdadeira e encorajá-los à perseverança no compromisso com Cristo. Em 12.1-3, o autor usa a metáfora de uma corrida de longa distância para encorajar os crentes à perseverança. Quanto mais soubermos a respeito dos corredores do período, mais entenderemos alguns detalhes da passagem (p. ex., "livremo-nos de tudo que nos atrapalha" e "a corrida que nos é proposta"). Precisamos estudar o contexto histórico-cultural porque Deus escolheu falar primeiro a povos antigos que viveram em culturas muito diferentes da nossa. À medida que reconstruirmos o contexto original, seremos capazes de entender o significado da passagem e aplicá-lo à nossa vida.

Conteúdo

Enquanto continuamos a responder à pergunta "O que o texto significou para quem o recebeu em primeiro lugar?", precisamos olhar com mais cuidado para o conteúdo da passagem. Há vários passos importantes envolvidos na fase da interpretação.

Primeiro, comparar diferentes traduções da passagem estudada. Esse exercício irá apontar questões fundamentais e também esclarecerá o significado da passagem.

Segundo, ler a passagem repetidas vezes, prestando atenção às palavras repetidas, contrastes, comparações, listas, resultados, consequências, figuras de linguagem, conjunções importantes, substantivos e verbos principais, respostas às perguntas, declarações de propósito, cláusulas condicionais, mandamentos, o tom da passagem e outras questões semelhantes. É preciso gastar tempo e observar com atenção os detalhes da passagem sob exame. Pode-se também levantar perguntas que mais tarde serão úteis no processo de interpretação. Algumas observações sobre a primeira parte de Hebreus 12.1-3:

- "Portanto" (v. 1) se refere ao texto imediatamente anterior, Hebreus 11, e à "tão grande nuvem de testemunhas".
- Em que sentido as "testemunhas" nos rodeiam?
- Figura de linguagem — a metáfora de uma corrida de longa distância.
- Devemos nos livrar "de tudo o que nos atrapalha e do pecado que nos envolve" (v. 1). O autor está se referindo às mesmas coisas ou a duas coisas diferentes?
- A corrida é qualificada pela perseverança.
- "Livremo-nos de tudo" precede correr com perseverança.
- O que o texto quer dizer quando afirma que essa corrida "nos é proposta"?
- Um verbo no imperativo na primeira pessoa do plural ("nos", "nós") aparece três vezes nos versículos 1 e 2.
- Jesus é descrito como "autor e consumador da nossa fé". O que essas palavras significam?

Essa lista poderia ser ampliada. Não se deve subestimar a importância do exame cuidadoso para descobrir o que a passagem diz de verdade.

Terceiro, consultar os especialistas para descobrir o significado das palavras principais, para, dessa maneira, entender melhor todas as conexões na passagem, e encontrar respostas para as questões levantadas. Comentários confiáveis da Bíblia apresentam informações úteis sobre cada aspecto da passagem. É sábio consultar vários comentários da passagem objeto de estudo, não apenas um. Algumas séries de comentários úteis são:

- *Comentário bíblico NVI* — Antigo e Novo Testamentos. F. F. Bruce (Vida)
- *Comentário bíblico Matthew Henry* — Antigo Testamento (4 volumes) e *Novo Testamento* (2 volumes) (CPAD)
- *Comentário bíblico Vida Nova* — D. A. Carson (Vida Nova)
- Série Cultura Bíblica — Antigo Testamento — Introdução e comentário — 25 volumes — Vários autores; Novo Testamento — Introdução e comentário — 20 volumes — Vários autores (Vida Nova)
- Comentários bíblicos Esperança — Novo Testamento — 15 volumes — Vários autores (Esperança)
- *Novo comentário bíblico São Jerônimo* — Joseph A. Fitzmyer, Raymond Brown e Roland Murphy (Paulus)
- *Pequeno comentário bíblico* — Antigo Testamento e Novo Testamento — Vários autores (Paulus)
- *Grande Comentário Bíblico* — Antigo Testamento e Novo Testamento — Vários autores (Paulus)
- A Bíblia Fala Hoje — Antigo Testamento (John Motyer, Ed.) e Novo Testamento (John Stott, Ed.) — Vários volumes (ABU Editora)
- *Novo comentário bíblico contemporâneo* — Vários volumes (Vida)
- *Comentário bíblico Beacon* — Antigo Testamento — 5 volumes e *Comentário bíblico Beacon* — Novo Testamento — 5 volumes (CPAD)
- *Comentário bíblico latino-americano* — Antigo e Novo Testamentos — 70 volumes (Sinodal e Vozes)
- Série Bíblica Loyola — Antigo e Novo Testamentos — Vários volumes (Loyola)

O Circo Máximo (Circus Maximus) em Roma, onde muitos cristãos foram martirizados.

- O Povo Lê a Bíblia — Vários volumes (Loyola)

Não se deve esquecer que todo o processo é a tentativa de responder à pergunta quanto ao significado do texto para seus receptores originais. Tendo estudado os contextos e seu conteúdo, é necessário tentar responder a essa pergunta. Uma sugestão de exercício prático: à luz do que você aprendeu, escreva uma declaração com tempo verbal no passado que sumarize o significado da passagem para seus receptores originais. Uma possibilidade para Hebreus 12.1-3 é a seguinte:

> O autor de Hebreus usou a metáfora de uma corrida de longa distância para desafiar seus ouvintes a perseverar no compromisso com Cristo, a despeito da oposição. Em vez de se desviarem de Cristo e retornarem ao judaísmo, eles precisavam empreender a corrida da vida cristã com perseverança, recebendo para tanto inspiração dos santos que perseveravam e focalizaram sua atenção em Jesus, o exemplo definitivo de perseverança sob pressão.

Aplicar a Bíblia

De modo geral, as pessoas se frustram quando pregadores e professores explicam o significado do texto antigo, mas não conseguem ir além desse ponto. A interpretação da Bíblia tem relação com o significado do texto bíblico para os receptores originais. Mas a aplicação da Bíblia diz respeito a como o significado do texto se conecta conosco hoje. O significado originário de um texto bíblico é o mesmo para todos os cristãos, enquanto a aplicação do significado vai variar muito entre os que creem.

Essa transposição do mundo antigo para o mundo contemporâneo acontece de duas maneiras. Primeiro, é importante identificar como nossa situação é diferente da e similar à situação dos receptores originários do texto bíblico. Estamos separados da primeira audiência por muitos fatores, como língua, tempo, cultura, situação e, em alguns casos, por fatores teológicos. Em algumas ocasiões, o abismo que nos separa do mundo bíblico é muito largo (p. ex., algumas partes do AT) enquanto em outros momentos o abismo é estreito. No caso de Hebreus 12, provavelmente não seremos tentados a voltar para o judaísmo para evitar a perseguição; mesmo assim, seremos tentados a nos desviar de Cristo em direção a alguma forma mais aceitável de religião para minimizar o risco de sermos ridicularizados e do enfrentamento de oposição. Muitos outros elementos da passagem de Hebreus 12 são os mesmos para nós hoje (p. ex., a nossa cultura também conhece corridas de longa distância).

Segundo, nós cruzamos o abismo que separa o mundo bíblico do nosso ao identificar a(s) mensagem(ns) teológica(s) ou princípio(s) do texto bíblico. Como exercício prático, escreva uma declaração no tempo presente que reflita o que o texto significa para nós, cristãos. Você pode ter várias declarações para cada passagem. Uma vez que tenha escrito sua declaração, faça a si mesmo as seguintes perguntas para garantir que se trata de uma declaração válida: esta declaração reflete com cuidado o texto bíblico? A declaração se aplica de modo idêntico aos receptores antigos e atuais? Eis algumas possibilidades de fazer assim quanto ao texto de Hebreus 12.1-3:

- Os crentes que perseveraram e que agora estão com o Senhor nos dão exemplos valiosos de persistência. Devemos olhar para eles em busca de inspiração e encorajamento.
- A vida cristã é semelhante a uma difícil corrida de longa distância, que exige esforço e persistência.
- Para a corrida ser bem-sucedida (fidelidade), precisamos rejeitar o que atrapalha nosso progresso e, mais importante ainda, precisamos focalizar a atenção em Jesus e em seu exemplo perfeito de perseverança diante das dificuldades.

Tome a segunda declaração teológica mencionada anteriormente como exemplo. As pessoas que estão enfrentando rejeição por causa de sua fé em Cristo precisam ser lembradas de que a vida cristã é mais semelhante a maratona que corrida de velocidade. Ser uma pessoa cristã fiel é algo que exige esforço e perseverança. Por isso a passagem tem o sentido de encorajar (e também servir de advertência) os cristãos tentados a buscar um caminho mais fácil, ou talvez até mesmo a desistir. Você já experimentou uma situação em que foi tentado a se distanciar do compromisso com Cristo para minimizar situações de ridicularização, vergonha ou rejeição? É nesse tipo de situação, paralela à antiga situação enfrentada pela igreja nos lares de Roma, que a verdade de Hebreus 12.1-3 fala de maneira mais profunda.

A aplicação poderia ser feita de modo ainda mais específico, dependendo da situação. Para tanto, seria necessário definir o que "esforço" e "perseverança" significariam em um contexto em particular, como ser fiel a Cristo quando você pertence a uma minoria religiosa, ou se apegar com firmeza à fé em Cristo em uma sala de aula na faculdade em que o professor e a maioria dos estudantes são abertamente hostis aos cristãos. A sabedoria do Espírito Santo e da comunidade de fé trabalham em conjunto para nos ajudar a saber como aplicar o significado da Bíblia de maneiras específicas.

A unidade e a diversidade da Bíblia

Uma das realidades mais impressionantes a respeito da Bíblia é sua incrível complexidade e, ao mesmo tempo, simplicidade e facilidade de entender. Eruditos brilhantes podem passar a vida estudando muitos aspectos específicos da Bíblia, envolvendo-se com outros estudiosos igualmente eruditos em debates candentes e em discordâncias construídas por meio de argumentos complexos, geralmente derivados da gramática e da sintaxe do hebraico e do grego antigos. Mesmo assim, crianças de cinco anos podem entender a mensagem básica essencial da Bíblia, aceitar verdadeiramente o Senhor e encontrar a salvação. Que livro incrível! É complicado o bastante para que estudiosos lutem com ele durante cinquenta anos e não consigam apreender toda a sua riqueza e profundidade, mas é simples o bastante para que crianças consigam "alcançar" seu significado.

Essa combinação de simplicidade e complexidade na Bíblia está intimamente relacionada à questão de sua unidade e diversidade. A Bíblia mantém sua unidade no sentido de que toda ela é inspirada por Deus e da unanimidade ao narrar uma única história, a saber, de como Deus se relaciona com seu povo (uma história de pecado, exílio/separação e depois restauração). O artigo "A história grandiosa da Bíblia" na Parte I deste livro apresenta um resumo da história central da Bíblia. Essa grande e ampla história unifica a Bíblia desde o Gênesis ao Apocalipse. Ela começa em um jardim (Gn 1—3), toma um longo desvio e depois termina mais uma vez em um jardim (Ap 20—22). No centro da narrativa, está Jesus Cristo.

Conquanto o esboço da história seja simples, os detalhes e a forma da apresentação da história podem ser complexos. A história em si dá unidade à Bíblia, enquanto a maneira complexa na qual a história é apresentada nos mostra sua diversidade, mas a diversidade que permanece na unidade teológica abrangente da narrativa.

De que maneira a Bíblia reflete sua unidade?

A história central que percorre a Bíblia une suas diversas partes em um conjunto coerente. A história é introduzida em Gênesis 1—12 (Criação, pecado, salvação, consumação). No restante do AT, a nação de Israel vive esse ciclo, porém o AT termina com Israel (e as nações) ainda sem experimentar a salvação e a consumação, aguardando o Messias que virá para apresentar um tempo de salvação e restauração para Israel e as nações do mundo. Por isso, quando se vira a página de Malaquias (o último livro do AT) para Mateus (o primeiro livro do NT) não há uma interrupção da história. Jesus vem como o cumprimento da promessa expressa com clareza pelos Profetas, promessa anunciada em Gênesis 12. No sentido teológico, a maior ruptura da Bíblia não está entre Malaquias e Mateus, mas entre Gênesis 11 e Gênesis 12. O texto de Gênesis 3—11 apresenta o problema do pecado. Gênesis 12 até Apocalipse 22 apresenta a solução divina para o problema.

De igual maneira, o caráter de Deus é uma constante ao longo da Bíblia. Quem afirma que o Deus do AT é diferente do Deus do NT não lê a Escritura com cuidado. Por exemplo, algumas pessoas observam o juízo severo de Deus sobre os cananeus em Jericó (a cidade inteira foi destruída) no AT (Js 1—7) e veem uma tensão com a figura de Jesus amoroso para com as criancinhas em seu colo no NT. Mas essa é uma leitura distorcida. O AT está repleto de textos que enfatizam o amor e a bondade de Deus (Os 1—3 é um exemplo). Da mesma forma, o NT não evita falar da ira e do juízo

O Bom Pastor (séc. III ou IV d.C.). A imagem de Deus como pastor que toma conta do seu povo percorre o AT e o NT.

de Deus. Em Apocalipse 9.15, um terço de toda a terra é morto em um versículo, tornando a comparação com a destruição de Jericó insignificante. A verdade é que ambos os Testamentos apresentam Deus caracterizado por amor, justiça, salvação e juízo. O AT dá mais atenção ao problema do pecado; por isso ele contém muito mais passagens que apresentam as consequências terríveis do pecado impenitente (juízo). Mesmo assim, o amor de Deus e sua promessa de libertação e restauração estão sempre presentes. Já o NT dá mais atenção à salvação e restauração. Mesmo assim, as consequências da rejeição de Jesus Cristo como Messias são sérias e severas, e também são apresentadas em todo o NT.

Relacionados ao caráter de Deus, estão numerosos temas teológicos importantes, muito semelhantes nos dois Testamentos. A tensão entre a Lei e a Graça, por exemplo, discutida extensamente por Paulo em Romanos e Gálatas, já aparece nos profetas do AT. Paulo explica a tensão ao discutir a aliança mosaica (Lei) em relação à aliança abraâmica (graça), relação já refletida nos livros históricos e nos livros proféticos do AT.

De que maneira a Bíblia é diversa?

Deus usa uma ampla variedade de estilos literários na Bíblia para veicular sua história. Por isso, quando lemos a Bíblia encontramos narrativa nos Evangelhos, exposição nas epístolas de Paulo, um estranho imaginário apocalíptico em Apocalipse e poesia hebraica no livro de Salmos. A Bíblia contém cânticos, narrativas, decretos reais, parábolas, visões, discursos, juízos, lamentos, genealogias, história, polêmicas e provérbios. Esses vários tipos de literatura trabalham diferentemente em nos comunicar a verdade a respeito de Deus. Um exemplo é a poesia, que trabalha de maneira diferente das cartas expositivas (como Romanos) sobre a maneira de nos comunicar a verdade de Deus. Então o livro de Salmos é diferente da epístola aos Romanos? Sim — tanto em estilo quanto na maneira de o autor se comunicar conosco como leitores. O livro de Salmos lida com tópicos diferentes dos de Romanos e tem um contexto histórico muito diferente. Mas o livro de Salmos reflete um entendimento de Deus diferente do encontrado em Romanos? Sem dúvida, não.

Outra diferença que perceberemos ao ler com cuidado o AT e o NT é o entendimento de que o AT apresenta a introdução e a primeira parte da história, ao passo que o NT apresenta o ponto culminante e a consumação dessa mesma história. Relacionado a isso, está o fato de que Jesus Cristo amplia sobremaneira a revelação de Deus à humanidade. Por essa causa, em muitos pontos, o NT é para nós a revelação de Deus mais clara e completa que o AT. Isso não quer dizer que o AT estava errado ou em conflito com o NT, mas que em algumas verdades o AT é limitado ou incompleto. Os estudiosos chamam o desenvolvimento do AT para o Novo de "revelação progressiva".

Por exemplo, o AT é limitado e incompleto no ensino referente à Trindade. Simplesmente não há muita coisa a respeito em suas páginas. Mas depois de ler o NT e vermos a Trindade com clareza, podemos retornar ao AT e lá a veremos (se bem que ainda não com tanta clareza). No entanto, sem o NT seria difícil perceber a Trindade no AT. Mais uma vez: a natureza de Deus apresentada no AT não está incorreta, apenas incompleta. A interação entre Pai, Filho e Espírito é revelada com muito mais clareza no NT, à medida que a revelação "progride" por causa da encarnação de Cristo.

De modo geral, o AT liga as bênçãos para o povo de Deus com a vida aqui e agora na terra prometida (i.e., na terra de Israel, literal e física). Essa terra é um tema central na maior parte do AT. Já o NT abandona esse tema e concentra a atenção no tema do Reino de Deus. Da mesma forma, o AT tem a tendência de focalizar recompensas aqui e agora (mais uma vez, bênçãos físicas na terra prometida no decorrer da vida dos israelitas), enquanto o NT dá mais atenção às bênçãos espirituais e no pós-vida, com foco particular na ressurreição da morte dos crentes. O AT apresenta apenas o esboço da doutrina do pós-vida (céu, ressurreição). O NT "avança" na compreensão desse ensinamento e, de fato, enfatiza a esperança da ressurreição.

Conclusão

Conquanto a Bíblia seja rica, complexa e inesgotavelmente profunda, é também coerente e unificada, com uma narrativa central, progressiva e fácil de apreender e crer. Os estudiosos continuarão a estudar e a argumentar, fazendo que nossa compreensão desse livro inacreditavelmente complexo avance pouco a pouco. E crianças de 5 anos, que não sabem nada de grego ou hebraico bíblico, continuarão a apreender a verdade mais importante de toda a existência humana e a encontrar salvação em Jesus.

O uso do Antigo Testamento no Novo Testamento

Gary Manning

É difícil exagerar a influência do AT nos textos do NT. Para os escritores do NT, "as Escrituras" eram o AT. As palavras, frases, sentenças e conceitos do AT estão em cada página do NT. Mesmo quando os escritores do NT não fazem qualquer citação ou alusão, a teologia do AT definitivamente é o ponto de partida. Os escritores do NT desenvolveram suas ideias a respeito de Deus, do povo, das alianças e do plano de redenção com base nas Escrituras do AT.

Há diversos tipos de referências ao AT no NT: citações diretas com fórmulas de introdução ("está escrito"); citações sem fórmulas de introdução (Rm 2.6/Sl 62.12) e alusões nas quais o autor do NT reconta acontecimentos, pessoas ou ideias do AT pelo uso de nomes ou frases distintas (Jo 1.51/Gn 28.12).

Citação do Antigo Testamento

Em muitos casos, a redação da citação do AT diverge da passagem do NT com a qual os leitores modernos estão acostumados. Em muitos casos, o autor do NT parece estar citando livremente, talvez de memória. A citação pode combinar elementos de duas ou mais passagens do AT ou pode ter uma semelhança com várias passagens do AT. O autor do NT algumas vezes acrescenta frases explicativas no meio da citação, ou muda pronomes para fazer a frase ter sentido no seu discurso. Citações e alusões são também complicadas pelo emprego da versão do AT usada pelo autor do NT. Muitas citações do NT são baseadas na *Septuaginta* (*LXX*, a tradução do AT para o grego), pois esta era a versão mais comum do AT no século I da era cristã. Algumas vezes, as citações refletem a tradução que o próprio escritor do NT fez do hebraico para o grego, e algumas poucas citações talvez tenham sido influenciadas pelos *targumim* (antigas traduções do AT para o aramaico com comentários explicativos). Para dificultar mais, os escritores do NT podem citar textos do AT com uma história textual diferente da *LXX* ou do Texto Massorético (o texto hebraico usado nas traduções modernas).

Qual é o objetivo de citar o Antigo Testamento?

A citação do AT ou alusão a ele pode ser apresentada como uma ampulheta: a parte de cima da ampulheta é o contexto da referência do AT; o pescoço da ampulheta é a citação ou alusão, e a parte de baixo é o contexto da citação do NT. A breve referência do NT ao AT muitas vezes é uma maneira de mostrar conexões entre a teologia de uma passagem inteira do AT e a teologia de uma passagem inteira do NT. Em muitos casos, as referências ao AT que à primeira vista parecem forçadas fazem sentido quando as conexões entre a teologia das passagens do AT e do NT são observadas. Por exemplo, as cinco referências do AT na narrativa que Mateus faz do nascimento de Jesus (Mt 1.23/Is 7.14; Mt 2.6/Mq 5.1-3; Mt 2.15/Os 11.1; Mt 2.18/Jr 31.15; Mt 2.23/Is 11.1) são problemáticas porque algumas parecem ignorar o sentido da passagem do AT. Entretanto, a leitura cuidadosa do contexto da passagem do AT revela o tema comum: a condição desesperada do povo de Deus e o resgate que lhe fora prometido. Mateus mostra a conexão entre as promessas de resgate, da parte de Deus no AT, e o nascimento do resgatador no NT. Além disso, quatro dessas promessas estabelecem conexões entre a história da salvação e localizações de acontecimentos do AT e do NT (Belém, o túmulo de Raquel, Egito e Nazaré).

Considerando que as referências ao AT geralmente envolvem os contextos amplos de passagens de ambos os Testamentos, qualquer análise de uma referência do AT deve incluir a atenção cuidadosa a ambos os contextos. Como os escritores do NT normalmente se referem ao AT para fazer afirmações éticas e teológicas, é importante procurar laços éticos ou teológicos entre os contextos das passagens do AT e do NT. Não basta observar se há citação ou alusão; é preciso determinar como o autor do NT usa a referência do AT (e seu contexto) para consubstanciar a própria mensagem. Por exemplo, a declaração de Jesus "todos serão ensinados por Deus" (Jo 6.45/Is 54.13) evoca a promessa de Isaías da vinda da nova aliança e subentende que o ensino de Deus levará o povo a Jesus, que inaugura a nova aliança.

Há uma variedade de razões pelas quais um autor do NT faz uso de material do AT. Em primeiro lugar, é importante entender o que o autor do NT não faz. Dificilmente o autor do NT faz uma exposição do texto do AT, isto é, ele não tenta explicar o que o autor do AT quis dizer, como se fizesse um comentário (do AT) ou um sermão expositivo. O autor do NT tem mensagem própria, e se refere ao AT para fortalecer seu argumento. Os escritores do NT usam o AT exatamente pelo fato de o considerarem palavras de Deus, mas os atos de Deus no NT, como ressuscitar o Messias dos mortos e conceder o Espírito, têm autoridade igual. As tensões entre o significado originário do AT e a apropriação feita pelos escritores do NT são provocadas pela interação entre as duas fontes de autoridade.

De certa maneira, os escritores do NT sempre adéquam as citações do AT à sua mensagem. Em alguns casos, há apenas uma ligeira modificação, como no caso em que os mandamentos do AT são obedecidos pelos que pertencem a Cristo e são fortalecidos pelo Espírito Santo (Gl 5.16-24). Em outros casos, a transformação é mais abrangente, como no caso em que o NT redefine o povo de Deus ou revoga exigências específicas do AT.

Citações da Lei do AT e dos livros de sabedoria

Os escritores do NT geralmente usam as citações do AT com propósitos morais e éticos. Nesses casos, as citações diretas da Lei, ou passagens da literatura de sabedoria do AT, e seu uso significam a crença do autor na validade permanente dos mandamentos morais do AT. Em alguns casos, o autor do NT pode usar um mandamento do AT como base para um mandamento diferente no NT. Por exemplo, Paulo usa o mandamento do AT de permitir que bois comam enquanto trabalham como base para a provisão de pagamento dos ministros da igreja (1Co 9.9,10; 1Tm 5.18/Dt 25.4). Muitas vezes os escritores do NT consubstanciam seus objetivos morais e éticos ao citar exemplos morais do AT. Em vez de citar um mandamento particular do AT, o escritor do NT apela à audiência para imitar o modelo ou a prática de fé encontrados nos heróis do AT (Gl 3.6-10; Tg 2.21-26). Referências assim podem estar ligadas a um acontecimento particular do AT ou convidar o leitor a considerar o todo da vida do exemplo citado do AT.

Os escritores do NT algumas vezes parecem corrigir ou mesmo eliminar leis do AT (Mt 5.31-39; 1Co 7.19). A correção que Jesus faz da Lei convoca os ouvintes para a "justiça maior" que inclui a obediência interior ao princípio da Lei do AT; em muitos casos, as emendas feitas por Jesus corrigiam abusos da Lei praticados no seu tempo. Paulo, que no geral sustenta os mandamentos éticos do AT, elimina mandamentos relacionados à circuncisão, leis alimentares e a guarda de dias santos. A combinação desses tipos de referências à Lei (citação para reforçar a autoridade/revogar) sugere que os escritores do NT criam que a Lei do AT não foi completamente abolida, mas que a chegada da nova aliança de alguma maneira transformou a aplicabilidade da Lei para o povo de Deus. Para os escritores do NT, a morte e a ressurreição de Cristo, a outorga do Espírito e a formação da igreja exigiam a reavaliação da Lei e de seu propósito.

Citação das profecias do Antigo Testamento

Muitas referências do NT ao AT foram feitas para mostrar que pessoas ou acontecimentos do NT cumprem as esperanças proféticas do AT. Algumas profecias do AT contemplam as bênçãos de uma nova era: um novo rei ungido da linhagem de Davi, paz e prosperidade para Israel, a reforma do culto no templo, os gentios se submetendo a Israel e adorando o Deus de Israel, a dádiva do Espírito a todo o povo de Deus e a nova capacidade de obedecer a Deus e conhecê-lo. Os escritores do NT ensinam que essas profecias foram e serão cumpridas em Jesus Cristo, na fundação da igreja, na outorga do Espírito e na segunda vinda de Cristo. Em alguns casos, o cumprimento é relativamente direto; por exemplo, Mateus indica que Jesus nasceu em Belém em cumprimento das expectativas de que o rei ungido nasceria na cidade de Davi (Mt 2.6/Mq 5.2).

Entretanto, em muitos casos a citação que o escritor do NT faz da profecia do AT cria dificuldades, porque o escritor do NT parece alterar bastante o significado da referida profecia. Por exemplo, Mateus explica o ministério de Jesus na Galileia como cumprimento da profecia de Isaías de uma "grande luz" para a Galileia (Mt 4.13-16/Is 9.1,2). Mas Isaías 9 originariamente profetizou a libertação da Galileia da Assíria, ocorrida havia muito. Os estudiosos do NT têm diversos pontos de vista sobre como lidar com casos como esse. Uma solução é interpretar a passagem do AT de tal maneira que ela combine com a aparente interpretação do escritor do NT. Isso exige o reexame da passagem do AT para encontrar a forma pela qual as regras comuns de interpretação conduzam à interpretação encontrada no NT. Outra solução é alegar que o escritor do NT descobriu um sentido mais amplo (*sensus plenior*) da passagem do AT que não era evidente ao autor ou aos leitores do AT. De acordo com esse ponto de vista, o escritor do NT é capaz de discernir um significado intencionado por Deus no AT, mesmo que o autor do AT não tivesse consciência disso (talvez pelo fato de o escritor do NT atuar como intérprete inspirado). De modo geral, os escritores do NT citam os salmos régios (2, 45, 110 e outros) como profecias a respeito do Messias. Mas os salmos régios foram originariamente cantados em honra dos reis justos de Israel, como Davi e Josias. O *sensus plenior* pode explicar como esses salmos são aplicáveis ao Messias: os salmos régios, em última instância, aplicam-se mais a Jesus, o Filho de Davi e Rei de Israel, que a qualquer outro rei.

Outra solução (que pode ser coerente com a aplicação do *sensus plenior*) é classificar essas passagens do NT como tipológicas, não como cumprimento profético: isto é, o autor neotestamentário considerou o acontecimento do NT uma recapitulação de um acontecimento do AT, não o cumprimento literal de uma profecia. De acordo com essa abordagem, Mateus cita Isaías (Mt 4.13-16/Is 9.1,2) para alegar que o ministério de Jesus na Galileia foi *como* a antiga libertação da Galileia da Assíria. A tipologia pode ser definida como a explicação do escritor do NT das conexões teológicas entre entidades do AT (chamadas "tipos") e entidades na época do NT (chamadas "antítipos"). Esses termos são derivados de palavras gregas (*typos* e *antitypos*) e empregados em duas passagens tipológicas (Rm 5.14; 1Pe 3.21); podem ser traduzidos por "modelo" e "cópia". O escritor do NT, crendo que Deus age de maneira consistente, vê uma correlação entre a obra de Deus no AT (o tipo ou modelo) e a obra de Deus na nova era (o antítipo ou cópia). Em alguns casos, o antítipo pode ultrapassar o tipo em importância, como na comparação tipológica que Paulo faz entre Adão e Jesus (Rm 5.12-19/Gn 3). Logo, a tipologia pode ser vista como algo semelhante ao uso de ilustrações do AT para explicar acontecimentos do NT.

Usos incomuns do Antigo Testamento no Novo Testamento

Alguns dos usos incomuns do AT no NT podem também ser derivados do uso que o escritor neotestamentário fez de métodos interpretativos comuns em seu tempo, ainda que a extensão desse uso seja motivo de debate. Os escritores do NT valiam-se de métodos comuns entre os rabinos e os autores dos manuscritos do mar Morto, como conectar diferentes passagens que compartilham frases ou termos principais, e o argumento "do menor para o maior" (Hb 9.13,14/Lv 16.15,16). Os escritores do NT também sempre parecem concordar com tradições judaicas não encontradas de forma explícita no AT, como a ideia de que os anjos se envolveram na outorga da Lei (Gl 3.19; Hb 2.2).

Como interpretar e aplicar a Lei do Antigo Testamento

Introdução

Um dos maiores desafios interpretativos da Bíblia diz respeito à aplicação da Lei do AT à nossa vida hoje. No Pentateuco (os primeiros cinco livros da Bíblia), grandes seções de Êxodo, Levítico, Números e, em especial, Deuteronômio estão repletas de material legal (leis). Ao todo, há cerca de 600 leis individuais nesses livros. É muita coisa! Elas são muito importantes, mas muitas delas não se conectam conosco muito bem, e, com honestidade, algumas são bastante estranhas. Por exemplo, Êxodo 34.26 diz: "Não cozinhe o cabrito no leite da própria mãe". O que isso quer dizer? Pelo menos não precisamos nos preocupar em quebrar essa lei! E que tal Levítico 19.19: "Não usem roupas feitas com dois tipos de tecido"? O que tem de errado misturar dois tipos de material? É pecado usar uma camisa que não seja 100% de algodão? Suspeito que a maioria de nós quebre essa lei com regularidade. Ou que tal Deuteronômio 22.5: "A mulher não usará roupas de homem, e o homem não usará roupas de mulher"? Mulheres, as senhoras estão obedecendo a esse mandamento? Ou Levítico 19.28: "Não façam [...] tatuagens em si mesmos"? Ou Deuteronômio 14.8: "O porco também é impuro; embora tenha casco fendido, não rumina.

Vocês não poderão comer a carne desses animais nem tocar em seus cadáveres"? Evidentemente há muitos cristãos devotos que violam de forma constante essas leis.

Em geral, muitos cristãos tendem a ignorar a maioria das leis mencionadas anteriormente. Mas há outras leis do AT que eles se esforçam para obedecer com rigor, colocando-as no centro do comportamento moral cristão. Em contraste com as leis ignoradas, há alguns versículos que nos esforçamos para obedecer como: "Ame cada um o seu próximo como a si mesmo" (Lv 19.18), "Não matarás" (Êx 20.13) e "Não adulterarás" (Dt 5.18). Por que obedecer a algumas leis e não a outras?

Abordagem da arbitrariedade

Muitas pessoas interpretam o AT, em particular sua Lei, com um método que pode ser chamado abordagem da arbitrariedade. Nessa abordagem interpretativa, desprezam-se alguns textos do AT com declarações do tipo "este versículo a respeito de sacrifícios não pode ser aplicado... este aqui também não faz sentido... aqui está um texto sobre animais de criação... este aqui é muito estranho... mais sacrifícios... sacerdotes e todas estas coisas" e assim sucessivamente. Quando se encontra um texto que parece se aplicar à nossa situação, alegamos que se trata de uma "promessa" para nosso tempo. Assim desprezamos seis ou sete versículos e nos apegamos a um, transformando-o em uma lei pela qual viveremos. Essa abordagem arbitrária sem dúvida não é adequada. Sua incoerência deveria levantar em nós uma suspeita. Mas que método devemos usar?

Abordagem de classificação

Um método útil, descoberto pelas pessoas, envolve classificar as leis em diferentes categorias e usar as categorias como princípios básicos para determinar as leis que se aplicam a nós e as que não se aplicam. As três categorias principais dessa abordagem são: *leis morais, civis* e *cerimoniais*.

As leis que apresentam verdades universais atemporais a respeito da intenção de Deus para o comportamento humano são classificadas como leis morais. "Ame a teu próximo como a ti mesmo" é um bom exemplo de uma lei moral. As leis morais ainda se aplicam a nós.

As leis que lidam com o antigo sistema legal de Israel (p. ex., tribunais, economia, terra, crimes e punições) são classificadas como leis civis. Deuteronômio 15.1 é um exemplo: "No final de cada sete anos as dívidas deverão ser canceladas". De igual forma, as leis que tratam de sacrifícios, festas e atividades sacerdotais são classificadas como leis cerimoniais. Um exemplo é Deuteronômio 16.13, que assim instrui os israelitas: "Celebrem também a festa das cabanas durante sete dias, depois que ajuntarem o produto da eira e do tanque de prensar uvas". Na abordagem de classificação, nem as leis civis nem as leis cerimoniais têm relevância ou aplicação para os cristãos hoje.

Nessa abordagem, o processo de classificação das leis nas categorias moral, civil e cerimonial é um passo de importância vital, pois ela determinará as leis aplicáveis e as leis que não se aplicam a nós. Na abordagem de classificação, as leis morais são universais e atemporais, por isso ainda se aplicam aos cristãos de hoje *como* lei. Já as leis civis e cerimoniais eram aplicáveis apenas ao Israel antigo, não aos crentes hoje. Por isso podem quase em sua maioria ser ignoradas.

Essa linha interpretativa tem uma longa história, a começar pelo influente reformador João Calvino (séc. XVI). Muitos cristãos ao longo dos anos descobriram a utilidade dessa abordagem, e lhe proveram uma metodologia em que versículos como "Ame cada um o seu próximo como a si mesmo" podem ser invocados como lei para o cristão hoje, enquanto passagens que descrevem sacrifícios e punições podem ser relegadas à categoria do interesse meramente histórico.

Esta estela contém o Código de Hamurábi, rei da Babilônia (1792-1750 a.C.), que trata de vasta gama de leis civis (questões domésticas, agrícolas, comerciais etc.).

Muitos cristãos na atualidade (o que nos inclui) descobriram que essa abordagem pode ser inadequada. Primeiro, eles não se sentem à vontade com o processo de classificar todas as leis de acordo com as categorias moral, civil e cerimonial. Essa classificação parece muito arbitrária, sem base no texto em si. Passagens do AT que contêm as leis não parecem fazer essa distinção. Por exemplo, "Ame cada um o seu próximo como a si mesmo" (Lv 19.18) é seguido por "não usem roupas feitas com dois tipos de tecido" (19.19). Deveríamos considerar o versículo 18 aplicável a nós como lei moral, mas desprezar o 19 como totalmente irrelevante e não aplicável? As Escrituras não dão nenhuma indicação da existência da diferença de interpretação entre o versículo 18 e o 19.

Como interpretar e aplicar a Lei do Antigo Testamento

Outro problema da abordagem de classificação é que, não raro, torna-se difícil decidir em que categoria a lei deve ser classificada. Pelo fato de a essência da lei se encontrar em definir o relacionamento pactual entre Deus e Israel, toda lei, por natureza, era *teológica*. Por isso toda lei apresentava algum tipo de conteúdo teológico. A questão difícil que surge dessa observação é: "uma lei pode ser *teológica*, mas não *moral*?".

Esse problema surge repetidas vezes no livro de Levítico. Muitas leis de Levítico tratam de algum aspecto do sistema cultual de Israel por isso, na superfície, pode parecer que muitas delas poderiam simplesmente ser classificadas como cerimoniais e, assim, descartadas. Perderemos muito se assim o fizermos. Um dos temas teológicos primários que percorre Levítico é a santidade divina. Um componente básico do tema é a compreensão da importância da "separação". Isto é, coisas *santas* devem ser mantidas separadas de coisas *profanas* ou *comuns*. Esse é o princípio subjacente a Levítico 19.19, que declara: "Não plantem duas espécies de sementes na sua lavoura. Não usem roupas feitas com dois tipos de tecido". Provavelmente não temos o entendimento pleno de todo o contexto histórico e das nuanças da proibição de misturar coisas, mas podemos estar certos de que isso de alguma maneira se relaciona com a santidade de Deus.

Como então classificaremos Levítico 19.19? Lei civil? Improvável. Não há nada na passagem que se relacione às necessidades legais ou judiciais da sociedade. Lei cerimonial? Esta parece ser a escolha lógica, mas, na realidade, essa lei não lida com cerimônias ou sacrifícios. Ela diz respeito à agricultura e produção de roupas (atividades domésticas e cotidianas). Deus queria que *toda* a vida dos israelitas fosse dominada pela consciência da santidade de Deus, que habitava entre eles, no tabernáculo ou no templo. A santidade divina no meio deles exigia que as coisas santas e as coisas profanas estivessem separadas. Algo que deveria ajudar os israelitas a manter essa "cosmovisão" era: se eles obedecessem à Lei, a vida diária seria dominada pelo conceito de santidade e separação. Muitos itens das atividades diárias deveriam ser mantidos separados. Mesmo o modo de os israelitas plantarem as sementes e tecerem as roupas deveria lembrá-los da santidade de *Deus*. Essas atividades tinham significado *teológico* para eles. Por isso, como essas leis não poderiam ser classificadas como aspectos da lei moral? Se as classificarmos como lei cerimonial, desprezando-as e considerando-as como não importantes para hoje, não perderíamos um importante ensinamento teológico?

Parece-nos que a classificação tradicional da lei em moral, civil ou cerimonial é muito ambígua e incoerente para ser uma abordagem interpretativa válida das Escrituras (pois estas não fazem tal distinção). Além disso, a imprecisão e a ambiguidade no passo crítico de classificar as leis não nos deixa à vontade com essa abordagem. Ela também despreza com frequência as muitas leis civis e cerimoniais como não aplicáveis. Mas lemos no NT que toda a Escritura (e este versículo versa em especial sobre o AT) é aplicável ao crente do NT (2Tm 3.16,17).

A abordagem de princípios

Então, como devemos interpretar a Lei do AT? Em primeiro lugar, deve-se ter um método que possa ser usado de maneira coerente com todos os textos legais. Segundo, é preciso ser um método que não faça distinções arbitrárias *não textuais* entre os versículos. A abordagem que atende a essas duas necessidades é a abordagem de "princípios".

Com essa abordagem, nós primeiramente reconhecemos que todas as leis são dadas em um contexto narrativo e também estão interligadas à aliança mosaica que domina a maior parte da narrativa de Êxodo a Deuteronômio. Então interpretaremos as leis como parte da narrativa e à luz da aliança. Aí então tentaremos desenvolver princípios interpretativos universais orientados para a narrativa que possam ser aplicados de modo universal aos cristãos hoje.

Lei: contexto narrativo

Há uma narrativa contínua de Gênesis 12 a 2Reis 25. As leis apresentadas em Êxodo, Levítico, Números e Deuteronômio fazem parte dessa história maior. Isto é, as leis do AT não aparecem isoladas ou fora de contexto, como se fossem algum tipo de código atemporal universal para todos os povos de todos os tempos. A Lei do AT está firmemente enraizada na narrativa da história teológica de Israel que descreve como Deus tirou esse povo do cativeiro do Egito, estabeleceu sua presença entre ele e então o levou para a terra que graciosamente lhe dera. Portanto, devemos nos aproximar da Lei do AT da mesma maneira que nos aproximamos da narrativa do AT, pois contextualmente a Lei é parte da narrativa.

Lei: contexto pactual

A aliança domina a narrativa de Êxodo a Deuteronômio e, de fato, Deus instaura a Lei como parte da aliança, declarando de forma inequívoca: "Agora, se me obedecerem fielmente e guardarem a minha aliança, vocês serão o meu tesouro pessoal dentre todas as nações" (Êx 19.5). Um componente crítico da aliança era a promessa de Deus de habitar no meio de Israel

— tema enfatizado repetidas vezes na segunda metade de Êxodo (Êx 25.8; 29.45; 33.14-17; 40.34-38). Se Deus vai habitar no meio do povo, então ele precisa de um lugar para ficar; assim, não é surpresa que os últimos capítulos de Êxodo contenham instruções para a construção da arca e do tabernáculo, que seriam o novo lugar da habitação divina (Êx 25—31; 35—40). O livro de Levítico segue naturalmente a segunda metade de Êxodo, pois Levítico define como a nação de Israel deve viver agora que o Deus santo e tremendo habita junto ao povo.

O livro de Números continua a narrativa. Em Números, Israel se recusa a obedecer a Deus e a entrar na terra prometida (Nm 13—14), por isso Deus os envia de volta ao deserto por mais trinta e oito anos, e nesse intervalo a geração desobediente envelhece e morre. Mas, antes de Deus levar a nova geração para a terra prometida, ocorre a renovação da aliança com ela, convocando-a mais uma vez ao compromisso por meio da obediência à aliança. Em essência, Deus restabelece a aliança mosaica instituída originariamente com os pais dos membros desse povo no Êxodo. A maior parte do livro de Deuteronômio está relacionada a esse chamado renovado à obediência pactual que Deus faz a Israel antes de o povo entrar na terra. Em Deuteronômio, Deus é ainda mais explícito que em Êxodo, elaborando e provendo mais detalhes a respeito da aliança, e de como o povo deveria se comportar na terra prometida. É importante ter em mente a importância da narrativa de Deuteronômio, pois o livro descreve com detalhes os termos pelos quais Israel deveria viver na terra prometida de maneira bem-sucedida e ser abençoado por Deus.

Vemos então que a aliança mosaica e a Lei do AT estão intimamente interligadas. Isto é, a Lei apresenta os termos da aliança que Israel deverá guardar. Nossa compreensão da Lei e nossas tentativas de aplicá-la devem manter em mente essa conexão próxima. Por causa dela, várias observações importantes a respeito da aliança precisam ser observadas.

1. *A aliança mosaica está intimamente ligada à conquista e ocupação da terra prometida por Israel.* A aliança definiu os termos pelos quais Israel poderia ocupar a terra com sucesso e viver com prosperidade com a presença de Deus junto ao povo. A conexão inseparável entre a aliança e a terra é evidente em todo o texto de Deuteronômio.
2. *As bênçãos da aliança mosaica são condicionais.* Esta é uma observação muito importante. Ao longo de Deuteronômio, Deus e Moisés avisam Israel repetidas vezes das consequências de ignorar as leis da aliança, explicando vez após vez a Israel que a obediência à aliança trará bênção e a desobediência trará punições e maldições. Deuteronômio 28 resume as consequências contrastantes das bênçãos e das maldições, dependendo da obediência de Israel.

3. *A aliança mosaica não é mais uma aliança funcional.* Se as leis no Pentateuco estão ligadas à aliança mosaica, então este ponto é crítico quanto à forma que as aplicaremos. O NT é bastante claro em declarar que nós, crentes, não estamos mais sujeitos à antiga aliança mosaica. Esse é o argumento principal de Hebreus 8—9. Jesus veio como mediador da *nova* aliança que substituiu a *antiga*. "Chamando 'nova' essa aliança, ele tornou antiquada a primeira" (Hb 8.13). Lembre-se que a Lei do AT compreende os termos do acordo pelo qual Israel poderia viver com prosperidade na terra prometida sob a antiga aliança (mosaica). Se o NT declara que a antiga aliança não é mais válida, então as leis que faziam parte dela não podem mais continuar a atuar da mesma maneira que antes.

4. *A Lei do AT, como parte da aliança mosaica, não mais se aplica a nós como lei.* O NT não é ambíguo quanto a isso. Paulo enfatiza que Jesus retirou os cristãos de sob a Lei, declarando: "Sabemos que ninguém é justificado pela prática da Lei, mas mediante a fé em Jesus Cristo" (Gl 2.16). De modo semelhante, em Romanos 7.4 Paulo explica: "Vocês também morreram para a Lei, por meio do corpo de Cristo". Este tema é continuado em Gálatas 3.25: "Agora, porém, tendo chegado a fé, já não estamos mais sob o controle do tutor [= a Lei]". O apóstolo Paulo declara repetidamente que os cristãos não devem tentar guardar a Lei do AT da mesma maneira que Israel fez. À medida que procuramos aplicar a Lei do AT em nossa vida, é fundamental prestar atenção à admoestação de Paulo. Como cristãos, estamos libertos da Lei por meio de Jesus Cristo; não podemos permitir que nossa abordagem interpretativa da Lei ponha os cristãos outra vez sob o jugo da Lei.

5. *Devemos interpretar a Lei através da lente dos ensinos do NT.* A Lei não deixou de ser Escritura Sagrada, e 2Timóteo 3.16 declara: "Toda a Escritura é inspirada por Deus e útil para o ensino, para a repreensão, para a correção e para a instrução na justiça". A Lei do AT com certeza se insere na categoria "toda a Escritura". Essa passagem nos indica que não podemos simplesmente excluir a Lei do AT porque estamos na nova aliança. Como parte da Palavra de Deus, há ensinos eternos e benéficos que devemos encontrar na Lei do AT. Por isso devemos continuar a estudar e tentar aplicar o todo da Escritura, mesmo as leis incomuns. Mas é importante lembrar-se de que a Lei não funciona para nós nos termos da aliança. Isto é, a Lei do AT *não mais se aplica a nós como uma lei literal*. Jesus Cristo mudou isso para sempre. Mas, como as narrativas maravilhosas do AT, o material legal também reflete *princípios e lições* de grande riqueza que ainda são relevantes para nós, conquanto os interpretemos à luz do ensino do NT.

Passos na abordagem por princípios

À luz da discussão anterior, sugerimos os seguintes passos para interpretar e aplicar qualquer uma das leis do AT.

Passo 1: Determine o que a lei significava para os primeiros receptores

O primeiro passo envolve colocar a lei no contexto mais amplo das narrativas mais longas. Ou seja: é necessário ler e estudar o texto legal como se fosse um texto narrativo. Onde os israelitas estavam quando a lei foi outorgada? Qual é o propósito dessa lei em particular na vida de Israel nesse momento em particular? Essa lei foi dada como resposta a uma situação específica ou descreve as exigências para Israel depois que este já estivesse na terra. Que outras leis estão no contexto imediato? Há alguma conexão entre as leis? Como a lei se relaciona com a aliança mosaica? A lei ensina como o povo deveria se aproximar de Deus ou diz respeito a como eles devem tratar uns aos outros? Tente determinar o que a lei significa para os receptores no AT.

Monumento erigido no cume do monte Nebo, de onde Moisés avistou a terra prometida. A aliança mosaica está intimamente ligada à vida na terra dada a Israel.

Passo 2: Identifique as diferenças entre os primeiros receptores e nós hoje

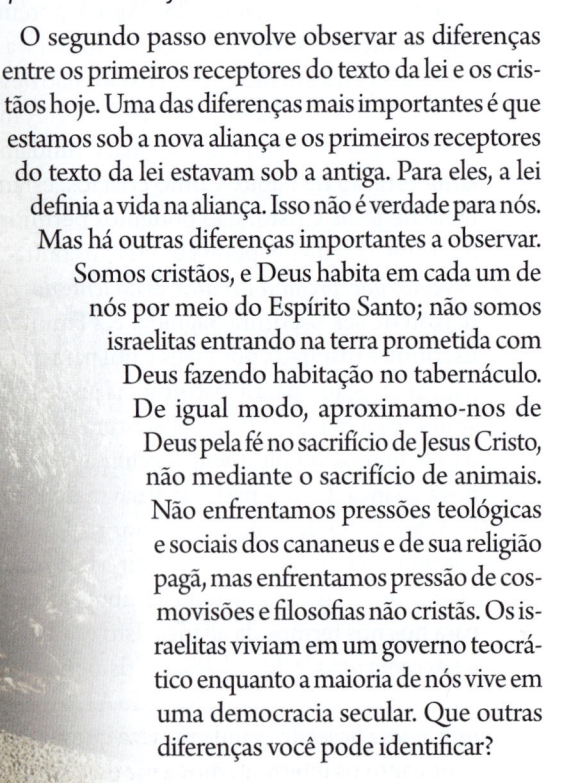

O segundo passo envolve observar as diferenças entre os primeiros receptores do texto da lei e os cristãos hoje. Uma das diferenças mais importantes é que estamos sob a nova aliança e os primeiros receptores do texto da lei estavam sob a antiga. Para eles, a lei definia a vida na aliança. Isso não é verdade para nós. Mas há outras diferenças importantes a observar. Somos cristãos, e Deus habita em cada um de nós por meio do Espírito Santo; não somos israelitas entrando na terra prometida com Deus fazendo habitação no tabernáculo. De igual modo, aproximamo-nos de Deus pela fé no sacrifício de Jesus Cristo, não mediante o sacrifício de animais. Não enfrentamos pressões teológicas e sociais dos cananeus e de sua religião pagã, mas enfrentamos pressão de cosmovisões e filosofias não cristãs. Os israelitas viviam em um governo teocrático enquanto a maioria de nós vive em uma democracia secular. Que outras diferenças você pode identificar?

Estudo mais aprofundado da Bíblia

Passo 3: Determine o princípio teológico no texto

As leis do AT definem ações concretas e comportamentos específicos para os israelitas. A ação e o comportamento estavam intimamente ligados ao relacionamento com Deus que eles deveriam ter na aliança mosaica. Mas essa expressão específica, concreta, da lei estava em geral baseada em uma verdade universal mais ampla. Isto é, por trás de cada uma das leis específicas há uma verdade universal a respeito de Deus ou do comportamento humano. Em geral, essa verdade é também aplicável a todos os integrantes do povo de Deus, a despeito da época em que vivam e sob qual aliança vivem. Nossa aplicação hoje tomará uma forma diferente, mas refletirá o mesmo princípio. Neste passo fazemos a seguinte pergunta: "Qual é o princípio teológico refletido nesta lei específica? Qual é o princípio mais amplo que Deus tem por trás deste texto que permitiu esta aplicação específica?". Por trás das leis de Levítico concernentes à separação (sementes, tecidos etc.), veremos o princípio universal sobre o fato de a santidade de Deus exigir a separação entre coisas puras e santas, e as impuras e profanas. No entanto, para nós, o NT definirá a forma que essa separação vai tomar.

Determinar o princípio universal nem sempre é fácil. As seguintes orientações podem ser úteis:

- O princípio deve estar refletido no texto.
- O princípio deve ser atemporal.
- O princípio deve corresponder à teologia ampla do restante das Escrituras.
- O princípio não pode estar preso a uma cultura.
- O princípio deve ser relevante para os receptores originais no tempo do AT e os receptores atuais do NT.

Em muitas leis do AT, descobriremos que os princípios que surgem da lei usando esses critérios serão direcionados ao caráter de Deus e à sua santidade, à natureza do pecado ou à preocupação em relação ao próximo.

Passo 4: Determine se o Novo Testamento se refere a essa lei ou ao princípio que dela emerge. Use a perspectiva do Novo Testamento para refinar e estreitar o princípio universal em uma diretiva concreta e específica que os crentes do Novo Testamento possam aplicar hoje.

Neste passo tomamos o princípio encontrado por trás da Lei do AT e o filtramos mediante o NT. Por exemplo, caso lidemos com Êxodo 20.14: "Não adulterarás", o princípio teológico universal que emerge desta lei diz respeito à santidade do casamento e à exigência de fidelidade no casamento. Quando vamos ver como o NT trata essa questão, observamos que em Mateus 5.28 Jesus declarou: "Mas eu digo: Qualquer que olhar para uma mulher e desejá-la, já cometeu adultério com ela no seu coração". Logo, Jesus expande de fato o alcance do princípio por trás da lei, pois ele diz que o mandamento se aplica não apenas aos *atos*, mas também aos pensamentos de adultério. Por isso, enquanto buscamos aplicar o princípio hoje, devemos observar que se aplica aos *pensamentos*, ele não apenas só aos atos.

Passo 5: Aplique em oração o princípio modificado pelo Novo Testamento.

Não haverá vantagem nenhuma passar por todo o processo acadêmico se não obedecermos às Escrituras e se não aplicarmos o princípio desenvolvido. Por isso, no Passo 5 tomaremos a expressão que desenvolvemos no Passo 4 e a aplicaremos a uma situação específica que nós, como cristãos, *individuais* encontramos hoje.

Como interpretar parábolas

Jesus foi um comunicador mestre, e uma de suas ferramentas favoritas para efetuar a comunicação era o uso de parábolas. Aproximadamente 1/3 do ensino de Jesus recebeu a forma de parábolas. Mesmo pessoas não acostumadas com a Bíblia já ouviram falar da parábola do filho pródigo ou da parábola do bom samaritano. Uma *parábola* (expressão que significa "jogar para o lado") é uma história curta com dois níveis de significado em que certos detalhes da história representam outra coisa. Por exemplo, na parábola do filho pródigo, o pai representa Deus. Na história do bom samaritano, o sacerdote e o levita representam líderes religiosos que usam sua condição religiosa como desculpa para não ajudar o próximo. Algumas vezes, podemos achar difícil saber quantos detalhes nessas histórias representam outras coisas.

No decorrer da história da Igreja, muitos cristãos tomaram grande liberdade com as parábolas ao dizer que quase todos os detalhes deveriam representar algo mais. Por exemplo, observe como Agostinho, líder da igreja primitiva, alegorizou a parábola do bom samaritano, encontrada em Lucas 10.30-37.[*]

O homem ferido	=	Adão
Jerusalém	=	A cidade celestial de onde Adão caiu
Jericó	=	A Lua (significando a mortalidade de Adão)
Os assaltantes	=	O Diabo e seus anjos
Tiraram-lhe as roupas	=	Levaram sua (de Adão) imortalidade

[*] V. STEIN Robert H., **An Introduction to the Parables of Jesus**. Louisville: Westminster John Knox, 1981. p. 46.

Espancaram-no	=	Convenceram-no a pecar
Deixando-o quase morto	=	Por causa do pecado, ele estava espiritualmente morto
O sacerdote e o levita	=	O sacerdócio (a Lei) e o ministério (dos Profetas) do AT
O samaritano	=	Cristo
Enfaixou-lhe as feridas	=	Impedi a disseminação do pecado
Vinho	=	Exortação a trabalhar com fervor
O animal (de montaria)	=	O corpo de Cristo
A hospedaria	=	A igreja
Dois denários	=	Promessa desta vida e da vida por vir
O hospedeiro	=	O apóstolo Paulo
A volta do samaritano	=	Ressurreição de Cristo

Todavia, desde o século XIX, muitos estudiosos do NT começaram a insistir que cada parábola conta, em essência, com um objetivo. Isso foi um corretivo muito bem aplicado ao método alegórico usado por Agostinho (dentre outros). Mas a "regra de um objetivo" restringe o significado além do pretendido por Jesus? Precisamos escolher entre os extremos de uma parábola com mais de uma dúzia de objetivos e manter um só?

Tome, por exemplo, a parábola do filho pródigo (Lc 15). Qual é seu objetivo? O ponto que vem à sua mente diz respeito ao filho rebelde, ao irmão revoltado ou ao pai perdoador? Você quer selecionar um ponto apenas e dizer que Jesus não queria falar a respeito dos outros dois? A abordagem de um ponto parece inadequada. Afinal, poucas são as histórias, de qualquer tipo, que apresentam um único argumento.

Uma abordagem equilibrada para a interpretação das parábolas foi recentemente sugerida pelo estudioso Craig Blomberg.

A estrada que vai de Jericó a Jerusalém passa por essas montanhas desoladas.

As parábolas de Jesus não devem ser alegorizadas em todos os seus detalhes, nem devem ser limitadas a um único argumento. Blomberg sugere que se deve procurar por um ponto para cada personagem (ou grupo de personagens). Muitas parábolas terão um, talvez dois, mas geralmente não mais que três pontos. Todos os outros detalhes estão lá para dar substância à história. Observe como essa orientação nos ajuda a identificar os três argumentos principais na parábola de Lucas 15.11-32:

- Irmão mais novo → pecadores que confessam seus pecados e se voltam para Deus em arrependimento.
- Irmão mais velho → os que alegam ser o povo de Deus não devem se ressentir quando Deus estende sua graça aos que não a merecem; antes, eles deveriam se alegrar.
- Pai perdoador → Deus oferece perdão a quem não merece perdão.

É difícil saber se provérbios, enigmas, metáforas e ditados curtos podem ser contados como parábolas. Por isso a lista de parábolas encontrada em Bíblias de estudo e outros livros de referência pode variar. A seguir, você encontrará uma lista das principais parábolas ordenadas em conformidade com o número de pontos ou argumentos apresentados:*

Parábolas com um ponto

- O grão de mostarda e o fermento (Mt 13.31-33; Mc 4.30-32; Lc 13.18-21)
- O tesouro escondido e a pérola de grande preço (Mt 13.44-46)
- O construtor da torre e o rei em guerra (Lc 14.28-33)

Parábolas com dois pontos

- A semente que cresce em segredo (Mc 4.26-29)
- Os construtores sábios e os insensatos (Mt 7.24-27; Lc 6.47-49)
- O dono da casa e o ladrão (Mt 24.42-44; Lc 12.35-40)
- O amigo que chega à meia-noite (Lc 11.5-8)
- O rico insensato (Lc 12.16–21)
- A figueira estéril (Lc 13.6-9)
- O lugar mais humilde da festa (Lc 14.7-11)
- O servo inútil (Lc 17.7-10)
- O juiz injusto (Lc 18.1-8)

---

*V. Craig BLOMBERG, **Interpreting the Parables** (Downers Grove, Il: InterVarsity, 1990), caps. 6—8.

Parábolas com três pontos

- As crianças na praça (Mt 11.16-19; Lc 7.31-35)
- O semeador e a semente (Mt 13.1-9,18-23; Mc 4.1-9,13-20; Lc 8.5-8,11-15)
- O joio e o trigo (Mt 13.24-30,36-43)
- A rede (Mt 13.47-50)
- O servo incompassível (Mt 18.23-35)
- Os trabalhadores na vinha (Mt 20.1-16)
- Os dois filhos (Mt 21.28-32)
- Os arrendatários ímpios (Mt 21.33-46; Mc 12.1-12; Lc 20.9-18)
- A festa de casamento (Mt 22.1-14)
- O servo fiel e o infiel (Mt 24.45-51; Lc 12.42-48)
- As dez virgens (Mt 25.1-13)
- Os talentos (Mt 25.14-30; Lc 19.12-27)
- As ovelhas e os bodes (Mt 25.31-46)
- Os dois devedores (Lc 7.41-43)
- O bom samaritano (Lc 10.25-37)
- O grande banquete (Lc 14.15-24)
- A ovelha e a moeda perdidas (Lc 15.4-10)
- O filho perdido (pródigo) (Lc 15.11-32)
- O administrador injusto (Lc 16.1-13)
- O rico e Lázaro (Lc 16.19-31)
- O fariseu e o publicano (Lc 18.9-14)

À medida que você segue a regra de "um argumento para cada personagem" para interpretar parábolas, deverá ter em mente outros fatores enquanto lê as parábolas de modo responsável.* Primeiro, devemos tentar entender as histórias como os ouvintes de Jesus no século I as entenderam. Isso pode exigir algum conhecimento do pano de fundo da época para que nos inteiremos do contexto original. Segundo, precisamos nos certificar de que nossa interpretação da parábola pode ser validada pelo ensino não parabólico de Jesus. Se não puder ser validado dessa maneira, é provável que tenhamos interpretado a parábola de modo errado. Terceiro, precisamos interpretar o que é apresentado na história, não o que

---

* Muitas dessas sugestões foram adaptadas de Klyne SNODGRASS, **Stories with Intent**: A Comprehensive Guide to the Parables of Jesus (Grand Rapids: Eerdmans, 2008), p. 24-31.

foi deixado de fora. Não devemos prestar atenção ao que foi deixado de fora na história e negligenciar o que a história inclui. Por exemplo, na parábola do filho pródigo não devemos dar atenção aos detalhes grotescos dos pecados do filho mais novo em um país gentio, pois para tanto precisaríamos especular sobre os pecados cometidos. Quarto, precisamos saber quando parar de interpretar. Há limites para a analogia, e o mesmo é válido quanto às parábolas. Mesmo parábolas que amamos e temos em alta conta podem ter algo a dizer se quisermos que elas digam. Quinto, devemos dar atenção especial ao que vem no fim de cada parábola. Geralmente a mudança irônica ou a surpresa teológica do argumento decisivo vêm no final de cada parábola.

As parábolas de Jesus apresentam algumas das leituras mais fascinantes e desafiadoras de toda a Bíblia. Ele usou elementos da vida comum — relações familiares, práticas comerciais, casamentos, festas, agricultura e política — para nos ensinar a respeito de Deus e do seu Reino e como a vida no Reino deve ser. Essas histórias não são apenas detalhes decorativos nos ensinos de Jesus. As parábolas representam de várias formas o núcleo dos seus ensinos. Como Jesus mesmo disse: "Aquele que tem ouvidos para ouvir, ouça".

Como interpretar as figuras de linguagem da Bíblia e desfrutar delas

As figuras de linguagem já foram chamadas "o tempero" da língua. Isto é, o uso efetivo de linguagem figurada pode acrescentar interesse, cor, emoção, humor ou força para a palavra falada e para a palavra escrita. Figuras de linguagem também criam imagens visuais, e elas podem contribuir de maneira poderosa para a comunicação. Assim, não constitui surpresa perceber que com frequência há o uso de linguagem figurada na Bíblia. O próprio Jesus era um orador dinâmico e criativo, e em suas mãos figuras de linguagem eram ferramentas de retórica poderosas usadas com habilidade, despertando o interesse da audiência e provocando um impacto poderoso nos ouvintes. Algumas das muitas figuras de linguagem que Jesus usou podem ser citadas: "Vocês são o sal da terra" (Mt 5.13); "Se alguém quiser acompanhar-me, negue-se a si mesmo, *tome diariamente a sua cruz e siga-me*" (Lc 9.23) e "Eu sou o pão da vida" (Jo 6.35). Paulo também emprega figuras de linguagem em suas cartas (p. ex., Rm 11.17-21). No AT, as figuras de linguagem são extremamente comuns nos livros que contêm poesia (em especial Salmos, Jó, Cântico dos Cânticos e os livros proféticos), aparecendo quase em todos os versículos. De fato, uma das características básicas da poesia do AT é o uso sobejante de figuras de linguagem.

Figuras de linguagem no português contemporâneo

Como acontece em muitas línguas, o português é rico em figuras de linguagem, e a maioria de nós utiliza esses recursos o *tempo todo*. Observe que a expressão o "tempo todo" — usada na última sentença — é uma figura de linguagem, no caso uma hipérbole (exagero intencional para dar ênfase). Logo, os falantes de português estão acostumados com a linguagem figurada. Algumas vezes, ela é tão comum que nem sequer percebemos sua utilização. Considere o diálogo tolo abaixo em que um estudante desabafa com um amigo depois de uma prova de química bastante difícil:

> Aquele professor de química é completamente maluco. O cara deu a prova mais difícil do mundo pra gente. Ele fez as perguntas mais bobas e ridículas que alguém poderia fazer. Morri de estudar para esse teste, mas mesmo assim levei bomba. Eu não tinha ideia do que ele estava perguntando. Ninguém sabia as respostas daquelas perguntas ridículas. Ele deve ter sonhado com aquilo. Com certeza, era a coisa mais ridícula do mundo. Todo mundo na classe levou bomba. Ele é de outro planeta ou o quê? Eu poderia matá-lo. Ele espera que a gente estude química vinte e quatro horas por dia. Eu tenho uma vida, você sabe disso. Mas se eu tirar uma nota ruim em química minha média vai parar lá embaixo. Meu pai e minha mãe vão ficar bravos como cachorros loucos. E tudo por causa de um professor maluco*

Um pomar de oliveiras podadas. Em Romanos 11, Paulo compara Israel e a igreja a uma oliveira.

* V. **Grasping God's Word**, 2.ed. Grand Rapids: Zondervan, 2005), p. 352-353.

Figuras de linguagem aparecem em quase todas as sentenças anteriores. Você pode identificar algumas delas? Algumas figuras de linguagem são muito simples (dizer que o pai e a mãe vão ficar bravos feito cachorros loucos), mas em outros casos elas podem ser extremamente complexas, em especial se tentamos analisá-las e entender como elas funcionam. Por exemplo, o que o estudante quer dizer quando afirma: "eu tenho uma vida"? Muitos de nós entendemos tudo que o estudante está tentando dizer, por isso para o uso de linguagem figurada funciona muito bem. Mas, se tivéssemos vindo de outro país e não estivéssemos acostumados com as gírias e as expressões idiomáticas do português do Brasil, ficaríamos confusos com o que o estudante disse, especialmente se quiséssemos interpretar tudo de maneira literal. Para entendermos a estudante de verdade, precisamos reconhecer que ela usa linguagem figurada e que precisamos interpretar as figuras de linguagem usadas de acordo com o sentido que ela pretendeu.

Estamos em uma situação semelhante com os escritores bíblicos. Eles, à semelhança da estudante citada anteriormente, nos comunicam pensamentos reais, acontecimentos e emoções — isto é, uma verdade literal —, mas eles muitas vezes escolheram expressar essa verdade de modo figurado. Nossa tarefa, como leitores, é identificar as figuras de linguagem e tentar entender a realidade e a emoção que os autores veiculam por meio da linguagem figurada.

Tipos de figuras de linguagem

Na maior parte do tempo, podemos reconhecer e entender as figuras de linguagem da Bíblia se apenas pararmos e pensarmos nelas por um instante. Muitas delas são relativamente simples e diretas. Entretanto, algumas podem ser complexas e outras vezes extremamente sutis, exigindo esforço e reflexão da nossa parte. De modo geral, o esforço é válido, pois, à medida que refletimos a respeito do imaginário simbólico usado na Bíblia e lutamos para apreender a imagem veiculada pela figura de linguagem, iremos entender melhor as Escrituras — um dos alvos maiores que pretendemos atingir enquanto lemos a Palavra de Deus.

Figuras de linguagem são como poesia e arte. Pela própria natureza, são difíceis de categorizar. Não obstante, definições e categorias podem ser úteis, à medida que tivermos em mente que a linguagem figurada por definição é artística e, por isso, um tanto escorregadia. Muitas figuras de linguagem da Bíblia podem ser agrupadas em uma das duas categorias principais: figuras que envolvem *analogia* e figuras que envolvem *substituição*. Mas às vezes poderemos encontrar figuras de linguagem que não se encaixam em nenhuma dessas categorias. Por falta de opção melhor, uniremos esse último grupo em uma terceira categoria bem ampla que chamaremos *figuras de linguagem variadas*.

Figuras de linguagem que envolvem analogia

Muitas figuras de linguagem simplesmente fazem analogia entre duas coisas diferentes. Isto é, o autor quer comentar a respeito ou descrever um item ao compará-lo a um aspecto de um item diferente. A analogia fornece uma janela para olhar para algo quando se usam os atributos de alguma coisa que, de forma geral, é bastante diferente. Por exemplo, no texto anterior o estudante exclamou: "meu pai e minha mãe vão ficar bravos feito cachorros loucos". Isso é uma analogia: comparar a raiva com o ataque de um cachorro louco; isto é: a reação esperada da parte dos pais quando souberem o resultado da prova. Esse tipo de figura de linguagem funciona melhor se o leitor (ou o ouvinte) puder visualizar a imagem veiculada. No caso, o leitor precisa visualizar um cachorro louco atacando uma pessoa. Com a imagem em mente, o ouvinte/leitor precisa ter os pais do estudante em foco e tentar capturar a reação de aborrecimento que o estudante espera acontecer.

As analogias podem ser usadas de muitas maneiras criativas, por isso é útil encaixá-las em diversas subcategorias. Descobrimos uma ampla gama de analogias entre as figuras de linguagem na Bíblia. As analogias mais comuns são *símile, metáfora, analogia indireta, hipérbole e personificação/antropomorfismo/zoomorfismo.*

Símile

O símile extrai a analogia entre duas coisas diferentes ao usar a palavra "como" para declarar de maneira explícita que uma coisa se parece com a outra. A declaração do estudante de química: "Meu pai e minha mãe vão ficar bravos como cachorros loucos" é um símile. Usamos símiles com muita frequência em nossa fala, e eles são muito comuns na Bíblia. Alguns exemplos de usos de símiles na Escritura:

> Mateus 23.27 —"Vocês são *como* sepulcros caiados."
> Provérbios 12.18 —"Há palavras que ferem *como* espada."
> 1Pedro 5.8 —"O Diabo, o inimigo de vocês, anda ao redor *como* leão."
> Isaías 40.15 —"Na verdade as nações são *como* a gota que sobra do balde."

Metáfora

Esta figura de linguagem estabelece a analogia entre dois itens, mas não usa *como*. Simplesmente usa a declaração direta. Por exemplo:

> João 15.1—"Eu sou a videira verdadeira, e meu Pai é o agricultor."
> Salmos 18.2—"O Senhor é a minha rocha."

Jesus declarou: "Eu sou a videira verdadeira, e meu Pai é o agricultor" (Jo 15.1).

1Coríntios 12.27—"Ora, vocês são o corpo de Cristo."
Salmos 23.1—"O Senhor é o meu pastor."

Analogia indireta

A analogia "indireta" é feita no sentido em que se estabelece uma comparação ou analogia sem a declaração direta. Isto é, faz-se a declaração para subentender uma comparação, em vez de declarar abertamente que se faz a comparação. Por exemplo, imagine que o escritor bíblico tenha desejado comparar a ira do Senhor a uma tempestade. Ele poderia usar o símile e escrever: "A ira do Senhor é como uma tempestade". Ou ele poderia expressar a analogia com uma metáfora, dizendo: "A ira do Senhor é uma tempestade". Mas, se ele optar pelo uso de analogia indireta, poderá pular as palavras que tornam a analogia explícita e subentender a comparação declarando, como Jeremias fez: "Vejam, a tempestade do Senhor! Sua fúria está à solta! Um vendaval vem sobre a cabeça dos ímpios" (Jr 30.23). Outros exemplos:

> Salmos 22.16 —"Cães me rodearam!" Davi compara seus inimigos a cães.
> Mateus 16.6 —"Estejam atentos e tenham cuidado com o fermento dos fariseus e dos saduceus." Jesus compara o ensino dos fariseus e saduceus ao fermento.
> Jeremias 4.7—"Um leão saiu da sua toca." Jeremias compara Nabucodonosor, o rei da Babilônia, a um leão.

Hipérbole

A hipérbole pode ser definida como "exagero intencional para dar ênfase". Essa figura de linguagem "anuncia a própria falta de verdade literal", sem a pretensão de ser factual.* A hipérbole exagera intencionalmente valendo-se de uma expressão de sentimento muito forte. O estudante de química do exemplo apresentado usa a hipérbole repetidas vezes: "ele deu a prova *mais difícil do mundo* [...] *Morri* de estudar [...] Era *a coisa mais ridícula do mundo* [...] *Todo mundo na classe* levou bomba". O estudante de química exagera de propósito, superestimando a situação, para expressar suas emoções fortes. A intenção de quem fala não é ser entendido de forma literal, e declarações exageradas assim com certeza não refletem a honestidade de quem se pronuncia.

Os escritores bíblicos usam a hipérbole com muita frequência. À medida que eles expressam emoções profundas e sentimentos fortes ou tentam enfatizar um tema importante, eles não raro exageram e superestimam de modo consciente a situação. Por exemplo, preste atenção nos seguintes textos:

---

* Ryken Leland, **How to Read the Bible as Literature**. Grand Rapids: Zondervan, 1985. p. 99.

Mateus 5.29 — "Se o seu olho direito o fizer pecar, arranque-o e lance-o fora."
Salmos 42.3 — "Minhas lágrimas têm sido o meu alimento de dia e de noite."
Lucas 14.26 — "Se alguém vem a mim e ama o seu pai, sua mãe, sua mulher, seus filhos, seus irmãos e irmãs e até sua própria vida mais do que a mim, não pode ser meu discípulo."

Em cada um dos exemplos anteriores, a pessoa conscientemente superestima ou exagera o argumento para revelar emoções profundas ou a seriedade extrema do tema apresentado.

Personificação/antropomorfismo/zoomorfismo

Essas três figuras de linguagem estão inter-relacionadas e funcionam de modo semelhante. Falam de uma entidade ao usar as características de outra entidade completamente diferente. *Personificação* é atribuir características humanas a entidades não humanas. Essa figura de linguagem ocorre com frequência em Salmos e nos Profetas. Por exemplo:

Salmos 98.8 — "Batam palmas os rios, e juntos cantem de alegria os montes, como se os rios pudessem bater palmas e os montes pudessem cantar."
Isaías 44.23 — "Cantem de alegria, ó céus, pois o Senhor fez isto; gritem bem alto, ó profundezas da terra. Irrompam em canção, vocês, montes, vocês, florestas e todas as suas árvores", como se céus, montes, florestas e árvores pudessem cantar ou as profundezas da terra gritar.

O *antropomorfismo* se vale de características humanas para falar de Deus. Bastante comum em Salmos e nos Profetas, também ocorre no NT. Deus é descrito na Bíblia como tendo mãos, braços, pés, nariz, respiração, voz e ouvidos. Ele anda, se assenta, ouve, olha, vem à terra, pensa, fala, lembra, faz planos, fica com raiva, exclama, vive em um palácio, prepara mesas, unge cabeças, edifica casas e arma "tendas". Ele tem um cajado, um bordão, um cetro, uma bandeira, um traje, uma tenda, um trono, um estrado para os pés, uma vinha, um campo, um carro, um escudo e uma espada. Ele é chamado de pai, marido, rei e pastor. Todas essas ações e esses objetos são utilizados literalmente por seres humanos. Quando usados por Deus, a atribuição tem apenas sentido figurado. Alguns exemplos: "Faze, ó Senhor resplandecer sobre nós a luz do teu *rosto*!" (Sl 4.6); "Meu grito chegou à sua presença, aos seus *ouvidos*" (Sl 18.6); "Foram as tuas *mãos* que me formaram e me fizeram" (Jó 10.8).

Zoomorfismo é a figura de linguagem em que imagens de animais, não de seres humanos, são usadas para se referir a Deus. Por exemplo, o salmista declara: "Ele o cobrirá com as suas penas, e sob as suas asas você encontrará refúgio" (Sl 91.4). Por motivos óbvios, o *zoomorfismo* não é tão comum quanto a *personificação* e o *antropomorfismo*.

Figuras de linguagem que envolvem substituição

As figuras de linguagem que envolvem substituição são bem mais complicadas que as que envolvem analogia. Em sentido básico, há duas maneiras pelas quais a substituição funciona: declaração de *efeitos* quando fala de causas e *representação* da parte de um item quando na verdade se faz referência ao todo.

Salmos 44.6 usa as imagens do arco e da espada para representar o poder militar. A figura acima apresenta arqueiros assírios.

Efeitos e causas

Em *efeitos* e *causas* o escritor ou a personagem declara o efeito de algo quando, na verdade, quer apontar para a causa produtora do efeito. Por exemplo, imagine que você esteja assistindo a um jogo de futebol. No final do segundo tempo, o jogo está empatado. O juiz marca um pênalti a favor do seu time. Quando o jogador que vai bater o pênalti se aproxima da bola para a cobrança, você, em seu nervosismo e entusiasmo, grita: "Vai ser para nossa alegria!", "Vai ser para nossa alegria!", "Vai ser para nossa alegria!". Nesse caso, você terá usado uma figura de linguagem, declarando o efeito ("Vai ser para nossa alegria!") em vez do acontecimento real que produzirá o efeito esperado (o jogador converter a cobrança e seu time ganhar o jogo!). Nesse caso, você substituiu o *efeito* (sua felicidade) pela *causa* (fazer o gol).

Os escritores e as personagens da Bíblia usam com frequência figuras de substituição. Davi, por exemplo, declarou em Salmos 51.8: "Faze-me ouvir de novo júbilo e alegria". O que Davi pede em sentido figurado é o efeito. O que ele de fato está pedindo é perdão para seu pecado com Bate-Seba. O perdão será a causa que produzirá alegria e felicidade em sua vida (o efeito). Então Davi usou uma figura de linguagem, substituindo o efeito pela causa. Outro bom exemplo é encontrado em Jeremias 14.17, em que o profeta declara: "Que os meus olhos derramem lágrimas". O que Jeremias está falando é sobre a futura invasão da Babilônia (a causa), mas o que ele descreve é o efeito que essa invasão terá sobre ele (choro).

Representação

A outra figura de linguagem que lida com a substituição é chamada *representação*. Nessa figura de linguagem, parte representativa da entidade é citada para se referir de maneira figurada a outra entidade. Por exemplo, os escritores e as personagens do AT citam várias vezes capitais e/ou tribos individuais para representar nações inteiras. Efraim (a maior tribo do Norte) é muitas vezes citada em sentido figurado para se referir a todo o Reino do Norte, isto é, Israel. Os escritores do AT também citam Samaria (a capital do Reino de Israel) para representar a nação. De igual maneira, Jerusalém, a capital do reino do Sul, é usada várias vezes para se referir a todo o Reino do Sul, isto é, Judá.

Várias outras figuras de linguagem de representação ocorrem em toda a Bíblia, em especial na poesia do AT. As palavras "arco" e "espada" são usadas como representações de exércitos e armas de guerra em geral, como em Salmos 44.6: "Não confio em meu *arco*, minha *espada* não me concede a vitória". Pela mesma forma, exércitos e poder militar podem ser inferidos do uso figurado de palavras como carros e cavalos: "Alguns confiam em carros e outros em cavalos, mas nós confiamos no nome do Senhor, nosso Deus" (Sl 20.7). A menção de uma ou duas armas usadas pelos exércitos subentende o restante do arsenal; dessa maneira, a figura de representação de linguagem funciona. Há vários outros exemplos. O AT usa os pés para se referir a toda a pessoa (Sl 40.2; 44.18; 122.2). O mesmo acontece com a palavra "ossos" (Sl 6.2; 31.30; 32.2; 42.10); no entanto, essa palavra é usada muitas vezes em contextos de dor ou sofrimento. Os *lábios* ou a *língua* são substitutos figurados frequentes para a fala de alguém (Sl 12.2; 17.1; 31.18; 63.3; Tg 3.5-9).

Figuras de linguagem variadas

É difícil categorizar todas as figuras de linguagem em classificações absolutas, por isso apresentamos uma categoria de linguagens variadas para apresentar as principais figuras de linguagem ainda não apresentadas: *apóstrofe* e *ironia*.

Apóstrofe

Apóstrofe é a figura de linguagem usada quando uma personagem ou um escritor se dirige a uma pessoa ou a uma entidade como se ela estivesse presente, quando na verdade não está. Geralmente é feita para expressar sentimentos fortes ou para dar ênfase especial a um argumento em particular. Os escritores podem empregar apóstrofes sem qualquer advertência anterior, dirigindo-se a alguém que vai aparecer em instantes. Essa figura de linguagem algumas vezes aparece em conexão com a personificação, pois não é raro que os escritores se dirijam a objetos inanimados como céu, terra ou portas. Por exemplo, o salmista usa a apóstrofe (se dirigindo a alguém que não está presente) em combinação com a personificação (tratando um objeto inanimado como se fosse humano) quando declara: "Abram-se, ó portais; abram-se, ó portas antigas, para que o Rei da glória entre" (Sl 24.7). Outro exemplo de apóstrofe é quando o escritor bíblico dirige-se a si mesmo ou à própria alma como se fosse outra pessoa: "Por que você está assim tão triste, ó minha alma? Por que está assim tão perturbada dentro de mim?" (Sl 43.5); "Bendiga ao Senhor a minha alma!" (Sl 103.1).

Ironia

Ironia é a figura de linguagem em que o autor ou a personagem intencionalmente diz o oposto exato do que realmente quer dizer. Quando algo de mal nos acontece, podemos dizer com sarcasmo: "Oh, eu mereço!". Na verdade, a situação não é nada boa, mas dizemos o contrário. Isso é ironia.

De forma geral, usamos a ironia junto com o sarcasmo, o que implica uma tonalidade de voz específica. Os escritores e oradores bíblicos, e suas personagens, várias vezes combinam ironia e sarcasmo. O próprio Deus usa essa figura de linguagem, usando ironia com um toque de sarcasmo quando repreende Jó por ter questionado sua justiça e sabedoria: "Você faz ideia de quão imensas são as áreas da terra? Fale-me, se é que você sabe. [...] Talvez você conheça, pois você já tinha nascido! Você já viveu tantos anos!" (Jó 38.18-21).

Como interpretar figuras de linguagem

É importante prestar atenção às figuras de linguagem quando lemos a Bíblia. Se não prestarmos atenção ao fato de que estamos lidando com uma figura de linguagem, e quisermos interpretá-la literalmente, estaremos impondo um sentido ao texto que o escritor bíblico não pretendeu. Não obstante, precisamos ter em mente a existência de realidades literais por trás das figuras de linguagem, por isso não podemos simplesmente desprezar o versículo apenas como algo figurado ou simbólico, não um reflexo da verdade. Com certeza, Deus não é equivalente a um leão literal, mas, quando Amós declara "o leão rugiu" (3.8), ele comunica por meio de uma figura de linguagem uma realidade bastante literal (Deus está irado e é perigoso).

Por isso, quando encontrar uma figura de linguagem, tente classificá-la em uma das categorias anteriores e depois passe algum tempo refletindo sobre o propósito da figura. Tente determinar com exatidão o que o escritor tenta veicular com o uso dessa figura de linguagem.

Outro passo útil é tentar visualizar a figura de linguagem. Em geral, figuras de linguagem são imagens vívidas que os escritores criam em nossa mente para produzir um efeito especial. Pare e tente visualizar a imagem real que é apresentada. Se Deus é comparado a um leão perigoso que ruge, pondere por um momento no que isso poderia significar para os que viviam no mundo antigo (sem armas de fogo) quando eles ouviam um leão faminto rugindo nas proximidades. Se você puder visualizar a imagem, isso o ajudará a sentir todo o alcance do impacto emocional e intelectual que o escritor tenta transmitir.

Uma vez visualizada a imagem veiculada pela figura de linguagem, e depois de ter pensado em como essa figura de linguagem funciona, podemos pensar no contexto e usar a compreensão da figura de linguagem para nos auxiliar a compreender o restante da passagem.

"Abram-se, ó portais; abram-se, ó portas antigas" (Sl 24.7). Abaixo, ruínas dos portões da cidade de Megido.

Características literárias da Bíblia

D. Brent Sandy

A Bíblia é o livro mais rico, mais profundo e mais envolvente já escrito. Ela estava no topo da lista dos livros mais vendidos quando nem havia ainda uma lista a respeito. Ela é, acima de tudo, a Palavra de Deus. O Rei de todos os reis inspirou o Livro de todos os livros.

Contudo, a Bíblia tem valor por outra razão: a habilidade dos escritores humanos. Inspirados, os escritores selecionaram as formas literárias e as figuras de linguagem mais adequadas para comunicar a revelação vinda de Deus. Quando você tem algo importante a dizer, e o diz de maneira adequada, a mensagem tem mais chance de alcançar os ouvintes (o público originário da Bíblia em geral não a lia; eles a ouviam quando ela era lida. Mesmo quando havia pessoas alfabetizadas na audiência, o mais provável é que elas não tivessem exemplares das Escrituras).

Se desejarmos ser bons ouvintes e conhecer todo o conselho divino, há muito a aprender a respeito da Palavra de Deus. Não importa quão profundamente creiamos na Bíblia e a amemos; a audição deficiente pode levar à interpretação equivocada da verdade divina, o que pode resultar até em desobediência. Como Walt Whitman observou: "Para que haja grandes poetas, deve haver grandes audiências". A Bíblia se torna uma mensagem de poder e impacto crescentes quando somos boa audiência.

A Bíblia como literatura

De modo geral, pensamos nos autores bíblicos como pastores de ovelhas, pescadores ou pessoas que exerciam outras ocupações semelhantes, gente simples que poderíamos encontrar na vizinhança. Mas eles eram muito mais que isso. Quando recebiam a inspiração do Espírito, pegavam uma pena, tinta preta, um pedaço de papiro e escreviam o que Deus lhes revelava.

Ainda que não entendamos muitas coisas a respeito do processo de inspiração, ficamos admirados quando olhamos o resultado. É a Escritura soprada por Deus, o resultado da atividade de seres humanos conduzidos pelo Espírito Santo (2Tm 3.16; 2Pe 1.21). Mas a Bíblia também é excelente literatura, que rivaliza com a melhor literatura que o mundo já conheceu.

Apesar da natureza teológica, a forma da Bíblia é literária. Ela usa a experiência humana para comunicar valores de Deus. Ela não relata apenas o que *aconteceu*; ela nos dá percepções quanto ao que *acontece*. Quando Jesus quis explicar quem é o próximo, ele poderia ter articulado uma definição ou mesmo escrito um bem detalhado verbete de enciclopédia. Em vez disso, ele contou a história do bom samaritano. Poucas pessoas esquecerão sua história da experiência humana; poucas pessoas conseguiriam se lembrar dos detalhes de um verbete de enciclopédia. Segundo, o compêndio de narrativas, história, poesia, parábolas, cartas e textos visionários na Bíblia abrange uma coleção impressionante de formas literárias. A literatura é marcada pelo uso consciente de diferentes formas. Porém, a Bíblia como antologia é única: unificada ao redor de uma narrativa ampla de conflitos e soluções de conflitos — de pecado e redenção — de Gênesis a Apocalipse. Terceiro, a Bíblia é um tesouro artístico: primor na narração, dramas espetaculares, figuras criativas de linguagem, poesia brilhante. "Joseph and The Amazing Technicolor Dreamcot",* além de várias outras peças teatrais, músicas, filmes e obras de arte, confirmam o valor permanente das formas de arte da Bíblia. Mas as qualidades artísticas da Bíblia não existem apenas por causa da arte. A arte existe por causa de Deus.

Há muito para admirar nas qualidades literárias dos livros da Bíblia, mas é preciso fazer mais que admirar. Há uma relação entre o significado (do texto) e suas características literárias. Não compreenderemos a mensagem da Bíblia se olharmos apenas as palavras. Precisamos prestar atenção a como o autor as usou. As composições começam com três componentes básicos: o que alguém quer dizer, que impacto ele quer ter e como vai dizer. O primeiro componente é o significado; o segundo é a função; e o terceiro, a forma. Não entenderemos um de maneira adequada se não entendermos os

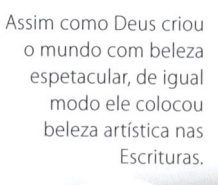

> Assim como Deus criou o mundo com beleza espetacular, de igual modo ele colocou beleza artística nas Escrituras.

---

* Musical escrito por Andrew Lloyd Weber (autor de, entre outros trabalhos, "Jesus Christ Superstar", "Evita" e "Cats") e Tim Rice. O musical é baseado na história de José, filho de Jacó. [N. do T.]

outros dois. Todo discurso, seja em um sindicato, seja em uma aula inaugural, seja em uma oração, seja em um campo de batalha — assim como cada porção da Bíblia — precisa ser entendido à luz de como significado, função e forma trabalham em conjunto em um ato de comunicação.

Um dos atributos de Deus é a beleza, e ele nos convida a refletir a beleza em nossa vida e nos relacionamentos. Por isso, se estamos representando Deus como luz nas trevas — ou apresentando Deus em formas escritas e orais —, buscamos ser belos como ele é belo. Os autores da Bíblia criaram suas palavras das mais belas maneiras, dos modos mais impactantes, para comunicar a mensagem divina.

Formas literárias na Bíblia

O progresso mais significativo do século XX para o avanço da compreensão das Escrituras foi o entendimento das formas literárias utilizadas pelos autores bíblicos. O termo técnico é "gênero". Muitos de nós tendemos a não considerar a diferença existente entre os gêneros.

Imagine que você tenha um guarda-roupa antigo para vender e decide perguntar a um colunista de jornal quanto ao seu valor. Você pode começar assim: "Meu bisavô comprou um guarda-roupa de madeira de cerejeira logo após a Grande Depressão. Ele não tem nenhum arranhão. Como determino seu valor?". Mas, se você vai anunciar o guarda-roupa na seção de classificados de um jornal local, pode escrever algo bastante diferente: "Guarda-roupa antigo. Na mesma família durante oitenta anos. Excelente estado de conservação. R$ 1.800,00". Mas, se ladrões invadirem sua casa e roubarem o guarda-roupa, o relatório da polícia poderia ser algo do tipo "Peça de mobília, relíquia de família, avaliada em R$ 2.000,00, foi roubada". Todas as descrições são válidas, mas não são intercambiáveis. Nos classificados ou no relatório policial, você não vai encontrar uma declaração do tipo "Meu bisavô adquiriu um guarda-roupa de madeira de cerejeira logo após a Grande Depressão".

Ou imagine que você está escrevendo um tributo à memória de alguém para o culto fúnebre. Sendo pastor, provavelmente comentará sobre o local de nascimento do falecido, a data de casamento, o envolvimento do falecido com a igreja etc. O tributo pode ser lido como obituário no jornal, quase como um verbete de enciclopédia. Um pastor também pode fazer do tributo um sermão e usar o falecido como exemplo para a vida das pessoas. Mas, se você é o neto do falecido e fará o tributo, é mais provável que escolha uma opção diferente. Você vai escrever uma poesia? Vai contar histórias sobre como fazia biscoitos com sua avó? Vai incluir trechos engraçados? As diferentes formas que o tributo pode tomar são exemplos de distinção de gênero.

Prosa e poesia são dois gêneros óbvios na Bíblia. Pode ser surpreendente que mais de um terço da Bíblia consista em poesia. De Jó até Cântico dos Cânticos, são 243 capítulos poéticos. Do profeta Isaías ao profeta Malaquias, há mais de 250 capítulos, a maioria poéticos. Além disso, encontramos poemas incluídos na prosa. Mas a poesia e a prosa precisam ser subdivididas em gêneros mais distintos. A poesia de Salmos consiste em três categorias formais: lamentos, cânticos de gratidão e hinos. O gênero da profecia pode ser subdividido em pronunciamentos de juízo, promessas de bênçãos e apocalíptica. A prosa do AT inclui narrativa, história e lei. No NT, há Evangelhos, parábolas, discursos, histórias, cartas e apocalíptica. Algumas vezes, é necessário subdividir os gêneros ainda mais.

Para cada gênero, há uma compreensão recíproca entre autor e audiência. O autor pode falar de uma maneira que os ouvintes possam entender, e os ouvintes podem levar em conta o estilo usado pelo autor. Para que a comunicação alcance os objetivos pretendidos, o autor e a audiência precisam da compreensão comum do gênero. Se o autor usa ironia e isso não for percebido, pensaremos que o autor diz o contrário do que na verdade pretendeu (v., p. ex., Am 4.4). A regra universal da interpretação das Escrituras prescreve que a leiamos no contexto. Os gêneros são parte importante do contexto. Corremos o risco de violar a Palavra inspirada de Deus se ignoramos esse aspecto tão importante da revelação.

Poesia na Bíblia

Muitos leitores esperam que a Bíblia administre seus pensamentos, que ela seja um depósito de informações, que fale de forma clara e lógica ao lado esquerdo do cérebro. Nossa cultura pós-iluminista encoraja esse conceito. Somos programados para pensar de maneira detalhada, científica e racional. Apreciamos informações específicas que rápida e facilmente se dirijam às nossas questões e aos nossos problemas.

No entanto, a poesia não se encaixa nessa ideia unilateral. A poesia fala aos dois hemisférios do cérebro. A poesia é caracterizada pela experiência humana, pela linguagem da emoção, por figuras de linguagem que apelam aos sentimentos. Os poetas podem exagerar para reforçar um argumento: "A voz do Senhor retorce os carvalhos e despe as florestas" (Sl 29.9). A isso, chamamos hipérbole. Os poetas podem usar várias figuras de linguagem para realçar sua mensagem: "Se eu subir com as asas da alvorada e morar na extremidade do mar, mesmo ali a tua mão direita me guiará e me susterá" (Sl 139.9,10).

Se não conseguirmos apreciar como a poesia comunica, e insistirmos na leitura superficial, poderemos extrair mais informações da que a originariamente pretendida. No entanto, se estivermos interessados apenas em sentimentos, intuição e generalidades, então poderemos perder as verdades ressaltadas na poesia. São dois extremos que precisamos evitar.

Quando lemos Salmos 103.3: "[ele] cura todas as suas doenças", será que isto quer dizer que devemos evitar qualquer forma de assistência médica, porque podemos contar que Deus nos cura? Quando o salmista diz: "[o Senhor] protege todos os seus [do justo] ossos; nenhum deles será quebrado" (Sl 34.20), quer dizer que o osso quebrado é sinal de pecado na vida de alguém? Será que Deus se "esquece" mesmo dos nossos pecados quando os perdoa? (v. Sl 25.7; 51.1,8,9; Is 43.25; Jr 31.34). O salmo 22 tem início com: "Meu Deus! Meu Deus! Por que me abandonaste?", e o versículo 14 do mesmo salmo diz: "todos os meus ossos estão desconjuntados"; será que devemos concluir daí que todos os ossos de Jesus se deslocaram quando ele estava pendurado na cruz? Se não entendermos o funcionamento da poesia, declarações como essas poderão nos enganar, como tem acontecido com muitas pessoas.

Um poeta bíblico desenvolvia sua habilidade em um modelo como o apresentado nessas passagens. Ainda que seja um mistério para nós, o Espírito Santo e o autor humano trabalharam juntos, e há um sentido em que podemos nos referir a ambos no singular, "o autor". Os poetas bíblicos, em especial no AT, de forma geral veiculavam suas ideias ou verdades em duas linhas poéticas por vez. Isto é, eles usavam palavras e imaginário diferentes, mas paralelos em duas linhas seguidas, para enfatizar o mesmo ponto básico. A segunda linha, formulada para equilibrar a primeira, trabalha o pensamento dela e lhe adiciona alguma coisa, ampliando-o ou esclarecendo-o de alguma maneira. A repetição é chamada paralelismo poético. A concisão é a marca de ambas as linhas, que apresentam muito significado em poucas palavras (isso é especialmente evidente na língua hebraica). Em alguns casos, o paralelismo ocupa vários versos. No salmo 19, por exemplo, o salmista mantém o foco da atenção na revelação da grandeza de Deus na criação, e assim expressa o mesmo pensamento:

"Se eu subir com as asas da alvorada e morar na extremidade do mar, mesmo ali a tua mão direita me guiará e me susterá."
(Sl 139.9,10).

Os céus declaram a glória de Deus; o firmamento proclama a obra das suas mãos. Um dia fala disso a outro dia; uma noite o revela a outra noite (Sl 19.1,2).

Se não reconhecermos a técnica do poeta, correremos o risco de ler o texto à procura de informações a respeito dos céus ou da noite. Mas fazê-lo significa perder de vista o objetivo do texto. O salmista usa a imaginação criativa para reafirmar a verdade de maneiras diferentes. Os paralelismos e as figuras de linguagem utilizados pelo salmista dão ênfase à grandeza de Deus revelada na criação.

No salmo 139, o poeta desenvolve o conceito do Criador pessoal de maneira crescente, e mais uma vez cada linha expressa o mesmo conceito básico:

> Tu criaste o íntimo do meu ser e me teceste no ventre de minha mãe. [...] Meus ossos não estavam escondidos de ti quando em secreto fui formado e entretecido como nas profundezas da terra (Sl 139.13,15).

Não seremos bons ouvintes da poesia se pensarmos que a declaração "entretecido como nas profundezas da terra" nos fornece informações sobre a natureza precisa da origem humana. Essa expressão não funciona como uma declaração teológica, mas como um paralelismo poético, ilustrando a liberdade do salmista ao expressar ideias de maneira criativa e com uso de linguagem figurada.

A poesia toca em nosso íntimo e faz as cordas do nosso coração vibrarem. Busca nos transformar em criaturas adoradoras. Mas o objetivo primário da poesia não é nos dar informações. Ainda que esteja enraizada em fatos e verdades importantes, seu objetivo diz mais respeito a trazer a verdade à vida que revelar a verdade.

Se você comparar os capítulos 14—15 de Êxodo — um, a descrição em prosa dos exércitos egípcios se afogando no mar Vermelho, o outro, a descrição poética do mesmo acontecimento — você ganhará uma apreciação nova do poder de Deus apresentado no Êxodo. Moisés e Miriã se tornaram poetas e transformaram um acontecimento histórico em algo poético.

O salmo 114 é uma descrição do Êxodo:

> O mar olhou e fugiu, o Jordão retrocedeu; os montes saltaram como carneiros, as colinas, como cordeiros. Por que fugir, ó mar? E você, Jordão, por que retroceder? (Sl 114.3-5)

A descrição feita pelo salmista de montes que saltam como carneiros indica um princípio para a interpretação de poesia: precisamos olhar *através* das palavras do poeta para descobrir seu objetivo, não reparar nas próprias palavras como se cada uma delas fosse o objetivo. Precisamos meditar no poder mais amplo das imagens, não olhar para o significado particular de cada figura de linguagem ou de cada linha poética. Os salmistas desejavam que fôssemos afetados, tocados nas emoções pela poesia deles. Levar uma refeição preparada por um cozinheiro bastante competente a um laboratório e usar centrífugas e espectrômetros para identificar cada ingrediente utilizado, a proporção e o valor nutriente de cada um deles irão destruir a criação do chefe de cozinha. Quem vai comer, não precisa saber a respeito de cada ingrediente e da proporção de cada um para se alimentar e apreciar a qualidade da experiência de comer.

Histórias na Bíblia

Da mesma maneira que a poesia é transformadora, as histórias também o são. Elas prendem a atenção, revigoram e até libertam. Elas mantêm nossa atenção em suspense; as mudanças no enredo nos surpreendem; o mistério nos faz querer saber o que vai acontecer em seguida. Desde histórias infantis até *Canja de galinha para a alma*,* as histórias moldam vidas. Mergulhar em uma história nos permite viver além de nós mesmos, nos faz pensar no que faríamos se estivéssemos na situação apresentada por ela.

As histórias nos motivam a pensar de modo diferente a respeito de situações da vida real, a fazer algo que não havíamos pensado, a nos tornarmos a pessoa que tomamos consciência de que precisamos ser. Ler sobre a vida de outras pessoas nos ajuda a perceber os relacionamentos, sentimentos, impulsos e desejos da nossa própria história.

Outro avanço na hermenêutica bíblica no século XX foi a atenção especial dada às histórias e a como elas atuam. O termo técnico para história é narrativa. Os autores são os narradores. O componente central da narrativa é o enredo. De modo geral, os protagonistas estão perto de Deus ou agem a seu favor, enquanto os antagonistas trabalham contra os planos de Deus.

Diferente do esperado, a Bíblia contém um número imenso de histórias a respeito de seres humanos. É um conceito fascinante: Deus escolheu narrativas humanas para revelar a verdade divina. Conquanto a função da história seja semelhante a um sermão, ela não se parece com um sermão. Pelo fato de Deus ter se encarnado na pessoa do Filho — trazendo à terra a resposta para a condição humana — a Bíblia é centrada na encarnação. Deus sabe tudo a nosso respeito, do início ao fim, incluindo o que é bom e mau para nós. Ele encarnou essas percepções nas histórias humanas. O que estava fora do Planeta, em posse de Deus, veio ao nosso planeta encarnado em seres humanos.

As narrativas bíblicas são moldadas por três princípios. O primeiro é a *história*. Os autores bíblicos tinham acontecimentos verdadeiros para relatar — acontecimentos passados, presentes e futuros. Por isso contaram as experiências deles mesmos e de outras pessoas. Os acontecimentos e experiências foram especialmente importantes porque Deus estava envolvido, algumas

---

* Referência ao livro de autoajuda escrito por Jack Canfield que fez muito sucesso nos EUA. O livro apresenta vários relatos de fundo moral e ênfase espiritual (Rio de Janeiro: Ediouro, 21. ed. 2002, 296 p.). [N. do T.]

vezes agindo por trás das cenas e algumas vezes sua atuação era evidente; em todos os casos, demonstrando a interação entre as esferas divina e humana.

Segundo, conquanto os autores bíblicos estivessem registrando incidentes históricos, a história não é apenas um registro de acontecimentos e detalhes. A história bíblica é uma *história estética*, uma narrativa eloquente. As histórias bíblicas são lindas a seu modo. Deus orientou os autores a que construíssem narrativas com muita habilidade. Não se trata apenas de um texto belo escrito para ser belo: os autores estavam comunicando conceitos importantes e reconheceram a importância de escrever bem.

Terceiro, os autores bíblicos tinham consciência de que eram portadores de uma mensagem da parte de Deus e a respeito dele. Eles foram comissionados por Deus para falar por ele (v. Is 6.8-13; Ez 2.1—3.27). Portanto, suas narrativas são *história teológica*. Os autores não estariam de modo algum satisfeitos se apenas apreciássemos sua habilidade narrativa e não abríssemos o coração às verdades veiculadas nas histórias. A narrativa bíblica manifesta o caráter de Deus. À medida que fazemos das histórias da Bíblia nossas histórias, elas nos definem, ajudam-nos a ver a nós mesmos como Deus nos vê.

Raramente o objetivo de uma narrativa bíblica é explicado no texto. Elas fazem os leitores pensar nas histórias, levantam questões, deixam espaços abertos e encorajam a contemplação. Precisamos optar por lados, entrar em processos de tomada de decisão e interpretar a experiência das personagens. Trata-se de uma estratégia inesperada, no caso de uma revelação da parte de Deus. Mas, à semelhança de pais que criam filhos adolescentes e lhes dão oportunidades crescentes de se encontrarem e tomar decisões próprias, Deus capacita os leitores para o desenvolvimento de valores sob sua orientação, que poderão ser aplicados à sua experiência de vida.

Alguns comentaristas tentam reduzir o significado de um relato a uma aplicação ou lição de moral específica. Mas a abordagem que valoriza o pensamento do hemisfério cerebral esquerdo é fruto da influência do Iluminismo. É reducionismo insistir em um único ponto específico para cada história. As narrativas ilustram ideias em vez de anunciá-las. As histórias fixam residência em nossa mente e são abertas para implicações em várias direções. Tal é o poder de sugestão de uma história.

Para equilibrar o ponto, é errado concluir que alguém pode livremente criar interpretações e aplicações com base nas narrativas bíblicas. As Escrituras não foram reveladas pela imaginação ou motivação humanas (2Pe 1.20,21), assim é errado inventar um significado que surpreenderia o autor bíblico.

*Um carro de guerra egípcio. Êxodo 15 é um cântico que celebra a destruição dos carros de guerra egípcios no mar Vermelho: "O S*ENHOR *é guerreiro [...] Ele lançou ao mar os carros de guerra e o exército do faraó. Os seus melhores oficiais afogaram-se no mar Vermelho [...] como pedra desceram ao fundo." (Êx 15.3-5)*

Considerando que os narradores podem contar histórias de diversas maneiras, usando uma variedade de técnicas, precisamos prestar atenção aos meios específicos pelos quais as narrativas foram criadas para entender de forma plena o que os autores queriam comunicar. Mas suas técnicas podem não ser tão evidentes.

- Em Gênesis 11.1-9, o narrador usa a forma literária conhecida como quiasmo. Ao começar e encerrar a história com elementos semelhantes (uma forma de encadeamento que tem abertura e fechamento, como parênteses) e usando nesses parênteses uma série de elementos semelhantes que se movem em direção ao centro da história, o autor revela a ideia central da narrativa.
- Em Josué 2—7, o autor apresenta um contraste vívido entre Raabe e Acã: uma forasteira ficará debaixo da graça de Deus por causa da sua obediência, enquanto alguém do povo de Israel receberá o castigo divino em razão da desobediência. O contraste do narrador passa despercebido com facilidade por conta dos detalhes referentes à queda de Jericó.
- A caracterização de Saul e Davi em 1Samuel 15—31 é marcante, enfatizando a falta de aptidão de Saul para a função de rei e a versatilidade de Davi ao sucedê-lo. Padrões de repetição ocorrem com frequência, como Davi poupando a vida de Saul (cap. 24), Davi poupando a vida de Nabal (cap. 25) e Davi mais uma vez poupando a vida de Saul (cap. 26).
- A ironia está evidente na descrição da grandeza de Salomão como rei (1Rs 4—11): a suposta grandeza é sua ruína.
- A cura de um cego em dois estágios por Jesus (Mc 8.22-26) só faz sentido quando as conexões são observadas entre os episódios antecedente e subsequente. Os discípulos estavam crescendo na compreensão da identidade de Jesus.
- No livro de Atos, a técnica literária de troca é evidente à medida que o narrador avança e retrocede na vida de Pedro e de Paulo, demonstrando que eles foram capacitados da mesma forma por Deus e ambos foram importantes no crescimento da igreja primitiva.

Esses são apenas uns poucos exemplos da amplitude da técnica narrativa.

Conclusão

A Bíblia é grande literatura. É a verdade revelada de Deus. Felizmente ela não foi escrita em nenhuma língua de outro planeta. Isso nos dá o privilégio de a ouvirmos e a *responsabilidade* de a entendermos.

A arqueologia e a Bíblia

Steven M. Ortiz

Introdução

A relação entre a arqueologia e a Bíblia tem uma longa história. Atualmente a expressão "arqueologia bíblica" pode se referir a qualquer uma das três diferentes perspectivas da interseção entre arqueologia e Bíblia. Na primeira, o alvo é apologético: a arqueologia é usada para tentar "provar" a Bíblia. Essa é a visão comumente apresentada na mídia ou nos relatos populares. É conduzida, de modo geral, por pessoas sem treinamento formal que querem descobrir lugares ou relatar "achados" mencionados na Bíblia. Na segunda, mais popular a partir da segunda metade do século XX, via a arqueologia como "serva dos estudos bíblicos". A arqueologia é um dos muitos métodos usados pelos biblistas em seus estudos. Livros-textos de interpretação bíblica alistam a arqueologia junto com abordagens gramaticais, culturais e teológicas.

Mas essa abordagem tende a subordinar a arqueologia às necessidades e à agenda dos estudos bíblicos.

A terceira perspectiva concebe a arqueologia bíblica de forma distinta dos estudos bíblicos, mas não sem relação com eles. Vista assim, a arqueologia bíblica é considerada parte da disciplina mais ampla da arqueologia do antigo Oriente Médio ou, de maneira mais específica, da arqueologia da região sul do Levante (Israel/Palestina/Jordânia etc.). Essa é a abordagem adotada neste capítulo.

A arqueologia é a recuperação e a análise sistemática e multidisciplinar de objetos materiais de sociedades humanas e contexto do ambiente dessa atividade humana. Arqueologia bíblica é o uso da tarefa arqueológica para iluminar e clarear o texto bíblico e o contexto histórico dos seus documentos. Logo, a arqueologia é uma disciplina distinta dos estudos bíblicos, mas pode fornecer a eles muitas informações e lhes ser muito útil. Não obstante, a arqueologia tem uma própria agenda de pesquisa, métodos e fundamentação teórica. O ponto de interseção entre a arqueologia e os estudos bíblicos é que esses dois saberes tentam reconstruir o passado. O arqueólogo está focado na história cultural, enquanto o biblista está focado na história das Escrituras. O "arqueólogo bíblico" que não confessa a fé cristã não pode desconsiderar o texto bíblico, considerando que este contém muitos dados concernentes à história cultural; o biblista não pode desconsiderar os dados arqueológicos porque estes contêm muitos dados úteis para a reconstrução da história bíblica. Este artigo volta sua atenção apenas para a disciplina da arqueologia.

O processo arqueológico

A arqueologia é multidisciplinar. É considerada uma disciplina científica, uma disciplina histórica e, em especial, um subconjunto da antropologia. Há um debate entre os teóricos quanto ao campo de pertença da arqueologia, isto é, se ela consiste em uma ciência exata ou em uma ciência humana. Os arqueólogos trabalham na reconstrução do passado usando remanescentes materiais do comportamento humano passado. Por isso, a tarefa arqueológica se pauta pelas teorias das ciências sociais e usa seus métodos.

História da disciplina

A arqueologia foi considerada a princípio um tipo de história cultural com ênfase na reconstrução de períodos históricos. Na década de 1960, uma proposta teórica chamada "nova arqueologia" (arqueologia processual) começou a dominar a disciplina. Esse novo foco de pesquisa passou a enxergar a cultura como um sistema com vários processos. O processo principal considerava a cultura como uma adaptação ao ambiente externo. A teoria arqueológica tentou definir as leis gerais do comportamento humano em contraste com o particularismo histórico da abordagem histórico-cultural. Em reação ao modelo processual, surgiu a crítica "pós-processual" na década de 1980. A principal crítica tecida foi a falta de ênfase ao ator humano como participante racional de todo o processo. Além dela, também foi levantada a crítica da falta de habilidade dos arqueólogos no desenvolvimento de leis gerais do comportamento humano. Foram sugeridas as seguintes mudanças teóricas: 1) ver a arqueologia como história de longo prazo; 2) estudar a ideologia e sua influência no comportamento humano; 3) desenvolver estruturas de significado evidenciadas pela cultura material; 4) autocrítica quanto ao relacionamento entre a interpretação dos dados e o intérprete. O resultado é que os arqueólogos precisam estudar cada dado arqueológico no seu contexto (geográfico, cronológico, cultural etc.) e situar o individual na análise do passado.

Na atualidade, o método e a teoria arqueológicas trabalham na tensão das abordagens processual e pós-processual. Os teóricos reconhecem o seguinte: 1) o ambiente e a ecologia restringem as mudanças sem ser sua principal causa; 2) os arqueólogos devem tratar de questões históricas e também antropológicas; 3) o registro arqueológico resulta do comportamento cumulativo de indivíduos e também de sociedades; 4) o registro arqueológico é padronizado pelo domínio cognitivo e também pelo domínio físico do comportamento humano; 5) a ênfase deve recair sobre interpretações contextuais, não tanto sobre modelos preditivos e leis abrangentes.

A arqueologia bíblica clássica era baseada na abordagem histórico-cultural. O nascimento da arqueologia bíblica se deu no século XIX com as primeiras expedições na Terra Santa. No século XX, considerados os anos de formação, os arqueólogos bíblicos escavaram *tels* (montes artificiais),

Tabuinha em escrita cuneiforme com a descrição das atividades do rei assírio Tiglate-Pileser III. Registros históricos como esses ajudam a correlacionar dados arqueológicos.

A arqueologia e a Bíblia 1117

considerando-os o acúmulo de remanescentes de cidades antigas (v. adiante o quadro "Os *tels* da arqueologia bíblica"). Foram desenvolvidos os princípios da estratigrafia (análise de diferentes camadas de um sítio arqueológico) e da seriação cerâmica (utilização do desenvolvimento histórico dos tipos de cerâmica para datar os níveis da escavação). A "era áurea" da arqueologia bíblica teve início após a Primeira Guerra Mundial. A arqueologia bíblica se tornou uma disciplina séria em razão do trabalho de William Foxwell Albright. Ele foi importante para: 1) desenvolver a estratigrafia e a seriação cerâmica; 2) casar os resultados da arqueologia e da hermenêutica bíblicas; 3) legitimar a arqueologia bíblica como subconjunto dos estudos bíblicos. Como parte de tudo isso, ele criou programas e escolas e treinou uma geração de estudantes. A escola de Albright tornou-se o paradigma dominante da maior parte da arqueologia bíblica na maior parte do início do século XX. G. Ernest Wright, um dos alunos de Albright, tentou fundir a arqueologia e a teologia, um empreendimento geralmente chamado de Movimento de Teologia Bíblica (1950-1960).

Nas décadas de 1970 e 1980, a arqueologia bíblica adotou a chamada "nova arqueologia" como sua metodologia e entre seus alvos de pesquisa. O grande defensor dessa perspectiva foi William G. Dever, um aluno de Wright. A arqueologia bíblica adotou o novo paradigma prevalecente no campo mais amplo da arqueologia mundial. Dessa maneira, a arqueologia bíblica amadureceu por: 1) ter se tornado uma disciplina distinta dos estudos bíblicos e 2) enfatizar o campo mais amplo da arqueologia sírio-palestina.

Atualmente, há um paradigma contextual histórico e também antropológico, e ambos os modelos são usados para pesquisar e interpretar os dados arqueológicos e textuais. Os dados arqueológicos e textuais são igualmente valiosos para reconstruir o passado; a única diferença é que cada disciplina usa métodos hermenêuticos diferentes. Mas, dentro dessa estrutura, os arqueólogos bíblicos continuarão a tratar de questões provenientes dos estudos bíblicos.

Campos da investigação arqueológica

Hoje, as questões básicas de pesquisa dos arqueólogos podem ser agrupadas em três categorias: potes, pessoas e processos. Essas categorias correspondem aos três principais domínios da investigação: estudos de cultura material, história e antropologia.

O primeiro domínio é o dos estudos de cultura material. Considerando que a cultura material é a base do que foi deixado no registro arqueológico, faz sentido que os arqueólogos enfatizem esse tipo de pesquisa (p. ex., cerâmicas, armas, arquitetura etc.). A cerâmica desempenha papel fundamental no estudo da cultura material para os arqueólogos bíblicos. Todas as culturas produziram cerâmicas; ela é durável e sobreviveu nos registros arqueológicos. É de valor inestimável para a determinação da data dos diversos estratos descobertos em uma escavação. Além de classificar a cultura material, os arqueólogos estudam sua origem, produção e distribuição.

O segundo campo de investigação é a reconstrução histórica, em que inferências e conexões são feitas entre textos históricos (quando disponíveis) e a arqueologia. Houve época em que a principal ênfase da arqueologia bíblica se encontrava no estabelecimento de relações entre a história do Israel antigo e o contexto mais amplo (p. ex., Egito e Assíria). A conexão entre arqueologia e história, de modo geral, tem como alvo de atenção a história política e as atividades de reis e governantes. Entretanto, a tendência atual é ir além da história política e reconstruir a história "não escrita" das pessoas cuja vida social não foi registrada nos textos principais, como os camponeses e as mulheres. Com frequência cada vez maior, os arqueólogos estão fazendo perguntas que lidam com a vida diária do povo, em lugar de focarem reis e conquistas.

O terceiro campo é o domínio dos processos. Esse campo de pesquisa levanta questões amplas a respeito da sociedade humana. Essas pesquisas têm como foco a ascensão e queda de Estados, o cultivo de plantas e a criação de animais domésticos, a estratificação social e a natureza do ruralismo e do urbanismo. Os arqueólogos não estão mais preocupados apenas em provar ou definir os acontecimentos da Bíblia como o Êxodo, a conquista da terra e outros, mas na definição de processos como a formação do Estado, a urbanização, o tribalismo e a etnicidade.

O registro arqueológico

O registro arqueológico é sempre fragmentário e incompleto. Isso se deve a dois fatores: 1) a natureza da codificação cultural em objetos materiais e 2) a formação dos processos que afetam o registro arqueológico. A quase totalidade do comportamento humano não está codificada na cultura material (crenças religiosas, costumes sociais, visões do mundo), e os que estão codificados (p. ex., vestuário, escrita, arte) geralmente não sobrevivem para que os analisemos. O material que sobreviveu geralmente é ambíguo. Por exemplo, os arqueólogos podem fazer inferências baseadas em textos históricos, comparação com culturas vivas (p. ex., etnoarqueologia) e o contexto do objeto no contexto arqueológico mais amplo (p. ex., o objeto foi encontrado em um templo ou no canto sagrado de uma casa?).

Os processos de formação dizem respeito a todos os efeitos que atuam no registro arqueológico. O primeiro tipo é a transformação cultural — os processos causados pela atividade humana. Grande parte do registro arqueológico é lixo — foi jogado fora ou abandonado pela sociedade antiga por não ter mais utilidade. Os arqueólogos se consideram afortunados quando um acontecimento como uma destruição rápida, provocada por causas naturais ou humanas, fecha todo um sítio com tudo o que nele havia. Quando isso acontece, há um quadro melhor de como as pessoas viviam, em contraste com o sítio abandonado e a maioria dos seus pertences terem sido levados pelas pessoas que o abandonaram.

Além da transformação cultural, há transformações naturais. Elas são variáveis, como decomposição natural e erosão, provocadas pela ação do vento e da água.

Datação arqueológica

No núcleo de qualquer interpretação arqueológica, está a datação. Utilizam-se quatro métodos, ou princípios, para a determinação da data de um estrato ou de um sítio arqueológico: 1) cultura material, especificamente a seriação cerâmica; 2) estratigrafia relativa; 3) colaboração histórica; 4) uso de métodos científicos de datação (como o carbono 14).

A análise da cerâmica (potes, jarros, vasilhas) é o método básico de pesquisa da arqueologia bíblica, pois a cerâmica está presente em todos os sítios arqueológicos. Conquanto outros materiais remanescentes de sociedades antigas sejam também fundamentais para documentação de mudança cronológica (p. ex., artefatos de metal, figurinos, arquitetura), nenhum deles é tão útil e durável para o registro arqueológico quanto a cerâmica. Portanto, a análise mais básica dos dados arqueológicos é o desenvolvimento de tipologias de cerâmica que relacionem os tipos da cerâmica com períodos específicos.

As correlações históricas podem fornecer datas absolutas para o registro arqueológico. Muitas correlações envolvem campanhas militares de reis egípcios e assírios, inscritas em registros históricos dessas nações. Correlações históricas importantes para a arqueologia bíblica são as campanhas egípcias dos reis do Novo Reino (Tutmés III, Ramsés II e Merneptá), bem como a campanha de Sisaque no século X a.C. Além das invasões egípcias, ocorreram várias campanhas assírias e babilônias que também revelam correlações históricas. Enquanto as campanhas militares podem prover dados absolutos, outras correlações históricas úteis também estão disponíveis. Elas incluem acontecimentos no texto bíblico e suas descrições (p. ex., batalhas entre os israelitas e seus vizinhos, como os filisteus e os reis da Transjordânia, listas de fronteiras, atos específicos dos israelitas e dos reis de Judá etc.).

Jarro estampado com a inscrição *lamelek* ("pertence ao rei") encontrado na região de Jerusalém.

Outras tentativas de estabelecer correlações históricas são baseadas em artefatos que podem ser ligados a pessoas, de modo geral a governantes. Exemplos disso são as centenas de cartelas, escaravelhos e selos que contêm o nome de um faraó ou de um oficial egípcio de alta patente. Alguns dos melhores exemplos são os jarros com a estampa *lamelek* ("pertence ao rei"), associados a Ezequias, rei de Judá.

O carbono 14 tem sido usado na atualidade como a forma de obter datas absolutas sem a necessidade de depender de dados bíblicos ou extrabíblicos. Quase todo o material datado com carbono 14 vem de sítios arqueológicos escavados na região norte de Israel. O uso de datação científica provê uma gama ampla de datas absolutas.

Escavação arqueológica: métodos e teoria

A descrição popularizada pela mídia dos arqueólogos como caçadores de tesouros apresenta um quadro muito distante da realidade. A tarefa arqueológica é um processo longo, lento e trabalhoso de pesquisa. Os métodos básicos de acumulação de dados arqueológicos são escavação e pesquisa. Os princípios básicos da escavação são: 1) análise estratigráfica, que trabalha com o pressuposto fundamental de que a cultura material é padronizada pelo comportamento humano (p. ex., as elites e os pobres, identificadores étnicos, o rural e o urbano, crenças religiosas); 2) a suposição de que a cultura material muda com o tempo e que podemos comparar artefatos de um sítio arqueológico ou de uma região com os de outro sítio ou região para determinar a cronologia e o relacionamento entre os achados.

No coração do processo arqueológico, estão a escavação e a pesquisa. O processo envolve quatro passos: 1) a elaboração de um padrão de pesquisa para a escavação; 2) a própria escavação; 3) a análise posterior; 4) a análise abrangente e publicação dos resultados.

Nos primórdios da arqueologia bíblica, um indivíduo podia conduzir a escavação. Hoje, a expedição arqueológica envolve vários especialistas e muitas pessoas, bem como instituições, todas trabalhando como uma equipe. Muitos projetos são liderados por um investigador com um ou dois coordenadores. Eles são responsáveis por levantar fundos e pelo projeto de pesquisa. Além disso, muitos países em que a escavação acontece têm agências governamentais que supervisionam e protegem os sítios arqueológicos, visto que eles são considerados propriedade nacional, pertencentes aos cidadãos do país. Portanto, o investigador e os coordenadores precisam trabalhar próximos da agência que comanda o projeto, bem como seguir as orientações para escavações arqueológicas do país.

Há uma hierarquia que consiste em arqueólogos de campo e supervisores de área responsáveis pela orientação de estudantes voluntários e/ou trabalhadores pagos. Se o projeto utiliza estudantes voluntários, é geralmente conduzido por uma instituição de ensino, e assim há laboratórios, palestras e cursos práticos oferecidos no decorrer do dia. Além do supervisor dos trabalhadores (assalariados ou não), a equipe de campo é responsável pelo registro de todos os dados e pela supervisão da retirada do material. Diversos especialistas — arquitetos, especialistas em conservação, arqueobotânicos, zooarqueólogos, antropólogos físicos, geólogos e fotógrafos — auxiliam na análise das descobertas.

As escavações associadas a escolas de campo muitas vezes duram um mês, quase sempre no verão,* quando são realizadas de cinco a dez escavações. Mas a maior parte do trabalho arqueológico acontece mais tarde, muitas vezes longe do sítio arqueológico. A análise posterior é um trabalho intenso, que envolve vários pesquisadores. Para cada mês de escavação, são necessários pelo menos dez meses de processamento dos dados da escavação. Algumas vezes, pode demorar ainda mais, porque muitos arqueólogos são também professores de período integral. Eles normalmente "escavam" no verão e passam o restante do ano letivo analisando e processando os resultados da expedição.** Não raro, as demandas da docência limitam o tempo que podem dedicar à análise posterior do trabalho realizado no verão. Algumas vezes, o intervalo pode ser de cinco a quinze anos entre o último período de escavação até a publicação formal dos resultados, dependendo do tamanho do projeto.

Panorama dos períodos arqueológicos

Os arqueólogos que trabalham na região sul do Levante classificam a história da região em períodos. Essa classificação é baseada em 1) correlações históricas e 2) grandes mudanças na cultura material. Os principais períodos que se relacionam com a arqueologia bíblica são: Pré-história (Neolítico e Calcolítico), Idade do Bronze (Antigo, Médio e Tardio), Idade do Ferro e os Períodos Persa, Helenístico e Romano.

Pré-história

O Período Neolítico (c. 8500-4300 a.C.) representa a revolução agrícola em que a sociedade humana mudou de coletora para produtora de alimentos. Ao mesmo tempo, ocorreu a domesticação de animais (ovelhas, bodes, gado bovino). Uma inovação tecnológica importante desse período foi o

---

* Verão no hemisfério norte, o meio do ano, que corresponde ao inverno no Brasil. [N. do T.]
** O verão é o período de férias escolares no hemisfério norte. [N. do T.]

Os *tels* da arqueologia bíblica

Muitas das antigas cidades da região sul do Levante (Israel/Palestina/Jordânia) têm mais de 5 mil anos de existência. De modo geral, os construtores das primeiras cidades escolheram a localização delas com muito cuidado, prestando atenção a detalhes como abastecimento de água, rotas comerciais e terras férteis. Por isso, quando a cidade era destruída por algum exército inimigo (algo que acontecia naquele tempo com muita frequência), não raro ela era reconstruída no mesmo lugar. Aproveitavam-se as mesmas pedras e os detritos na reconstrução da cidade, mas parte do que fora destruído era enterrado. Como a construção da nova cidade era feita em cima dos destroços dos antigos prédios, casas e estradas, a cidade reconstruída ficava um pouco mais alta que a antiga. Mas não demoraria até a cidade reconstruída ser também destruída, adicionando um nível de destruição ao topo da destruição anterior. Mais uma vez, as pessoas reconstruíam a cidade em cima dos restos antigos, e assim sucessivamente no decorrer da História.

Exemplos de cidades antigas destruídas e reconstruídas inúmeras vezes são Megido e Hazor. À medida que o tempo passava, as cidades cresciam em elevação, formando colinas em razão do acúmulo dos destroços das destruições anteriores, o que também auxiliaria na defesa das novas cidades. Os resquícios das cidades antigas hoje formam colinas chamadas *tels*. (*Tel* é a palavra em hebraico e em árabe para colina) É possível diferenciar a colina natural do *tel* pela forma e pelo declive característicos, pois, enquanto os *tels* são quadrados, as colinas naturais são arredondadas. Outro indicativo de que um monte pode ser um *tel* contendo ruínas de uma cidade antiga é a presença de cacos de cerâmica, mesmo na superfície do solo, fácil de descobrir com pequenas escavações. O aspecto fascinante a respeito de um *tel* é: conquanto seja semelhante a uma colina, ele foi inteiramente feito pelo homem. Com exceção da poeira, nada no *tel* é natural; tudo no monte (cada pedra e pedaço de cerâmica) foi levado para lá por alguém.

desenvolvimento da cerâmica. Viu-se uma vida religiosa ativa, refletida em sepultamentos e nas artes, e foi descoberta uma nova organização social em aldeias com estruturas públicas, diferenciação social e artesanato especializado.

O Período Calcolítico (4300-3300 a.C.) se seguiu ao Neolítico. O Calcolítico reflete a sociedade mais complexa e dividida em grupos profissionais e sociais. Uma das características regionais desse período foi a ausência de muros nas aldeias. O cobre foi utilizado pela primeira vez, um grande avanço tecnológico. Esse período foi marcado pelo surgimento da especialização no artesanato e na metalurgia.

Idade do Bronze Antigo

A Idade do Bronze Antigo (3300-1000 a.C.) foi a primeira revolução urbana no Levante, e nesse período as cidades se tornaram a unidade social e política básica da sociedade. As cidades do Período Calcolítico passaram a ser cidades muradas na Idade do Bronze. Muitas delas tornaram-se centros urbanos, com fortificações extensas e edifícios públicos. Nessa época, houve planejamento urbano e estratificação social. Teve início a economia comercial no Mediterrâneo, e o carro de bois começou a ser utilizado. Cidades-estados ricas e poderosas da Idade do Bronze Antigo tornam-se prósperas, em parte por causa do comércio, tendo como parceiro principal o Egito. Ainda que não tenham sido até agora encontrados registros escritos desse período na região de Israel, numerosos registros escritos foram descobertos no Egito e na Mesopotâmia.

A Idade do Bronze Antigo é subdividida em quatro períodos: IBA I, 3300-3000 a.C.; IBA II, 3000-2700 a.C.; IBA III, 2700-2300 a.C. e IBA IV, 2300-2000 a.C. Outras regiões arqueológicas (em especial o Egito e a Mesopotâmia) contam com classificações próprias no que se refere a essa era. A Idade do Bronze Antigo no Levante corresponde aos Períodos da Dinastia Antiga, Acadiana Antiga, Gutiana e Suméria na Mesopotâmia e aos Períodos Narmer e Reino Antigo (pirâmides) no Egito (Dinastias I-VI).

Idade do Bronze Médio

A Idade do Bronze Médio (2000-1550 a.C.) é considerada tradicionalmente a era do Período Patriarcal da Bíblia (o tempo de Abraão, Isaque e Jacó). O período foi caracterizado pela presença de numerosas cidades-estados poderosas e semi-independentes, uma espécie de era áurea urbana acompanhada por uma formação estatal secundária. A cultura material refletia a influência da Síria e de outros padrões culturais da região norte do Levante. Alguns textos cuneiformes do período foram encontrados em sítios arqueológicos palestinos, mas não na mesma quantidade

Altar circular da Idade do Bronze Antigo (3300-2000 a.C.) na cidade de Megido.

que os encontrados em Mari e nos Arquivos de Nuzi, ao norte, ou os textos egípcios de Reino Médio ao sul.

Ocorreu na Idade do Bronze Médio uma mudança radical na distribuição, no tamanho e caráter dos assentamentos, resultando no aumento de sua área e densidade, bem como de fortificação. Foi encontrada uma crescente hierarquia de sofisticação nos sítios arqueológicos, de pequenas aldeias e lugarejos que evoluíram para cidades de tamanho médio que, por sua vez, transformaram-se em grandes centros urbanos. São notáveis as fortificações maciças dos grandes centros urbanos, compostas por paredes grossas com reforços adicionais nas bases, em forma de rampa, e um elaborado sistema de portões. A complexidade e a imensidão dessas fortificações refletem o sistema bastante centralizado de planejamento para a utilização de homens e de material e uma organização socioeconômica eficiente que incluía excedentes, bem como uma burocracia, que podia controlar e reforçar as políticas públicas. Essas cidades apresentavam um roteiro planejado e funcional com edifícios administrativos, templos, áreas comerciais e jurídicas, casas de moradia, ruas, pátios, depósitos para armazenamento de água e alimentos, estábulos e operações industriais.

Idade do Bronze Tardio

Nesse período (1550-1200 a.C.), a região esteve quase sempre sob influência militar e cultural egípcia. A cultura material encontrada nos sítios arqueológicos escavados nesse período demonstra que a região era uma província do Império Egípcio. Houve numerosas campanhas militares egípcias em Canaã e nas regiões vizinhas, lideradas pelo faraó Tutmés III, Ramsés II, Merneptá e Seti I. As *Cartas de Amarna* são desse período, uma coleção de cerca de 350 tabuinhas cuneiformes que comprovam a correspondência entre o Egito e as cidades-estados cananeias. Além delas, foram também construídos centros administrativos egípcios. Foi um período cosmopolita, caracterizado por muitos produtos importantes e pelo alto grau de internacionalização. A Idade do Bronze Tardio é a continuação da cultura do período anterior, em especial quanto ao desenvolvimento urbano, mas muitas cidades nesse período não eram fortificadas, e a população nos assentamentos caiu para cerca de 25% do período da Idade do Bronze Antigo.

Idade do Ferro I

A Idade do Ferro I (1200-1000 a.C.) foi o período do estabelecimento de Israel na terra prometida e da sua conquista. Nesse período, houve uma mudança das cidades-estados urbanas da Idade do Bronze para a vida nas cidades menores e nas áreas rurais. Na região montanhosa de Canaã, surgiram cerca de 300 novas cidades ao mesmo tempo em que ocorreram diversos assentamentos filisteus no litoral. Na primeira parte do período da Idade do Ferro I, entrou em colapso o equilíbrio de poder entre o Egito, ao sul, e os hititas, ao norte — equilíbrio alcançado na última parte da Idade do Bronze. Esse colapso levou toda a região litorânea a leste ao declínio. A natureza geopolítica do Levante mudou à medida que a região se tornou o cenário de reinos menores que tentaram ampliar o poder militar em meio ao vácuo político. O comércio internacional também sofreu, fato evidenciado pela completa cessação de importações. A maioria das principais cidades-estados da região sul do Levante foi destruída. O padrão de colonização também mudou. A cultura material da Idade do Ferro I apresenta aspectos remanescentes da cultura da Idade do Bronze cananeia sobrepostos pelas novas culturas. Canaã entrou em uma fase de regionalismo que evoluiria até os pequenos Estados do período posterior (Idade do Ferro II). Essas regiões incluíam as terras altas ocidentais (região montanhosa), a planície costeira sul (Filístia), o vale de Jezreel, a costa fenícia e a Transjordânia. A Idade do Ferro I foi o período de Josué e dos juízes. Os assentamentos na região montanhosa eram pequenas aldeias e cidades. Um dos aspectos característicos do período foi a casa cujo estilo dominou a arquitetura doméstica, denominado "casa de quatro cômodos".

Idade do Ferro II

O período da Idade do Ferro II (1000-586 a.C.) foi o período do desenvolvimento da monarquia israelita. Por isso houve uma transição da regionalização da Idade do Ferro I (tribos e clãs) para o estado territorial. Esse nível da sociedade é percebido nas construções monumentais do período e no desenvolvimento do governo centralizado. O fenômeno da formação de um estado secundário se deu em toda a região sul do Levante nesse período. Houve novas inovações e avanços tecnológicos, como a disseminação da leitura e o desenvolvimento de um mercado comum cultural e comercial, tendo os mercadores fenícios por intermediários. Houve também a tendência à centralização e à iniciativa estatal. As cidades e aldeias da Idade do Ferro II desenvolveram o planejamento urbano com um sistema de fortificação complexos, bem como um avançado desenvolvimento hidrológico. Várias nações pequenas e grupos étnicos surgiram nos registros arqueológicos, como os israelitas, filisteus, arameus, edomitas, moabitas e amonitas. A cerâmica do período apresenta a tendência à padronização, mas havia muitos bens importados. O período corresponde ao Neoassírio na Mesopotâmia e ao Período dos Impérios Babilônicos, em que há uma grande quantidade de correlações históricas. Textos, inscrições, selos e amuletos são comuns no registro arqueológico. O texto bíblico mais antigo até agora descoberto vem desse período, a bênção sacerdotal de Números 6.34-36, escrita em duas finas tiras de prata, descobertas em um túmulo nas proximidades de Jerusalém.

Os Períodos Persa e Helenístico

O Período Persa (539-333 a.C.) e o Período Helenístico (333-64 a.C.) foram períodos da construção de grandes impérios. Conquanto o Levante Sul exibisse certo regionalismo, cultural e arqueologicamente ele espelhou a cultura material da grande bacia do Mediterrâneo. Nesses dois períodos, a antiga Canaã se tornou uma província desses impérios, e evidências das duas culturas aparecem com frequência no registro arqueológico: um hipódromo em uma cidade planejada, cerâmicas importadas e o estilo de construção dos templos, edifícios e propriedades públicas. Há várias inscrições bilíngues — grego e aramaico — no período. Já no fim do Período Helenístico, em Israel houve o curto e bem documentado arqueologicamente Período Macabeu.

Período Romano/Herodiano

Esse período foi de 64 a.C. até 135 d.C. Depois do Período Macabeu, o rei Herodes, o Grande, continuou com o governo local judeu sobre o território de Israel, e ao mesmo tempo edificou cidades de acordo com a tradição helenística (grega), às quais deu o nome de *pólis*. Deixou sua marca no registro arqueológico com vários projetos de construção em toda a região. Desse período, além dos grandes centros administrativos urbanos, os arqueólogos estão começando a escavar as numerosas pequenas aldeias e sinagogas presentes em toda a região rural da Judeia, apresentando elementos, dessa maneira, para a elaboração de um quadro da vida de Jesus e de seus discípulos.

Aqueduto construído no final do Período Romano/Herodiano para levar água até Cesareia.

A arqueologia bíblica e a fé

Como já foi mencionado, a arqueologia bíblica é um subconjunto da arqueologia do antigo Oriente Médio. A ênfase original era usar as descobertas arqueológicas para comprovar a veracidade da Bíblia. Atualmente, porém, a arqueologia bíblica é uma disciplina multinacional e inter-religiosa que tenta reconstruir a história usando dados arqueológicos e bíblicos. A Bíblia é uma obra editada cujo foco está nos poderosos atos de Deus. As Escrituras usam acontecimentos históricos para fazer declarações teológicas. Seu foco não é o registro da história secular, mas o registro da história da salvação. Por isso o texto bíblico é seletivo e não apresenta dados sobre todos os acontecimentos da História. Da mesma forma, o registro arqueológico é ambíguo e não apresenta evidências de cada acontecimento mencionado na Bíblia. Por isso nunca haverá a correspondência direta de 1 x 1 entre o texto e o artefato arqueológico descoberto. A despeito de tudo isso, a moderna arqueologia bíblica obteve uma riqueza de informações que podem ser usadas para desenvolver o pano de fundo para os estudos bíblicos.

Qual a relação da arqueologia com a fé? A arqueologia ajuda a prover o contexto histórico e cultural necessário para a interpretação apropriada das Escrituras. Considerando que a revelação da Palavra de Deus ocorreu em tempo, lugar e cultura específicos, a compreensão melhor do contexto dará o conhecimento mais profundo da própria Palavra de Deus. A Bíblia é um documento oriental, não ocidental — por isso as raízes da nossa fé são encontradas no solo da antiga Terra Santa. Além disso, a fé cristã é baseada em acontecimentos históricos, não em meras declarações filosóficas ou teológicas; portanto, a arqueologia é uma disciplina que dá base às declarações de fé e apresenta o pano de fundo vívido e fascinante das Escrituras que apresentam declarações de fé.

Uma voluntária em uma escavação em Gezer tira com cuidado a poeira de uma peça importante de cerâmica. A análise da cerâmica tem papel central no estudo arqueológico de culturas antigas.

Há códigos ocultos na Bíblia?

Códigos bíblicos, antigos e modernos

Durante centenas de anos, judeus e cristãos permaneceram intrigados com a ideia de que a Bíblia possa ter algum código misterioso e oculto divinamente implantando no texto, que esteja esperando por leitores com uma percepção correta para descobri-lo. No decorrer dos séculos, muitos indivíduos e grupos alegaram ter encontrado "códigos" na Bíblia. No fim do século XX e no começo do XXI, novos sistemas de código foram supostamente "encontrados" com uso de análises feitas por computador. O que são esses códigos? Eles têm alguma validade?

Ainda que numerosos sistemas de "código" tenham sido propostos ao longo dos anos, em geral eles podem ser sintetizados em três sistemas básicos: um sistema do tempo do AT (*atbash*), um sistema do tempo do NT (*gematria*) e um sistema moderno, do tempo dos computadores (*sequenciamento de letras equidistantes*).

Atbash — um criptograma alfabético

Como o código *atabash* funciona

Algumas pessoas podem ter usado o código *atbash* no tempo de escola sem ter se dado conta. O *atbash* é um criptograma alfabético simples no qual a primeira letra do alfabeto representa a última letra, a segunda

Um leão da "rua da Procissão" na antiga Babilônia. Duas vezes Jeremias usa a palavra Sesaque como um *atbash* (25.26; 51.41) para se referir à Babilônia.

representa a penúltima, e assim sucessivamente. Em português, A representa Z, B representa Y, C representa X, e assim por diante.

Exemplos bíblicos de *atbash*?

Há pouca dúvida de que Jeremias tenha usado o recurso de *atbash* pelo menos três vezes (25.26; 51.1 e 51.41). Em Jeremias 25.26 e 51.41, o profeta usa a palavra Sesaque em um contexto que claramente se refere a Babel. Aplicando o *atbash* ao alfabeto hebraico, a letra *shin* (sh), a penúltima no alfabeto, representa a letra *bet* (b), a segunda no alfabeto, e assim por diante. Logo, Sesaque é um *atbash* que representa Babel. Outro exemplo é Jeremias 51.1, em que o profeta proclama julgamento contra Lebe-Camai, lugar desconhecido se interpretado literalmente, mas, se visto como um *atbash*, refere-se à Caldeia, outro nome para a Babilônia.

O código *atbash* é válido?

Há evidência do uso de *atbash* no mundo antigo já em 1200 a.C. Quase todas as vezes em que ocorre na literatura extrabíblica, diz respeito a exercícios educacionais de crianças ou de outros estudantes. No contexto de Jeremias, é quase certo que as palavras Sesaque e Lebe-Camai sejam referências à Babilônia e à Caldeia, por isso podemos estar certos de que Jeremias usou o código *atbash*. O que não está claro é o motivo. Em primeiro lugar, esse código é tão simples que não teria enganado ninguém. Logo, a motivação de Jeremias não foi manter as profecias como segredo para os babilônios, a fim de mantê-las seguras. Além disso, o livro de Jeremias está repleto de profecias contra a Babilônia. Em um livro no qual a Babilônia é mencionada aberta e frequentemente, qual é o objetivo de codificá-la ou escondê-la em três referências? Então, por que Jeremias teria usado o criptograma *atbash*? A probabilidade maior é que Jeremias esteja sendo sarcástico. Quando os israelitas iam para o exílio, eles provavelmente entrariam em um tempo em que teriam que ser bastante cautelosos quanto a dizer qualquer coisa contrária aos conquistadores babilônicos. Talvez eles usassem palavras em "código" quando falassem de forma negativa contra a Babilônia. Jeremias, que proclama o fim da Babilônia, provavelmente utiliza esse código ingênuo para se referir à Babilônia com um toque de sarcasmo. Sua mensagem é provavelmente algo do tipo "esta grande força chamada Babilônia — que o ameaçou tanto a ponto de você usar um código secreto para falar contra ela — será completamente destruída por Deus".

O uso do *atbash* é raro na Bíblia e há pouca evidência convincente de que haja outros usos desse recurso em textos além dos já citados.

Gematria — um criptograma numérico

Como a gematria funciona

A língua hebraica usa as letras do alfabeto para representar os sons da pronúncia das palavras (o uso normal das letras de um alfabeto) e também para representar números. Por exemplo, *alef*, a primeira letra do alfabeto hebraico, pode ser usada como letra em uma palavra ou pode representar o número 1. A segunda letra do alfabeto hebraico, *bet*, representa o número 2, e assim por diante até o número 9. A partir daí, as letras no alfabeto hebraico são usadas para representar as dezenas 10, 20, 30, e assim por diante até 90, seguidas pelas letras que representam de 100 a 900, e assim por diante.

O que a gematria faz é sugerir que a conexão entre as letras e os números por elas representados é muito mais profunda que se pode pensar. Isto é, ao usar o valor numérico das letras em palavras regulares e utilizar a matemática adequada (adição, subtração, multiplicação, divisão), os proponentes da gematria descobrem vários tipos de significados novos e ocultos nas palavras. Um exemplo: a palavra hebraica "pai" é composta de duas letras, *alef* e *bet*. O valor numérico de *alef* é 1 e o valor numérico de *bet* é 2; logo, a soma da palavra é 3. A palavra "mãe" é composta pelas letras *alef* (1) e *mem* (40), sendo sua soma 41. A palavra para "filho" tem três letras — *yod* (10), *lamed* (30) e *dalet* (4), que equivale a 44. Logo, pai (3) mais mãe (41) é igual a filho (44). Esse é um exemplo muito simples do uso da gematria. Em discussões avançadas, a gematria pode se tornar bastante complexa e mística (geralmente essa é a intenção).

Exemplos bíblicos de gematria?

A gematria é usada como abordagem interpretativa importante à Bíblia hebraica (AT) em alguns movimentos místicos judaicos, em especial pelo movimento conhecido como cabala. Entretanto, mesmo que o uso das letras hebraicas para representar números provavelmente fosse uma prática difundida no século I da era cristã, não há evidência sólida da prática no tempo da composição do AT. O sistema conceitual subjacente à gematria (que os escritores teriam usado letras para representar números) não é atestado até bem depois do fechamento do cânon do AT. Portanto, os muitos exemplos

César Nero retratado em uma moeda romana.

complexos de gematria do AT propostos pela cabala e na literatura judaica são altamente improváveis.

Ironicamente, é no NT que encontramos os mais prováveis candidatos à gematria. Já se sabe que sistemas de criptogramas numéricos semelhantes à gematria estavam em uso em toda a região do mundo mediterrâneo. Era, portanto, uma ferramenta literária facilmente disponível aos autores do NT, além de algo que os leitores do século I provavelmente teriam reconhecido. Alguns eruditos no NT pensam que a gematria nos dá a melhor interpretação para Apocalipse 13.18, que diz: "Aqui há sabedoria. Aquele que tem entendimento calcule o número da besta, pois é número de homem. Seu número é seiscentos e sessenta e seis". Esses estudiosos observam que essas letras em hebraico equivalem ao nome Nero César, cujo valor numérico é 666. Mas não há consenso entre os estudiosos quanto a isso.

O código da gematria é válido?

Não há dúvida de que a gematria era usada pelos escritores do mundo antigo na época do NT (século I da era cristã). Então é certamente plausível que João poderia tê-la utilizado quando escreveu o livro de Apocalipse. Entretanto, de modo geral, os números têm papel simbólico na literatura apocalíptica, por isso é difícil estabelecer com certeza se João usou gematria no caso do número 666 em Apocalipse 13.18 ou se apenas usou um simbolismo apocalíptico padrão. Para o AT, como já mencionamos, não se pode afirmar que os escritores usavam letras para representar números; assim, é duvidoso que a gematria tenha sido usada por qualquer autor do AT.

Sequenciamento de letras equidistantes: o código da Bíblia moderno

Como o código de sequenciamento de letras equidistantes (SLE) funciona

O chamado código da Bíblia parte da premissa da existência de nomes e predições ocultos no texto bíblico. O que os "oculta" é que cada letra do nome está separada da seguinte por muitas letras de outras palavras que funcionam como "espaçadores" (algumas vezes, milhares de letras). Cada letra do nome é separada de maneira equidistante, pelo mesmo número de letras. Geralmente uma das letras também intercepta alguma palavra regular que ajuda a fazer a predição.

Esse código foi "descoberto" no final do século XX com o uso de programas de computador. O procedimento, em geral, se dá da seguinte maneira: os operadores de programa selecionam determinada porção do texto do AT em hebraico, geralmente o Pentateuco. Então removem todos os espaços entre as palavras, criando uma linha contínua de letras em sequência. Aí programam o computador para pesquisar um nome ou outra palavra. Primeiro o computador procura letra por letra. Depois procura toda a terceira letra, toda quarta letra, toda quinta letra, e assim por diante, até que procure por letras separadas umas das outras por milhares de caracteres. O computador então analisa as novas possibilidades de palavras que as letras equidistantes podem criar e tenta encontrar algum tipo de combinação entre as palavras que os operadores do programa esperam encontrar.

Um simples exemplo pode ajudar a esclarecer como isso ocorre. Tomemos uma pequena palavra de quatro letras como "gato" e procuremos em um trecho pequeno (Sl 145.4) em busca de um espaço equidistante de letras para a palavra "gato". Salmos 145.4 contém a palavra "gato" escondida? Veja o texto:

Uma geração contará à outra a grandiosidade dos teus feitos.

O primeiro passo é eliminar os espaços entre as palavras. Então, o texto fica assim:

Umageraçãocontarááoutraagrandiosidadedosteusfeitos.

Em seguida, queremos procurar cada duas letras, depois cada três letras, cada quatro letras, e assim por diante, até encontrar a palavra. Se persistirmos o suficiente, realmente vamos encontrar a palavra "gato", com cada letra separada das outras por um espaço de cinco letras! O resultado a seguir mostra as letras de *gato* em negrito. Começando com *g* de geração, pulando cinco letras, chegamos *a* de *ção*, depois mais cinco letras encontramos *t* de *contará*. Finalmente, cinco letras depois encontramos *o* em *outra*.

Uma**G**eraç**A**ocon**T**aráá**O**utraagrandiosidadedosteusfeitos.

Naturalmente, palavras de quatro letras são fáceis de encontrar, e poderíamos encontrar centenas de "gato", talvez até milhares de passagens no Antigo Testamento. Palavras mais compridas são mais difíceis. Contudo, com diversos textos e um programa de computador para fazer a pesquisa, muitas vezes se pode encontrar até palavras bem compridas.

Os gatos eram importantes no Egito, tanto como animais de estimação como símbolos das divindades. Mas não há uma referência de código oculto para gatos em Números 4.3.

Exemplos bíblicos de código de sequenciamento de letras equidistantes?

Um dos exemplos mais famosos, usados para popularizar o chamado "código da Bíblia" no final do século XX, foi o que supostamente encontrava o nome de Yitzhak Rabin, ex-primeiro-ministro de Israel, que morreu assassinado. Defensores do SLE tentaram provar que a Bíblia havia predito (por meio de um código oculto) o assassinato de Rabin com milhares de anos de antecedência. Eis o que eles fizeram: programaram o computador para pesquisar no Pentateuco e encontrar as 12 letras do nome Yitzhak Rabin com a equidistância de 12 letras. A sequência teve início em Deuteronômio 2.33 com a primeira letra do nome do político. O computador então pulou as próximas 4.722 letras para encontrar a letra seguinte em Deuteronômio 4.42, seguido por outro salto de 4.722 letras para Deuteronômio 7.20, e assim por diante, saltando 4.722 letras por vez até encontrar a última letra em Deuteronômio 24.16. Os defensores dessa abordagem alegaram que a segunda letra do nome Yitzhak Rabin é parte de Deuteronômio 4.42. Alegaram que esse versículo contém a frase "o assassino assassinará" (na verdade essa tradução é muito enigmática; nenhuma tradução da Bíblia em português traduz dessa maneira). Conforme os proponentes desse código, a interseção do nome Yitzhak Rabin com um versículo que fala de "assassinato" era uma predição do assassinato do primeiro-ministro com milênios de antecedência. Muitos proponentes do SLE alegam que o código contém predições de diversas outras personagens e outros acontecimentos dos dias atuais, incluindo o presidente Clinton, o Watergate, a quebra da Bolsa de Valores de 1929, aterrissagens na Lua dos módulos espaciais Apolo, Adolf Hitler, Thomas Edson, os irmãos Wright e muitos outros.

O código da Bíblia (SLE) é válido?

Biblistas e especialistas em estatística rejeitam com ênfase o "código da Bíblia" (SLE). Os biblistas alegam que a quantidade real de letras na Bíblia hebraica muda, como a gramática e a pronúncia mudam. Se alguém procura palavras escondidas, separadas umas das outras por milhares de letras, a inserção de uma letra diferente modificará toda a sequência. Um exemplo é a grafia da palavra "Jerusalém", que varia no AT e que aparentemente sofreu alterações com o passar do tempo. Qual grafia contém os códigos ocultos de SLE? Outro ponto a considerar é o fato de edições mais recentes da Bíblia hebraica incorporarem as descobertas dos manuscritos do mar Morto com diferenças pequenas, mas numerosas, das edições do início do século XX. Elas são insignificantes quanto ao significado, mas podem ser muito importantes caso alguém conte os espaços entre as letras em um trecho de milhares de letras. Muitos resultados "espetaculares" do SLE, apresentados como prova do método, foram extraídos por meio da análise de computador com uma versão da Bíblia hebraica impressa no início do século XX, não uma versão que os estudiosos leem e estudam atualmente. O exemplo citado de Yitzhak Rabin só dá certo com uma versão específica da Bíblia hebraica; não funciona com manuscritos antigos nem com versões modernas.

Ainda que os proponentes do código da Bíblia argumentem o contrário, vários livros e artigos apontaram como o SLE também erra na estatística. Os números em si (centenas de milhares) e de letras na Bíblia hebraica (e mesmo no Pentateuco), junto com as numerosas variações em que o SLE faz suas pesquisas e contagens, torna estatisticamente muito provável que nomes com 12 letras como Yitzhak Rabin sejam encontrados e ligados de maneira livre ao contexto possibilitador de qualquer tipo de "predição". Um grupo de estudiosos fez experiências com o modelo SLE em inglês com o romance *Moby Dick*. Eles também encontraram numerosos nomes "ocultos", predições de assassinato e coisas semelhantes. Essa é uma forte evidência de que o código SLE não foi colocado na Bíblia por Deus; trata-se apenas de uma estranha curiosidade estatística alimentada pela moderna paixão cega pela tecnologia e pelo conhecimento ocultista.

Resposta aos desafios contemporâneos aos Evangelhos

Darrell L. Bock

Não raro os Evangelhos se encontram sob ataques de céticos que alegam a falta de realidade histórica desses escritos. Nesta seção, serão abordadas cinco dessas questões. Elas não serão apresentadas em ordem de importância, pois cada uma delas é importante à sua maneira.

Questões de autoria

Alega-se muitas vezes que os Evangelhos não foram escritos pelas pessoas cujos nomes lhes são tradicionalmente atribuídos. De fato, nenhum Evangelho apresenta o nome do autor. Ao contrário das cartas de Paulo, em que o apóstolo se identifica, os Evangelhos são obras anônimas. Logo, a questão diz respeito à confiabilidade da tradição da igreja dos primeiros séculos que identificou os autores. Esse tema foi bastante discutido pelos estudiosos. Alguns deles se sentem à vontade com a autoria tradicional, enquanto outros questionam a tradição. A determinação da autoria dessas obras envolve uma discussão entre características internas, que apontam para o autor específico e o que a tradição diz a respeito da autoria. Discutiremos como exemplos os dois Evangelhos não ligados aos apóstolos — Marcos e Lucas. É importante lembrar que o argumento comum dos questionadores dessas identificações é que a igreja selecionou (identificou) um autor para conferir credibilidade à obra e promover sua aceitação. Ela o fez ao atribuir a obra a um apóstolo ou a alguém próximo de um apóstolo. O argumento é válido?

Comecemos com Lucas. A base da identificação de Lucas está nas "seções nós" em Atos (16.10-17; 20.5-15; 21.8-18; 27.1—28.16). Se as passagens identificam alguém presente com Paulo em certos pontos (algo aceito pela igreja primitiva), então sabemos que o autor era alguém que por um tempo foi companheiro de Paulo. É importante observar que essas perícopes estão distribuídas aleatoriamente em todo o livro de Atos. Se foram criadas para dar a impressão da presença do autor em alguns acontecimentos (esta é a alegação de alguns céticos), então por que não aparecem em muitos dos acontecimentos principais do livro (algo esperado se essas seções tivessem sido elaboradas com o mero propósito de alcançar credibilidade)? A aleatoriedade tem aspecto de notas reais quanto à presença, não de algo criado com intenção apologética. Tudo que o "nós" nos conta é que quem escreveu as seções em algum momento esteve com Paulo. A lista de candidatos possíveis é grande: Barnabé, Timóteo, Tito, Apolo, Marcos, Silas e Epafras (entre outros). Logo, reconhecer apenas o "nós" não nos apresenta um autor específico. Não obstante, a tradição identifica Lucas com essa figura de forma unânime. Ele é citado brevemente em Colossenses 4.14, 2Timóteo 4.11 e Filemom 24. As referências mostram que Lucas não é o primeiro companheiro de Paulo que vem à mente ao se fazer uma conexão com o apóstolo. Assim, por que a tradição é tão uniforme? Se o objetivo era criar uma ligação confiável para o livro e assim fortalecer sua reputação, Lucas não seria o nome a ser tirado da cartola de Paulo. Não obstante, de forma teimosa e persistente, ele está lá. A melhor explicação da evidência é que Lucas estava na tradição porque a igreja conhecia a identidade desta figura que de outro modo permaneceria obscura. Sendo Lucas o autor, ele nos diz que não testemunhou de forma direta os acontecimentos relatados. Ele confiou na tradição da igreja e nos relatos das pessoas que conheceu (Lc 1.1-12).

E quanto a Marcos? A tradição dos primeiros séculos o apresenta como tendo ouvido os relatos de Pedro a respeito de Jesus e os incorporado a seu Evangelho. Há duas coisas interessantes quanto a isso. Primeira, a igreja, a despeito da associação com Pedro, nunca denominou esse Evangelho de Evangelho de Pedro. Isso parece indicar que a igreja era cuidadosa a respeito de quem identificava como autor na tradição. Caso o objetivo fosse conferir credibilidade a alguma obra, o esperado seria associar o evangelho ao nome de Pedro, mas isso nunca aconteceu. Segunda, Marcos dificilmente teria as qualificações de uma figura importante e respeitada para dar nome a um Evangelho. Eis o que a tradição diz a respeito de Marcos. Ele voltou para casa depois de falhar ao não conseguir acompanhar Paulo e Barnabé na primeira viagem missionária (At 15.37,38). O texto de Atos 15.39,40 registra que Marcos foi o motivo da discussão e do afastamento de Barnabé e Paulo, porque Paulo não queria levar Barnabé com ele outra vez depois de Barnabé os ter deixado na primeira oportunidade. Essa não é uma grande qualidade para quem quer conceder credibilidade a um Evangelho. Mesmo assim, Marcos é apontado pela tradição como o autor do Evangelho. Por que a tradição insiste em afirmar a autoria de Marcos? A explicação provável é que a igreja sabia algo a respeito da autoria. Nosso conhecimento da tradição vem do ensino de um líder da igreja chamado Papias, do final do século I da era cristã, mas seu testemunho chegou até nós por intermédio de Eusébio, o historiador eclesiástico do início do século IV da era cristã.

Esses exemplos nos mostram a existência de razões para considerarmos com respeito a tradição na questão da identificação dos autores. Se essas obras foram escritas pelos apóstolos ou por pessoas que trabalharam próximas deles, então estamos em contato com a voz viva dos que andaram com Jesus, pessoas capazes de nos dar um vislumbre dele e dos seus ensinos.

Tradição oral

As histórias de Jesus originariamente circularam pela tradição oral. A ideia apresentada de modo geral sobre a tradição oral é a de um processo em que houve bastante independência na produção do material, como na brincadeira de "telefone sem fio" — uma história ou anedota começa na ponta de uma linha com uma pessoa e vai até o final da linha; nela a história ou anedota chega ao final da linha bem diferente de como começou. Essa ilustração é bastante problemática para servir de analogia ao que aconteceu na igreja primitiva. O primeiro problema é que não vivemos em uma cultura oral acostumada a transmitir histórias oralmente. Nós escrevemos ou gravamos nossas histórias. O segundo problema é que pensar na tradição oral como uma brincadeira de telefone sem fio é desconsiderar o papel dos apóstolos na transmissão da tradição. Lucas 1.1,2 relata que os transmissores orais dos relatos sobre Jesus foram testemunhas oculares e ministros da Palavra. O judaísmo tinha maneira própria de transmitir seus conteúdos. O terceiro problema é que nossos Evangelhos são um depósito desse processo oral em forma escrita. Eles demonstram que a essência das narrativas permanece coerente. Há ligeiras variações (que serão discutidas adiante), mas o núcleo da narrativa é consistente; portanto, vemos um processo oral que tem alguma fluidez, mas ao mesmo tempo conta com o núcleo estável.

Gosto de usar meu neto como exemplo desse ponto toda vez que discuto este assunto. Meu neto tem 4 anos de idade. Ele vive no mundo oral, pois ainda não sabe ler nem escrever. Assim, todas as informações por ele processadas são orais. Sendo avô dele, faço-lhe leituras (ou observo a mãe e o pai dele quando o fazem). Ocorre um fenômeno interessante quando por brincadeira eu mudo uma história que ele já conhece — ele reclama que aquela não é a história! Daí concluo a existência de vários tipos de oralidade e que o controle e os instintos naturais levam a um tipo mais conservador de oralidade que o sugerido pela opinião que considera a tradição oral algo totalmente livre.

Diferenças entre os relatos e a formulação de enunciados

Não é necessário muito tempo de leitura para perceber que os relatos nos Evangelhos aparecem em ordem diferente, com vocábulos ligeiramente diferentes e detalhes diferentes adicionados pelos autores. Meu livro *Jesus segundo as Escrituras** trata com detalhes das diferenças. Deve-se ter em mente alguns pontos com respeito a essas diferenças, como:

1. Jesus teve um ministério itinerante, por isso viajou e ensinou. Isso significa que ele com certeza ensinou as mesmas coisas em diferentes locais, possivelmente com poucas diferenças. Eu também viajo e ensino. Já aconteceu de eu pregar a mesma mensagem uma dúzia de vezes. Eu a modifico aqui e ali, para mantê-la nova. Logo, algumas diferenças resultam de diferentes versões do mesmo tipo de ensino, o que talvez tenha incluído tradições distintas com o mesmo tipo de ensinamento.
2. Os escritores dos Evangelhos têm diferentes preocupações para diferentes públicos. Mateus por exemplo escreveu para o público judeu, diferentemente das audiências gentílicas de Marcos e Lucas. Portanto, quando apresenta o Sermão do Monte, ele apresenta tratamentos detalhados de questões ligadas à tradição oral judaica respeitantes à Lei, e à Lei propriamente, ausentes no Sermão da Planície de Lucas. Essas questões seriam irrelevantes para o público de Lucas, por isso ele as omite.
3. No geral, aparecem diferenças no vocabulário dos ditos de Jesus. A essência dos ditos permanece a mesma, mas as expressões diferem um pouco. Isso acontece até mesmo em pontos paralelos do mesmo relato, demonstrando que a inspiração tem espaço para alguma flexibilidade. Por exemplo, em Marcos e Lucas a voz do céu diz a Jesus "Tu és o meu Filho amado; em ti me agrado" enquanto

---
* São Paulo: Shedd Publicações, 2006. [N. do T.]

Mateus traz "Este é o meu Filho amado, de quem me agrado". É provável que Mateus tenha apresentado o significado da declaração feita diretamente a Jesus. Isso tem sido chamado de a diferença entre a *ipsissima verba* (as próprias palavras) e a *ipsissima vox* (a própria voz) de uma declaração. É interessante observar que com frequência vemos tipos semelhantes de vocabulário da maneira em que o AT é citado no NT. Logo, as declarações não são os únicos exemplos em que as Escrituras fazem paráfrases de si mesmas.

4. Algumas vezes, um escritor de um Evangelho omite detalhes para simplificar a narrativa. Por exemplo, na cura do servo do centurião, Mateus apresenta o centurião falando de forma direta com Jesus enquanto Lucas apresenta o detalhe de emissários judeus falando com Jesus a favor do centurião. Mateus simplificou ligeiramente o relato. Na cura da filha de Jairo, conforme o relato de Lucas, a garota morre no meio do relato, enquanto Mateus já a apresenta morta no início do relato. Mais uma vez, Mateus simplifica a história. Os dois relatos têm em comum o fato de Jesus ter trazido a garota de volta à vida quando chegou à casa dela. Há quem reclame de uma "harmonização" desse tipo, mas essas diferenças mostram não ter havido nenhum conluio na narrativa das histórias — e fazer esse tipo de conciliação é algo comum quando os relatos diferem em detalhes. Nós também o fazemos hoje. Vá a um tribunal e observe enquanto as pessoas tentam entender um testemunho divergente do mesmo acontecimento.

5. Alguns acontecimentos são ordenados em sentido tópico, não cronológico. Marcos 2.1—3.6 apresenta cinco controvérsias em sequência. Mateus 8—12 tem as mesmas controvérsias dispersas ao longo de cinco capítulos. O agrupamento feito por Marcos é tópico. Lucas 4.16-30 (Jesus na sinagoga de Nazaré) provavelmente foi deslocado por Lucas da localização real, visto que o relato aparece no meio de Marcos e de Mateus (Mc 6 e Mt 13). Lucas fez assim porque o acontecimento tipifica o ministério na Galileia que ele descreve. A segunda pista que indica a realocação (além da locação relativa em cada Evangelho) é que a multidão pede a Jesus para realizar milagres como os ocorridos em Cafarnaum, mas isso em um momento do evangelho de Lucas no qual Jesus ainda não estiver naquela cidade.

6. Algumas vezes, um Evangelista apresenta um detalhe não tratado em outro Evangelho. Por exemplo, na versão de Marcos da crucificação, Jesus brada duas vezes, uma citando Salmos 22.1 e a outra sem nenhuma afirmação específica. Em Lucas, o segundo brado de Jesus é a citação de Salmos 31.5.

É importante observar essas diferenças quando se estuda a Bíblia. Não são surpresas ou motivos de preocupação na leitura dos acontecimentos. São indicações de que estamos lidando com tradições vivas em que há diferentes tendências, por isso há variações em alguns pontos.

Milagres

Algumas vezes, alega-se que os milagres realizados por Jesus refletem uma obra escrita na era pré-moderna — e nela os milagres eram comuns. Em algumas ocasiões, a objeção não passa de rejeição direta dos milagres. Qualquer pessoa com uma cosmovisão naturalista terá dificuldades não apenas com os milagres de Jesus, mas também com os de outras personagens bíblicas. Quem pensa assim, tentará apresentar explicações naturalistas para os relatos bíblicos. Elas têm ligação com a cosmovisão de cada um e são suposições. Pouco se pode fazer com uma opinião desse tipo, a não ser desafiá-la por estar fechada à possibilidade de ação de Deus no mundo.

Entretanto, há outro desafio aos milagres mais perigoso e sutil. Se aceitarmos os milagres de Jesus, teremos de aceitar alegações semelhantes do mundo antigo. Essa opinião simplifica ao extremo o registro de que dispomos. Ainda que seja verdade a existência de alegações de milagres realizados por algumas pessoas, o que diferencia Jesus é o tipo de milagres por ele realizado. A respeito de Vespasiano, afirma-se ter curado uma pessoa. De César, se diz ter ele acalmado uma tempestade. Dizem que alguns sábios judeus, vez ou outra, realizaram milagres. Mas de nenhum destes se diz ter realizado o que se atribui a Jesus. A única exceção é um herói grego chamado Asclépio, mas as tradições ligadas a seu nome são de datas posteriores a Jesus; logo, ele não é de fato coetâneo de Jesus. Além disso, Jesus curou de modo muito diferente. Os sábios judeus que acalmaram uma tempestade oraram pedindo a Deus que o fizesse, e diz-se que Deus os atendeu. Jesus acalmou a tempestade dirigindo-se diretamente a ela. A autoridade de Jesus para realizar milagres difere do uso de fórmulas mágicas ou de orações utilizadas por outros operadores de milagres.

Mesmo Josefo, um historiador do século I, observou que Jesus realizou obras "incomuns" (*Antiguidades* 18.63,64). Isso é importante porque Josefo representa a tradição "oposta" a Jesus e, mesmo assim, não negou que Jesus tivesse realizado milagres. De fato, os textos compostos por Justino Mártir, um dos pais da igreja, mostram que os judeus atribuíam o poder de Jesus aos demônios. Isso significa, ironicamente, que eles reconheciam o fato de Jesus ter realizado atos incomuns, mas atribuíram seu poder a uma fonte diferente. Isso nos deve fazer levar a sério as alegações de milagres realizados por Jesus.

Os outros Evangelhos

É muito comum ouvir falar de outros Evangelhos que apresentam relatos diferentes a respeito de Jesus. A maioria dessas obras procede dos séculos II e III d.C. De modo geral, estão ligadas à descoberta dos textos de Nag Hammadi, Egito, em 1946. Muitos desses Evangelhos são tardios demais para nos colocar em contato com a voz viva de quem conheceu Jesus ou para serem escritos pelos supostos autores. Muitas obras pertencem a uma linha interpretativa do cristianismo surgida no século II e conhecida como gnosticismo. Essa forma de teologia tentou combinar o simbolismo cristão com o dualismo neoplatônico, movimento filosófico grego que alegava: a malignidade da matéria e a bondade exclusiva do espírito e, dela como resultado disso, a criação estava manchada desde o início, Deus não era o autor, e sim deuses inferiores. Encontra-se essa narrativa da criação em obras como o *Apocalipse* de *João*. Algumas vezes, também se declara que esses Evangelhos são conhecidos há pouco tempo. No entanto, essa alegação é exagerada. Quando os textos de Nag Hammadi foram descobertos, os estudiosos que os leram reconheceram o relato da criação do *Apocalipse de João* porque Ireneu, no final do século II, narrou a mesma história na descrição que fez da teologia gnóstica. Portanto, temos conhecimento desse tipo de ensino e até mesmo do conteúdo de algumas de suas obras principais há mais de 1.800 anos. Sabemos que esses pontos de vista sobre a criação e o mal não podem ser rastreados até os dias de Jesus. Isso ocorre porque Jesus e os apóstolos apegavam-se aos conceitos da Bíblia hebraica (que chamamos de AT). As Escrituras hebraicas ensinam em Gênesis e em Salmos que Deus é o Criador (não deuses inferiores) e que a criação é boa desde o início. Por isso muitos desses Evangelhos mais recentes relatam doutrinas dos movimentos emergentes dos séculos II e III, mas que não são do tempo de Jesus, no século I.

O mais destacado dos Evangelhos mais novos é o *Evangelho de Tomé*. De fato, essa obra não é um Evangelho no sentido que damos ao termo. Trata-se de uma coleção de 114 ditos que supostamente seriam de Jesus. Sua data é motivo de debate. Há quem o considere originário de meados do século I, mas os que pensam assim são minoria. Alguns o avaliam como pertencente ao início do século II, e outros ainda pensam que é do final desse mesmo século. A causa do debate é que os ditos indicam uma variedade de origens. Aproximadamente a quarta parte dos ditos se parece com o material dos quatro Evangelhos canônicos. Outra quarta parte também é parecida com os Evangelhos. A outra metade é bastante diferente. Parece que *Tomé* utilizou um conjunto híbrido e variado de fontes. Por isso esse Evangelho tem gerado tanta discussão. O *Evangelho de Tomé* não é como as demais obras gnósticas, pois não apresenta o relato da Criação. Mesmo assim, alguns dos seus ditos aparentam alguma relação com o gnosticismo. A obra parece ter material enraizado nas tradições que alimentaram os Evangelhos canônicos, mas, mais importante, também há evidências de ter aceitado material de fontes rejeitadas pela igreja. Orígenes relata que *Tomé* não era lido nas igrejas, sinal de sua rejeição no início do século III.

A despeito do grande fascínio que esses outros Evangelhos têm gerado, não há nada neles que nos mostre o reflexo da teologia dos primeiros discípulos. Grande parte do material apresentado por esses Evangelhos indica sua origem como produto de crenças surgidas muito tempo depois de Jesus, além de pontos de vista jamais mantidos por Jesus e seus seguidores como judeus respeitáveis e fiéis. A exceção dessa regra é *Tomé*. Não obstante, mesmo nesse caso, não há evidência de uma teologia que seja reflexo do ensino de Jesus. Por exemplo, em um dito famoso (114) Jesus diz de maneira simbólica que a única maneira de as mulheres entrarem nos céus é se ele as transformar em homens. Os intérpretes que defendem essa leitura argumentam que isso é apenas uma maneira de representar a reconciliação do fim dos tempos, que dará a todos o *status* igual, mas o faz ao custo de eliminar um dos gêneros que o Gênesis afirma ter sido criado por Deus como reflexo da imagem divina. Essa incoerência mostra que *Tomé* não é parte da teologia que esposa um ponto de vista positivo a respeito da Criação, algo crido pelos primeiros cristãos.

Conclusão

Tratamos aqui dos desafios contemporâneos aos Evangelhos de modo resumido. Eles têm raízes sólidas na voz viva da primeira geração cristã. Pode-se confiar neles para ter acesso seguro a Jesus e a seu ensino. Para outras questões e detalhes que envolvem passagens específicas, será útil consultar um bom comentário que respeite as raízes apostólicas da Bíblia. Há bons comentários, como o *Comentário bíblico NVI — Antigo e Novo Testamento*, de F. F. Bruce (Ed. Vida), que são acessíveis a quem não tem formação técnica.

Sobre fotos, ilustrações, mapas e obras de arte

Exceto quando indicado, fotos, ilustrações e mapas têm os direitos reservados por © Baker Photo Archive.

Permissões adicionais de Baker Photo Archive

- As fotos nas páginas 46, 48, 94, 98, 115, 120, 132, 150, 66, 177, 181, 190, 191, 195, 199, 206, 222, 226, 233, 234, 242, 246, 249, 256, 258, 274, 276, 282, 287, 288, 289, 290, 298, 299, 304, 306, 307, 311, 312, 316, 319, 320, 321, 322, 324, 327, 328, 331, 343, 365, 367, 369, 374, 378, 995 e 999 têm os direitos reservados por © Baker Photo Archive. Museu Britânico, Londres, Inglaterra.
- As fotos nas páginas 67, 1008 e 1111 têm os direitos reservados por © Baker Photo Archive. Museu do Cairo, Ministério de Antiguidades do Egito.
- As fotos nas páginas 86, 186, 229, 237, 240, 266, 291, 342, 350, 354, 434 e 1081 têm os direitos reservados por © Baker Photo Archive. Museu do Louvre; autorização de fotografia e filmagem — LOUVRE, Paris, França.
- A foto na página 111 tem os direitos reservados por © Baker Photo Archive. Museu Skirball, Colégio da União Hebraica — Instituto Judeu de Religião; Rua King David, 13, Jerusalém, 94101.
- As fotos nas páginas 152 e 153 têm os direitos reservados por © Baker Photo Archive. Museu Arqueológico de Hatzor, Israel.
- As fotos nas páginas 205, 219, 294 e 1032 têm os direitos reservados por © Baker Photo Archive. Museu Arqueológico de Istambul, Ministério de Antiguidades da Turquia.
- As fotos nas páginas 313 e 319 têm os direitos reservados por © Baker Photo Archive. Museu Eretz Israel, Tel Aviv, Israel.
- A foto na página 341 tem os direitos reservados por © Baker Photo Archive. Instituto Oriental da Universidade de Chicago.

A foto da página 1000 tem os direitos reservados por © Baker Photo Archive. Museu Arqueológico de Selçuk, Ministério de Antiguidades da Turquia.

As fotos nas páginas 1019, 1049, 1051 e 1052 têm os direitos reservados por © Baker Photo Archive. Sola Scriptura — The Van Collection, exibida em Holy Land Experience, Orlando, Flórida.

A foto na página 1131 tem os direitos reservados por © Baker Photo Archive. Museu Ismailia, Ministério de Antiguidades do Egito.

A foto na página 1038 tem os direitos reservados por © Baker Photo Archive. Museu Arqueológico Amman, Ministério de Antiguidades da Jordânia.

Permissões adicionais de imagem

A imagem na página 41—42 tem os direitos reservados por © BigStockPhoto/David5962.

A foto na página 43 tem os direitos reservados por © Radoslaw Drozdzewski.

A imagem na página 45 tem os direitos reservados por © Cameraphoto Arte, Venice/Art Resource, NY.

As imagens nas páginas 53 e 76 têm os direitos reservados por © Bildarchiv Preussischer Kulturbesitz/Art Resource, NY.

A imagem na página 55 tem os direitos reservados por © Scala/Art Resource, NY.

As fotos nas páginas 93, 107, 193, 267, 348, 457, 615, 1015 e 1041 têm os direitos reservados por © Dr. James C. Martin. Coleção do Museu de Israel, Jerusalém, e cortesia da Autoridade Israelita de Antiguidades, exibida no Museu de Israel, Jerusalém.

As imagens nas páginas 116 e 346 têm os direitos reservados por © Erich Lessing/Art Resource, NY.

A imagem na página 174 tem os direitos reservados por © Réunion des Musées Nationaux/Art Resource, NY.

As imagens nas páginas 228 e 368 têm os direitos reservados por © Werner Forman/Art Resource, NY.

A imagem na página 244 tem os direitos reservados por © SEF/Art Resource, NY.

A foto na página 257 tem os direitos reservados por © Ziemor/pl.wikimedia.

A foto na página 259 tem os direitos reservados por © Sascha Wenninger.

Photo on page 261 is copyright © Direct Design.

A foto na página 261 tem os direitos reservados por © Direct Design.

A imagem na página 323 tem os direitos reservados por © National Trust Photo Library/Art Resource, NY.

A foto na página 368 tem os direitos reservados por © Dynamosquito/Flickr.

A imagem na página 379 tem os direitos reservados por © Museu Metropolitano de Arte/Art Resource, NY.

A imagem na página 445 foi cedida como cortesia por Ken Ramsey.

A imagem na página 534 tem os direitos reservados por © 2008 karbel, Logos Bible Software.

As fotos na página 611 têm os direitos reservados por © Classical Numismatic Group, Inc.

A foto na página 681 tem os direitos reservados por © Marion Doss/Wikimedia.

A foto na página 686 tem os direitos reservados por © Zehnfinger/de.wikimedia.

A foto na página 774 tem os direitos reservados por © Dantadd/Wikimedia.
A foto na página 783 tem os direitos reservados por © Marie-Lan Nguyen/Wikimedia.
A foto na página 787 tem os direitos reservados por © Claus Ableiter/Wikimedia.
A foto na página 798 tem os direitos reservados por © Dan Diffendale/Wikimedia.
A foto na página 866 tem os direitos reservados por © Nevit Dilmen/Wikimedia.
A foto na página 889 tem os direitos reservados por © David Monniaux/Wikimedia.
A foto na página 928 tem os direitos reservados por © Ealdgyth/Wikimedia.
As fotos na página 982 têm os direitos reservados por © Classical Numismatic Group, Inc.

Esta obra foi composta em *Arno Pro*
e impressa por Geográfica sobre papel
Fit Silk 70 g/m² para Editora Vida.